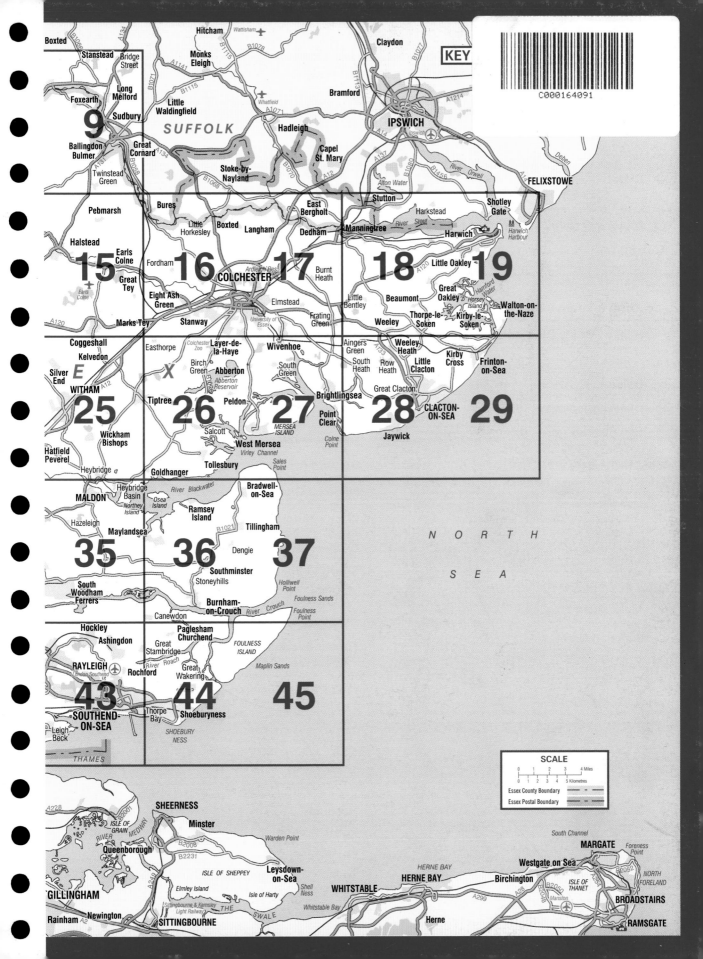

REFERENCE TO COUNTY MAP SECTION

Motorway	M11
Motorway Junction Numbers	
Unlimited Interchange **8**	Limited Interchange **9**
Motorway Service Area	(S) THURROCK
Mileages - between Motorway Junctions	4
Primary Route	A12
North & South Circular Roads	
Primary Route Destination	HARLOW
A Road	A128
B Road	B1033
Dual Carriageway	
Red Route (Priority Clearway)	
Primary Route	
North & South Circular Roads	
A Road	
One Way Road	
(Motorway, Primary Route & A Road only - Traffic flow indicated by heavy line on driver's left)	
Tunnel	
Major Road Under Construction	
Major Road Proposed	
Junction Name	GALLOWS CORNER
Toll	TOLL
Ferry	

Railway	
Level Crossing and Tunnel	
Railway Station	COLCHESTER
London Underground Station	UPMINSTER
Docklands Light Railway Station	SOUTH QUAY
Local Authority Boundary	
Postcode Boundary	CM7
Map Continuation	
for County Mapping (Blue Pages)	5
to Street Mapping (Red Pages)	89 or 205
Airport	LONDON - STANSTED AIRPORT ✈
Airport Runway	====
Built-up Area	
National Grid Reference	580
Place of Interest	• Audley End
River or Canal	

Sporting Venues

Cricket		Rugby	
Football	⚽	Stadium	⬭
Golf Course	18 Hole ▶18	9 Hole ▶9	

Tourist Information Centre

Open all year ℹ   Open Summer only ℹ

Wood, Park, Cemetery, Etc.

SCALE 1 Inch (2.54 cm) to 1 Mile
1.58 cm to 1 Kilometre

0   ½   1   2 Miles
0   1   2   3 Kilometres

1:63,360

The following features are shown only in those areas of Essex not covered by Street Mapping (Red Pages)

Building	☐	**Hospital**	Ⓗ
Car Park - selected	P	**Police Station**	▲
Church or Chapel	†	**Post Office**	★
Fire Station	■	**Toilet**	▽
		with facilities for the Disabled	♿

Atlas of
A-Z ESSEX

CONTENTS

COUNTY MAP SECTION Blue Pages

Key to Map Pages.........................Inside front cover
Reference to Maps..2
Map Pages..4-49

Postcode Map...50

STREET MAP SECTION Red Pages

Key to Map Pages.........................Inside back cover
Reference to Maps...51
Map Pages..52-214

**Index to Streets, Towns, Villages and selected
Places of Interest**....................................215-277

**Index to Hospitals, Health Centres and
Hospices**...278-279

Copyright of Geographers' A-Z Map Company Ltd.

Head Office : Fairfield Road, Borough Green, Sevenoaks, Kent TN15 8PP Telephone: 01732-781000
Showrooms : 44 Gray's Inn Road, London, WC1X 8HX Telephone: 020-7440 9500

© **1999 Edition 1 2000 Edition 1A** (Part Revision)

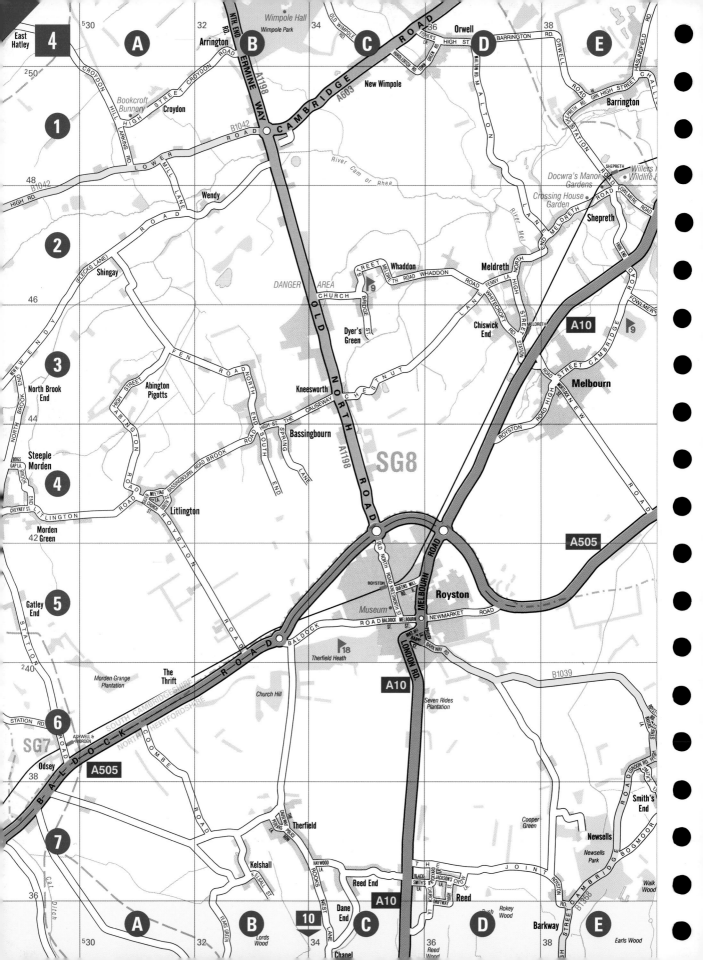

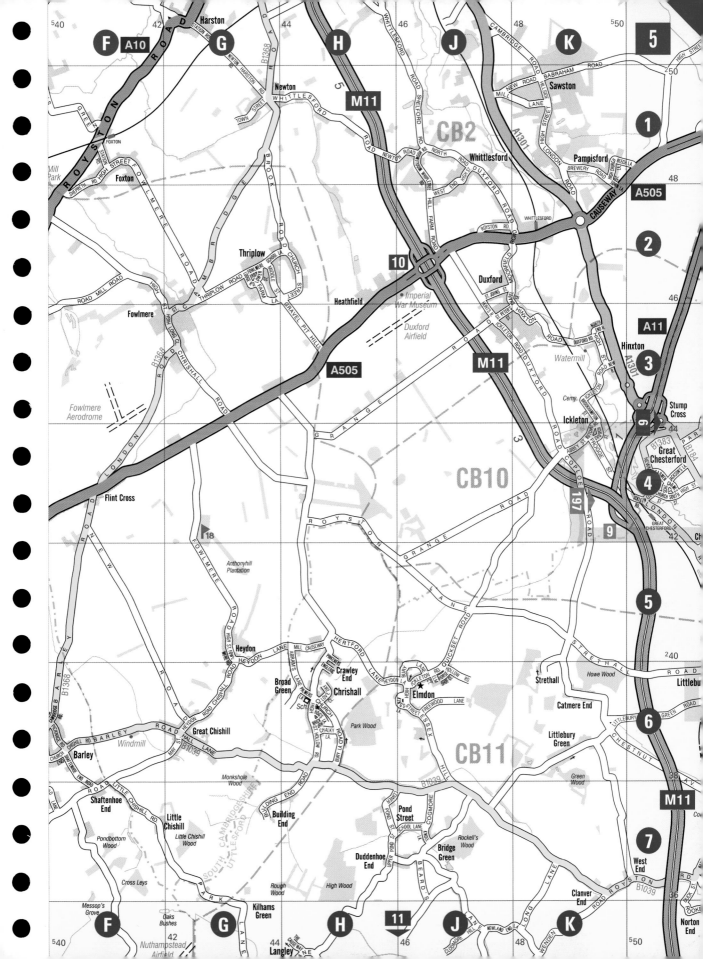

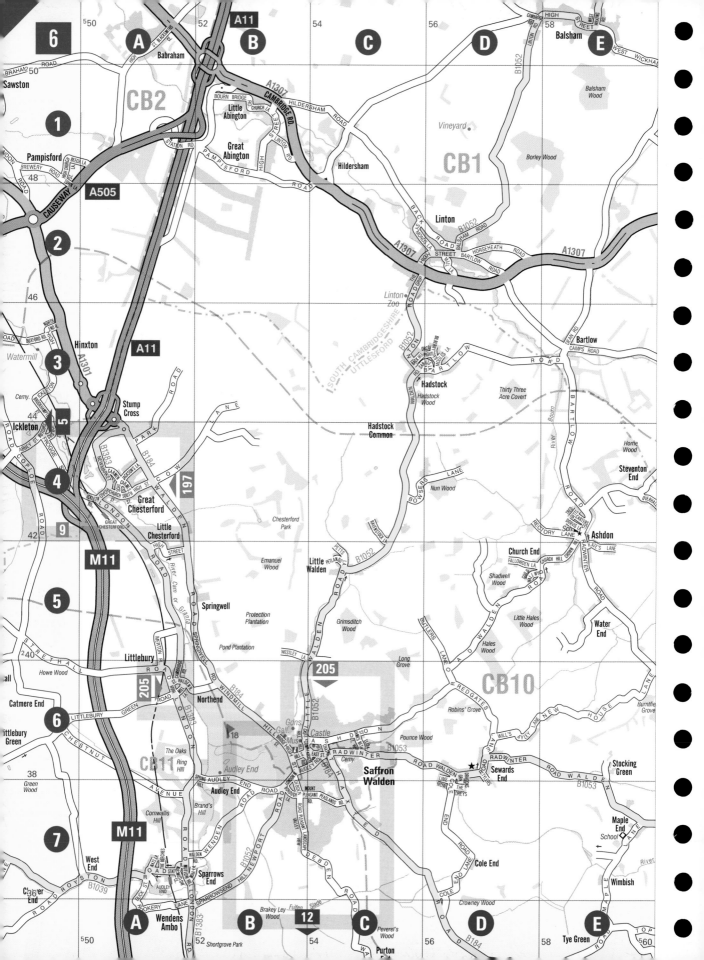

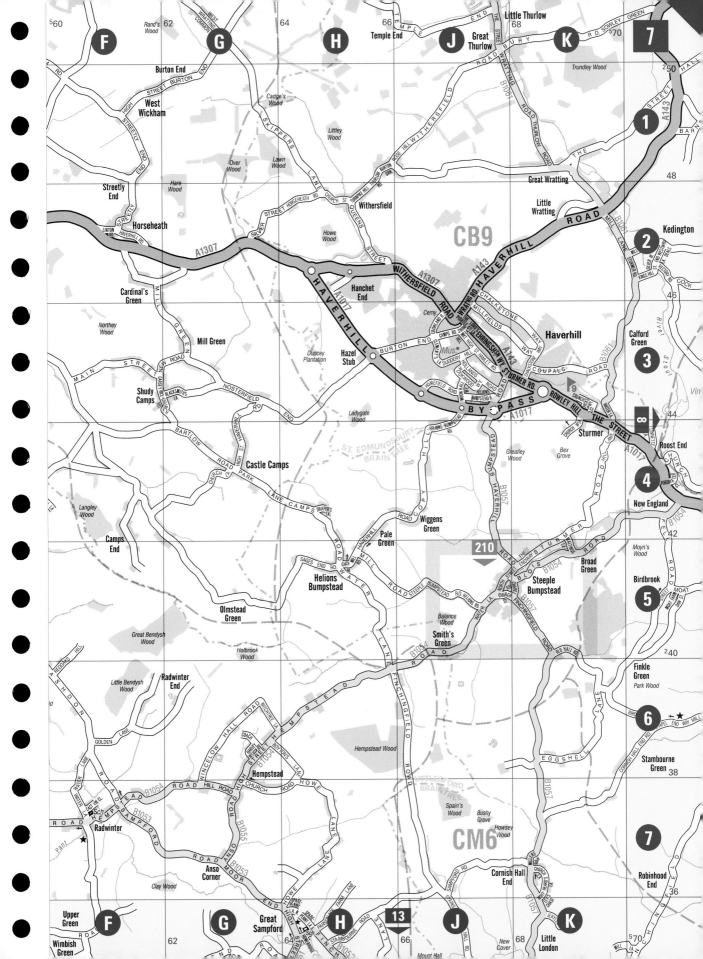

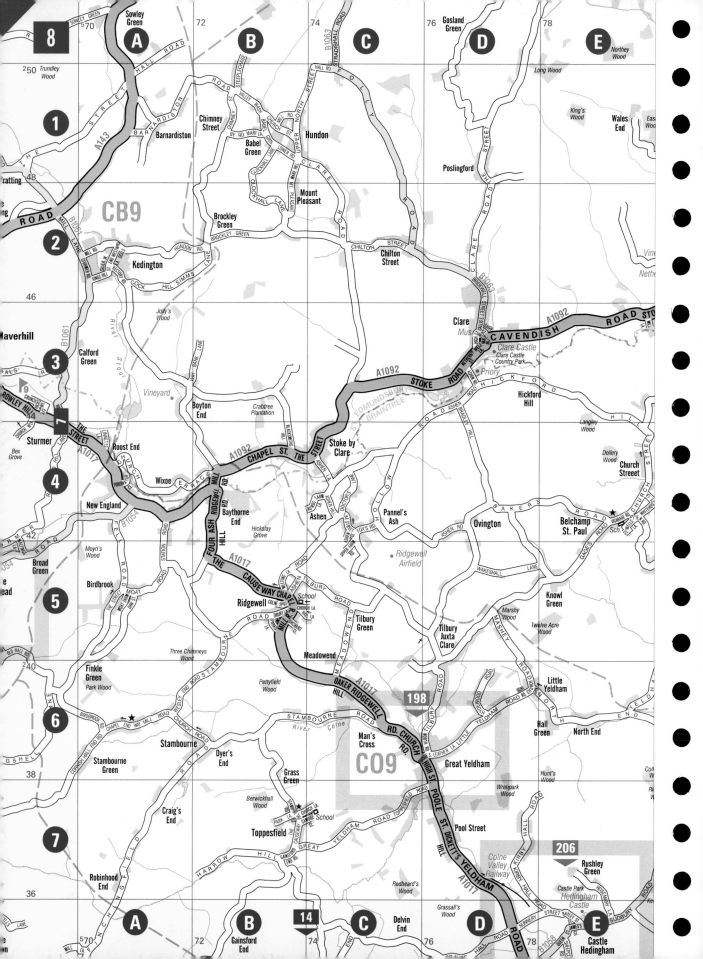

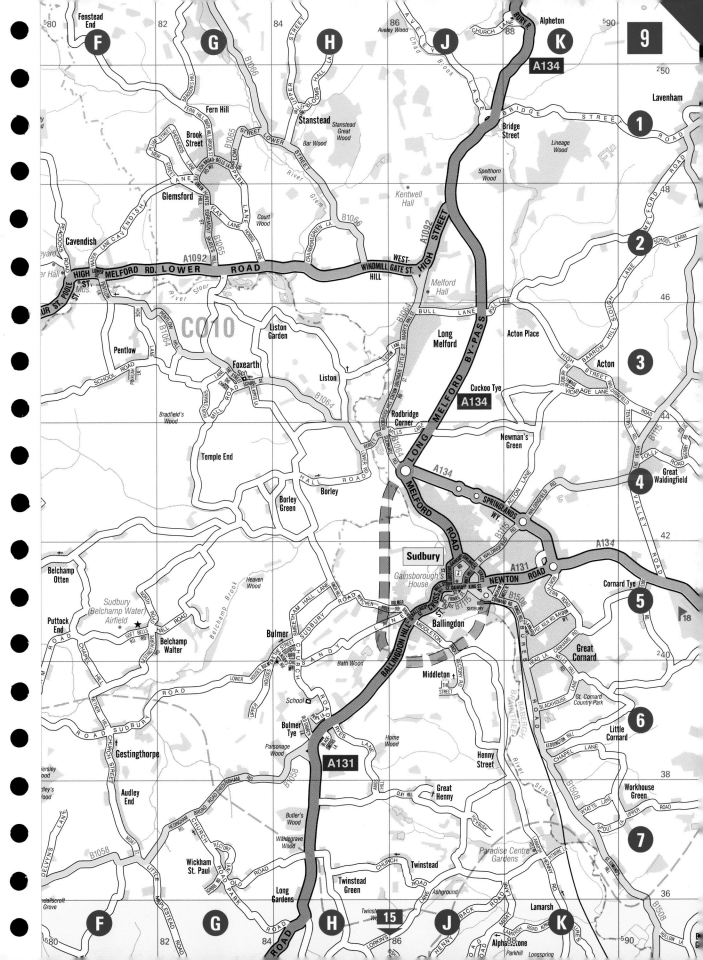

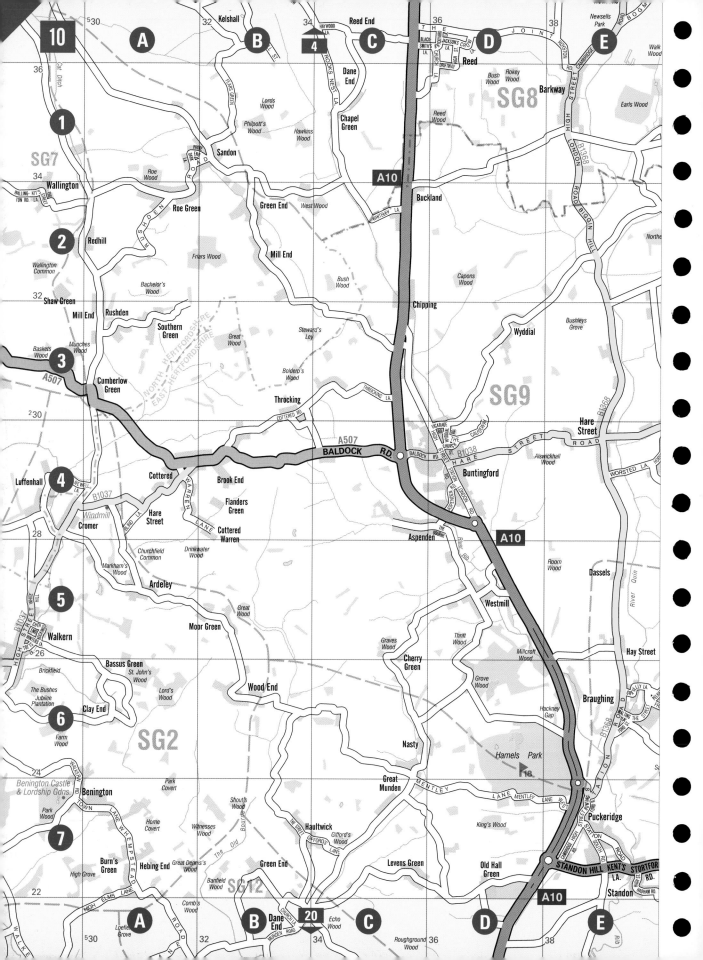

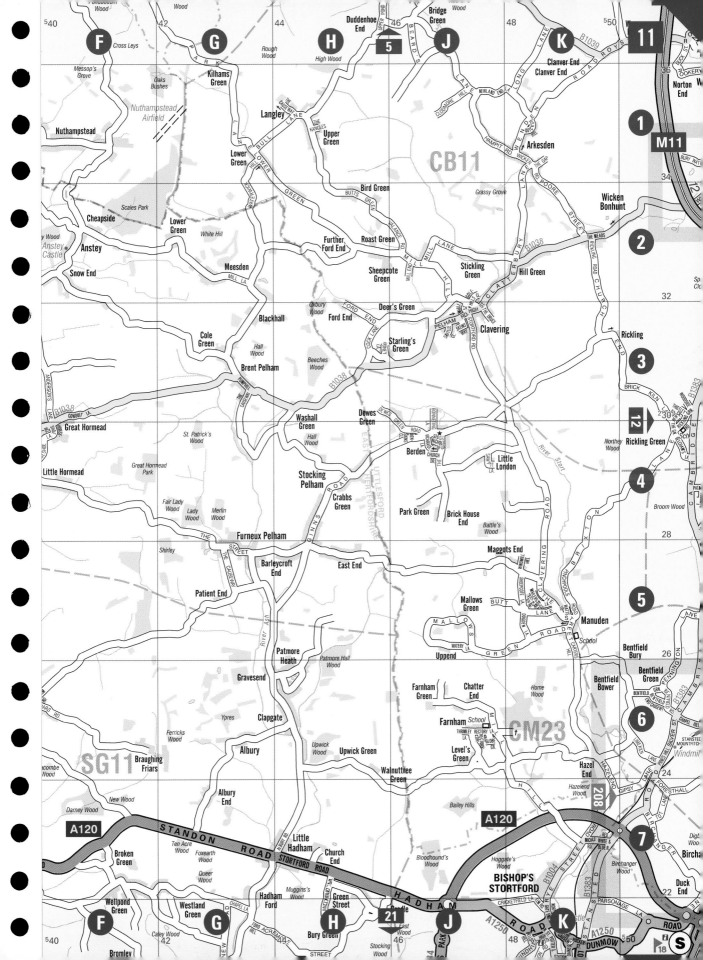

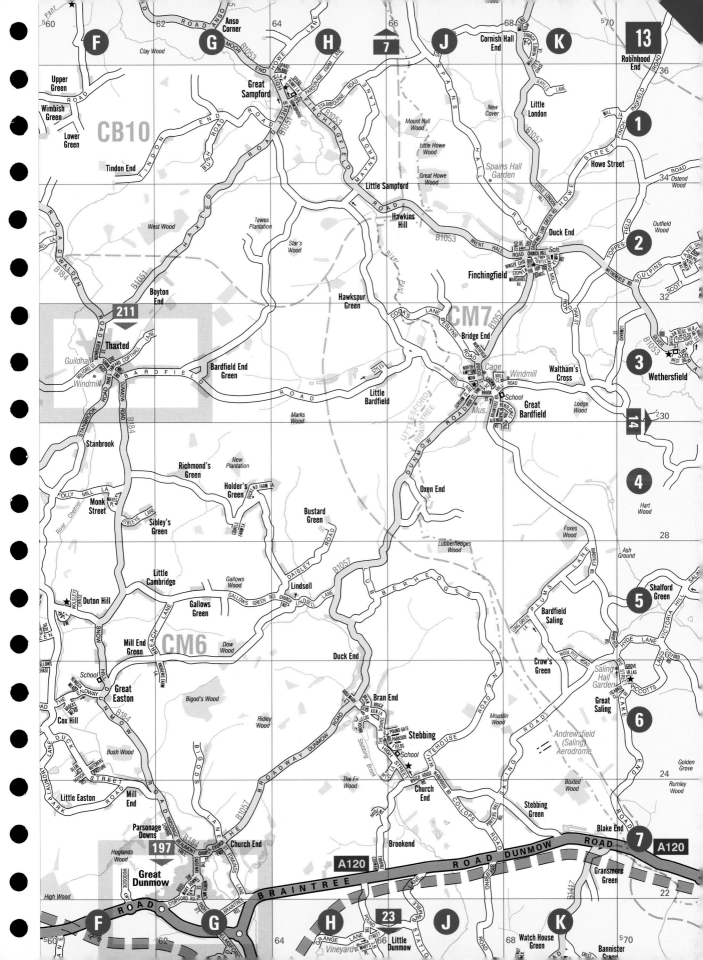

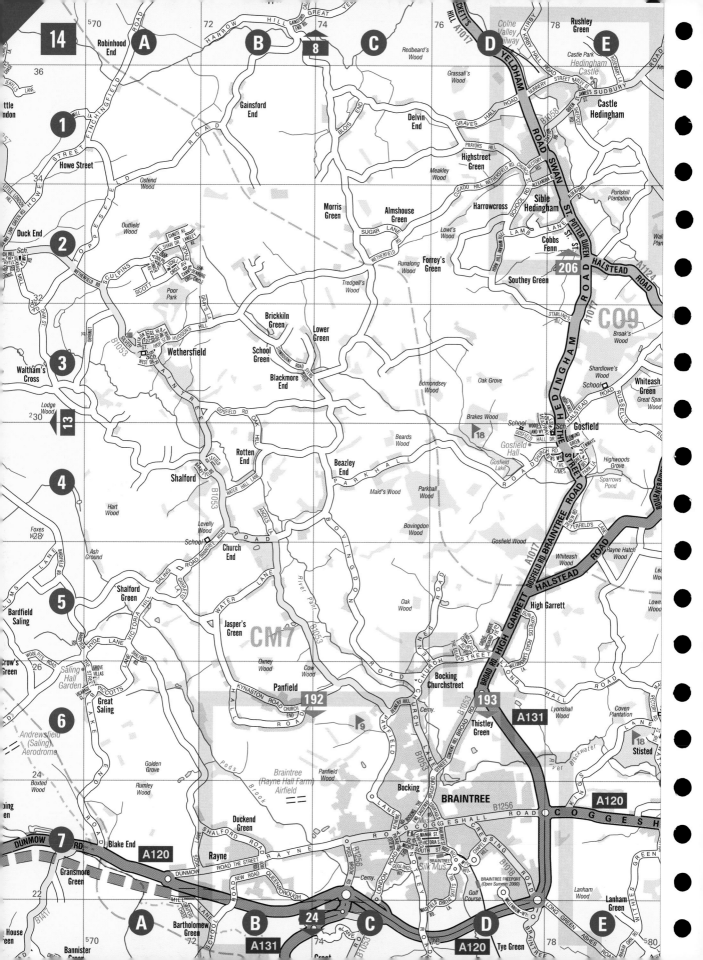

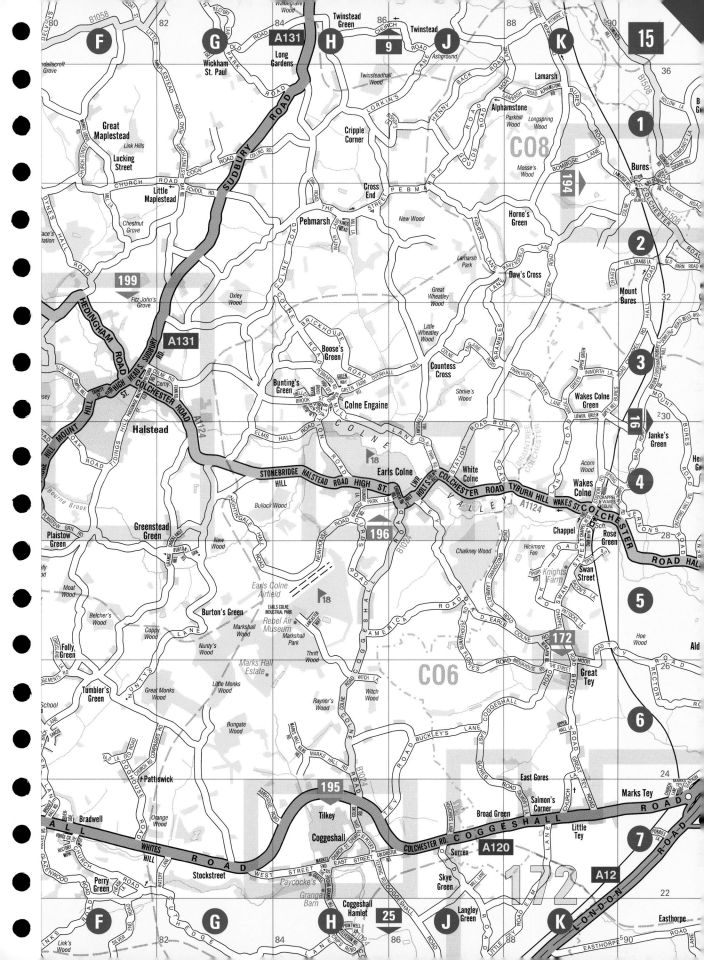

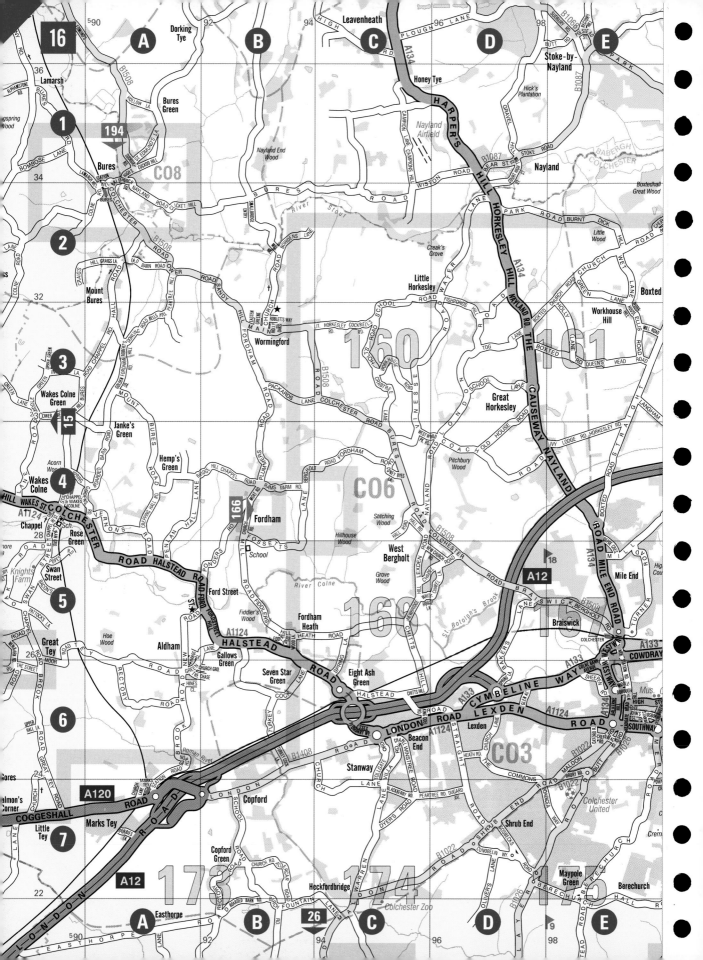

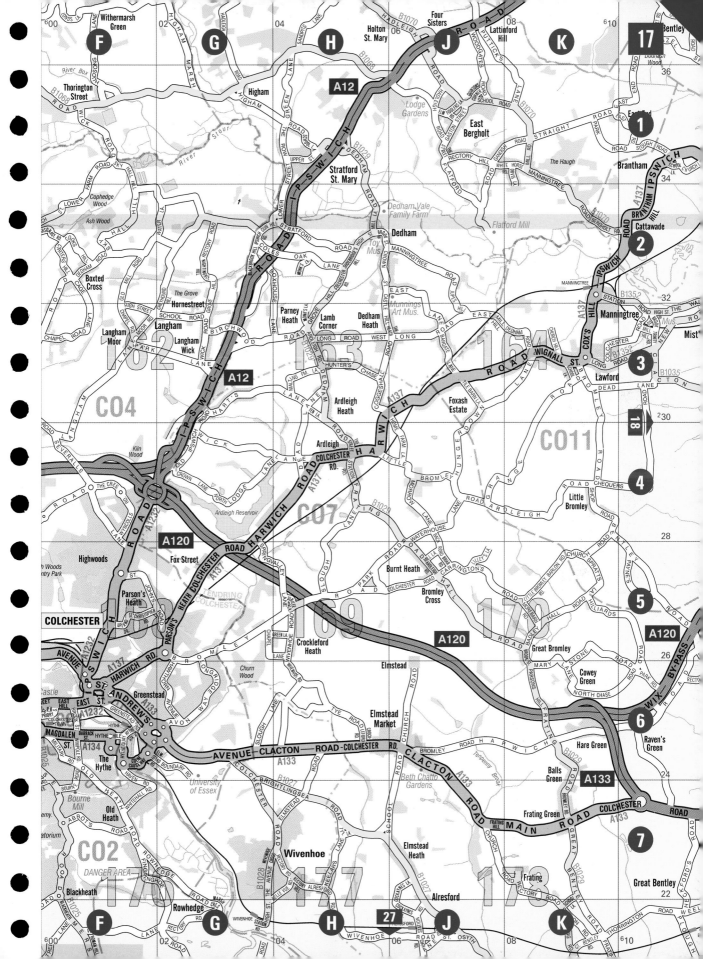

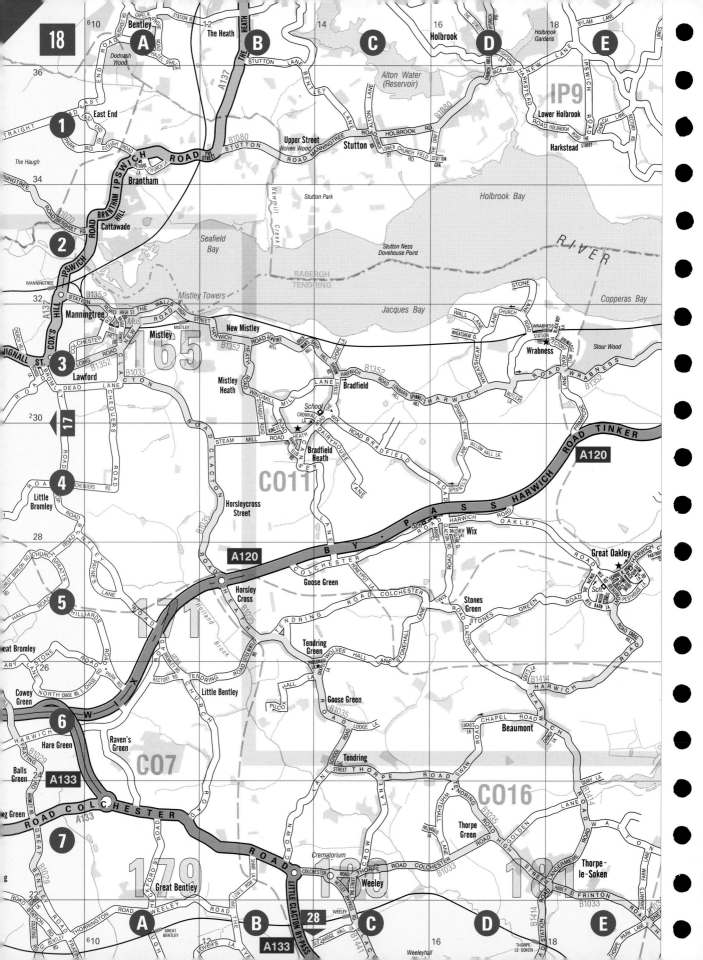

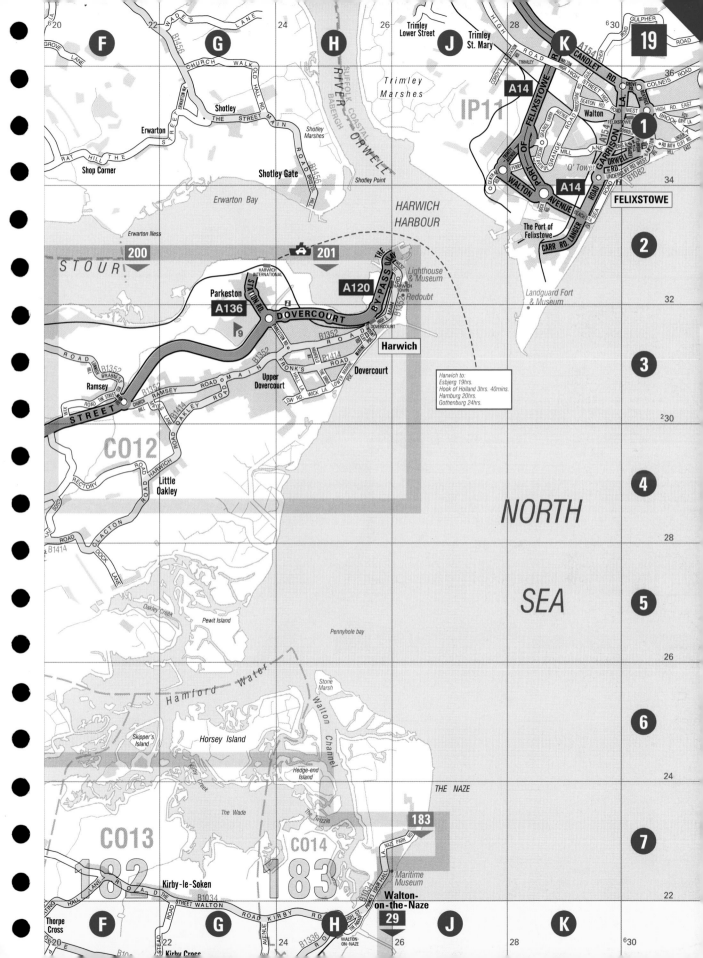

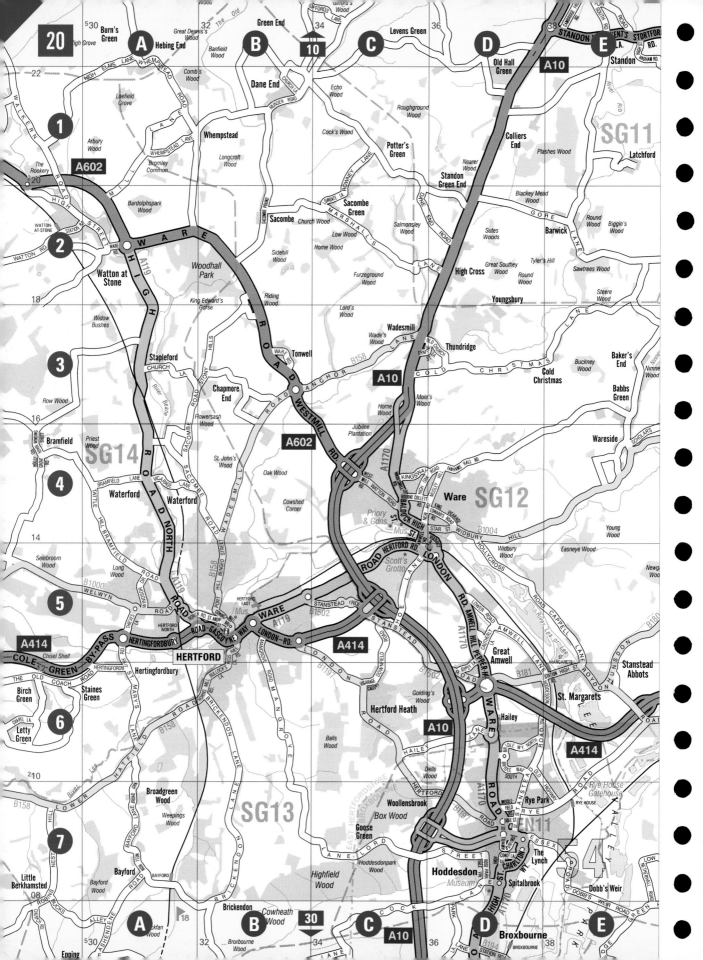

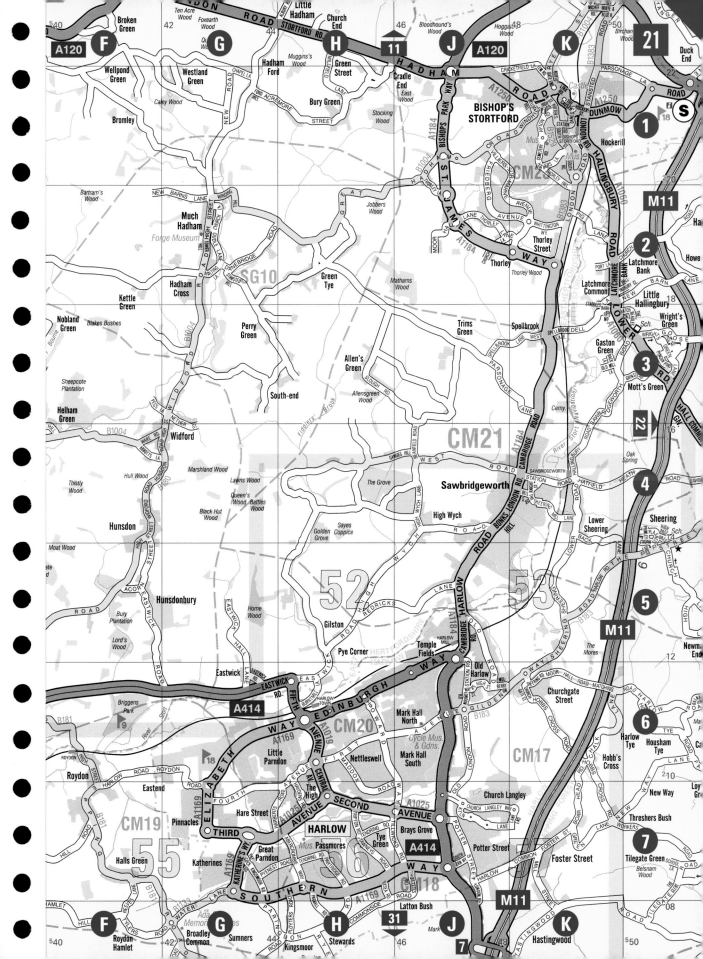

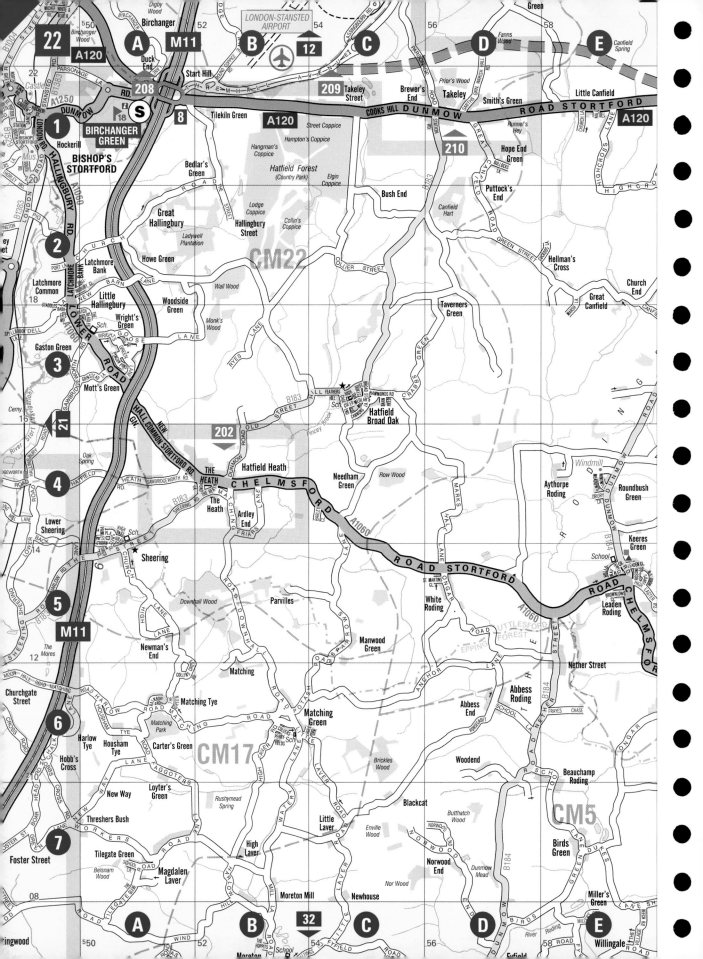

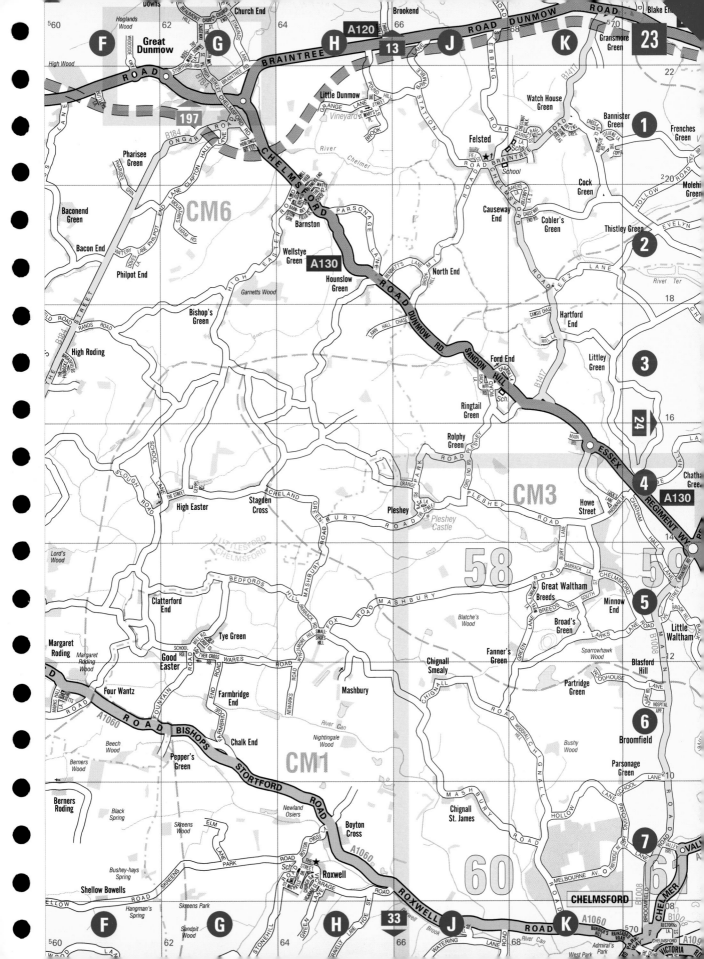

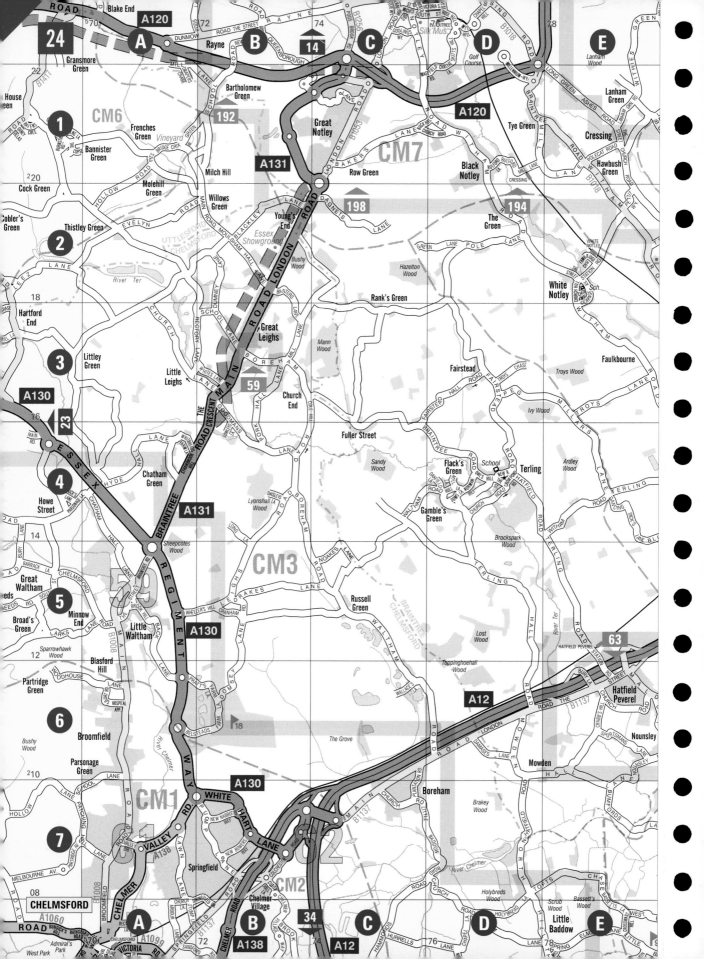

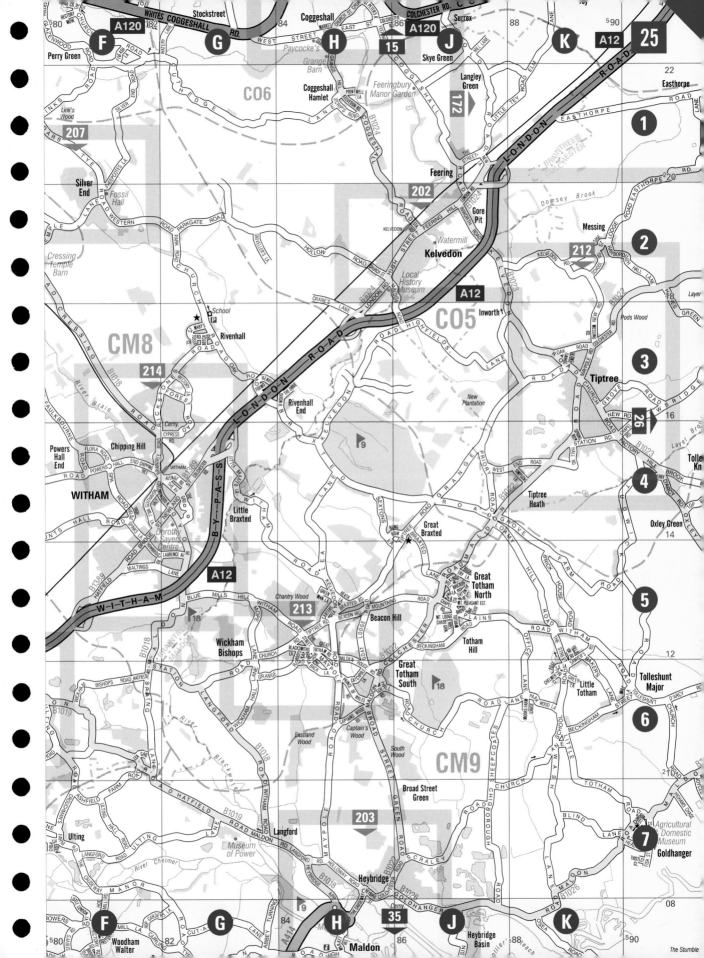

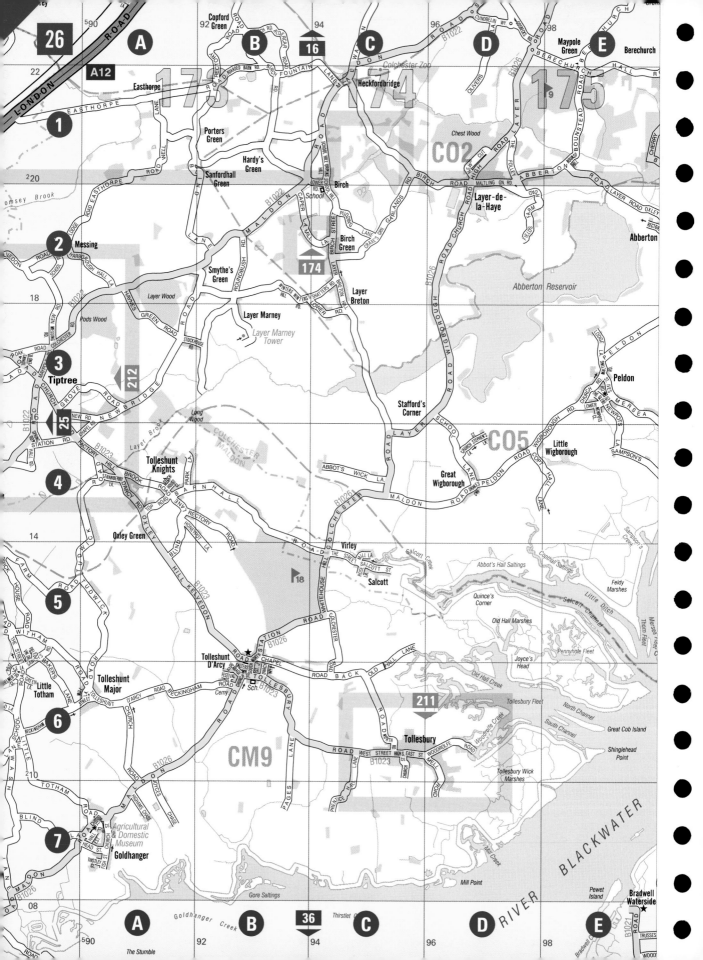

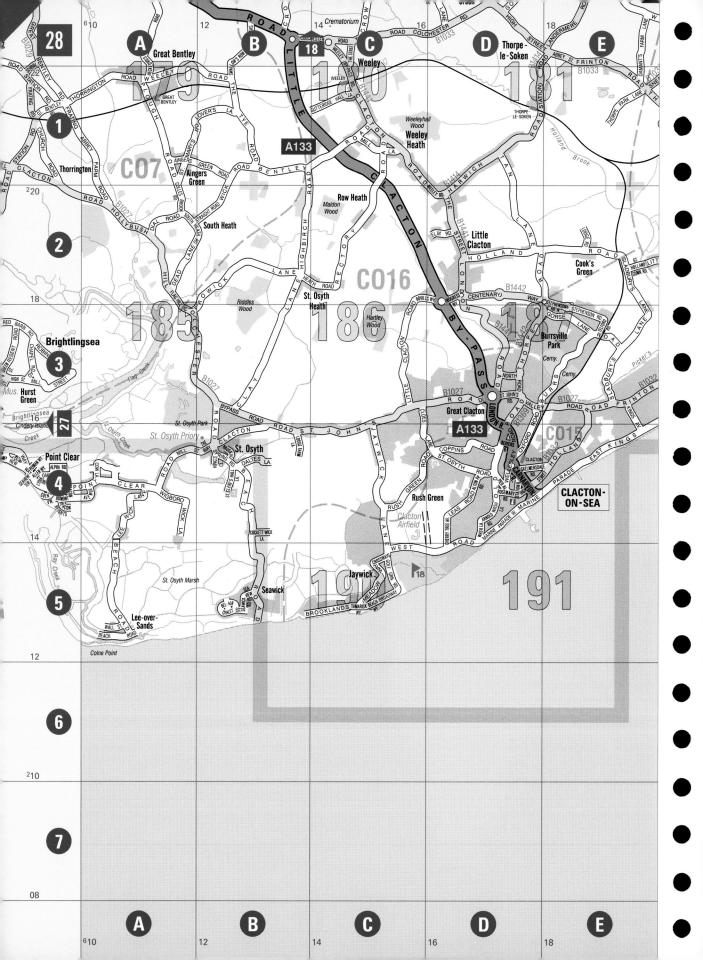

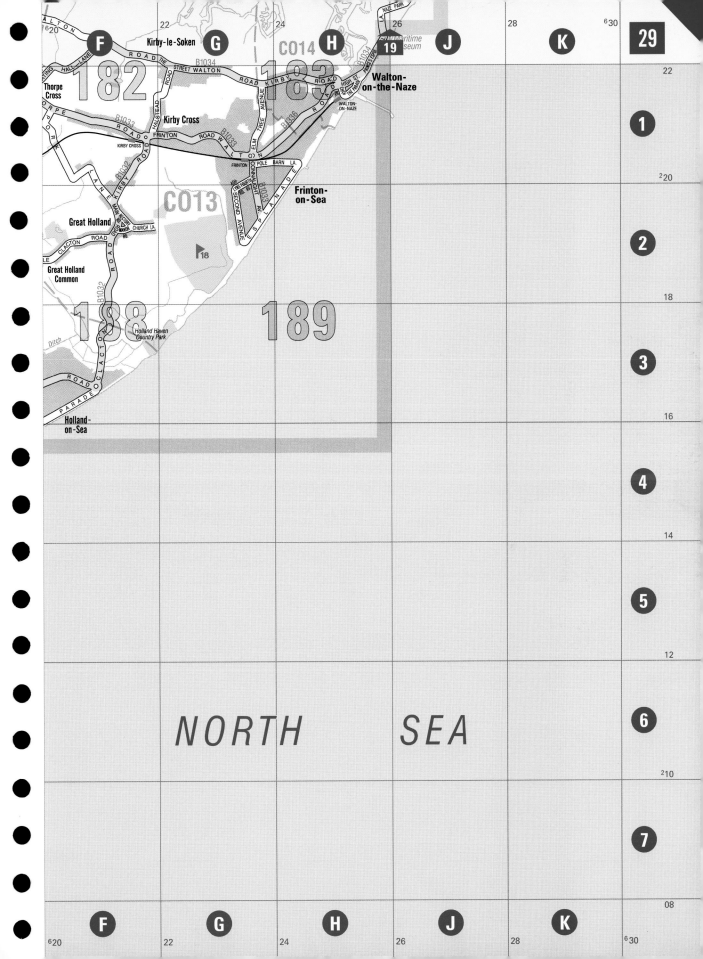

NORTH   SEA

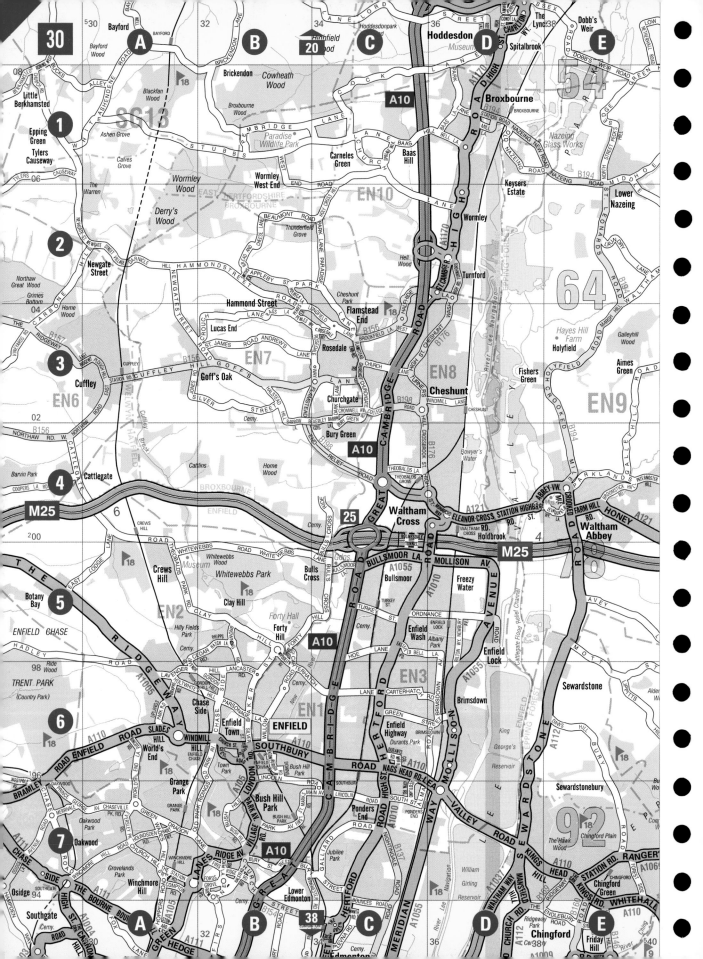

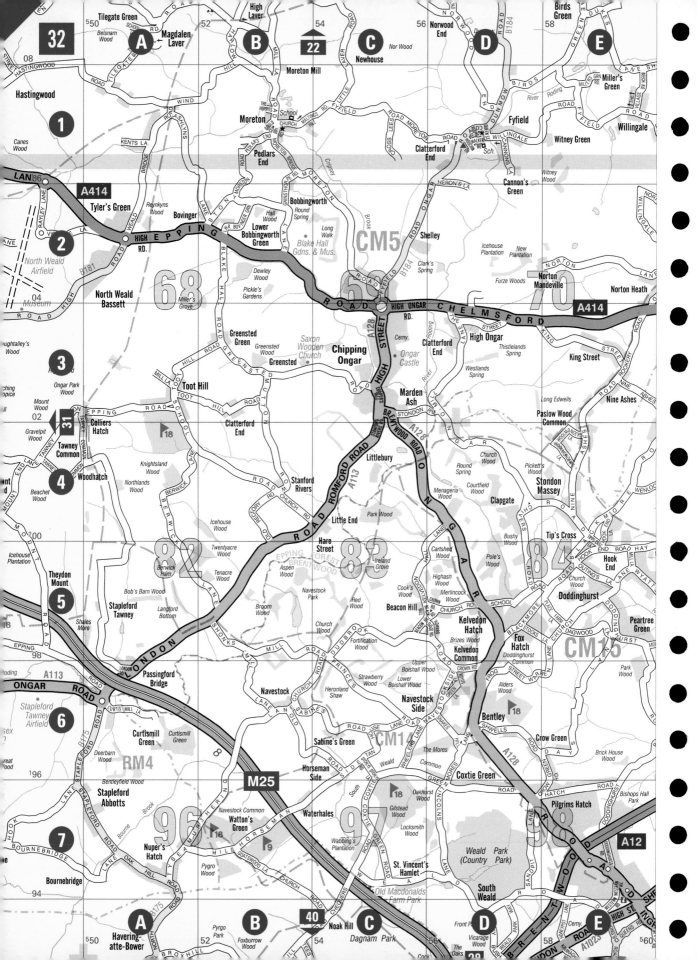

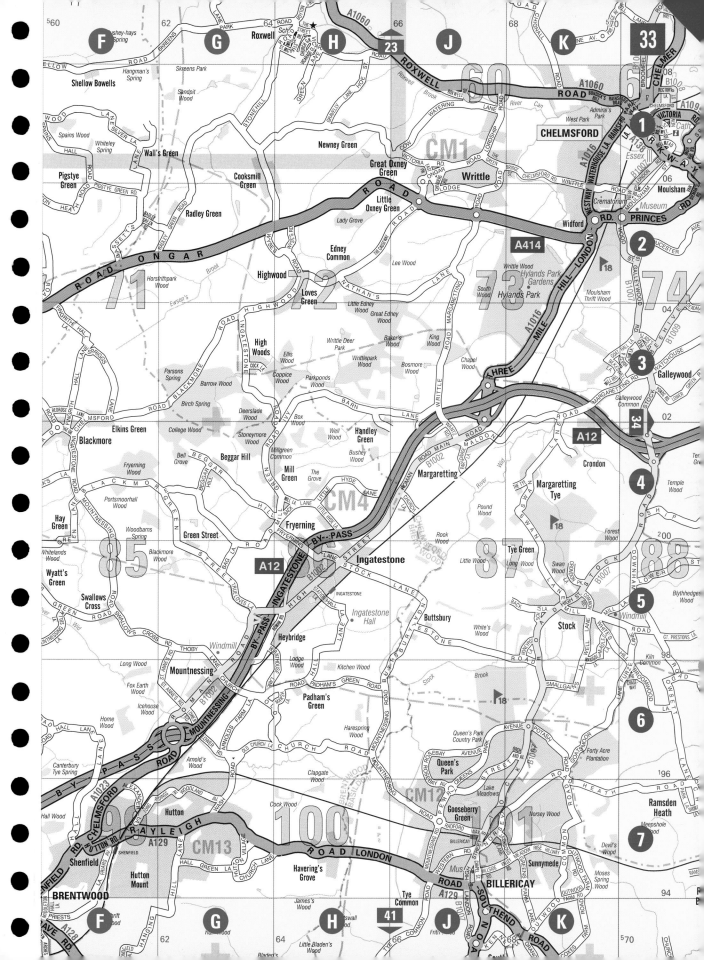

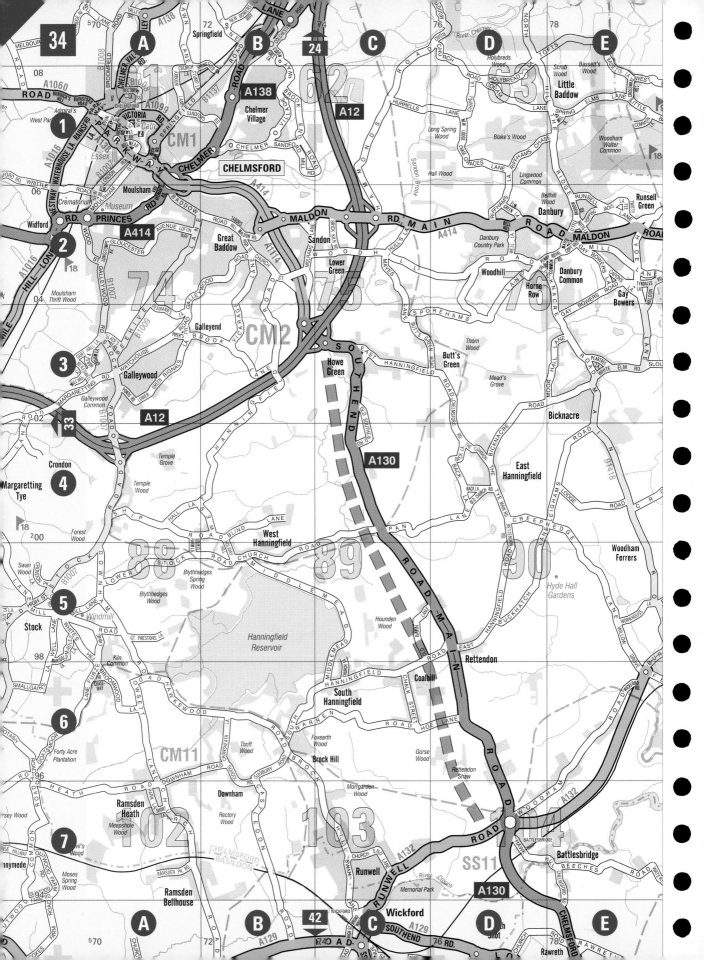

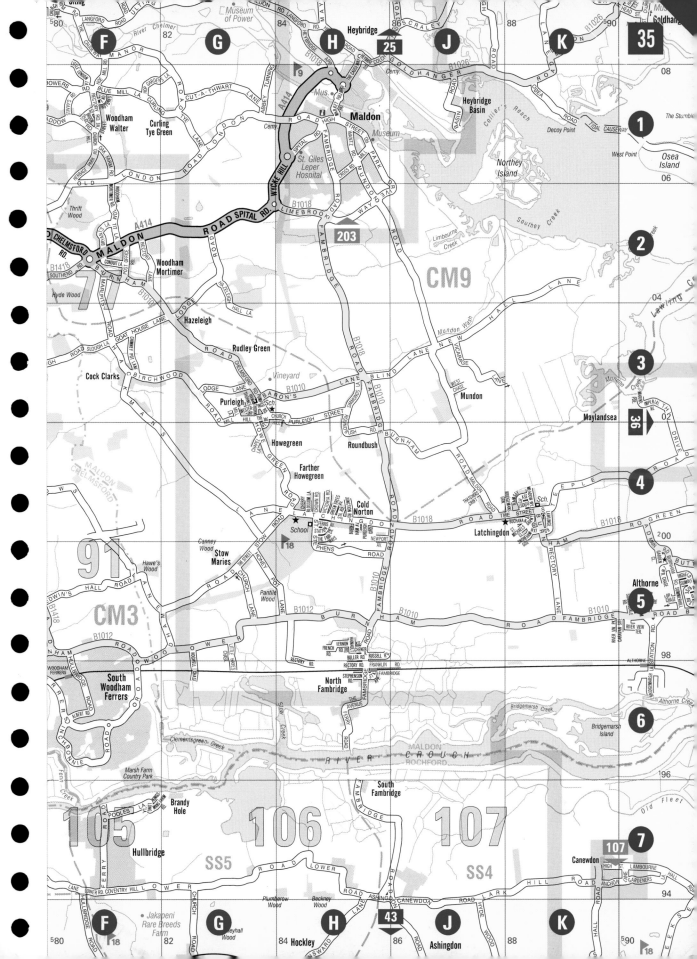

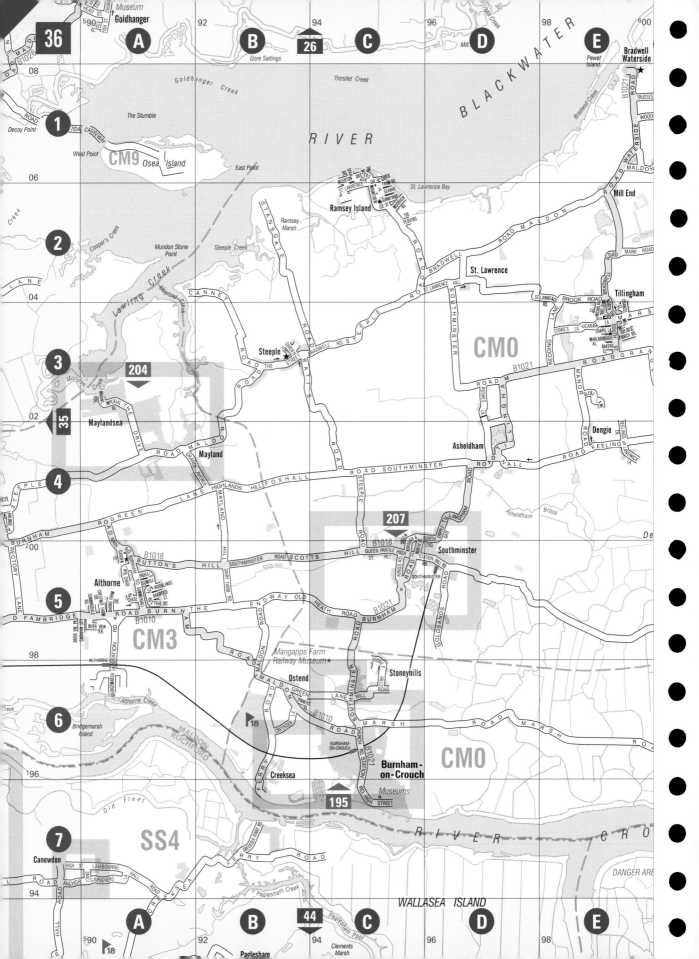

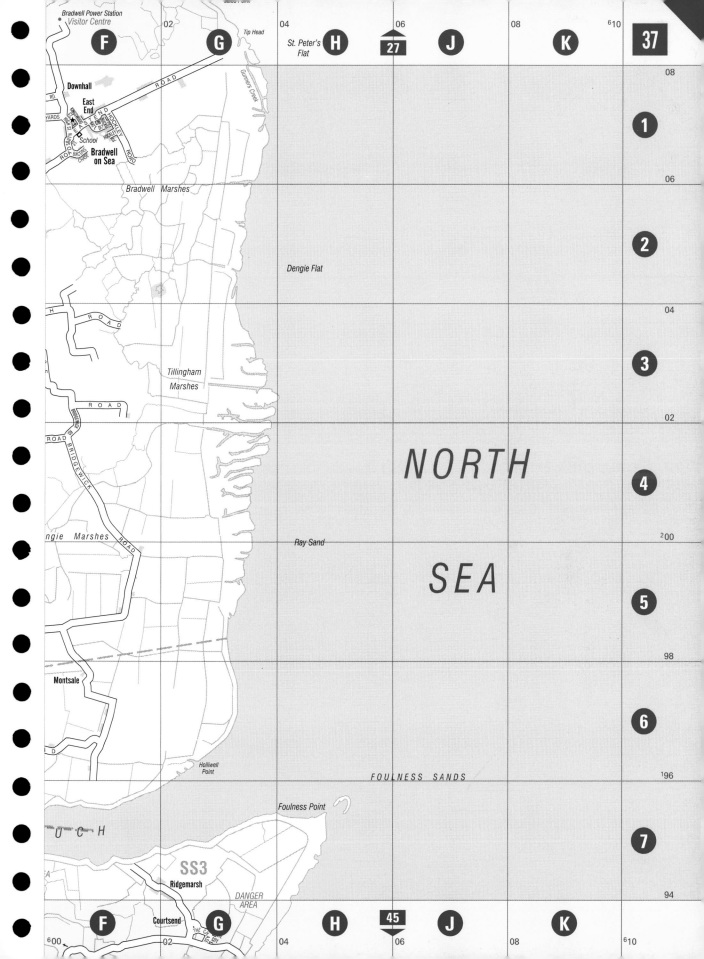

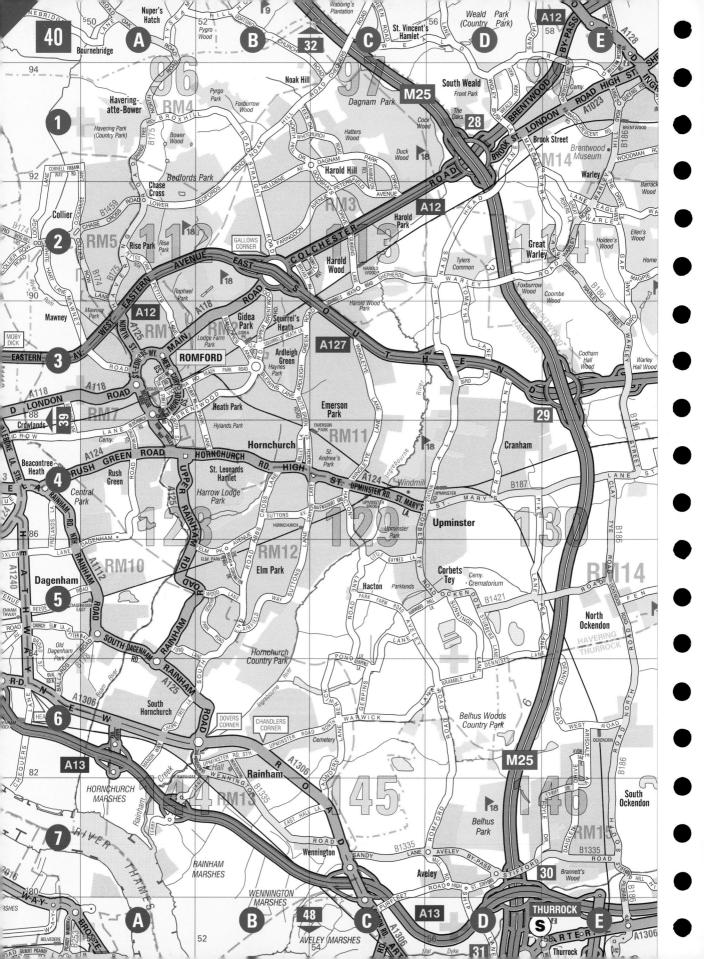

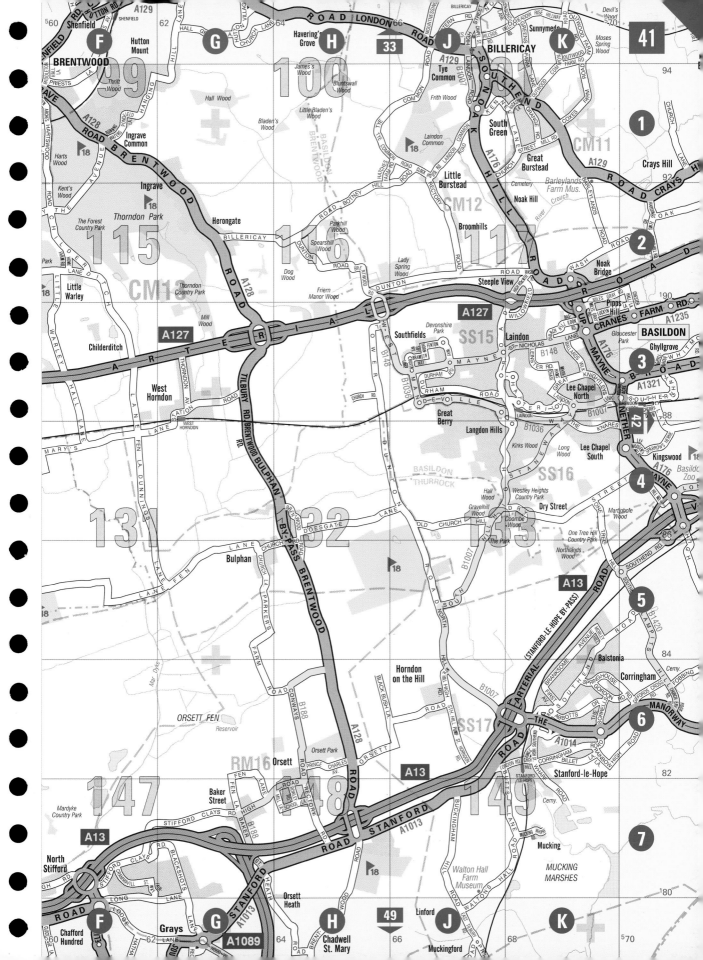

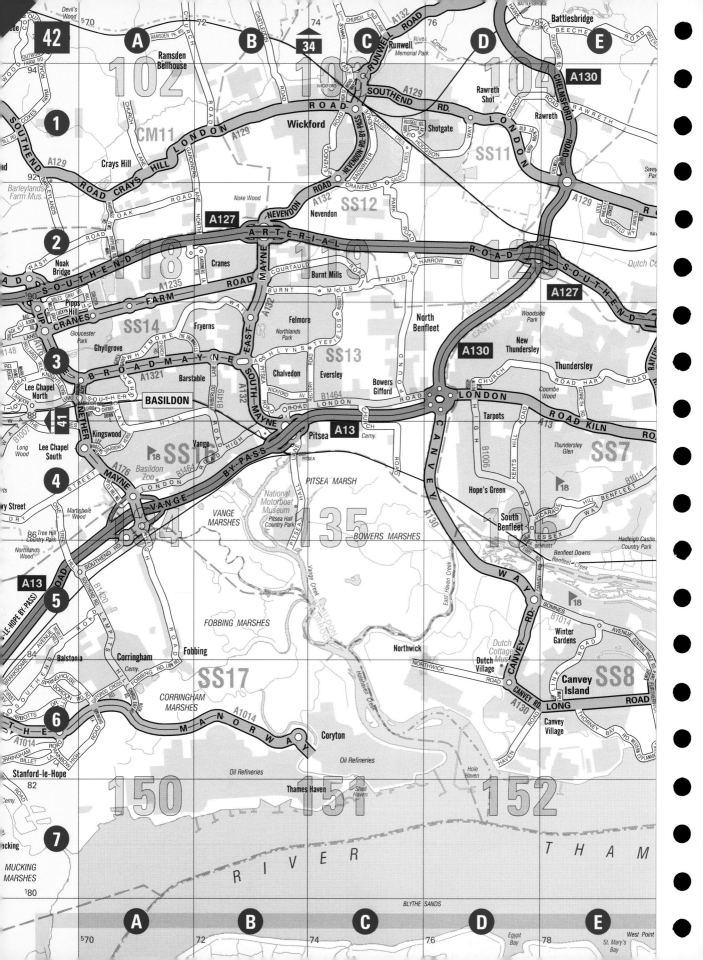

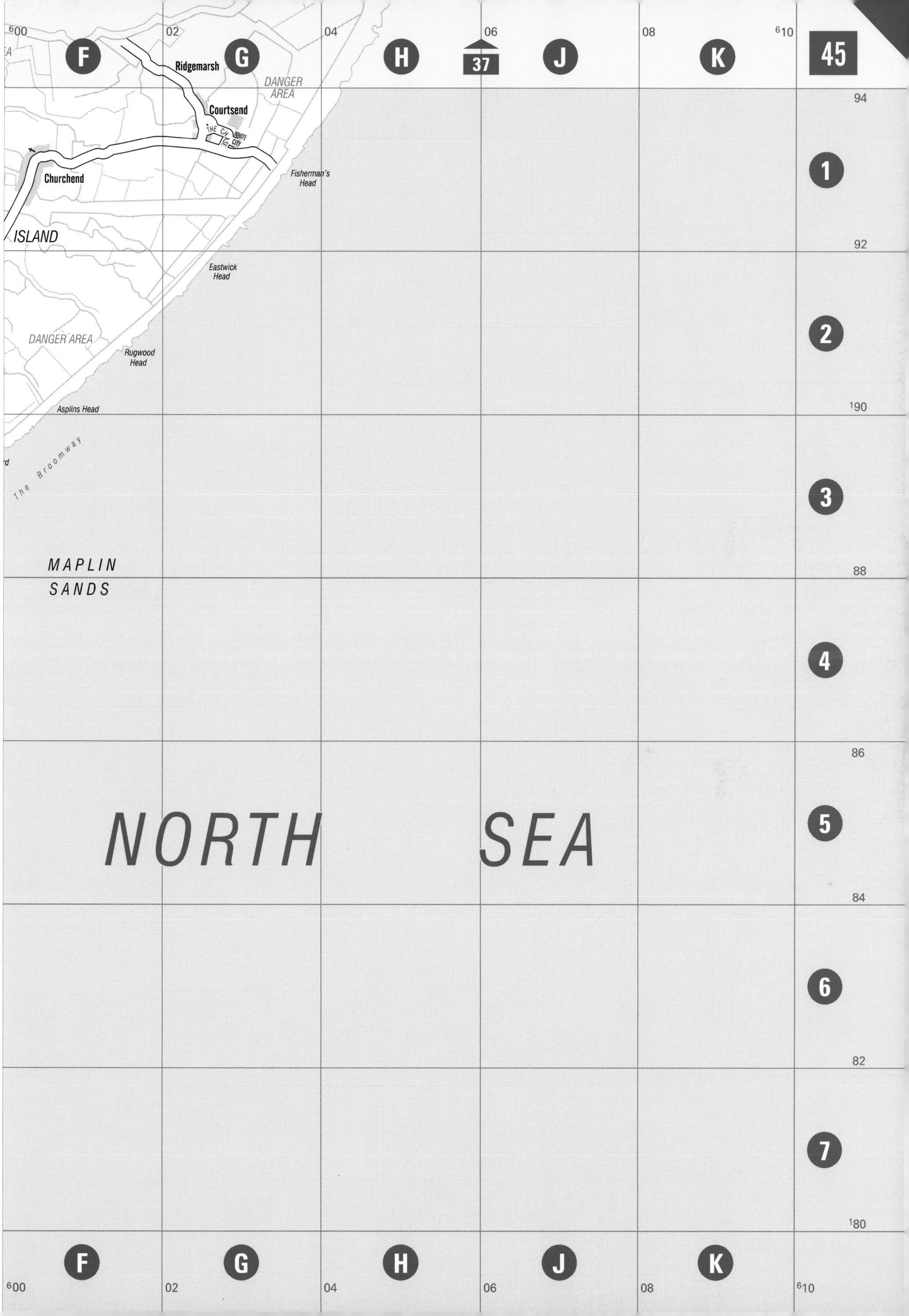
600
02
04
06
08
610
F
G
H
J
K
37
Ridgemarsh
DANGER AREA
Courtsend
THE CHASE
WHITE CITY
Churchend
Fisherman's Head
ISLAND
Eastwick Head
DANGER AREA
Rugwood Head
Asplins Head
The Broomway
MAPLIN SANDS
NORTH SEA
94
92
190
88
86
84
82
180
1
2
3
4
5
6
7

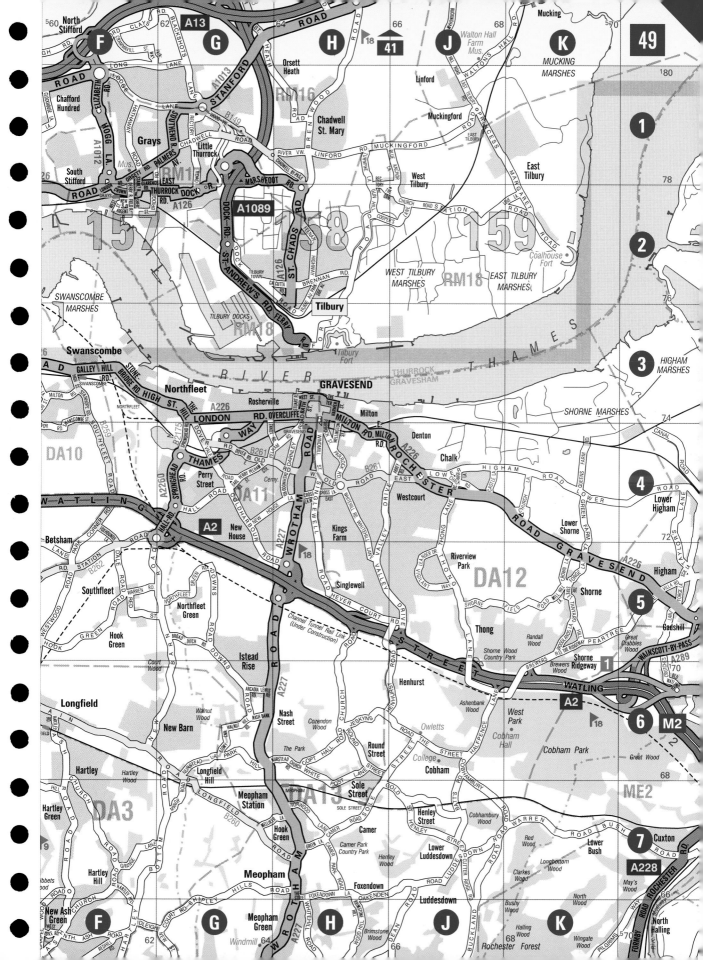

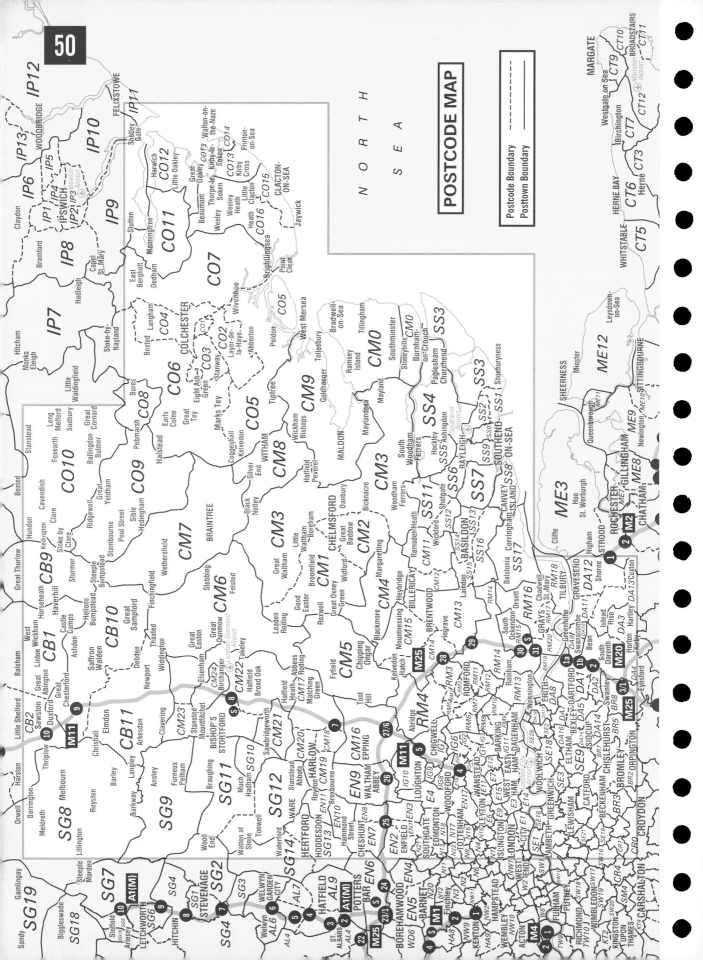

POSTCODE MAP

Postcode Boundary	- - - - -
Posttown Boundary	————

NORTH SEA

REFERENCE TO STREET MAP SECTION

Motorway — M11

A Road — A12

  Under Construction

  Proposed

B Road — B184

Dual Carriageway

Tunnel — A282

One Way Street
Traffic flow on A Roads is indicated by a heavy line on the driver's left

Junction Names (London Area) — RIPPLE ROAD JUNCTION

Pedestrianized Road

Restricted Access

Unmade Road

Track

Footpath

Residential Walkway

Railway — Tunnel / Station / Level Crossing

Docklands Light Railway — DLR / Station

London Underground Station ●

Built Up Area — HIGH STREET

Local Authority Boundary

Postcode Boundary — C08

Map Continuation For Street Mapping (Red Pages) — 118

Map Continuation To County Mapping (Blue Pages) — 32

Car Park Selected — P

Church or Chapel — †

Cycle Route Selected

Fire Station — ■

Hospital — H

House Numbers A & B Roads only — 51 22 19 48

Information Centre — i

National Grid Reference — ^{570}

Police Station — ▲

Post Office — ★

Toilet — ▽

  with facilities for the Disabled

SCALE approx. 3 Inches (7.62 cm) to 1 Mile — 0 ¼ ½ ¾ Mile / 0 250 500 750 Metres 1 Kilometre — 1:20,267 or 4.74 cm to 1km

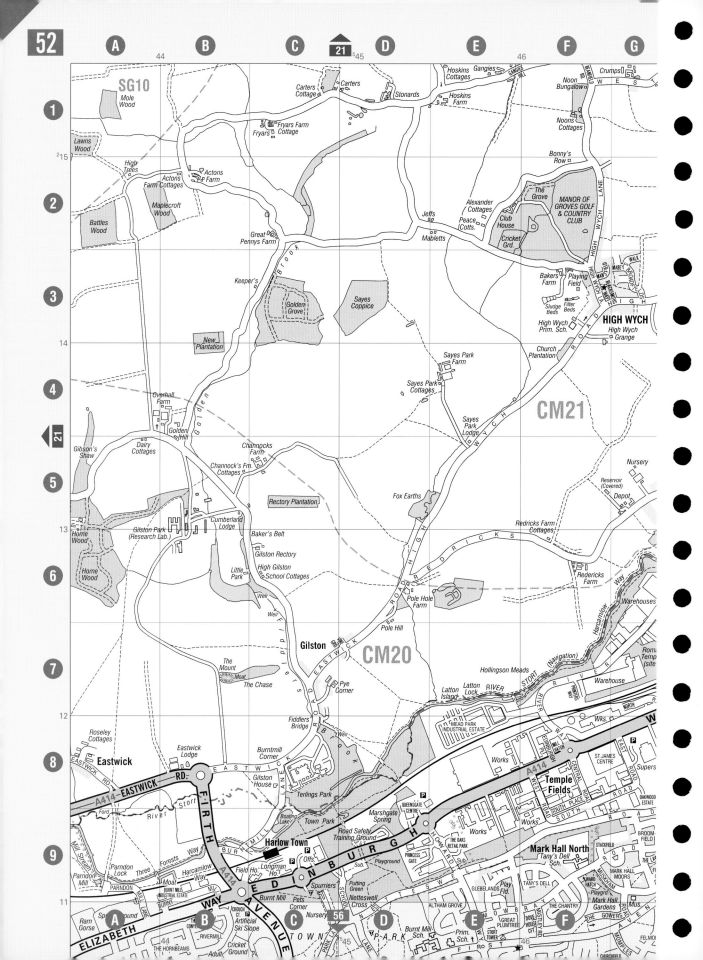

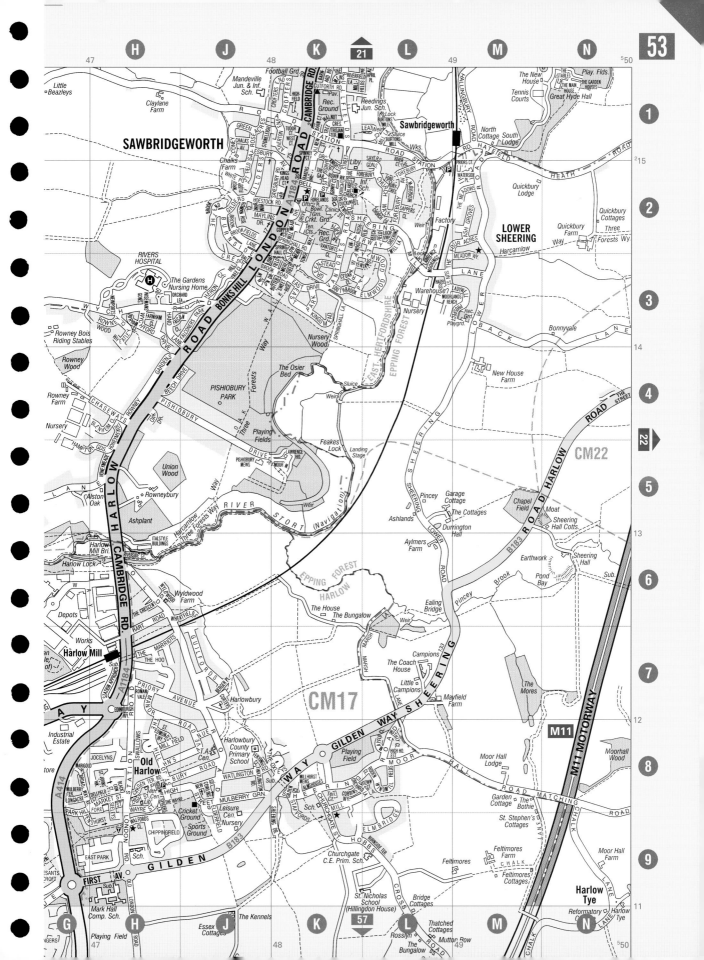

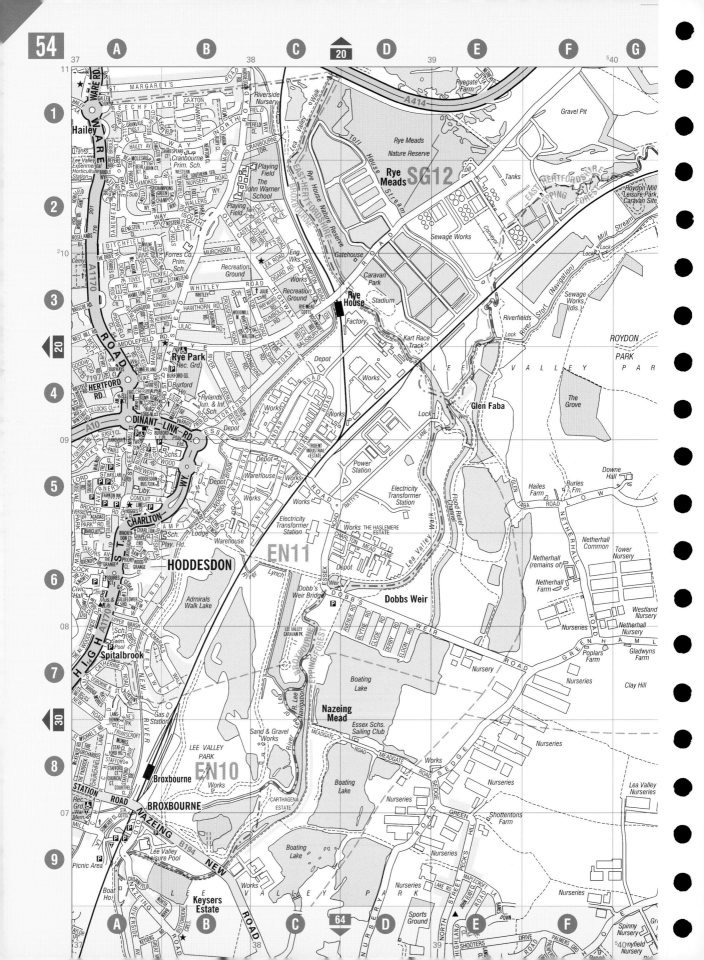

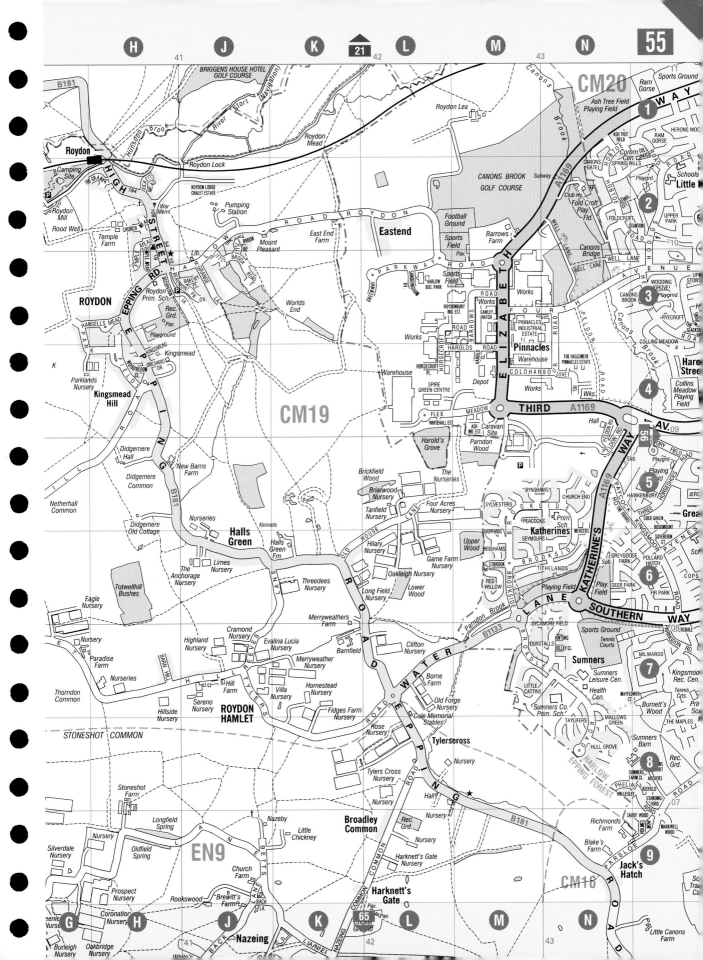

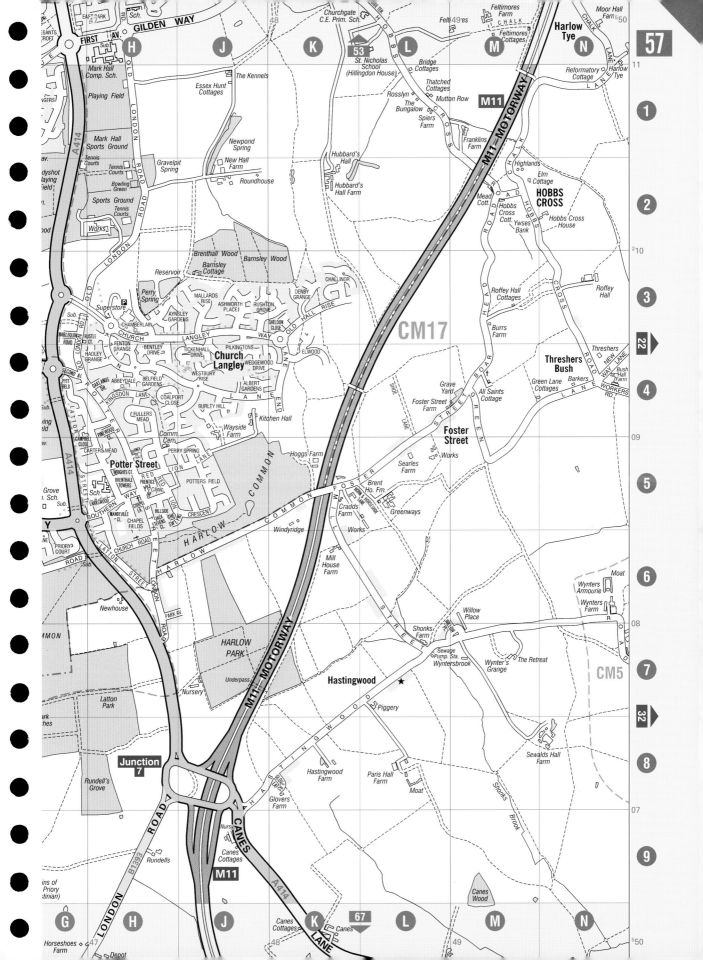

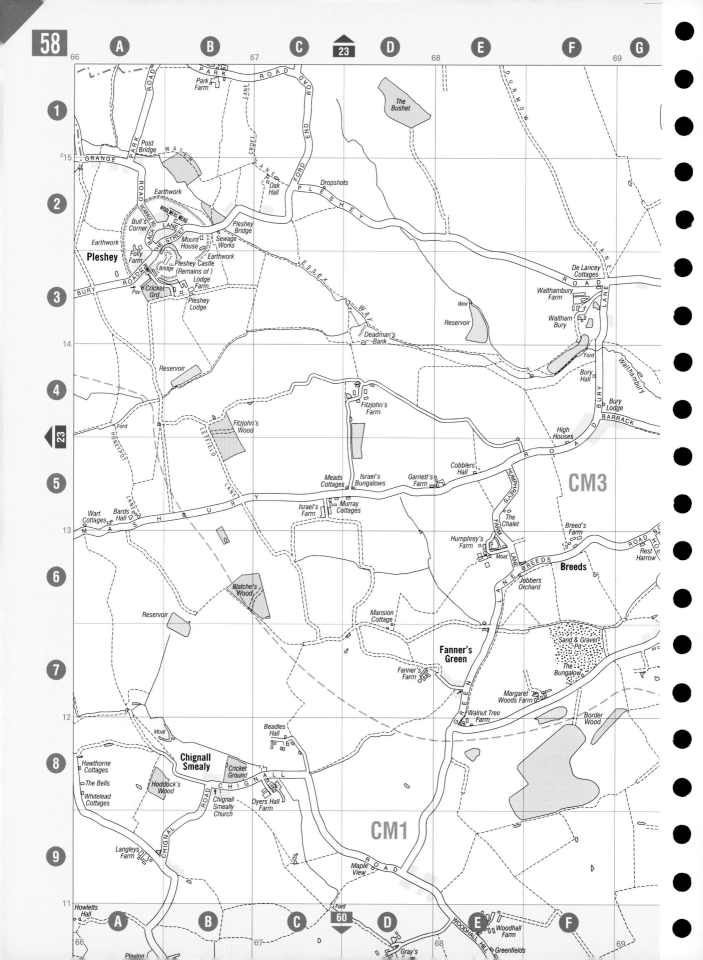

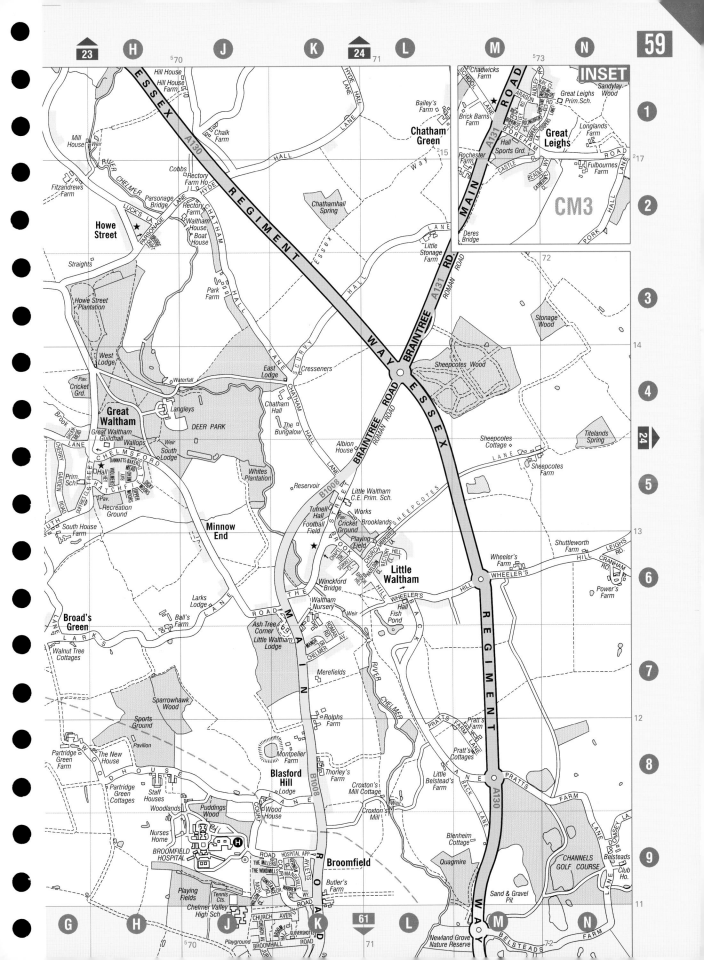

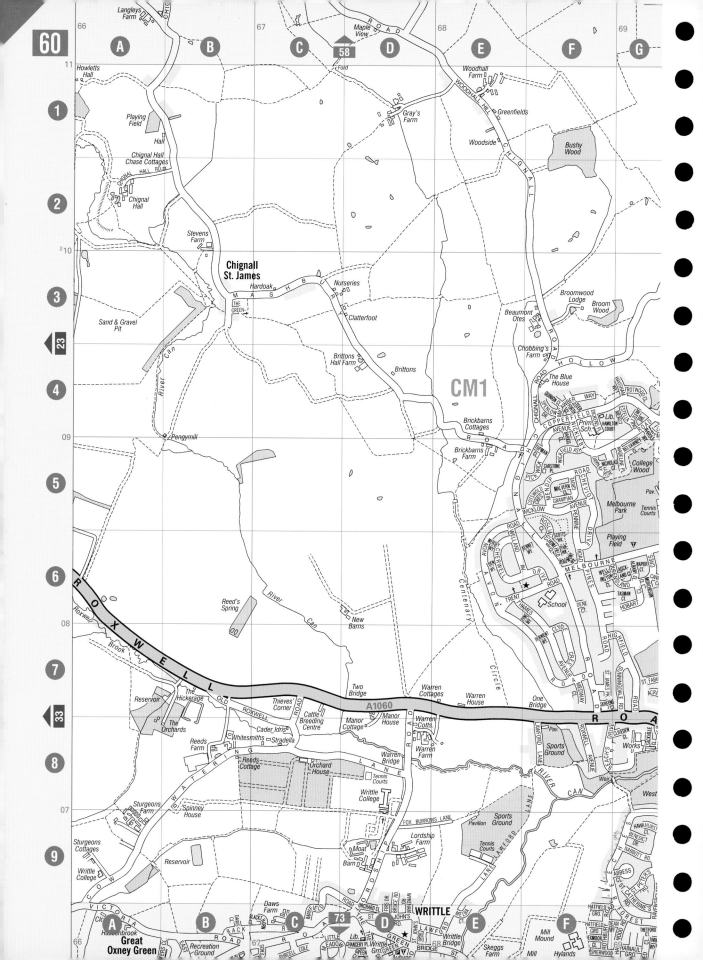

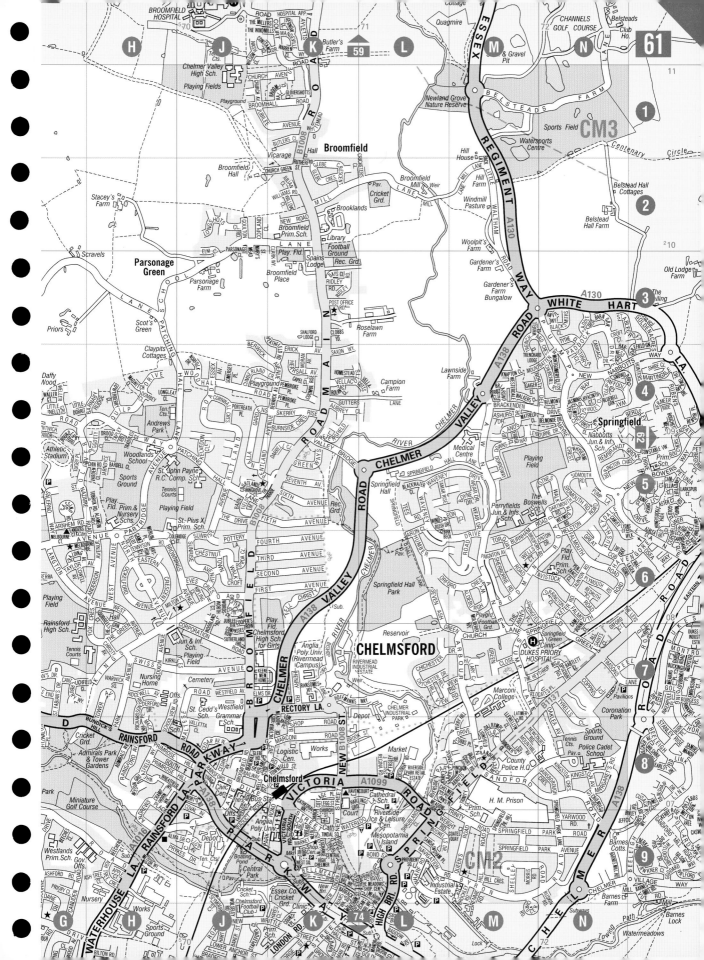

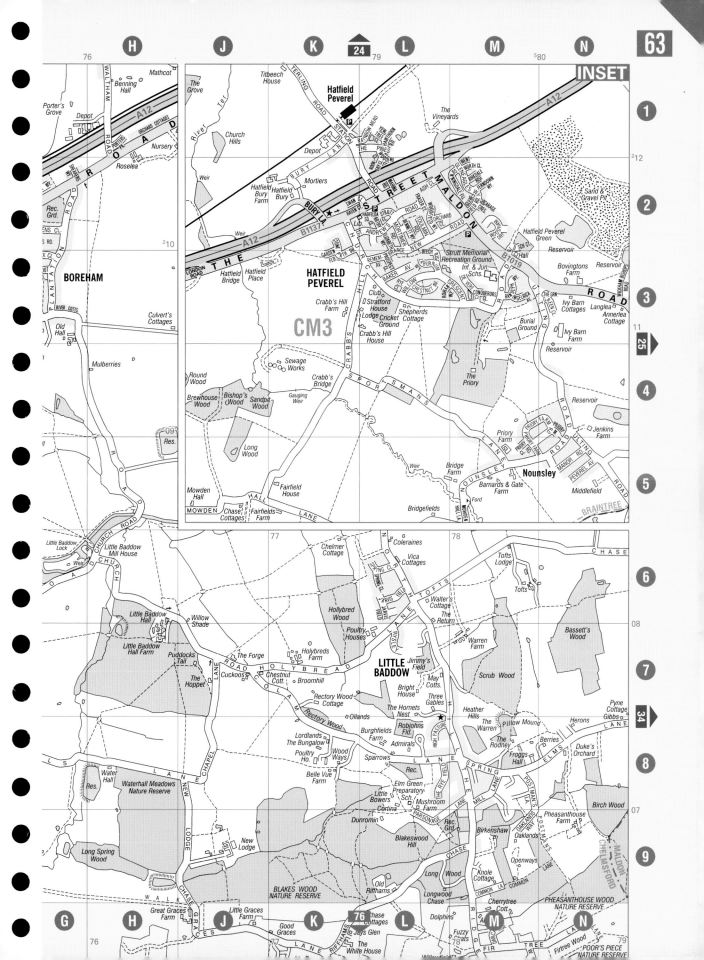

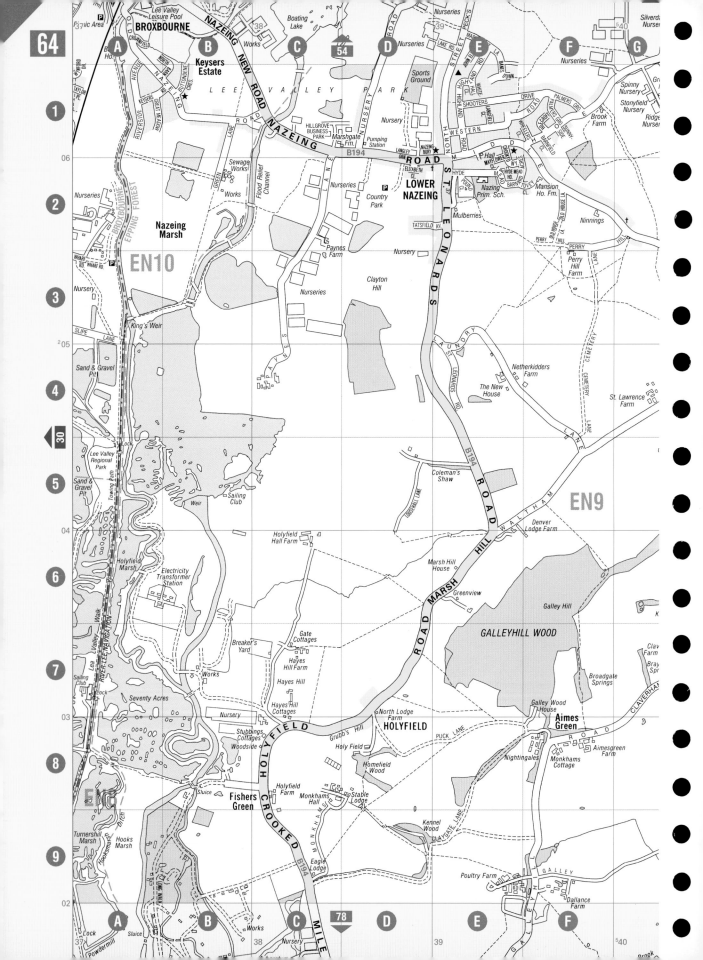

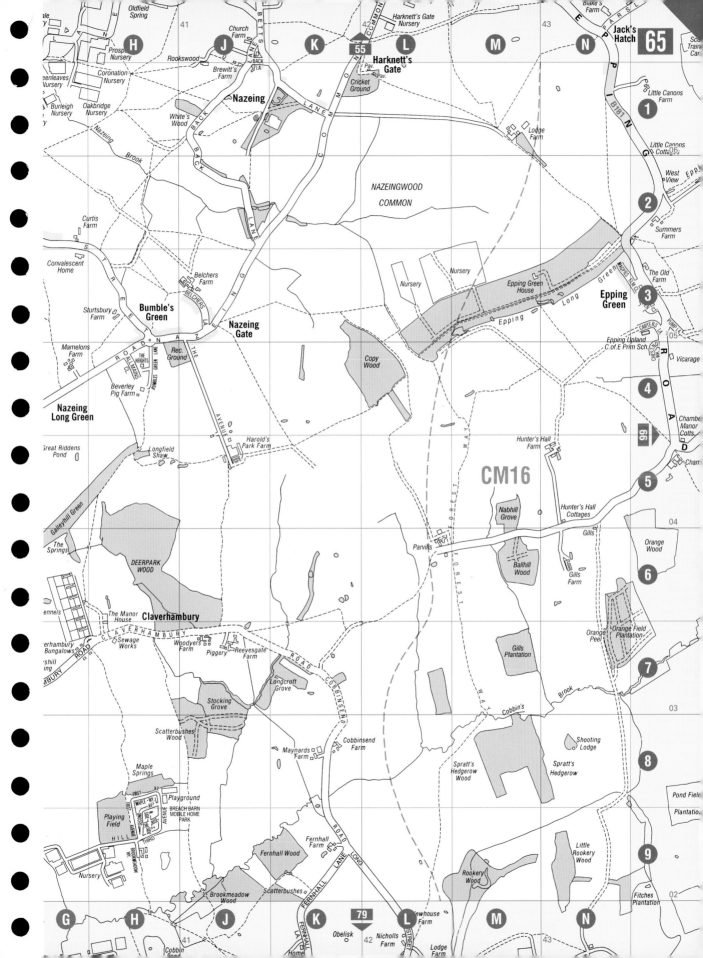

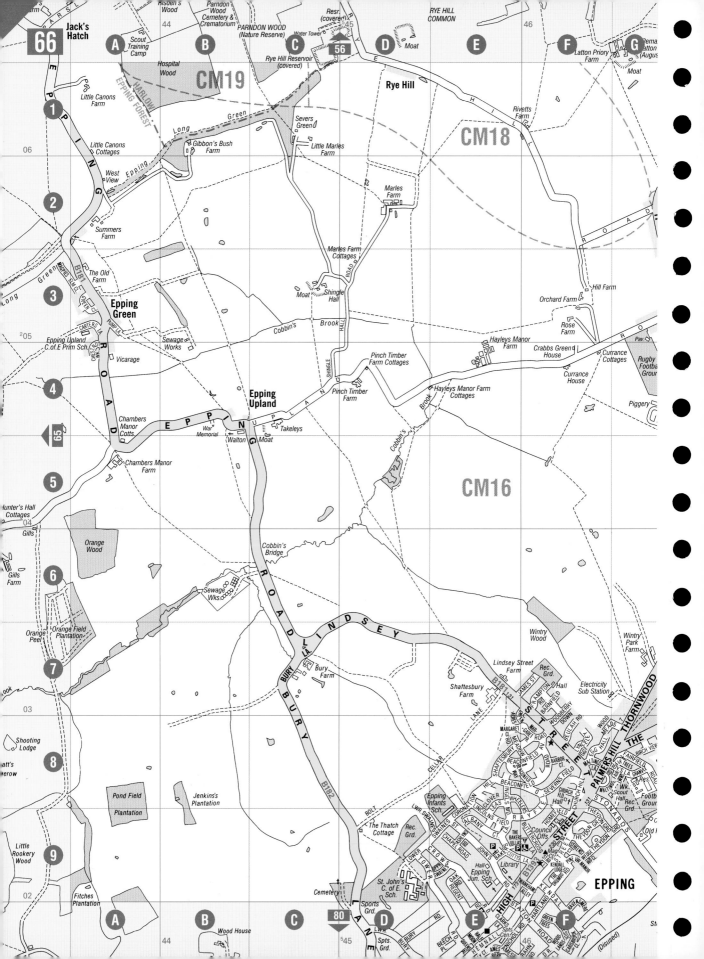

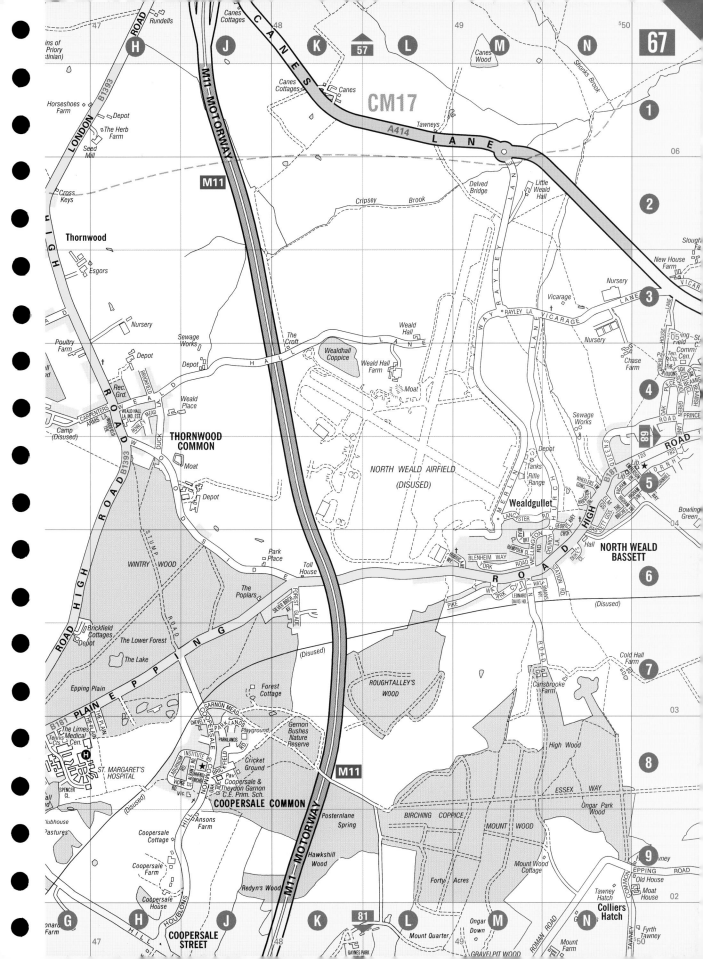

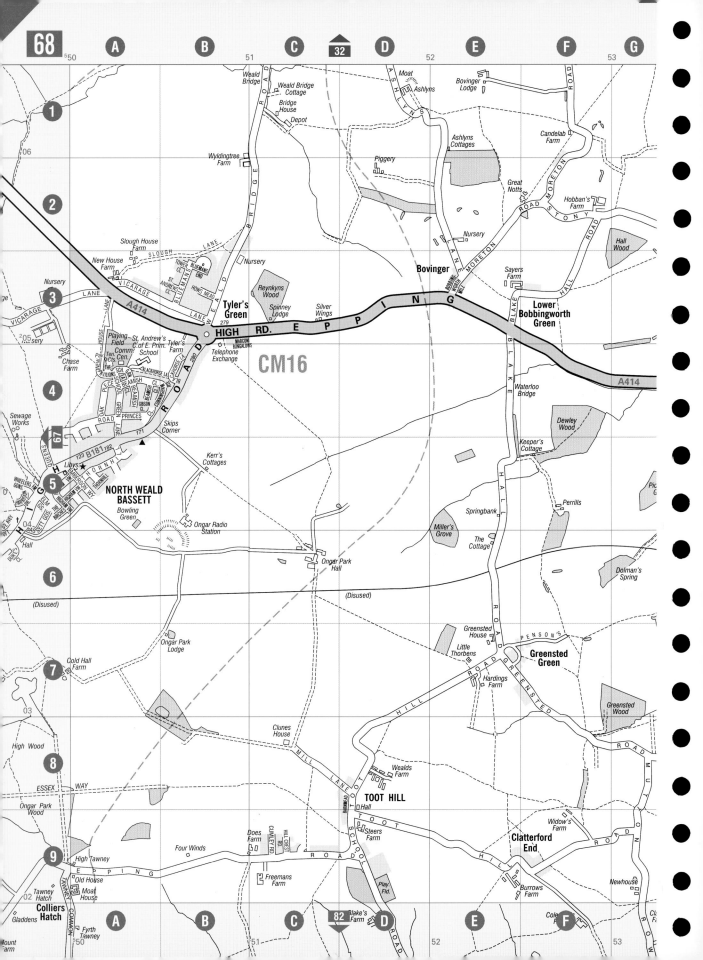

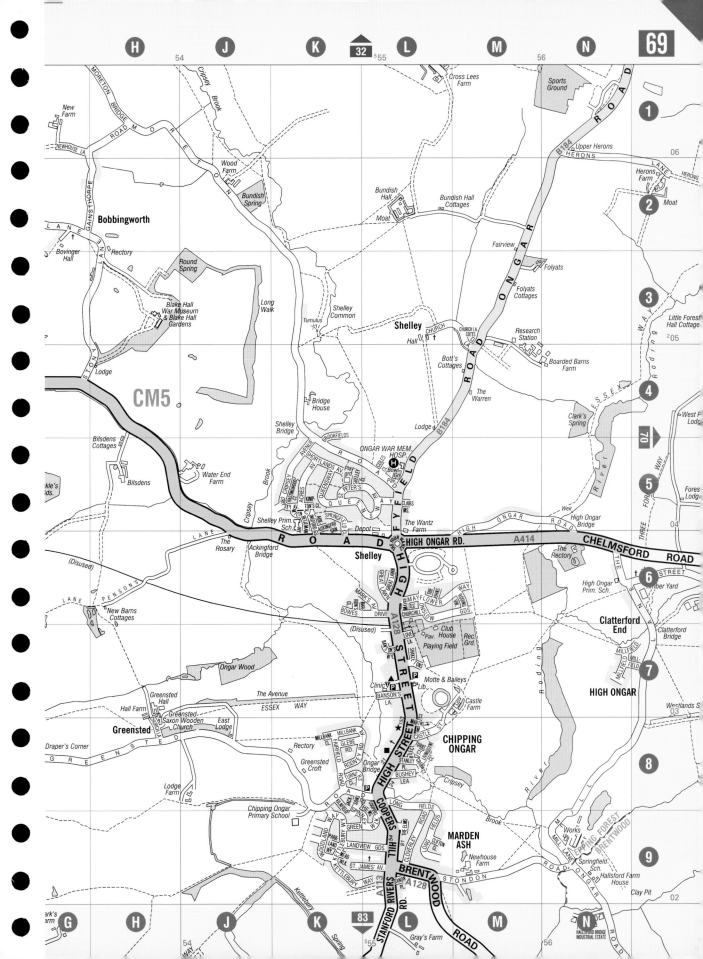

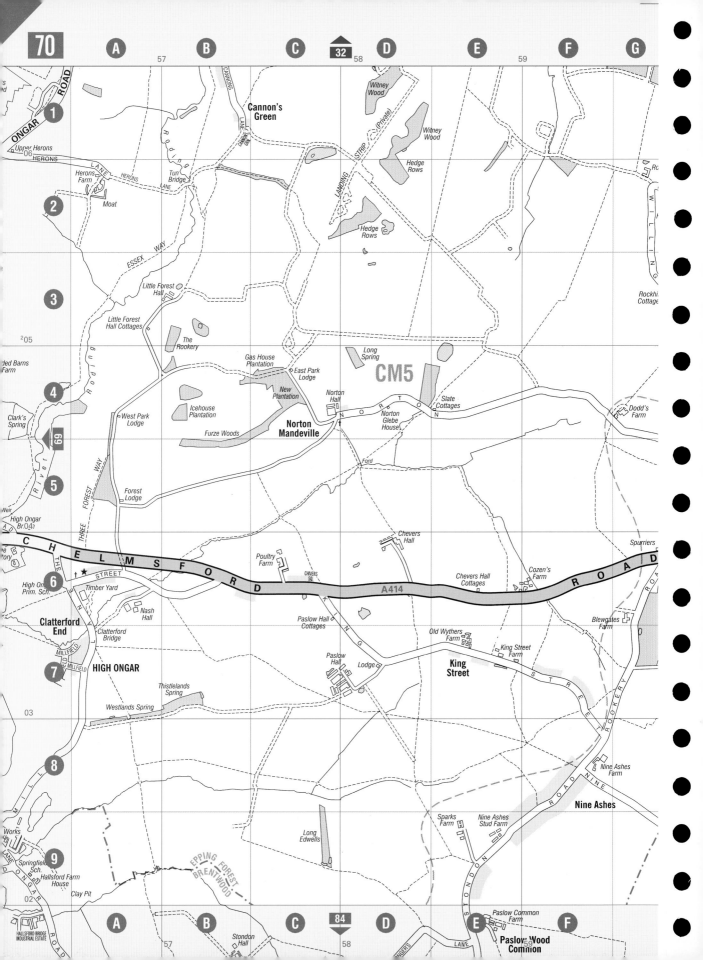

A B C **32** D E F G

ONGAR ROAD

Cannon's Green

Witney Wood

Witney Wood

Hedge Rows

Upper Herons
HERONS
Herons Lane
Herons Farm
Tun Bridge
Roding
Moat

Hedge Rows

Essex Way

LANDING STRIP (Private)

Little Forest Hall
Little Forest Hall Cottages
The Rookery

Gas House Plantation
East Park Lodge
Long Spring

CM5

ded Barns Farm

Roding

West Park Lodge
New Plantation
Icehouse Plantation
Furze Woods
Norton Mandeville
Norton Hall

NORTON
Norton Glebe House
Slate Cottages

Dodd's Farm

Clark's Spring

69

River Roding

FOREST WAY

Forest Lodge

Ford

Weir
High Ongar Br.
THREE

Chevers Hall

Spurriers

CHELMSFORD ROAD

Poultry Farm

CHIVERS SQ.
A414

Chevers Hall Cottages
Cozen's Farm

High Ongar Prim. Sch.
THE STREET
Timber Yard
Nash Hall

KING STREET

Old Wythers Farm

King Street Farm

Blewgates Farm

Clatterford End
Clatterford Bridge

Paslow Hall Cottages

HIGH ONGAR
MILLFIELD

Paslow Hall
Lodge

King Street

ROOKERY

Thistlelands Spring

Westlands Spring

NINE

Nine Ashes Farm

Works

Sparks Farm
Nine Ashes Stud Farm

Nine Ashes

ROAD

STONDON

Springfield Sch.
Hallsford Farm House
Clay Pit

EPPING FOREST
BRENTWOOD

Long Edwells

Paslow Common Farm

Hallsford Bridge INDUSTRIAL ESTATE

A B C **84** D E F

Stondon Hall

Paslow Wood Common

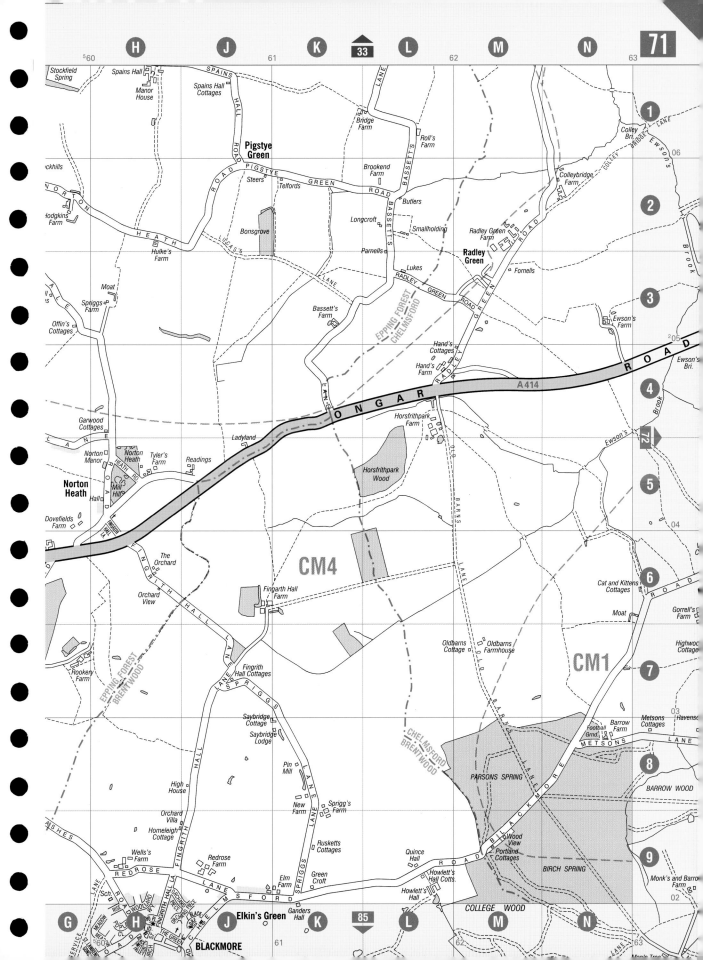

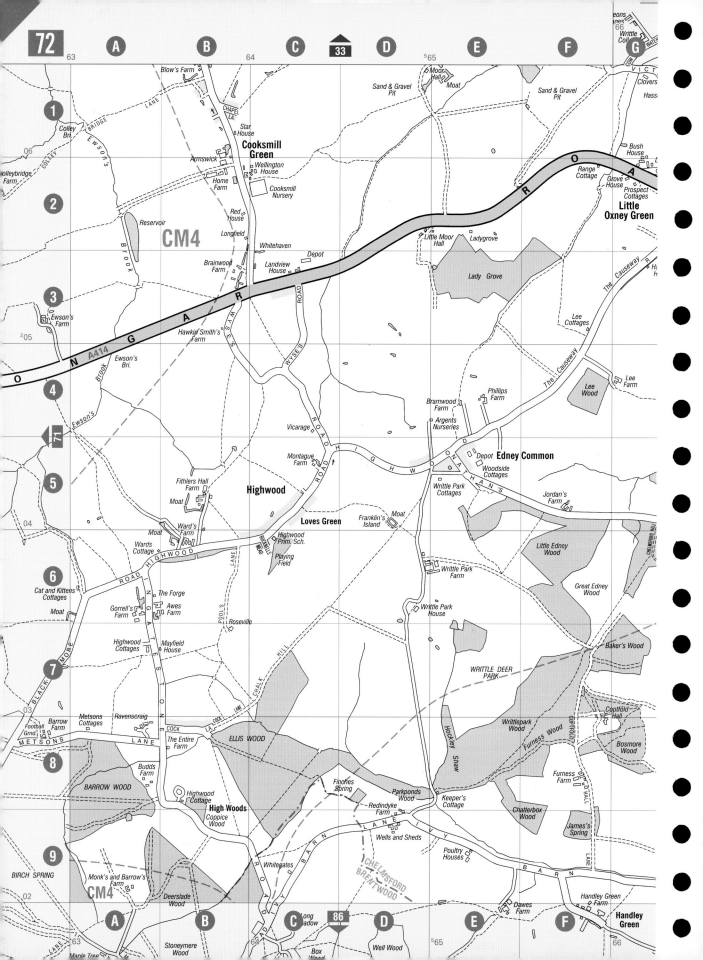

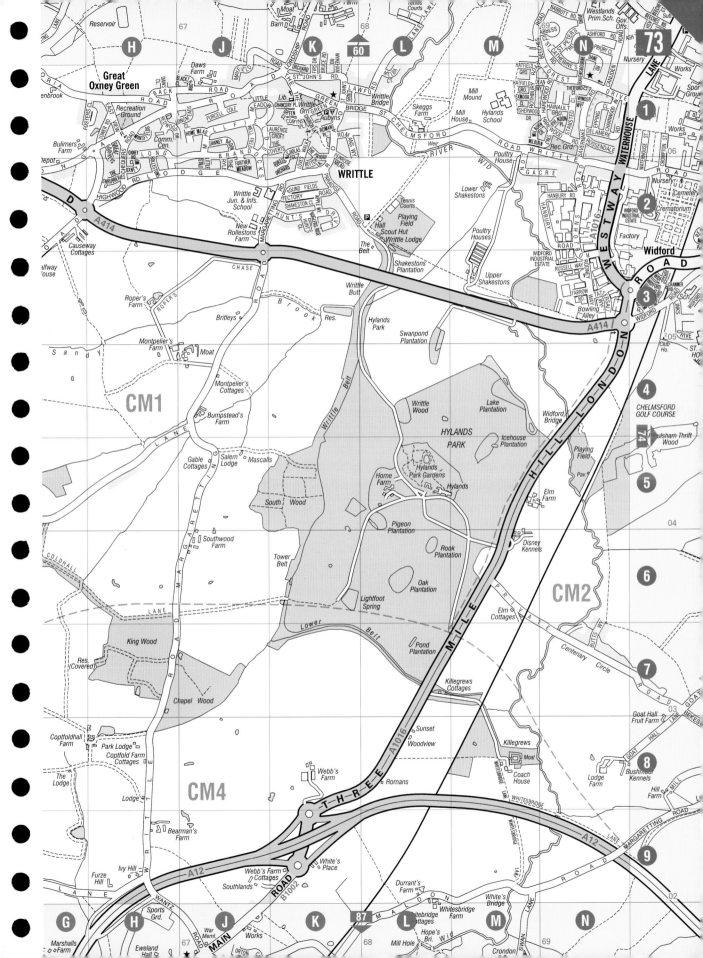

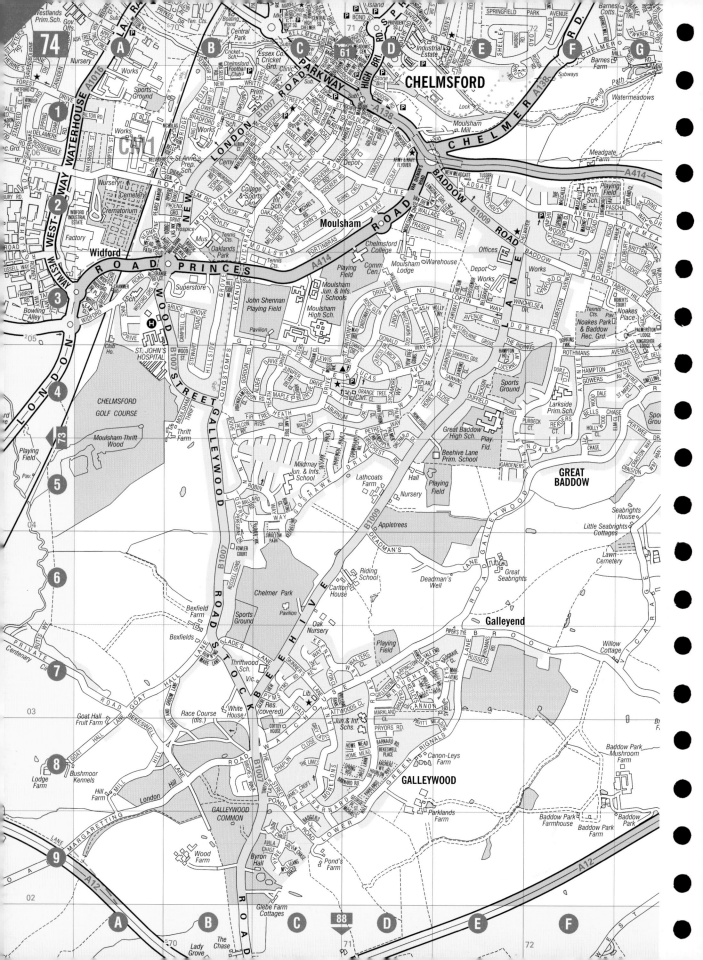

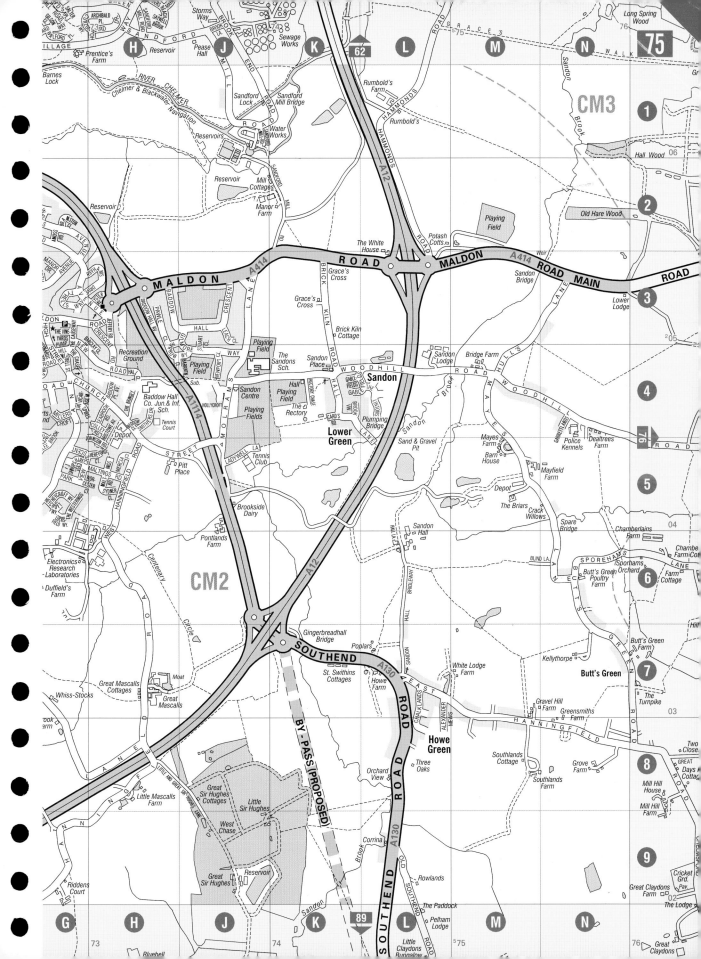

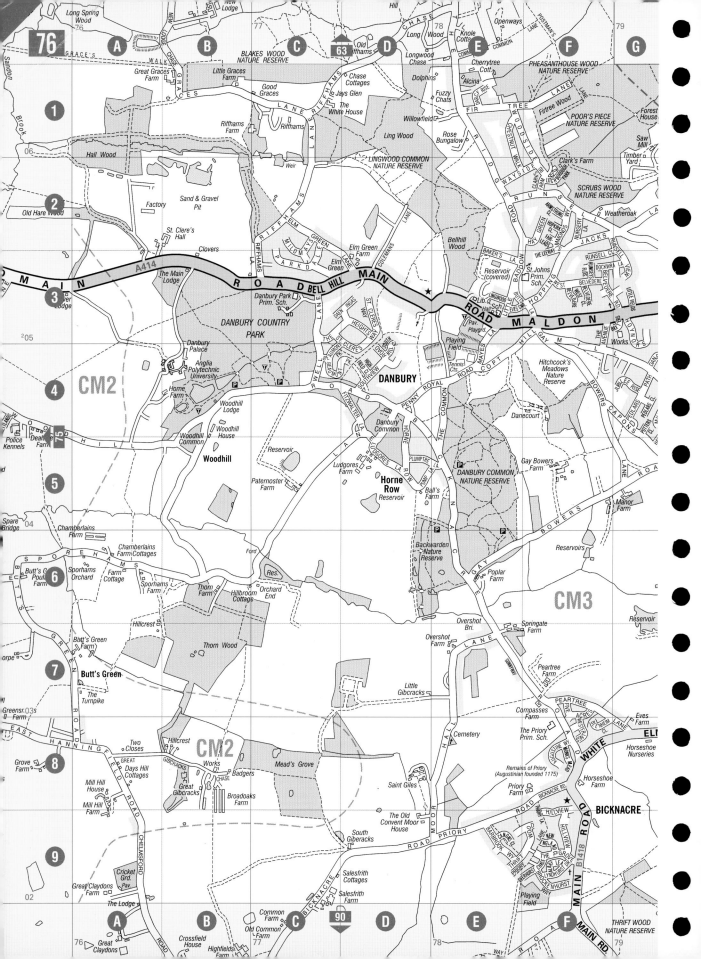

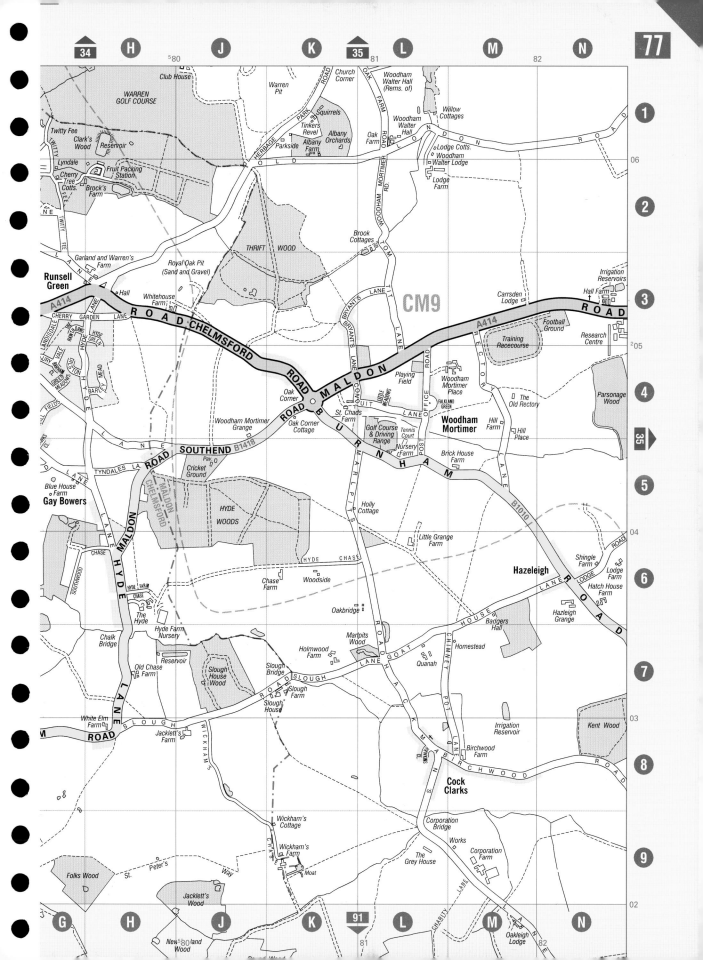

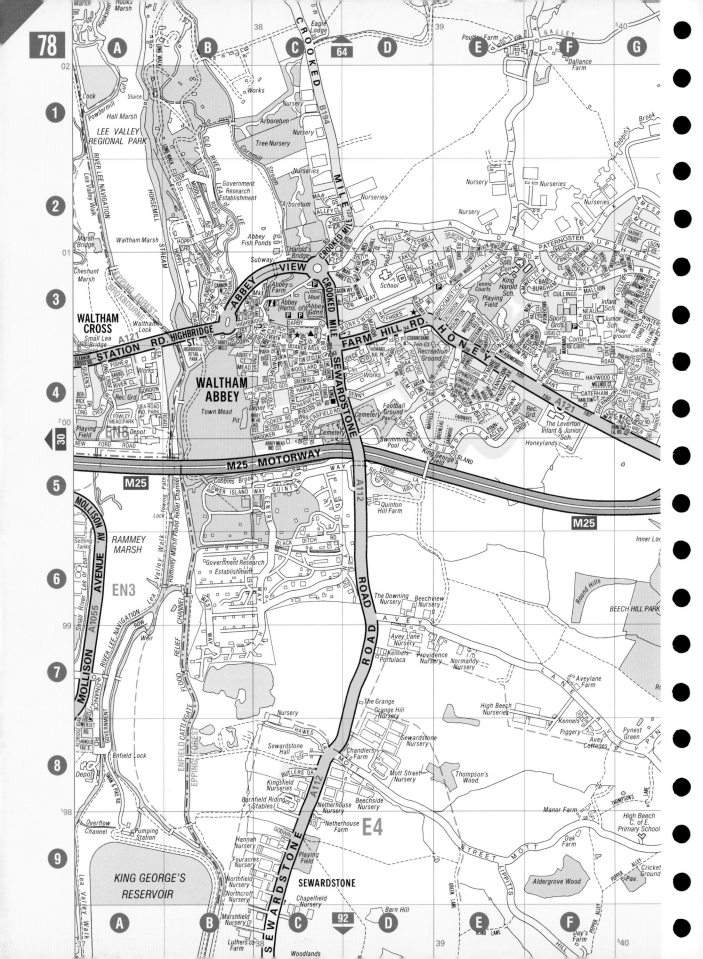

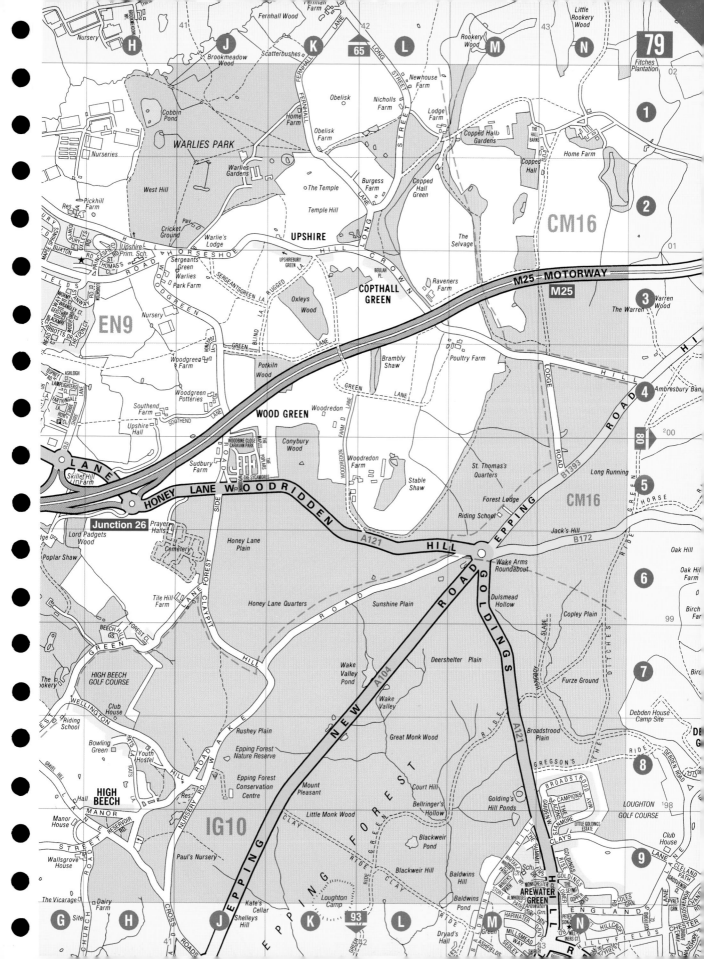

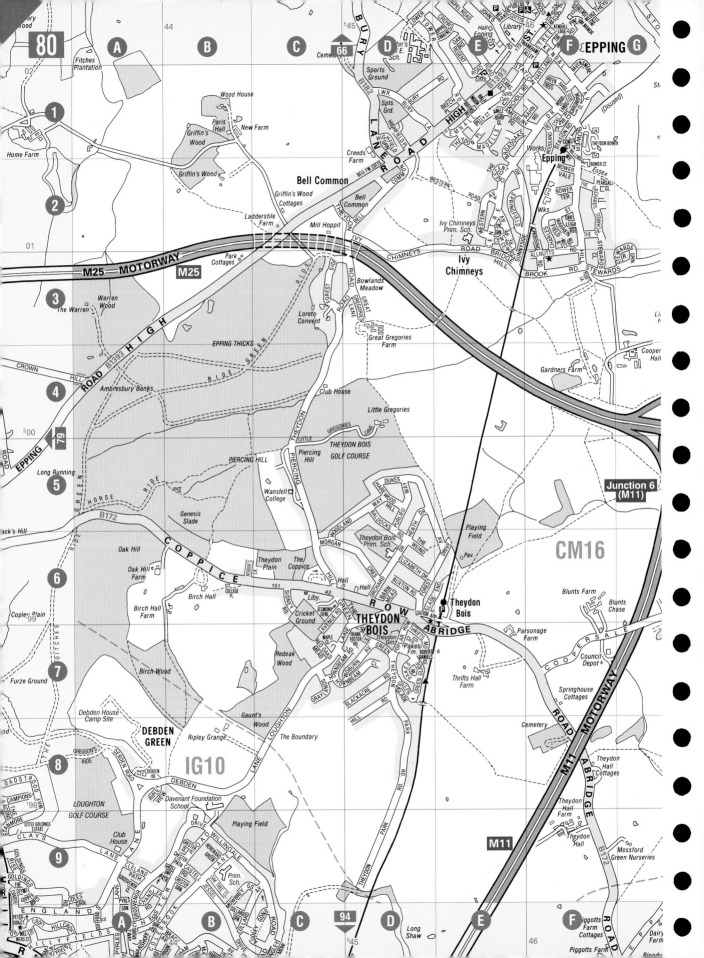

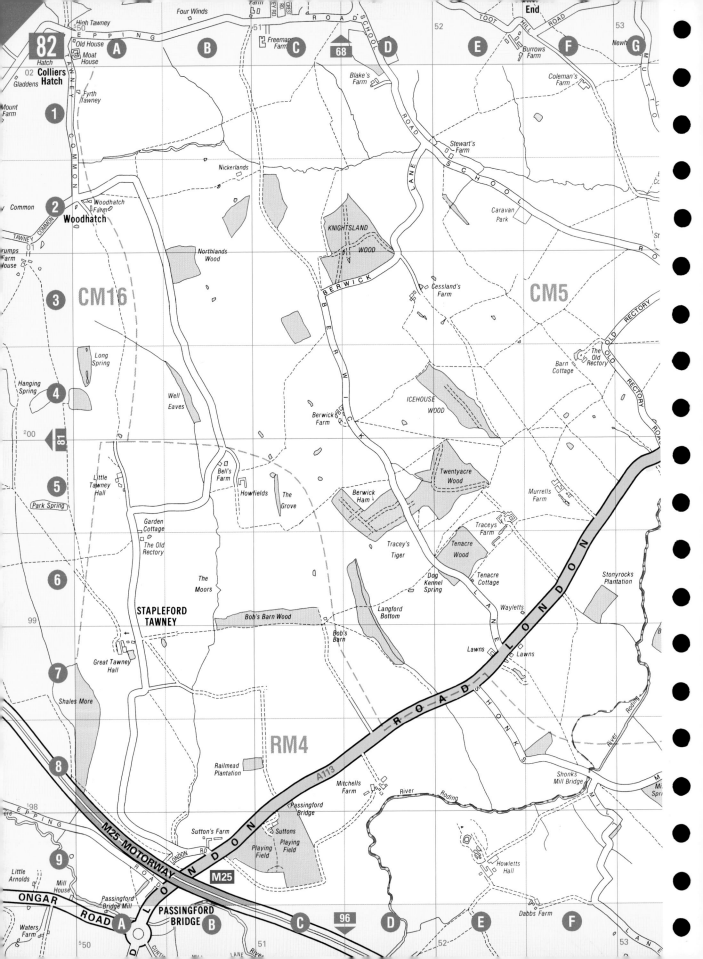

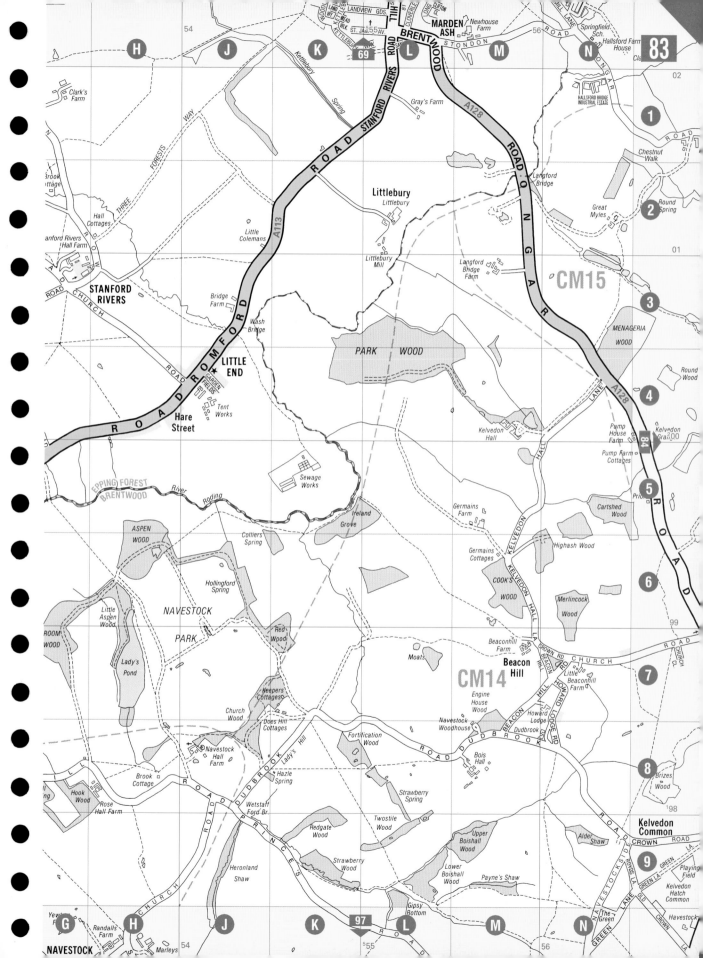

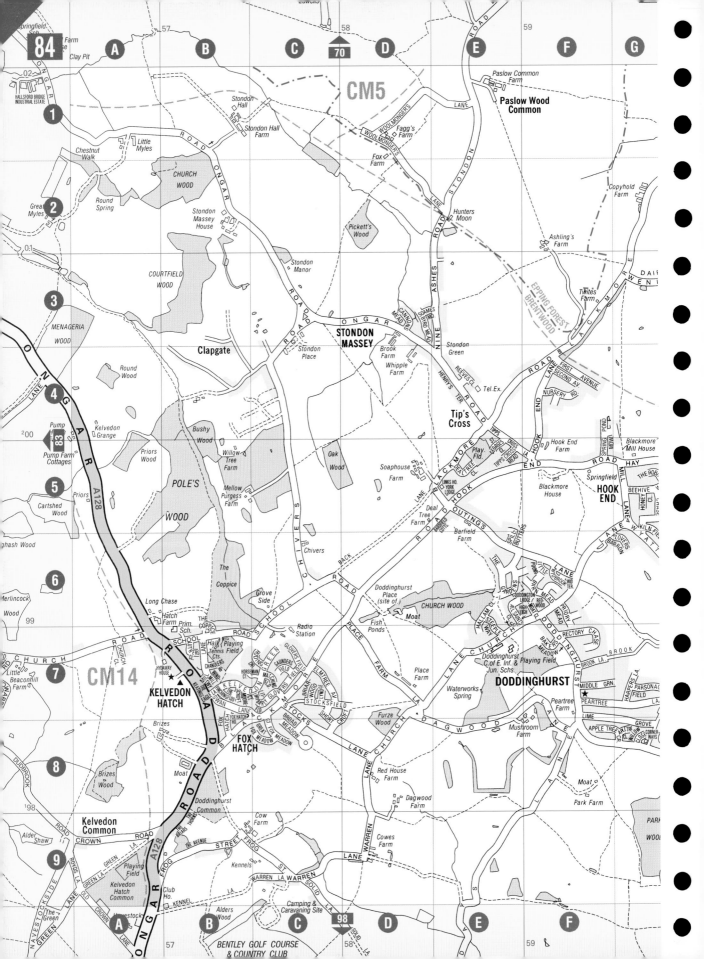

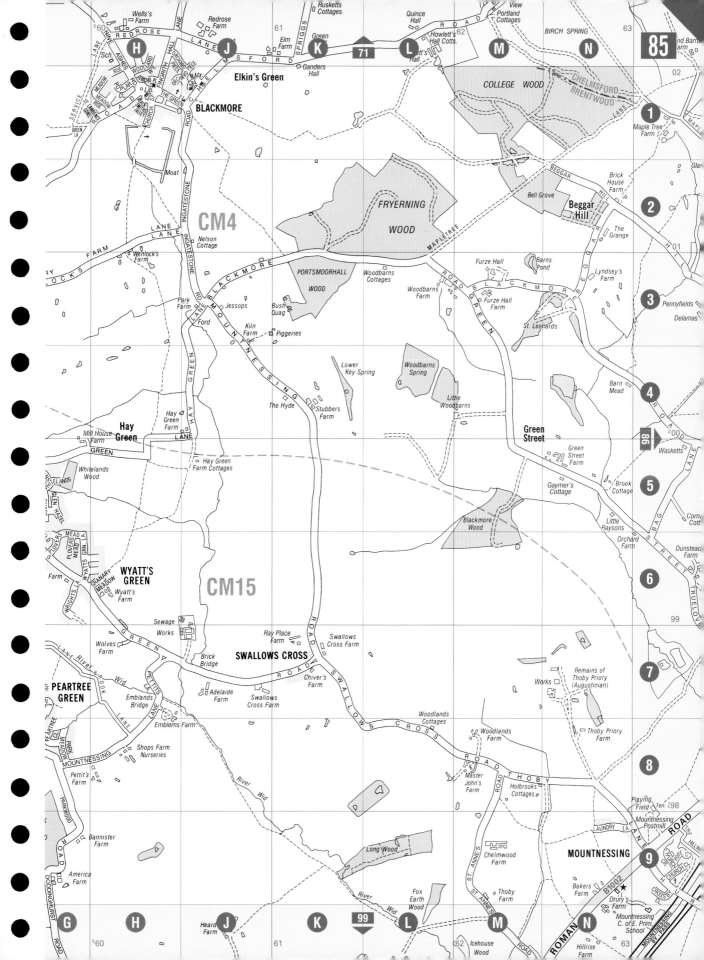

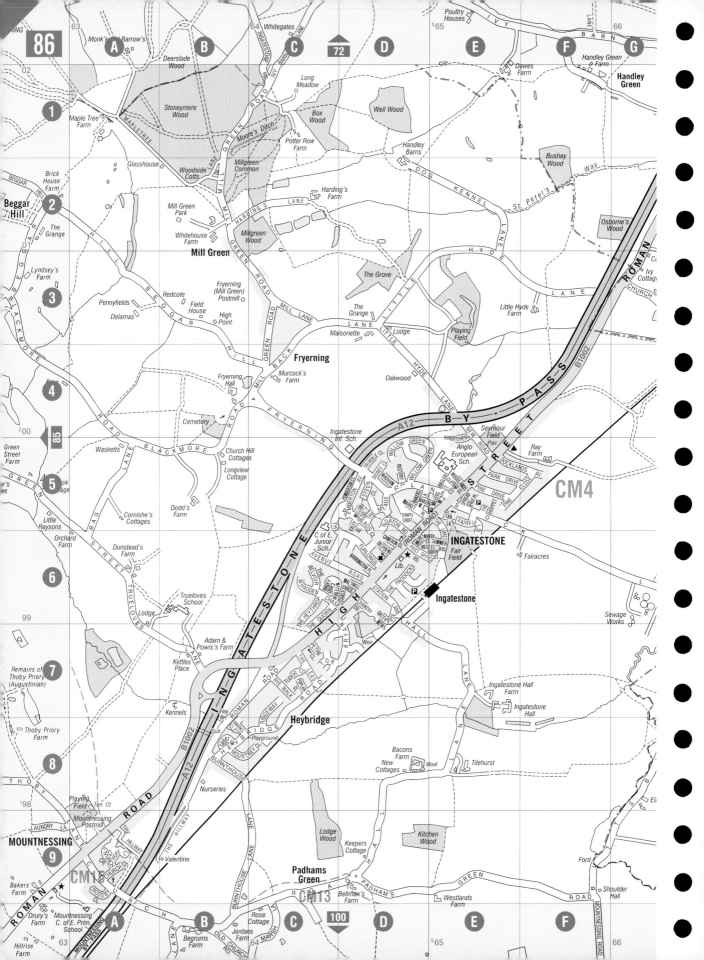

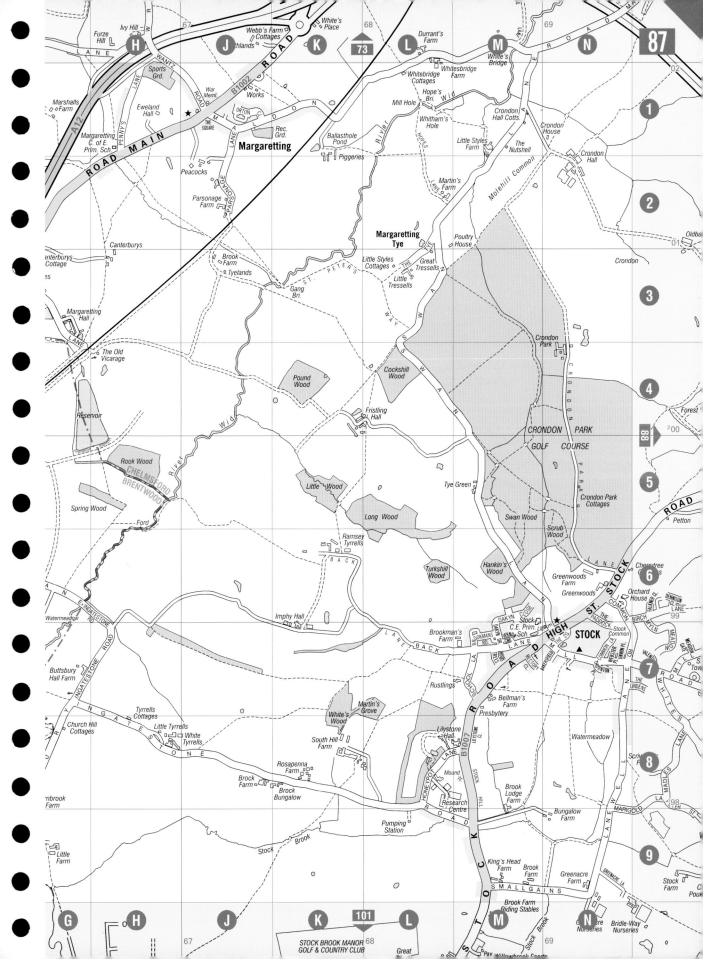

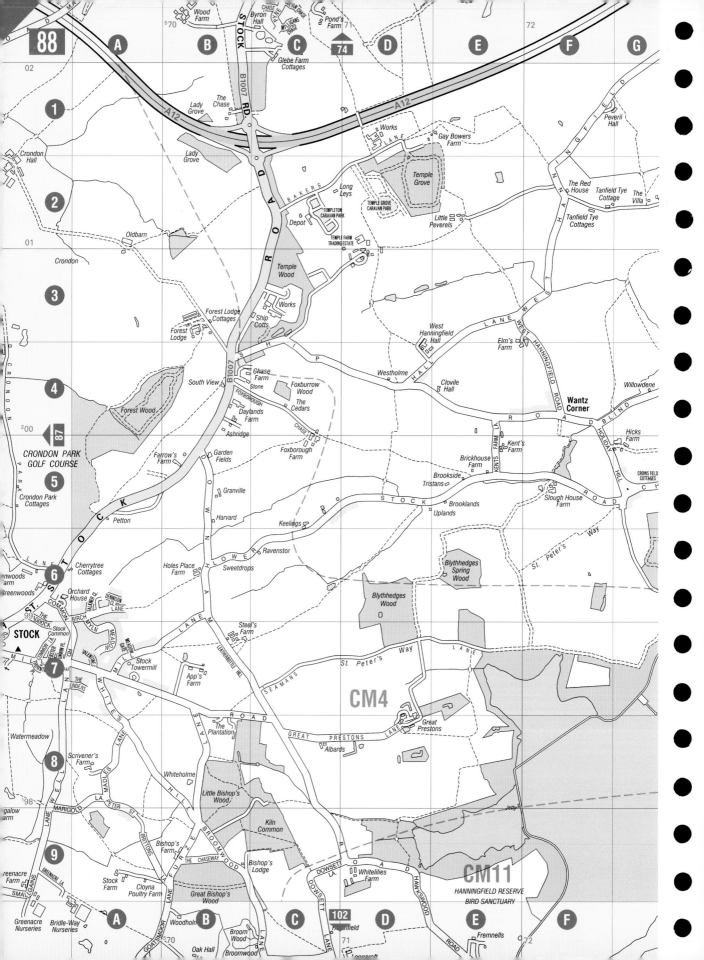

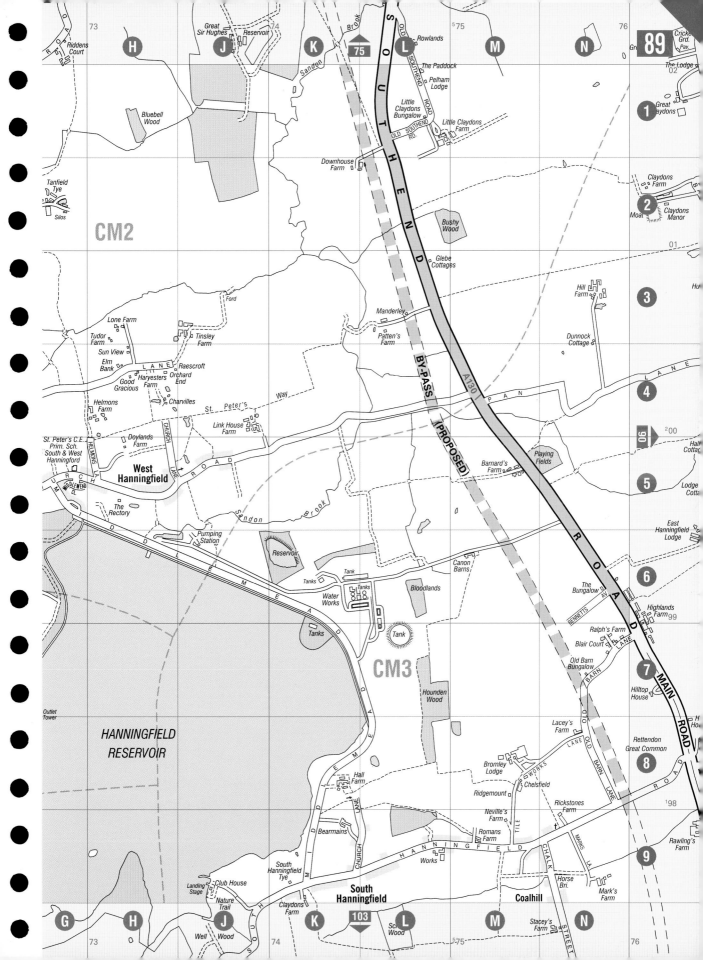

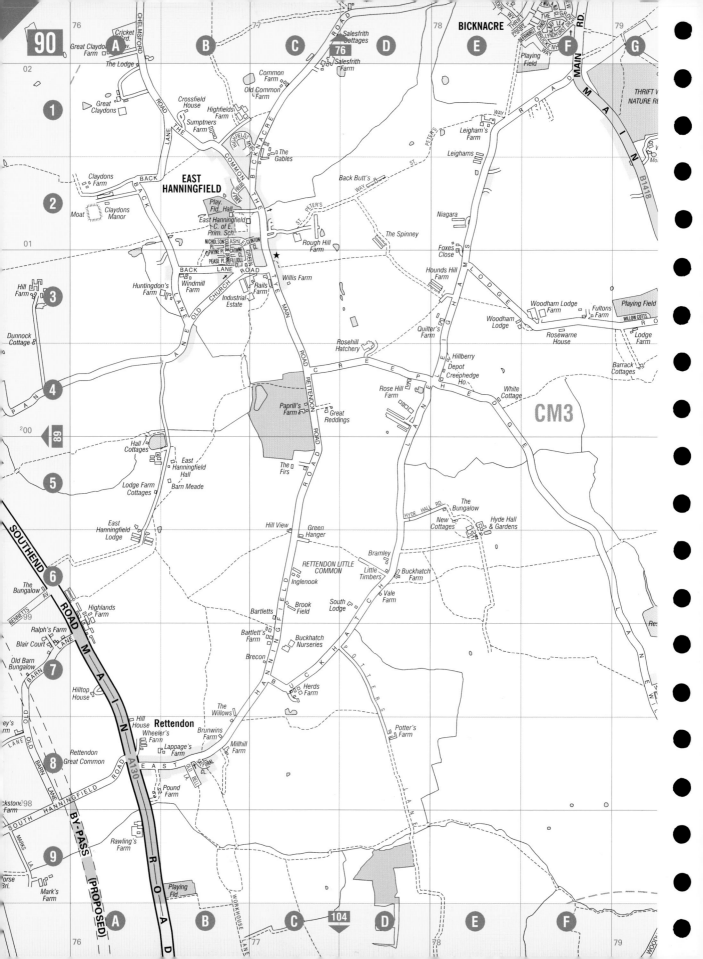

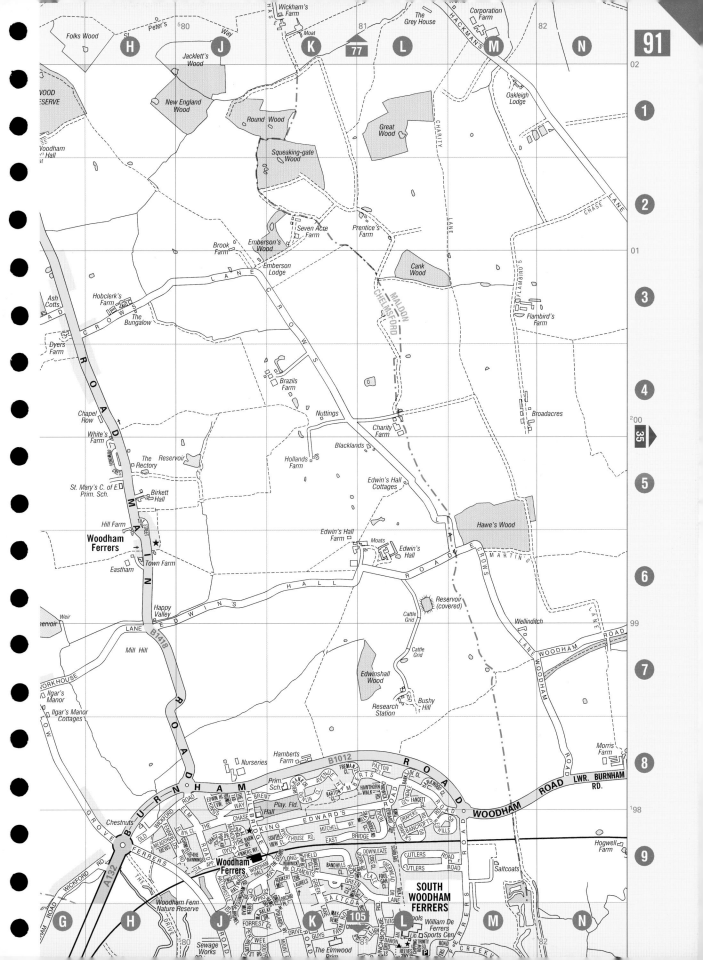

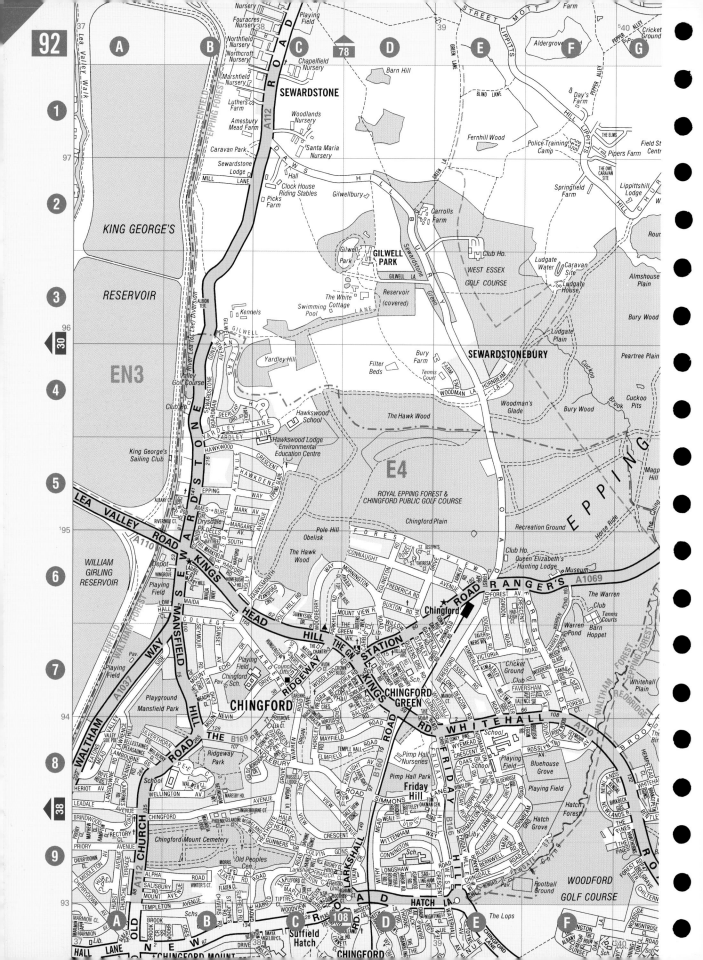

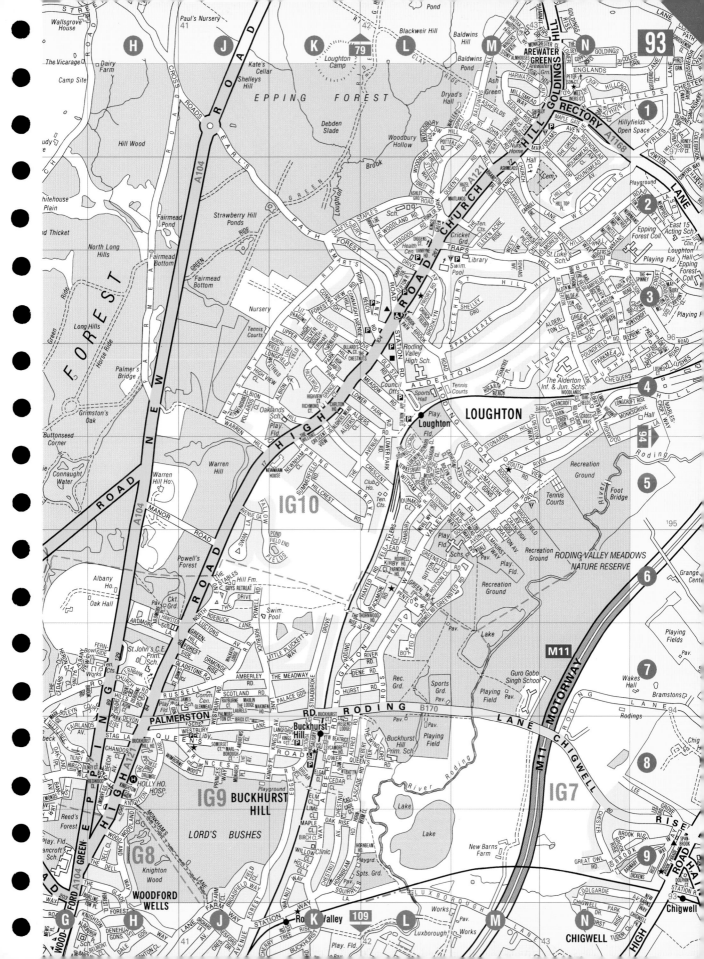

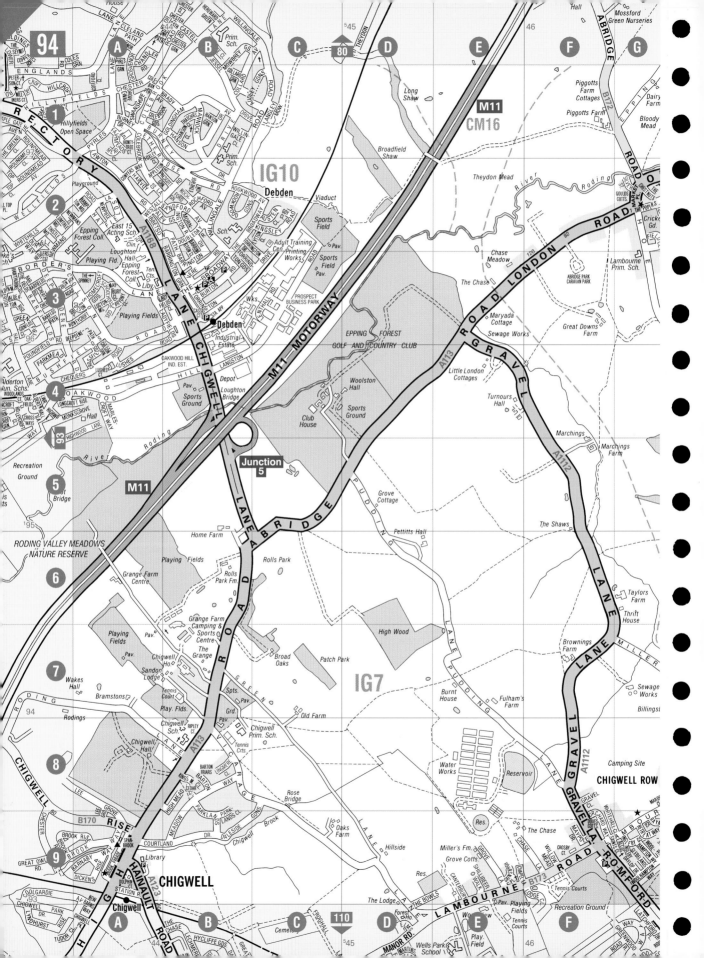

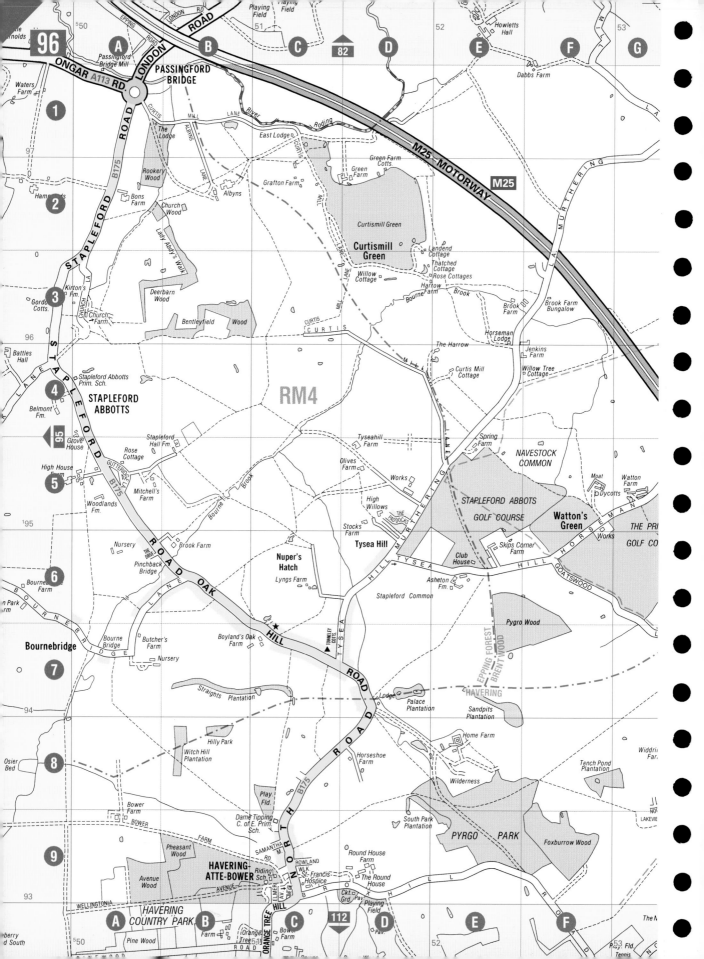

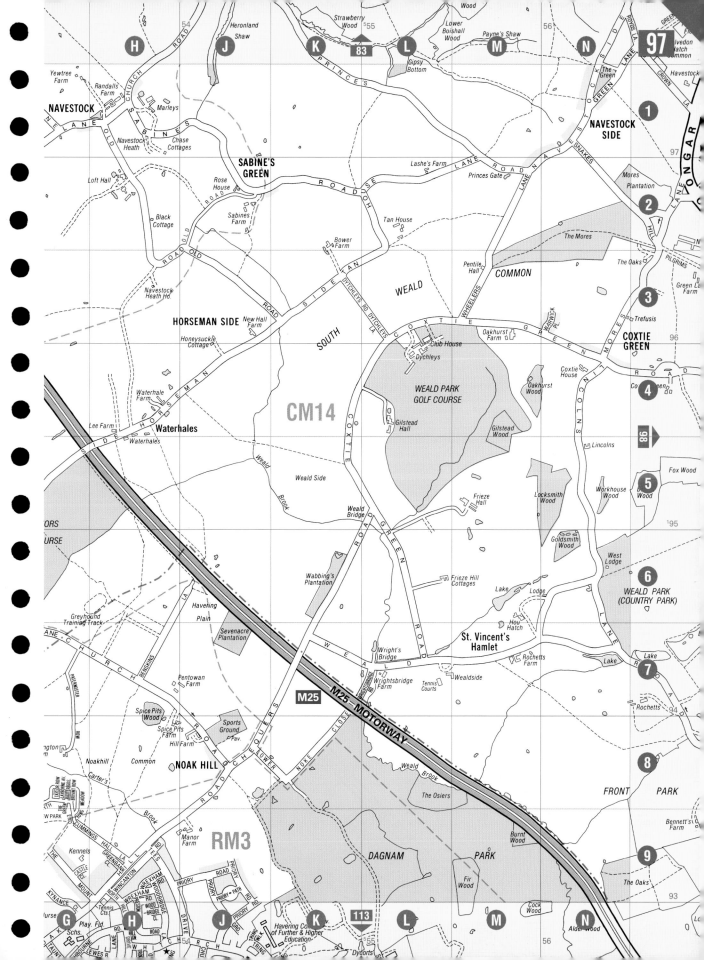

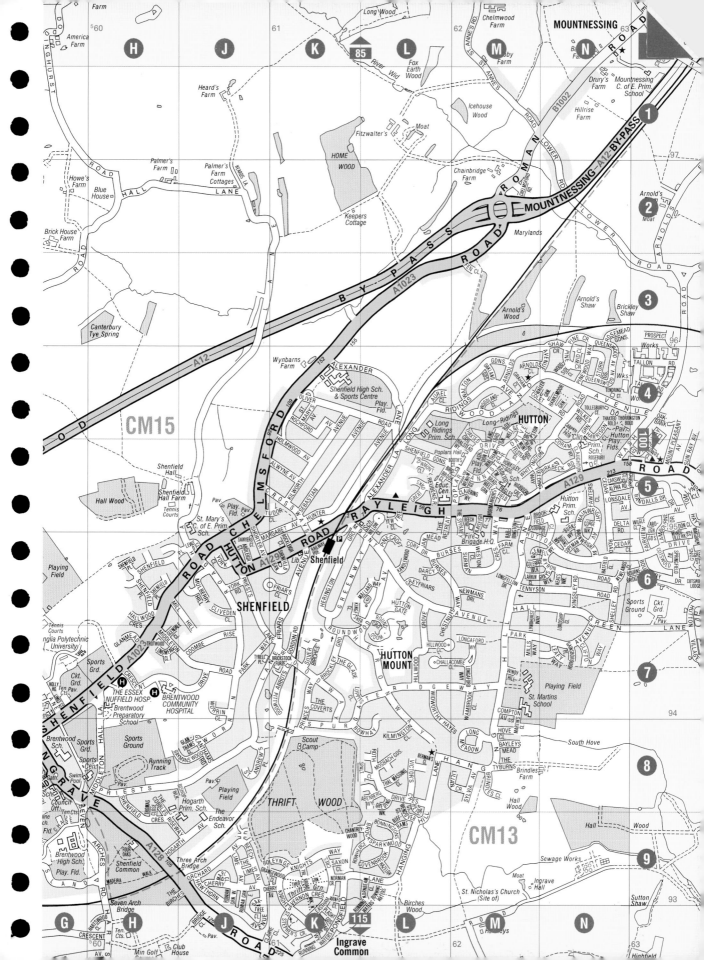

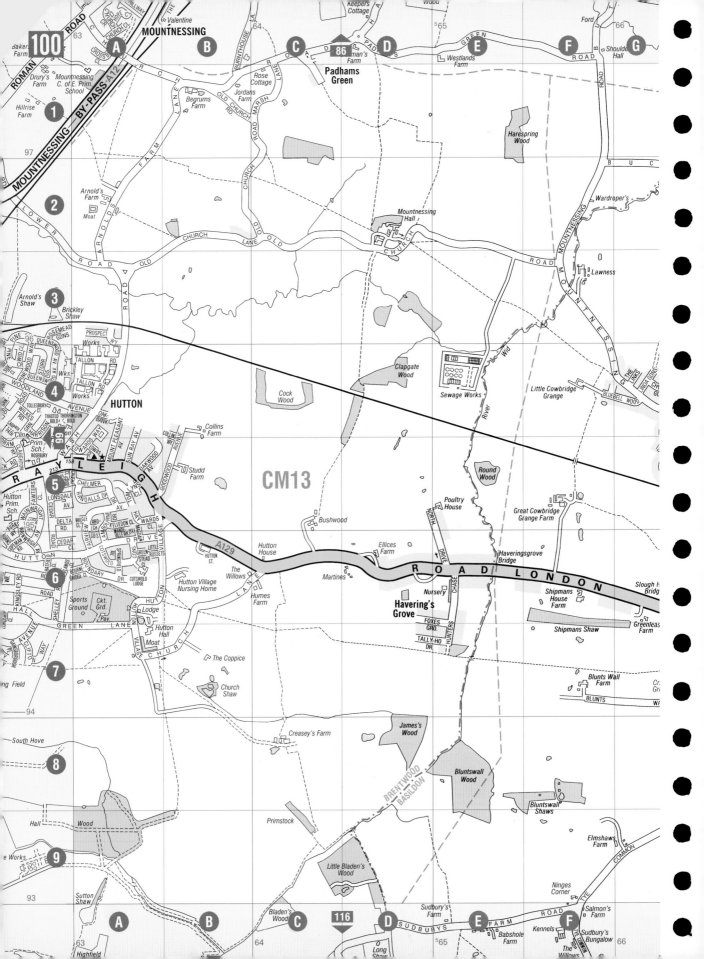

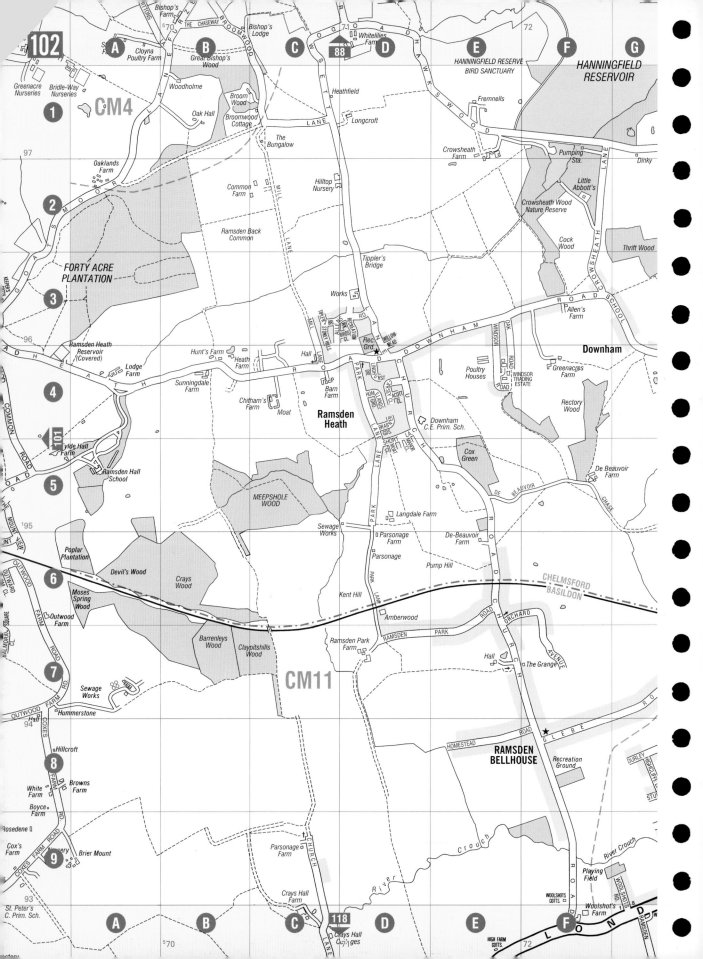

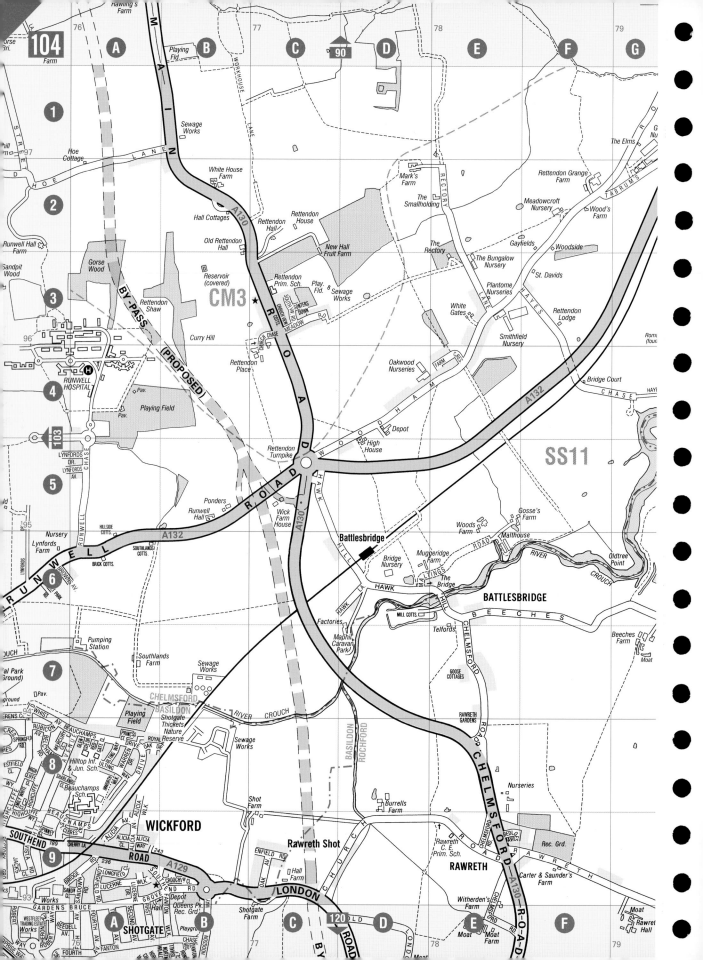

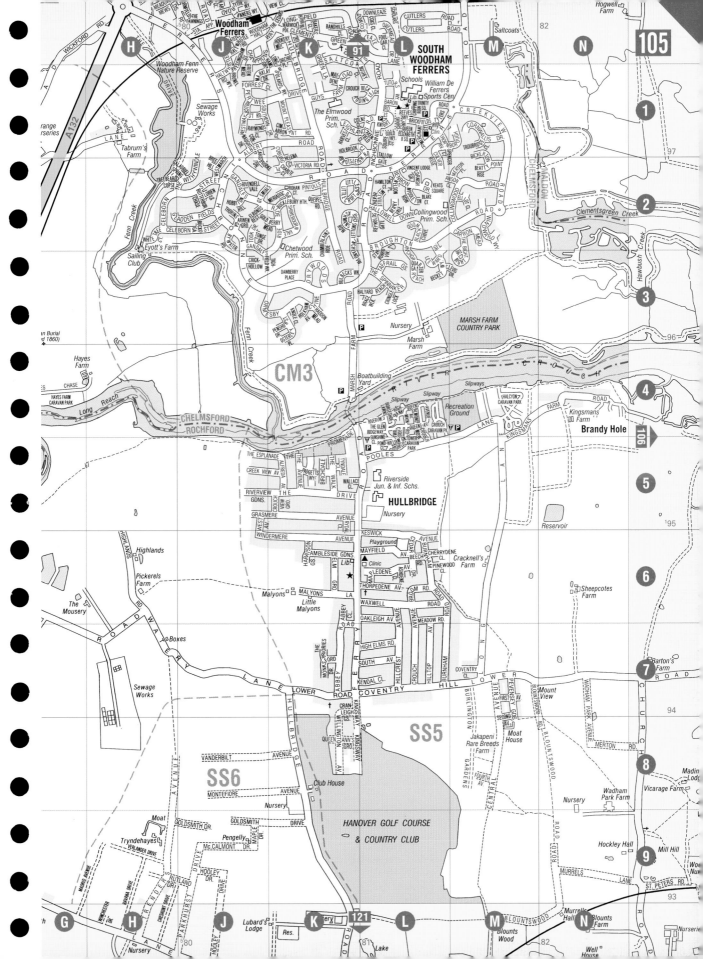

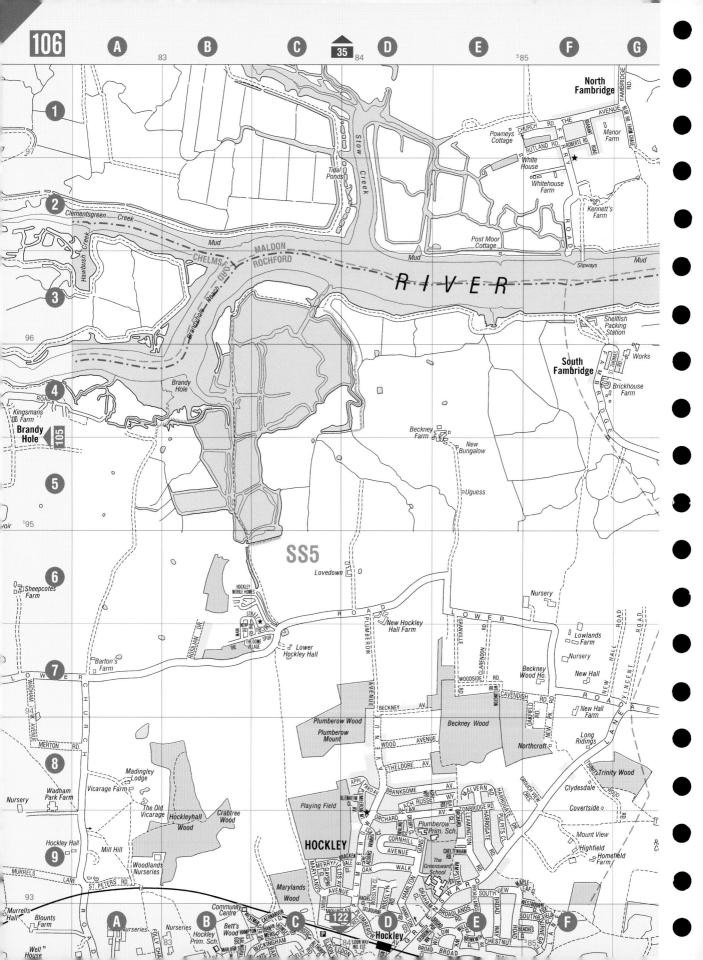

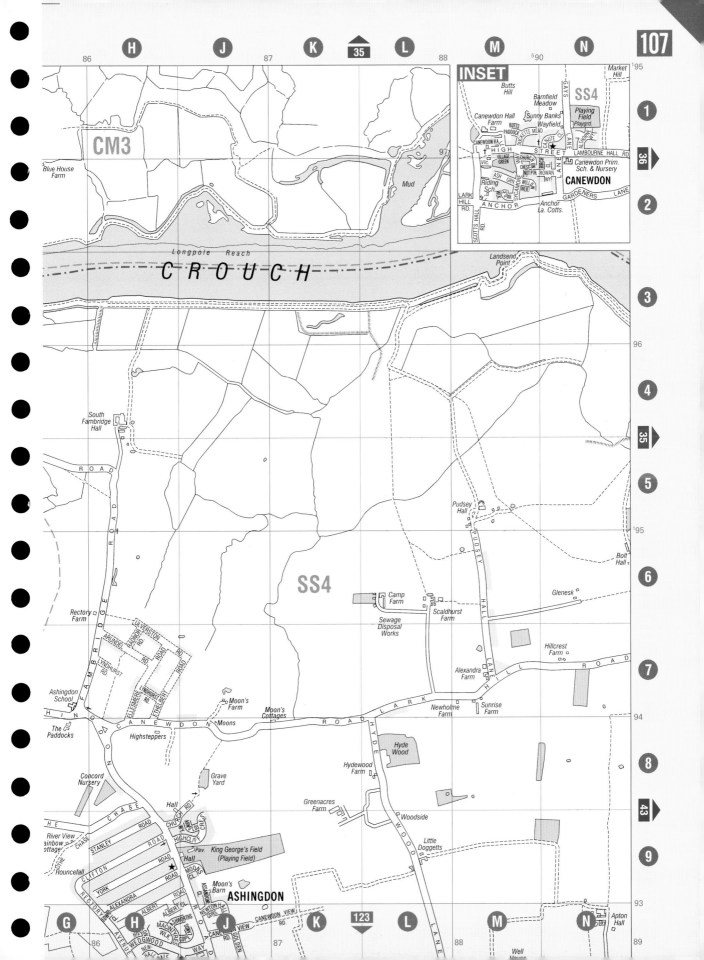

CM3

Blue House Farm

Mud

CROUCH

Longpole Reach

Landsend Point

INSET

SS4

Butts Hill
Market Hill
Barnfield Meadow
Canewdon Hall Farm
Sunny Banks
Wayfield
Playing Field Playgrd.
Canewdon HA
BUTTS PADDOCK
DUCKETTS MEAD
High Street
GAYS LANE
CALUTE
LAMBOURNE WALK
LAMBOURNE HALL RD.
Canewdon Prim. Sch. & Nursery
Vic.
VILLAGE GREEN
CHURCH WAY
NUT PTH.
CHESTNUT
NO.1
BIRCH CL.
ROWAN
IVY
CANEWDON
Riding Sch.
ASH GRN.
SYCAMORE
WILLOW WLK.
ELM WLK.
GARDENERS LANE
LARK HILL RD.
ANCHOR
Anchor La. Cotts.
SCOTTS HALL RD.

South Fambridge Hall

ROAD

Pudsey Hall

Glenesk

Bolt Hall

SS4

Camp Farm
Scaldhurst Farm
Sewage Disposal Works
PUDSEY HALL LANE
Hillcrest Farm
Alexandra Farm
HILL
ROAD

Rectory Farm

CULVERSTON
ARUNDEL
RADNOR RD.
LYNDHURST RD.
ELLESMERE RD.
LYNDHURST RD.
ETHELBERT
ROAD

FAMBRIDGE ROAD

Moon's Farm
Moon's Cottages
Moons
LARK ROAD
Newholme Farm
Sunrise Farm

Ashingdon School
The Paddocks
HINTS
CANEWDON
Highsteppers
Grave Yard

Concord Nursery
Hall
CHASE
CHURCH RD.
HIGHCLIFF
ANN CRES.

HYDE ROAD
Hyde Wood
Hydewood Farm

Greenacres Farm
Woodside
Little Doggetts

River View
Rainbow Cottage
Rouncefall
STANLEY ROAD
CLIFTON ROAD
YORK ROAD
RECTORY AVENUE
EDMUND
ALBERT
ALEXANDRA
MACINTYRE
WALK
WEDGWOOD
NEW HALL
WAY
GOLDEN
CANEWDON VIEW RD.
CANE VIEW
ASKWITHS
NEWTON GDNS.
MOONS CL.
ASSANDUM CL.
ALBERT CL.
HIGHCLIFF
Pav.
Hall
King George's Field (Playing Field)
Moon's Barn
ASHINGDON
Apton Hall
Well House

WOODS LANE

1   36   2   3   4   35   5   6   7   43   8   9

96   95   94

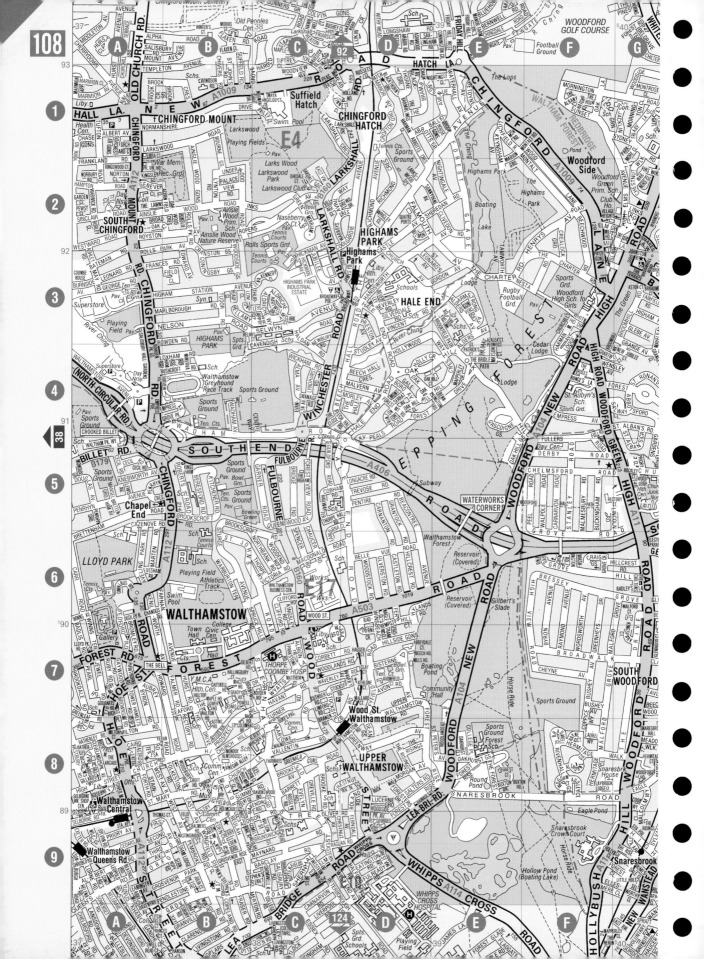

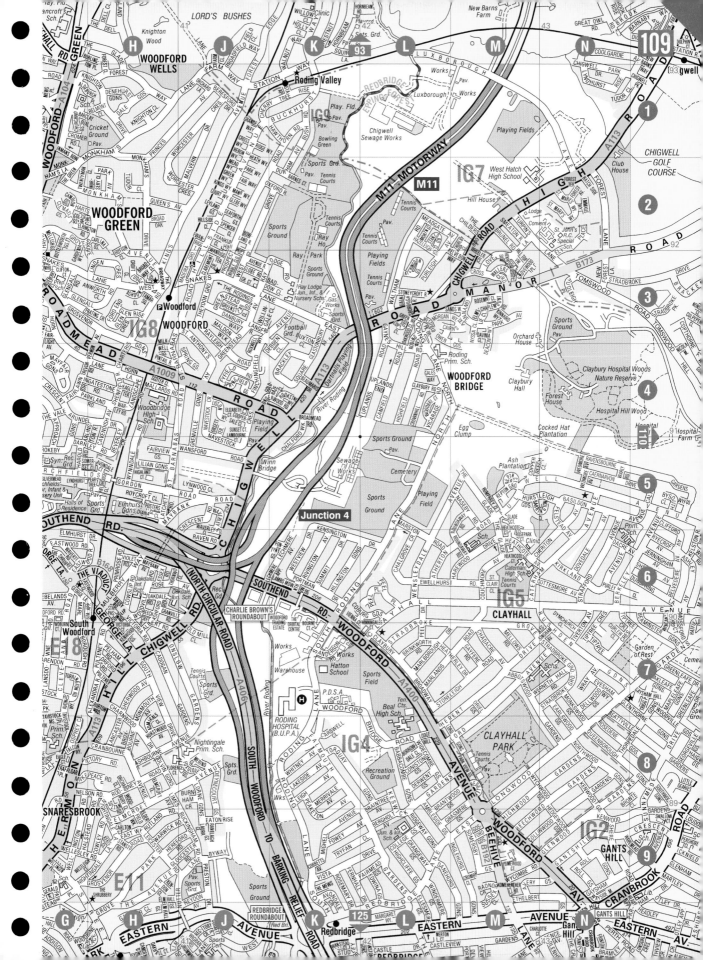

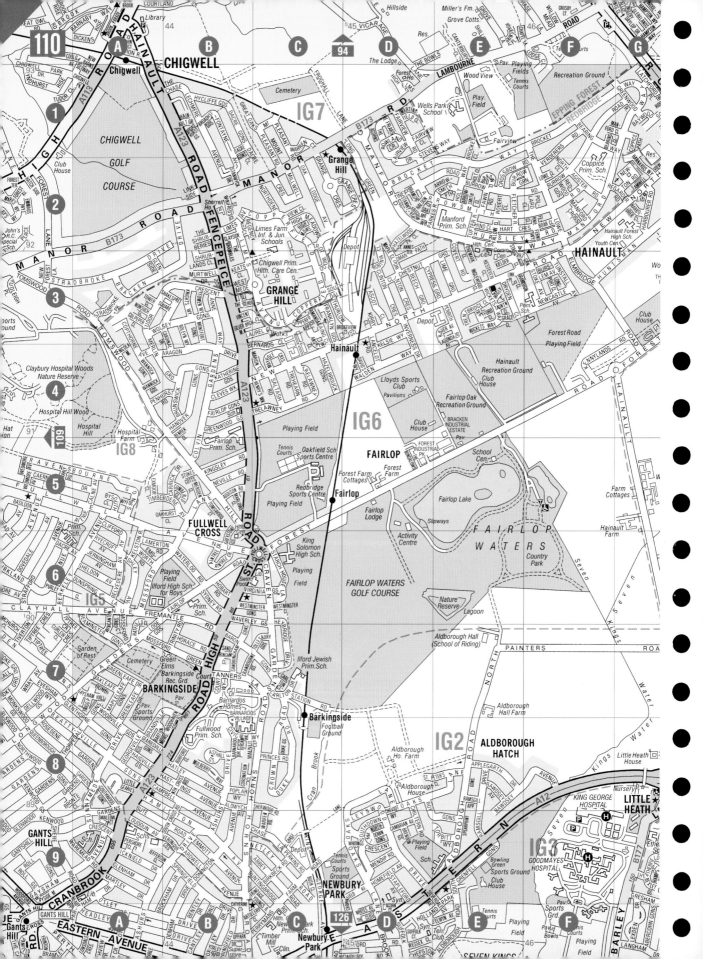

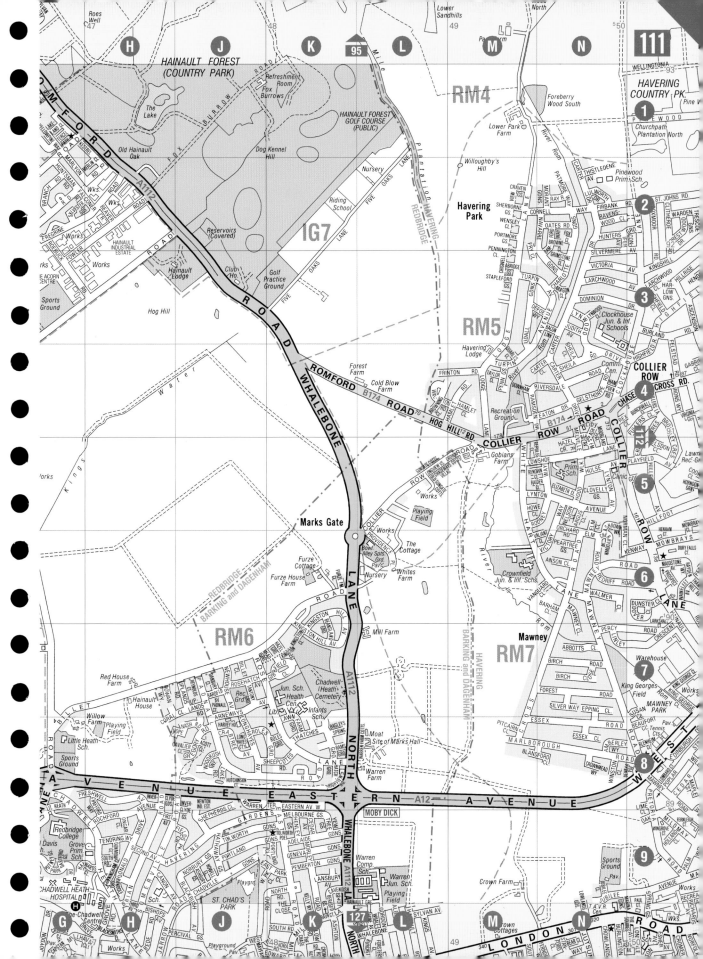

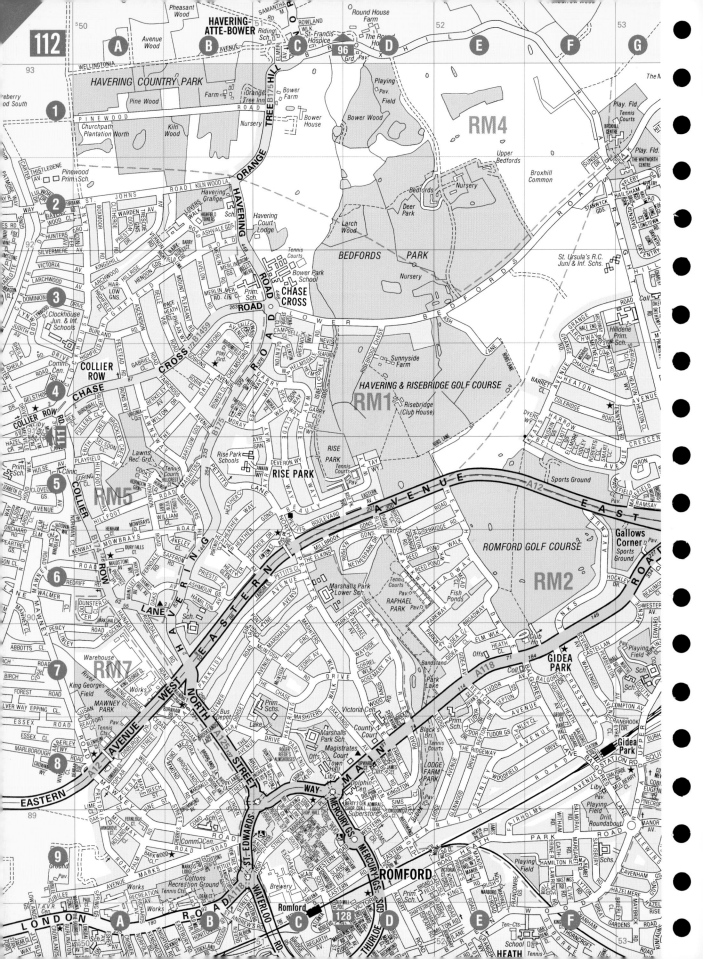

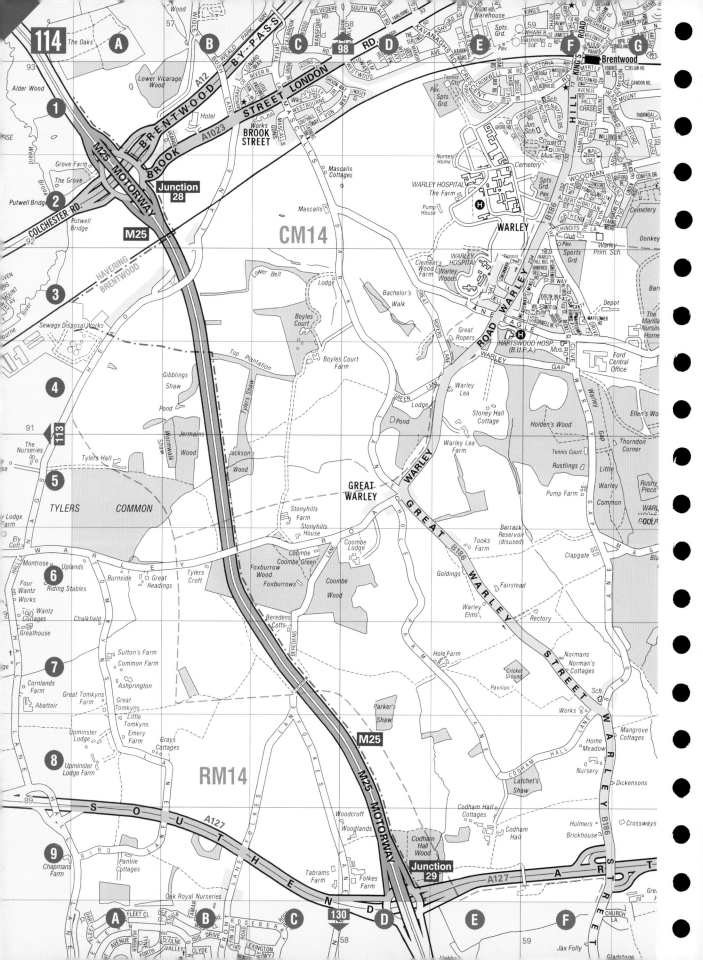

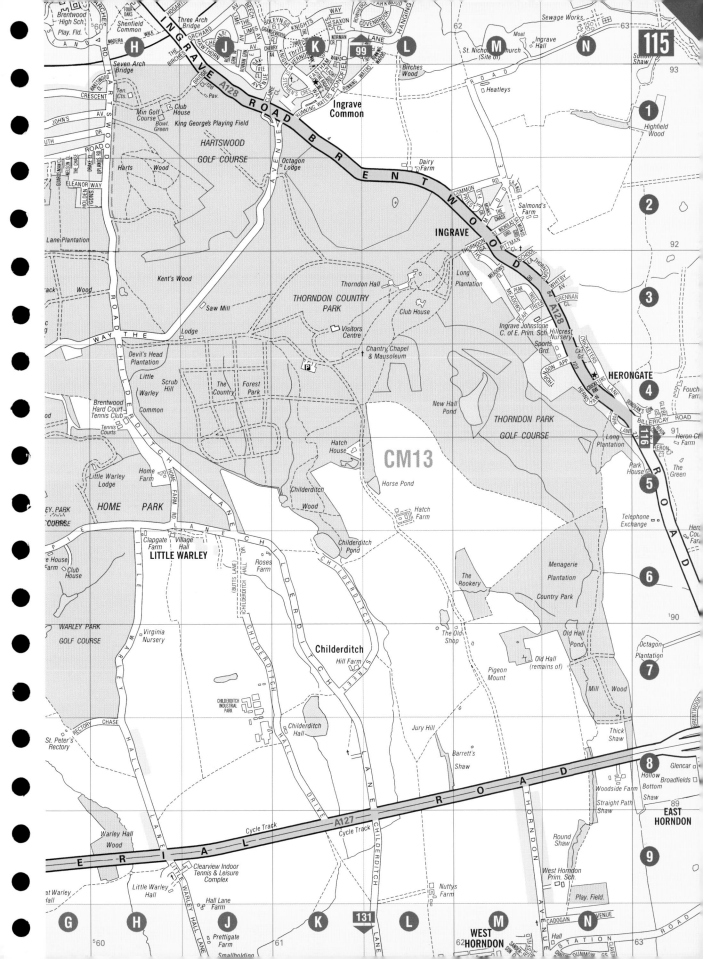

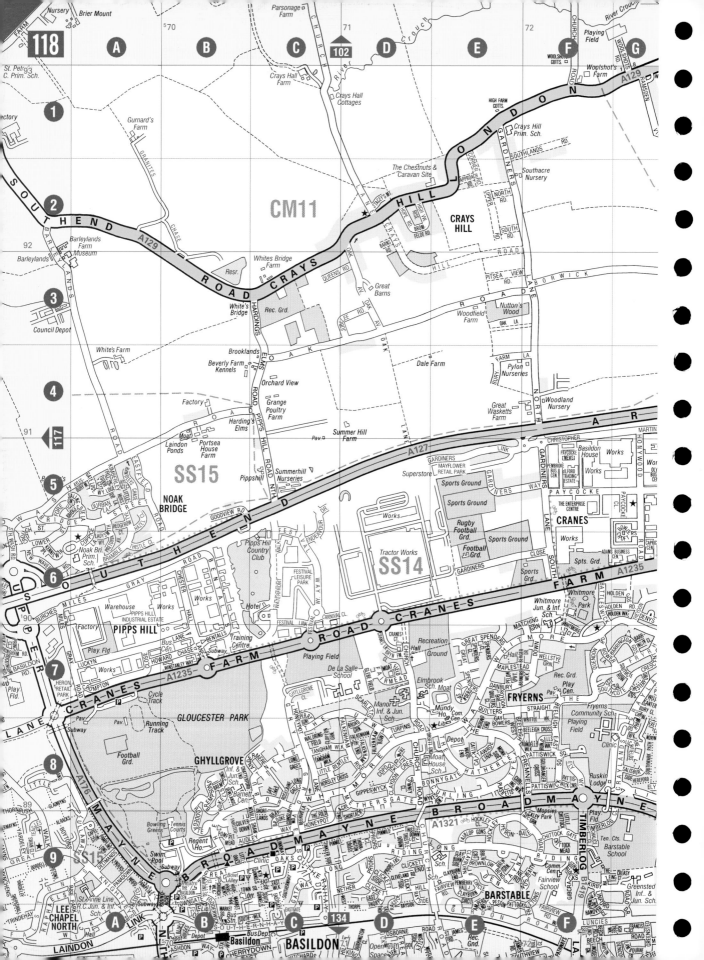

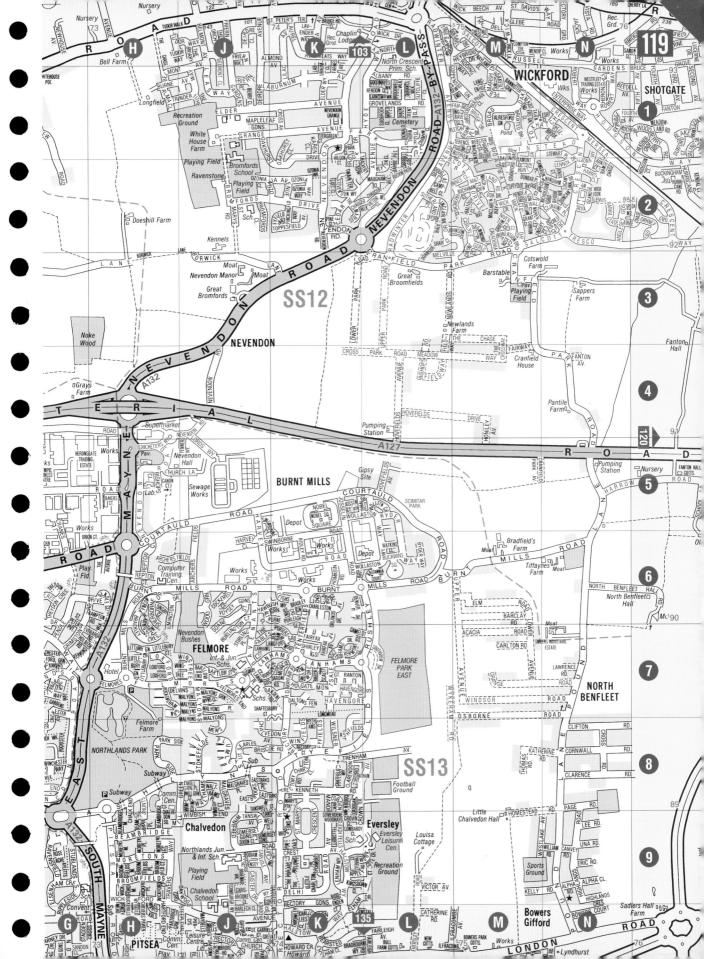

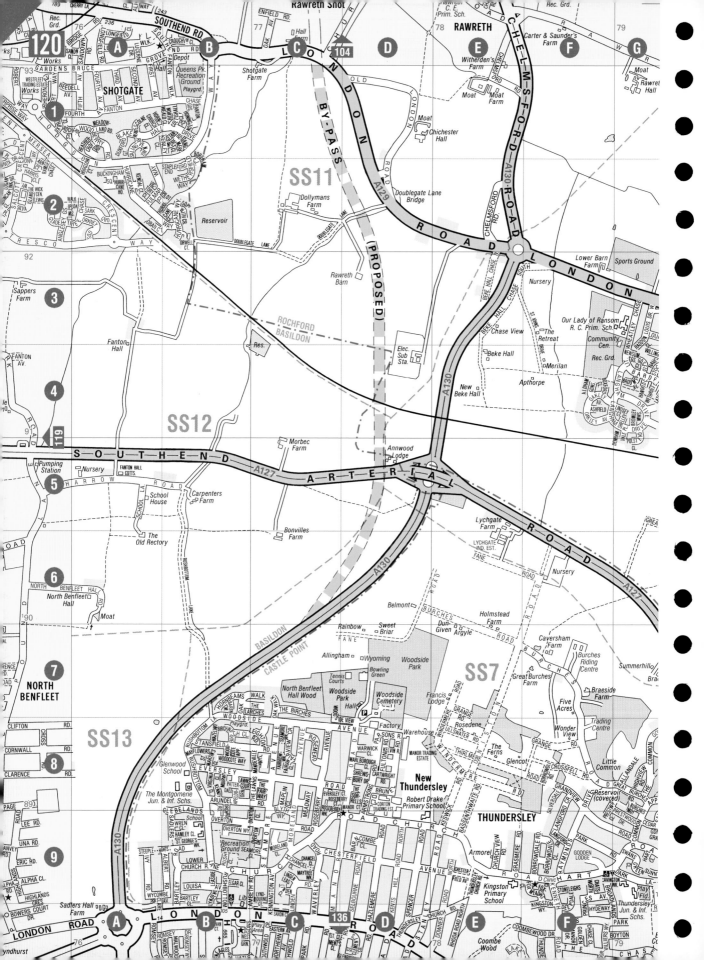

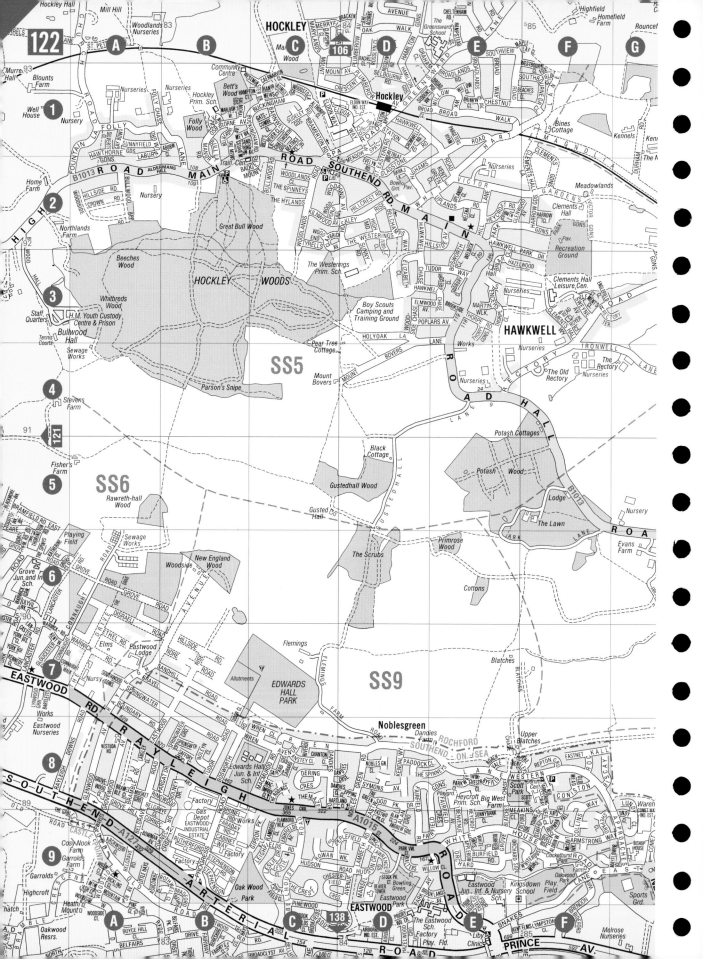

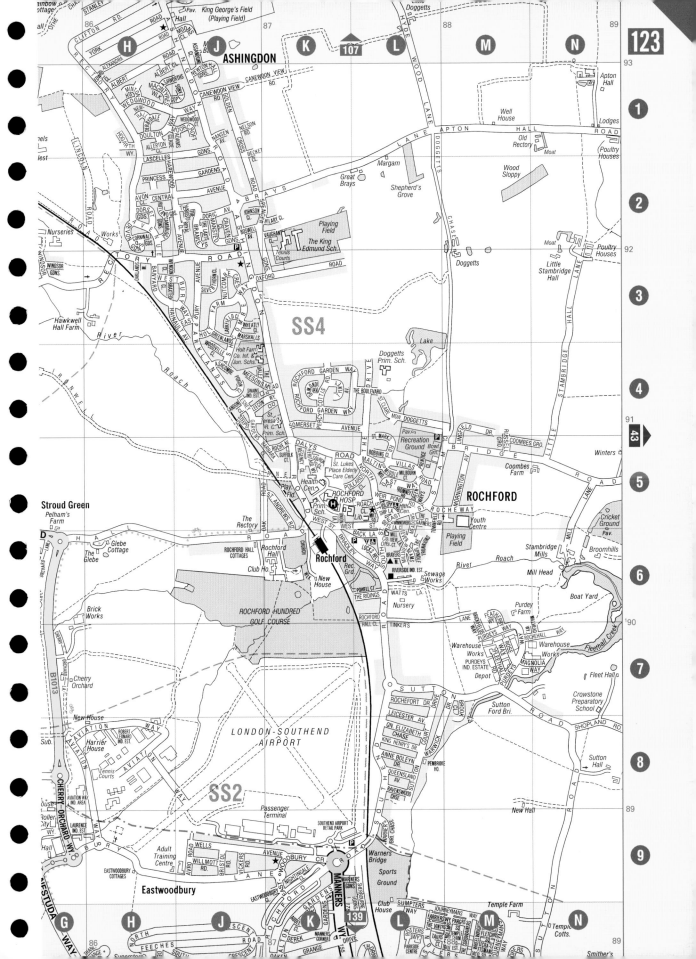

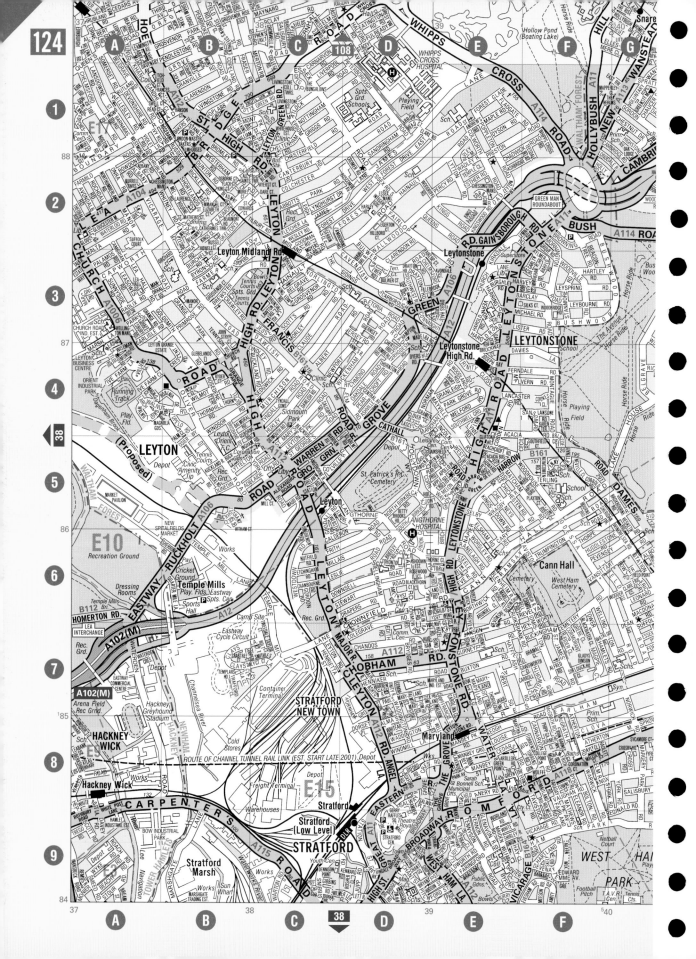

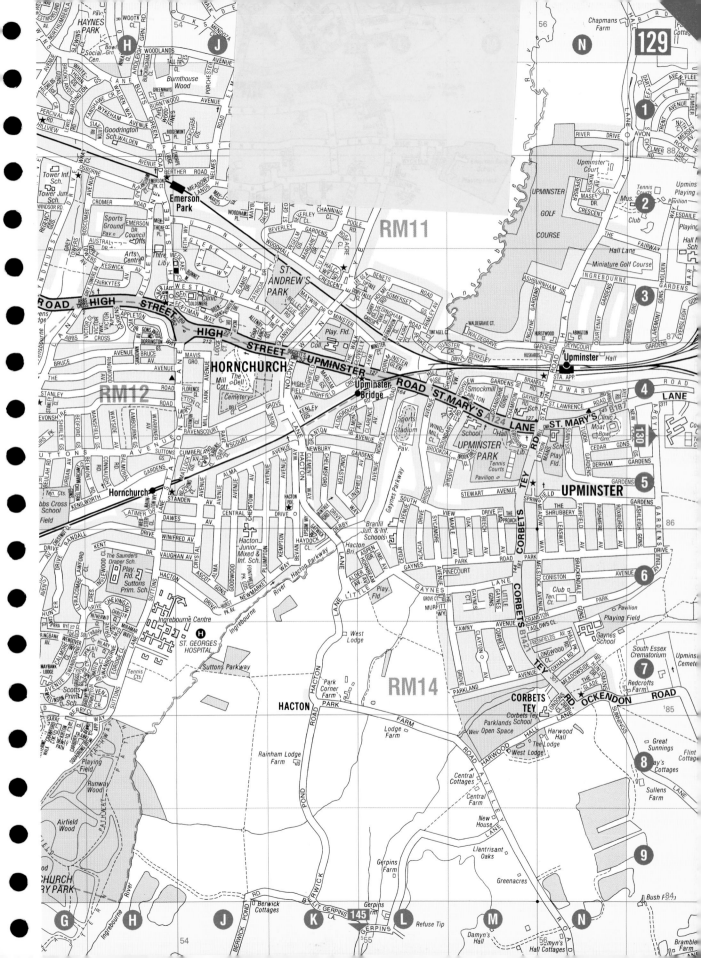

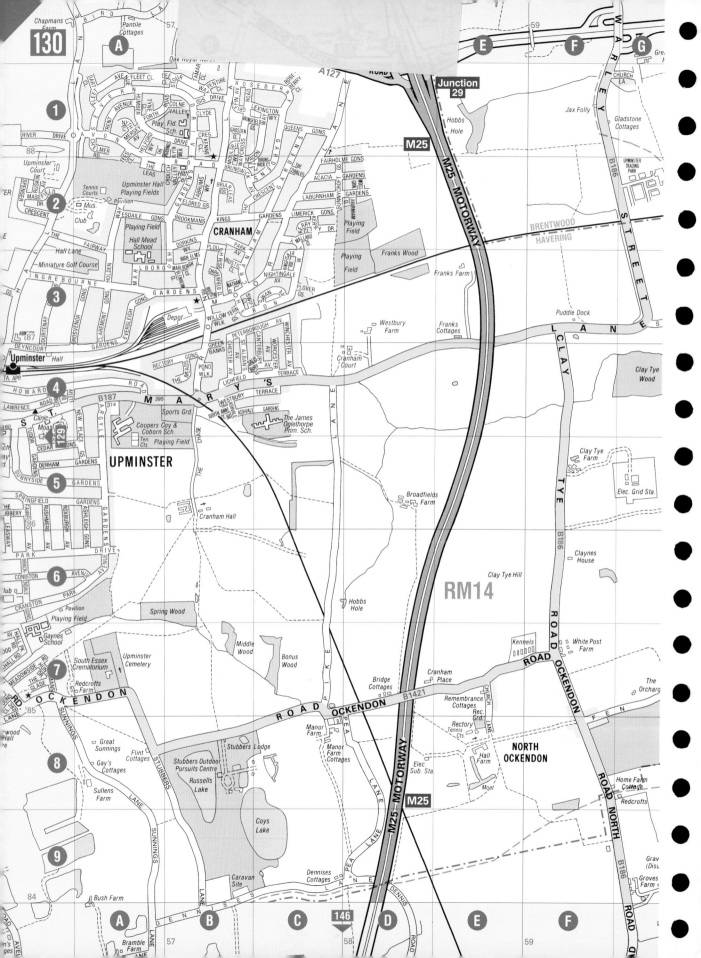

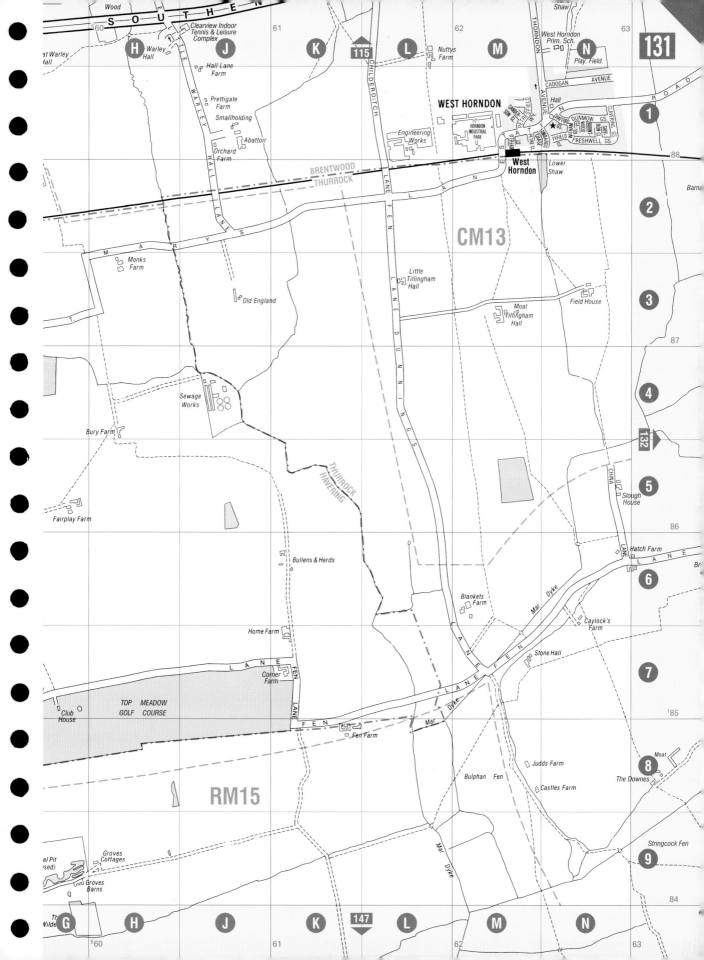

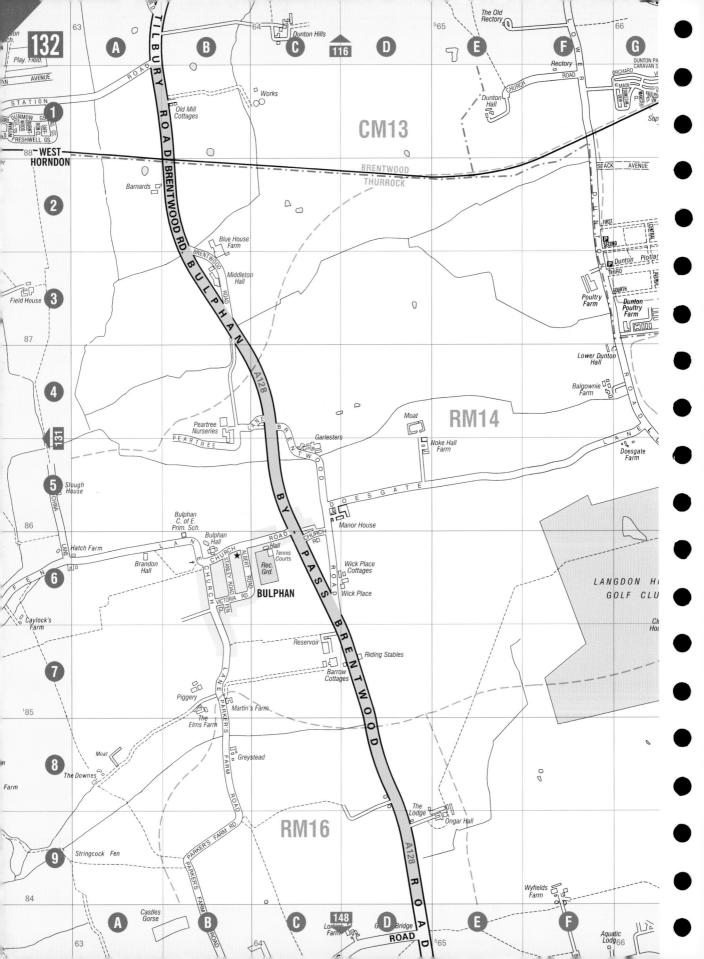

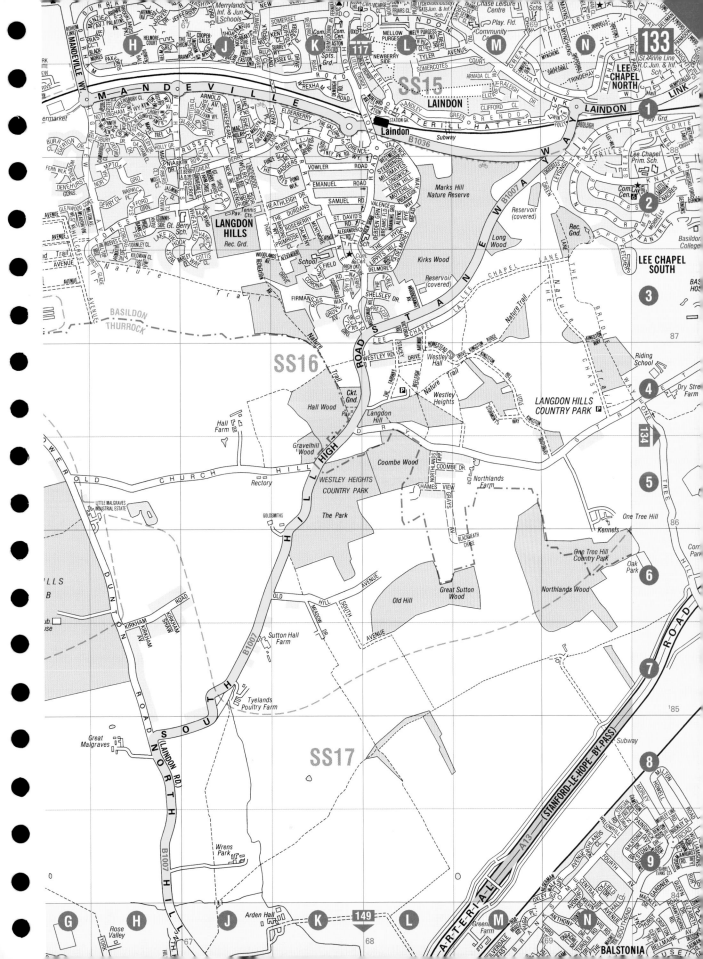

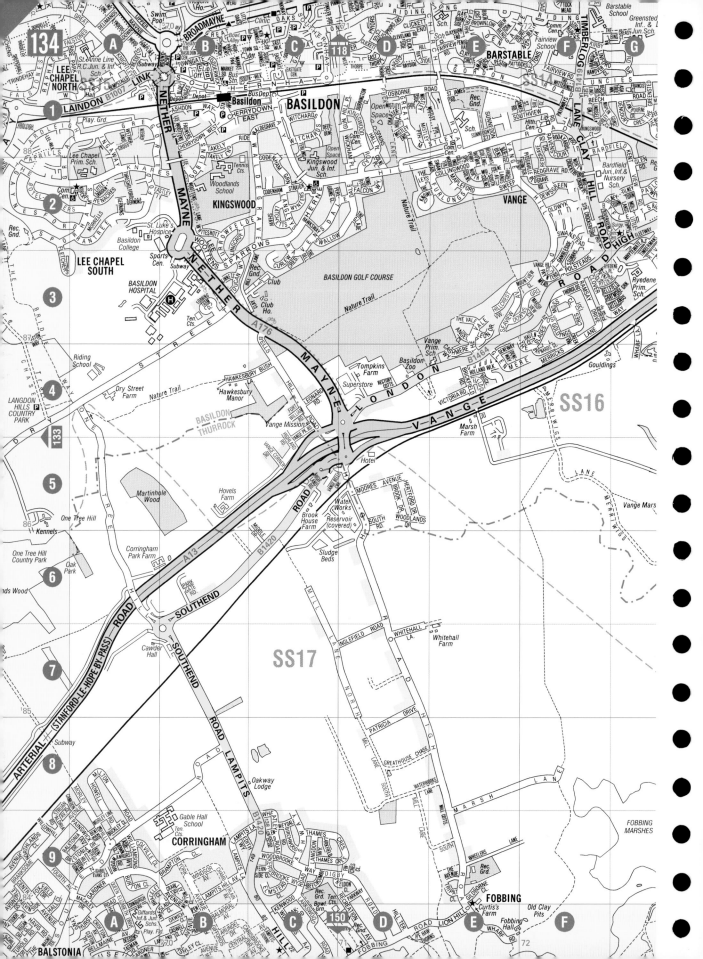

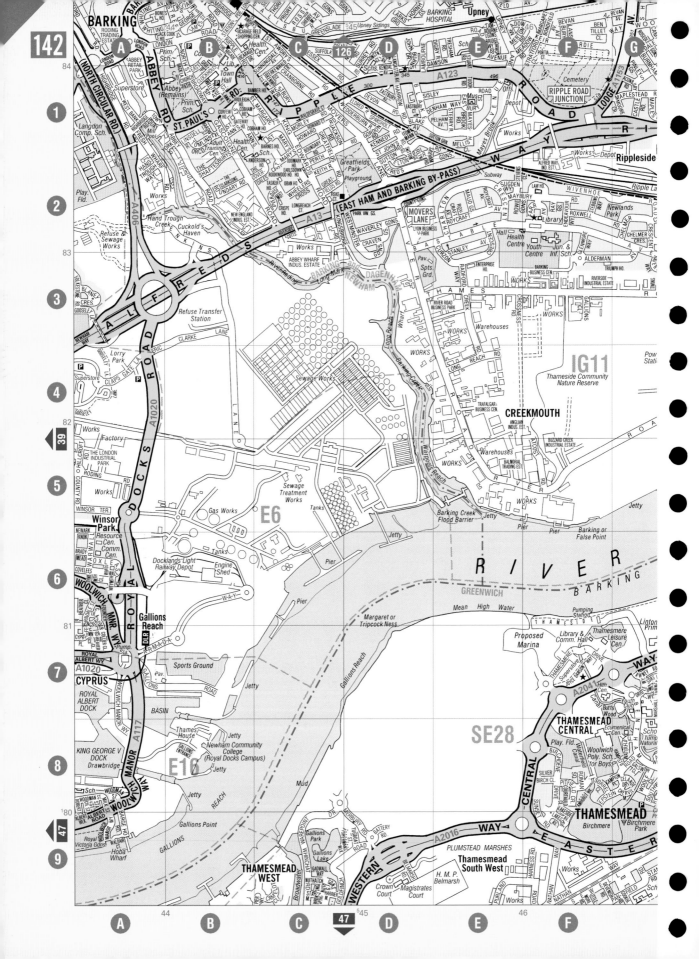

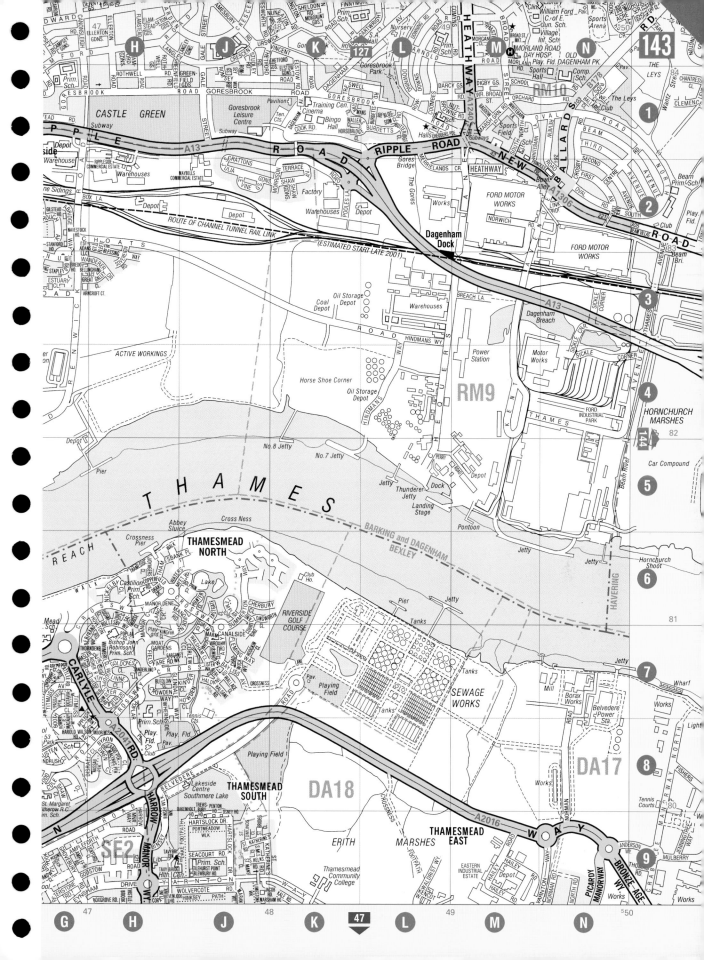

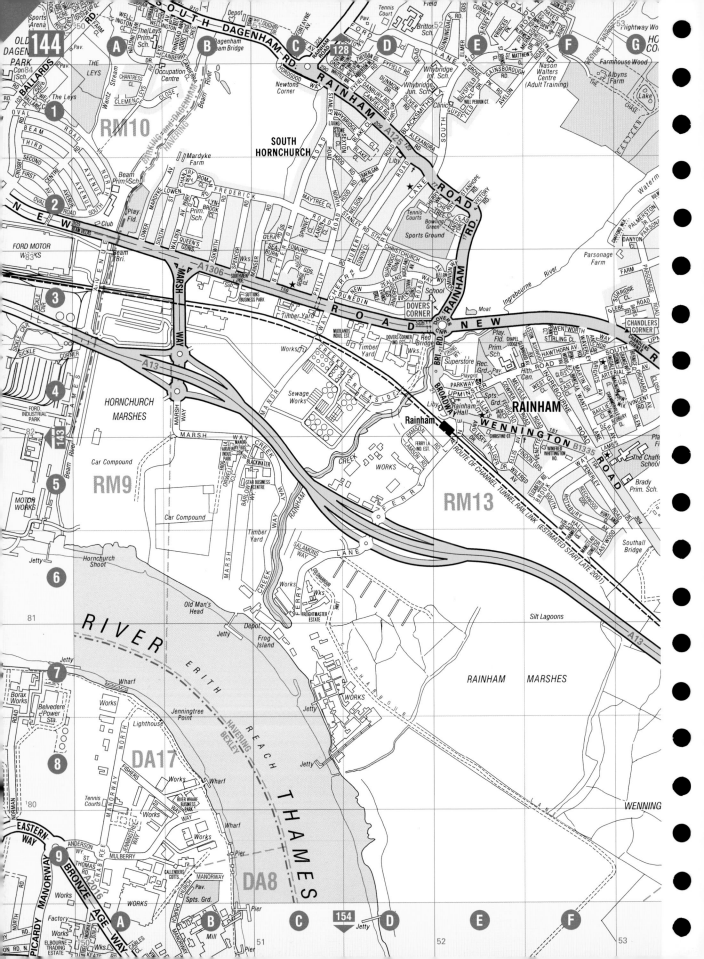

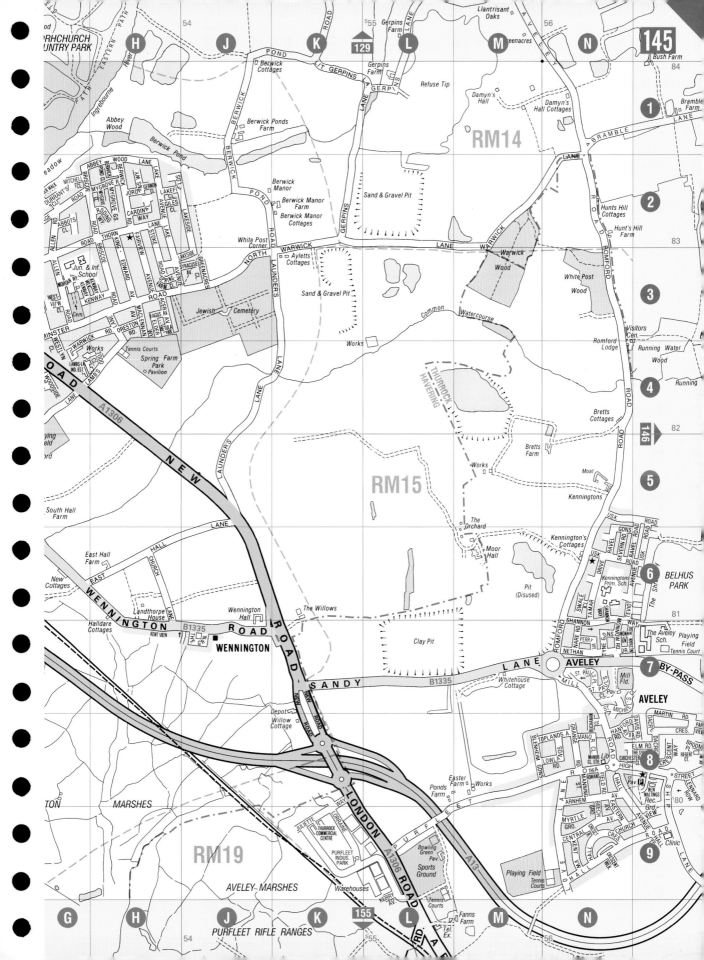

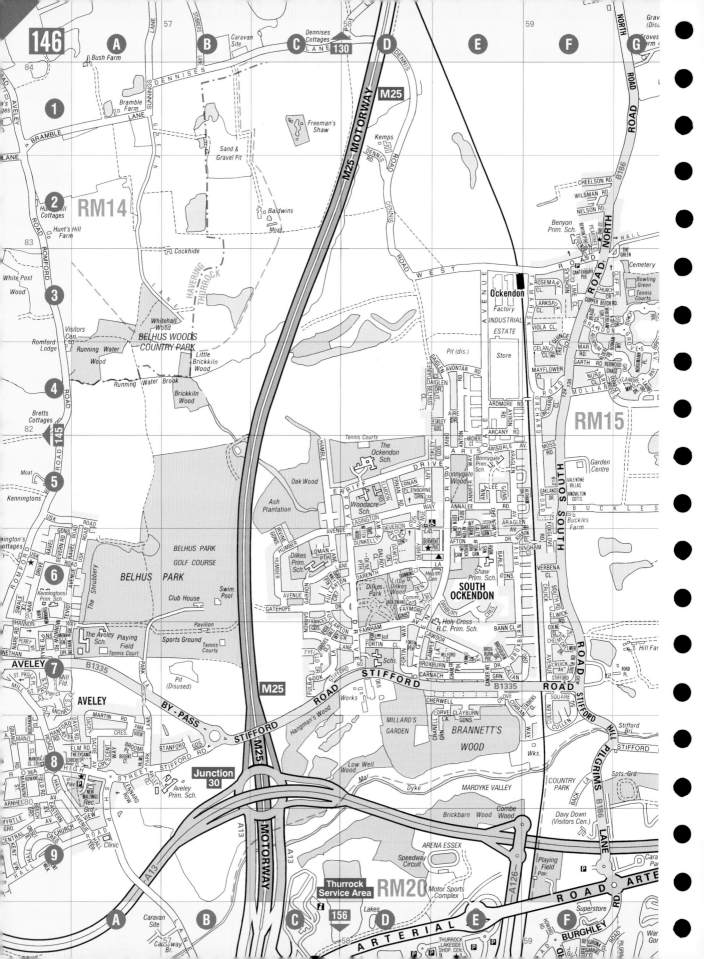

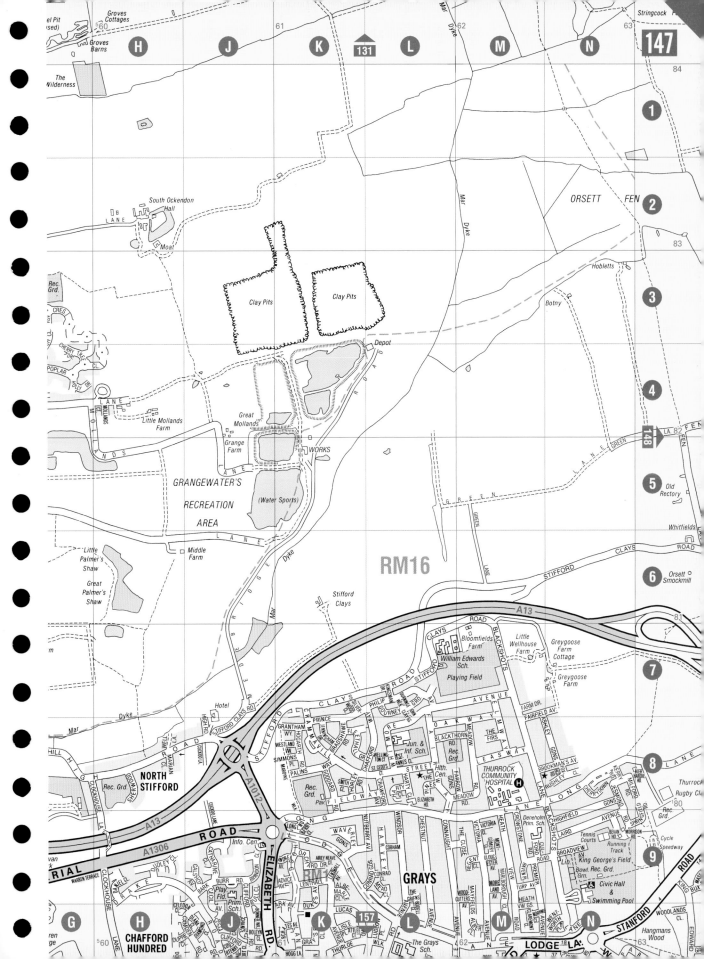

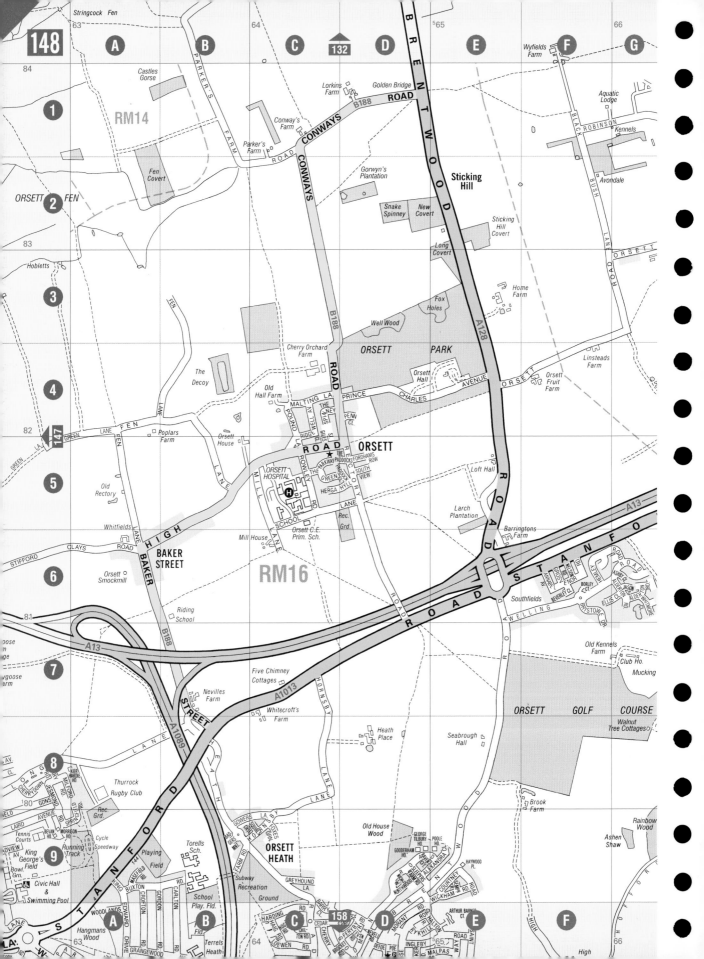

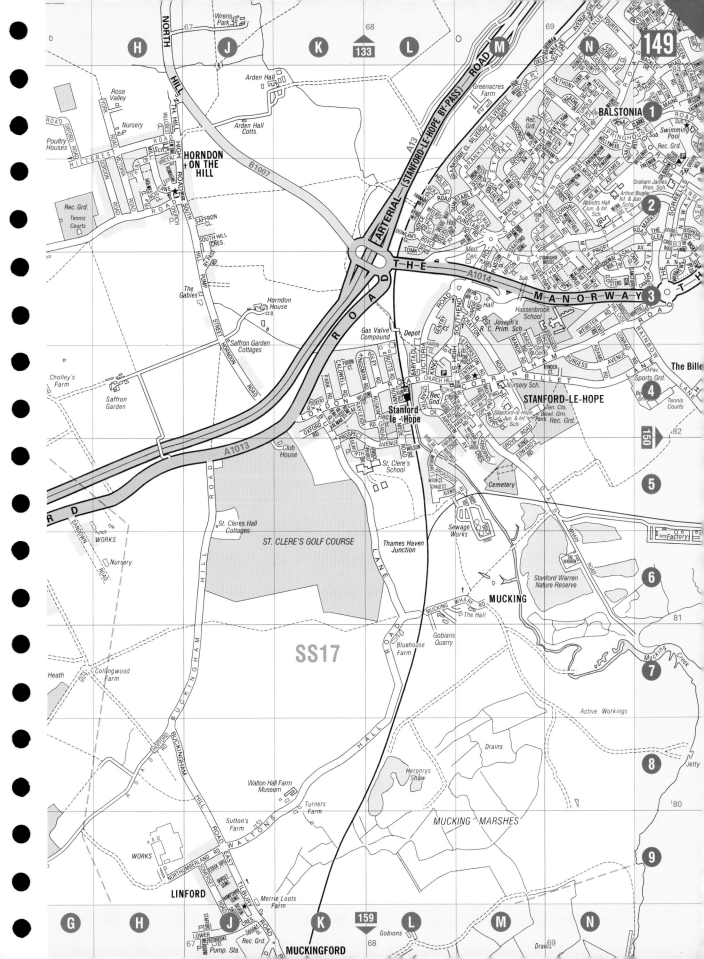

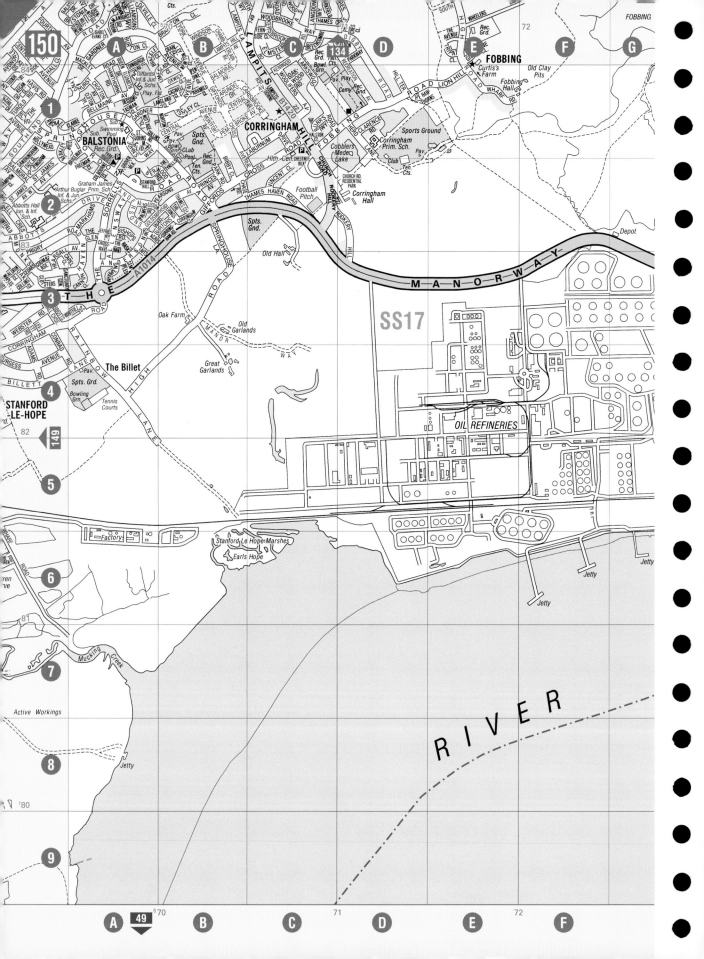

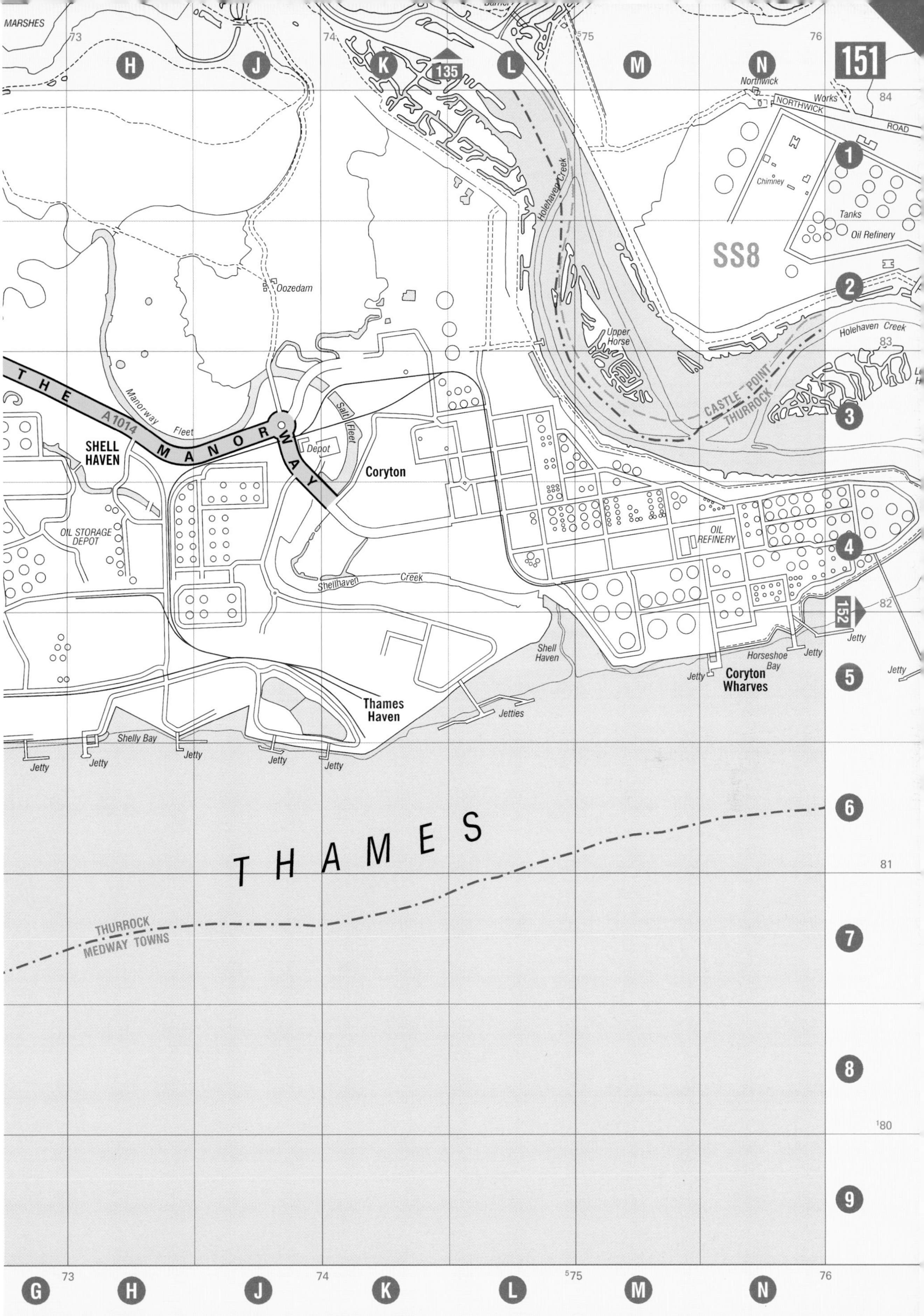

MARSHES

H J K 135 L M N

Northwick

NORTHWICK ROAD

84

1

SS8

Chimney

Tanks

Oil Refinery

2

Oozedam

Holehaven Creek

83

Upper Horse

CASTLE POINT THURROCK

3

THE MANORWAY

A1014

Manorway Fleet

Salt Fleet

Depot

SHELL HAVEN

Coryton

OIL STORAGE DEPOT

Shellhaven Creek

OIL REFINERY

4

152

82

Jetty

Shell Haven

Horseshoe Bay

Jetty

Coryton Wharves

Jetty

5

Jetty

Thames Haven

Jetties

Jetty

Jetty

Shelly Bay

Jetty

Jetty

Jetty

THAMES

6

81

THURROCK MEDWAY TOWNS

7

8

¹80

9

G 73 H J 74 K ⁵75 L M N 76

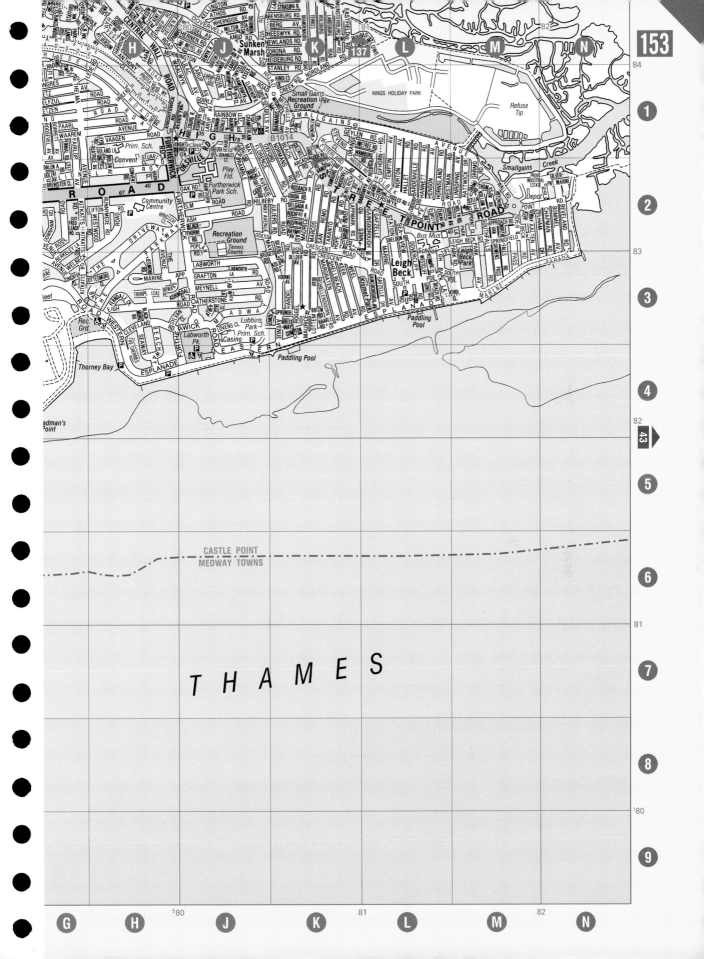

THAMES

CASTLE POINT
MEDWAY TOWNS

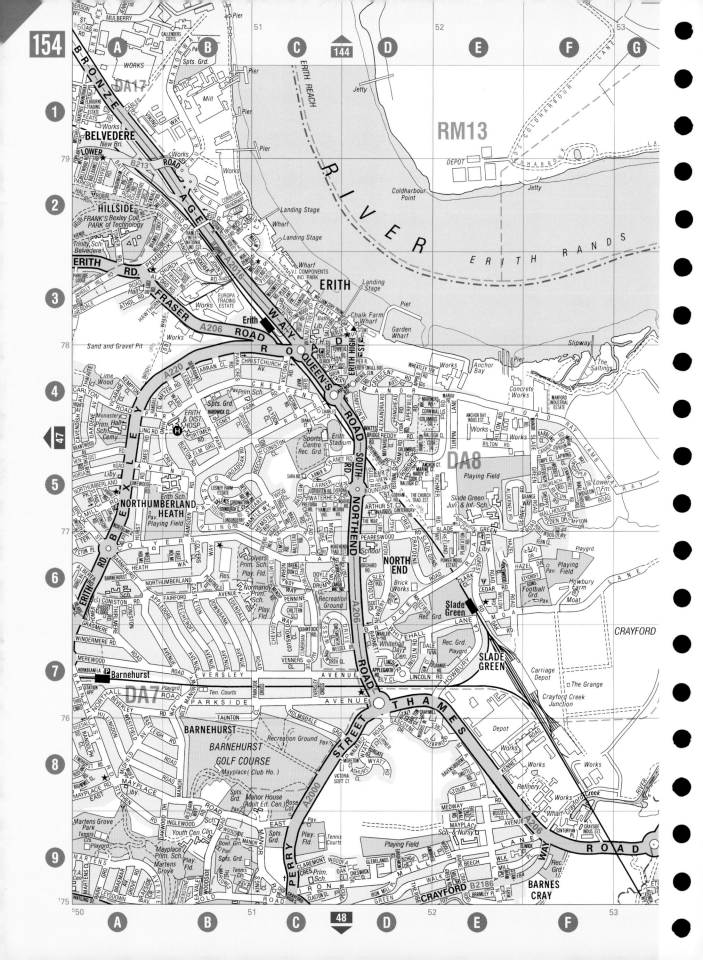

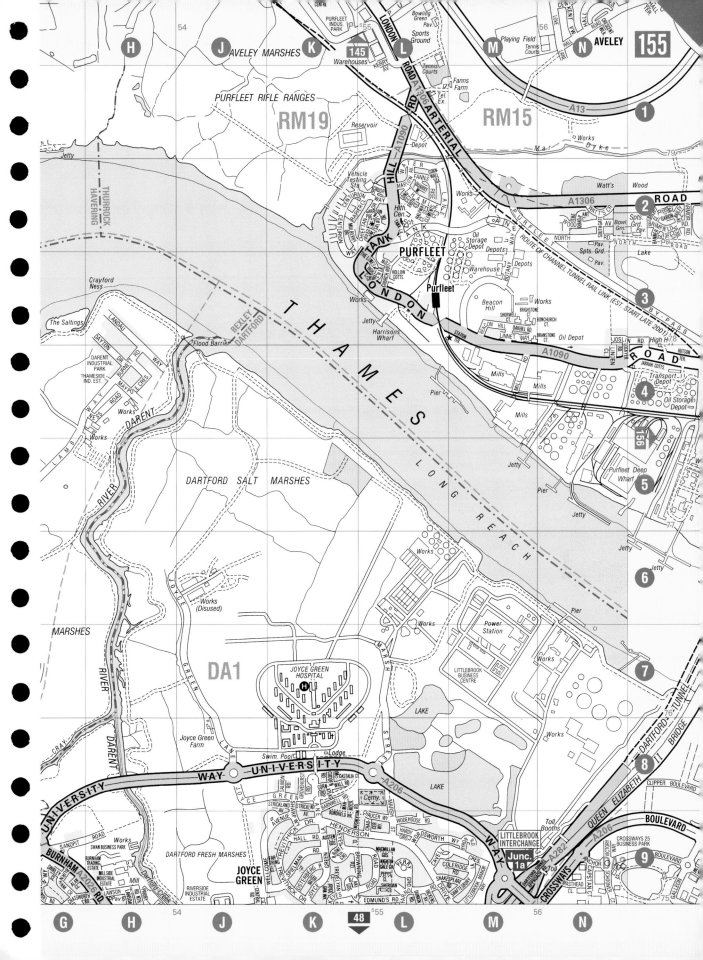

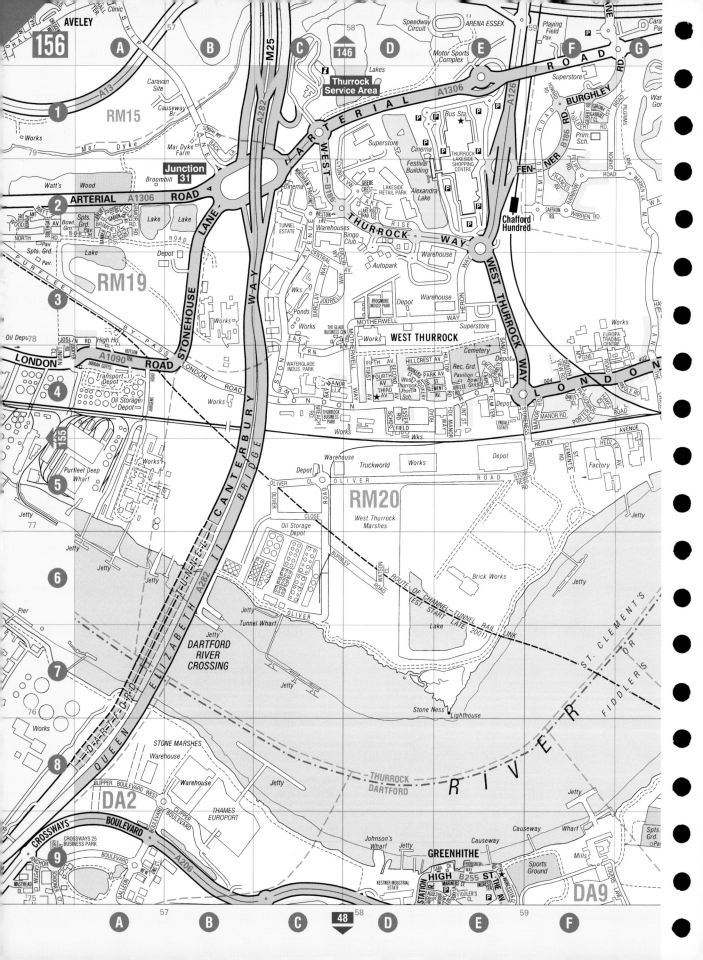

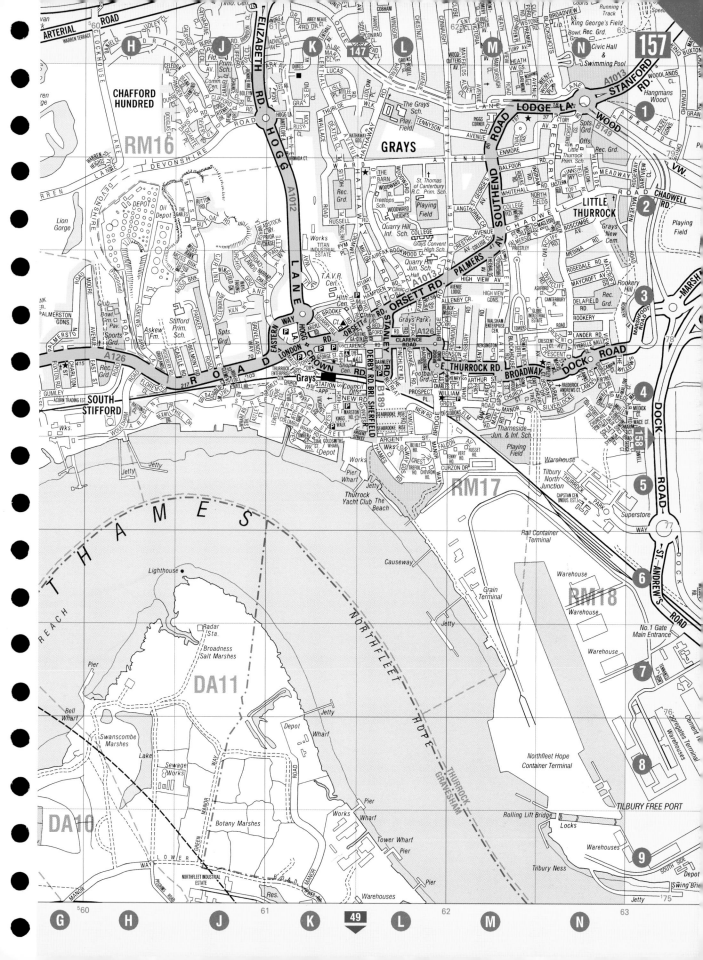

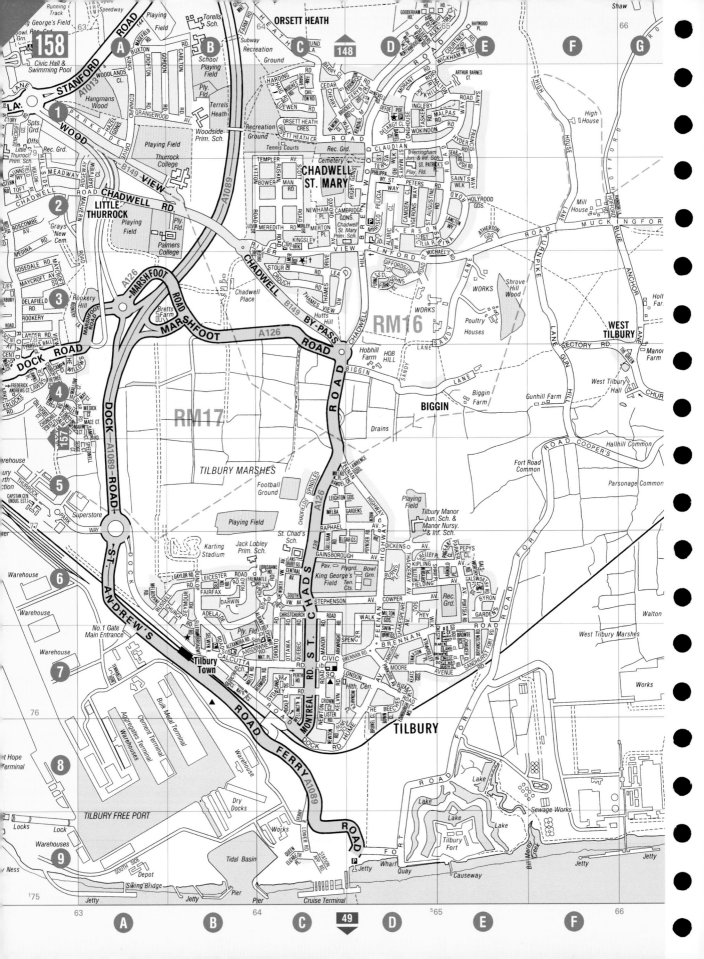

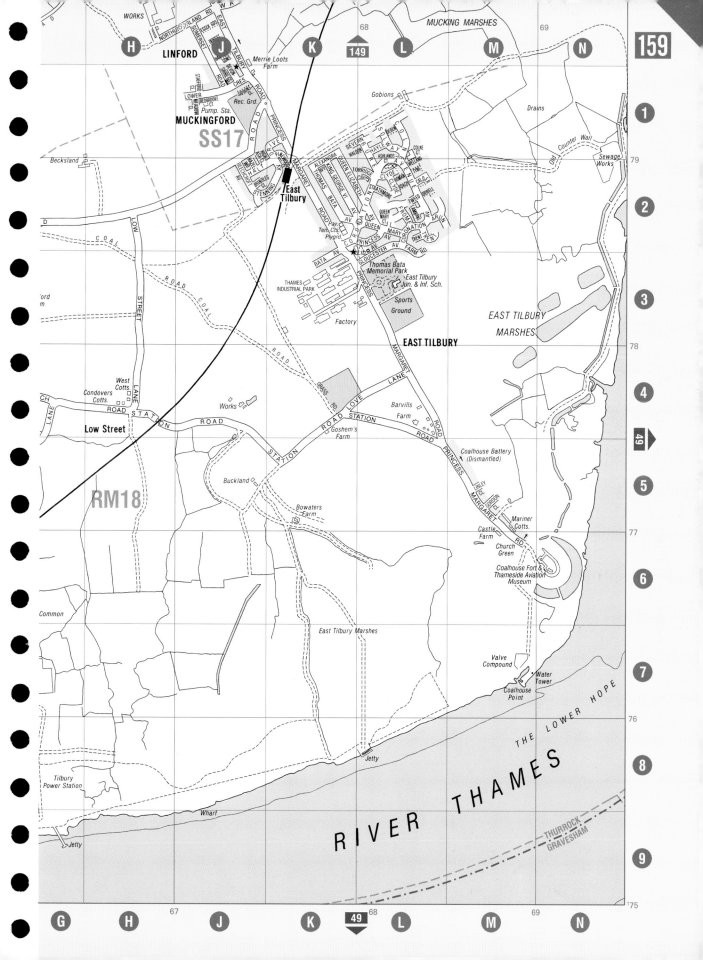

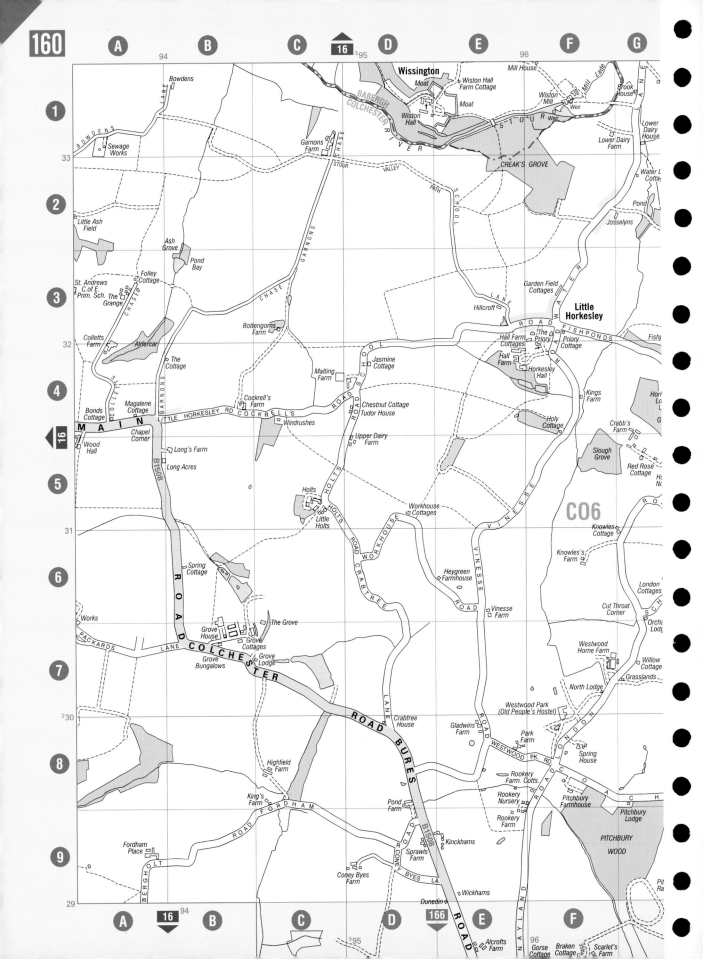

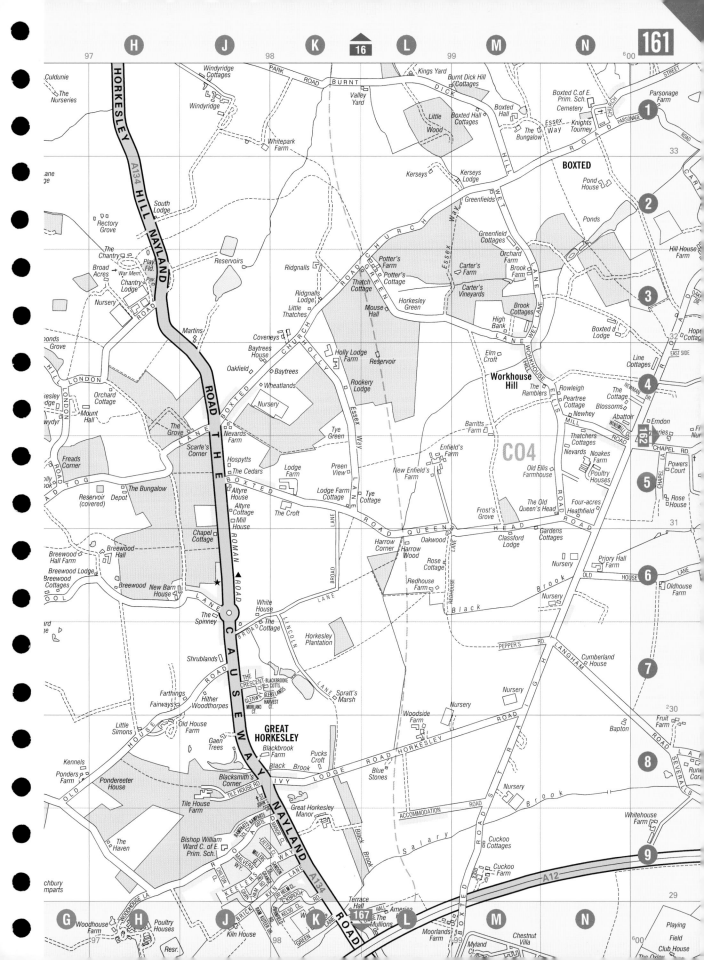

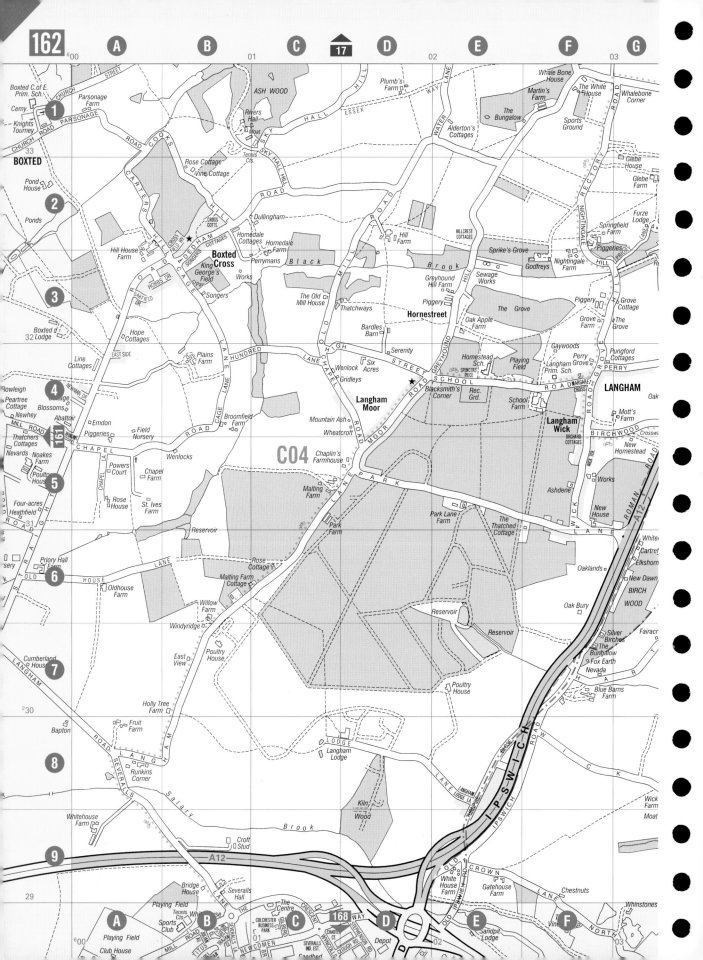

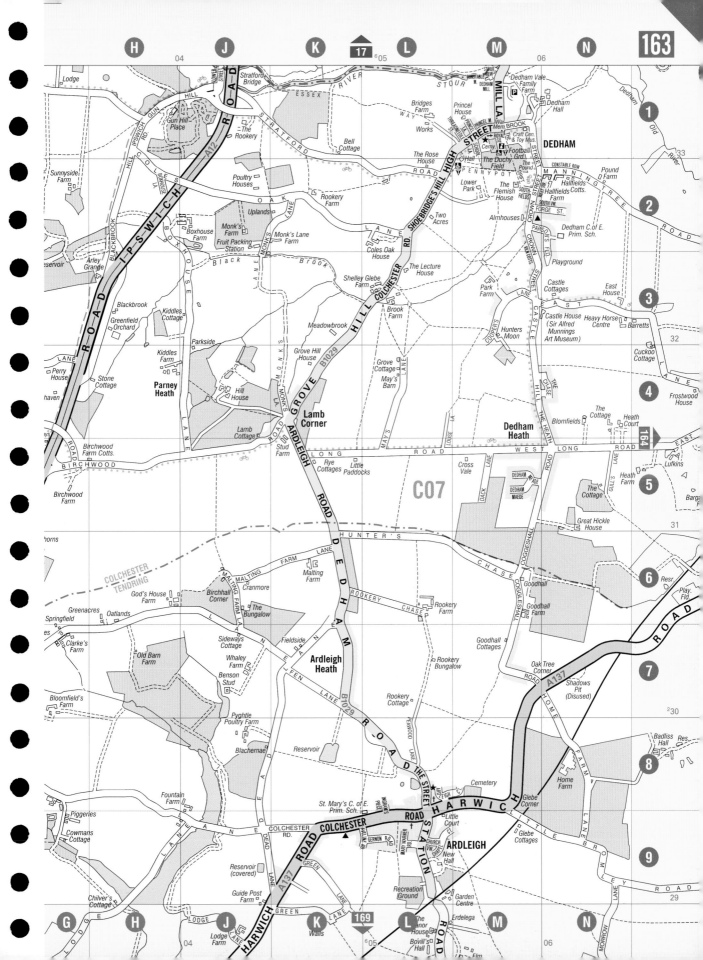

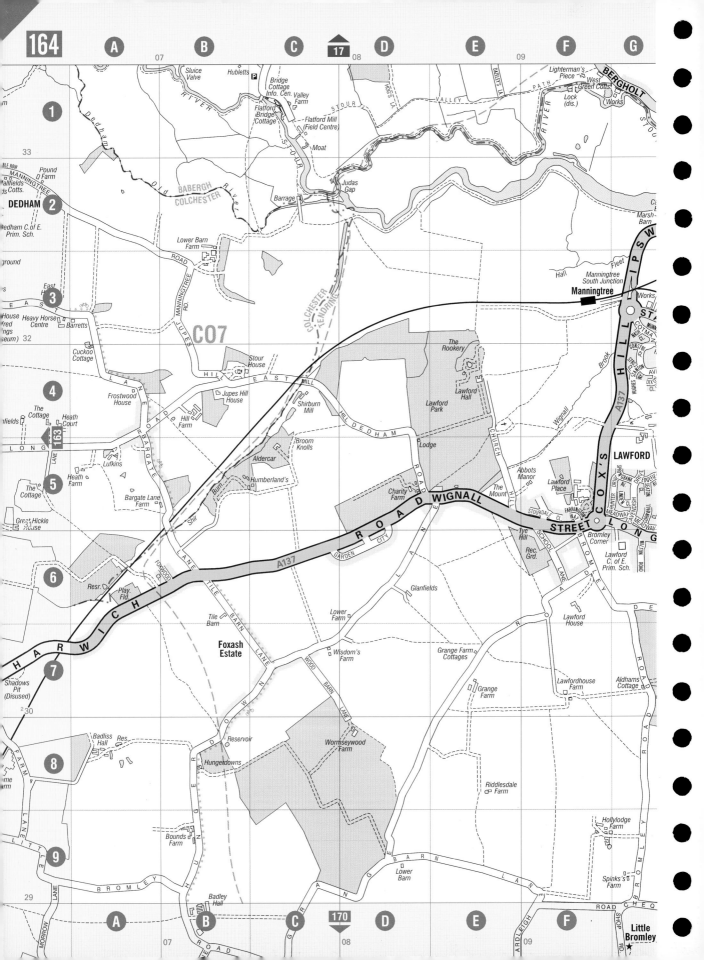

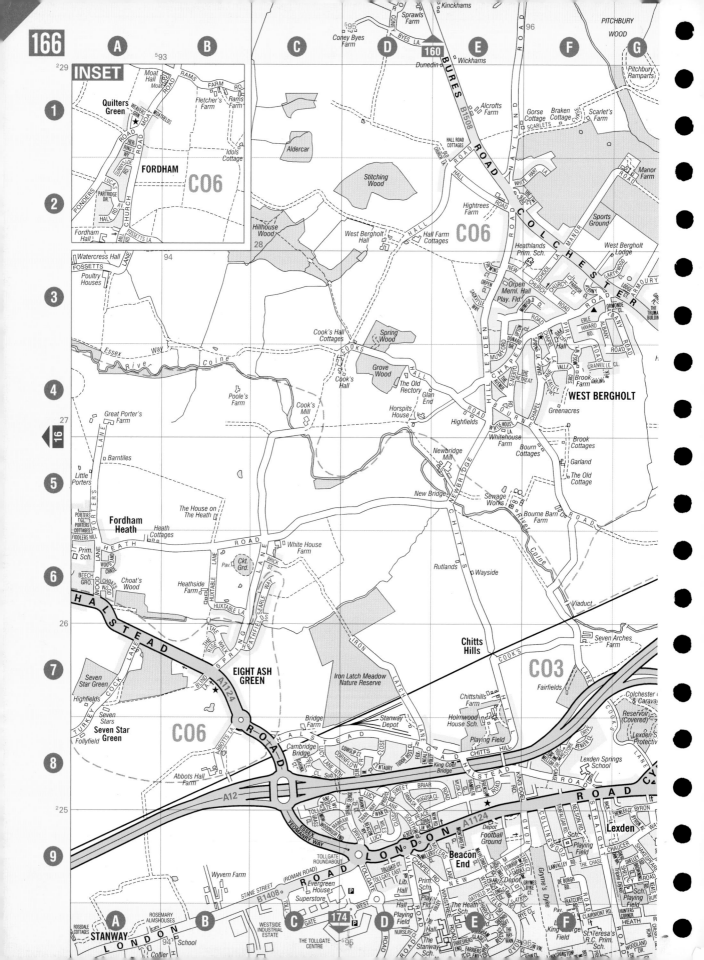

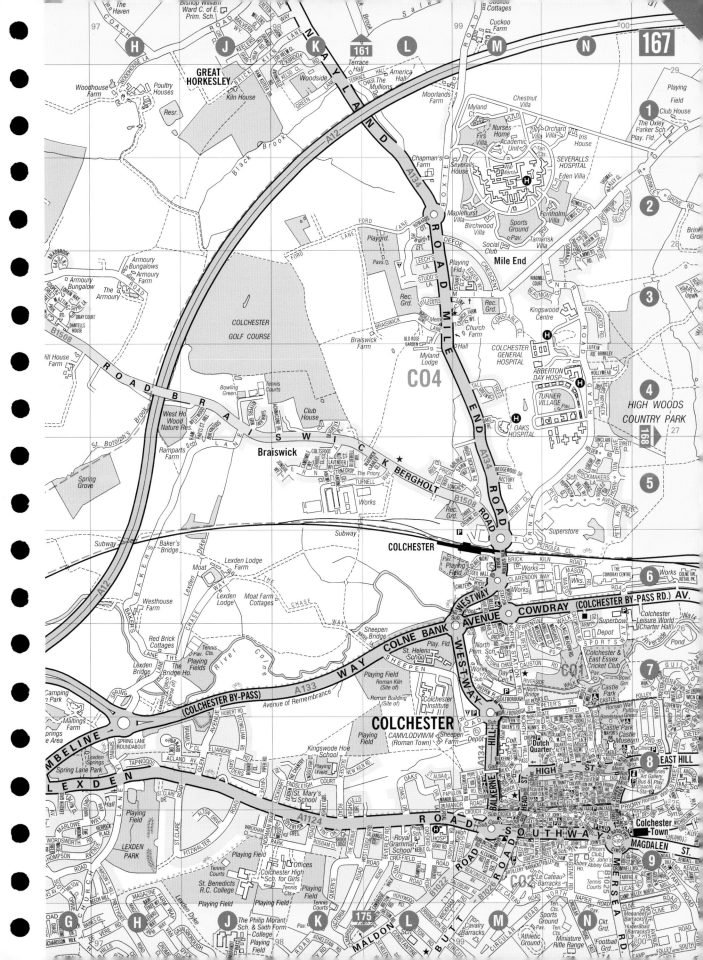

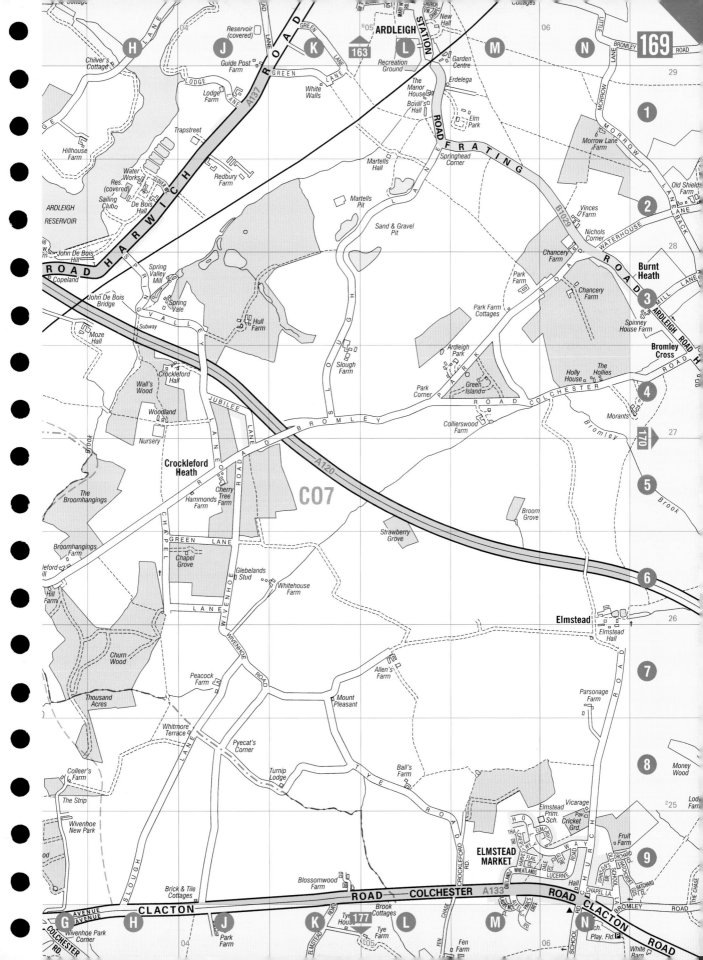

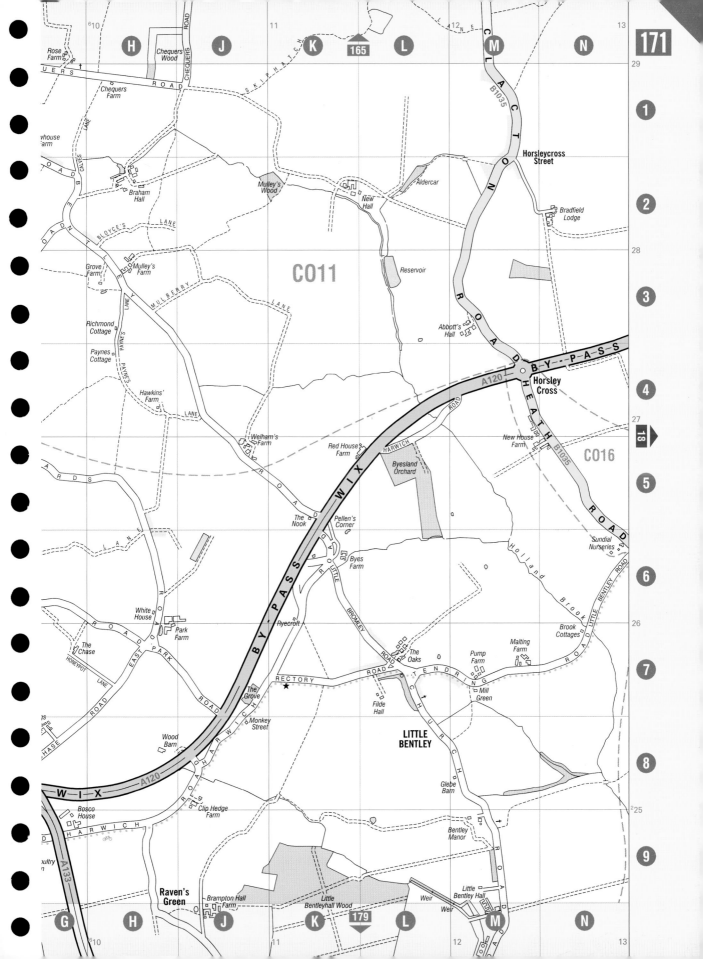

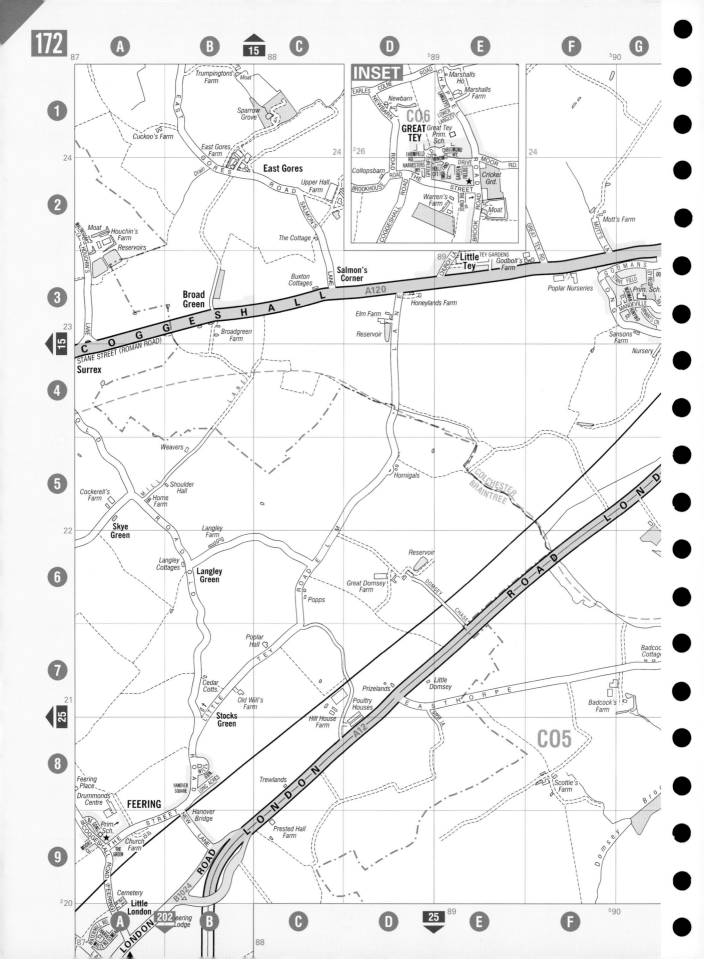

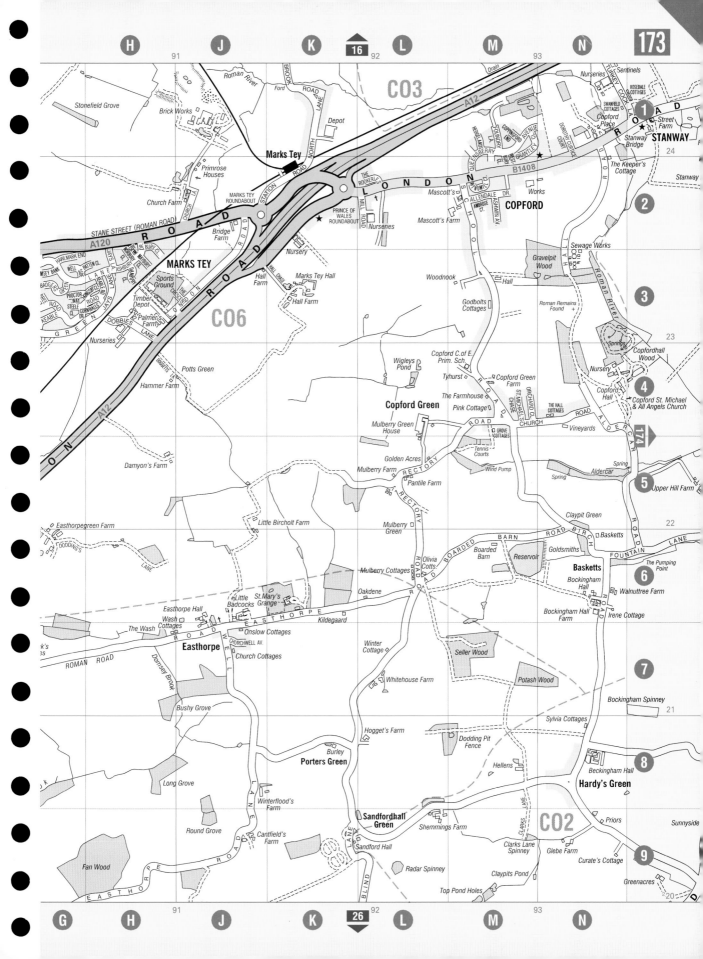

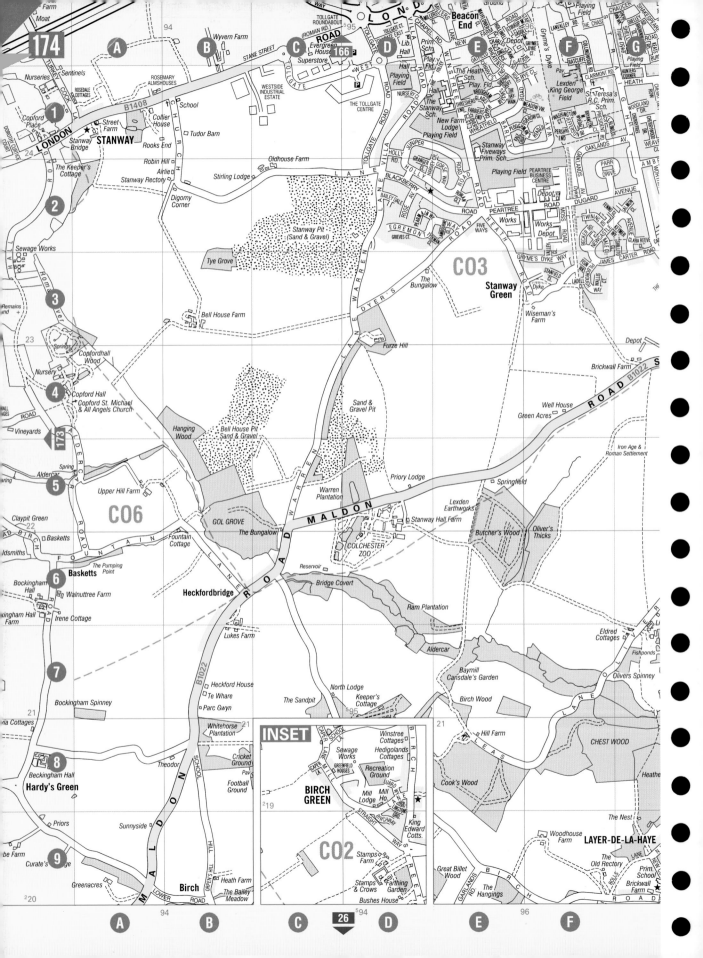

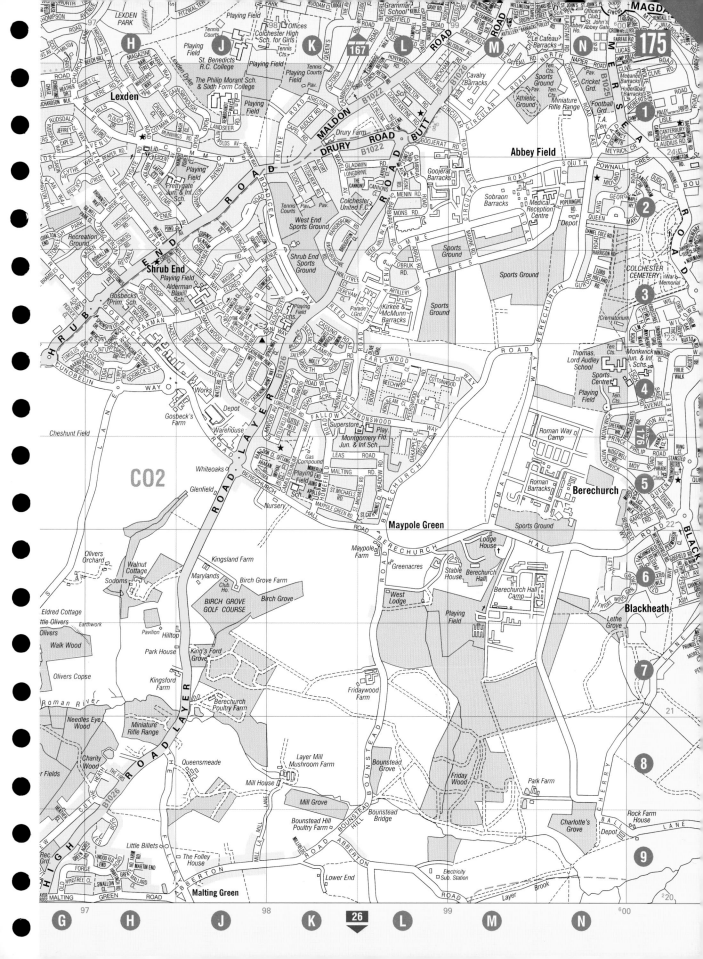

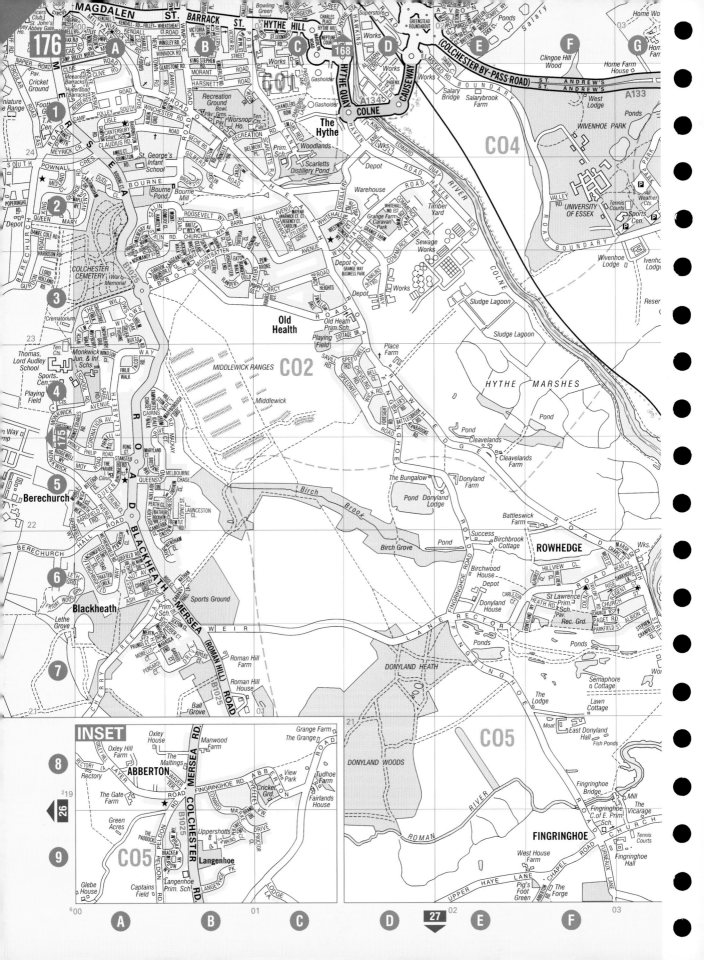

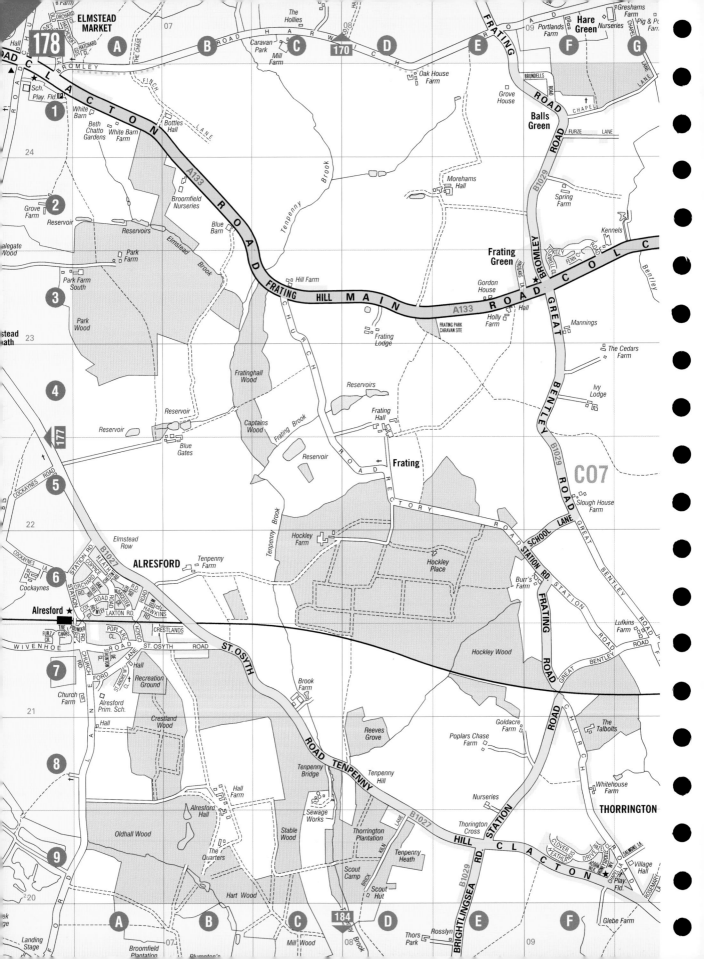

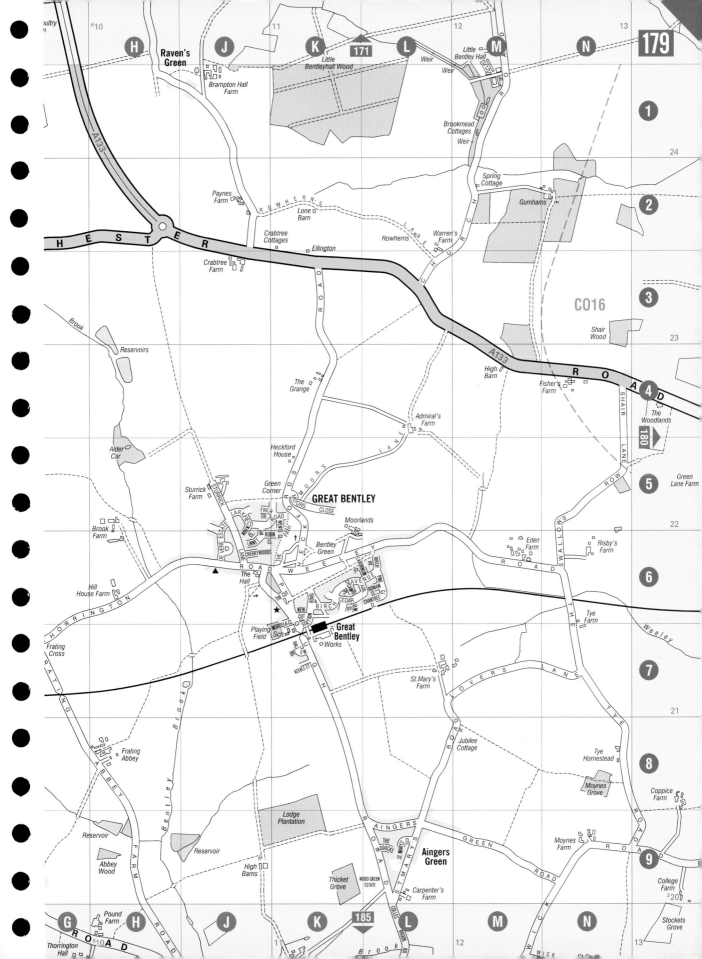

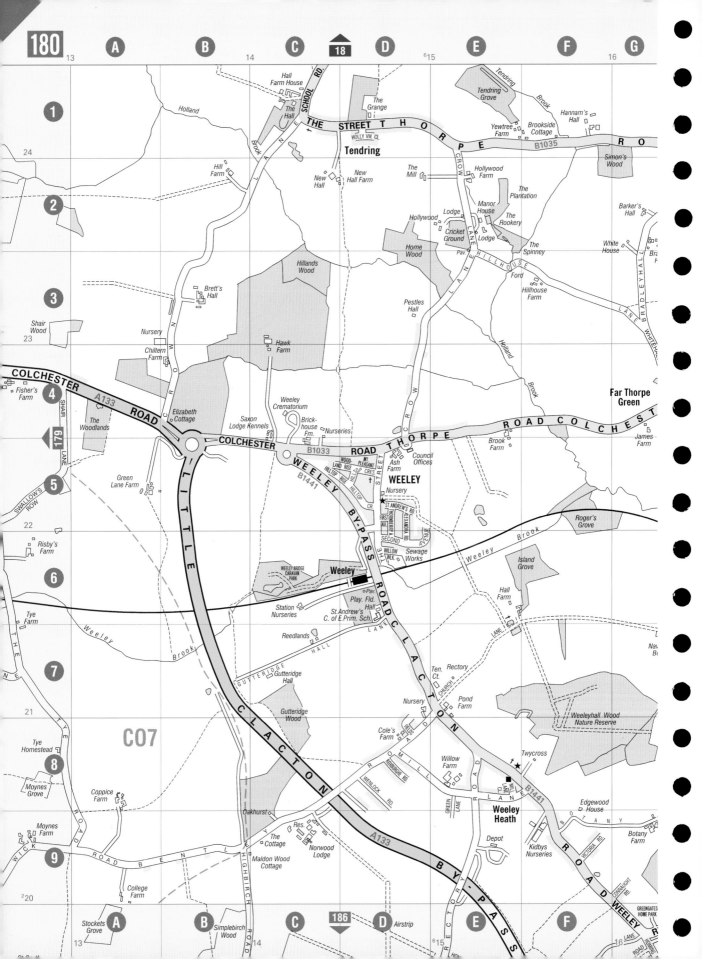

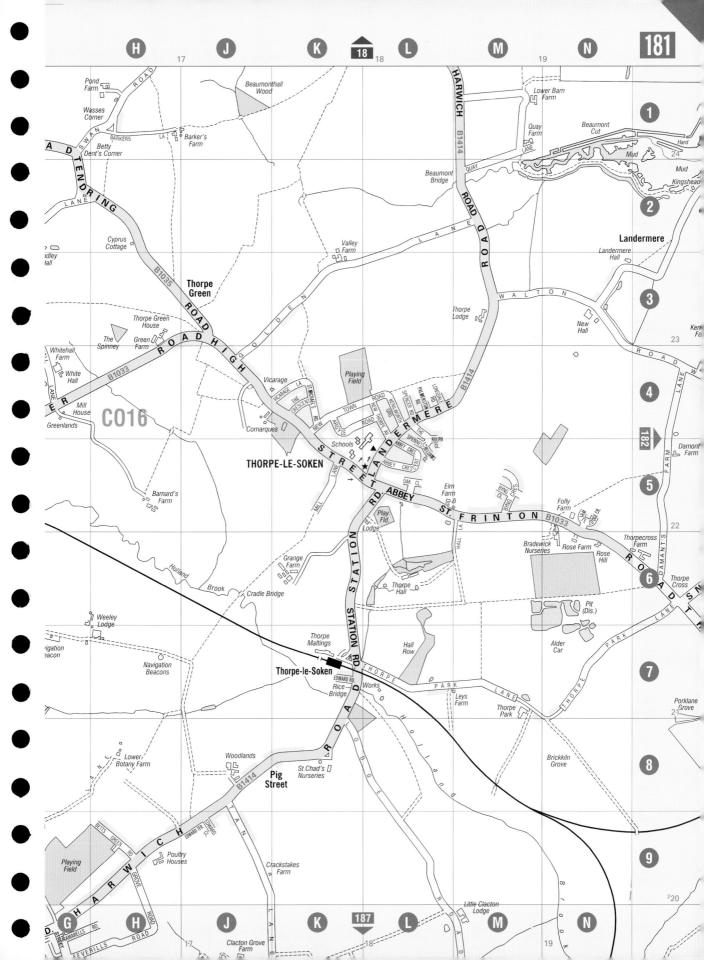

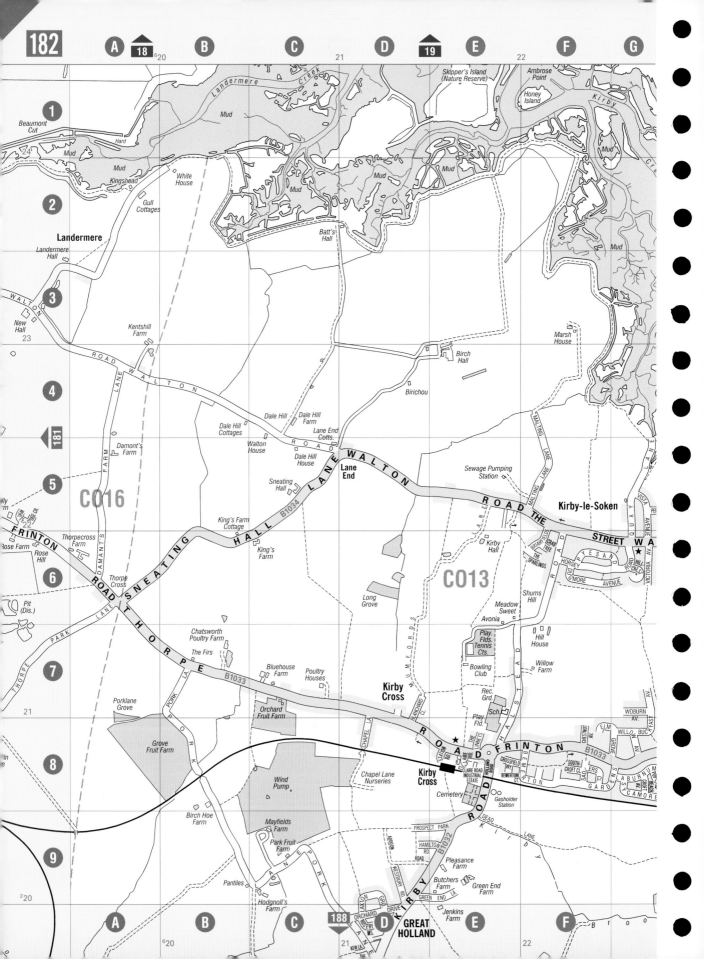

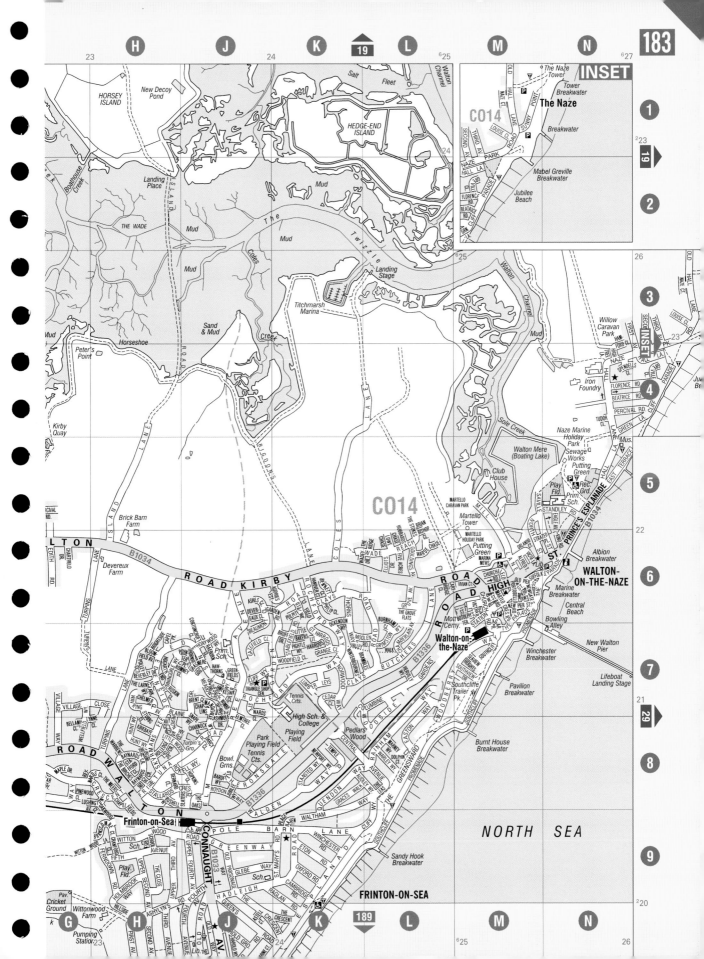

INSET

The Naze

CO14

NORTH SEA

WALTON-ON-THE-NAZE

FRINTON-ON-SEA

CO14

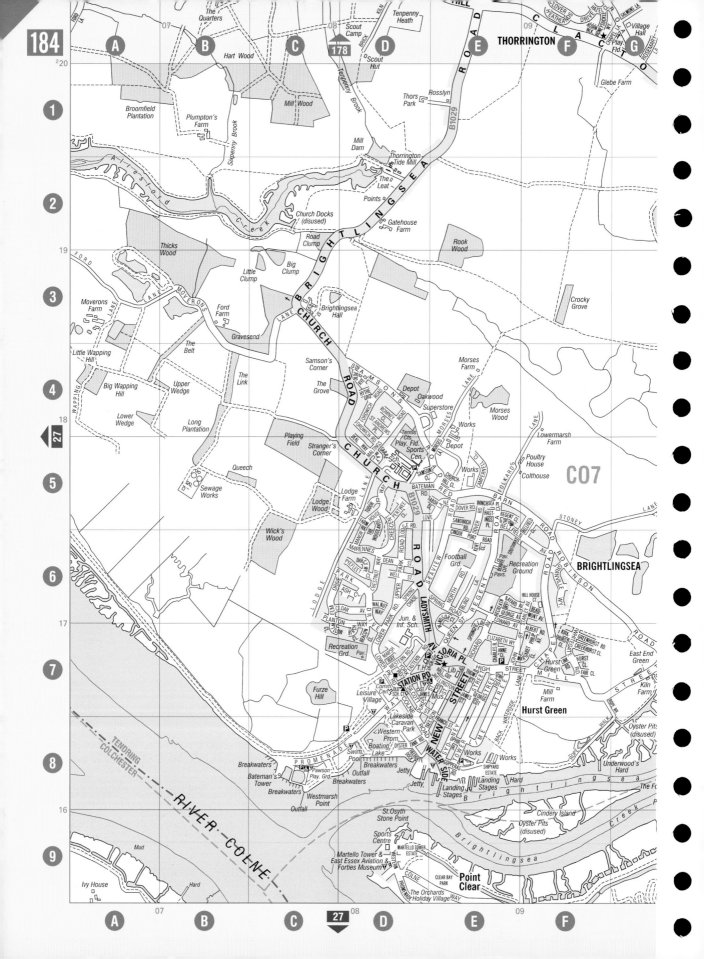

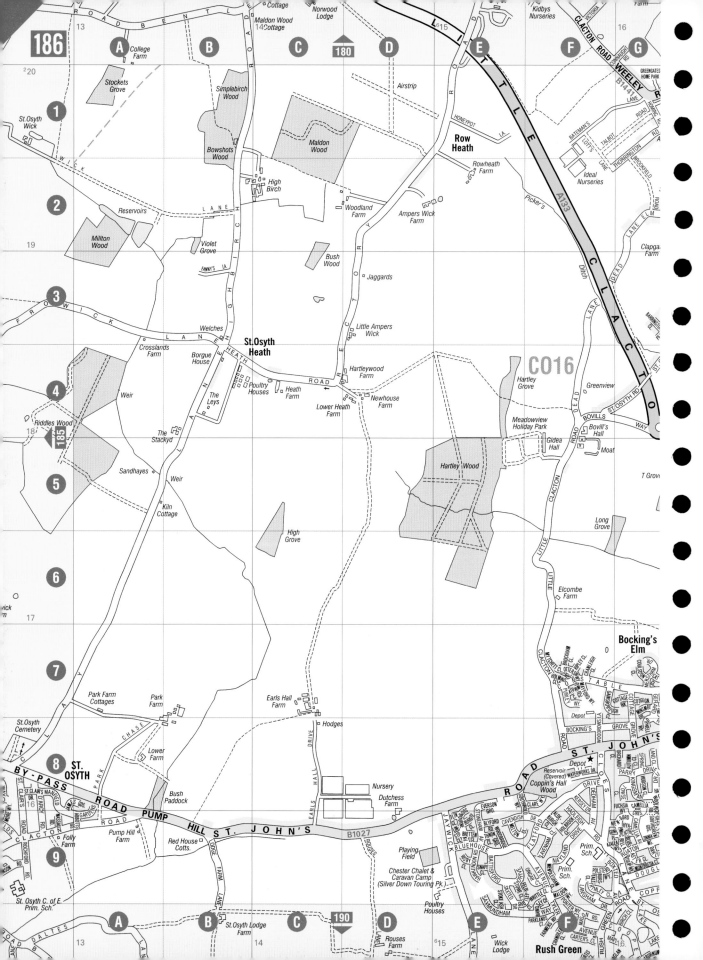

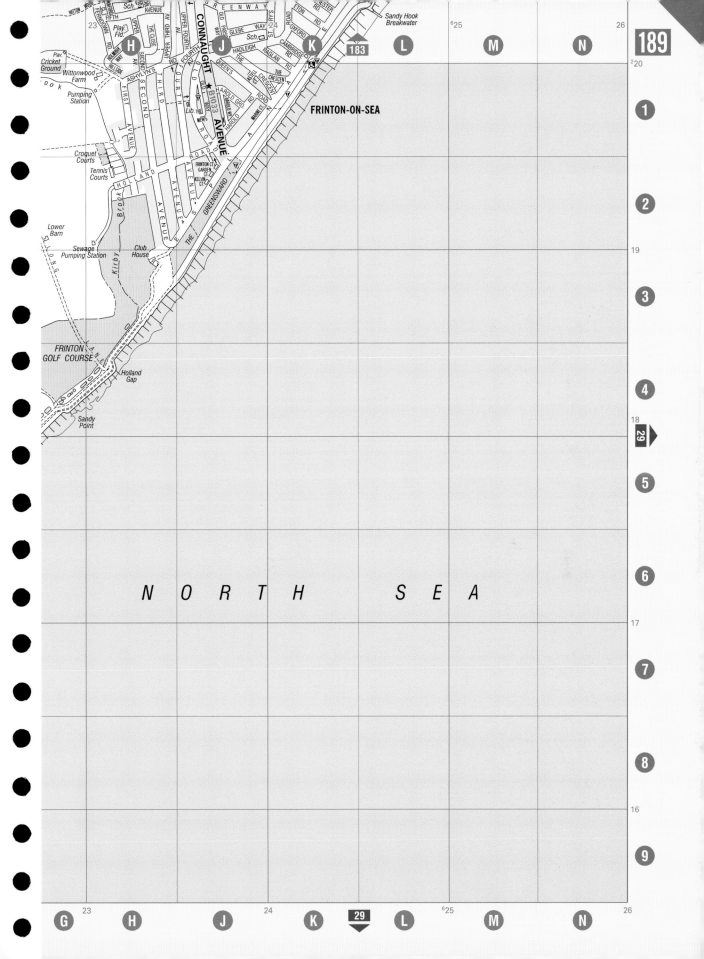

FRINTON-ON-SEA

FRINTON
GOLF COURSE

Holland Gap

Sandy Point

Sandy Hook
Breakwater

Croquet
Courts

Tennis
Courts

Club
House

Sewage
Pumping Station

Lower
Barn

Pumping
Station

Wittonwood
Farm

Pav.
Cricket
Ground

Play
Fld.

N O R T H   S E A

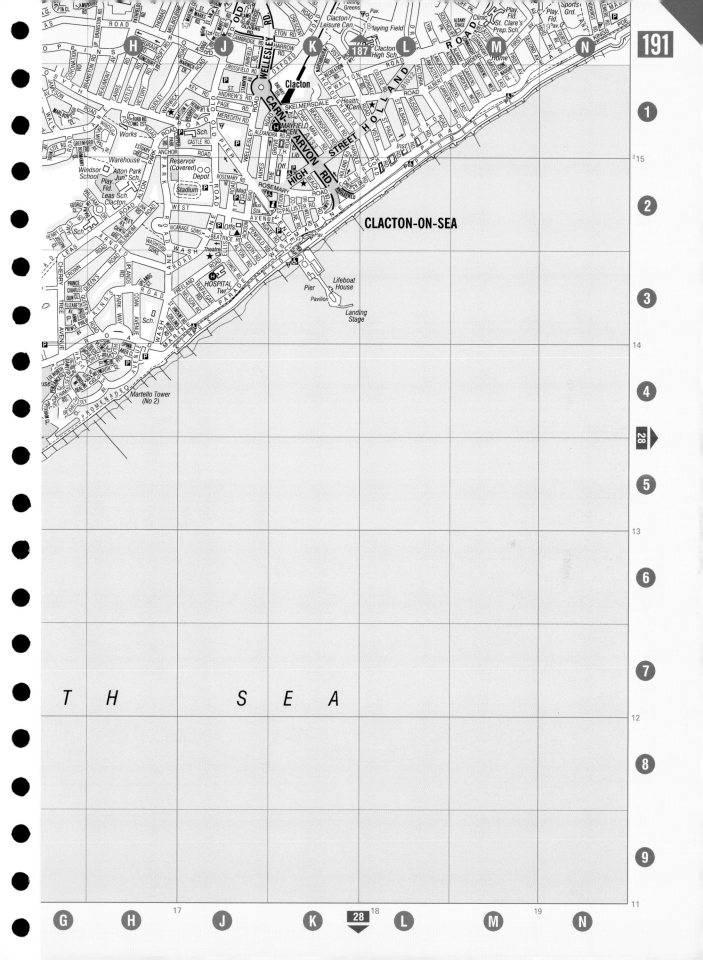

CLACTON-ON-SEA

THE SEA

Clacton

Lifeboat House

Pavilion

Landing Stage

Martello Tower (No 2)

187

28

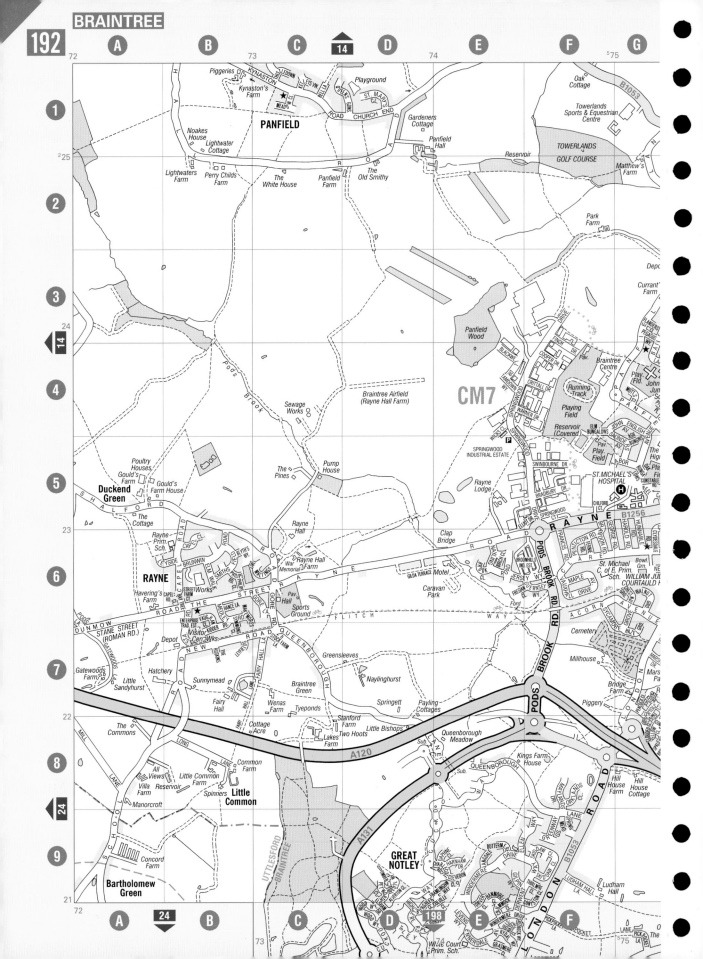

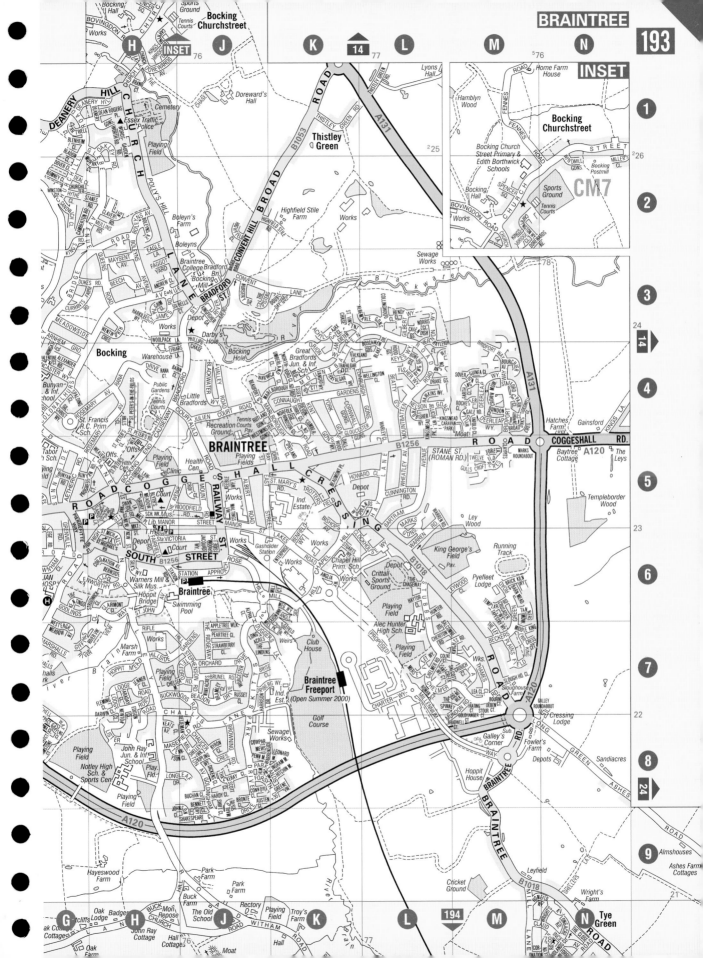

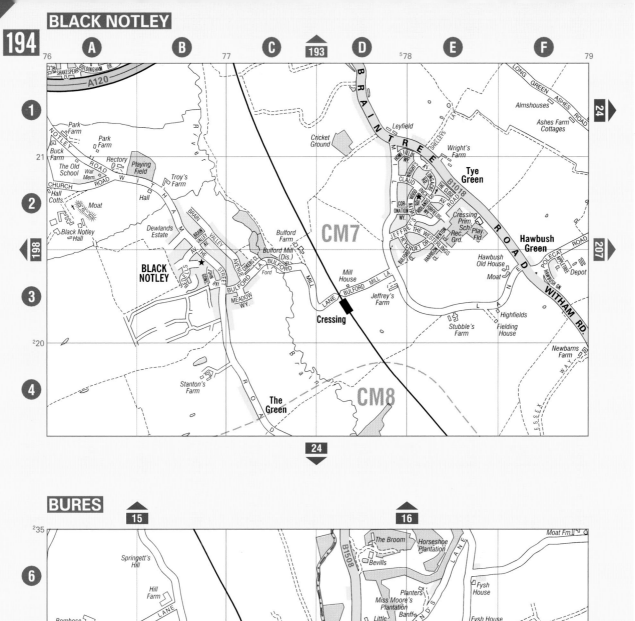

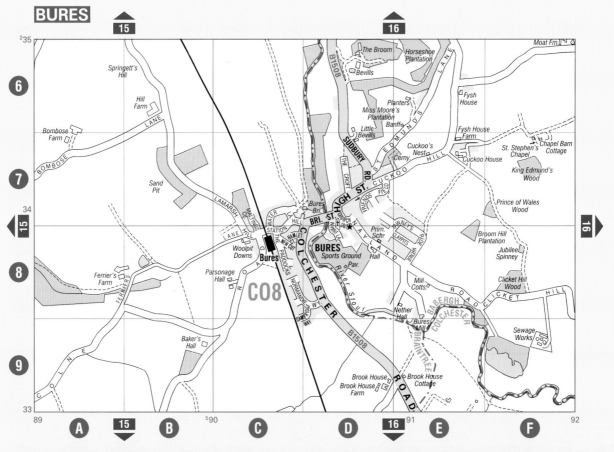

BURES

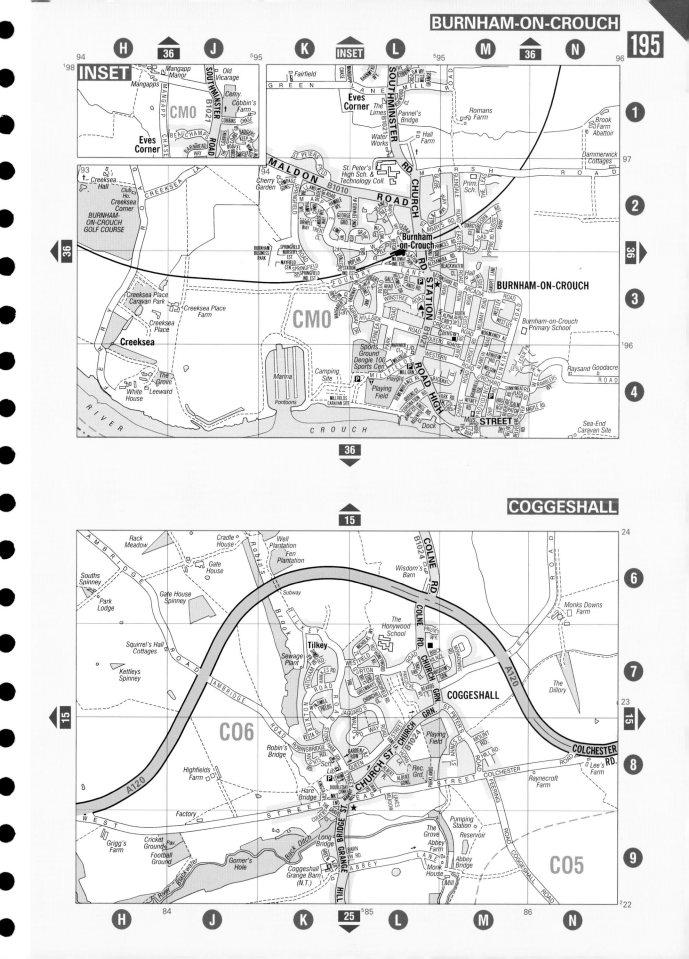

EARLS COLNE

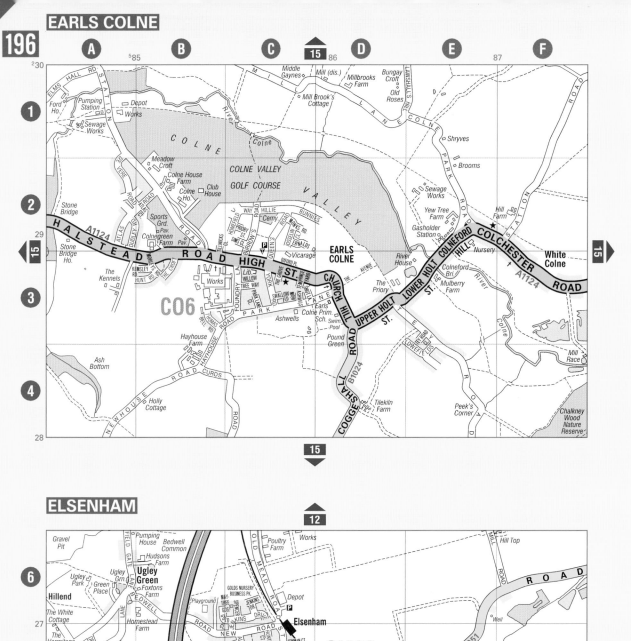

ELSENHAM

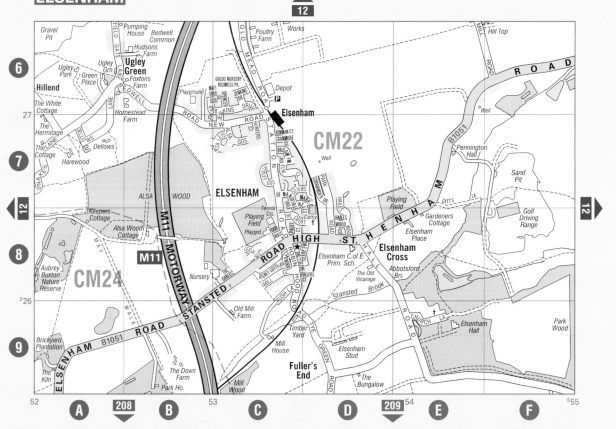

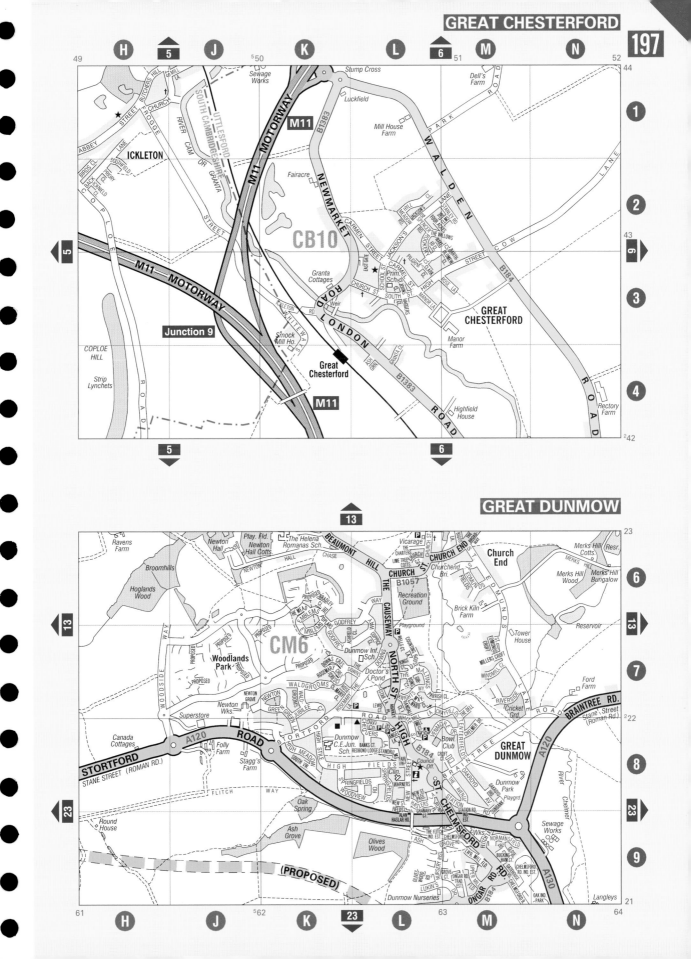

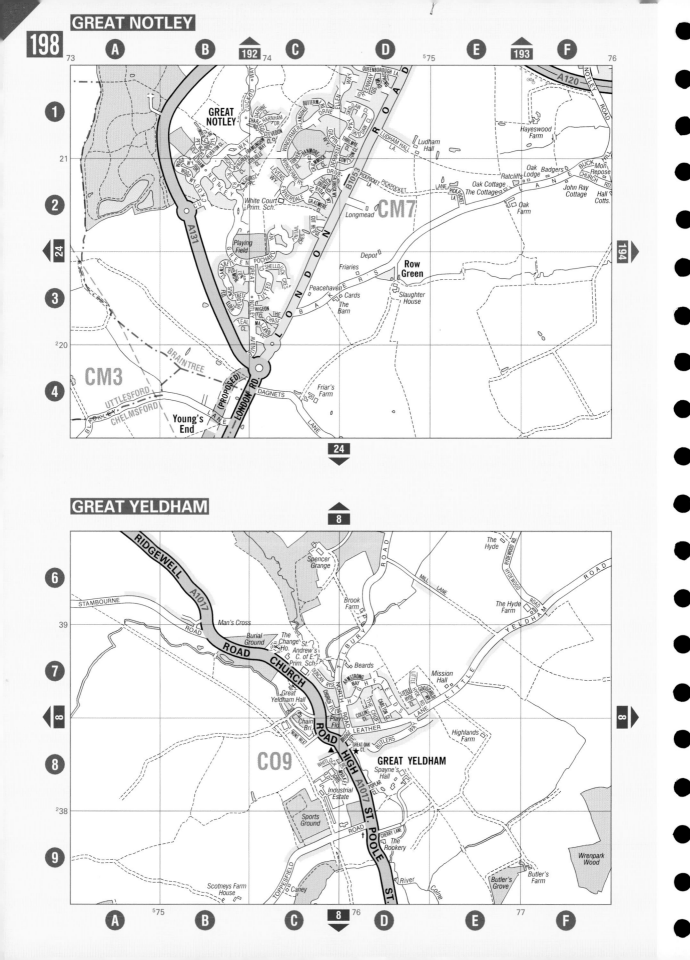

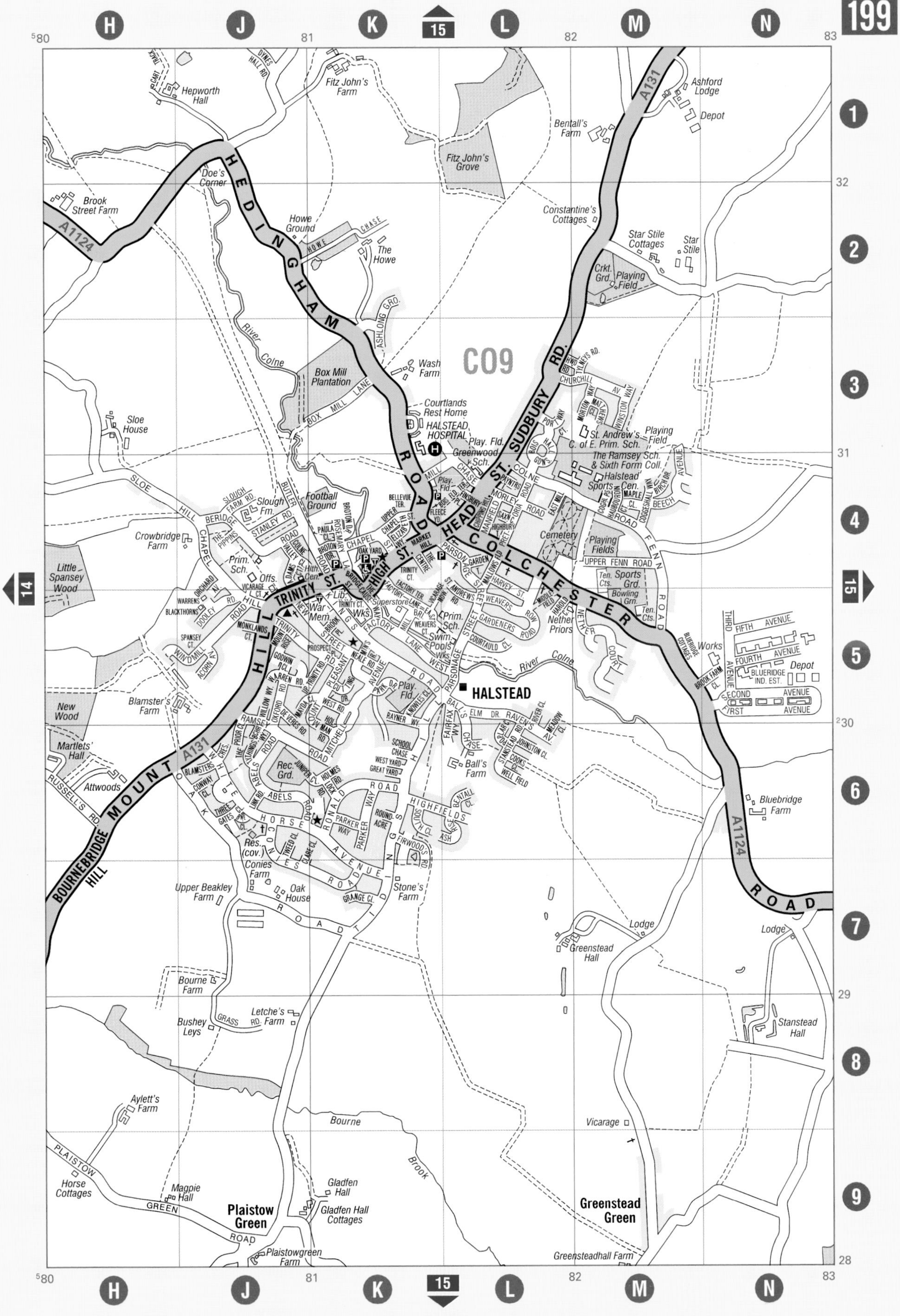
H
J
K
L
M
N
15
580
81
82
83
1
2
3
4
5
6
7
8
9
32
31
230
29
28
14
15
CO9
HALSTEAD
HEDINGHAM ROAD
A1124
A131
BOURNEBRIDGE HILL
MOUNT HILL
TRINITY ST.
HIGH ST.
HEAD ST.
SUDBURY RD.
COLCHESTER ROAD
Hepworth Hall
Fitz John's Farm
Fitz John's Grove
Ashford Lodge
Depot
Bentall's Farm
Brook Street Farm
Doe's Corner
Howe Ground
The Howe
Constantine's Cottages
Star Stile Cottages
Star Stile
Crkt. Grd.
Playing Field
River Colne
Box Mill Plantation
BOX MILL LANE
Wash Farm
Courtlands Rest Home
HALSTEAD HOSPITAL
Play. Fld.
Greenwood Sch.
St. Andrew's C. of E. Prim. Sch.
Playing Field
The Ramsey Sch. & Sixth Form Coll.
Halstead Sports Cen.
Sloe House
SLOE HILL
Slough Fm.
Football Ground
Crowbridge Farm
Prim. Sch.
Offs.
Hlth. Cen.
Lib.
War Mem.
Wks.
Superstore
Prim. Sch.
Swim. Pools
Cemetery
Playing Fields
UPPER FENN ROAD
Ten. Cts.
Sports Grd.
Bowling Grn.
Nether Priors
Little Spansey Wood
New Wood
Blamster's Farm
Martlets' Hall
Attwoods
RUSSELL'S RD.
Rec. Grd.
Play. Fld.
Ball's Farm
Works
FIFTH AVENUE
FOURTH AVENUE
BLUERIDGE IND. EST.
SECOND AVENUE
FIRST AVENUE
Depot
Bluebridge Farm
Res. (cov.)
Conies Farm
Upper Beakley Farm
Oak House
Stone's Farm
TIDINGS ROAD
Lodge
Greenstead Hall
Lodge
Bourne Farm
Letche's Farm
Bushey Leys
GRASS RD.
Stanstead Hall
Aylett's Farm
Bourne
Brook
Vicarage
PLAISTOW GREEN ROAD
Horse Cottages
Magpie Hall
Gladfen Hall
Gladfen Hall Cottages
Plaistow Green
Plaistowgreen Farm
Greenstead Green
Greensteadhall Farm

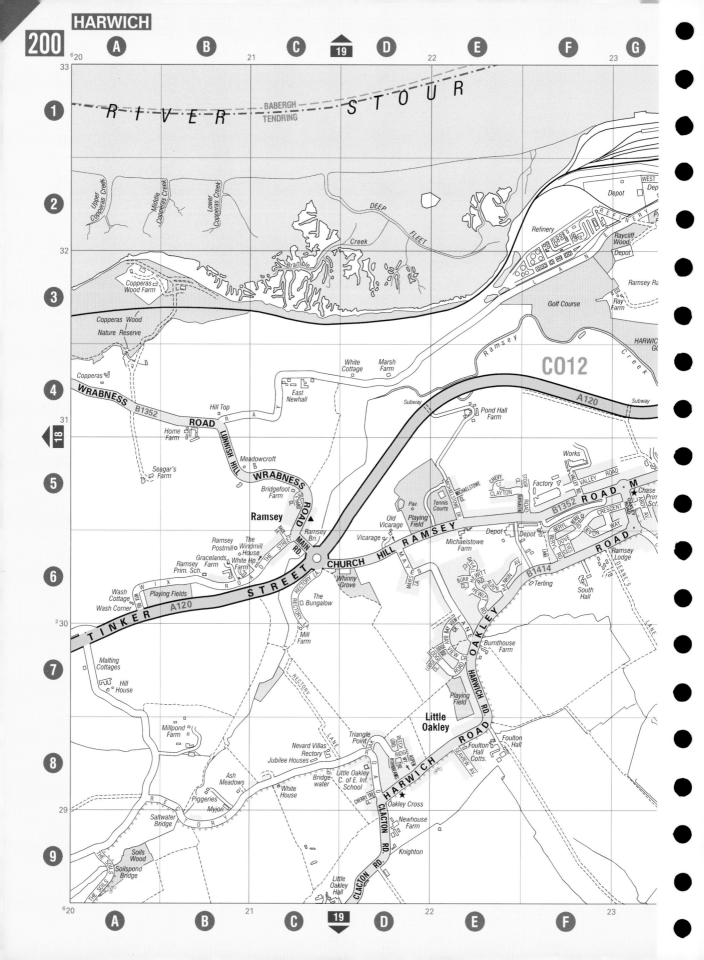

Harwich to :
Esbjerg 19hrs.
Hook of Holland 3hrs. 40mins.
Hamburg 20hrs.
Gothenburg 24hrs.

HARWICH HARBOUR

Ferry (Passenger) to: Felixstowe & Shotley   Navyard Wharf
Trinity House Pier   Pier
Harbour
Train Ferry Berth   Lifeboat Museum
THE WEST QUAY
HARWICH Town   The Harwich Treadmill Crane (Re-erected)
Low Lighthouse (Maritime Museum)
The Guard
HARWICH
Tower Hill   Harwich Redoubt
Bath Side   Play Fld.
Depot
Creek   Beacon Hill
Bobshole   Beacon Cliff

Parkeston Quay   Harwich International
Customs Shed
Container Terminal
EAST DOCK
Weir
Parkeston

Works
DOCK
FOSTER ROAD
STATION RD.
STATION A136 RD.
Welfare Park
HARWICH IND. EST.
Superstore
Delf Pond
Club House
DOVERCOURT
Cerny
A120 Dovercourt
Breakwater

H & DOVERCOURT GOLF COURSE
Adult Education Cen.
Play. Fld.
Prim. Sch.
Play Fld.
Bobbit's Hole
Spring Meadow Prim. Sch.
Works
Memorial
HARWICH & DISTRICT HOSP
Hlth. Cen.
Mag Ct.
Dovercourt
LIME COURT
War Mem!.
DOVERCOURT BAY
Greenfield Farm
Vicarage Farm
Cemetery
Prim. Sch.
FRONKS ROAD
B1414
MARINE PARADE
St. Joseph's R. C. Prim. Sch.
Dovercourt Sports Club
Upper Lighthouse (Disused)
Causeway   Lower Lighthouse (Disused)
Skating Rink
THE GREEN
Upper Dovercourt
The Harwich School
Playing Field
Dovercourt Swim. Pool
Boating Lake
Sports Ground
PROMENADE

NORTH SEA

Holiday Cen.
Spts. Grd.
Brookmans Farm Cottages
Greenacres Caravan Pk.
Dovercourt Bay Holiday Camp
Dovercourt Caravan Club
Dovercourt Haven Caravan Park
Sewage Works
MARSH LANE

Middle Beach
South Hall Creek
LONG BANK

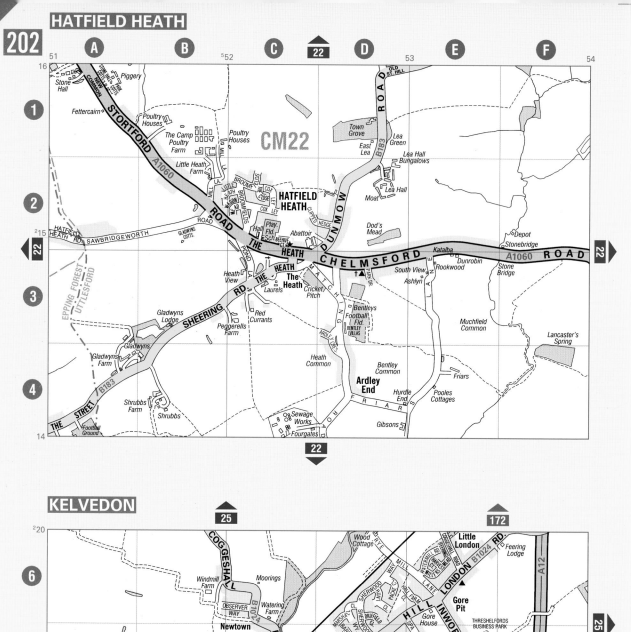

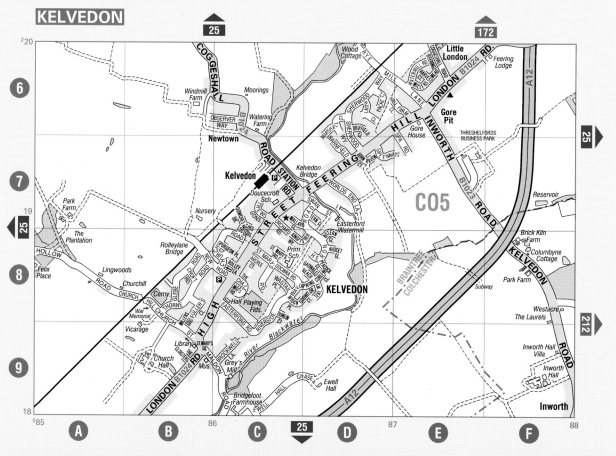

KELVEDON

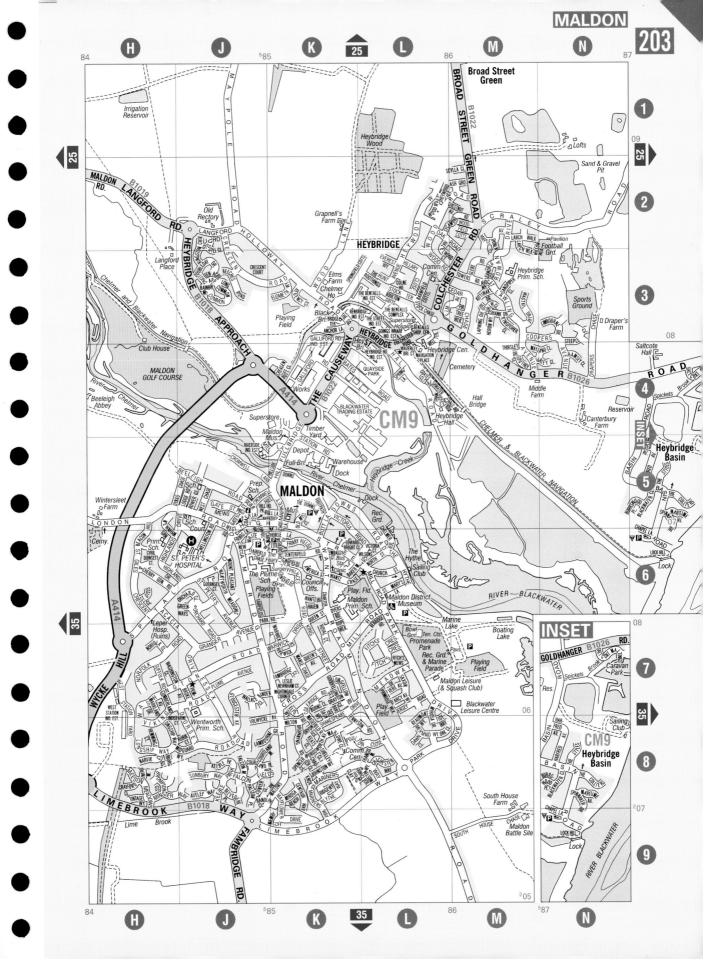

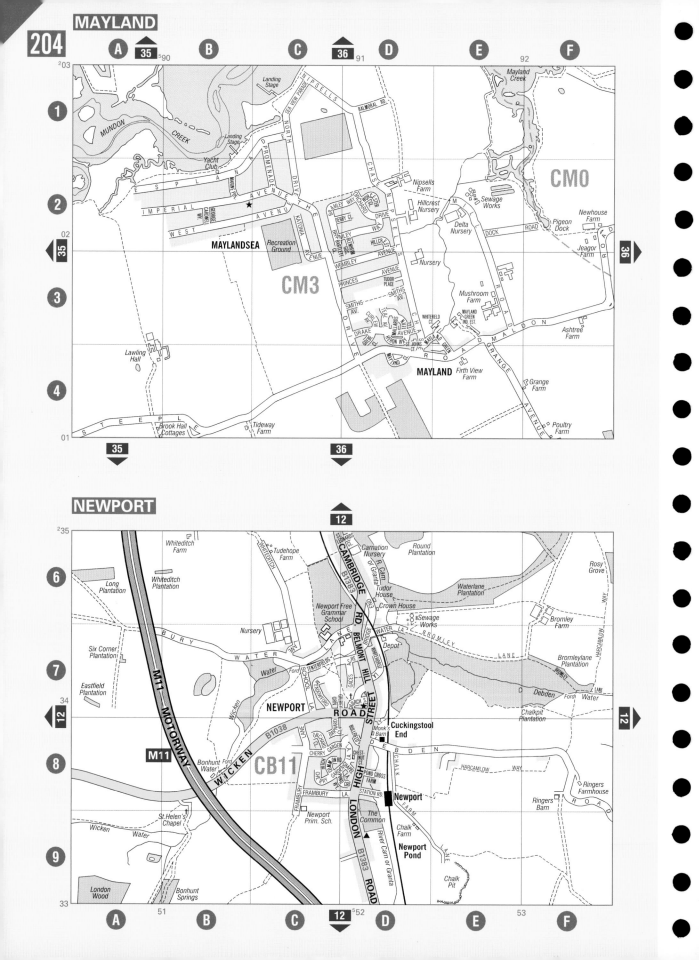

MAYLAND

MUNDON

CREEK

Landing Stage

Landing Stage

Yacht Club

CMO

Mayland Creek

Nipsells Farm

Hillcrest Nursery

Sewage Works

Pigeon Dock

Newhouse Farm

Jeagor Farm

ESPLANADE

IMPERIAL

WEST

MAYLANDSEA

Recreation Ground

CM3

Delta Nursery

Nursery

DOCK ROAD

Mushroom Farm

Mayland Green Ind. Est.

Whitefield Ct.

Ashtree Farm

Lawling Hall

MAYLAND

Firth View Farm

Grange Farm

STEEPLE

Brook Hall Cottages

Tideway Farm

Poultry Farm

NEWPORT

Whiteditch Farm

Tudehope Farm

CAMBRIDGE RD B1383

Carnation Nursery

R. Cam or Granta

Round Plantation

Rosy Grove

Long Plantation

Whiteditch Plantation

Newport Free Grammar School

Tudor House

Crown House

Waterlane Plantation

Bromley Farm

Six Corner Plantation

BURY

Nursery

WATER

BELMONT HILL

Sewage Works

Depot

BROMLEY LANE

Bromleylane Plantation

Eastfield Plantation

Water

Ford

SCHOOL LA.

NEWPORT

ROAD

STREET

Debden

Ford

Water

Chalkpit Plantation

M11 MOTORWAY

WICKEN

B1038

CB11

Bonhunt Ford Water

Monk's Barn

Cuckingstool End

DEBDEN

CHALK

Ringers Farmhouse

HIGH

St. Helen's Chapel

Wicken Water

Newport Prim. Sch.

Pond Cross Farm

Station Rd

Newport

The Common

Chalk Farm

Newport Pond

Ringers Barn

ROAD

London Wood

Bonhunt Springs

LONDON ROAD B1383

River Cam or Granta

Chalk Pit

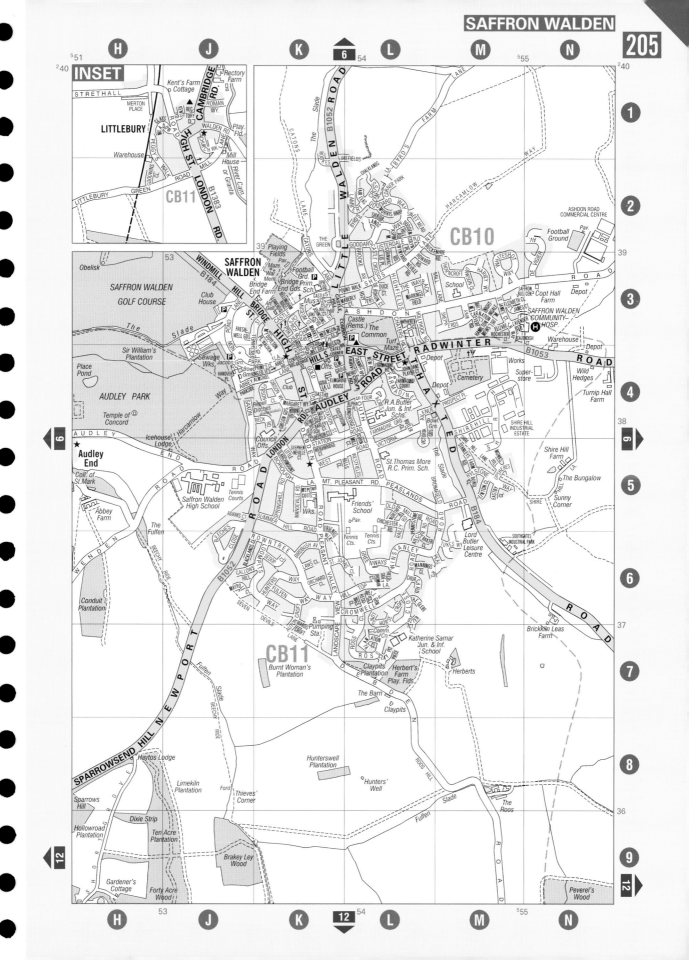

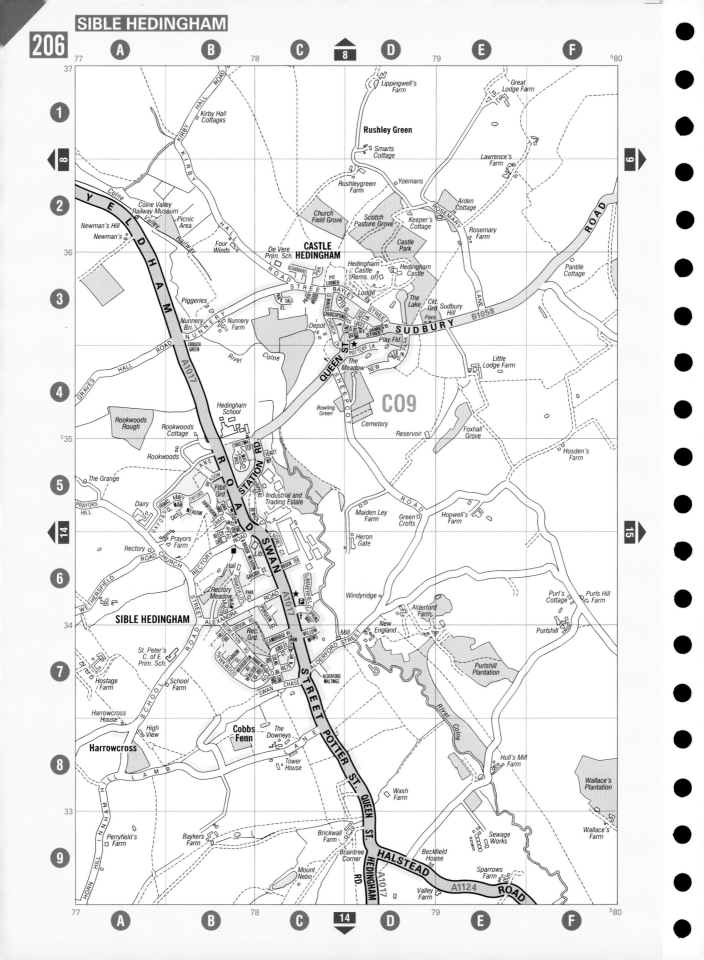

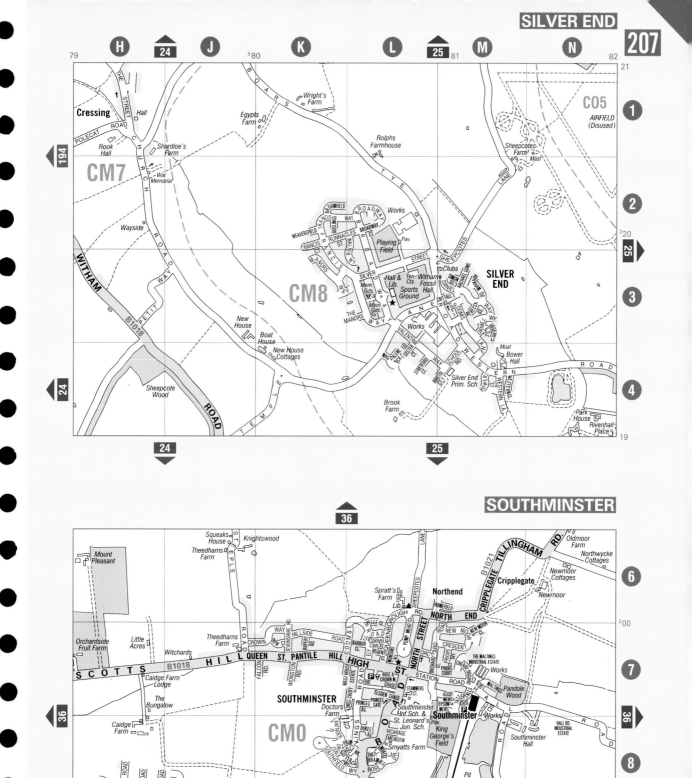

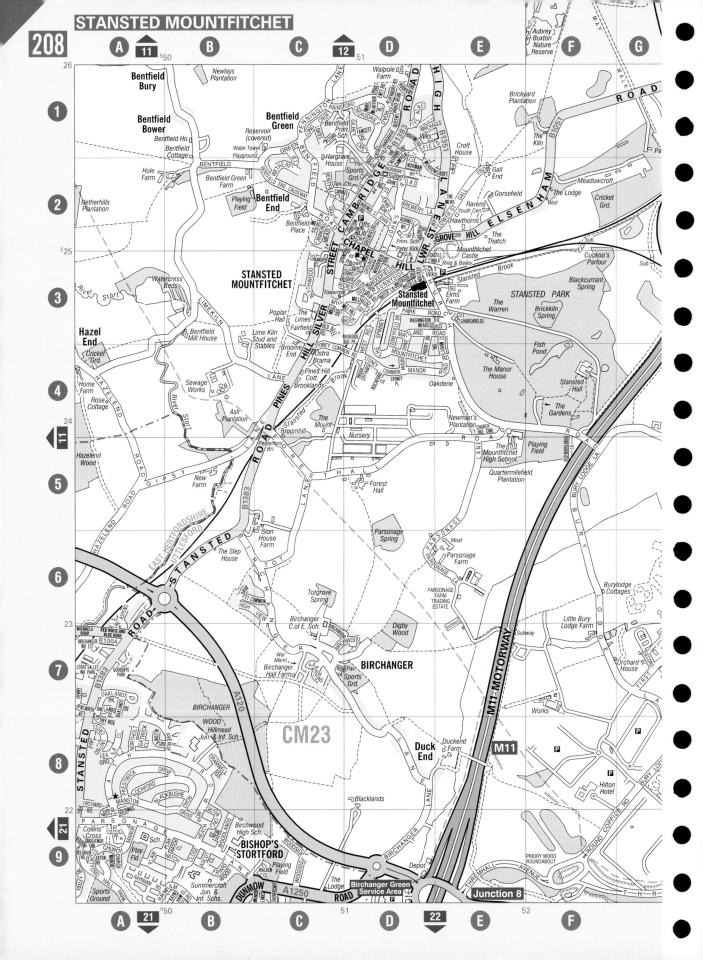

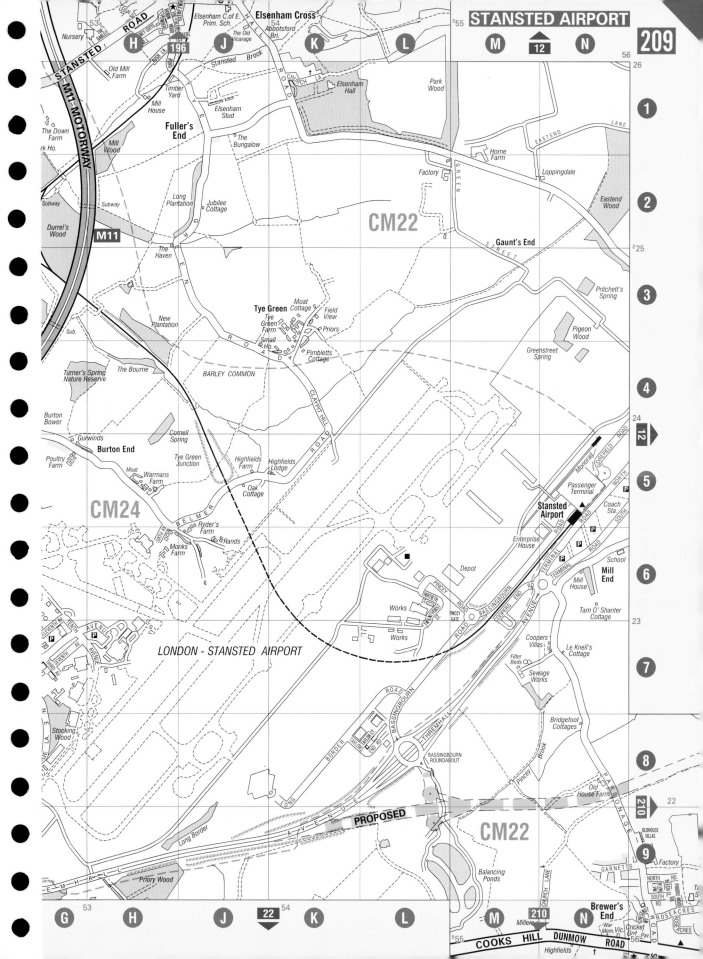

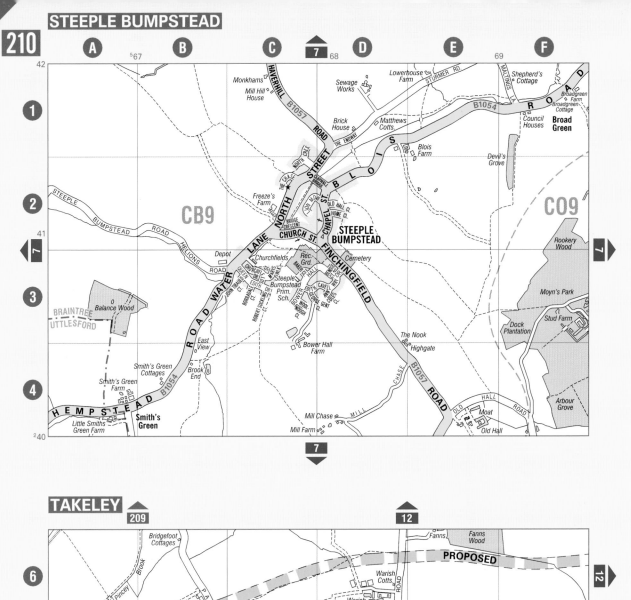

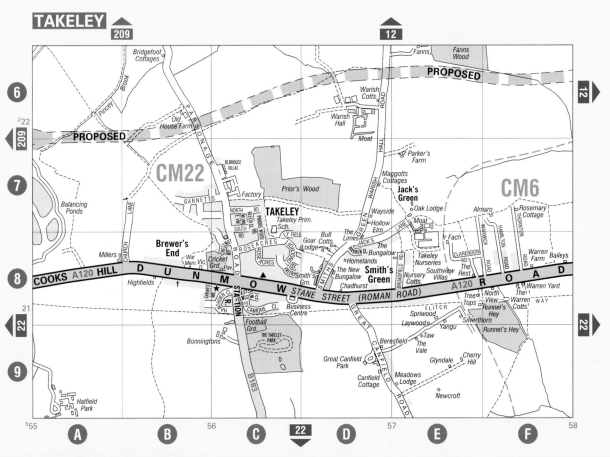

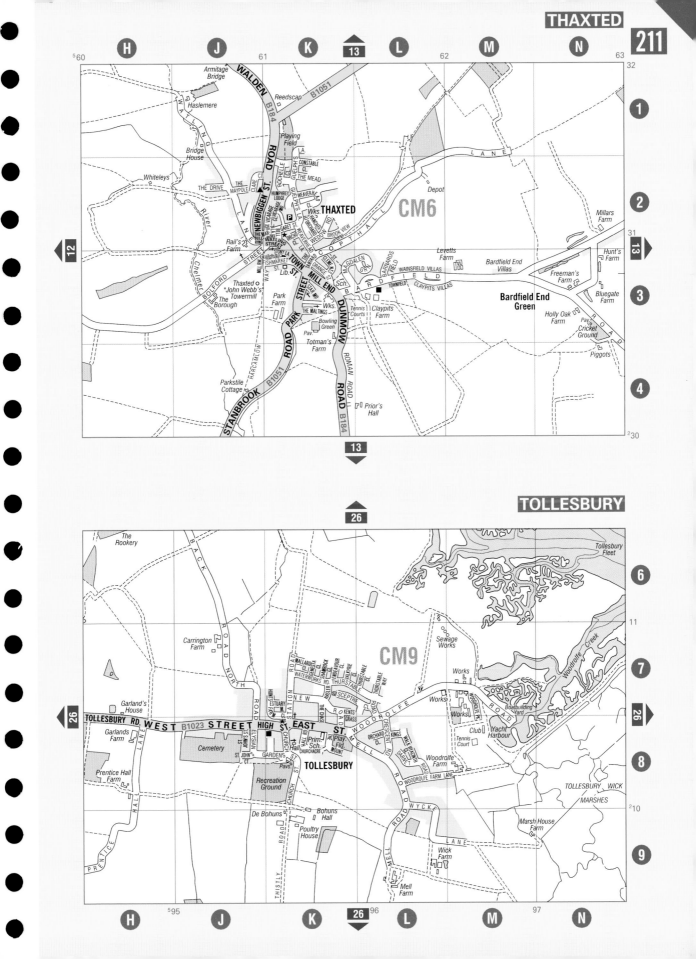

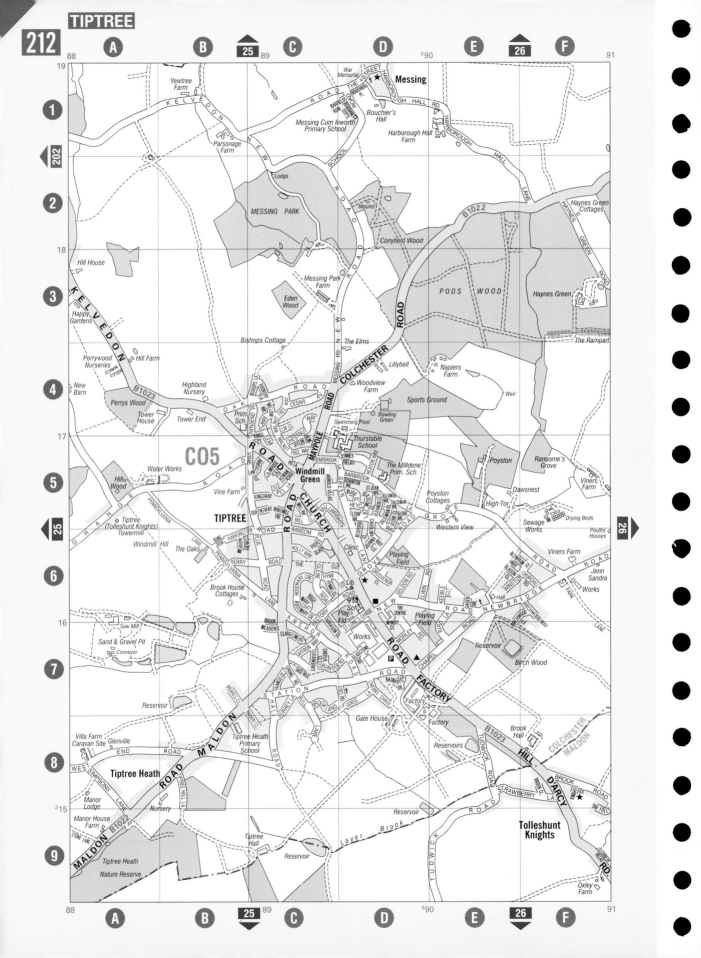

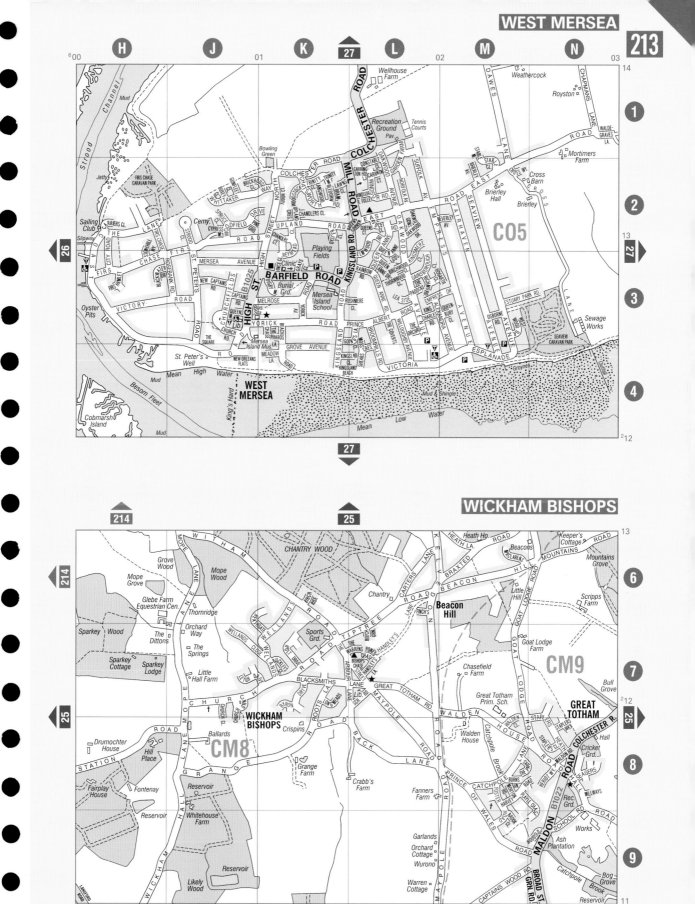

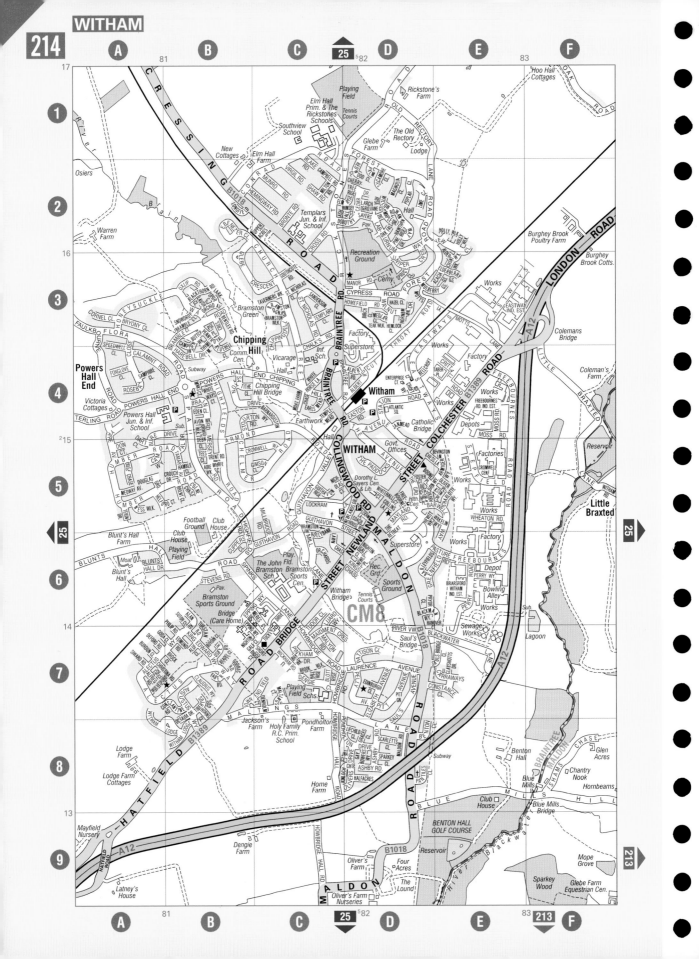

CM8

INDEX

Including Streets, Places & Areas, Industrial Estates, Selected Junction Names, Selected Subsidiary Addresses and Selected Tourist Information.

HOW TO USE THIS INDEX

1. Each street name is followed by its Postal District (or, if outside the London Postal District, by its Posttown or Postal Locality), and then by its map reference; e.g. Abbess Clo. *Chelm* —9G **60** is in the Chelmsford Posttown and is to be found in square 9G on page **60**. The page number being shown in bold type.
A strict alphabetical order is followed in which Av., Rd., St., etc. (though abbreviated) are read in full and as part of the street name; e.g. Abbey Fields appears after Abbeyfield Ho. but before Abbeygate St.

2. Streets and a selection of Subsidiary names not shown on the Maps, appear in the index in *Italics* with the thoroughfare to which it is connected shown in brackets;
e.g. *Acacia Ct. Wal A* —*4G* ***79*** *(off Lamplighters Clo.)*

3. Places and areas are shown in the index in **bold type**, the map reference referring to the actual map square in which the town or area is located and not to the place name; e.g. **Abberton. —8B 176 (2F 27)**

4. Streets that appear on the Street Mapping (red pages) and County Mapping (blue pages) are given two references; e.g. Abberton Rd. *Fing* —8C **176** (2F **27**) is to be found in square 8C on page **176** on the Street Mapping and in square 2F on page **27** on the County Mapping.

5. With the now general usage of Postcodes for addressing mail, it is not recommended that this index is used for such a purpose.

GENERAL ABBREVIATIONS

All : Alley
App : Approach
Arc : Arcade
Av : Avenue
Bk : Back
Boulevd : Boulevard
Bri : Bridge
B'way : Broadway
Bldgs : Buildings
Bus : Business
Cvn : Caravan
Cen : Centre
Chu : Church
Chyd : Churchyard
Circ : Circle
Cir : Circus
Clo : Close
Comn : Common
Cotts : Cottages
Ct : Court
Cres : Crescent
Dri : Drive
E : East
Embkmt : Embankment
Est : Estate
Gdns : Gardens
Ga : Gate
Gt : Great
Grn : Green
Gro : Grove
Ho : House
Ind : Industrial
Junct : Junction
La : Lane
Lit : Little
Lwr : Lower
Mnr : Manor
Mans : Mansions
Mkt : Market
M : Mews
Mt : Mount
N : North
Pal : Palace
Pde : Parade
Pk : Park
Pas : Passage
Pl : Place
Quad : Quadrant
Rd : Road
Shop : Shopping
S : South
Sq : Square
Sta : Station
St : Street
Ter : Terrace
Trad : Trading
Up : Upper
Vs : Villas
Wlk : Walk
W : West
Yd : Yard

POSTTOWN AND POSTAL LOCALITY ABBREVIATIONS

Abb : Abberton
Ab R : Abbess Roding
Abgtn : Abington
Ab P : Abington Pigotts
Abr : Abridge
Act : Acton
Abry : Albury
Aldh : Aldham
A Grn : Allens Green
Alph : Alphamstone
Alp : Alpheton
Alr : Alresford
Alth : Althorne
Ans : Anstey
A'lgh : Ardleigh
A'den : Arkesden
Arr : Arrington
As : Ash
A'dn : Ashdon
Ashel : Asheldham
Ashen : Ashen
Ave : Aveley
Ayt R : Aythorpe Roding
Bab : Babraham
Badg D : Badgers Dene
B'shm : Balsham
Bar S : Bardfield Saling
Bark : Barking
B'side : Barkingside
B'wy : Barkway
Bar : Barley
B'dstn : Barnardiston
B'hurst : Barnehurst
Barns : Barnston
Barr : Barrington
Bart : Bartlow
Bas : Basildon
Bass : Bassingbourn
Bat : Battlesbridge
B'frd : Bayford
Bay E : Baythorne End
Bean : Bean
Beau : Beaumont
Beau R : Beauchamp Roding
Bea E : Beazley End
Beck : Beckenham
Bel O : Belchamp Otten
Bel P : Belchamp St Paul
Bel W : Belchamp Walter
Belv : Belvedere
Ben : Benfleet
B'tn : Benington
B'ley : Bentley
Ber : Berden
Bex : Bexley
Bexh : Bexleyheath
Bick : Bicknacre
Bill : Billericay
B'ch : Birch
Bchgr : Birchanger
Bird : Birdbrook
Bis S : Bishop's Stortford
B'hth : Blackheath
B'moor : Blackmoor
B'more : Blackmore
Bla E : Blackmore End
Bla N : Black Notley
Boc : Bocking
Bore : Boreham
Bor : Borley
Boxt : Boxted
Brad : Bradfield
B'wll : Bradwell
Brad S : Bradwell-on-Sea
Brain : Braintree
B'wck : Braiswick
B'fld : Bramfield
Bran : Brantham
Brau : Braughing
Bre P : Brent Pelham
Brtwd : Brentwood
B'sea : Brightlingsea
Brom : Bromley
Broom : Broomfield
Brox : Broxbourne
Broxt : Broxted
Buck H : Buckhurst Hill
Bkld : Buckland
Bulm : Bulmer
Bulp : Bulphan
Bunt : Buntingford
Bures : Bures
Bur C : Burnham-on-Crouch
Burnt M : Burnt Mills Ind. Est.
Cwdn : Canewdon
Can I : Canvey Island
Cas C : Castle Camps
Cas H : Castle Hedingham
Catt : Cattawade
Caven : Cavendish
Chad H : Chadwell Heath
Chaf H : Chafford Hundred
Chap E : Chapmore End
Chap : Chappel
Chel V : Chelmer Village
Chel : Chelmondiston
Chelm : Chelmsford
Chesh : Cheshunt
Chig J : Chignal St. James
Chig S : Chignal Smealey
Chig : Chigwell
Chst : Chislehurst
Chris : Chrishall
Chu L : Church Langley
Clac S : Clacton-on-Sea
Clare : Clare
Clav : Clavering
Cob : Cobham
Cock C : Cock Clarks
Cogg : Coggeshall
Colc : Colchester
Cold N : Cold Norton
Coln E : Colne Engaine
Col R : Collier Row
Cook G : Cooksmill Green
Coop : Coopersale
Cop : Copford
Corn H : Cornish Hall End
Corr : Corringham
Cot : Cottered
Cray : Crayford
Cray H : Crays Hill
Cres : Cressing
Crock : Crockenhill
C Hth : Crockleford Heath
Cro : Cromer
Cydn : Croydon (nr. Royston)
Croy : Croydon (nr. Sutton)
Cuff : Cuffley
Cux : Cuxton
Dag : Dagenham
Dan : Danbury
D End : Dane End
Dart : Dartford
Deb : Debden
Deb G : Debden Green
Ded : Dedham
Deng : Dengie
Dodd : Doddinghurst
Dov : Dovercourt
D'ham : Downham
Dud E : Duddenhoe End
D'mw : Dunmow
Dun : Dunton
Dut H : Duton Hill
Dux : Duxford
E Col : Earls Colne
E Ber : East Bergholt
E End : East End
E Han : East Hanningfield
Ethpe : Easthorpe
E Mer : East Mersea
E Til : East Tilbury
E'wck : Eastwick
E'wd : Eastwood
Ed C : Edney Common
Eig G : Eight Ash Green
Elm : Elmdon
Elm P : Elm Park
Elms : Elmstead
Else : Elsenham
Enf : Enfield
Epp : Epping
Epp G : Epping Green
Epp Up : Epping Upland
Eri : Erith
Erw : Erwarton
Eyns : Eynsford
F'std : Fairstead
Farnh : Farnham
F'ham : Farningham
Fau : Faulkbourne
Fawk : Fawkham
Fee : Feering
Felix : Felixstowe
Fels : Felsted
F'fld : Finchingfield
Fing : Fingringhoe
Fob : Fobbing
F End : Ford End
For : Fordham
For H : Fordham Heath
Fou I : Foulness Island
Fow : Fowlmere
Fox : Foxearth
Foxt : Foxton
Frat : Frating
Frin S : Frinton-on-Sea
Fry : Fryerning
Fur P : Furneux Pelham
Fyf : Fyfield
Gall : Galleywood
Gest : Gestingthorpe
Gid P : Gidea Park
Gil : Gilston
Glem : Glemsford
Gold : Goldhanger
Good E : Good Easter
Gosf : Gosfield
Grav : Gravesend
Grays : Grays
Gt Ab : Great Abington
Gt Amw : Great Amwell
Gt Bad : Great Baddow
Gt Bar : Great Bardfield
Gt Ben : Great Bentley
Gt Br : Great Braxted
Gt Bro : Great Bromley
Gt Can : Great Canfield
Gt Che : Great Chesterford
Gt Chi : Great Chishill
Gt Cor : Great Cornard
Gt Eas : Great Easton
Gt Hal : Great Hallingbury
Gt Hen : Great Henny
Gt Hol : Great Holland
Gt Hork : Great Horkesley
Gt Hor : Great Hormead
Gt L : Great Leighs
Gt Map : Great Maplestead
Gt Mun : Great Munden
Gt Oak : Great Oakley
Gt Sal : Great Saling
Gt Sam : Great Sampford
Gt Tey : Great Tey
Gt Tot : Great Totham
Gt W : Great Wakering
Gt Wal : Great Waldingfield
Gt Walt : Great Waltham
Gt War : Great Warley
Gt Wen : Great Wenham
Gt Wig : Great Wigborough
Gt Wra : Great Wratting
Gt Yel : Great Yeldham
Grnh : Greenhithe
G Est : Greenstead Estate
G'std G : Greenstead Green
G'sted : Greensted
Had : Hadleigh
Hads : Hadstock
Hail : Hailey
H'std : Halstead
Hare S : Hare Street
Hark : Harkstead
H'low : Harlow
H Hill : Harold Hill
H Wood : Harold Wood
Hars : Harston
Har E : Hartford End
Hart : Hartley
Har : Harwich
H'wd : Hastingwood
Hat O : Hatfield Broad Oak
Hat H : Hatfield Heath
Hat P : Hatfield Peverel
Haul : Haultwick
H'hll : Haverhill
Hav : Havering-atte-Bower
H'wl : Hawkwell
Hay : Hayes
Haz : Hazeleigh
Hel B : Helions Bumpstead
Hpstd : Hempstead
Hen : Henham
Heron : Herongate
Hert : Hertford
Hert H : Hertford Heath
Hex : Hextable
H'bri : Heybridge
Hey B : Heybridge Basin
Hey : Heydon
Hghm : Higham (nr. Stratford St Mary)
High : Higham (nr. Strood)
H Bee : High Beech
H Cro : High Cross
High E : High Easter
High R : High Roding
H Lav : High Laver
H Ong : High Ongar
Hghwd : Highwood
H'wds : Highwoods
H Wych : High Wych
Hxtn : Hinxton
Hock : Hockley
Hod : Hoddesdon
Holb : Holbrook
Hol S : Holland-on-Sea
Hol M : Holton St Mary
Hook E : Hook End
Horn : Hornchurch
Horn H : Horndon-on-the-Hill
H'hth : Horseheath
Hor X : Horsley Cross
Hort K : Horton Kirby
H Grn : Howe Green
Hull : Hullbridge
Hund : Hundon
Hun : Hunsdon
Hut : Hutton
I'tn : Ickleton
Ilf : Ilford
Ing : Ingatestone
Ingve : Ingrave
Jay : Jaywick
Ked : Kedington
Kel : Kelshall
K'dn : Kelvedon
Kel C : Kelvedon Common
Kel H : Kelvedon Hatch
Kir X : Kirby Cross
Kir S : Kirby-le-Soken
Lain : Laindon
Lmsh : Lamarsh
Lang H : Langdon Hills
L'hoe : Langenhoe
Lang : Langford
L'ham : Langham
Lang L : Langley Lower Green
Lang U : Langley Upper Green
Latch : Latchingdon
Lav : Lavenham
Law : Lawford
Lay B : Layer Breton
Lay H : Layer-de-la-Haye
Lay M : Layer Marney
Lea R : Leaden Roding
L'hth : Leavenheath
Lee S : Lee-over-Sands
Lgh S : Leigh-on-Sea
Lex H : Lexden Heath
Lndsl : Lindsell
Linf : Linford
Lin : Linton
Lit : Litlington
Lit A : Little Abington
L Bad : Little Baddow
L Bar : Little Bardfield
L Ben : Little Bentley
L Berk : Little Berkhamsted
L Brax : Little Braxted
L Bro : Little Bromley
L Bur : Little Burstead
L'bry : Littlebury
L Can : Little Canfield
L Ches : Little Chesterford
L Cla : Little Clacton
L Cor : Little Cornard
L Dun : Little Dunmow
L Eas : Little Easton
L Had : Little Hadham
L Hall : Little Hallingbury
L Hth : Little Heath
L Hork : Little Horkesley
L Hor : Little Hormead
L L'gh : Little Leighs
L Lon : Little London
L Map : Little Maplestead
L Oak : Little Oakley
L Sam : Little Sampford
L Tey : Little Tey
L Tot : Little Totham
L Wal : Little Walden
L Walt : Little Waltham
L War : Little Warley
L Wig : Little Wigborough
L Yel : Little Yeldham
Stan Apt : London Stansted Airport
Long : Longfield
L Mel : Long Melford
Lou : Loughton
Ludd : Luddesdown
Mag L : Magdalen Laver
Mal : Maldon
Mann : Manningtree
Man : Manuden
Mar R : Margaret Roding
Marg : Margaretting
M Tey : Marks Tey
Mash : Mashbury
Mat G : Matching Green
Mat T : Matching Tye
Mawn : Mawneys
May : Mayland
Mee : Meesden
Mel : Melbourn
Meld : Meldreth
Meop : Meopham
Mess : Messing
Mdltn : Middleton
M End : Mile End
Mill G : Mill Green
Mis : Mistley
Mitc : Mitcham
More : Moreton
M Bur : Mount Bures
Mount : Mountnessing
M Hud : Much Hadham
Mun : Mundon
Nave : Navestock
N'side : Navestockside
Nay : Nayland
Naze : Nazeing
New Ash : New Ash Green
New E : New England
Newp : Newport
New : Newton
New W : New Wimpole
Noak H : Noak Hill
N'thaw : Northaw
N Ben : North Benfleet
N End : North End
N Fam : North Fambridge
N'fleet : Northfleet
N Ock : North Ockendon
N Stif : North Stifford
N Hth : Northumberland Heath
N Wea : North Weald
Nuth : Nuthampstead
Odsey : Odsey
Old G : Old Hall Green
Ong : Ongar
Orp : Orpington
Ors : Orsett
Orw : Orwell
Ovgtn : Ovington
Pag : Paglesham
Pam : Pampisford
Pan : Panfield
Pkstn : Parkeston
Patt : Pattiswick
Peb : Pebmarsh
Pel : Peldon
Pent : Pentlow
Pil H : Pilgrims Hatch
Pits : Pitsea
Ples : Pleshey
P Bay : Point Clear Bay
Pol : Polstead
Pos : Poslingford
Pot B : Potters Bar
Puck : Puckeridge
Purf : Purfleet
Pur : Purleigh
Quen : Quendon
R'ter : Radwinter
Rain : Rainham
Rams B : Ramsden Bellhouse
Rams H : Ramsden Heath
R'sy : Ramsey
Raw : Rawreth

POSTTOWN AND POSTAL LOCALITY ABBREVIATIONS

Ray : Rayleigh
Rayne : Rayne
Reed : Reed
Ret C : Rettendon Common
R Grn : Rickling Green
Ridg : Ridgewell
Riven : Rivenhall
Roch : Rochester
R'fd : Rochford
Romf : Romford
Rhdge : Rowhedge
Rox : Roxwell
Roy : Roydon
R'ton : Royston
Runw : Runwell
Rush G : Rush Green
Sac : Sacombe
Saf W : Saffron Walden
St La : St Lawrence
St M : St Mary Cray
St O : St Osyth
St P : St Pauls Cray
Sal : Salcot
S'don : Sandon
Saw : Sawbridgeworth
Saws : Sawston
Sew E : Sewards End
Shalf : Shalford
Srng : Sheering
Shenf : Shenfield
Shepr : Shepreth
Shin W : Shingay cum Wendy
Shoe : Shoeburyness
Shorne : Shorne
Short : Shortlands
S'ly : Shotley
Shot G : Shotley Gate
Shudy C : Shudy Camps
Sib H : Sible Hedingham
Sidc : Sidcup
Sil E : Silver End
Sole S : Sole Street
S Dar : South Darenth
Sth S : Southend-on-Sea
Sth B : Southfields Bus. Pk.
S'fleet : Southfleet
S Han : South Hanningfield
S'min : Southminster
S Ock : South Ockendon
S Stif : South Stifford
S Wea : South Weald
S Fer : South Woodham Ferrers
Spel : Spellbrook
Spri : Springfield
Stam : Stambridge
Stamb : Stambourne
Stdn : Standon
Stan H : Stanford-le-Hope
S'std : Stanstead
Stan A : Stanstead Abbotts
Stans : Stansted
S'way : Stanway
Stfrd : Stapleford
Stap A : Stapleford Abbotts
Stap T : Stapleford Tawney
Steb : Stebbing
Stpl : Steeple
Stpl B : Steeple Bumpstead
Stpl M : Steeple Morden
Stis : Stisted
Stock : Stock
Stoc P : Stocking Pelham
Stoke C : Stoke By Clare
Stoke N : Stoke By Nayland
Ston M : Stondon Massey
Stone : Stone
Sto G : Stones Green
Stow M : Stow Maries
Strat M : Stratford St Mary
Strood : Strood
Stur : Sturmer
Stut : Stutton
Sud : Sudbury
S at H : Sutton at Hone
Swan : Swanley
Swans : Swanscombe
Tak : Takeley
Tatt : Tattingstone
Ten : Tendring
Terl : Terling
Thax : Thaxted
Ther : Therfield
They B : Theydon Bois
They G : Theydon Garnon
They M : Theydon Mount
Thor S : Thorington Street
Thor : Thorley
Thorn : Thornwood
T Sok : Thorpe-le-Soken
Thorr : Thorrington
Thr B : Threshers Bush
Thri : Thriplow
Thro : Throcking
T Hth : Thornton Heath
Thun : Thundridge
Thurl : Thurlow
Til : Tilbury
T'ham : Tillingham
Tilty : Tilty
Tip : Tiptree
Tol : Tollesbury
Tol D : Tolleshunt D'arcy
Tol K : Tolleshunt Knights
Tol M : Tolleshunt Major
Ton : Tonwell
Toot : Toot Hill
Top : Toppesfield
T Mary : Trimley St Mary
Turn : Turnford
T'std : Twinstead
Tye G : Tye Green
Ugley : Ugley
U Grn : Ugley Green
Ult : Ulting
Upm : Upminster
Van : Vange
Vir : Virley
Wad : Wadesmill
Wak C : Wakes Colne
Walk : Walkern
Wlgtn : Wallington
Wal A : Waltham Abbey
Wal X : Waltham Cross
W on N : Walton on the Naze
Ware : Ware
W'side : Wareside
War : Warley
W'frd : Waterford
Wat S : Watton at Stone
Wee : Weeley
Wee H : Weeley Heath
Well : Welling
Wen A : Wendens Ambo
Wen : Wennington
W Ber : West Bergholt
Wclf S : Westcliff-on-Sea
W Han : West Hanningfield
W Horn : West Hornden
W H'dn : West Horndon
W Mer : West Mersea
W'mll : Westmill
W Thur : West Thurrock
W Til : West Tilbury
W Wick : West Wickham (nr. Bromley)
W W'ck : West Wickham (nr. Haverhill)
Weth : Wethersfield
Whad : Whaddon
Whem : Whempstead
Whi C : White Colne
Whi N : White Notley
Whi R : White Roding
Whitt : Whittlesford
Wick B : Wicken Bonhunt
W Bis : Wickham Bishops
Wick P : Wickham St Paul
W'fd : Wickford
Wid : Widford
Widd : Widdington
Will : Willingale
Wim : Wimbish
Wthm : Witham
Wthfld : Withersfield
W'hoe : Wivenhoe
Wix : Wix
Wfd G : Woodford Green
Wdhm F : Woodham Ferrers
Wdhm M : Woodham Mortimer
Wdhm W : Woodham Walter
Wmgfd : Wormingford
Worm : Wormley
Wrab : Wrabness
Writ : Writtle
Wy G : Wyatts Green

INDEX

Aalten Av. *Can I* —2M **153**
Abberton. —8B 176 (2F 27)
Abberton Rd. *Fing* —8C **176** (2F **27**)
Abberton Rd. *Lay H* —9J **175** (1D **26**)
Abberton Wlk. *Rain* —1D **144**
Abbess Clo. *Chelm* —9G **60**
Abbess End. —6D 22
Abbess Roding. —6D 22
Abbeville Rd. *SW4* —3A **46**
Abbey Clo. *Hull* —6K **105**
Abbey Clo. *Romf* —1E **128**
Abbey Ct. *Wal A* —4B **78**
Abbey Cres. *T Sok* —5L **181**
Abbeydale Clo. *H'low* —4H **57**
Abbeydale Ct. *E17* —7D **108**
Abbey Field. —1M 175
Abbeyfield Ho. *Ben* —3J **137**
Abbey Fields. *E Han* —2B **90**
Abbeygate St. *Colc* —9N **167**
Abbey Ho. *Saf W* —4K **205**
Abbey La. *E15* —6E **38**
Abbey La. *Cogg* —9L **195**
Abbey La. *Saf W* —4J **205**
Abbey Mead Ind. Est. *Wal A* —4C **78**
Abbey Meadow. *Sib H* —5B **206**
Abbey M. *E17* —9A **108**
Abbey Mills. *Wal A* —3B **78**
Abbey Retail Pk. *Bark* —1A **142**
Abbey Rd. *E15* —6E **38**
Abbey Rd. *SE2 & Belv* —1J **47**
Abbey Rd. *Bark* —9A **126** (5G **39**)
Abbey Rd. *Bill* —7H **101**
Abbey Rd. *Grav* —4H **49**
Abbey Rd. *Hull* —7K **105**
Abbey Rd. *Ilf* —9C **110**
Abbey St. *SE1* —1B **46**
Abbey St. *I'tn* —1H **197** (4K **5**)
Abbey St. *T Sok* —5L **181** (7E **18**)
Abbey Turning. *Mal* —1G **35**
Abbey View. *Dut H* —5F **13**
Abbey View. *Wal A* —3B **78** (4D **30**)
Abbey Wharf Ind. Est. *Bark* —3C **142**
Abbey Wood. —1J 47
Abbey Wood La. *Rain* —2H **145**
Abbots Clo. *Clac S* —7J **187**
Abbots Clo. *Mann* —4D **18**
Abbots Clo. *Rain* —2G **145**
Abbots Clo. *Shenf* —7K **99**
Abbots Ct. *Bas* —6N **117**
Abbotsford Gdns. *Wfd G* —4G **108**
Abbotsford Rd. *Ilf* —4F **126**
Abbotsleigh Rd. *S Fer* —2K **105**
Abbots Ride. *Bill* —6L **101**
Abbot's Rd. *Colc* —3A **176** (7F **17**)
Abbots Wlk. *Shoe* —6G **141**
Abbotsweld. *H'low* —6C **56**
Abbot's Wick La. *Gt Wig* —4C **26**
Abbotswood. *Ben* —1J **137**
Abbotswood Gdns. *Ilf* —7M **109**
Abbott Rd. *E14* —7E **38**
(in two parts)
Abbott Rd. *Har* —5H **201**
Abbotts Clo. *SE28* —7H **143**
Abbotts Clo. *Lgh S* —1D **138**
Abbotts Clo. *Romf* —7N **111**
Abbotts Cres. *E4* —1D **108**
Abbotts Dri. *Stan H* —3M **149** (6K **41**)
Abbotts Dri. *Wal A* —3G **79**
Abbotts Gdns. *St O* —9A **186**
Abbotts Hall Chase. *Stan H* —3N **149**
Abbotts La. *Eig G* —8B **166**
Abbotts La. *Wid* —4F **21**
Abbotts Pk. Rd. *E10* —2C **124**
Abbotts Pl. *Chelm* —8M **61**
Abbs Cross. *Horn* —3G **129**
Abbs Cross Gdns. *Horn* —3G **129**
Abbs Cross La. *Horn* —5G **128** (4B **40**)
Abdy Av. *Har* —5G **200**
Abels Rd. *H'std* —6J **199**
Abenberg Way. *Hut* —8L **99**
Abensburg Rd. *Can I* —9K **137**
Abercorn Gdns. *Romf* —1G **126**
Abercorn Ho. *Bore* —3F **62**
Abercorn Way. *Wthm* —5D **214**
Abercrombie Way. *H'low* —4B **56** (7H **21**)
Aberdeen Gdns. *Lgh S* —4N **137**
Aberdour Rd. *Ilf* —5G **126**
Abigail M. *Romf* —6L **113**
Abingdon Ct. *Bas* —6H **119**
Abinger Clo. *Bark* —6F **126**
Abinger Clo. *Clac S* —7G **187**
Abington Ct. *Upm* —3N **129**
Abington Pigotts. —3A 4
Abington Rd. *Lit* —3A **4**
Abraham Dri. *Sil E* —3M **207**
Abram's La. *Chris* —5H **5**
Abreys. *Ben* —8G **121**
Abridge. —2G 94 (6J 31)
Abridge Gdns. *Romf* —3M **111**
Abridge Pk. Cvn. Pk. *Abr* —3F **94**
Abridge Rd. *Chig* —6C **94** (7H **31**)
Abridge Rd. *They B & Abr* —7D **80** (5H **31**)
Abridge Way. *Bark* —2G **143**
Acacia Av. *Colc* —7E **168**
Acacia Av. *Horn* —4D **128**
Acacia Bus. Cen. *E11* —5E **124**
Acacia Ct. Wal A —4G 79
(off Lamplighters Clo.)
Acacia Dri. *Mal* —6H **203**
Acacia Dri. *Sth S* —6E **140** (5A **44**)
Acacia Dri. *Upm* —6L **129**
Acacia Gdns. *Upm* —2C **130**
Acacia Gdns. *Wthm* —3E **214**
Acacia Rd. *E11* —4E **124**
Acacia Rd. *Bas* —7M **119**
Acacias Ct. *Hod* —5A **54**
Academy Rd. *SE18* —2G **47**
Accommodation Rd. *Boxt* —9L **161**
Acer Av. *Rain* —3H **145**
Achilles Way. *Brain* —3K **193**
Achnacone Dri. *Colc* —4K **167**
Acland Av. *Colc* —8H **167**
Aconbury Rd. *Dag* —1G **142**
Acorn Av. *Brain* —6F **192**
Acorn Av. *H'std* —5J **199**
Acorn Cen., The. *Ilf* —3G **111**
Acorn Clo. *E4* —2B **108**
Acorn Clo. *Colc* —3D **168**
Acorn Clo. *Har* —6J **201**
Acorn Ct. *E6* —9L **125**
Acorn Ct. *Ilf* —1D **126**
Acorn M. *H'low* —5E **56**
Acorn Pl. *Bas* —1K **133**
Acorns, The. *Chig* —1D **110**
Acorns, The. *Hock* —9D **106**
Acorn St. *Hun* —5F **21**
Acorn Trad. Est. *S Stif* —4G **157**
Acorn Wlk. *Thorr* —9F **178**
Acott Av. *Lgh S* —3N **137**
Acott Gro. *E15* —9F **124**
Acreland Grn. *Ples* —4G **23**
Acre La. *SW2* —3A **46**
Acremore St. *L Had* —1G **21**
Acre Rd. *Dag* —9N **127**
Acres Av. *Ong* —5K **69**
Acres End. *Chelm* —7G **60**
Acres, The. *Stan H* —2A **150**
Acre View. *Horn* —8J **113**
Acton. —3K 9
Acton La. *Sud* —4K **9**
Acton Place. —3K 9
Ada Cole Memorial Stables. —8L **55** (1G **31**)
Adalia Cres. *Lgh S* —3A **138**
Adalia Way. *Lgh S* —4A **138**
Adams Bus. Cen. *Bas* —6G **118**
Adams Ct. *H'std* —4J **199**
Adams Ct. *Saf W* —5J **205**
Adams Cres. *Romf* —9D **112**
Adams Glade. *R'fd* —1J **123**
Adams Ho. *H'low* —2C **56**
Adams La. *Else* —6B **196**
Adams Pk. *W'fd* —2N **119**
Adams Rd. *Stan H* —4N **149**
Adam Way. *W'fd* —8M **103**
Addington Rd. *Croy* —7E **46**
Addiscombe. —7C 46
Addiscombe Rd. *Croy* —7B **46**
Addison Gdns. *Grays* —2M **157**
Addison Rd. *E11* —1G **125**
Addison Rd. *E17* —9B **108**
Addison Rd. *Gt Hol* —9D **182**
Addison Rd. *Ilf* —5B **110**
Addmar Rd. *Dag* —5K **127**
Adelaide Av. *SE4* —3D **46**
Adelaide Dri. *Colc* —5A **176**
Adelaide Gdns. *Ben* —5D **136**
Adelaide Gdns. *Romf* —9K **111**
Adelaide Rd. *E10* —5C **124**
Adelaide Rd. *Ilf* —4A **126**
Adelaide Rd. *Til* —6B **158**
Adelaide St. *Har* —2H **201**
Adelphi Cres. *Horn* —4E **128**
Adelsburg Rd. *Can I* —1J **153**
Aden Rd. *Ilf* —2A **126**
Admirals Clo. *E18* —8H **109**
Admirals Lodge. *Romf* —9D **112**
Admirals Wlk. *Chelm* —8H **61**
Admirals Wlk. *Hod* —7A **54**
Admirals Wlk. *Shoe* —8H **141**
Adnams Wlk. *Rain* —8E **128**
Adstock Way. *Badg D* —2J **157**
Advice Av. *Grays* —9K **147**
Aetheric Rd. *Brain* —5G **193** (7C **14**)
Affleck Rd. *Colc* —8E **168**
Afflets Ct. Bas —7D 118
(off Moat Field)
Afton Dri. *S Ock* —6E **146**
Agar Gro. *NW1* —5A **38**
Agar Rd. *W on N* —6M **183**
Agate Rd. *Clac S* —2J **191**
Agincourt Rd. *Clac S* —9H **187**
Agister Rd. *Chig* —2F **110**
Agnes Av. *Ilf* —6N **125**
Agnes Av. *Lgh S* —4A **138**
Agnes Gdns. *Dag* —6J **127**
Aidan Clo. *Dag* —5K **127**
Aileen Wlk. *E15* —9F **124**
Ailsa Rd. *Wclf S* —6H **139**
Aimes Green. —8F 64 (3E 30)
Aimes Grn. Bas —6K 119
(off Porters)
Ainger Rd. *Har* —5G **201**
Aingers Green. —9L 179 (1A 28)
Aingers Grn. Rd. *Gt Ben* —9L **179** (1A **28**)
Ainsley Av. *Romf* —1N **127**
Ainslie Wood Cres. *E4* —2B **108**
Ainslie Wood Gdns. *E4* —1B **108**
Ainslie Wood Nature Reserve. —2B **108** (1D **38**)
Ainslie Wood Rd. *E4* —2A **108**
Aintree Cres. *Ilf* —6B **110**
Aintree Gro. *Upm* —5K **129**
Airborne Clo. *Lgh S* —1D **138**
Airborne Ind. Est. *Lgh S* —1D **138**
Aire Dri. *S Ock* —4E **146**
Aire Wlk. *Wthm* —5B **214**
Airey Neave Ct. *Grays* —9K **147**
Airfield Pathway. *Horn* —9G **128**
Airfield Way. *Horn* —9F **128** (5B **40**)
Airlie Gdns. *Ilf* —3A **126**
Airthrie Rd. *Ilf* —4G **126**
Aisher Rd. *SE28* —7H **143**
Aisne Rd. *Colc* —2L **175**
Ajax Clo. *Brain* —3K **193**
Akenfield Clo. *S Fer* —1L **105**
Akerman Rd. *SW9* —2A **46**
Alamein Rd. *Bur C* —4M **195**
Alamein Rd. *Chelm* —5H **61**
Alamein Rd. *Colc* —4K **175**
Alanbrooke Rd. *Colc* —4D **176**
Alan Clo. *Dart* —9G **155**
Alan Clo. *Lgh S* —9D **122**
Alan Dri. *L Cla* —4H **187**
Alan Gdns. *Romf* —2M **127**
Alan Gro. *Lgh S* —9D **122**
Alan Haslar Ho. *D'mw* —9L **197**
Alan Rd. *Wthm* —6B **214**
Alan Way. *Colc* —2G **175**
Albany Av. *Wclf S* —5K **139**
Albany Chase. *Clac S* —9M **187**
Albany Clo. *Chelm* —6G **60**
Albany Clo. *W Ber* —3F **166**
Albany Ct. *E10* —2A **124**
Albany Ct. *Epp* —9E **66**
Albany Gdns. E. *Clac S* —9M **187**
Albany Gdns. W. *Clac S* —9L **187**
Albany Rise. *Ray* —6M **121**
Albany Rd. *E10* —2A **124**
Albany Rd. *E12* —6K **125**
Albany Rd. *SE5* —2B **46**
Albany Rd. *Chst* —5G **47**
Albany Rd. *Horn* —3E **128**
Albany Rd. *Pil H* —5E **98**
Albany Rd. *Ray* —6N **121**
Albany Rd. *Romf* —1L **127**
Albany Rd. *Til* —6C **158**
Albany Rd. *W Ber* —3F **166**
Albany Rd. *W'fd* —1L **119**
Albany St. *NW1* —6A **38**
Albany, The. *Wfd G* —1F **108**
Albany View. *Buck H* —7G **93**
Albemarle App. *Ilf* —1A **126**
Albemarle Clo. *Grays* —9K **147**
Albemarle Gdns. *Brain* —3L **193**
Albemarle Gdns. *Ilf* —1A **126**
Albemarle Rd. *Beck* —6D **46**
Albemarle St. *Har* —2M **201**
Alberta Rd. *Eri* —6A **154**
Albert Av. *E4* —1A **108**
Albert Clo. *Grays* —1M **157**
Albert Clo. *Ray* —4M **121**
Albert Clo. *R'fd* —1H **123**
Albert Ct. *E7* —6G **125**
Albert Cres. *E4* —1A **108**
Albert Dri. *Bas* —9L **117**
Albert Embkmt. *SE1* —1A **46**
Albert Gdns. *Clac S* —1L **191**
Albert Gdns. *Cogg* —8L **195**
Albert Gdns. *H'low* —4J **57**
Albert Ho. E18 —7H 109
(off Albert Rd.)
Albertine Clo. *S'way* —9D **166**
Albert M. *Wclf S* —6K **139**
Albert Pl. *Cogg* —8L **195**
Albert Pl. Sth S —7A 140
(off Beach Rd.)
Albert Rd. *E10* —4C **124**
Albert Rd. *E16* —7G **39**
Albert Rd. *E17* —9A **108**
Albert Rd. *E18* —7H **109**
Albert Rd. *N22* —2A **38**
Albert Rd. *Belv* —1K **47**
Albert Rd. *Ben* —9B **120**
Albert Rd. *Brain* —5J **193**
Albert Rd. *B'sea* —7F **184**
Albert Rd. *Buck H* —8K **93** (1F **39**)
Albert Rd. *Bulp* —6B **132**
Albert Rd. *Bur C* —4M **195**
Albert Rd. *Dag* —3M **127**
Albert Rd. *Ilf* —5A **126**
Albert Rd. *Ray* —4M **121**
Albert Rd. *R'fd* —1H **123**
Albert Rd. *Romf* —9D **112** (3A **40**)
Albert Rd. *Sth S* —5E **140**
(Armitage Rd.)
Albert Rd. *Sth S* —7N **139**
(York Rd.)
Albert Rd. *S Fer* —1J **105** (6F **35**)
Albert Rd. *Wthm* —4D **214**
Albert Sq. *E15* —7E **124**
Albert St. *Colc* —7M **167**
Albert St. *Har* —2M **201**
Albert St. *War* —2F **114**
Albert Ter. *Buck H* —8L **93**
Albert Wlk. *E16* —9A **142**
Albert Whicker Ho. *E17* —8C **108**
Albion Clo. *Romf* —1B **128**
Albion Ct. *Bill* —7J **101**
Albion Ct. *Chelm* —1B **74**
Albion Dri. *E8* —6C **38**
Albion Gro. *Colc* —1A **176**
Albion Hill. *Lou* —4J **93**
Albion Ho. E16 —8A 142
(off Church St.)
Albion Pk. *Lou* —4K **93**
Albion Rd. *E17* —7C **108**
Albion Rd. *N16* —5B **38**
Albion Rd. *Ben* —2C **136**
Albion Rd. *Bexh* —3K **47**
Albion Rd. *Wclf S* —5K **139**
Albion St. *Rhdge* —6G **176**
Albion Ter. *E4* —3B **92**
Albrighton Croft. *H'wds* —3C **168**
Albury. *Sth S* —4C **140**
Albury. —6G 11
Albury End. —7G 11
Albury M. *E12* —3J **125**
Albury Rd. *L Had* —7H **11**
Albyns. *Bas* —2L **133**
Albyns Clo. *Rain* —9E **128**
Albyns La. *Stap T* —1B **96**
Alconbury. *Bis S* —8A **208**
Alcorns, The. *Stans* —2D **208**
Alcotes. *Bas* —1G **135**
Aldborough Ct. Ilf —9E 110
(off Aldborough Rd. N.)
Aldborough Hatch. —8E 110 (3H 39)
Aldborough Rd. *Dag* —8A **128**
Aldborough Rd. *Upm* —4K **129**
Aldborough Rd. N. *Ilf* —9E **110** (3H **39**)
Aldborough Rd. S. *Ilf* —3D **126** (4H **39**)
Aldeburgh Clo. *Clac S* —9F **186**
Aldeburgh Gdns. *H'wds* —3B **168**
Aldeburgh Pl. *Wfd G* —1G **109**
Aldeburgh Way. *Chelm* —6M **61**
Alder Av. *Upm* —6K **129**
Alderbury Lea. *Bick* —9F **76**
Alderbury Rd. *Stans* —1D **208**
Aldercar Rd. *Cop* —4N **173** (7B **16**)
Alder Clo. *Lain* —6L **117**
Alder Dri. *Chelm* —4C **74**

Alder Dri. S Ock —4F 146
Alderford Maltings. Sib H —7C 206
Alderford St. Sib H —7C 206 (2E 14)
Aldergrove Wlk. Horn —8G 128
Alderleys. Ben —9G 121
Alderman Av. Bark —3F 142
Alderman Howe Lodge. H'wds —3B 168
(off Tynedale Sq.)
Aldermans Hill. N13 —1A 38
Alderman's Hill. Hock —2A 122 (1G 43)
Alderman Wlk. Stan H —9N 133
Alderney Gdns. W'fd —6K 103
Alderney Rd. Eri —5E 154
Alders Av. Wfd G —3E 108
Aldersbrook. —4H 125 (4F 39)
Aldersbrook La. E12 —5M 125
Aldersbrook Rd. E11 & E12 —4H 125 (4F 39)
Alders Clo. E11 —4H 125
Aldersey Gdns. Bark —8C 126
Aldersgate St. EC1 —7B 38
Aldersgrove. Wal A —4E 78
Alders Wlk. Saw —2K 53
Alderton Clo. Lou —3N 93
Alderton Clo. Pil H —4E 98
Alderton Hall La. Lou —3N 93
Alderton Hill. Lou —4L 93 (7G 31)
Alderton M. Lou —3N 93
Alderton Rise. Lou —3N 93
Alderton Rd. Colc —7C 168
Alderton Rd. Ors —6G 148
Alderton Way. Lou —4M 93
Alder Wlk. Ilf —7B 126
Alder Wlk. Wthm —3E 214
Alderwood Clo. Abr —2G 95
Alderwood Dri. Abr —2G 95
Alderwood Way. Ben —3J 137
Aldgate. (Junct.) —7B 38
Aldham. —5A 16
Aldham Dri. S Ock —5F 146
Aldham Gdns. Ray —4F 120
Aldingham Ct. Horn —7F 128
(off Easedale Dri.)
Aldingham Gdns. Horn —7E 128
Aldington Clo. Dag —3H 127
Aldon Clo. Har —6E 200
Aldria Rd. Stan H —9N 133
Aldriche Way. E4 —3C 108
Aldridge Av. Enf —8A 78
Aldridge Clo. Chelm —7B 62
Aldrin Clo. Stan H —3N 149
Aldrington Rd. SW16 —5A 46
Aldrin Way. Lgh S —9F 122
Aldworth Rd. E15 —9E 124
Aldwych. WC2 —7A 38
Aldwych Av. Ilf —8B 110
Aldwych Clo. Horn —4E 128
Alectus Way. Wthm —7A 214
Alefounder Clo. Colc —9E 168
Alexander La. Hut & Shenf —5L 99 (7F 33)
Alexander M. S'don —8L 75
Alexander Rd. Bas —3K 133
(in two parts)
Alexander Rd. Brain —4G 193
Alexandra Av. W Mer —3L 213
Alexandra Clo. Grays —9D 148
Alexandra Ct. Sth S —7L 139
(Alexandra Rd.)
Alexandra Ct. Sth S —5L 139
(Baxter Av.)
Alexandra Dri. W'hoe —3J 177
Alexandra Pal. Way. N8 —3A 38
Alexandra Pk. Rd. N22 —2A 38
Alexandra Rd. E10 —5C 124
Alexandra Rd. E18 —7H 109
Alexandra Rd. Ben —4D 136
Alexandra Rd. Brtwd —9F 98
Alexandra Rd. Bur C —3L 195
Alexandra Rd. Chad H —1K 127
Alexandra Rd. Clac S —1J 191
Alexandra Rd. Colc —9M 167
Alexandra Rd. Eri —4D 154
Alexandra Rd. Gt W —3L 141
Alexandra Rd. Har —2M 201
Alexandra Rd. Lgh S —6D 138
Alexandra Rd. Rain —1D 144
Alexandra Rd. Ray —4L 121
Alexandra Rd. R'fd —9H 107
Alexandra Rd. Romf —1D 128
Alexandra Rd. Sib H —6B 206 (1D 14)
Alexandra Rd. Sth S —7L 139
Alexandra Rd. Til —7B 158
Alexandra Rd. Wee —5D 180
Alexandra St. Har —2M 201
Alexandra St. Sth S —7M 139 (5K 43)
Alexandra Ter. Colc —9M 167
Alexandra Way. Til —2K 159
Alexandria Dri. Ray —3G 121
Alfells Rd. Elms —1M 177
Alford Rd. Eri —3A 154
Alfreda Av. Hull —5K 105
Alfred Gdns. W'fd —7L 103
Alfred Prior Ho. E12 —6N 125
Alfred Rd. E15 —7F 124
Alfred Rd. Ave —8N 145
Alfred Rd. Brtwd —8G 98
Alfred Rd. Buck H —8K 93
Alfred's Gdns. Bark —2D 142
Alfred St. Grays —4M 157
Alfreds Way. Bark —3A 142 (6H 39)
Alfred's Way Ind. Est. Bark —2F 142
Alfred Ter. W on N —6M 183
Alfreg Rd. Wthm —7A 214
Algars Way. S Fer —9K 91
Algers Clo. Lou —4K 93
Algers Rd. Lou —4K 93
Alghers Mead. Lou —4K 93
Alibon Gdns. Dag —7M 127
Alibon Rd. Dag —7L 127
Alice Burrell Cen. E10 —4C 124
(off Sidmouth Rd.)
Alicia Av. W'fd —9A 104
Alicia Clo. W'fd —9A 104
Alicia Wlk. W'fd —8A 104
Alicia Way. W'fd —9A 104
Alienor Av. Gt Bar —3J 13
Alkerden La. Grnh & Swans —3E 48
Allandale. Ben —8G 120
Allandale Rd. Horn —2D 128
Allanson Ct. E10 —4A 124
(off Leyton Grange Est.)
Allenby Cres. Grays —3L 157
Allenby Dri. Horn —3J 129
Allen Ct. E17 —1A 124
(off Yunus Khan Clo.)
Allendale Dri. Cop —2M 173
Allen Rd. Rain —3G 145
Allens Clo. Bore —2G 62
Allen's Green. —3H 21
Allens Rd. Rams H —3C 102
Allensway. Stan H —2A 150
Allen Way. St O —4K 27
Allerton Clo. R'fd —1H 123
Alley Dock. Lgh S —6C 138
Alleyndale Rd. Dag —4H 127
Alleyne Way. Jay —4E 190
Alleyn Pk. SE21 —4B 46
Alleyn Pl. Wclf S —5J 139
Allfields. Dov —5H 201
Allington Ct. Bill —9L 101
Allison Clo. Wal A —2G 78
Alliston Way. Stan H —2A 150
Allmains Clo. Naze —4H 65
Allnutts Rd. Epp —3F 80
Alloa Rd. Ilf —4F 126
All Saints Av. Colc —2H 175
All Saints Church. —5J 203 (1H 35)
All Saints Clo. Chelm —7N 61
All Saints Clo. Chig —9G 94
All Saints Clo. Dodd —6E 84
All Saints Tower. E10 —2B 124
Alma Av. E4 —4C 108
Alma Av. Horn —6J 129
Alma Clo. Ben —4M 137
Alma Clo. W'fd —1H 119
Alma Dri. Chelm —9H 61
Alma Rd. Ben —4N 137
Alma Rd. Enf —7C 30
Alma Rd. Sidc —4J 47
Alma Sq. Mann —4J 165
Alma St. E15 —8D 124
Alma St. W'hoe —6H 177
Almere. Ben —2D 136
Almhouse Green. —2C 14
Almond Av. Hull —4L 105
Almond Av. W'fd —9K 103
Almond Clo. Clac S —1G 190
Almond Clo. Grays —1C 158
Almond Clo. Tip —5C 212
Almond Clo. W'hoe —4J 177
Almonds Av. Buck H —8G 93
Almond Wlk. Can I —1F 152
Almond Way. Colc —7E 168
Almshouses. Lou —9M 79
Alnwick Clo. Lain —1H 133
Alp Ct. Gt W —3L 141
Alpha Clo. Bas —9N 119
Alpha Clo. Brain —6J 193
Alpha Ct. Hod —4A 54
Alphamstone. —1J 15
Alphamstone Rd. Lmsh —1K 15
Alpha Pl. Saf W —4L 205
Alpha Rd. E4 —9A 92
Alpha Rd. Bas —9N 119
Alpha Rd. Bur C —3M 195
Alpha Rd. Hut —5N 99
Alpha Rd. St O —4K 27
Alpheton. —1K 9
Alport Av. Colc —2K 175
Alracks. Bas —9N 117
Alresford. —6A 178 (1J 27)
Alresford Grn. W'fd —1M 119
Alresford Rd. W'hoe —7H 17
Alsa Bus. Pk. Stans —5A 12
Alsa Gdns. Else —7C 196
Alsa Leys. Else —7C 196
Alsa St. Stans —5A 12
Altar Pl. Lain —8L 117
Altbarn Clo. H'wds —2C 168
Altbarn Rd. Colc —1D 176
Altham Gro. H'low —1E 56
Althorne. —5A 36
Althorne Clo. Bas —6J 119
Althorne Gdns. E18 —8F 108
Althorne Way. Cwdn —1N 107
Althorne Way. Dag —4M 127
Althorpe Clo. Hock —1C 122
Altmore Av. E6 —9M 125
Alton Dri. Colc —9J 167
Alton Gdns. Sth S —1K 139
Alton La. Stut —1C 18
Alton Pk. Rd. Clac S —2H 191 (4D 28)
Alton Pk. Rd. Jay —3E 190
Alton Rd. Clac S —2J 191
Aluf Clo. Wthm —7B 214
Aluric Clo. Grays —2D 158
Alverstoke Rd. Romf —4J 113
Alverstone Rd. E12 —6N 125
Alverton Clo. Bla N —1B 198
Alverton Way. H'wds —4B 168
Alvis Av. Jay —6C 190
Alwen Gro. S Ock —6E 146
Alwyne Av. Shenf —5K 99
Alyssum Clo. Chelm —5B 62
Alyssum Wlk. Bill —3H 101
Alyssum Wlk. Colc —8D 168
Amanda Clo. Chig —3C 110
Amarells Rd. Wee H —1G 187
Amberden. Bas —1M 133
Amberley Clo. W'hoe —5K 177
Amberley Rd. E10 —2A 124
Amberley Rd. Buck H —7J 93
Amberley Way. Romf —8N 111
Amberry Ct. H'low —2C 56
(off Netteswell Dri.)
Amber St. E15 —9D 124
Ambleside. Epp —1F 80
Ambleside Av. SW16 —5A 46
Ambleside Av. Beck —7D 46
Ambleside Av. Horn —7F 128
Ambleside Clo. E10 —2B 124
Ambleside Dri. Sth S —6A 140
Ambleside Gdns. Hull —6K 105
Ambleside Wlk. Can I —1F 152
Ambridge Rd. Cogg —6H 195 (7G 15)
Ambrose Av. Colc —2G 174
Ambrose Clo. Cray —9D 154
Ambrose Ct. Cop —2M 173
Ameland Rd. Can I —8G 136
Amelia Blackwell Ho. Can I —2E 152
(off Link Rd.)
America Rd. E Col —5H 15
America St. Mal —6K 203
Amersham Av. Bas —1H 133
Amersham Clo. Romf —3K 113
Amersham Dri. Romf —3J 113
Amersham Rd. Romf —3J 113
Amersham Wlk. Romf —3K 113
Amery Gdns. Romf —7H 113
Amesbury. Wal A —2G 78
Amesbury Clo. Epp —1E 80
Amesbury Dri. E4 —5B 92
Amesbury Rd. Dag —9J 127
Amesbury Rd. Epp —1E 80
Amethyst Rd. E15 —6D 124
Amhurst Pk. N16 —4B 38
Amhurst Rd. N16 & E8 —5B 38
Amhurst Wlk. SE28 —8F 142
Amidas Gdns. Dag —6G 127
Amid Rd. Can I —9J 137
Amies Ct. Colc —1A 176
Amity Rd. E15 —9F 124
Amos Hill. Gt Hen —7H 9
Amoss Rd. Chelm —2G 75
Ampers End. Bas —1E 134
Ampleforth Rd. SE2 —9G 143
Ampthill Ho. H Hill —2H 113
(off Montgomery Cres.)
Amwell Ct. Hod —4A 54
Amwell Ct. Wal A —3F 78
Amwell End. Ware —4C 20
Amwell Hill. Gt Amw —5D 20
Amwell La. Stan A —5D 20
Amwell St. EC1 —6A 38
Amwell St. Hod —4A 54 (7D 20)
Amwell View. Ilf —2G 110
Ancels La. Shalf —4B 14
Anchorage, The. Gt W —3M 141
Anchor Bay Ind. Est. Eri —4E 154
Anchor Boulevd. Dart —9N 155
Anchor Ct. Eri —5D 154
Anchor Dri. Rain —3F 144
Anchor End. Mis —4M 165
Anchor Hill. W'hoe —7H 177
Anchor La. Abb R —6C 22
Anchor La. Cwdn —2M 107 (7K 35)
Anchor La. H'bri —3K 203
Anchor La. Mis —4M 165
Anchor La. Wad —3B 20
Anchor Reach. S Fer —3L 105
Anchor Rd. Clac S —1H 191
Anchor Rd. Tip —6C 212
Anchor St. Chelm —1C 74
Anders Fall. Lgh S —9F 122
Anderson Av. Chelm —6H 61
Anderson Clo. Man —5K 11
Anderson Ho. Bark —2C 142
Anderson Rd. Wfd G —7K 109
Andersons. Stan H —3A 150
Anderson's La. Gt Hor —3F 11
Anderson Way. Belv —9N 143
Andover Clo. Clac S —7L 187
Andrea Av. Grays —9K 147
Andrew Clo. Brain —3H 193
Andrew Clo. Ilf —3C 110
Andrew Clo. Stan H —1M 149
Andrew Pl. Saf W —2L 205
Andrews Clo. Buck H —8J 93
Andrews Farm La. Gt Eas —6G 13
Andrewsfield Airstrip. —6K 13
Andrew's La. Chesh —3B 30
Andrews Pl. Chelm —9H 61
Andromeda Ct. H Hill —4G 113
Andwell Clo. SE2 —9G 143
Andyk Rd. Can I —2L 153
Anemone Ct. Colc —5K 167
Anerley. —6C 46
Anerley Hill. SE19 —5B 46
Anerley Rd. SE19 & SE19 —5C 46
Anerley Rd. Wclf S —6J 139
Angel. (Junct.) —6A 38
Angel Clo. Bas —3E 134
Angel Ct. Colc —8N 167
Angel Edmonton. (Junct.) —1C 38
Angel Ga. Har —1N 201
Angel La. E15 —8D 124 (5E 38)
Angel La. D'mw —8L 197
Angel Rd. N18 —1C 38
Angel Way. Romf —9C 112
Anglefield. Clac S —2K 191
Angle Grn. Dag —3H 127
Angle Rd. Grays —4G 156
Anglesea Rd. W'hoe —6J 177
Anglesey Dri. Rain —4E 144
Anglesey Gdns. W'fd —2N 119
Angle Side. Brain —6K 193
Anglia Clo. Colc —3J 175
Anglian Ind. Est. Bark —4E 142
Anglian Rd. E11 —5D 124
Anglia Way. Brain —6K 193
Angmering Ho. H Hill —2H 113
(off Barnstaple Rd.)
Annabel Av. Ors —6F 148
Annalee Gdns. S Ock —5E 146
Annalee Rd. S Ock —5E 146
Anna Neagle Clo. E7 —6G 125
Annan Way. Romf —5C 112
Ann Coles Clo. Stpl B —3D 210
Anne Boleyn Dri. R'fd —8L 123
Anne Clo. B'sea —7E 184
Anne Nastri Ct. Romf —9F 112
(off Heath Pk. Rd.)
Anne Way. Ilf —3B 110
Annie Taylor Ho. E12 —6N 125
(off Walton Rd.)
Annifer Way. S Ock —5E 146
Ansgar Rd. Saf W —6L 205
Anso Corner. —7G 7
Anson Chase. Shoe —6J 141
Anson Clo. Dov —5J 201
Anson Clo. Romf —6N 111
Anson Clo. S Fer —2M 105
Anson Way. Brain —4L 193
Anso Rd. Hpstd —7G 7
Anstead Dri. Rain —2E 144
Anstey. —2F 11
Anstey Castle. —2F 11
Anstey Clo. Lgh S —8C 122
Antelope Av. Grays —1K 157
Anthony Clo. Bill —1M 117
Anthony Clo. Can I —9H 137
Anthony Clo. Colc —4D 168
Anthony Dri. Stan H —1N 149
Antlers. Can I —3F 152
Antlers Hill. E4 —4B 92
Antonio Wlk. Colc —8F 168
Antonius Way. Colc —1B 168
Anton Rd. S Ock —5E 146
Antrim Rd. Shoe —7H 141
Anvil Way. Bill —3K 101
Anvil Way. Spri —3N 61
Anworth Clo. Wfd G —3H 109
Anzio Cres. Colc —4K 175
Apeldoorn. Ben —8B 120
Aperfield Rd. Eri —4D 154
Apollo Clo. Horn —4F 128
Apollo M. Colc —5K 175
Apollo Pl. E11 —5E 124
Appleby Clo. E4 —3C 108
Appleby Dri. Lain —1H 133
Appleby Dri. Romf —2G 112
Appleby Grn. Romf —2G 112
Appleby St. Chesh —2B 30
Apple Ct. Chelm —9H 61
Appledene Clo. Ray —3K 121
Appledore. Shoe —5G 141
Appledore Av. Bexh —6A 154
Appledore Clo. Romf —5G 113
Appleford Ct. Bas —9K 119
Applegarth Dri. Ilf —8E 110
Applegarth Ho. Eri —7D 154
Applegarth Rd. SE28 —8G 143
Apple Ga. Brtwd —4C 98
Apple Rd. E11 —5E 124
Applerow. Lgh S —9E 122
Appleton Clo. H'low —4B 56
Appleton Rd. Ben —3B 136
Appleton Rd. Lou —2A 94
Appleton Way. Horn —3H 129
Apple Tree Clo. Dodd —8G 84
Appletree Clo. Sth S —3C 140
Appletree Clo. Tye G —3F 194
Apple Tree Cres. Dodd —8F 84
Appletree Wlk. Brain —7J 193
Apple Tree Way. W'fd —8N 103
Apple Way. Writ —2K 73
Appleyard Av. Hock —8D 106
Appold St. Eri —4D 154
Approach Rd. Can I —2M 153
Approach Rd. Cray H —2E 118
Approach, The. Jay —4E 190
Approach, The. Ray —4J 121
Approach, The. Upm —5M 129
April Pl. Saw —1L 53
Apton Hall Rd. Cwdn —1M 123 (1K 43)
Apton Rd. Bis S —1K 21
Arabia Clo. E4 —6D 92
Araglen Av. S Ock —5E 146
Aragon Clo. Jay —4D 190
Aragon Clo. Lou —5L 93
Aragon Clo. Romf —3N 111
Aragon Clo. Sth S —2K 139
Aragon Dri. Ilf —4B 110
Aragon Rd. Gt L —1M 59
Arakan Clo. Colc —5J 175
Arandora Cres. Romf —2G 126
Arbor Rd. E4 —9D 92
Arbour Clo. War —2F 114
Arbour La. Chelm —7M 61 (1A 34)
Arbour La. W Bis —7K 213 (5H 25)
Arbour Way. Colc —4C 168
Arbour Way. Horn —7F 128
Arbuthnot La. Bex —3K 47
Arbutus Clo. Chelm —4C 74
Arcade Pl. Romf —9C 112
Arcade, The. E17 —8A 108
Arcade, The. Bark —9B 126
Arcade, The. Romf —2H 113
(off Farnham Rd.)
Arcade, The. W'fd —8L 103
Arcadian Gdns. Ben —2J 137
Arcadia Rd. Bur C —3M 195
Arcadia Rd. Can I —2K 153
Arcadia Rd. Grav —6G 49
Arcany Rd. S Ock —4E 146
Archates Av. Grays —1K 157
Archer Av. Sth S —3B 140
Archer Clo. Sth S —3C 140
Archer Rd. Bas —7K 117
Archers. H'low —8A 56
Archers Clo. Bill —8J 101
Archers Ct. S Ock —5E 146
Archers Fields. Bas —6J 119
Archers Way. Chelm —8D 74
Archery Fields. Clac S —8L 187
Archibald Rd. E10 —3B 126
Archibald Rd. Romf —5L 113
Archibald Ter. Bas —8K 117
Archway. (Junct.) —4A 38
Archway. Romf —3F 112
Archway Rd. N6 & N19 —4A 38
Ardeley. —5A 10
Arden Clo. Colc —4C 168
Arden Cres. Dag —9H 127
Arden M. E17 —9B 108
Arderne Clo. Har —5H 201
Ardleigh. —8L 163 (4H 17)
Ardleigh. Bas —1N 133
Ardleigh Clo. Horn —7H 113
Ardleigh Ct. A'lgh —8L 163
Ardleigh Ct. Shenf —6J 99
Ardleigh Gdns. Hut —5A 100
Ardleigh Green. —8H 113 (3B 40)
Ardleigh Grn. Rd. Horn —9H 113 (3B 40)
Ardleigh Heath. —7K 163 (3H 17)
Ardleigh Ho. Bark —1B 142
Ardleigh M. Ilf —5A 126
Ardleigh Rd. A'lgh —3A 170 (5J 17)
Ardleigh Rd. Ded —4K 163 (3H 17)
Ardleigh Rd. L Bro —1C 170 (4J 17)
Ardley Cres. Hat H —3D 202
Ardley End. —4D 202 (4B 22)
Ardley Way. Ray —3K 121
Ardmore La. Buck H —6H 93
Ardmore Pl. Buck H —6H 93
Ardmore Rd. S Ock —4E 146
Ardwell Av. Ilf —9B 110
Arewater Green. —9N 79
Argent Ct. Lain —8H 117
Argent St. Grays —4H 157 (2F 49)
Argus Clo. Romf —5N 111
Argyle Ct. K'dn —8C 202
Argyle Gdns. Upm —4A 130
Argyle Rd. E15 —6E 124
Argyle Rd. Bur C —4N 195
Argyle Rd. Ilf —4N 125
Argyle Rd. T Sok —4K 181
Argyll Ho. Wclf S —7J 139
Argyll Rd. Chelm —6B 62
Argyll Rd. Grays —3K 157
Argyll Rd. Wclf S —6J 139
Ariel Clo. Colc —8E 168
Arisdale Av. S Ock —5E 146 (6E 40)
Arjan Way. Can I —2C 152
Ark Av. Grays —1K 157
Arkesden. —1K 11
Ark La. R'fd —6E 122
Arkwright Rd. Til —7C 158
Arkwrights. H'low —2E 56
Arlington Gdns. Ilf —3N 125
Arlington Gdns. Romf —5J 113
Arlington M. Wal A —3C 78
(off Sun St.)
Arlington Rd. Sth S —5C 140
Arlington Rd. Wfd G —4G 109
Arlington Way. Bill —3H 101
Armada Clo. Lain —1M 133
Armada Ct. Grays —2K 157
Armadale. Can I —9F 136
Armada Way. E6 —7A 142
Armagh Rd. Shoe —7H 141
Armath Pl. Lang H —1H 133
Armidale Wlk. Colc —4A 176
Armigers. —4E 12
Armiger Way. Wthm —5E 214
Armitage Rd. Sth S —5E 140
Armonde Clo. Bore —3F 62
Armond Rd. Wthm —5B 214
Armor Rd. Purf —2A 156
Armoury Rd. W Ber —3G 166
Armstead Wlk. Dag —9M 127
Armstrong Av. Wfd G —3E 108
Armstrong Clo. Dag —2J 127
Armstrong Clo. Dan —2F 76
Armstrong Clo. Stan H —3N 149
Armstrong Rd. Ben —8D 120
Armstrong Way. Gt Yel —7D 198
Army & Navy Flyover. Chelm —1D 74
Arncroft Ct. Bark —3G 143
Arne Clo. Stan H —2M 149
Arne Ct. Bas —7L 117
Arne M. Bas —7L 117
(off Basildon Dri.)
Arneways Av. Romf —7J 111
Arnheim Rd. Bur C —4M 195
Arnhem Av. Ave —8N 145
Arnhem Gro. Brain —3G 193
Arnhem Rd. Chelm —5G 61
Arnold Av. Bas —1J 133

Arnold Av. Sth S —7A 140
Arnold Av. E. Enf —8A 78
Arnold Dri. Colc —9E 168
Arnold Pl. Til —6E 158
Arnold Rd. Clac S —2H 191 (4D 28)
Arnold Rd. Dag —9L 127
Arnolds Av. Hut —4M 99
Arnolds Clo. Hut —4M 99
Arnolds Farm La. Mount —2A 100 (6G 33)
Arnold's La. S at H —5C 48
Arnolds Way. R'fd —9J 107
Arnold Vs. Tip —5C 212
Arnold Way. Chelm —7D 74
Arnott Clo. SE28 —8H 143
Arnsberg Way. Bexh —3K 47
Arnstones Clo. Colc —7C 168
Arran Clo. Eri —4B 154
Arran Ct. W'fd —2N 119
Arran Dri. E12 —3K 125
Arras Rd. Colc —3L 175
Arrington. —1B 4
Arrowhead Ct. E11 —1D 124
Arrow Rd. Colc —8F 168
Arrowsmith Clo. Chig —2E 110
Arrowsmith Path. Chig —2E 110
Arrowsmith Rd. Chig —2D 110
Arsenal F.C. —5B 38
Arterial Av. Rain —4F 144
Arterial Rd. N Stif —9G 146 (1E 48)
Arterial Rd. Purf —1L 155 (1C 48)
Arterial Rd. Stan H —2L 149 (6K 41)
Arterial Rd. W Thur —1C 156 (1E 48)
Arteris Rd. Wfd G —4H 109
Artesian Clo. Horn —1D 128
Artesian Wlk. E11 —5E 124
Arthur Barnes Ct. Grays —1E 158
Arthur Ct. Chelm —6H 61
Arthur Rd. Romf —1H 127
Arthur St. Colc —9N 167
Arthur St. Eri —5D 154
Arthur St. Grays —4M 157
Arthur Toft Ho. Grays —4L 157 (off New Rd.)
Arthy Clo. Hat P —2L 63
Artillery Barracks Folley. Colc —9M 167
Artillery Clo. Ilf —1B 126
Artillery Ho. E15 —8E 124
Artillery Pl. SE18 —1G 47
Artillery Rd. Colc —3L 175
Artillery St. Colc —9B 168
Artisan Clo. E6 —7A 142
Artisans Dwellings. Saf W —4L 205 (off New Rd.)
Arun. E Til —2L 159
Arun Clo. Chelm —6L 61
Arundel Clo. E15 —6E 124
Arundel Clo. Bill —2L 101
Arundel Dri. Corr —1B 150
Arundel Dri. Wfd G —4G 109
Arundel Gdns. Ilf —4F 126
Arundel Gdns. Ray —2H 121
Arundel Gdns. Wclf S —3F 138
Arundel M. Bill —2L 101
Arundel Rd. Ben —8B 120
Arundel Rd. Dart —9G 155
Arundel Rd. R'fd —7H 107
Arundel Rd. Romf —4K 113
Arundel Rd. W'fd —7K 103
Arundel Way. Bill —2L 101
Arun Rd. Lou —4N 93
Arwen Gro. S Fer —2J 105
Asbury Clo. Colc —7D 168
Ascension Rd. Romf —3A 112
Ascham Dri. E4 —4B 108
Ascot Clo. Ben —8H 121
Ascot Clo. Bis S —9B 208
Ascot Clo. Ilf —3D 110
Ascot Gdns. Horn —6J 129
Ascot M. S'min —7M 207
Ashanti Clo. Shoe —6K 141
Ashbeam Clo. Gt War —3F 114
Ashbourne Av. E18 —8H 109
Ashbourne Rd. Romf —1G 113
Ashbridge Rd. E11 —2E 124
Ashbrook Rd. Dag —5N 127
Ash Bungalows. Brain —5G 192
Ashburnham Gdns. Upm —3M 129
Ashburnham Rd. Belv —2A 154
Ashburnham Rd. Sth S —6L 139
Ashburton Av. Ilf —7D 126
Ashburton Rd. Croy —7C 46
Ashbury Dri. M Tey —3H 173
Ashbury Gdns. Romf —9J 111
Ashby Clo. Horn —3L 129
Ashby Clo. Ors —6G 148
Ashby Rise. Bis S —8A 208
Ashby Rd. Wthm —8D 214
Ash Clo. B'sea —6D 184
Ash Clo. Clac S —1G 190
Ash Clo. Hat P —2L 63
Ash Clo. Pil H —4C 98
Ash Clo. Romf —4N 111
Ashcombe. R'fd —4J 123
Ashcombe Clo. Lgh S —9A 122
Ashcombe Way. Ray —5M 121
Ash Ct. Shoe —8K 141
Ashdene Clo. Hull —6L 105
Ashdon. —4E 6
Ashdon Clo. Hut —5M 99
Ashdon Clo. S Ock —6E 146
Ashdon Clo. Wfd G —3H 109
Ashdon Rd. A'dn —6F 7
Ashdon Rd. Saf W —3L 205 (6C 6)
Ashdon Rd. Commercial Cen. Saf W —2N 205
Ashdon Way. Bas —1B 134 (3A 42)
Ashdown Clo. Corr —9A 134
Ashdown Cres. Ben —2L 137
Ashdown Est. E11 —6D 124
Ashdown Wlk. Romf —5N 111
Ashdown Way. Colc —8D 168
Asheldham. —4D 36
Ashen. —4C 8
Ashen Clo. Ashen —4C 8
Ashendene Rd. B'frd —1A 30
Ashen Hill. Ashen —4C 8
Ashen La. Stoke C —4C 8
Ashen Rd. Clare —3D 8
Ashen Rd. Ovgtn —4D 8
Ashen Rd. Ridg —5B 8
Ashes Clo. W on N —6J 183
Ashes Rd. Cres —1F 194 (1E 24)
Ash Fall. Wthm —2C 214
Ashfield. Ray —4F 120
Ashfield Farm Rd. Ult —7F 25
Ashfield La. Chst —5H 47
(in three parts)
Ashfields. Lou —1M 93
Ashfields. Pits —8K 119
Ashford Av. Brtwd —9E 98
Ashford Ct. Grays —3N 157
Ashford Rd. E6 —9N 125
Ashford Rd. E18 —6H 109
Ashford Rd. Chelm —9G 61
Ash Grn. Bill —6M 101
Ash Grn. Cwdn —2M 107
Ash Grn. Gt Che —4L 197
Ash Gro. Bur C —2L 195
Ash Gro. Chelm —3D 74
Ash Gro. Colc —6A 176
Ash Gro. D'mw —9L 197
Ash Gro. Gt Bro —9F 170
Ash Gro. Mal —2M 203
Ash Gro. W'hoe —3J 177
Ashgrove Rd. Brom —5E 46
Ashgrove Rd. Ilf —3E 126
Ash Groves. Saw —2M 53
Ash Ind. Est. H'low —4M 55
Ashingdale Clo. Can I —3H 153
Ashingdon. —9H 107 (1J 43)
Ashingdon Clo. E4 —9C 92
Ashingdon Rd. R'fd —7G 106 (1J 43)
Ashlands Ct. Til —2L 159
Ash La. Horn —8L 113
Ash La. Romf —3E 112
Ashleigh Clo. Can I —8G 136
Ashleigh Ct. Can I —8G 136
Ashleigh Ct. Hod —6A 54
Ashleigh Ct. Wal A —4G 79
Ashleigh Dri. Lgh S —6E 138
Ashleigh Gdns. Upm —5A 130
Ashley Av. Ilf —6A 110
Ashley Clo. Corr —1B 150
Ashley Gdns. Colc —9K 167
Ashley Gdns. Grays —8M 147
Ashley Grn. E Han —2B 90
Ashley Gro. Lou —2L 93
Ashley Rd. E4 —3A 108
Ashley Rd. E7 —9J 125
Ashley Rd. Har —4J 201
Ashlin Rd. E15 —6D 124
Ashlong Gro. H'std —3K 199
Ashlyn Gro. Horn —7H 113
Ashlyns. Bas —8H 119
Ashlyns. Pits —3B 42
Ashlyns La. Ong —1D 68 (1A 32)
Ashlyns Rd. Epp —9E 66
Ashlyns Rd. Frin S —2G 29
Ashmans Row. S Fer —2K 105
Ashmeads. Lou —2M 93
Ashmole Dri. Kir X —8J 183
Ashmour Gdns. Romf —6B 112
Ashpole Rd. Brain —5D 14
Ash Rise. H'std —6L 199
Ash Rd. E15 —7E 124
Ash Rd. Alr —6A 178
Ash Rd. Ben —4L 137
Ash Rd. Can I —2J 153
Ash Rd. Hart & Sev —6F 49
Ashstead Clo. Clac S —7F 186
Ashton Gdns. Romf —1K 127
Ashton Pl. Chelm —8B 62
Ashton Rd. E15 —7D 124
Ashton Rd. H Hill —4H 113
Ash Tree Clo. Chelm —9H 61
Ash Tree Ct. Stam —2K 43
Ashtree Ct. Wal A —4G 79 (off Horseshoe Clo.)
Ash Tree Cres. Chelm —9H 61
Ash Tree Field. H'low —1N 55
Ash Tree Wlk. Bas —1G 134
Ashurst Av. Sth S —5D 140
Ashurst Clo. Dart —8D 154
Ashurst Clo. Rhdge —6F 176
Ashurst Dri. Chelm —4M 61
Ashurst Dri. Ilf —1A 126
Ashvale Dri. Upm —4B 130
Ashvale Gdns. Romf —2B 112
Ashvale Gdns. Upm —4B 130
Ashville Rd. E11 —4D 124
Ash Wlk. Sth S —7N 139
Ash Wlk. S Ock —3G 147
Ash Way. Colc —3G 175
Ashway. Corr —9C 134
Ash Way. Hock —8D 106
Ashwells Meadow. E Col —3C 196
Ashwells Rd. Pil H —2A 98 (6D 32)
Ashwin Av. Cop —2M 173
Ashwood Av. Rain —4F 144
Ashwood Clo. Bur C —1L 195
Ashwood Rd. E4 —9D 92
Ashworth Pl. H'low —3J 57
Ashworths. Can I —8G 136
Ashworths. R'fd —1H 123
Ashylyn's Rd. Frin S —1H 189
Askews Farm La. Grays —3H 157
Askwith Rd. Rain —3B 144
Aspen Clo. Can I —1E 152
Aspen Ct. Lain —6L 117
Aspenden. —4D 10
Aspenden Rd. Bunt —4D 10
Aspen Gro. Upm —6L 129
Aspens, The. Bis S —7A 208
Aspens, The. Wal A —5J 79 (off Woodbine Clo.)
Aspen Way. E14 —7D 38
Aspen Way. Colc —7D 168
Aspen Way. L Oak —8D 200
Aspin M. Saf W —2L 205
Asquith Av. Ben —9H 121
Asquith Clo. Dag —3H 127
Asquith Dri. H'wds —2C 168
Asquith Gdns. Ben —8J 121
Assandune Clo. R'fd —9J 107
Astell Ct. Frin S —1J 189
Aster Clo. Clac S —9G 186
Aster Ct. Chelm —5A 62
Asthall Gdns. Ilf —8B 110
Astins Ho. E17 —8B 108
Astley. Grays —4J 157
Astley Rd. Clac S —1H 191
Aston Ct. Wfd G —3G 108
Aston M. Romf —2H 127
Aston Rd. Bas —9K 117
Astor Av. Romf —1A 128
Astra Clo. Horn —8F 128
Atcost Rd. Bark —5F 142
Athelstan Clo. Romf —6K 113
Athelstan Gdns. W'fd —7L 103
Athelstan Rd. Colc —1K 175
Athelstan Rd. Romf —5K 113
Atherstone Clo. Can I —3J 153
Atherstone Rd. Can I —3J 153
Atherton End. Saw —1K 53
Atherton Gdns. Grays —2E 158
Atherton Ho. H Hill —4J 113 (off Leyburn Cres.)
Atherton M. E7 —8F 124
Atherton Rd. E7 —8F 124
Atherton Rd. Ilf —6L 109
Athlone Ct. E17 —7D 108
Athol Clo. Can I —3M 153
Atholl Rd. Chelm —6A 62
Atholl Rd. Ilf —2F 126
Athol Rd. Eri —3A 154
Athos Rd. Can I —9J 137
Atkinson Ct. E10 —2B 124 (off Kings Clo.)
Atkins Rd. E10 —1B 124
Atkins Rd. SW12 —4A 46
Atlanta Boulevd. Romf —1C 128
Atlantic Sq. Wthm —4D 214
Atlas Ct. E Col —2B 196
Atlas Rd. Dart —8K 155
Atlas Rd. E Col —2A 196
Atlas Wharf. E9 —8A 124
Atridge Chase. Bill —4J 101
Attlee Ct. Grays —1K 157
Attlee Gdns. Colc —9A 168
Attlee Rd. SE28 —7G 143
Attlee Ter. E17 —8B 108
Attwood Clo. H'wds —2B 168
Attwoods Clo. Chelm —7C 74
Atwell Clo. E10 —1B 124
Aubretia Clo. H Wood —5J 113
Aubrey Buxton Nature Reserve. —8A 196 (5B 12)
Aubrey Clo. Chelm —4K 61
Aubrey Rd. Brain —7A 108
Auckland Av. Rain —3D 144
Auckland Clo. Chelm —6G 60
Auckland Clo. Til —7C 158
Auckland Rd. E10 —5B 124
Auckland Rd. SE25 —6B 46
Auckland Rd. Ilf —3A 126
Audleigh Pl. Chig —3N 109
Audley Ct. E18 —8F 108
Audley Ct. Saf W —4K 205
Audley End. —5H 205 (7B 6)
Audley End. —6B 6
Audley End Rd. A End —4H 205 (6B 6)
Audley Gdns. Ilf —4E 126
Audley Gdns. Lou —1B 94
(in two parts)
Audley Gdns. Wal A —4C 78
Audley Rd. Colc —1K 175
Audley Rd. Gt L —1M 59
Audley Rd. Saf W —4K 205 (6B 6)
Audleys Clo. Sth S —1K 139
Audley Way. Bas —9B 118
Audley Way. Frin S —8K 183
Audrey Rd. Ilf —5A 126
Audries Est. W on N —6K 183
Augustine Way. Bick —8F 76
Augustus Clo. Colc —1B 168
Augustus Way. Wthm —7B 214
Aukingford Gdns. Ong —5K 69
Aukingford Grn. Ong —6K 69
Auriel Av. Dag —8B 128
Aurum Ct. Lain —8H 117
Austen Clo. SE28 —8G 143
Austen Clo. Brain —8J 193
Austen Clo. Lou —2C 94
Austen Clo. Til —7E 158
Austen Gdns. Dart —9K 155
Austin Av. Jay —6C 190
Austral Dri. Horn —2H 129
Austral Way. Alth —5A 36
Auton Croft. Saf W —7K 205
Autoway. Colc —2C 168
Autumn Clo. Clac S —8G 186
Avebury Rd. E11 —3D 124
Avebury Rd. Wclf S —5K 139
Aveley. —8N 145 (7C 40)
Aveley By-Pass. S Ock —7N 145 (7D 40)
Aveley Clo. Ave —8A 146
Aveley Clo. Eri —4D 154
Aveley La. Alp —1J 9
Aveley Mans. Bark —9A 126 (off Whiting Av.)
Aveley Rd. Romf —8B 112
Aveley Rd. Upm —8M 129 (5C 40)
Aveley Way. Mal —8J 203
Aveline Rd. A'lgh —9L 169
Aveling Pk. Rd. E17 —6A 108
Avelon Rd. Rain —1E 144
Avelon Rd. Romf —3B 112
Avenue Clo. Romf —4K 113
Avenue Ga. Lou —5J 93
Avenue Ind. Est. Romf —6H 113
Avenue Lodge. Grays —3M 157
Avenue Rd. E7 —6H 125
Avenue Rd. N14 —7A 30
Avenue Rd. Belv —2A 154
Avenue Rd. Ben —3E 136
Avenue Rd. Bexh —3K 47
Avenue Rd. Chad H —2H 127
Avenue Rd. Chelm —3E 74
Avenue Rd. Eri —5A 154
(in three parts)
Avenue Rd. H Wood —4K 113
Avenue Rd. Hod —7D 54
Avenue Rd. Ing —6C 86
Avenue Rd. Lgh S —6D 138
Avenue Rd. Stan H —6B 134
Avenue Rd. They B —6C 80
Avenue Rd. War —1F 114
Avenue Rd. Wclf S —6L 139
Avenue Rd. Wthm —4D 214 (4G 25)
Avenue Rd. Wfd G —3J 109
Avenue Ter. Wclf S —6K 139
Avenue, The. E4 —1E 108 (2E 38)
Avenue, The. E11 —9H 109
Avenue, The. Bas —6H 119
Avenue, The. Ben —3L 137
Avenue, The. Bill —6H 101
Avenue, The. Brain —5H 193
Avenue, The. Brtwd —2K 115 (2F 41)
Avenue, The. Buck H —8J 93
Avenue, The. Can I —3H 153
Avenue, The. Clac S —7M 187
Avenue, The. Colc —9K 167
Avenue, The. Dan —3F 76
Avenue, The. D'mw —8M 197
Avenue, The. E Col —3D 196
Avenue, The. Fob —9E 134
Avenue, The. Gt Oak —5E 18
Avenue, The. Grnh —9E 156 (3E 48)
Avenue, The. Hod —7A 54
Avenue, The. Horn —4G 129
Avenue, The. Hull —5K 105
Avenue, The. Kel H —9B 84
Avenue, The. Lou —5L 93
Avenue, The. Naze —4J 65
Avenue, The. N Fam —1F 106 (6H 35)
Avenue, The. Romf —8B 112
Avenue, The. W Ber —4E 166
Avenue, The. W Wick —7E 46
Avenue, The. Wthm —4D 214 (4G 25)
Avenue, The. W'hoe —5H 177 (7G 17)
Avery Gdns. Ilf —9M 109
Avery Hill. —3H 47
Avery Hill Rd. SE9 —3H 47
Avey La. Wal A & Lou —6D 78 (5E 30)
Aviation Way. Sth S —8G 123
Avignon Clo. Colc —2B 176
Avignon Rd. SE4 —3C 46
Avila Chase. Gall —9C 74
Avington Wlk. Ben —9F 120
Avoca Ter. Wclf S —4J 139 (off Fairfax Dri.)
Avocet Clo. Frin S —8H 183
Avocet Clo. K'dn —8D 202
Avocet Clo. W Mer —2L 213
Avocet Way. H'bri —3M 203
Avon Clo. R'fd —2H 123
Avon Ct. E4 —7C 92
Avon Ct. Buck H —7H 93
Avondale Clo. Lou —6M 93
Avondale Clo. Ray —5M 121
Avondale Ct. E11 —3E 124
Avondale Ct. E18 —5H 109
Avondale Cres. Ilf —9K 109
Avondale Dri. Lgh S —2E 138
Avondale Dri. Lou —6M 93
Avondale Gdns. Stan H —9N 133
Avondale Rd. E17 —2A 124
Avondale Rd. Bas —2H 135
Avondale Rd. Ben —3D 136
Avondale Rd. Clac S —1L 191
Avondale Rd. Ray —5M 121
Avondale Wlk. Can I —1E 152
Avonfield Ct. E17 —7D 108
Avon Grn. S Ock —6E 146
Avon Rd. E17 —7D 108
Avon Rd. Can I —2G 152
Avon Rd. Chelm —6E 60
Avon Rd. Upm —1A 130
Avontar Rd. S Ock —4E 146 (6E 40)
Avon Wlk. Wthm —4B 214
Avon Way. E18 —7G 109
Avon Way. Colc —9E 168 (6G 17)
Avon Way. Shoe —7H 141
Avril Way. E4 —2C 108
Avro Rd. Sth S —9J 123
Axe St. Bark —1B 142
(in two parts)
Ayerst Ct. E10 —2C 124
Aylesbeare. Shoe —6H 141
Aylesbury Clo. E7 —8F 124
Aylesbury Dri. Hol S —7C 188
Aylesbury Dri. Lang H —1H 133
Aylesbury M. Bas —5A 118
Aylets Field. H'low —6D 56
Aylett Clo. Can I —1J 153
Aylett Rd. Upm —4N 129
Ayletts. Bas —9G 119
Ayletts. Broom —9K 59
Aylmer Rd. E11 —3F 124
Aylmer Rd. Dag —5K 127
Ayloffe Rd. Colc —6C 168
Ayloffe Rd. Dag —8L 127
Ayloffs Clo. Horn —4K 113
Ayloffs Wlk. Horn —9H 113
Aylsham La. Romf —1G 113
Aylsham Rd. Hod —4C 54
Aynsley Gdns. H'low —3H 57
Ayr Grn. Romf —5C 112
Ayron Rd. S Ock —4E 146
Ayr Way. Romf —5C 112
Aythorpe Roding. —4E 22
Aythorpe Roding Postmill. —4E 22
Azalea Av. W'fd —9K 103
Azalea Ct. Chelm —6A 62
Azalea Ct. Wfd G —3E 108
Azalea Way. Clac S —9F 186
Azalia Clo. Ilf —7A 126

Baardwyk Av. Can I —2L 153
Baas Hill. —1C 30
Baas Hill. Brox —1C 30
Baas La. Brox —1D 30
Babbacombe Gdns. Ilf —8L 109
Babbs Green. —3E 20
Babel Green. —1B 8
Babel Grn. Hund —1B 8
Babington Rd. Dag —7H 127
Babington Rd. Horn —3F 128
Babraham. —1A 6
Babraham Rd. Saws —1K 5
Back Hill. Hads —3C 6
Back Hill. Holb —1D 18
Back La. Bark —1B 142
Back La. Chelm —2M 61
Back La. Colc —8F 166
Back La. E Han —2A 90 (4D 34)
Back La. F End —3J 23
Back La. Gt Oak —5E 18
Back La. I'tn —2H 197
Back La. Ing —4C 86 (4H 33)
Back La. Kel H —6D 84
Back La. L Hall —3K 21
Back La. L Walt —6L 59 (5A 24)
Back La. Naze —1J 65 (1F 31)
Back La. N Stif —8F 146
Back La. Ples —2A 58 (4J 23)
Back La. Purf —1B 156
Back La. R'sy —6C 200
Back La. R'fd —6L 123
Back La. Romf —2J 127
Back La. Saw —3M 53 (4K 21)
Back La. Srng —4A 22
Back La. Stis —6F 15
Back La. Stock —6K 87 (5K 33)
(in two parts)
Back La. W Bis —8L 213 (6H 25)
Bk. Lane E. Gt Bro —8F 170
Bk. Lane W. Gt Bro —8E 170
Back Rd. A'lgh —2A 170 (4J 17)
Back Rd. Lin —2C 6
Back Rd. Tol —6J 211 (6C 26)
Back Rd. Writ —1H 73
Backwarden Nature Reserve, The. —5E 76 (2E 34)
Bk. Waterside La. B'sea —8E 184
Bacon End. —2F 23
Baconend Green. —2F 23
Bacon Link. Romf —3N 111
Bacons Chase. Brad S —1F 37
Bacon's La. Chap —5K 15
Bacon Ter. Dag —7G 127
Badburgham Ct. Wal A —3F 78
Baddow Clo. Dag —1M 143
Baddow Clo. Wfd G —3K 109
Baddow Hall Av. Chelm —3H 75
Baddow Hall Cres. Chelm —3H 75
Baddow Pl. Av. Chelm —4H 75
Baddow Rd. Chelm —1C 74 (2A 34)
(in three parts)
Baden Powell Dri. Colc —3H 175
Baden Rd. Ilf —7A 126
Bader Way. Rain —8E 128
Badger Clo. Ilf —1B 126
Badger Hall Av. Ben —2G 137
Badgers Clo. Chelm —9C 74
Badgers Clo. Wclf S —2G 139
Badgers Grn. M Tey —3G 173
Badgers Keep. Bur C —1J 195
Badgers Mt. Hock —2B 122
Badgers Mt. Ors —9B 148
Badgers, The. Bas —2J 133
Badgers Way. Ben —2G 137
Badley Hall Rd. Gt Bro —6D 170 (5K 17)
Badlis Rd. E17 —7A 108
Badlow Clo. Eri —5C 154

Badminton Rd. Jay —5E 190
Bag La. Ing —5G 33
Bagleys Spring. Romf —8K 111
Bagshaw Rd. Dov —3M 201
Bailey Bri. Rd. Brain —4G 192
Bailey Clo. E4 —1C 108
Bailey Clo. Purf —2A 156
Bailey Dale. S'way —2D 174
Bailey Rd. Lgh S —4A 138
Bailey, The. Ray —5J 121
Baillie Clo. Rain —4F 144
Bainbridge Dri. Tip —7D 212
Bainbridge Rd. Dag —6L 127
Baines Clo. Colc —1G 175
Baker Av. Hat P —3L 63
Baker Av. Ray —3J 121
Baker Clo. Stpl B —3C 210
Baker Meadows. Sib H —7C 206
Baker M. Mal —6K 203
Bakers Av. E17 —1B 124
Bakers Clo. S Fer —9K 91
Bakers Ct. Bas —5H 119
Baker's End. —3E 20
Bakersfield. Stock —7N 87
Bakers La. Bar —6E 4
Baker's La. Bla N —3C 198 (1C 24)
Baker's La. Colc —6H 167 (6D 16)
Baker's La. Dan —3E 76
Bakers La. Epp —9E 66
Bakers La. Fels —2K 23
Bakers La. Ing —5D 86
Baker's La. Tol M —6K 25
Bakers La. W Han —2C 88
Bakers Mead. Gt Walt —5H 59
Bakers Meadow. Dodd —7F 84
Bakers M. Ing —5D 86
Baker's Rd. Bel P —4D 8
Baker Street. —6A 148 (7G 41)
Baker St. Chelm —1B 74
Baker St. Enf —6B 30
Baker St. Ors —6A 148 (7G 41)
Bakers Vs., The. Epp —9E 66
Bakers Wlk. Saw —2K 53
Bakery Clo. Roy —3J 55
Bakery Clo. T'ham —3E 36
Bakery Ct. Stans —3C 208
Balaam St. E13 —6F 39
Baldock Rd. Bunt —4C 10
Baldock Rd. Odsey & R'ton —7A 4
Baldocks Rd. They B —5D 80
Baldock St. R'ton —5C 4
Baldock St. Ware —4C 20
Baldwins Hill. Lou —1M 93
Baldwyn's Pk. Bex —4A 48
Bale Clo. Colc —2F 174
Balfe Ct. Colc —9E 168
Balfour Clo. W'fd —2M 119
Balfour Rd. Grays —2M 157
Balfour Rd. Ilf —4A 126
Balgonie Rd. E4 —7D 92
Balgores Cres. Romf —7F 112
Balgores La. Romf —7F 112 (3B 40)
Balgores Sq. Romf —8F 112
Balham Hill. SW12 —4A 46
Balkerne Clo. Colc —8M 167
Balkerne Gdns. Colc —8M 167
(in two parts)
Balkerne Hill. Colc —8M 167 (6E 16)
Balkerne Pas. Colc —8M 167
Ball All. Colc —8N 167
Ballards Clo. Dag —1N 143
Ballards Gore. —1A 44
Ballards Rd. Dag —2N 143 (6K 39)
Ballards Wlk. Bas —8N 117 (3K 41)
Ballast Quay Rd. Fing —8H 177 (1G 27)
Ballast Quay Rd. W'hoe —6J 177
(in two parts)
Ballingdon. —5J 9
Ballingdon Hill. Sud —6H 9
Ballingdon St. Sud —5J 9
Balliol Av. E4 —1E 108
Ball La. B'hth —9N 175 (1F 27)
Ball's Chase. H'std —5L 109
Balls Green. —1F 178 (6K 17)
Balls Pond Rd. N1 —5B 38
Balmerino Av. Ben —9J 121
Balmoral Av. Clac S —1H 191
Balmoral Av. Corr —1B 150
Balmoral Av. Stan H —2N 149
Balmoral Clo. Bill —7N 101
Balmoral Gdns. Hock —1B 122
Balmoral Gdns. Ilf —3E 126
Balmoral Ho. Wclf S —6K 139
(off Balmoral Rd.)
Balmoral Rd. E7 —6J 125 (5F 39)
Balmoral Rd. E10 —4B 124
Balmoral Rd. Horn —5H 129
Balmoral Rd. May —1D 204
Balmoral Rd. Pil H —5E 98
Balmoral Rd. Romf —9F 112
Balmoral Rd. Wclf S —6K 139
Balmoral Ter. Wclf S —4J 139
(off Fairfax Dri.)
Balmoral Trad. Est. Bark —5E 142
Balsham. —1E 6
Balsham Rd. Lin —2D 6
Balstonia. —2N 149 (6K 41)
Balstonia Dri. Stan H —9A 134
Baltic Av. Sth S —6M 139
Balton Way. Har —5H 201
Bamber Ho. Bark —1B 142
Bamber's Green. —7D 12
Bamford Rd. Bark —8B 126
Bamford Way. Romf —2N 111
Bampton Rd. Romf —5J 113
Bance Clo. Wclf S —3G 138
Bancroft Av. Buck H —8G 93
Bancrofts Rd. S Fer —9L 91
Bandhills Clo. S Fer —9K 91
Banes Down. Naze —1E 64
Banister Clo. Clac S —8G 187
Bankart La. Chelm —7A 62
Bank Bldgs. E4 —3D 108
(off Avenue, The)
Bankfoot. Badg D —3J 157
Bank Pas. Colc —8M 167
Bank Pl. Brtwd —8F 98
Banks Ct. D'mw —8L 197
Bankside Clo. S Fer —8L 91
Bankside Rd. Ilf —7B 126
Banks La. They G —3K 81 (4K 31)
Bank St. Brain —5H 193
Bann Clo. S Ock —7E 146
Banner Clo. Purf —2A 156
Bannister Dri. Hut —5M 99
Bannister Green. —1K 23
Bannister Grn. W'fd —1M 119
Banson's La. Ong —7L 69
Banson's Way. Ong —7L 69
Banters La. Gt L —2B 24
Banyards. Horn —8J 113
Banyard Way. R'fd —3H 123
Barbara Av. Can I —2F 152
Barbara Clo. R'fd —5K 123
Barbel Clo. Wal X —4A 78
Barbel Rd. Colc —6F 168
Barberry Clo. Romf —4G 113
Barbor Av. Bur C —4M 195
Barbor Gro. Colc —4J 175
Barbor Mead. Dodd —6F 84
Barbour Gdns. Colc —4G 175
Barbrook La. Tip —5C 212
Barbrook Way. Bick —9E 76
Barclay Clo. Gt Bad —3H 75
Barclay Ct. Hod —5A 54
Barclay Oval. Wfd G —1G 109
Barclay Path. E17 —9C 108
Barclay Rd. E11 —3F 124
Barclay Rd. E17 —9C 108
Barclay Rd. Bas —6M 119
Barclay Rd. Croy —7B 46
Barclay Way. Water P —3C 156
Bardell Clo. Chelm —5H 61
Bardenville Rd. Can I —2L 153
Bardeswell Clo. Brtwd —8F 98
Bardfield. Bas —1F 134
Bardfield Av. Romf —7J 111
Bardfield Cottage Museum. —3J 13
Bardfield Cotts. Dodd —5E 84
Bardfield End Green. —3N 211 (3G 13)
Bardfield Rd. Bar S —5K 13
Bardfield Rd. Colc —5A 176
Bardfield Rd. Gt Sal —5K 13
Bardfield Rd. Thax —3L 211 (3F 13)
Bardfield Saling. —5K 13
Bardfield Way. Frin S —8J 183
Bardfield Way. Ray —4G 120 (2E 42)
Barell Clo. Frat —3F 178
Barfield Rd. E11 —3F 124
Barfield Rd. W Mer —3K 213 (5F 27)
Barfields. Lou —3N 93
Barfields Gdns. Lou —3N 93
Barfields Path. Lou —3N 93
Barfields Row. Mess —1D 212
Bargate La. Ded —5A 164 (3J 17)
Barge Ho. Rd. E16 —9A 142
Barge Pier Rd. Shoe —9J 141
Barham Clo. Romf —6N 111
Barham M. Sth S —5E 140
Barham Pk. Horn —9E 128
Baring Rd. SE12 —4F 47
Bark Burr Rd. Grays —9J 147
Barker Clo. Law —4G 165
Barkers La. Beau —1H 181
Barkers Mead. L Hall —3K 21
Barking. —9B 126 (5H 39)
Barking Bus. Cen. Bark —3F 142
Barking Northern Relief Rd. Bark
—9A 126 (5G 39)
Barking Rd. E16 & E6 —6E 38
Barkingside. —7B 110 (3G 39)
Barkis Clo. Chelm —4F 60
Barkstead Rd. Colc —6C 168
Barkway. —1E 10
Barkway Rd. R'ton —5D 4
Barkway St. R'ton —5C 4
Barkwood Clo. Romf —9A 112
Barle Gdns. S Ock —6E 146
Barley. —6F 5
Barley Clo. Bas —3J 133
Barley Clo. Hat H —4C 22
Barleycorn Way. Horn —1K 129
Barley Ct. Saf W —4K 205
Barley Croft. H'low —7D 56
Barleycroft End. —5G 11
Barley Field. Kel H —7C 84
Barleyfields. Wthm —6D 214
Barleyfields Clo. Romf —1G 127
Barleylands Farm Museum.
—3N 117 (1K 41)
Barleylands Rd. Bill & Bas
—2N 117 (2K 41)
Barley La. Ilf & Romf —2F 126 (4J 39)
Barley Mead. Dan —4H 77
Barley Rd. Bar —6F 5
Barley Rd. Gt Chi —6F 5
Barley Way. S'way —1E 174
Barling. —3B 44
Barling Rd. Gt W —2E 140 (3A 44)
Barlon Rd. Gt Bro —4E 170 (5K 17)
Barlow's Reach. Chelm —7B 62
Barlow Way. Rain —5B 144
Barnaby Rudge. Chelm —4H 61
Barnaby Way. Chig —9A 94
Barnaby Way. Lain —8M 117
Barnard Acres. Naze —2E 64
Barnard Clo. Newp —8C 204
Barnard Gro. E15 —9F 124
Barnardiston. —1A 8
Barnardiston Rd. B'dstn & Hun —1A 8
Barnardiston Rd. Colc —6C 168
Barnardiston Way. Wthm —4C 214
Barnardo Dri. Ilf —8B 110
Barnardos Village. B'side —7B 110
Barnard Rd. Gall —8C 74
Barnard Rd. Lgh S —4A 138
Barnard Rd. Saw —1K 53
Barnards Av. Can I —1K 153
Barnards Clo. Bas —4F 134
Barnards Ct. Saf W —3K 205
Barnards Field. Thax —3L 211
Barnard's Yd. Saf W —4K 205
Barncombe Clo. Ben —9D 120
Barn Ct. Saw —1K 53
Barncroft Clo. H'wds —4B 168
Barncroft Clo. Lou —4N 93
Barncroft Grn. Lou —4N 93
Barncroft Rd. Lou —4N 93
Barnehurst. —8A 154 (3A 48)
Barnehurst Av. Eri & Bexh —6A 154
Barnehurst Clo. Eri —6A 154
Barnehurst Rd. Bexh —7A 154 (2A 48)
Barn End La. Dart —5B 48
Barnes Clo. E12 —6K 125
Barnes Ct. Wfd G —2K 109
Barnes Cray. —9E 154 (3B 48)
Barnes Cray Rd. Dart —9E 154
Barnes Ho. Bark —1C 142
Barnes Mill Rd. Chelm —9N 61
(in two parts)
Barnes Rd. Ilf —7B 126
Barnet Pk. Rd. Runw —6N 103
Barnett Clo. Eri —7D 154
Barneveld Av. Can I —2L 153
(off Winterswyk Av.)
Barnfield. Epp —7F 66
Barnfield. Fee —7D 202
Barn Field. Hat O —3C 22
Barnfield. Mann —4J 165
Barnfield. W'fd —8M 103
Barnfield Clo. Hod —3A 54
Barnfield Clo. Naze —1F 64
Barnfield Cotts. H'bri —3L 203
Barnfield M. Chelm —5J 61
Barnfield Rd. Gt Hork —1K 167
Barn Grn. Chelm —3N 61
Barn Hall Av. Colc —2B 176
Barn Hall Cotts. W'fd —6J 103
Barnhall Rd. Tol K —4A 26
Barn Hill. Roy —7H 55
Barn La. L Bro —9D 164
Barn Mead. Brain —6M 193
Barn Mead. Dodd —6F 84
Barnmead. H'low —5C 56
Barn Mead. They B —6D 80
Barnmead. Toot —8D 68
Barnmead Gdns. Dag —7L 127
Barnmead Rd. Dag —7L 127
Barnmead Way. Bur C —1L 195
Barnsbury. —5A 38
Barnsbury Rd. N1 —6A 38
Barns Ct. H'low —8A 56
Barns Farm Dri. Alth —5A 36
Barnsley Rd. Romf —4K 113
Barns Rd. Cray H —2D 118
Barnstaple Clo. Sth S —6E 140
Barnstaple Path. Romf —2H 113
Barnstaple Rd. Romf —2G 113
Barnstaple Rd. Sth S —6E 140
Barnston. —2H 23
Barnston Grn. Barns —2H 23
Barnston Way. Hut —4M 99
Barn, The. Grays —2L 157
Barn View Rd. Cogg —9L 195
Barnwell Dri. Hock —1C 122
Barnwell Rd. Dart —8K 155
Barnyard, The. Bas —2J 133
Baron Gdns. Ilf —7B 110
Baronia Croft. Colc —4C 168
Baron Rd. Dag —3J 127
Baron Rd. S Fer —1L 105
Barons Ct. Ilf —4C 126
Barons Ct. Rd. Ray —1J 121
Baron's La. Pur & Mun —3G 35
Barons Way. Bas —2K 133
Baronswood Way. Colc —4K 175
Barpack St. Brad —4B 18
Barrack La. Gt Ben —2M 185
Barrack La. Gt Walt —1K 58 (5K 23)
Barrack La. Har —3N 201
Barrack Rd. Good E —5H 23
Barrack Sq. Chelm —9K 61
Barrack St. Colc —9B 168 (6F 17)
Barra Glade. W'fd —2N 119
Barr Clo. W'hoe —5J 177
Barrett Clo. Romf —4F 112
Barrett Rd. E17 —8C 108
Barrie Pavement. W'fd —2L 119
Barrington. —1E 4
Barrington Clo. Bas —7G 118
Barrington Clo. Chelm —4J 75
Barrington Clo. Ilf —5M 109
Barrington Clo. L Cla —3G 186
Barrington Clo. Lou —2B 94
Barrington Clo. Shoe —5J 141
Barrington Ct. Hut —5M 99
Barrington Gdns. Bas —7G 118
Barrington Gdns. Clac S —8N 187
Barrington Grn. Lou —3B 94
Barrington Pl. Ing —6D 86
Barrington Rd. E12 —8N 125
Barrington Rd. Colc —1A 176
Barrington Rd. Lou —3B 94
Barrington Rd. Orw —1D 4
Barringtons Clo. Ray —4K 121
Barron's Clo. Ong —6K 69
Barrow Hall Rd. Gt W —1E 140 (3A 44)
Barrow Hill. Act —3K 9
Barrow La. Chesh —4B 30
(in two parts)
Barrowsand. Sth S —8F 140
Barrows Rd. H'low —3M 55
Barry Clo. Grays —1C 158
Barry Ct. Romf —2B 112
Barryfields. Shalf —4A 14
Barrymore Wlk. Ray —5M 121
Barry Rd. SE22 —3C 46
Barstable. —9E 118 (3B 42)
Barstable Rd. Stan H —3M 149
Bartholomew Clo. Gt Che —3M 197
Bartholomew Dri. H Wood —6H 113
Bartholomew Green. —9A 192 (1B 24)
Bartholomew Way. Swan —6A 48
Bartlett Av. Upm —4B 130
Bartlett Clo. May —2C 204
Bartlett Houses. Dag —9N 127
(off Vicarage Rd.)
Bartletts. Ray —7N 121
Bartley Clo. Ben —9B 120
Bartley Rd. Ben —9B 120
Bartlow. —3E 6
Bartlow End. Bas —7J 119
Bartlow Gdns. Romf —5B 112
Bartlow Rd. A'dn —3E 6
Bartlow Rd. Hads —3D 6
Bartlow Rd. Lin —2D 6
Bartlow Rd. Shudy C —4G 7
Bartlow Side. Bas —7J 119
Barton Av. Hull —7L 105
Barton Av. Romf —3N 127
Barton Clo. Chig —8B 94
Barton Clo. S Fer —8K 91
Barton Friars. Chig —8B 94
Barton Meadows. Ilf —8A 110
Barton Rd. Bark —2E 142
Barton Rd. Horn —3E 128
Barton Wlk. Wal A —5E 78
Bartram Av. Brain —5L 193
Barwell Way. Wthm —5D 214
Barwick. —2E 20
Barwick Rd. E7 —6H 125
Baryta Clo. Stan H —4L 149
Baryta Ct. Lgh S —6D 138
(off Rectory Gro.)
Basedale Rd. Dag —9G 126
Basildon. —9C 118 (3A 42)
Basildon Av. Ilf —5N 109
Basildon Cen., The. Bas —9B 118
Basildon Dri. Bas —8L 117
Basildon Rise. Lain —7N 117
Basildon Rd. SE2 —1J 47
Basildon Rd. Bas —7N 117 (3K 41)
Basildon Zoo. —4E 134
Basing Ho. Bark —1C 142
(off St Margarets)
Basin Rd. Hey B —8N 203 (1J 35)
Basketts. —6N 173
Bassenthwaite Rd. Ben —9E 120
Bassett Gdns. N Wea —5N 67
Bassett Rd. E7 —6K 125
Bassetts La. L Bad —7E 24
Bassett's La. Will —2L 71 (2F 33)
Bassingbourn. —4B 4
Bassingbourn Rd. Lit —4A 4
Bassingbourn Rd. Stan Apt
—8L 209 (7C 12)
Bassingbourn Roundabout. Tak
—8L 209
Bassus Green. —6A 10
Bastable Av. Bark —2D 142
Baston Rd. Brom —7F 47
Bata Av. E Til —3K 159
Batavia Rd. Can I —1D 152
Bate Dudley Dri. Brad S —1F 37
Bateman Clo. Bark —8B 126
Bateman Rd. E4 —3A 108
Bateman Rd. B'sea —5D 184 (3K 27)
Bateman's La. L Cla —1F 186
Bates Bus. Cen. H Wood —4L 113
Bates Ind. Est. H Wood —4M 113
Bates Rd. H'bri —4K 203
Bates Rd. Romf —4L 113
Bath Hill. Felix —1K 19
Bath Rd. E7 —8K 125
Bath Rd. Romf —1K 127
Bath Side. —2M 201
Bath St. EC1 —6B 38
Bath St. Grav —3H 49
Bath St. W'hoe —7H 177
Bathurst Clo. Colc —5A 176
Bathurst Rd. Ilf —3A 126
Battersea Pk. Rd. SW11 & SW8 —2A 46
Battery Rd. SE28 —9D 142
Battisford Dri. Clac S —9E 186
Battis, The. Romf —1C 128
Battle Ct. Ong —8L 69
Battle Rd. Belv & Eri —2A 154 (1A 48)
Battlesbridge. —6E 104 (7D 34)
Battlesbrook Rd. Colc —4D 176
Battleswick. Bas —6F 118
Batt's Rd. Cob —7J 49
Batt's Rd. Stpl —3B 36
Bawdsey Av. Ilf —8E 110
Bawdsey Clo. Clac S —1F 190
Bawn Clo. Brain —4H 193
Bawtree Way. Colc —1H 175
Baxter Av. Sth S —5L 139
Baxter Gdns. Noak H —8G 97
Baxter Rd. Ilf —7A 126
Baxters. Dan —3G 76
Bayard Av. B'sea —6E 184
Bay Clo. Can I —3H 153
Bayford. —7A 20
Bayford La. B'frd —7A 20
Bayham St. NW1 —6A 38
Bayleys Mead. Hut —8M 99
Bayley St. Cas H —3C 206 (1E 14)
Bayliss Av. SE28 —7J 143
Bay Mnr. La. Grays —4C 156
Baymans Wood. Shenf —8J 99
Baynards Cres. Kir X —8H 183
Bay Rd. Har —3M 201
Baythorne End. —4B 8
Bay Tree Clo. Brain —6B 192
Baytree Ho. E4 —6B 92
Bay View. St La —2C 36
(off Mountview Cres.)
Bay View Cres. L Oak —7E 200
Baywood Sq. Chig —1G 110
BBC Essex Garden. —2K 95 (6K 31)
Beach Av. Lgh S —5F 138
Beach Ct. Gt W —3N 141
Beach Ct. Wclf S —7H 139
Beach Cres. Jay —6D 190
Beachcroft Av. Kir X —8G 182
Beachcroft Rd. E11 —5E 124
Beaches Clo. Hock —1F 122
Beach Ho. Gdns. Can I —3L 153
Beach Rd. Can I —1K 153
Beach Rd. Clac S —2K 191
Beach Rd. Har —4L 201
Beach Rd. Lee S —5A 28
Beach Rd. St O —6A 190 (4B 28)
Beach Rd. Shoe —9K 141
Beach Rd. Sth S —7A 140
Beach Rd. St O —4B 28
Beach Rd. W Mer —3K 213
Beach's Dri. Chelm —8F 60
Beach Sta. Rd. Felix —2K 19
Beachway. Can I —3H 153
Beach Way. Jay —6D 190 (5C 28)
Beachy Dri. St La —2C 36
(off Moorhen Av.)
Beachy Rd. E3 —9A 124
Beacon Clo. B'sea —7D 184
Beacon End. —9E 166 (6C 16)
Beaconfield Av. Epp —8E 66
Beaconfield Rd. Epp —8E 66
Beaconfield Way. Epp —8E 66
Beacon Heights. St O —4K 27
Beacon Hill. —7M 83 (5C 32)
(nr. Kelvedon Hatch)
Beacon Hill. —6M 213 (5H 25)
(nr. Wickham Bishops)
Beacon Hill. Kel C —7N 83 (5C 32)
Beacon Hill. Mal —6H 203
Beacon Hill. Purf —3M 155
Beacon Hill. W Bis —6M 213 (5H 25)
Beacon Hill Av. Har —3N 201
Beacon Hill Rd. Brtwd —8M 83 (5C 32)
Beacon Rd. Eri —5F 154
Beaconsfield Av. Colc —9M 167 (6E 16)
Beaconsfield Rd. E10 —5C 124
Beaconsfield Rd. Clac S —1K 191
Beaconsfield Ter. Romf —1J 127
Beacons, The. Lou —8N 79
Beacontree Av. E17 —5D 108
Beacontree Heath. —4M 127 (4K 39)
Beacontree Rd. E11 —2F 124
Beacon Way. S'way —9D 166
Beacon Way. St O —4K 27
Beadel Clo. Wthm —7B 214
Beadle's Pde. Dag —8A 128
Beadles, The. L Hall —3A 22
Beadle Way. Gt L —2M 59
Beadon Dri. Brain —7J 193
Beads Hall La. Pil H —3E 98
Beal Rd. Ilf —4N 125
Beam Av. Dag —1N 143
Beambridge. Bas —9H 119
Beambridge Ct. Bas —9H 119
Beambridge M. Bas —9H 119
Beambridge Pl. Bas —9H 119
Beaminster Gdns. Ilf —6A 110
Beamish Clo. N Wea —4A 68
Beams Clo. Bill —8L 101
Beams Way. Bill —8L 101
Beam Vs. Dag —2B 144
Beamway. Dag —9B 128
Bean. —4E 48
Beanfield Rd. Saw —1F 52 (4J 21)
Bean La. Bean —4E 48
Bean Rd. Grnh —4E 48
Beansland Gro. Romf —7K 111
Bear Clo. Romf —1N 127
Beard's La. Dud E —7J 5
Beardsley Dri. Chelm —4N 61
Beardsley Ter. Dag —7G 127
(off Fitzstephen Rd.)
Beards Ter. Cogg —7L 195
Bearing Clo. Chig —1F 110
Bearing Way. Chig —1F 110
Bearsted Dri. Pits —1K 135
Bear St. Nay —1D 16
Beatrice Av. Can I —1H 153
Beatrice Av. Felix —1K 19
Beatrice Clo. Hock —1C 122
Beatrice Ct. Buck H —8K 93
Beatrice Littlewood Ho. Can I —2G 153
(off Kitkatts Rd.)

Beatrice Rd. E17 —9A 108
Beatrice Rd. Clac S —2J 191
Beatrice Rd. W on N —4N 183
Beatty Gdns. Brain —4L 193
Beatty La. Bas —9F 118
Beatty Rise. S Fer —2M 105
Beattyville Gdns. Ilf —8N 109
Beauchamp Rd. E7 —9H 125
Beauchamp Roding. —6E 22
Beauchamps. Bur C —1J 195
Beauchamps Clo. Chelm —3A 62
Beauchamps Dri. W'fd —9N 103
Beaufort Clo. E4 —3B 108
Beaufort Clo. Chaf H —1J 157
Beaufort Clo. N Wea —6M 67
Beaufort Clo. Romf —8A 112
Beaufort Gdns. Brain —4J 193
Beaufort Gdns. Ilf —3N 125
Beaufort Rd. Bill —6H 101
Beaufort Rd. Chelm —7B 62
Beaufort St. Sth S —5B 140
Beauly Way. Romf —5C 112
Beaumaris Dri. Wfd G —4K 109
Beaumont. —6D 18
Beaumont Av. B'sea —6F 184
Beaumont Av. Clac S —1H 191
Beaumont Clo. Colc —3M 167
Beaumont Clo. Romf —6G 112
Beaumont Clo. W on N —7J 183
Beaumont Cres. Rain —8E 128
Beaumont Gdns. Hut —5M 99
Beaumont Hill. D'mw —6K 197 (7G 13)
Beaumont Ho. E10 —2B 124
Beaumont Pk. Dan —4C 76
Beaumont Pk. Dri. Roy —3H 55
Beaumont Pl. Brain —5K 193
Beaumont Rd. E10 —2B 124
Beaumont Rd. Chesh —2B 30
Beaumont Rd. Gt Oak —5E 18
Beaumont Wlk. Chelm —6F 60
Beaumont Way. Mal —8L 203
Beaver Clo. Colc —8F 166
Beaver Rd. Ilf —2H 111
Beaver Tower. Lgh S —9D 122
Beazley End. —4C 14
Beazley End. W'fd —1M 119
Bebington Clo. Bill —5J 101
Beccles Dri. Bark —8D 126
Beche Rd. Colc —1B 176
Bechervaise Ct. E10 —3B 124
(off Leyton Grange Est.)
Beckenham. —6D 46
Beckenham Hill Rd. Beck & SE6 —5D 46
Beckenham La. Brom —6E 46
Beckenham Rd. Beck —6C 46
Beckenham Rd. W Wick —7E 46
Becker Rd. Colc —2F 174
Beckers Grn. Rd. Brain —7M 193
Becket Clo. Gt War —3F 114
Becket Clo. R'fd —1J 123
Beckett Dri. Stan H —1M 149
Becketts. Bas —9J 117
Becketts Ho. Ilf —5N 125
Becket Way. S Fer —3L 105
Beck Farm Clo. Can I —2M 153
Beckford Rd. Mis —4M 165
Beckingham Rd. Gt Tot —5J 25
Beckingham Rd. Tol D —6A 26
Beckingham St. Tol M —6K 25
Beckney Av. Hock —7D 106
Beck Rd. Can I —2M 153
Beck Rd. Saf W —4K 205
Beckton. —7G 39
Beckton Rd. E16 —7E 38
Becontree. —4K 127 (4J 39)
Becontree Av. Dag —6G 126 (4J 39)
Becontree Clo. Clac S —5K 187
Bective Rd. E7 —6G 125
Becton Pl. Eri —6A 154
Bedale Rd. Romf —2L 113
Beddington. —7A 46
Beddington La. Croy —7A 46
Beddington Rd. Ilf —2E 126
Beddow Clo. Gt Bad —4H 75
Bedells Av. Bla N —3B 194
Bede Rd. Romf —1H 127
Bedford Clo. Brain —4K 193
Bedford Clo. Ray —6K 121
Bedford Clo. Tip —6D 212
Bedford Gdns. Horn —4G 129
Bedford Hill. SW12 & SW16 —4A 46
Bedford Pl. Can I —1F 152
Bedford Rd. E17 —6A 108
Bedford Rd. E18 —6G 108
Bedford Rd. SW4 —3A 46
Bedford Rd. Bas —9K 117
Bedford Rd. Colc —3N 167
Bedford Rd. Grays —3L 157
Bedford Rd. Hol S —8N 187
Bedford Rd. Ilf —5A 126
Bedfords Hill. Good E —5G 23
Bedford Sq. WC1 —7A 38
Bedlar's Green. —1B 22
Bedloes Av. Raw —9E 104
Bedrose La. Ing —3F 33
Bedwell Ct. Romf —2J 127
(off Broomfield Rd.)
Bedwell Rd. Ugley —5B 12
Bedwells Rd. Else —6B 196
Beecham Ct. Bas —7L 117
Beech Av. Brain —3H 193
Beech Av. Brtwd —9J 99
Beech Av. Buck H —8H 93
Beech Av. H'std —4M 199
Beech Av. Ray —4K 121
Beech Av. Upm —5M 129
Beech Av. W'hoe —5H 177
Beech Clo. Bur C —2L 195
Beech Clo. Horn —5F 128
Beech Clo. Tak —7C 210
Beechcombe. Corr —9C 134
Beechcroft Av. Bexh —6B 154
Beechcroft Av. Linf —2J 159
Beechcroft Rd. E18 —6H 109
Beechcroft Rd. Can I —2E 152
Beech Dri. Saw —4H 53
Beechenlea La. Swan —6B 48
Beechers Ct. Chelm —9H 61
Beeches Clo. Chelm —9G 61
Beeches Clo. Saf W —6J 205
Beeches Rd. Chelm —9G 60
Beeches Rd. H'bri —3J 203
Beeches Rd. Raw —6E 104 (7E 34)
Beeches, The. E12 —9M 125
Beeches, The. A End —7A 6
Beeches, The. Brtwd —9E 98
Beeches, The. Til —7D 158
Beeches, The. Wal A —5J 79
(off Woodbine Clo.)
Beechfield. Hod —1A 54
Beechfield. Saw —2L 53
Beechfield Gdns. Romf —2A 128
Beechfield Rd. Eri —5C 154
Beechfield Wlk. Wal A —5D 78
Beech Gdns. Dag —9A 128
Beech Grn. W Bis —7L 213
Beech Gro. Ave —9N 145
Beech Gro. For H —6A 166
Beech Gro. Ilf —3D 110
Beech Gro. L Oak —8D 200
Beech Gro. Sib H —6B 206
Beech Hale Cres. E4 —4D 108
Beech Hall Rd. E4 —4C 108
Beech Hill. Colc —9H 167
Beech Hill Gdns. Wal A —7H 79
Beech Ho. E17 —7D 108
Beech Ho. Hut —5M 99
Beech La. Buck H —8H 93
Beech La. Pam —1K 5
Beech Lodge. Shoe —7J 141
Beechmont Gdns. Sth S —2K 139
Beech Pl. Epp —1E 80
Beech Rise. Hat P —3L 63
Beech Rd. Bas —1F 134
Beech Rd. Ben —4K 137
Beech Rd. Hull —6L 105
Beech Rd. Riven —3G 25
Beech Rd. Will —1E 32
Beech St. EC1 —7B 38
Beech St. Romf —8A 112
Beech Tree Glade. E4 —7F 92
Beech Wlk. Dart —9E 154
Beechwood Clo. Colc —4L 175
Beechwood Dri. Wfd G —2F 108
Beechwood Gdns. Ilf —9M 109
Beechwood Gdns. Rain —5F 144
Beechwood Pk. E18 —7G 108
Beechwood Rd. Wfd G —2F 108
Beechy Ride. A End —6H 205
(in two parts)
Beecroft Art Gallery. —7J 139 (5J 43)
Beecroft Cres. Can I —8G 137
Beedell Av. Wclf S —5J 139
Beedell Av. W'fd —1N 119
Beehive Chase. Hook E —5G 84
Beehive Ct. Hat H —2C 202
Beehive Ct. Romf —4K 113
Beehive La. Bas —9C 118
Beehive La. Chelm —7C 74 (3A 34)
Beehive La. Ilf —9M 109 (3G 39)
Beeleigh Av. Bas —4L 133
Beeleigh Clo. Colc —5A 176
Beeleigh Clo. Sth S —2K 139
Beeleigh Cross. Bas —8F 118
Beeleigh E. Bas —7F 118
Beeleigh Link. Chelm —8A 62
Beeleigh Rd. Mal —5J 203
Beeleigh W. Bas —8E 118
Beesfield La. F'ham —7C 48
Beggar Hill. —2N 85 (4G 33)
Beggar Hill. Fry —2N 85 (4G 33)
Begonia Clo. Chelm —5A 62
Begonia Pl. Clac S —9G 187
Beke Hall Chase N. Ray —3E 120
Beke Hall Chase S. Ray —3E 120
Bekeswell La. Chelm —8A 74 (3K 33)
Bekeswell Pl. Bill —8D 74
Bel-Air Chalet Est. St O —5B 28
Belchamp Otten. —5F 9
Belchamp St. Paul. —4E 8
Belchamps Rd. W'fd —8N 103
Belchamps Way. Hock —2D 122
Belchamp Walter. —5G 9
Belcham's La. R Grn —4A 12
Belcher Rd. Hod —4A 54
Belchers La. Naze —3J 65
Beldams Clo. T Sok —5L 181
Beldowes. Bas —1E 134
Belfairs Clo. Lgh S —4C 138
Belfairs Ct. Lgh S —9A 122
(off Southend Arterial Rd.)
Belfairs Dri. Lgh S —4C 138
Belfairs Dri. Romf —2H 127
Belfairs Pk. Clo. Lgh S —1B 138
Belfairs Pk. Dri. Lgh S —1A 138
Belfairs Wood Nature Reserve. —3F 136 (4E 42)
Belfield Gdns. H'low —4H 57
Belgrave Av. Romf —7G 113
Belgrave Clo. Chelm —3E 74
Belgrave Clo. Lgh S —8A 122
Belgrave Ho. Bis S —9A 208
Belgrave Rd. E10 —3C 124
Belgrave Rd. E11 —4G 124
Belgrave Rd. E17 —9A 108
Belgrave Rd. SW1 —1A 46
Belgrave Rd. Bill —4J 101
Belgrave Rd. Ilf —3M 125
Belgrave Rd. Lgh S —9A 122
Belgrave Ter. Wfd G —9G 92
Belhus Woods Country Park & Visitor Centre. —4A 146 (6D 40)
Bellamy Clo. Kir X —8G 183
Bellamy Rd. E4 —3B 108
Bell Av. Romf —5F 112
Bell Clo. Colc —4D 176
Bell Common. —2D 80 (4H 31)
Bell Comn. Epp —2D 80
Bell Corner. Upm —4N 129
Bellcroft. Wthm —4D 214
Bellegrove Rd. Well —2H 47
Bellestaines Pleasaunce. E4 —8A 92
Belle Vue. Chelm —1B 74
Bellevue Av. Sth S —6A 140
Bellevue Pl. Sth S —6A 140
Belle Vue Rd. E17 —6D 108
Bellevue Rd. Bill —6H 101
Belle Vue Rd. Colc —6M 167
Bellevue Rd. Horn —3K 129
Belle Vue Rd. Romf —3A 112
Bellevue Rd. Sth S —5A 140
Belle Vue Rd. W'hoe —6H 177 (7H 17)
Bellevue Ter. H'std —4K 199
Bell Farm Av. Dag —5A 128
Bell Farm Cotts. Epp —2D 80
Bellfield. Bas —3F 134
Bellfield Av. B'sea —5E 184
Bellfield Clo. B'sea —5F 184
Bellflower Path. Romf —4G 113
Bell Green. —5D 46
Bell Grn. SE26 —5D 46
Bell Grn. La. SE26 —5D 46
Bell Hill. Bill —8K 101
Bell Hill. Dan —3C 76
Bell Hill Clo. Bill —8K 101
Bell Ho. Grays —4J 157
Bell Ho. Gt W —3L 141
Bellhouse Cres. Lgh S —1C 138
Bellhouse La. Lgh S —2C 138 (4G 43)
Bellhouse La. Pil H —4B 98
Bellhouse Rd. Lgh S —1C 138
Bell Ho. Rd. Romf —3A 128
Bellingham. —4D 46
Bellingham Bldgs. Saf W —3K 205
Bellingham Ct. Bark —3G 143
Bellingham La. Ray —5K 121
Bellingham Rd. SE6 —4E 46
Bell La. Brox —1D 30
Bell La. Enf —5C 30
Bell La. Gt Bar —3J 13
Bell La. Hod —5A 54
Bell La. Pan —1C 192
Bell La. Thax —2K 211
Bellmaine Av. Corr —1A 150
Bellmead. Chelm —9K 61 (1A 34)
Bell Mead. Ing —6D 86
Bell Mead. Saw —2K 53
Bells Chase. Gt Bad —4F 74
Bells Clo. Saf W —5K 205
Bells Hill. Bis S —1K 21
Bells Hill. M Bur —3A 16
Bells Hill Rd. Van —4C 134 (4A 42)
Bells La. Glem —1G 9
Bells Rd. Bel W —5F 9
Bell St. Gt Bad —4G 75
Bell St. Saw —2K 53 (4K 21)
Bell, The. (Junct.) —7A 108 (3D 38)
Belmarsh Rd. SE28 —9D 142
Belmer Rd. Stans —5J 209 (7B 12)
Belmonde Dri. Chelm —4N 61
Belmont Av. Upm —4K 129
Belmont Av. W'fd —9J 103
Belmont Clo. E4 —2D 108
Belmont Clo. Chelm —4N 61
Belmont Clo. W'fd —9J 103
Belmont Clo. Wfd G —1H 109
Belmont Cres. Colc —4C 168
Belmont Hill. SE13 —3E 46
Belmont Hill. Newp —7D 204 (1B 12)
Belmont Pk. Rd. E10 —1B 124
Belmont Pl. Colc —1B 176
Belmont Rd. N15 & N17 —3B 38
Belmont Rd. Eri —2K 47
Belmont Rd. Grays —4J 157
Belmont Rd. Horn —5H 129
Belmont Rd. Ilf —5B 126
Belsize Av. Jay —6B 190
Belsteads Farm La. L Walt —1M 61 (6A 24)
Belstedes. Bas —9M 117
Beltinge Rd. Romf —7K 113
Belton Bri. Lgh S —6C 138
Belton Corner. Lgh S —6C 138
Belton Gdns. Lgh S —6B 138 (5G 43)
Belton Rd. E7 —9H 125
Belton Rd. E11 —6E 124
Belton Way E. Lgh S —6B 138 (5G 43)
Belton Way W. Lgh S —6A 138 (5G 43)
Beltwood Rd. Belv —2A 154
Belvawney Clo. Chelm —5G 60
Belvedere. —1K 47
Belvedere Av. Hock —1B 122
Belvedere Av. Ilf —6A 110
Belvedere Clo. Dan —3F 76
Belvedere Ct. Chelm —2A 74
Belvedere Pl. Mal —8J 203
Belvedere Rd. SE2 —8H 143
Belvedere Rd. Bexh —3K 47
Belvedere Rd. Brtwd —9C 98
Belvedere Rd. Bur C —4M 195
Belvedere Rd. Dan —3F 76
Belvedere, The. Bur C —4M 195
Belvoir, The. Ing —6C 86
Bembridge Clo. Clac S —5K 187
Bemerton Ct. Kir X —8E 182
Bemerton Gdns. Kir X —8F 182
Benbow Dri. S Fer —2L 105
Benbridge Ind. Est. H'bri —3K 203
Bendalls Ct. Mann —4H 165
Benderloch. Can I —1E 152
Bendish Rd. E6 —9L 125
Bendlowes Rd. Gt Bar —3K 13
Bendyshe Ct. Stpl B —3D 210
Benedict Dri. Chelm —9G 60
Benets Rd. Horn —3L 129
Benfield Rd. Stans —6A 12
Benfield Way. Brain —6K 193
Benfleet Pk. Rd. Ben —3B 136
Benfleet Rd. Ben —4G 136 (4E 42)
Bengal Rd. Ilf —5A 126
Bengeo St. Hert —5B 20
Benham Wlk. Bas —7K 119
Benhurst Av. Horn —6F 128
Benington. —7A 10
Benington Castle & Lordship Gardens. —7A 10
Benjamin Clo. Horn —1E 128
Ben Jonson Rd. E1 —7C 38
Bennett Clo. Brain —8J 193
Bennett Clo. W on N —6K 183
Bennett Ct. Colc —9E 168
Bennett Rd. Romf —1K 127
Bennetts Av. Ret C —6N 89
Bennett's Castle La. Dag —4H 127 (4J 39)
Bennett's La. N End —2H 23
Bennett Way. Hat P —2L 63
Bennington Rd. E4 —4E 108
Bennions Clo. Horn —8H 129
Bennison Dri. H Wood —6H 113
Benrek Clo. Ilf —4B 110
Bensham La. Croy & T Hth —7A 46
Benskins Clo. Ber —4J 11
Benskins La. Noak H —7H 97
Benson Rd. Grays —4M 157
Bentall Clo. H'std —6L 199
Bentalls. Bas —6B 118
Bentalls Clo. Sth S —2M 139
Bentalls Complex, The. H'bri —3L 203
Bentalls Ind. Est., The. H'bri —3L 203
Bentalls Shop. Cen. H'bri —3L 203
Bentfield Bower. —1B 208 (6K 11)
Bentfield Bury. —5A 12
Bentfield End. —2C 208
Bentfield End Causeway. Stans —2C 208 (6A 12)
Bentfield Gdns. Stans —2C 208
Bentfield Green. —2B 208 (6A 12)
Bentfield Grn. Stans —2B 208 (6A 12)
Bentfield Rd. Stans —1C 208
Bentham Rd. SE28 —7G 142 (7J 39)
Ben Tillet Clo. Bark —9F 126
Bentley. —2A 98 (6D 32)
Bentley Av. Jay —6C 190
Bentley Dri. H'low —4H 57
Bentley Dri. Ilf —1B 126
Bentley La. Stut —1B 18
Bentley Rd. L Ben —9A 180 (1B 28)
Bentley Rd. L Bro —2G 171 (4K 17)
Bentley Rd. Wthm —3B 214
Bentleys, The. Sth S —8F 122
Bentley Vs. Hat H —3D 202
Bentley Way. Wfd G —9G 92
Benton Clo. Cres —2E 194
Benton Clo. Wthm —8D 214
Benton Gdns. Stan H —9A 134
Benton Rd. Ilf —3C 126 (4H 39)
Bentry Clo. Dag —4K 127
Bentry Rd. Dag —4K 127
Benvenue Av. Lgh S —9E 122
Benyon Path. S Ock —2F 146
Berberis Clo. Lang H —2H 133
Berberis Wlk. Colc —8E 168
Berden. —4J 11
Berdens. Bas —1E 134
Berechurch. —5A 176 (7F 17)
Berechurch Hall Rd. Colc —5J 175 (7D 16)
Berechurch Rd. Colc —5L 175 (7E 16)
Berecroft. H'low —8C 56
Beredens La. Gt War —7C 114
Berefield Way. Colc —5N 175
Berens Clo. W'fd —7N 103
Beresford Clo. Had —2K 137
Beresford Ct. Bill —3H 101
Beresford Dri. Wfd G —1J 109
Beresford Gdns. Ben —2J 137
Beresford Gdns. Romf —9K 111
Beresford Mans. Sth S —7A 140
(off Beresford Rd.)
Beresford Rd. E4 —7E 92
Beresford Rd. E17 —5B 108
Beresford Rd. Sth S —7A 140
Beresford St. SE18 —1G 47
Berg Av. Can I —9K 137
Bergen Ct. Mal —8J 203
(off Longship Way)
Berger Gro. Cogg —7M 195
Berger Ter. Saw —3K 53
Bergholt Av. Ilf —9L 109
Bergholt Rd. B'ley —1A 18
Bergholt Rd. Bran —1G 164 (2K 17)
Bergholt Rd. Colc —5L 167 (5E 16)
Bergholt Rd. For —9A 160 (4B 16)
Beridge Rd. H'std —4J 199
Beriffe Pl. B'sea —6E 184
Berkeley Av. Ilf —6N 109
Berkeley Av. Romf —4M 112
Berkeley Clo. Horn —4M 129
Berkeley Dri. Bill —3J 101
Berkeley Dri. Horn —3L 129
Berkeley Gdns. Lgh S —5N 137
Berkeley La. Can I —3G 153
Berkeley Rd. E12 —7L 125
Berkeley Rd. Clac S —9J 187
Berkeley St. W1 —7A 38
Berkhamsted La. Ess —1A 30
Berkley Clo. H'wds —3C 168
Berkley Dri. Chelm —9A 62
Berkley Hill. Corr —1N 149
Berkshire Clo. Lgh S —1B 138
Berkshire Rd. E9 —8A 124
Berkshire Way. Horn —9L 113
Berman's Clo. Hut —8L 99
Bermondsey. —1C 46
Bermondsey St. SE1 —7B 38
Bermuda Rd. Til —7C 158
Bernal Clo. SE28 —7J 143
Bernard Clo. Kir X —8H 183
Bernard Rd. Romf —2A 128
Bernards Clo. Ilf —4C 110
Bernard St. WC1 —6A 38
Berners End. Barns —2H 23
Berners Roding. —7F 23
Berners Wlk. Bas —7F 118
Bernice Clo. Rain —4G 144
Bernside. Brain —6H 193
Bernwell Rd. E4 —9E 92
Berridge Ho. Mal —7L 203
Berrimans Clo. Colc —9D 168
Berrybank Clo. E4 —8C 92
Berry Clo. Bas —1K 133
Berry Clo. Horn —7G 129
Berry Clo. W'fd —1J 119
Berryfield Clo. E17 —8B 108
Berry La. Bas —1K 133
Berryman Clo. Dag —5H 127
Berrys Arc. Ray —5K 121
(off High St. Rayleigh,)
Berry Vale. S Fer —2L 105
Bersham La. Badg D —2J 157
Berther Rd. Horn —2H 129
Berthons Gdns. E17 —9D 108
(off Wood St.)
Bertram Av. L Cla —4H 187
Bertrand Way. SE28 —7G 143
Berwick Av. Chelm —4J 61
Berwick Clo. Wal X —4A 78
Berwick La. Ong —3C 82 (4A 32)
Berwick Pond Clo. Rain —2H 145
Berwick Pond Rd. Rain & Upm —2J 145 (6C 40)
Berwick Rd. Rain —2H 145
Berwood Rd. Corr —2A 150
Beryl Dri. Tak —8C 210
Beryl Rd. Har —6F 200
Beslyns Rd. Gt Bar —3J 13
Besson St. SE14 —2C 46
Betchworth Rd. Ilf —4D 126
Bethany St. W'hoe —7H 177
Beth Chatto Gardens. —1A 178 (6J 17)
Bethell Av. Ilf —2N 125
Bethnal Green. —6C 38
Bethnal Grn. Rd. E1 —6B 38
Bethune Rd. N4 —4B 38
Betjeman Clo. Brain —8J 193
Betjeman Clo. Ray —4M 121
Betjeman M. Sth S —4M 139
Betjeman Way. Ong —5K 69
Betony Cres. Bill —3H 101
Betony Rd. Romf —3G 113
Betoyne Av. E4 —1E 108
Betoyne Clo. Bill —6M 101
Betsham. —5E 48
Betsham Rd. Eri —5D 154
Betsham Rd. S'fleet —5E 48
Betterton Rd. Rain —3C 144
Betts Grn. Rd. L Cla —9H 181
Bett's La. Hock —1C 122
Betts La. Naze —9J 55 (1F 31)
Betty Brooks Ho. E11 —5D 124
Betula Wlk. Rain —3H 145
Beulah Hill. SE19 —5A 46
Beulah Path. E17 —9C 108
Beulah Pl. Wal A —3L 79
Beulah Rd. E17 —9B 108
Beulah Rd. Epp —8F 66
Beulah Rd. Horn —5G 129
Beulah Rd. T Hth —6B 46
Beult Rd. Dart —9E 154
Bevan Av. Bark —9F 126
Bevan Ho. Grays —9N 147
Bevan Way. Horn —6K 129
Beveland Rd. Can I —2N 153
Beverley Av. Can I —2F 152
Beverley Av. W Mer —2M 213
Beverley Clo. Horn —2K 129
Beverley Clo. Ors —6F 148
Beverley Cres. Wfd G —5H 109
Beverley Dri. Kir X —7H 183
Beverley Gdns. Chesh —3C 30
Beverley Gdns. Horn —2K 129
Beverley Gdns. Sth S —2K 139
Beverley M. E4 —3D 108
Beverley Rise. Bill —7L 101
Beverley Rd. E4 —3D 108
Beverley Rd. Bexh —7A 154
Beverley Rd. Colc —9L 167

Beverley Rd. Dag —6K 127 (5K 39)
Bevil Ct. Hod —2A 54
Bevile Ho. Grays —5L 157
Bevington M. Wthm —5E 214
Bevin Wlk. Stan H —3M 149
Bewick Ct. Sib H —5B 206
Bewley Ct. Sth S —4C 140
Bexhill Clo. Clac S —4G 191
Bexhill Dri. Grays —4H 157
Bexley. —3K 47
Bexley Av. Har —6H 201
Bexley Gdns. Chad H —9G 110
Bexleyheath. —3K 47
Bexley High St. Bex —4K 47
Bexley La. Sidc —5J 47
Bexley Rd. SE9 —3G 47
Bexley Rd. Eri —5A 154 (2A 48)
(in two parts)
Beyers Gdns. Hod —2A 54
Beyers Prospect. Hod —1A 54
Beyers Ride. Hod —2A 54
Bibby Clo. Corr —2B 150
Bickenhall. Shoe —6H 141
Bickerton Point. S Fer —1M 105
Bickley. —6G 47
Bickley Pk. Rd. Brom —6G 47
Bickley Rd. E10 —2B 124
Bickley Rd. Brom —6F 47
Bicknacre. —8F 76 (3E 34)
Bicknacre Rd. Bick —8F 76
Bicknacre Rd. Dan —4D 76 (2E 34)
Bicknacre Rd. E Han —2C 90 (4D 34)
Biddenden Ct. Bas —9K 119
Bideford Clo. Romf —5G 113
Bideford Clo. Wclf S —1F 138
Biggin. —4E 158
Biggin Hill. Ans —2E 10
Biggin La. Grays —4D 158
Bight, The. S Fer —2M 105
Bignells Croft. H'wds —3C 168
Bignold Rd. E7 —6G 125
Bigods La. D'mw —6M 197 (6G 13)
Bijou Clo. Tip —5D 212
Bilberry End. Hads —3D 6
Billericay. —7J 101 (7J 33)
Billericay Rd. Heron & Bill
—4A 116 (2G 41)
Billet Clo. Romf —7J 111
Billet La. Horn —3H 129 (4B 40)
Billet La. Lgh S —6C 138
Billet La. Stan H —4M 149 (6K 41)
Billet Rd. E17 —5A 108 (2C 38)
Billet Rd. Romf —7G 111 (3J 39)
Billet, The. —4A 150
Billingsgate Fish Market. —7D 38
Bilsdale Clo. H'wds —3C 168
Bilton Rd. Ben —3L 137
Bilton Rd. Chelm —1A 74
Bilton Rd. Eri —5E 154
Bilton Way. Enf —5D 30
Bincote Rd. Enf —6A 30
Bingham Clo. S Ock —6F 146
Bingham Rd. Croy —7C 46
Bingley Rd. Hod —5C 54
Binley Rd. Chelm —9A 62
Binsey Wlk. SE2 —9H 143
Birch. —9B 174 (1C 26)
Birchalls. Stans —1D 208
Bircham Rd. Sth S —4M 139
Birchanger. —7C 208 (7A 12)
Birchanger Ind. Est. Bis S —7A 208
Birchanger La. Bchgr —6B 208 (7A 12)
Birchanger Rd. SE25 —7C 46
Birch Av. Gt Ben —6K 179
Birch Av. Har —4K 201
Birch Clo. Ben —8B 120
Birch Clo. Brain —6E 192
Birch Clo. B'sea —7D 184
Birch Clo. Buck H —9K 93
Birch Clo. Cwdn —2N 107
Birch Clo. Can I —2F 152
Birch Clo. Clac S —1G 190
Birch Clo. Ray —4J 121
Birch Clo. Romf —7N 111
Birch Clo. S Ock —4G 146
Birch Clo. Wthm —3D 214
Birch Cres. Horn —8J 113
Birch Cres. S Ock —3G 146
Birchdale. Hull —5K 105
Birchdale Gdns. Romf —2J 127
Birchdale Rd. E7 —7J 125
Birchdene Dri. SE28 —8F 142
Birch Dri. H'std —4M 199
Birche Clo. Lgh S —2D 138
Birches, The. E12 —6L 125
Birches, The. Ben —7C 120
Birches, The. Brtwd —9H 99
Birches, The. Kir X —8H 183
Birches, The. N Wea —5N 67
Birches Wlk. Gall —8B 74
Birch Gdns. Dag —5A 128
Birch Gdns. T'ham —3E 36
(off Birch Rd.)
Birch Green. —8D 174 (2C 26)
Birch Grn. W'fd —9L 103
Birch Gro. E11 —6E 124
Birch La. Stock —6A 88
Birch Rise. W Bis —6K 213
Birch Rd. Cop —6N 173 (1B 26)
Birch Rd. Lay H —9E 174 (1C 26)
Birch Rd. Romf —7N 111
Birch Rd. T'ham —3E 36
Birch St. B'ch —8D 174 (2C 26)
Birch View. Epp —8G 66
Birch Wlk. Eri —4A 154
Birchway. B'ch —9D 174
Birchwood. Ben —8B 120
Birchwood. Bchgr —7C 208
Birchwood. Wal A —4E 78
Birchwood Clo. Gt War —3F 114
Birchwood Clo. Tip —6E 212
Birchwood Clo. W Mer —3L 213
Birchwood Dri. Lgh S —4F 138
Birchwood Rd. Cock C —8M 77 (3F 35)
Birchwood Rd. Corr —9C 134
Birchwood Rd. L'ham & Ded
—4F 162 (3G 17)
Birchwood Rd. Swan & Dart —6A 48
Birchwood Way. Tip —6F 212
Birdbrook. —5A 8
Birdbrook Clo. Dag —9A 128
Birdbrook Clo. Hut —5L 99
Birdbrook Rd. Stamb —6A 8
Birdbush Av. Saf W —6K 205
Bird Green. —2H 11
Bird La. Gt War —7G 114 (3E 40)
Bird La. Tip —7E 212
Bird La. Upm —9A 114 (3D 40)
Birds Clo. I'tn —2H 197
Birds Clo. Rams H —3D 102
Birds Farm Av. Romf —5N 111
Birds Green. —7E 22
Birds Grn. Will —1D 32
Birk Beck. Chelm —6L 61
Birkbeck Gdns. Wfd G —8G 92
Birkbeck Rd. Hut —5N 99
Birkbeck Rd. Ilf —9C 110
Birkbeck Rd. Romf —3B 128
Birkdale Av. Romf —4L 113
Birkdale Rise. Hat P —2M 63
Birkin Clo. Tip —8B 212
Birling Rd. Eri —5B 154
Birs Clo. W'fd —7L 103
Biscay. Sth S —8F 122
Bishop Hall La. Chelm —7K 61
Bishop Ho. Sth S —9G 122
Bishop Rd. Chelm —8K 61
Bishop Rd. Colc —3H 175
Bishops Av. Brain —5K 193
Bishop's Av. Romf —1H 127
Bishops Chase. W Bis —7L 213
Bishops Clo. E17 —8B 108
Bishops Clo. Bas —5H 119
Bishops Ct. Can I —2K 153
(off Maurice Rd.)
Bishopscourt Gdns. Chelm —7N 61
Bishopsfield. H'low —6C 56
Bishopsgate. EC3 —7B 38
Bishop's Green. —3G 23
Bishop's Hall Rd. Pil H —5E 98
Bishop's La. Peb —1J 15
Bishops La. Tip —4C 212
Bishops Pk. Way. Bis S —1J 21
Bishops Rd. Stan H —2A 150
Bishops Rd. W'fd —4L 119
Bishop's Stortford. —9B 208 (1K 21)
Bishop's Stortford Local History
Museum. —1K 21
Bishops Stortford Rd. Rox —6G 23
Bishopsteignton. Shoe —6G 140
Bishop Stortford Castle. —1K 21
Bishop's Way. E2 —6C 38
Bishop Wlk. Shenf —8J 99
Bisley Clo. Clac S —7F 186
Bisterne Av. E17 —7D 108
Bittern Clo. K'dn —8D 202
Blackacre Rd. They B —7D 80
Blackberry Rd. S'way —2D 174 (7C 16)
Blackborne Rd. Dag —8M 127
Black Boy La. N15 —3B 38
Black Boy La. Wrab —3E 18
Blackbrooke Cotts. Gt Hork —7J 161
Blackbrook Hill. Ded —2H 163 (2G 17)
Blackbrook La. Brom —7G 47
Blackbrook Rd. Gt Hork —9K 161
Black Buoy Hill. W'hoe —7H 177
Blackbush Av. Romf —9J 111
Blackbushe. Bis S —8A 208
Black Bush La. Horn H
—1F 148 (6H 41)
Blackbush Spring. H'low —2F 56
Blackcat. —7C 22
Black Ditch Rd. Wal A —6C 78
Blackdown. Wclf S —5K 139
Blackfen. —3J 47
Blackfen Rd. Sidc —3H 47
Blackfriars Bri. SE1 —7A 38
Blackfriars Rd. SE1 —7A 38
Blackgate Rd. Shoe —7L 141
Blackhall. —3G 11
Blackheath. —6A 176 (1F 27)
(nr. Colchester)
Blackheath. —3E 46
(nr. Greenwich)
Black Heath. —2E 46
Blackheath. Colc —6A 176 (1F 27)
Blackheath Chase. Bas —6M 133
Blackheath Hill. SE10 —2E 46
Blackheath Park. —3F 47
Blackheath Rd. SE8 —2D 46
Blackheath Rugby Ground. —2F 47
Blackheath Village. SE3 —2E 46
Blackhorse Lane. (Junct.) —3C 38
Blackhorse La. E17 —2C 38
Black Horse La. Croy —7C 46
Blackhorse La. N Wea —4B 68
(in two parts)
Blackhorse Rd. E17 —3C 38
Blackhouse La. L Cor —6K 9
Blacklands Clo. Saf W —6J 205
Blackley La. Bla N & Brain
—4A 198 (2B 24)
Black Lion Ct. H'low —8H 53
Blacklock. Chelm —8B 62
Blackman Way. Wthm —6D 214
Blackmore. —1H 85 (4E 32)
Blackmore Av. Can I —3H 153
Blackmore Clo. Grays —3M 157
Blackmore Ct. Wal A —3G 79
Blackmore End. —3B 14
Blackmore Mead. B'more —1J 85
Blackmore Rd. B'more & Fry
—3J 85 (4F 33)
Blackmore Rd. Buck H —6L 93
Blackmore Rd. Ing & Hghwd
—9M 71 (3G 33)
Blackmore Rd. Kel H & Ing
—8B 84 (5D 32)
Blackmores. Bas —9H 117
Blackmore Wlk. Ray —5N 121
Black Notley. —3B 194 (1D 24)
Black Prince Interchange. (Junct.)
—3K 47
Blackshots La. Grays —7M 147 (7G 41)
Blacksmith Clo. Bill —3K 101
Blacksmiths All. B'moor —1H 85
Blacksmiths Clo. Bab —1A 6
Blacksmiths Clo. Chelm —3N 61
Blacksmiths Clo. Romf —1H 127
Blacksmiths Hill. Stoke C —4B 8
Blacksmiths Ho. E17 —8A 108
(off Gillards M.)
Blacksmiths La. Bulm —6H 9
Blacksmith's La. Har —4H 201
Blacksmith's La. Orp —7J 47
Blacksmith's La. Rain —1D 144
Blacksmith's La. Reed —7C 4
Blacksmiths La. Shudy C —3G 7
Blacksmiths La. W Bis —7K 213 (5H 25)
Blacksmiths Way. Saw —3F 52
Blackstock Rd. N4 & N5 —4A 38
Blackthorn Av. Colc —8E 168
Blackthorn Clo. Writ —1J 73
Blackthorn Ct. E15 —6D 124
Blackthorn Ct. Lang H —2J 133
Blackthorne Dri. E4 —1D 108
Blackthorne Rd. Can I —2J 153
Blackthorn Rd. Grays —8L 147
Blackthorn Rd. Har —5H 201
Blackthorn Rd. Hock —8E 106
Blackthorn Rd. Wthm —3B 214
Blackthorns. H'std —5H 199
Blackthorn Way. War —2G 114
Blackwall La. SE10 —1E 46
(in two parts)
Blackwall Tunnel Northen App. E3 & E14
—6E 38
Blackwall Tunnel Southern App. SE10
—1E 46
Blackwater. Ben —2F 136
Blackwater. Brtwd —7E 98
Blackwater Av. Colc —5E 168
Blackwater Clo. E7 —7F 124
Blackwater Clo. Bur C —3M 195
Blackwater Clo. Chelm —5L 61
Blackwater Clo. Hey B —8N 203
Blackwater Clo. Rain —5B 144
Blackwater Clo. Shoe —5J 141
Blackwater Dri. W Mer —3H 213
Blackwater La. Wthm —7D 214
Blackwater Trad. Est. H'bri —4K 203
Blackwater Way. Brain —4J 193
Blackwell Dri. Brain —4E 192
Blackwood Chine. S Fer —2L 105
Bladon Clo. Brain —2G 193
Bladon Clo. Tip —6E 212
Blaine Dri. Frin S —7H 183
Blake Av. Bark —1D 142
Blakeborough Dri. H Wood —6J 113
Blake Clo. Law —4G 165
Blake Clo. Rain —1D 144
Blake Ct. S Fer —2L 105
Blake Dri. Brain —4L 193
Blake Dri. Clac S —7H 187
Blake End. Rayne —7A 14
Blake End Rd. Gt Sal —6A 14
Blake Gdns. Dart —9K 155
Blake Hall Cres. E11 —3G 125
Blake Hall Dri. W'fd —1A 120
Blake Hall Gardens. —3H 69 (2B 32)
Blake Hall Rd. E11 —2G 125 (4F 39)
Blake Hall Rd. Ong —3E 68 (2B 32)
Blake Hall War Museum.
—3H 69 (2B 32)
Blakeney Rd. Beck —6D 46
Blake Rd. Wthm —2C 214
Blakes Ct. Saw —2K 53
Blakes Wood Nature Reserve.
—9K 63 (1D 34)
Blake Way. Til —7E 158
Blamsters Cres. H'std —6J 199
Blanchard Clo. Kir X —8D 182
Blandford Clo. Romf —8M 111
Blandford Cres. E4 —6C 92
Blaney Cres. E6 —3A 142
Blasford Hill. —8K 59 (6A 24)
Blatches Chase. Lgh S & Sth S
—9E 122
Bledlow Clo. SE28 —7H 143
Blendon Rd. Bex —3J 47
Blenheim Av. Ilf —1N 125
Blenheim Chase. Lgh S
—3C 138 (4G 43)
Blenheim Clo. Brain —1G 193
Blenheim Clo. Dan —8F 76
Blenheim Clo. Hock —8D 106
Blenheim Clo. Romf —8A 112
Blenheim Clo. Saw —4H 53
Blenheim Clo. Upm —3B 130
Blenheim Ct. Horn —7G 129
Blenheim Cres. Lgh S —3D 138
Blenheim Dri. Colc —6A 176
Blenheim Gdns. Ave —8M 145
Blenheim Gdns. May —2D 204
Blenheim Ho. Lgh S —3E 138
Blenheim M. Lgh S —3D 138
Blenheim Pk. Clo. Lgh S —2E 138
Blenheim Rd. E15 —6E 124
Blenheim Rd. Clac S —2H 191
Blenheim Rd. Pil H —5D 98
Blenheim Way. N Wea —6M 67
Blenheim Way. Tip —6E 212
Blessing Way. Bark —3H 143
Blewbury Ho. SE2 —9J 143
Blewetts Cotts. Rain —3D 144
(off New Rd.)
Bligh Way. Roch —6K 49
Blind La. Bill —2D 116
Blind La. B'ch —9L 173 (1A 26)
Blind La. B'sea —6E 184
Blind La. Eig G —7B 166
Blind La. Gold —7K 25
Blind La. Hare S —4A 10
Blind La. H Grn —6M 75
Blind La. Mun —3H 35
Blind La. Tol K —5A 26
Blind La. Wal A —3J 79
Blind La. W Han —4F 88 (4B 34)
Blithbury Rd. Dag —8G 126
Blockhouse Rd. Grays —4M 157
Blois End. Sib H —1C 14
Blois Rd. Stpl B —2D 210 (5K 7)
Blomville Rd. Dag —5K 127
Bloomfield Av. Kir X —7H 183
Bloomfield Cres. Ilf —1A 126
Bloomfields, The. Bark —8B 126
Bloomsbury St. WC1 —7A 38
Blooms Hall La. S'std —1H 9
Blossom Clo. Dag —1L 143
Blott Rise. Wthm —7C 214
Blountswood Rd. Hock —7M 105
(in three parts)
Blower Clo. Ray —4M 121
Bloyce's La. L Bro —2H 171
Blue Anchor La. W Til —2G 158 (1H 49)
Bluebell Av. E12 —7K 125
Bluebell Av. Clac S —9G 186
Bluebell Clo. Wthm —4B 214
Bluebell Grn. Chelm —4N 61
Bluebell Way. Colc —5K 167
Bluebell Way. Ilf —8A 126
Bluebell Wood. Bill —4F 100
Blueberry Clo. Wfd G —3G 109
Blue Circle Heritage Centre. —3F 49
Bluehouse Av. Clac S —9E 186
Blue Ho. Farm Chase. N Fam —1G 106
Bluehouse Rd. E4 —9E 92
Bluehouses. Bas —1B 134
Bluemans. N Wea —3B 68
Bluemans End. N Wea —3B 68
Blue Mill La. Wdhm W —1F 35
Blue Mills Hill. Wthm —8D 214 (5G 25)
Blueridge Cotts. H'std —5M 199
Blueridge Ind. Est. H'std —5N 199
Blue Rd. Tip —6C 212
Blue Row. —4G 27
Blue Water. —4D 48
Blunden Clo. Dag —3H 127
Blunts Hall Dri. Wthm —6A 214
Blunts Hall Rd. Wthm —6A 214 (4E 24)
Blunts Wall Rd. Bill —7F 100
Blyford Rd. Clac S —9E 186
Blyth Av. Shoe —7G 140
Blythe Rd. Hod —7D 54
Blythe Rd. Stan H —1N 149
Blythe Way. Mal —8K 203
Blyth Rd. SE28 —7H 143
Blyth's Meadow. Brain —5H 193
Blyth's Way. Brain —6B 192
Blythswood Rd. Ilf —3F 126
Blyth Wlk. Upm —1B 130
Blyth Way. Ben —8C 120
Blythwood Gdns. Stans —3C 208
Blyton Clo. W'fd —2L 119
Boadicea Way. Colc —2J 175 (7E 16)
Boar Clo. Chig —2F 110
Boarded Barn Rd. Cop
—6M 173 (1B 26)
Boarded Barn Rd. Wak C —4A 16
Boardman Av. E4 —4B 92
Boar Head Rd. H'low —4M 57
Boars Tye Rd. Sil E —1K 207 (1F 25)
Bobbing Clo. R'fd —5L 123
Bobbingworth. —2G 69 (2B 32)
Bobbingworth Mill. Ong —3E 68
Bobbits Way. W'hoe —6J 177
Bober Ct. Colc —7B 176
Bobs La. Romf —5E 112
Bocking. —3J 193 (7C 14)
Bocking Churchstreet.
—1N 193 (6D 14)
Bocking End. Brain —5H 193 (7C 14)
Bockingham Grn. Bas —7H 119
Bockings. Walk —5J 15
Bocking's Elm. —8F 186
Bocking's Elm. Clac S —8F 186
Bodell Clo. Grays —1L 157
Bodiam Clo. Pits —9J 119
Bodmin Rd. Chelm —6M 61
Bogmoor Rd. Bar —7E 4
Bogs Gap La. Stpl M —4A 4
Bohemia Chase. Lgh S —1B 138
Bohum Link. Lain —9G 117
Bohun Clo. Gt L —1M 59
Bois Field Ter. H'std —4L 199
Bois Hall Gdns. H'std —3L 199
Boleyn Clo. E17 —8A 108
Boleyn Clo. Bill —3J 101
Boleyn Clo. Chaf H —1J 157
Boleyn Clo. Lgh S —8B 122
Boleyn Clo. Lou —5L 93
Boleyn Ct. Buck H —7G 93
Boleyn Gdns. Brtwd —9K 99
Boleyn Gdns. Dag —9A 128
Boleyn Rd. E7 —9G 125
Boleyn Rd. N16 —5B 38
Boleyns Av. Brain —2H 193
Boleyn Way. Bore —2G 62
Boleyn Way. Ilf —3B 110
Boleyn Way. Jay —4D 190
Boley Rd. Whi C —4J 15
Bolford St. Thax —3J 211 (3F 13)
Bolingbroke Clo. Gt L —1M 59
Bolls La. Lay H —9F 174
Boley Dri. Clac S —8L 187
Bolney Dri. Lgh S —8B 122
Bolt Cellar La. Epp —9D 66
Bolton Rd. E15 —8F 124
Bolton St. W1 —7A 38
Bombose La. Bures —7A 194 (1K 15)
Bommel Av. Can I —2N 153
Bonchurch Av. Lgh S —4C 138
Bonchurch Ct. Purf —3N 155
Bondfield Wlk. Dart —9K 155
Bond St. E15 —7E 124
Bond St. Chelm —9L 61
Bond St. Grays —4M 157
Bond Way. SW8 —2A 46
Bonham Clo. Clac S —8L 187
Bonham Gdns. Dag —4J 127
Bonham Rd. Dag —4J 127
Bonington Chase. Chelm —5N 61
Bonington Rd. Horn —7H 129
Bonks Hill. Saw —3J 53 (4J 21)
Bonner Rd. E2 —6C 38
Bonner Wlk. Grays —1J 157
Bonneting La. Ber —3J 11
Bonnet M. Horn —3J 129
Bonningtons. Brtwd —9L 99
Bonnygate. Bas —8E 118
Bookcroft Bunnery. —1A 4
Boone Pl. Wthm —5D 214
Boose's Green. —3H 15
Bootham Clo. Bill —7H 101
Bootham Rd. Bill —7H 101
Booth Av. Colc —8C 168
Boothby Ct. E4 —9C 92
Booth Clo. SE28 —8G 143
Booth Pl. Bur C —3M 195
Booth's Ct. Hut —5M 99
Borda Clo. Chelm —6J 61
Border's La. Lou —3N 93 (6G 31)
Boreham. —3G 62 (7C 24)
Boreham Clo. E11 —3C 124
Boreham Clo. W'fd —2B 120
Boreham Interchange. Bore —4D 62
Boreham Rd. Gt L —1M 59 (3B 24)
Boreham Rd. L Walt —4B 24
Borges Gdns. M End —3L 167
Borley. —4H 9
Borley Ct. Ors —6F 148
Borley Green. —4H 9
Borley Rd. L Mel —4H 9
Borman Clo. Lgh S —9F 122
Borough High St. SE1 —1B 46
Borough La. Saf W —5K 205 (7B 6)
Borough Rd. SE1 —1A 46
Borough, The. —1B 46
Borradale Ct. Stpl B —3C 210
Borrett Av. Can I —1G 153
Borrowdale Clo. Ben —9F 120
Borrowdale Clo. Ilf —8L 109
Borrowdale Rd. Ben —9F 120
(in two parts)
Borthwick M. E15 —6E 124
Borthwick Rd. E15 —6E 124
Borwick La. Cray H & W'fd —3F 118
(in three parts)
Bosanquet Rd. Hod —3C 54
Boscawen Gdns. Brain —4L 193
Boscombe Av. E10 —2D 124
Boscombe Av. Grays —2N 157
Boscombe Av. Horn —2H 129
Boscombe Av. W'fd —8G 103
Boscombe Rd. Sth S —5N 139
Bosgrove. E4 —8C 92
Bostall Hill. SE18 —1J 47
Boston Av. Ray —3G 121
Boston Av. Sth S —5L 139
(in two parts)
Boston Rd. E17 —1A 124
Boswell Av. R'fd —2J 123
Boswells Dri. Chelm —9L 61
Bosworth Clo. Hock —3E 122
Bosworth Cres. Romf —3G 113
Bosworth Ho. Eri —3C 154
(off Saltford Clo.)
Bosworth Rd. Dag —5M 127
Bosworth Rd. Lgh S —8B 122
Botanical Way. St O —8M 185
Botany Bay. —5A 30
Botany La. St O —1A 190
Botany La. Wee H —9F 180
(in two parts)
Botany Way. Purf —3M 155
Botelers. Bas —2N 133
Boteley Clo. E4 —8D 92
Botney Hill Rd. L Bur —3E 116 (2H 41)
Bouchers Mead. Chelm —4A 62
Bouchiers Pl. Mess —1D 212

Bouchier Wlk. Rain —8E 128
Boudicca Wlk. W'hoe —3J 177
Bouldrewood Rd. Ben —1B 136
Boulevard, The. R'fd —4L 123
Boulter Gdns. Rain —8E 128
Boulton Cotts. H'bri —3L 203
Boulton Rd. Dag —4K 127
Boult Rd. Bas —7L 117
Bounces Rd. N9 —1C 38
Boundary Clo. Ilf —6D 126
Boundary Dri. Hut —6A 100
Boundary Rd. E13 —6F 39
Boundary Rd. E17 —2A 124 (4D 38)
Boundary Rd. Bark —2B 142
(in two parts)
Boundary Rd. Colc —1E 176 (6G 17)
Boundary Rd. Lgh S —7A 122
Boundary Rd. Romf —1E 128
Boundary Rd. Upm —5L 129
Boundary St. Eri —5D 154
Bounderby Gro. Chelm —5G 61
Bounds Green. —2A 38
Bounds Grn. Rd. N11 & N22 —2A 38
Bounstead Hill. Lay H —9K 175 (1E 26)
Bounstead Rd. B'hth —8L 175 (1E 26)
Bourchier Av. Brain —4M 193
Bourchier Way. H'std —6J 199
Bourn Bri. Rd. Lit A —1B 6
Bourne Av. Bas —7J 117
Bournebridge. —6N 95 (7K 31)
Bournebridge Clo. Hut —6A 100
Bournebridge Hill. Gosf —4E 14
Bournebridge Hill. H'std —7H 199
Bournebridge La. Stap A —6L 95 (7K 31)
Bourne Clo. Bas —7J 117
Bourne Clo. H'std —6J 199
Bourne Ct. Brain —7M 193
Bourne Ct. Colc —2A 176
Bourne Ct. Wfd G —6K 109
Bourne End. Horn —2L 129
Bourne Gdns. E4 —1B 108
Bourne Hill. N13 —1A 38
Bourne Mill. —2B 176 (7F 17)
Bournemouth Pk. Rd. Sth S —3N 139 (4K 43)
Bournemouth Rd. Hol S —7C 188
Bourne Rd. E7 —5F 124
Bourne Rd. Bex & Dart —4K 47
Bourne Rd. Bis S —9A 208
Bourne Rd. Colc —2A 176 (7F 17)
Bourne Rd. W Ber —4E 166
Bournes Green. —5F 140 (4A 44)
Bournes Grn. Chase. Sth S & Shoe —5E 140 (4A 44)
Bourne, The. N14 —7A 30
Bourne, The. Bunt —4D 10
Bourne, The. Ware —4C 20
Bourne Way. Brom —7E 46
Bouvel Dri. Bur C —1J 195
Bouverie Rd. Chelm —2C 74
Bovey Way. S Ock —5E 146
Bovills Way. L Cla —4F 186 (2C 28)
Bovingdon Rd. Brain —2M 193 (4C 14)
Bovinger. —3E 68 (2A 32)
Bovinger Way. Sth S —5D 140
Bow. —6D 38
Bowbank Clo. Shoe —5K 141
Bow Common. —6D 38
Bow Comn. La. E3 —6D 38
Bowden Dri. Horn —3C 129
Bowdens La. Wmgfd —1A 160 (2B 16)
Bowdon Rd. E17 —2A 124
Bower Clo. Romf —4B 112
Bower Ct. Epp —1F 80
Bower Farm Rd. Hav —9A 96
Bower Gdns. Mal —5J 203
Bower Hall Dri. Stpl B —3C 210
Bower Hall La. W Mer —4G 27
Bower Hill. Epp —1F 80 (4J 31)
Bower La. Bas —7F 118
Bower La. Eyns & Sev —7C 48
Bowerman Rd. Grays —2C 158
Bowers Clo. Sil E —4M 207
Bowers Ct. Dri. Bas —1N 135
Bowers Gifford. —1M 135 (3C 42)
Bowers Pk. Cotts. Bas —1M 135
Bowers Rd. Ben —1D 136
Bower Ter. Epp —2F 80
Bower Vale. Epp —2F 80
Bowes Dri. Ong —6K 69
Bowe's Ho. Bark —9A 126
Bowes Park. —2A 38
Bowes Rd. N11 & N13 —1A 38
Bowes Rd. Dag —6H 127
Bowes Rd. W'hoe —5J 177
Bowfell Dri. Bas —2J 133
Bowhay. Hut —8K 99
Bow Ind. Pk. E15 —9A 124
Bow Interchange. (Junct.) —6E 38
Bowland Rd. Wfd G —2J 109
Bowlers Croft. Bas —5G 118
Bowls, The. Chig —9D 94
Bowman Av. Lgh S —9A 122
Bowmans Pk. Cas H —3C 206
Bowmont Clo. Hut —5L 99
Bown Clo. Til —7D 158
Bowness Way. Horn —7E 128
Bow Rd. E3 —6D 38
Bowsers La. L Wal —4C 6
Bow St. E15 —7E 124
Bow St. WC2 —7A 38
Bowyer Ct. E4 —7C 92
(off Ridgeway, The)
Box Clo. Lain —6M 117
Boxford Clo. Ray —4F 120
Boxgrove Rd. SE2 —9H 143
Boxhouse La. Ded —2H 163 (2H 17)
(in two parts)
Box La. Bark —2G 143
Box Mill La. H'std —3K 199
Boxmoor Rd. Romf —2A 112
Boxoll Rd. Dag —6L 127
Boxted. —2N 161 (2E 16)
Boxted Av. Clac S —9F 186
Boxted Chu. Rd. L Hork —4J 161 (3D 16)
Boxted Clo. Buck H —7L 93
Boxted Cross. —2B 162 (2F 17)
Boxted Rd. L Hork —5J 161 (3D 16)
Boxted Rd. M End —2L 167 (4E 16)
Boyce Grn. Ben —4D 136
Boyce Hill Clo. Lgh S —1A 138
Boyce Rd. Shoe —6M 141
Boyce Rd. Stan H —2L 149
Boyce View Dri. Ben —4C 136
Boyd Clo. Bis S —9A 208
Boyd Ct. W'fd —2N 119
Boyden Clo. Sth S —4D 140
Boyden Ho. E17 —7C 108
Boydin Clo. Wthm —7B 214
Boyles Ct. Colc —7B 176
Boyne Dri. Chelm —5M 61
Boyne Rd. Dag —5M 127
Boyton Clo. Ben —1G 136
Boyton Cross. —7H 23
Boyton Cross La. Rox —7H 23
Boyton End. —3B 8
(nr. Stoke by Clare)
Boyton End. —2F 13
(nr. Thaxted)
Boytons. Bas —9N 117
Boyton's La. Hpstd —6G 7
Boyton Vineyards. —3A 8
Brabant Rd. N Fam —1F 106
Brabner Gdns. Rams H —4D 102
Bracelet Clo. Corr —9A 134
Brace Wlk. S Fer —3L 105
Brackendale. Bill —5M 101
Brackendale Av. Bas —2J 135
Brackendale Clo. Hock —9D 106
Brackendale Ct. Bas —2K 135
Brackendale Gdns. Upm —6N 129
Bracken Dell. Ray —5L 121
Brackenden Dri. Chelm —4M 61
Bracken Dri. Chig —3A 110
Bracken Ind. Est. Ilf —4E 110
Bracken M. E4 —7C 92
Bracken M. Romf —1N 127
Brackens Dri. War —2F 114
Brackens, The. H'wds —4B 168
Bracken, The. E4 —8C 92
Bracken Way. Abb —9B 176
Bracken Way. Ben —9G 121
Brackley Cres. Bas —6H 119
Brackley Sq. Wfd G —4K 109
Bradbourne Rd. Grays —4L 157
Bradbourne Way. Pits —1K 135
Bradbrook Gdns. W Ber —3G 167
Bradbury Dri. Brain —5F 192
Bradd Clo. S Ock —3F 146
Bradfield. —3C 18
Bradfield Dri. Bark —7F 126
Bradfield Heath. —4B 18
Bradfield Rd. Wix —4C 18
Bradford Bury. Lgh S —9B 122
Bradford Rd. Ilf —3C 126
Bradford St. Brain —4H 193 (7D 14)
Bradford St. Chelm —1B 74
Brading Av. Clac S —6L 187
Brading Cres. E11 —4H 125
Bradleigh Av. Grays —3M 157
Bradley Av. Ben —1F 136
Bradley Clo. Ben —1F 136
Bradley Clo. Can I —9G 136
Bradley Clo. D'mw —6K 197
Bradley Comn. Bchgr —6B 208
Bradley Grn. Bas —6K 119
Bradleyhall La. T Sok —3G 180
Bradley Hill. Clare —3D 8
Bradley Link. Ben —1F 136
Bradley M. Saf W —3M 205
Bradley Way. R'fd —6K 123 (2J 43)
Bradshawe Rd. Grays —8K 147
Bradwell. —7F 15
Bradwell Av. Dag —4M 127
Bradwell Clo. E18 —8F 108
Bradwell Clo. Horn —8F 128
Bradwell Ct. Brain —8M 193
Bradwell Ct. Hut —5M 99
(off Bradwell Grn.)
Bradwell Grn. Hut —5M 99
Bradwell on Sea. —1E 36
Bradwell Power Station Visitor Centre. —7F 27
Bradwell Rd. Buck H —7L 93
Bradwell Rd. Stpl —3C 36
Bradwell Rd. St La —2D 36
Bradwell Rd. T'ham —2E 36
Bradwell Waterside. —1E 36
Brady Av. Lou —1B 94
Brady Ct. Dag —3J 127
Bradymead. E6 —2K 142
Braemar Av. Bexh —9A 154
Braemar Av. Chelm —2C 74
Braemar Cres. Lgh S —4N 137
Braemar Gdns. Horn —1L 129
Braemar Wlk. Pits —9J 119
Braemore. Can I —9F 136
Braemore Clo. Colc —4D 168
Braeside Cres. Bexh —9A 154
Braggon's Hill. Glem —1G 9
Braham St. E1 —7B 38
Brain Rd. Wthm —4B 214
Braintree. —5H 193 (7D 14)
Braintree Av. Ilf —8L 109
Braintree District Museum. —6H 193 (7C 14)
Braintree Rd. Brain —8M 193
Braintree Rd. Dag —5M 127
Braintree Rd. D'mw —8M 197 (1G 23)
Braintree Rd. Fels —1J 23
Braintree Rd. Gosf —4E 14
Braintree Rd. Gt Bar —3J 13
Braintree Rd. L Walt —5K 59 (5A 24)
Braintree Rd. Shalf —5B 14
Braintree Rd. Terl —4D 24
Braintree Rd. Tye G —1D 24
Braintree Rd. Weth —3A 14
Braintree Rd. Wthm —3C 214 (4F 25)
Braintree Tourist Information Centre. —6H 193 (7C 14)
Braintree Town Hall Centre. —6H 193 (7C 14)
Brain Valley Av. Bla N —2B 194
Braiswick. —5K 167 (5E 16)
Braiswick. Colc —4H 167 (5D 16)
Braiswick La. M End —3L 167
Braiswick Pl. Lain —7K 117
Braithwaite Av. Romf —2M 127
Bramall Clo. E15 —7F 124
Bramble Clo. Lgh S —8A 122
Bramble Ct. Wthm —3B 214
Bramble Cres. Ben —1N 137 (3G 43)
Bramble Croft. Eri —2A 154
Brambledown. W Mer —2K 213
Bramble Hall La. Ben —1N 137
Bramble La. L Dun —1J 23
Bramble La. Upm —1N 145 (6D 40)
Bramble Rise. H'low —2B 56
Bramble Rd. Ben —9L 121 (3F 43)
Bramble Rd. Can I —2J 153
Bramble Rd. Lgh S —8A 122
Bramble Rd. Wthm —4B 214
Brambles. W on N —7K 183
Brambles La. Whi C —3J 15
Brambles, The. Chig —2B 110
Brambles, The. Colc —3G 175
Brambles, The. Lain —7J 117
Brambles, The. S'min —8L 207
Bramble Tye. Lain —4M 118
Bramblings, The. E4 —1D 108
Bramerton Rd. Hock —1C 122
Bramfield. —4A 20
Bramfield La. W'frd —4A 20
Bramfield Rd. W'frd —4A 20
Bramfield Rd. E. Ray —5N 121
Bramfield Rd. W. Ray —5M 121
Bramley Clo. Alr —6A 178
Bramley Clo. Brain —7J 193
Bramley Clo. Colc —8J 167
Bramley Ct. E4 —7C 92
(off Ridgway, The)
Bramley Ct. Ben —4M 137
Bramley Cres. Ilf —1N 125
Bramley Gdns. Bas —7L 117
Bramley Pl. Dart —9E 154
Bramley Rd. N14 —7A 30
Bramleys. Stan H —2M 149
Bramley Shaw. Wal A —3F 78
Bramleys, The. Cogg —7L 195
Bramleys, The. R'fd —2J 123
Bramley Way. May —2C 204
Brampstead. Bas —9J 117
Brampton Clo. Corr —9B 134
Brampton Clo. Wclf S —2F 138
Brampton Rd. Bexh & SE2 —2J 47
Bramshill Clo. Chig —2D 110
Bramston Clo. Chelm —2G 75
Bramston Clo. Ilf —3E 110
Bramston Grn. Wthm —3C 214
Bramston Link. Lain —8G 117
Bramston View. Wthm —5C 214
Bramston Wlk. Wthm —3C 214
Bramston Way. Lain —9G 117 (3J 41)
Bramwoods Rd. Chelm —2F 74
Brancaster Pl. Lou —2M 93
Brancaster Rd. E12 —6M 125
Brancaster Rd. Ilf —1D 126
Brancepeth Gdns. Buck H —8G 92
Branch Rd. Ben —4L 137
Branch Rd. Ilf —2G 111
Brand Ct. Brain —1H 193
Brand Dri. L'hoe —9B 176
Brandenburg Rd. Can I —9K 137
Brandon Clo. Bill —3J 101
Brandon Clo. Chaf H —9J 147
Brandon Groves Av. S Ock —3F 146
Brandon Rd. E17 —8C 108
Brandon Rd. Brain —6F 192
Brands Hatch Rd. Fawk —7E 48
Brandville Gdns. Ilf —8A 110
Brandy Hole. —4N 105 (7G 35)
Bran End. —6H 13
Bran End Fields. Steb —6H 13
Branfill Rd. Upm —4M 129
Branksome Av. Hock —8D 106
Branksome Av. Stan H —1M 149 (6K 41)
Branksome Av. W'fd —9G 103
Branksome Clo. Stan H —2L 149
Branksome Rd. Sth S —5N 139
Branscombe Clo. Frin S —9H 183
Branscombe Gdns. Sth S —6F 140
Branscombe Sq. Sth S —5F 140
Branscombe Wlk. Sth S —5F 140
Branstone Ct. Purf —3N 155
Branston Rd. Clac S —1G 191
Brantham. —1A 18
Brantham Hill. Bran —2A 18
Brantwood Av. Eri —5A 154
Brantwood Clo. E17 —7C 108
Brantwood Gdns. Ilf —8L 109
Brasted Rd. Eri —5C 154
Brathertons Ct. Bill —5H 101
Braughing. —6E 10
Braughing Friars. —6F 11
Braxted Clo. R'fd —3H 123
Braxted La. Gt Br & Gt Tot —4J 25
Braxted Rd. Riven & Tip —6M 213 (3H 25)
Braxted Rd. W Bis —6M 213 (5H 25)
Braxteds. Bas —9J 117
Braybrooke. Bas —9C 118
Bray Ct. Shoe —4J 141
Brayers M. R'fd —6L 123
Brays Grove. —4F 56 (7J 21)
Brays La. R'fd —2J 123 (1J 43)
Brays Mead. H'low —5E 56
Brays Springs. Wal A —4E 78
Braziers Clo. Chelm —7D 74
Breach Barn Mobile Home Pk. Wal A —9H 65
Breachfield Rd. Colc —4K 175
Breach La. Dag —3M 143
Breach La. Gt Eas —5F 13
Breach Rd. Grays —4C 156
Bread and Cheese Hill. Ben —1E 136
Bread and Cheese La. Chesh —2B 30
Break Egg Hill. Bill —5M 101
Bream Ct. Colc —6F 168
Breamore Rd. Ilf —4E 126
Breams Field. Bas —2L 133
Bream St. E3 —9A 124
Brecknock Rd. N19 & N7 —5A 38
Brecon. Wclf S —5K 139
Brecon Clo. Pits —7K 119
Bredo Ho. Bark —3G 143
Bree Av. M Tey —3G 172
Breeds. —6F 58
Breeds Rd. Gt Walt —6F 58 (5K 23)
Bree Hill. S Fer —2J 105
Bremer M. E17 —8B 108
Brempsons. Bas —8B 118
Brenchley Gdns. SE23 —3C 46
Brendans Clo. Horn —3J 129
Brendon. Bas —1M 133
Brendon Clo. Eri —6C 154
Brendon Gdns. Ilf —9D 110
Brendon Pl. Chelm —1N 73
Brendon Rd. Dag —3L 127
Brendon Way. Wclf S —1F 138
Brennan Rd. Til —7D 158 (2H 49)
Brent Av. S Fer —8J 91
Brent Clo. Frin S —7J 183
Brent Clo. Wthm —5B 214
Brent Hall Rd. F'fld —2J 13
Brenthall Towers. H'low —5H 57
Brentleigh Ct. Brtwd —9D 98
Brent Pelham. —3G 11
Brent, The. Dart —4C 48
Brentwood. —8G 98 (1F 41)
Brentwood By-Pass. Brtwd —1A 114 (1D 40)
Brentwood Museum. —2F 114 (1E 40)
Brentwood Pl. Brtwd —7G 98
Brentwood R.C. Cathedral. —8G 98 (1E 40)
Brentwood Rd. Bulp —4C 132 (5H 41)
Brentwood Rd. Grays —2E 148 (1H 49)
Brentwood Rd. Heron —5E 116 (2H 41)
Brentwood Rd. Hol S —7N 187
Brentwood Rd. Ingve —1K 115 (1F 41)
Brentwood Rd. Ong —9L 69 (3C 32)
Brentwood Rd. Romf —1D 128 (3A 40)
Brentwood Rd. W H'dn —2B 132 (4G 41)
Brentwood Tourist Information Centre. —8G 98 (1E 40)
Bressey Gro. E18 —6F 108
Bressingham Gdns. S Fer —1J 105
Bretons. Bas —9N 117
Bretten Clo. Clac S —9E 186
Brettenham Av. E17 —5A 108
Brettenham Dri. Sth S —6C 140
Brettenham Rd. E17 —6A 108
Brett Gdns. Dag —9K 127
Bretts Bldgs. Colc —9A 168
Brevet Clo. Purf —2A 156
Brewer's End. —8B 210 (1C 22)
Brewers Rd. Shorne —6K 49
Brewers Yd. S'min —7L 207
Brewery La. Stans —2D 208
Brewery Rd. N7 —5A 38
Brewery Rd. SE18 —1H 47
Brewery Rd. Hod —5A 54
Brewery Rd. Pam —1K 5
Brewery Yd. Stans —2D 208
Brewood Rd. Dag —8G 127
Brewster Clo. Can I —2G 153
Brewster Rd. E10 —3B 124
Brian Bishop Clo. W on N —6L 183
Brian Clo. Chelm —4C 74
Brian Clo. Horn —6F 128
Brian Rd. Romf —9H 111
Briar Clo. Bill —9M 101
Briar Clo. Buck H —8K 93
Briar Clo. Hock —3E 122
Briardale Av. Har —4H 201
Briarfields. Kir S —6F 182
Briarleas Gdns. Upm —2B 130
Briar Mead. Bas —7K 117
Briar Rd. Gt Bro —3A 170 (5J 17)
Briar Rd. Romf —4G 113
Briarsford Witham Ind. Est. Wthm —6E 214
Briars, The. Kel H —9B 84
Briars Wlk. Romf —6J 113
Briarswood. Can I —9G 136
Briarswood. Chelm —4M 61
Briar View. Bill —9M 101
Briarwood. Kel H —7C 84
Briarwood Av. Clac S —7C 188
Briarwood Clo. Lgh S —1C 138
Briarwood Dri. Lgh S —1C 138
Briarwood End. H'wds —4B 168
Briary, The. W'fd —9J 103
Briceway. Corr —2A 150
Brick Cotts. W'fd —6A 104
Brick Ct. Grays —4K 157
(off Jetty Wlk.)
Brick End. —6D 12
Brickenden Ct. Wal A —3F 78
Brickendon. —7B 20
Brickendon Ct. Hod —6A 54
Brickendon La. B'don —6B 20
Brickfield Clo. Van —4E 134
Brickfield Rd. Bas —4E 134
Brickfield Rd. Coop —8J 67
Brickfields Rd. S Fer —1L 105
Brickfields Way. R'fd —6M 123
Brickhouse Clo. W Mer —2J 213
Brick House End. —4J 11
Brickhouse La. Bore —2F 62
Brickhouse Rd. Coln E —3H 15
Brick Ho. Rd. Tol M —5K 25
Brick Kiln Clo. Cogg —7L 195
Brickkiln Green. Bla E —3B 14
Brick Kiln La. Gt Hork —1J 167
Brick Kiln La. R Grn —3A 12
Brick Kiln La. Steb —6H 13
Brick Kiln La. Thorr —9D 178
Brick Kiln Rd. Colc —6M 167
Brick Kiln Rd. S'don —3K 75 (2C 34)
Brick Kiln Way. Brain —6M 193
Brick La. E1 —6B 38
Bricklayer's Arms. (Junct.) —1B 46
Brickmakers La. Colc —5N 167
Brickman's Hill. Brad —3B 18
Brick Row. Chris —6H 5
Brickspring La. Gt Tot —5J 25
Brickstock Furze. Shenf —7K 99
Brick St. For H —6C 166
Brickwall Clo. Bur C —4L 195
Brickyard La. Reed —7D 4
Bridewell St. Clare —2D 8
Bridge Av. Upm —5L 129
Bridge Brook Clo. Colc —6D 168
Bridge Clo. Brtwd —1J 115
Bridge Clo. Romf —1C 128
Bridge Clo. Shoe —7J 141
Bridgecote La. Bas —5A 118
Bridge Cotts. Shoe —6H 141
Bridge Ct. Grays —4L 157
(off Bridge Rd.)
Bridge Cres. Stpl B —2C 210
Bridge Croft. Gt Walt —2H 59
Bridge End. E17 —5C 108
Bridge End. Gt Bar —3J 13
Bridge End. Newp —7D 204
Bridge End Gardens. —3K 205 (6B 6)
Bridgefield Clo. Colc —8C 168
Bridge Green. —7J 5
Bri. Hall Rd. B'wll —7F 15
Bridge Hill. Epp —3E 80 (4H 31)
Bridge Hill. For —4B 16
Bridge Ho. Clo. W'fd —9K 103
Bridgemans Grn. Latch —4K 35
Bridgemarsh La. Alth —6A 36
Bridgend Clo. S Fer —9L 91
Bridgen Rd. Bex —4K 47
Bridge Pde. Bill —5H 101
Bridge Rd. E6 —9M 125
Bridge Rd. E15 —9D 124 (6E 38)
Bridge Rd. N22 —2A 38
Bridge Rd. Beck —5D 46
Bridge Rd. Eri —7D 154 (2A 48)
Bridge Rd. Grays —4L 157 (2F 49)
Bridge Rd. Gt W —4D 44
Bridge Rd. More —1B 32
Bridge Rd. Rain —4E 144 (6A 40)
Bridge Rd. W'fd —9A 104
Bridge Street. —1K 9
Bridge St. Bures —7D 194 (1A 16)
Bridge St. Cogg —9K 195 (7H 15)
Bridge St. F'fld —2K 13
Bridge St. Gt Bar —3J 13
Bridge St. Gt Yel —8D 198 (6C 8)
Bridge St. H'std —4K 199 (3F 15)
Bridge St. Lain —5N 117
Bridge St. Saf W —3J 205 (6B 6)
Bridge St. Whad —2C 4
Bridge St. Wthm —7C 214 (5F 25)
Bridge St. Writ —1K 73 (1K 33)
Bridge St. Rd. Lav —1K 9
Bridge Ter. E15 —9D 124
(in two parts)
Bridge Ter. H'bri —3K 203
Bridgeview Ct. Ilf —3D 110
Bridgewater Clo. Romf —2H 113
Bridgewater Rd. Romf —2G 113
Bridgewater Wlk. Romf —2H 113
Bridgeway. Bark —9E 126
Bridgewick Rd. T'ham —3F 37
Bridgwater Dri. Wclf S —1E 138 (3H 43)
Bridle Clo. Hod —1A 54
Bridle Path, The. E4 —4E 108
Bridle Rd. Croy —7D 46
(in two parts)

Bridle Wlk. S'way —9E **166**
(off Stirrup M.)
Bridleway. Bill —2M **101**
Bridle Way. Hod —2A **54**
Bridle Way. (North), Hod —1A **54** (6D **20**)
Bridle Way. (South), Hod —2A **54** (6D **20**)
Bridle Way, The. Bas —3N **133**
Bridon Clo. E Han —3B **90**
(off Ashley Grn.)
Bridport Av. Romf —1N **127**
Bridport Rd. N18 —2B **38**
Bridport Rd. Chelm —6M **61**
Bridport Way. Brain —4M **193**
Brierley Av. W Mer —2M **213**
Brierley Clo. Horn —1G **128**
Brierley Rd. E11 —6D **124**
Brighstone Ct. Purf —3M **155**
Bright Clo. Clac S —7H **187**
Brightlingsea. —7E 184 (3K 27)
Brightlingsea Museum. —7E **184** (3K **27**)
Brightlingsea Rd. Thorr —3C **184** (2J **27**)
Brightlingsea Rd. W'hoe —1H **177** (7H **17**)
Brighton Av. Sth S —6B **140**
Brighton Rd. Hol S —7C **188**
Brighton Rd. Wclf S —6L **139**
Brights Av. Rain —4F **144**
Brightside. Bill —4G **101**
Brightside. Kir X —7H **183**
Brightside Clo. Bill —4G **101**
Brightwell Av. Wclf S —4J **139**
Brigstock Rd. T Hth —7A **46**
Brimfield Rd. Purf —2A **156**
Brimsdown. —6D 30
Brimsdown Av. Bas —9K **117**
Brimsdown Av. Enf —6D **30**
Brimstone Ct. Brain —8G **193**
Brimstone Hill. Meop —7H **49**
Brimstone Ho. E15 —9E **124**
(off Victoria St.)
Brindles. Can I —1F **152**
Brindles. Horn —8J **113**
Brindles Clo. Hut —8M **99**
Brindles Clo. Linf —2J **159**
Brindley Rd. Clac S —5M **187**
Brindwood Rd. E4 —9A **92**
Bringey, The. Gt Bad —4H **75**
Brinkley Cres. Colc —6D **168**
Brinkley Gro. Rd. M End —2A **168**
Brinkley La. H'wds —2B **168**
Brinkley Pl. Colc —4N **167**
Brinkworth Clo. Hock —1E **122**
Brinkworth Rd. Ilf —7L **109**
Brinsmead Rd. Romf —6L **113**
Brisbane Ho. Til —6C **158**
Brisbane Rd. E10 —4B **124**
Brisbane Rd. Ilf —2A **126**
Brisbane Way. Colc —5A **176**
Briscoe Clo. E11 —5F **124**
Briscoe Rd. Hod —3A **54**
Briscoe Rd. Pits —8J **119**
Briscoe Rd. Rain —2G **145**
Brise Clo. Brain —7J **193**
Bristol Clo. Ray —2J **121**
Bristol Ct. Sil E —4M **207**
Bristol Hill. Shot G —1H **19**
Bristol Ho. Bark —9F **126**
(off Margaret Bondfield Av.)
Bristol Rd. E7 —8J **125**
Bristol Rd. Colc —7A **168**
Bristol Rd. Sth S —9J **123**
Bristowe Av. Chelm —4H **75**
Bristowe Dri. Ors —6F **148**
Britannia Clo. Bill —6K **101**
Britannia Ct. Bas —6L **119**
Britannia Ct. W'hoe —5H **177**
Britannia Cres. W'hoe —5H **177**
Britannia Gdns. Wclf S —6H **139**
Britannia Lodge. Wclf S —6H **139**
Britannia Rd. Ilf —5A **126**
Britannia Rd. War —2F **114**
Britannia Rd. Wclf S —6H **139**
British Legion Rd. E4 —8F **92**
Brittain Rd. Dag —5K **127**
Brittany Way. Colc —2B **176**
(in two parts)
Britten Clo. Bas —1J **133**
Britten Clo. Colc —9E **168**
Britten Cres. Chelm —2G **74**
Britton Ct. Ray —6K **121**
Brittons La. Stock —9A **88**
Brixham Clo. Clac S —4G **191**
Brixham Clo. Ray —2K **121**
Brixham Gdns. Ilf —7D **126**
Brixton. —3A 46
Brixton Hill. SW2 —4A **46**
Brixton La. Man —5K **11**
Brixton Rd. SW9 —3A **46**
Brixton Water La. SW2 —3A **46**
Broad Chrishall Green. —6H 5
Broad Clo. Hock —1D **122**
Broadclyst Av. Lgh S —1C **138**
Broadclyst Clo. Sth S —5E **140**
Broadclyst Gdns. Sth S —5E **140**
Broad Ditch Rd. Meop —5G **49**
Broadfield. H'low —2D **56**
Broadfield Clo. Romf —9D **112**
Broadfield Rd. Tak —8E **210**
Broadfields. High R —3F **23**
Broadfields. H Wych —3G **52**
Broadfields. W'hoe —2J **177**
Broadfield Way. Buck H —9J **93**
Broadgate. Wal A —3F **78**
Broad Green. —6H 5
(nr. Chrishall)
Broad Green. —7B 46
(nr. Croydon)
Broad Green. —3B 172 (7J 15)
(nr. Marks Tey)
Broad Green. —1F 210 (5K 7)
(nr. Steeple Bumpstead)
Broad Grn. Bas —8D **118**
Broad Grn. B'frd —7A **20**
Broadgreen Wood. —7A 20
Broadhope Av. Stan H —5L **149**
Broadhurst Av. Ilf —6E **126**
Broadhurst Gdns. Chig —1B **110**
(in two parts)
Broadhurst Wlk. Rain —8E **128**
Broadlands. Badg D —3J **157**
Broadlands. Ben —9F **120**
Broadlands Av. Hock —9E **106**
Broadlands Av. Ray —4K **121**
Broadlands Rd. Hock —1E **122**
Broadlands Way. Colc —6B **168**
Broad La. N15 —3B **38**
Broad La. Dart —5B **48**
Broad La. Gt Hork —7J **161**
Broadlawn. Lgh S —2B **138**
Broadley Common. —9K 55 (1G 31)
Broadley Rd. H'low —7M **55**
Broadmayne. Bas —9B **118** (3A **42**)
Broadmead Ct. Wfd G —3G **108**
Broad Meadow. Kel H —8C **84**
Broadmead Rd. Colc —6E **168**
Broadmead Rd. Wfd G —3G **108** (2F **39**)
Broadmere Clo. Hol S —6B **188**
Broad Oak. Wfd G —2H **109**
Broadoak Chase. Gt Tot —5J **25**
Broad Oak Clo. E4 —2A **108**
Broad Oakes Clo. Wim —1D **12**
Broadoak Rd. Eri —5B **154**
Broadoaks. Epp —1E **80**
Broad Oaks. W'fd —1M **119**
Broadoaks Cres. Brain —4M **193**
Broad Oaks Pk. Colc —4D **168**
Broad Oak Way. Ray —6L **121**
Broad Pde. Hock —1E **122**
Broad Rd. Brain —3J **193** (6D **14**)
(in two parts)
Broad Rd. Wick P —7G **9**
Broad Sanctuary. SW1 —1A **46**
Broad's Green. —7G 59 (5K 23)
Broadstone Rd. Horn —4E **128**
Broad St. Dag —9M **127** (5K **39**)
Broad St. Hat O —3C **22**
Broad Street Green. —1M 203 (7J 25)
Broad St. Grn. Rd. Gt Tot —9N **213** (6H **25**)
Broad St. Grn. Rd. Mal —1M **203**
Broad St. Mkt. Dag —9N **127**
Broadstrood. Lou —8N **79**
Broadstrood. St O —8M **185**
Broadview Av. Grays —9N **147**
Broadwalk. E18 —7F **108**
Broad Wlk. SE3 —2F **47**
Broad Wlk. H'low —2C **56**
Broad Wlk. Hock —1E **122**
Broadwalk. W'fd —1L **119**
Broad Wlk. N., The. Brtwd —9K **99**
Broad Wlk. S., The. Brtwd —1K **115**
Broadwater Grn. Lain —9H **117**
Broadway. E15 —9D **124** (5E **38**)
(in two parts)
Broadway. Bark —1B **142**
Broadway. Bexh —3K **47**
Broadway. Glem —1G **9**
Broadway. Grays —4M **157**
Broad Way. Hock —9E **106**
Broadway. Jay —6D **190** (5C **28**)
Broadway. Lgh S —6D **138** (5H **43**)
Broadway. Rain —4E **144** (6A **40**)
Broadway. Romf —6E **112**
Broadway. Sil E —2L **207**
Broadway. Swan —7A **48**
Broadway. Til —7B **158**
Broadway. W'fd —1C **42**
Broadway Av. H'low —8G **53**
Broadway Clo. Wfd G —3H **109**
Broadway Ct. Sil E —2L **207**
Broadway Mkt. E2 —6C **38**
Broadway N. Pits —1J **135**
Broadway Pde. E4 —3C **108**
Broadway Pde. Horn —6F **128**
(off Broadway)
Broadway, The. E4 —3D **108**
Broadway, The. N8 —3A **38**
Broadway, The. N9 —1C **38**
Broadway, The. Dag —4L **127**
Broadway, The. D'mw —6M **197** (7G **13**)
Broadway, The. Horn —6F **128** (5B **40**)
Broadway, The. Lain —8K **117**
Broadway, The. Lou —3B **94** (6H **31**)
Broadway, The. Sth S —7F **140** (5A **44**)
Broadway, The. W'fd —8L **103**
Broadway, The. Wfd G —3H **109**
Broadway W. Lgh S —6C **138** (5G **43**)
Brock Clo. Wthm —7B **214**
Brockdish Av. Bark —7E **126**
Brockenhurst Dri. Stan H —5L **149**
Brockenhurst Gdns. Ilf —7B **126**
Brockenhurst Way. Bick —9F **76**
Brocket Clo. Chig —1E **110**
Brocket Rd. Grays —1C **158**
Brocket Rd. Hod —2D **54**
Brocket Way. Chig —2D **110**
Brock Grn. S Ock —6E **146**
Brockham Clo. Clac S —7F **186**
Brockham Dri. Ilf —1A **126**
Brock Hill. —3J 103 (6B 34)
Brock Hill. Runw —2H **103** (6B **34**)
Brock Hill Dri. Runw —5K **103**
Brockles Mead. H'low —7B **56**
Brockley. —3C 46
Brockley Cres. Romf —4A **112**
Brockley Green. —2B 8
Brockley Grn. Hund —2B **8**
Brockley Gro. SE4 —3D **46**
Brockley Gro. Hut —7K **99**
Brockley Rise. SE23 —4D **46**
Brockley Rd. SE23 —3D **46**
Brockley Rd. Chelm —9M **61**
Brock Rd. Ilf —3H **39**
Brocksford Av. Ray —6M **121**
Brocks Mead. Gt Eas —6F **13**
Brocksparkwood. Brtwd —9L **99**
Brockton Clo. Romf —7D **112**
Brockway Clo. E11 —4E **124**
Brockwell La. K'dn —9C **202**
Brockwell Wlk. W'fd —1L **119**
Brodie Rd. E4 —7C **92**
Brodie Rd. Shoe —6L **141**
Brodie Wlk. W'fd —2N **119**
Brograve Clo. Chelm —7E **74**
Broken Green. —7F 11
Broman's La. E Mer —4J **27**
Bromefield Ct. Wal A —3G **78**
Bromfelde Rd. Cray H —2D **118**
Bromfield. Saf W —5M **205**
Bromfield Rd. Chelm —8J **61**
Bromfords Clo. W'fd —2J **119**
Bromfords Dri. W'fd —2J **119**
Bromhall Rd. Dag —8G **126**
Bromley. —6D 38
(nr. Bow)
Bromley. —6E 46
(nr. Chislehurst)
Bromley. Grays —4J **157**
Bromley Common. —7G 47
Bromley Comn. Brom —6F **47**
Bromley Cross. —3A 170 (5J 17)
Bromley Hill. Brom —5E **46**
Bromley La. Chst —5H **47**
Bromley La. Newp —7D **204**
Bromley M. Ray —4G **120**
Bromley Museum. —7J **47**
Bromley Rd. E10 —1B **124**
Bromley Rd. E17 —7A **108**
Bromley Rd. SE6 & Brom —4D **46**
Bromley Rd. A'lgh —4K **169**
Bromley Rd. Beck & Brom —6D **46**
Bromley Rd. Chst —6G **47**
Bromley Rd. Colc —6E **168** (5G **17**)
Bromley Rd. Elms —1N **177** (6J **17**)
Bromley Rd. Frat —3F **178** (7K **17**)
Bromley Rd. Law —6F **164** (3K **17**)
Brompton Clo. Bill —3J **101**
Brompton Dri. Eri —5F **154**
Brompton Gdns. Mal —8H **203**
Bronte Clo. E7 —6G **125**
Bronte Clo. Brain —8J **193**
Bronte Clo. Ilf —8N **109**
Bronte Clo. Til —7E **158**
Bronte Gro. Dart —9K **155**
Bronte M. Sth S —4N **139**
Bronte Rd. Wthm —2C **214**
Bronze Age Way. Eri —9N 143 (1A **48**)
Brook Av. Dag —9N **127**
Brook Clo. Brain —6E **192**
Brook Clo. Gt Tot —9M **213**
Brook Clo. R'fd —7M **123**
Brook Clo. Romf —5D **112**
Brook Clo. Tip —8F **212**
Brook Clo. Wdhm W —1F **35**
Brook Cotts. Stans —4D **208**
Brook Ct. E11 —5E **124**
Brook Cres. E4 —1A **108**
Brookdale Av. Upm —5L **129**
Brookdale Clo. Upm —5M **129**
Brookdale Rd. E17 —7A **108**
Brook Dri. Fob —5D **134**
Brook Dri. W'fd —2K **119**
Brooke Av. Saf W —3L **205**
Brook End. —4B 10
(nr. Buntingford)
Brookend. —7J 13
(nr. Great Dunmow)
Brook End. Saw —2J **53**
Brook End. Stpl M —4A **4**
Brook End Rd. Chelm —7B **62** (1B **34**)
Brooke Rd. E17 —8C **108**
Brooke Rd. Grays —3K **157**
Brooker Rd. Wal A —4C **78**
Brooke Sq. Mal —7K **203**
Brook Farm Cvn. Pk. Clac S —6H **187**
Brook Farm Clo. H'std —5N **199**
Brookfield. Thorn —4H **67**
Brookfield Av. E17 —8C **108**
Brookfield Clo. Hut —5M **99**
Brookfield La. W. Chesh —3C **30**
Brookfield Path. E4 —3E **108**
Brookfield Path. Wfd G —3E **108**
Brookfield Rd. Wee H —2G **186**
Brookfields. Lgh S —1C **138**
Brookfields. Ong —5K **69**
Brookfields. Saw —2J **53**
Brookfields. Steb —6H **13**
Brookfields Clo. Lgh S —1C **138**
Brook Gdns. E4 —1B **108**
Brook Hall Rd. Fing —8H **177** (1G **27**)
Brookhampton St. I'tn —3K **5**
Brook Hill. L Walt —6K **59** (5A **24**)
Brook Hill. N End —2J **23**
Brookhouse Gdns. E4 —1E **108**
Brookhouse Rd. Gt Tey —2D **172** (6K **15**)
Brookhurst Clo. Chelm —8M **61**
Brooking Rd. E7 —7G **125**
Brookland. Tip —7C **212**
Brooklands. Colc —9A **168**
Brooklands. Jay —6B **190** (5C **28**)
Brooklands. W'fd —9J **103**
Brooklands App. Romf —8B **112**
Brooklands Av. Lgh S —9D **122**
Brooklands Clo. Romf —8B **112**
Brooklands Gdns. Horn —1G **129**
Brooklands Gdns. Jay —6C **190**
Brooklands La. Romf —8B **112**
Brooklands Pk. Lain —9H **117**
Brooklands Rd. Bran —1H **165**
Brooklands Rd. Romf —8B **112**
Brooklands Sq. Can I —2E **152**
Brooklands Wlk. Chelm —2B **74**
Brook La. Chelm —9C **62**
Brook La. Dodd —7F **84**
Brook La. Felix —1K **19**
Brook La. Gall —7E **74** (3A **34**)
Brook La. Saw —2J **53**
Brooklane Field. H'low —6G **56**
Brook Lodge. Colc —9K **167**
Brook Lodge. Romf —8B **112**
(off Brooklands Rd.)
Brooklyn Av. Lou —3L **93**
Brooklyn Ct. Har —4L **201**
Brooklyn Dri. Ray —2K **121**
Brooklyn Rd. Har —4L **201**
Brookman's Av. Grays —8N **147**
Brookmans Clo. Upm —2B **130**
Brookmans Rd. Stock —7M **87**
Brook Mead. Bas —8K **117**
Brook Mead. Gt Walt —4G **59**
Brook Meadow. Sib H —6B **206**
Brook Meadow Clo. Wfd G —3E **108**
Brook Meadows. Tip —7C **212**
Brookmeadow Way. Wal A —9H **65**
Brookmill Rd. SE8 —2D **46**
Brook Pde. Chig —9A **94**
Brook Path. Lou —3L **93**
Brook Pl. H'std —5K **199**
Brook Rise. Chig —9N **93**
Brook Rd. Aldh —1K **173** (6A **16**)
Brook Rd. Bass —4B **4**
Brook Rd. Ben —5C **136**
Brook Rd. Brtwd —9C **98**
Brook Rd. Buck H —8G **92** (1E **38**)
Brook Rd. Epp —3F **80** (4J **31**)
Brook Rd. Gt Tey —2E **172** (6K **15**)
Brook Rd. Ilf —1D **126** (3H **39**)
Brook Rd. Lou —3L **93**
Brook Rd. New & Thri —1G **5**
Brook Rd. Ray —7J **121**
Brook Rd. Romf —6D **112**
Brook Rd. Saw —3J **53**
Brook Rd. Stans —3D **208**
Brook Rd. T'ham —2E **36**
Brook Rd. Tip & Tol K —8F **212** (4A **26**)
Brook Rd. Ind. Est. Ray —7K **121**
Brooksby's Wlk. E9 —5C **38**
Brooks Ct. E15 —7B **124**
(off Clays La.)
Brookscroft. E17 —7B **108**
(off Forest Rd.)
Brookscroft Rd. E17 —5B **108**
(in two parts)
Brooks Ho. Brtwd —7F **98**
Brookside. Bill —2L **101**
Brookside. Can I —9G **137**
Brookside. H'low —6M **55**
Brookside. Hock —3E **122**
Brookside. Hod —5A **54**
Brookside. Horn —9J **113**
Brookside. Ilf —3B **110**
Brookside. Wal A —2E **78**
Brookside. W'fd —6N **103**
Brookside Av. Gt W —4N **141**
Brookside Clo. Bill —2L **101**
Brookside Clo. Colc —2B **176**
Brookside Ind. Est. Wclf S —4J **139**
Brook Street. —1B 114 (1D 40)
Brook St. Belv & Eri —5A **154** (1K **47**)
Brook St. Brtwd —2A **114** (1D **40**)
Brook St. Chelm —8K **61**
Brook St. Colc —8B **168** (6F **17**)
Brook St. Coln E —3H **15**
Brook St. Ded —1M **163** (2H **17**)
Brook St. Glem —1G **9**
Brook St. Gt Bar —3J **13**
Brook St. Gt Bro —6D **170** (5K **17**)
Brook St. L Dun —1H **23**
Brook St. Mann —4J **165** (3A **18**)
Brook St. W'hoe —6H **177**
Brook Ter. Sib H —6C **206**
Brookvale. St O —9M **185** (4B **28**)
Brook View. S'don —4K **75**
Brook View. Thax —2K **211**
Brook Wlk. Wclf S —4F **138**
Brook Wlk. Wthm —7C **214**
(in two parts)
Brook Way. Chig —9N **93**
Brook Way. Rain —5F **144**
Broome Clo. Bill —3M **101**
Broome Gro. W'hoe —4H **177**
Broome Pl. Ave —8A **146**
Broome Rd. Bill —3M **101**
Broome Way. Jay —6D **190**
Broom Farm Rd. Else —7C **196**
Broomfield. —3K 61 (6A 24)
Broomfield. Ben —2K **137**
Broomfield. H'low —9G **52**
Broomfield. Sil E —2K **207**
Broomfield Av. N13 —1A **38**
Broomfield Av. Lgh S —1E **138**
Broomfield Av. Lou —5M **93**
Broomfield Av. Ray —4G **120**
Broomfield Clo. Romf —4B **112**
Broomfield Cres. W'hoe —4H **177**
Broomfield Grn. Can I —9F **136**
Broomfield La. N13 —1A **38**
Broomfield Rd. Chelm —7J **61** (1A **34**)
Broomfield Rd. Romf —2J **127**
Broomfields. Bas —9H **119**
Broomfields. Hat H —2C **202**
Broomfields Ct. Bas —9H **119**
Broomfields M. Bas —9H **119**
Broomfields Pl. Bas —9H **119**
Broomhall Clo. Chelm —1K **61**
Broomhall Rd. Chelm —1J **61**
Broomhill Ct. Wfd G —3G **108**
Broomhill Rd. Ilf —4F **126**
Broomhill Rd. Wfd G —3G **108** (2F **39**)
(in two parts)
Broomhills. —2J 41
Broomhills Chase. L Bur —2H **117**
Broomhills Ind. Est. Brain —6E **192**
Broomhills Rd. W Mer —3L **213** (5F **27**)
Broomhill Wlk. Wfd G —4F **108**
Broom Rd. Hull —6L **105**
Broomstick Hall Rd. Wal A —3E **78** (4E **30**)
Broom Way. Abb —9B **176**
Broomways. Gt W —3N **141**
Broomwood Gdns. Pil H —5D **98**
Broomwood La. Stock & Rams H —9B **88** (6A **34**)
Broseley Gdns. Romf —1J **113**
Broseley Rd. Romf —1J **113**
Broton Dri. H'std —4K **199**
(in two parts)
Brougham Clo. Gt W —2L **141**
Brougham Glades. S'way —1E **174**
Broughton Clo. Colc —2K **175**
Broughton Rd. Ben —4M **137**
Broughton Rd. S Fer —2L **105**
Browne Clo. Brtwd —7E **98**
Browne Clo. Romf —2N **111**
Brownhill Rd. SE6 —4E **46**
Browning Av. Sth S —4M **139**
Browning Clo. Colc —9G **166**
Browning Clo. Col R —4L **111**
Browning Rd. E11 —2F **124**
Browning Rd. E12 —7M **125** (5G **39**)
Browning Rd. Brain —8J **193**
Browning Rd. Dart —9K **155**
Browning Rd. Enf —5B **30**
Browning Rd. Mal —8K **203**
Brownings Av. Chelm —6H **61**
Browning Wlk. Til —7E **158**
Brownlea Gdns. Ilf —4F **126**
Brownlow Bend. Bas —9E **118**
Brownlow Cross. Bas —9E **118**
Brownlow Grn. Bas —9E **118**
Brownlow Rd. E7 —6G **125**
Brownlow Rd. N11 —2A **38**
Brownlows Clo. Lea R —5E **22**
Browns Av. Runw —6N **103**
Brownsea Way. Colc —2H **175**
Brown's End Rd. Broxt —6D **12**
Browns Rd. E17 —7A **108**
Brownswood Rd. N4 —4A **38**
Broxbourne. —1D 30
Broxbourne Av. E18 —8H **109**
Broxbourne Rd. E7 —5G **124**
Broxburn Dri. S Ock —7D **146**
Broxburn Pde. S Ock —7E **146**
Broxhill Cen. Romf —1G **112**
Broxhill Rd. Hav —9C **96** (1A **40**)
Broxted. —5D 12
Broxted Dri. W'fd —1M **119**
Broxted Hill. —6E 12
Broxted M. Brtwd —5M **99**
Broxted Rd. Gt Eas —6E **12**
Bruce Av. Horn —4G **129**
Bruce Gro. N17 —2B **38**
Bruce Gro. Chelm —3B **74**
Bruce Gro. W'fd —1A **120**
Bruce Rd. Writ —1K **73**
Bruces Wharf Rd. Grays —4K **157**
Bruff Clo. Colc —5M **167**
Bruff Dri. W on N —7K **183**
Bruges Rd. Can I —3J **153**
Brummel Clo. Bexh —8A **154**
Brundells Rd. Gt Bro —1F **178**
Brundish. Bas —1H **135**
Brundon La. Sud —5J **9**
Brunel Clo. Til —8D **158**
Brunel Ct. H'wds —2C **168**
Brunel Ct. Ind. Est. H'wds —2C **168**
Brunel Rd. SE16 —1C **46**
Brunel Rd. Ben —8D **120**
Brunel Rd. Brain —7J **193**
Brunel Rd. Clac S —5M **187**
Brunel Rd. Lgh S —8B **122**
Brunel Rd. Wfd G —2M **109**
Brunel Way. Colc —1C **168**
Brunel Way. S Fer —1J **105**
Brunswick Av. Upm —2B **130**
Brunswick Ct. Hod —6A **54**
(off Rawdon Dri.)
Brunswick Ct. Upm —2B **130**
Brunswick Gdns. Ilf —4B **110**
Brunswick Ho. Cut. Mis —5M **165**
Brunswick Rd. E10 —3C **124**
Brunswick Rd. Sth S —6B **140**
Brunswick St. E17 —9C **108**
Brunwin Rd. Rayne —6B **192**
Brunwins Clo. W'fd —8N **103**
Brussum Rd. Can I —3K **153**

Brust Rd. Can I —3K 153
Bruton Av. Wclf S —1F 138
Bruton St. W1 —7A 38
Bryanstone M. Colc —1F 174
Bryanston Rd. Til —7E 158
Bryant Av. Romf —5H 113 (2B 40)
Bryant Av. Sth S —8C 140
Bryant Row. Noak H —8G 97
Bryant's La. Wdhm M —3K 77 (2F 35)
Bryant St. E15 —9D 124
Bryce Rd. Dag —6H 127
Brydges Rd. E15 —7D 124
Bryn Farm Clo. Bas —7D 118
Bryony Clo. Lou —3A 94
Bryony Clo. Wthm —3A 214
Buchanan Clo. Ave —8N 145
Buchanan Gdns. W'fd —2M 119
Buchanan Way. Latch —4K 35
Buchan Clo. Brain —8J 193
Buckbean Path. Romf —4G 113
Buckenhoe Rd. Saf W —2L 205
Buckeridge Way. Brad S —1F 37
Buckerills. Bas —1H 135
Buckfast Av. Kir X —8G 182
Buckhatch La. Ret C —7C 90 (5D 34)
Buck Hill. Bla N —1C 24
Buck Hill. Brain —2F 198
Buckhurst Ct. Buck H —8K 93
(off Albert Rd.)
Buckhurst Hill. —8K 93 (1F 39)
Buckhurst Hill Ho. Buck H —8H 93
Buckhurst Way. Buck H —1K 109 (1F 39)
Buckingham Clo. Horn —1H 129
Buckingham Ct. D'mw —9M 197
Buckingham Ct. Spri —7A 62
Buckingham Dri. Colc —8E 168
Buckingham Hill Rd. Stan H —5J 149 (6D 42)
Buckingham Pal. Rd. SW1 —1A 46
Buckingham Rd. E10 —5B 124
Buckingham Rd. E11 —9J 109
Buckingham Rd. E15 —7F 124
Buckingham Rd. E18 —5F 108
Buckingham Rd. N22 —2A 38
Buckingham Rd. Hock —1C 122
Buckingham Rd. Ilf —4C 126
Buckingham Rd. Lain —7N 117
Buckingham Sq. W'fd —2A 120
Buckinham Hill Rd. Stan H —7H 149
Buckland. —2C 10
Buckland. Shoe —5G 141
Buckland Ga. S Fer —2J 105
Buckland Rd. E10 —4C 124
Buckland Rd. Ludd —7J 49
Bucklebury Heath. S Fer —2K 105
Bucklers Ct. War —2F 114
Buckles La. S Ock —5F 146
Buckley Clo. Corr —9A 134
Buckley Clo. Dart —7D 154
Buckleys. Chelm —3G 74
Buckleys Clo. W Bis —7K 213
Buckley's La. Cogg —6J 15
Bucknells Mead. Hghwd —6C 72
Buckrell Rd. E4 —8D 92
Bucks All. L Ber —1A 30
Buck Wlk. E17 —8D 108
Buckwins Sq. Burnt M —6L 119
Buckwoods Rd. Brain —7H 193
Buckwyns. Bill —2G 100
Buckwyns Chase. Bill —2H 101
Buckwyns Ct. Bill —4H 101
Buddleia Ct. W'hoe —4G 177
Budna Rd. Can I —9F 136
Budoch Ct. Ilf —4F 126
Budoch Dri. Ilf —4F 126
Buffett Way. Colc —9E 168
Buglers Rise. Chelm —2K 73
Bugsby's Way. SE10 & SE7 —1E 46
Buick Av. Jay —6B 190
Building End. —7G 5
Building End Rd. Chris —7G 5
Bulbecks Wlk. S Fer —3K 105
Bulford Clo. Cres —3D 194
Bulford La. Bla N —3C 194 (1D 24)
Bulford Mill La. Bla N —3C 194 (1D 24)
Bullace Clo. Colc —4D 168
Bullbanks Rd. Belv —2A 154
Bull Clo. Grays —9J 147
Bull Clo. Van —1F 134
Bullen Wlk. Chelm —7D 74
Buller Rd. Bark —9D 126
Buller Rd. Bas —8K 117
Buller Rd. N Fam —5H 35
Bull Farm Cotts. Bas —1L 135
Bullfields. Newp —8D 204
Bullfinch Clo. Colc —7F 168
Bull Hill Rd. Clac S —8K 187
Bull La. N18 —1B 38
Bull La. Dag —5N 127
Bull La. Hock —1B 122
Bull La. Lang U —1G 11
Bull La. L Mel —3J 9
Bull La. Mal —5K 203
Bull La. Ray —5K 121 (2F 43)
Bull La. Tip —7C 212
Bullock's La. Hert —6B 20
Bullocks La. Tak —1D 22
Bullock Wood Clo. Colc —3D 168
Bullring, The. Thax —2J 211
Bulls Cross. —5C 30
Bull's Cross. Enf —5C 30
Bulls Cross Ride. Wal X —5C 30
Bullsmoor. —5C 30
Bullsmoor La. Enf —5C 30
Bullwood App. Hock —2A 122
Bullwood Hall La. Hock —2N 121
Bullwood Rd. Hock —2C 122
Bulmer. —5H 9
Bulmer Rd. Sud —5J 9
Bulmer St. Bulm —6G 9
Bulmer Tye. —6H 9
Bulmer Wlk. Rain —2G 144
Bulow Av. Can I —2H 153
Bulphan. —6B 132 (5G 41)
Bulphan By-Pass. W H'dn & Bulp —3B 132 (4G 41)
Bulphan Clo. W'fd —1M 119
Bulphan View. Dun —1G 132
Bulwark Rd. Shoe —6J 141
Bulwer Ct. E11 —3D 124
Bulwer Ct. Rd. E11 —3D 124
Bulwer Rd. E11 —2D 124
Bumble's Green. —4H 65 (2F 31)
Bumbles Grn. La. Naze —4H 65
Bumfords La. Ult —7E 24
Bumpstead Rd. H'hll —4J 7
Bunce's La. Wfd G —4F 108
Bundick's Hill. Chelm —8H 61
Bungalows, The. E10 —1C 124
Bungalows, The. Ilf —5D 110
Bung Ct. Colc —5A 176
Bung Row. Gt Br —4H 25
Bunhill Row. EC1 —6B 38
Bunkers Hill. Sidc —4K 47
Bunters Av. Shoe —8G 140
Buntingbridge Rd. Ilf —9C 110
Bunting Clo. Chelm —5C 74
Buntingford. —4D 10
Buntingford Ct. Colc —5A 176
Buntingford Rd. Puck —7E 10
Bunting La. Bill —7L 101
Bunting's Green. —3H 15
Bunyan Rd. Brain —5G 193
(in two parts)
Burchell Rd. E10 —3B 124
Burches. Bas —6N 117
Burches Mead. Ben —8G 120
Burches Rd. Ben —6E 120
Burchett Way. Romf —1L 127
Burchwall Clo. Romf —4A 112
Burden Way. E11 —4H 125
Burdett Av. Wclf S —6K 139
Burdett Rd. E3 & E14 —6D 38
Burdett Rd. Sth S —8A 140
Burdetts Rd. Dag —1L 143
Burdun Clo. Wthm —7A 214
Bure. E Til —1L 159
Bure Dri. Wthm —5A 214
Buren Av. Can I —2L 153
Bures. —8D 194 (1A 16)
Bures Green. —1A 16
Bures Rd. Bures & Nay —2B 16
Bures Rd. Lmsh —1K 15
Bures Rd. Sud —5K 9
Bures Rd. Wak C —3K 15
Bures Rd. W Ber —8D 160 (4C 16)
Burfield Clo. Lgh S —9E 122
Burfield Rd. Lgh S —9E 122
Burford Clo. Dag —5H 127
Burford Clo. Ilf —8B 110
Burford Gdns. Hod —4B 54
Burford M. Hod —4A 54
Burford Pl. Hod —4A 54
Burford St. Hod —5A 54 (7D 20)
Burgate Clo. Clac S —9E 186
Burgate Clo. Dart —8D 154
Burge Rd. E7 —6K 125
Burges Clo. Horn —1K 129
Burges Clo. Sth S —8G 140
Burges Rd. E6 —9L 125
Burges Rd. Sth S —8E 140
Burgess Av. Stan H —4N 149
Burgess Ct. E6 —9N 125
Burgess Ct. Brtwd —7G 98
Burgess Field. Chelm —7A 62
Burgess Rd. E15 —6E 124
Burges Ter. Sth S —8D 140
Burghley Clo. Bla N —2B 198
Burghley Rd. E11 —3E 124
Burghley Rd. Chaf H —1F 156
Burghstead Clo. Bill —7J 101
Burghstead Ct. Bill —7J 101
(off Burghstead Clo.)
Burgoyne Hatch. H'low —2F 56
Burgundy Gdns. Bas —7J 119
Burland Rd. Brtwd —7G 98
Burland Rd. Romf —3A 112
Burleigh Clo. Bill —3K 101
Burleigh Mans. Wclf S —6H 139
(off Station Rd.)
Burleigh Rd. Enf —6B 30
Burleigh Sq. Sth S —6F 140
Burlescoombe Clo. Sth S —6E 140
Burlescoombe Leas. Sth S —5F 140
Burlescoombe Rd. Sth S —5E 140
Burley Clo. E4 —2A 108
Burley Hill. H'low —4J 57
Burlington Av. Romf —1N 127
Burlington Ct. Bas —7J 119
Burlington Gdns. Ben —3M 137
Burlington Gdns. Hull —7M 105
Burlington Gdns. Romf —2K 127
Burlington Pl. Wfd G —9H 93
Burlington Rd. Colc —9M 167
Burmanny Clo. Clac S —1G 191
Burnaby Rd. Sth S —7A 140
Burne Av. W'fd —1H 119
Burnells Way. Stans —2D 208
Burnell Wlk. Gt War —3F 114
Burnett Pk. H'low —8A 56
Burnett Rd. Eri —4H 155
Burney Dri. Lou —1A 94
(in two parts)
Burnham Av. Cold N —4H 35
Burnham Bus. Pk. Bur C —2K 195
Burnham Clo. W on N —7L 183
Burnham Cres. E11 —8J 109
Burnham Cres. Dart —9G 155
Burnham-on-Crouch. —3M 195 (6C 36)
Burnham-on-Crouch & District Museums. —4L 195 (7C 36)
Burnham Rd. Alth —5A 36
Burnham Rd. Chelm —6M 61
Burnham Rd. Dag —9G 126
Burnham Rd. Dart —9G 155 (3B 48)
Burnham Rd. Hull —6L 105
Burnham Rd. Latch —4K 35
Burnham Rd. Lgh S —4B 138
Burnham Rd. Mun —4J 35
Burnham Rd. Romf —7B 112
Burnham Rd. S'min —9J 207 (5C 36)
Burnham Rd. S Fer —9H 91 (5E 34)
Burnham Rd. Wdhm M —4K 77 (2F 35)
Burnham Trad. Est. Dart —9H 155
Burnhouse La. Ing —5G 33
Burnley Rd. Grays —6C 156
Burnsall Clo. Saf W —5M 205
Burns Av. Bas —1J 135
Burns Av. Chad H —2H 127
Burns Av. Colc —9G 166
Burns Clo. Eri —6D 154
Burns Clo. Mal —7K 203
Burns Cres. Chelm —2C 74
Burn's Green. —7A 10
Burns Grn. Gt Tot —8M 213
Burnside. Can I —9G 137
Burnside. Saw —2J 53
Burnside Av. E4 —3A 108
Burnside Cres. Chelm —4K 61
Burnside Rd. Dag —4H 127
Burnside Ter. H'low —9L 53
Burns Pl. Til —6D 158
Burnstie Rd. Fels —1K 23
Burns Way. Hut —6N 99
Burnt Ash Hill. SE12 —3E 46
(in two parts)
Burnt Ash La. Brom —5F 47
Burnt Ash Rd. SE12 —3E 46
Burnt Dick Hill. Boxt —1K 161 (2E 16)
Burnt Heath. —3A 170 (5J 17)
Burnthouse La. Ing —8B 86
Burnthouse Rd. Gt Tey —5J 15
Burnt Mill. H'low —1B 56
Burnt Mill Ind. Est. H'low —9B 52
Burntmill La. H'low —6H 21
Burnt Mills. —5K 119 (2B 42)
Burnt Mills Rd. Bas & N Ben —7H 119 (2B 42)
Burntwood. Brtwd —9F 98
Burntwood Av. Horn —1H 129
Burntwood Clo. Bill —6H 101
Burntwood Clo. W H'dn —1N 131
Burnway. Horn —2J 129
Burrage Rd. SE18 —1G 47
Burr Clo. Lang H —1G 133
Burr Clo. R'sy —6E 200
Burrell Towers. E10 —2A 124
Burr Hill Chase. Sth S —3K 139
Burrow Clo. Chig —2E 110
Burrow Grn. Chig —2E 110
Burrow Rd. Chig —2E 110
Burrows Clo. Clac S —7H 187
Burrows Clo. Law —4G 165
Burrow's Rd. E Col —2C 196
Burrows Way. Ray —6J 121
Burrs Rd. Clac S —8K 187 (3E 28)
Burrsville Park. —7K 187 (3E 28)
Burr's Way. Corr —1C 150
Burrswood Pl. Hey B —8N 203
Burses Way. Hut —6L 99
Burslem Av. Ilf —3F 110
Burstall Clo. Clac S —9F 186
Burstead Dri. Bill —9M 101
Burton Clo. Corr —9A 134
Burton End. —5H 209 (7B 12)
Burton End. H'hll —3H 7
Burton End. W W'ck —1G 7
Burton Grn. Wthfld —1H 7
Burton Pl. Chelm —7A 62
Burton Rd. E18 —7H 109
Burton Rd. Lou —3B 94
Burtons Ct. E15 —9D 124
Burton's Green. —5G 15
Burton's Grn. Rd. G'std G —5G 15
Burtons Mill. Saw —1L 53
(in two parts)
Burwell Av. Can I —9F 136
Burwood Ct. Chelm —1D 74
Burwood Gdns. Rain —3D 144
Bury Clo. Colc —7A 168
Bury Clo. M Tey —2H 173
Bury Farm Centre. —7C 66 (3H 31)
Bury Farm La. Cray H —4E 118
Bury Fields. Fels —1J 23
Bury Green. —1H 21
Bury Grn. Rd. Chesh —3C 30
Bury La. Elm —6J 5
Bury La. Epp —7C 66 (3H 31)
Bury La. Gt Walt —4F 58 (5K 23)
Bury La. Hat P —2K 63
(in two parts)
Bury La. Mel —6H 5
Bury Lodge La. Stans —5F 208 (7B 12)
Bury Rd. E4 —3D 92 (6E 30)
Bury Rd. Alp —1K 9
Bury Rd. Dag —7N 127
Bury Rd. Epp —1D 80
Bury Rd. H'low —8H 53
Bury Rd. Ples —3A 58 (4H 23)
Bury Rd. Thurl —1K 7
Bury St. N9 —7B 30
Bury, The. St O —9M 185 (4B 28)
Bury Water La. Newp —7B 204 (1A 12)
Burywoods. Colc —5J 167
Bush Clo. Ilf —9C 110
Bushell Way. Kir X —8H 183
Bush Elms Rd. Horn —2E 128
Bush End. —2C 22
Bushey Av. E18 —7F 108
Bushey Clo. E4 —9C 92
Bushey Clo. S Fer —1L 105
Bushey Croft. H'low —5D 56
Bushey Lea. Ong —8L 69
Bush Fair. H'low —5E 56
Bushfields. Lou —4N 93
Bushgrove Rd. Dag —6J 127
Bush Hall Rd. Bill —3K 101
Bush Hill. N21 —7B 30
Bush Hill Park. —7B 30
Bush Hill Rd. N21 —7B 30
Bush Rd. E11 —2F 124 (4E 38)
Bush Rd. SE16 —1C 46
Bush Rd. Buck H —1K 109
Bush Rd. Cux —7K 49
Bush Rd. L Sam —1G 13
Bushway. Dag —6J 127
Bushwood. E11 —2F 124
Bushy Mead. Bas —7K 117
Business Cen., The. Romf —4H 113
Bustard Green. —4H 13
Butcher Row. E1 —7C 38
Butcher Row. Saf W —4K 205
Butchers Hill. I'tn —1H 197 (4K 5)
Butchers La. New Ash —7E 48
Butchers La. W on N —7L 183
Butchers Pasture. L Eas —6F 13
Bute Rd. Ilf —9A 110
Butler Clo. Saf W —4L 205
Butler Rd. Dag —6G 126
Butler Rd. H'std —4J 199
Butlers Clo. Chelm —1K 61
Butlers Dri. E4 —8C 78
Butlers Gro. Bas —3K 133
Butlers La. Saf W —5D 6
Butlers La. Wrab —3D 18
Butlers Way. Gt Yel —8D 198
Butler Wlk. Grays —2N 157
Butneys. Bas —8C 118
Butterbur Chase. S Fer —2J 105
Buttercross La. Epp —9F 66
Buttercup Clo. Bill —4J 101
Buttercup Wlk. Wthm —3B 214
Buttercup Way. S'min —8K 207
Butterfield Rd. Bore —3F 62
Butterfields. E17 —9C 108
Butterridges Clo. Dag —1L 143
Buttermere. Brain —1C 198
Buttersweet Rise. Saw —3K 53
Butterworth Gdns. Wfd G —2G 109
Butterys. Sth S —6C 140
Buttfield Clo. Dag —8N 127
Butt La. Mal —6K 203
Butt La. Man —5J 11
Buttleys La. D'mw —1F 23
Buttondene Cres. Brox —1B 64
Button Rd. Grays —2J 157
Button's Hill. Alth —5A 36
Button St. Swan —6B 48
Butt Rd. Colc —1L 175 (6E 16)
Butt Rd. Stoke N —1E 16
Buttsbury. Ing —6H 33
Buttsbury Rd. Ilf —7B 126
(in two parts)
Butt's Green. —7N 75 (3C 34)
Butts Grn. Clav —2H 11
Butts Grn. Rd. Horn —1H 129 (3B 40)
Butts Grn. Rd. S'don —6N 75 (3C 34)
Butts La. Dan —3E 76
Butts La. L War —6J 115
Butts La. Stan H —4K 149 (7K 41)
Butts Paddock. Cwdn —1M 107
Butts Rd. Shoe —5N 141
Butts Rd. Stan H —4L 149
Butts Way. Chelm —7N 73
Buxey Clo. W Mer —2J 213
Buxton Av. Lgh S —3N 137
Buxton Clo. Lgh S —3N 137
Buxton Clo. Wfd G —3K 109
Buxton Dri. E11 —8E 108
Buxton Ho. E11 —8E 108
Buxton Link. Lain —9G 117 (3J 41)
Buxton Rd. E4 —6D 92
Buxton Rd. E15 —7E 124
Buxton Rd. Cogg —8K 195
Buxton Rd. Colc —3A 176
Buxton Rd. Eri —5B 154
Buxton Rd. Grays —9A 148
Buxton Rd. Ilf —1D 126
Buxton Rd. They B —6D 80
Buxton Rd. Wal A —2G 79
Buxton Sq. Lgh S —3N 137
Buyl Av. Can I —9H 137
Buzzard Creek Ind. Est. Bark —5F 142
Byfield. Lgh S —8E 122
Byfield Ct. W Horn —1M 131
Byfletts. Bas —2G 134
Byford Clo. E15 —9E 124
Byford Clo. Ray —4L 121
Bylam La. Chel —1E 18
Byng Clo. T Sok —5M 181
Byng Cres. T Sok —5M 181
Byng Gdns. Brain —4L 193
Bynghams. H'low —5M 55
By-Pass Rd. Horn H —3J 149
By-Pass Rd. St O —8M 185 (3B 28)
Byrd Ct. Bas —7L 117
Byrd Mead. Ston M —3D 84
Byrd's Farm La. Saf W —2L 205
(in two parts)
Byrd Way. Stan H —2L 149
Byrne Dri. Sth S —1K 139
By Rd. Hund —1B 8
Byron Av. E12 —8L 125
Byron Av. E18 —7F 108
Byron Av. Colc —9G 166
Byron Av. Sth S —4N 139
Byron Clo. SE28 —8H 143
Byron Clo. Brain —8J 193
Byron Clo. Can I —2J 153
Byron Ct. E11 —8H 109
(off Makepeace Rd.)
Byron Ct. Bas —8K 117
Byron Dri. W Bis —7K 213
Byron Gdns. Til —6E 158
Byron Mans. Upm —5N 129
Byron Rd. E10 —3B 124
Byron Rd. E17 —7A 108
Byron Rd. Chelm —9M 61
Byron Rd. Dart —9M 155
Byron Rd. Hut —6N 99
Byron Way. Romf —5G 112
Bysouth Clo. Ilf —5A 110
Bywater Rd. S Fer —2J 105
Byway. E11 —9J 109

Cabbage Hall La. Colc —6B 176
Cabborns Cres. Stan H —5M 149
Cabinet Way. Lgh S —9B 122
Cables Clo. Belv —1A 154
Cable St. E1 —7C 38
Cadenhouse M. Colc —8F 166
Cadiz Rd. Dag —9A 128
Cadogan Av. W H'dn —1N 131
Cadogan Gdns. E18 —7H 109
Cadogan Ter. E9 —5D 38
Cadogan Ter. Bas —8K 119
Caernarvon Clo. Hock —1C 122
Caernarvon Clo. Horn —3L 129
Caernarvon Dri. Ilf —5N 109
Cage End. Hat O —3C 22
Cage End Clo. Hat O —3C 22
Cagefield Rd. Stam —2A 44
Cage La. Boxt —3B 162 (2F 17)
Cairns Av. Wfd G —3L 109
Cairns Rd. Colc —4A 176
Cairo Rd. E17 —8A 108
Caister Dri. Pits —9J 119
Caladonia La. W'fd —2M 119
Calamint Rd. Wthm —4A 214
Calbourne Av. Horn —7F 128
Calcott Clo. Brtwd —7E 98
Calcutta Rd. Til —7B 158 (2G 49)
Caldbeck. Wal A —4D 78
Caldbeck Way. Brain —2C 198
Calder. E Til —2L 159
Calderon Rd. E11 —6C 124
Caldwell Rd. Stan H —4K 149
Caledonian Clo. Ilf —3G 127
Caledonian Rd. N1 & N7 —6A 38
Caledon Rd. E6 —9M 125
Calford Green. —3A 8
California Clo. Colc —3B 168
California Rd. Mis —4M 165
Callan Gro. S Ock —7E 146
Callenders Cotts. Belv —9B 144
Callis St. Clare —3D 8
Calmont Rd. Brom —5E 46
Calmore Clo. Horn —7G 129
Calm Patch. Bur C —4M 195
Calne Av. Ilf —5A 110
Calshot Av. Chaf H —9J 147
Calthorpe St. WC1 —6A 38
Calton Av. SE21 —3B 46
Calverley Cres. Dag —4M 127
Calvert Dri. Bas —6K 119
Calves La. L Bro —2G 171
Camberton Rd. Brain —2G 193
Camberwell. —2B 46
Camberwell Chu. St. SE5 —2B 46
Camberwell Green. (Junct.) —2B 46
Camberwell Grn. SE5 —2B 46
Camberwell New Rd. SW9 —2A 46
Camberwell Rd. SE5 —2B 46
Cambeys Rd. Dag —7N 127
Camborne Av. Romf —4J 113
Camborne Clo. Chelm —7N 61
Camborne Way. Romf —4J 113
Cambrai Rd. Colc —2L 175
Cambria Clo. Can I —2C 152
Cambria Clo. Mis —5N 165
Cambria Ho. Eri —5C 154
(off Larner Rd.)
Cambrian Av. Ilf —9D 110
Cambrian Rd. E10 —2A 124
Cambridge Av. Romf —7G 113
Cambridge Av. Sib H —7C 206
Cambridge Clo. Lang H —1H 133
Cambridge Ct. Clac S —9J 187
Cambridge Ct. Sth S —7L 139
Cambridge Gdns. Grays —2C 158
Cambridge Gdns. R'fd —2H 123
Cambridge Heath Rd. E1 & E2 —6C 38
Cambridge Pk. E11 —2G 124 (4F 39)
Cambridge Pk. Rd. E11 —2F 124
Cambridge Rd. E4 —7D 92
Cambridge Rd. E11 —1F 124

Cambridge Rd. SE25 —6C 46
Cambridge Rd. Arr —1B 4
Cambridge Rd. B'shm —1D 6
Cambridge Rd. Bark —9B 126
Cambridge Rd. B'wy —7E 4
Cambridge Rd. Bar —6F 5
Cambridge Rd. Can I —2F 152
Cambridge Rd. Clac S —9J 187
Cambridge Rd. Colc —1K 175
Cambridge Rd. Fow & New —2G 5
Cambridge Rd. Frin S —9K 183
Cambridge Rd. H'low —6H 53 (5J 21)
Cambridge Rd. Ilf —3D 126
Cambridge Rd. Lit A —1B 6
Cambridge Rd. L'bry —1J 205 (6A 6)
Cambridge Rd. Mel —3E 4
Cambridge Rd. Newp —6D 204 (1B 12)
Cambridge Rd. Puck —7E 10
Cambridge Rd. Saw —1K 53 (4K 21)
Cambridge Rd. Saws —1J 5
Cambridge Rd. Stans —2D 208 (6A 12)
Cambridge Rd. Wclf S & Sth S —7K 139 (5J 43)
Cambridge Town. —8H 141
Cambridge Wlk. Colc —1L 175
Cambridge Way. Bures —8D 194
Camden Clo. Grays —2D 158
Camden High St. NW1 —6A 38
Camden Pk. Rd. NW1 —5A 38
Camden Rd. E11 —1H 125
Camden Rd. NW1 & N7 —5A 38
Camden Rd. Chaf H —1H 157
Camden St. NW1 —6A 38
Camden Town. —6A 38
Camellia Av. Clac S —9G 186
Camellia Clo. Chelm —5A 62
Camellia Clo. Romf —5J 113
Camellia Cres. Clac S —8G 186
Camelot Clo. SE28 —9C 142
Camelot Clo. Chelm —6H 61
Camelot Gdns. Bas —7K 119
Camer. —7H 49
Cameron Clo. Ing —6D 86
Cameron Clo. Lgh S —4B 138
Cameron Clo. Stan H —8A 134
Cameron Clo. War —1G 114
Cameron Pl. W'fd —2N 119
Cameron Rd. Ilf —3D 126 (4H 39)
Camer Pk. Rd. Meop —7H 49
Camer Rd. Meop —7H 49
Cam Grn. S Ock —6E 146
Camoise Clo. Top —7B 8
Camomile Dri. W'fd —8M 103
Camomile Way. Colc —5K 167
Campbell Av. Ilf —8A 110
Campbell Clo. Chelm —3B 74
Campbell Clo. H'low —5G 57
Campbell Clo. Romf —3C 112
Campbell Clo. W'fd —2L 119
Campbell Ct. Colc —9L 167
Campbell Dri. Colc —5E 168
Campbell Rd. E3 —6D 38
Campbell Rd. E15 —6F 124
Campbell Rd. Wthm —2C 214
Campden Cres. Dag —6G 127
Camperdown Rd. Can I —9J 137
Camper M. Sth S —8B 140
Campernell Clo. B'sea —5E 184
Camper Rd. Sth S —8B 140
Campfield Rd. Shoe —8J 141 (5B 44)
Camp Folley N. Colc —1N 175
Camp Folley S. Colc —1A 176
Campion Ct. Grays —4N 157
Campion Gdns. Wfd G —2G 109
Campion La. L'thn —1C 16
Campion Pl. SE28 —8F 142
Campion Rd. Colc —1A 176
Campions. Lou —8N 79
Campions Hill. Nay —1C 16
Campions, The. Sth S —6G 141
Campions, The. Stans —2D 208
Campion Way. Wthm —3B 214
Cample La. S Ock —7D 146
Camp Rd. Gt Bro —8F 170
Camps End. —5F 7
Campsey Gdns. Dag —9G 127
Campsey Rd. Dag —9G 126
Camps Rd. Bart —3E 6
Camps Rd. H'hll —3J 7
Camps Rd. Hel B —4H 7
Camsix Chase. Har E —3K 23
Camulodunum Way. Colc —5K 175
Camulus Clo. Colc —4G 175
Cam Way. Wthm —5A 214
Canada Farm Rd. S Dar & Dart —6E 48
Canada Rd. Eri —5F 154
Canadian Av. SE6 —4D 46
Canal Bridge. (Junct.) —2C 46
Canal Rd. High —4K 49
Canalside. SE28 —7J 143
Canary Wharf Tower. —7D 38
Canberra Clo. Chelm —2G 60
Canberra Clo. Colc —6A 176
Canberra Clo. Dag —1B 144
Canberra Clo. Horn —7G 129
Canberra Cres. Dag —9B 128
Canberra Rd. SE7 —2F 47
Canberra Sq. Til —7C 158
Can Bri. Way. Chelm —1D 74
Cander Way. S Ock —7E 146
Candlemakers, The. Sth S —1M 139
Candlet Rd. Felix —1K 19
Candover Rd. Horn —3F 128
Candy Ter. Sth S —7A 140
(off Prospect Clo.)
Candytuft Rd. Chelm —5A 62
Cane Hill. H Wood —6J 113
Caneland Ct. Wal A —4F 78
Canes La. H'wd —9J 57 (1K 31)
Canewdon. —2M 107 (7K 35)
Canewdon Clo. W'fd —6L 103
Canewdon Gdns. W'fd —6L 103
Canewdon Hall Clo. Cwdn —1M 107
Canewdon Rd. R'fd —8H 107 (1J 43)
Canewdon Rd. Wclf S —6J 139
Canewdon View Rd. R'fd —1J 123
Canfield Rd. High R —3E 22
Canfield Rd. Rain —1D 144
Canfield Rd. Wfd G —4L 109
Canford Av. W'fd —8G 103
Canford Clo. Chelm —3F 74
Canham Rd. SE25 —6B 46
Canhams Rd. Gt Cor —5K 9
Canney Rd. Stpl —2B 36
Cann Hall. —6E 124 (5E 38)
Cann Hall Rd. E11 —6E 124 (5E 38)
Canning St. Har —2M 201
Cannington Rd. Dag —8H 127
Canning Town. —7F 39
Canning Town. (Junct.) —7E 38
Cannon Circ. Weth —2A 14
Cannon Clo. Stan H —3A 150
Cannon Hill. N14 —1A 38
Cannon Leys. Chelm —7D 74
Cannon M. Wal A —3B 78
Cannon Rd. Colc —9B 168
Cannons Clo. Colc —2L 175
Cannon's Green. —1B 70 (1D 32)
Cannons Grn. Fyf —1B 70
Cannons La. Fyf —1B 70 (1D 32)
Cannons La. Hat O —3C 22
Cannons Mead. Stans —2C 208
Cannons Mead. Ston M —3D 84
Cannons, The. Colc —2K 175
Cannon St. EC4 —7B 38
Cannon St. Colc —9B 168
Cannon St. Rd. E1 —7C 38
Canon Av. Romf —9H 111
Canonbury. —5A 38
Canonbury Pk. N. N1 —5B 38
Canonbury Rd. N1 —5A 38
Canon Ct. Bas —5H 119
Canons Brook. H'low —3A 56
Canons Clo. Bick —9E 76
Canons Ga. H'low —2N 55
Canonsleigh Cres. Lgh S —5D 138
Canonsleigh Rd. Dag —9G 127
Cansey La. Brad —4B 18
Canterbury Av. Ilf —2L 125
Canterbury Av. Sth S —3B 140
Canterbury Av. Upm —3C 130
Canterbury Clo. Bas —7G 118
Canterbury Clo. Chig —9E 94
Canterbury Clo. Ray —2J 121
Canterbury Ho. Bark —9F 126
(off Margaret Bondfield Av.)
Canterbury Ho. Eri —5D 154
Canterbury Pde. S Ock —3F 146
Canterbury Pl. Grays —3N 157
Canterbury Rd. E10 —2C 124
Canterbury Rd. Colc —1A 176
Canterbury Rd. Croy —7A 46
Canterbury Rd. Hol S —8B 188
Canterbury Way. Chelm —7G 61
Canterbury Way. Gt War —3F 114
Canterbury Way. W Thur —5B 156
Canters, The. Ben —1H 137
Cantley Gdns. Ilf —1B 126
Cant Way. Brain —7L 193
Canuden Rd. Chelm —1N 73
Canute Av. Weth —2A 14
Canute Clo. Cwdn —1N 107
Canvey Island. —2E 152 (6D 42)
Canvey Rd. Bas —9N 119
Canvey Rd. Can I —1D 152 (6D 42)
Canvey Rd. Lgh S —5A 138
Canvey Village. —2C 152 (6E 42)
Canvey Wlk. Chelm —5N 61
Canvey Way. Pits & Can I —3A 136 (4D 42)
Canwick Gro. Colc —2C 176
Capadocia St. Sth S —8C 140
Cape Clo. Bark —9A 126
Cape Clo. Colc —1G 175
Capel Clo. Chelm —4K 61
Capel Clo. Rayne —6B 192
Capel Clo. Stan H —3N 149
Capel Gdns. Ilf —6E 126
Capel Manor Gardens. —5C 30
Capel Pk. Kir X —7H 183
Capel Rd. E7 & E12 —6H 125 (5F 39)
Capel Rd. B'ley —1A 18
Capel Rd. Colc —1K 175
Capel Rd. Rayne —6B 192
(in two parts)
Capelston. Bas —9A 118
Capel Ter. Sth S —7M 139 (5K 43)
Caper La. B'ch —2B 26
Capital Pl. H'low —4N 55
(off Lovet Rd.)
Capon Clo. Brtwd —7E 98
Capons La. Dan —4G 76 (2E 34)
Cappell La. Stan A —5E 20
Cap Pillar Clo. W'hoe —4H 177
Capricorn Cen. Bas —6G 118
Capricorn Cen. Dag —2L 127
Capstan Cen. Til —5N 157
Capstan Clo. Romf —1G 127
Capstan Ct. Dart —9N 155
Captains Rd. W Mer —3J 213
Captains Wood Rd. Gt Tot —9M 213 (6H 25)
Capworth St. E10 —3A 124 (4D 38)
Caradon Clo. E11 —3E 124
Carage Clo. Eri —4A 154
Caravel Clo. Grays —1J 157
Carbis Clo. E4 —7D 92
Carbone Hill. N'thaw —3A 30
Carbury Clo. Horn —8G 129
Cardigan Av. Wclf S —3H 139
Cardigan Gdns. Ilf —4F 126
Cardinal Clo. Colc —8F 168
Cardinal Dri. Ilf —3B 110
Cardinal's Green. —2F 7
Cardinal Way. Rain —2H 145
Card's Rd. S'don —4K 75
Carey Rd. Dag —6K 127
Carfax Rd. Horn —6D 128
Carisbrook Clo. Epp —1F 80
Carisbrooke Av. Clac S —5L 187
Carisbrooke Clo. Horn —3L 129
Carisbrooke Clo. Pits —9J 119
Carisbrooke Dri. Corr —1B 150
Carisbrooke Dri. S Fer —1J 105
Carisbrooke Rd. Pil H —5E 98
Carisbrooke Rd. Wclf S —5K 139
Carleton Ct. Rhdge —6E 176
Carlina Gdns. Wfd G —2H 109
Carlingford Dri. Wclf S —3H 139
Carlisle Clo. Colc —7A 168
Carlisle Gdns. Ilf —1L 125
Carlisle Rd. E10 —3A 124
Carlisle Rd. Romf —9E 112
Carlisle Way. Pits —9J 119
Carlton Av. Wclf S —2G 139 (4J 43)
Carlton Clo. Gt Yel —7D 198
Carlton Clo. Upm —4M 129
Carlton Ct. Ilf —7C 110
Carlton Dri. Ben —2J 137
Carlton Dri. Ilf —7C 110
Carlton Dri. Lgh S —5E 138
Carlton Ho. Lou —4K 93
Carlton Rd. E11 —3F 124
Carlton Rd. E12 —6K 125
Carlton Rd. Bas —7M 119
Carlton Rd. Clac S —9M 187
Carlton Rd. Eri —4A 154 (2K 47)
Carlton Rd. Grays —9B 148
Carlton Rd. Romf —9D 112
Carlton Rd. W'fd —6K 103
Carlton Ter. E7 —9J 125
Carlton Ter. E11 —9H 109
Carlyle Gdns. Bill —3H 101
Carlyle Gdns. W'fd —2M 119
Carlyle Rd. E12 —6L 125
Carlyle Rd. SE28 —7G 143 (7J 39)
Carmania Clo. Shoe —5K 141
Carmelite Way. Mal —6J 203
Carmel St. Gt Che —3L 197 (4A 6)
Carmen St. Gt Che —2L 197 (4A 6)
Carmichael Rd. SE25 —7C 46
Carnach Grn. S Ock —7D 146
Carnanton Rd. E17 —5D 108
Carnarvon Rd. E10 —9C 108
Carnarvon Rd. E15 —8F 124
Carnarvon Rd. E18 —5F 108
Carnarvon Rd. Clac S —1K 191 (4D 28)
Carnarvon Rd. Sth S —5L 139
Carnation Clo. Chelm —6A 62
Carnation Dri. Saf W —3M 205
Carneles Green. —1C 30
Carne Rasch Ct. Bas —1G 134
(off Ash Tree Wlk.)
Carnforth Gdns. Horn —7E 128
Carnival Gdns. Lgh S —2C 138
Carol Clo. Lain —8L 117
Carol Ct. Lain —8M 117
Carolina Clo. E15 —7E 124
Carolina Way. Tip —5D 212
Caroline Clo. W'hoe —3J 177
Caroline Ct. Colc —3H 175
Caroline's Clo. Sth S —1K 139
Carolyn Ct. Colc —2C 176
Caro Rd. Can I —2J 153
Carousel Steps. Sth S —7A 140
(off Hawtree Clo.)
Carpenter Clo. Bill —5H 101
Carpenter Path. Hut —4N 99
Carpenters Arms La. Thorn —4G 67
Carpenters Clo. Gt W —3B 44
Carpenter's Rd. E15 —8A 124 (5D 38)
Carrack Ho. Eri —3C 154
(off Saltford Clo.)
Carraways. Wthm —7E 214
Carriage Dri. Chelm —4N 61
Carriage M. Ilf —4B 126
Carrick Dri. Ilf —5B 110
Carriers Clo. W Mer —2H 213
Carrington Ct. W Mer —2L 213
Carrington Gdns. E7 —6G 125
Carrington Ho. W Mer —2L 213
Carringtons Rd. Gt Bro —4A 170 (5J 17)
Carrington Way. Brain —2M 193
Carroll Clo. E15 —7F 124
Carroll Gdns. W'fd —2L 119
Carroll Hill. Lou —2M 93
Carron Mead. S Fer —2M 105
Carrow Rd. Dag —9G 127
Carr Rd. E17 —6A 108
Carr Rd. Felix —2K 19
Carrs Rd. Clac S —1H 191
Carruthers Clo. W'fd —7L 103
Carruthers Dri. W'fd —7L 103
Carsey Clo. Rams H —4D 102
Carsey Hill. Shudy C —3F 7
Carshalton End. Colc —2G 175
Carson Rd. Bill —4M 101
Carstone Pl. Chelm —5F 60
Carswell Clo. Hut —5N 99
Carswell Clo. Ilf —8K 109
Cartbridge Clo. W on N —6L 183
Cartel Clo. Purf —2A 156
Carte Pl. Lang H —1J 133
Carter Clo. Romf —4M 111
Carter Dri. Romf —4N 111
Carterhatch La. Enf —6B 30
Carterhatch Rd. Enf —6C 30
Carter Ho. Stan H —4K 149
Carters Clo. Clac S —1F 190
Carters Croft. A'dn —4E 6
Cartersfield Rd. Wal A —4C 78
Carter's Green. —6A 22
Carters Hill. Boxt —2A 162 (2F 17)
Carters Hill. Man —5K 11
Carters La. Epp G —3A 66
Carters La. Hen —4C 12
Carters La. W Bis —6L 213 (5H 25)
Carters Mead. H'low —5H 57
Carthagena Est. Brox —8C 54
Cart La. E4 —7E 92
Cartlodge Av. W'fd —8M 103
Cart Track. H'std —1H 199
Cartwright Rd. Ben —8D 120
Cartwright Rd. Dag —9L 127
Cartwright Wlk. Chelm —9A 62
Carver Barracks. —1D 12
Carvers Wood. Bill —9L 101
Cary Rd. E11 —6E 124
Cascade Clo. Buck H —8K 93
Cascade Rd. Buck H —8K 93
Cascades. Sth S —7A 140
(off Prospect Clo.)
Cashiobury Ter. Sth S —7L 139
Cashmere Way. Bas —4E 134
Cassel Av. Can I —9J 137
Cassino Rd. Chelm —5G 61
Cassino Rd. Colc —3K 175
Cassis Ct. Lou —3B 94
Cassland Rd. E9 —5C 38
Castalia Ct. Dart —8K 155
Castellan Av. Romf —7F 112
Castell Rd. Lou —9B 80
Castile Ct. Wal X —4A 78
Castle Av. E4 —2D 108
Castle Av. Ben —5K 137
Castle Av. Rain —9C 128
Castle Bailey. Colc —8N 167
Castle Camps. —4G 7
Castle Clo. Cas H —3C 206
Castle Clo. Gt L —2M 59
Castle Clo. Hod —2C 54
Castle Clo. Ray —6J 121
Castle Clo. Romf —9G 97
Castle Clo. Shoe —6L 141
Castle Ct. Ben —4L 137
Castle Ct. Ray —6J 121
Castle Ct. Saf W —3K 205
Castle Cross. Saf W —3L 205
Castledon Rd. D'ham & W'fd —4H 103 (7B 34)
Castle Dri. Ilf —1L 125
Castle Dri. Lgh S —6A 138
Castle Dri. Ray —4J 121
Castle Folley. Colc —7N 167
Castlegate St. Har —1N 201
Castle Hedingham. —3D 206 (1E 14)
Castle Hill. Ded —3M 163 (2H 17)
Castle Hill. Hart —7E 48
Castle Hill. Saf W —3K 205 (6B 6)
Castle Hill Pk. Clac S —6K 187
Castle Ho. —2J 17
Castle La. Ben —5K 137
Castle La. Cas H —3D 206
Castle La. Grav —4J 49
Castle Meadow. Sib H —5B 206
Castle Museum. —8N 167 (6E 16)
Castle Point Transport Museum Society. —2L 153 (6F 43)
Castle Rd. Ben —4K 137
Castle Rd. Clac S —1J 191
Castle Rd. Colc —7A 168
Castle Rd. Dag —1G 142
Castle Rd. Grays —4J 157
Castle Rd. Hod —2B 54
Castle Rd. Ray —6J 121 (2F 43)
Castle St. Ong —8L 69
Castle St. Saf W —3K 205
Castle Ter. Ray —5J 121
Castleton Av. Bexh —6B 154
Castleton Rd. E17 —6D 108
Castleton Rd. Ilf —3F 126
Castleton Rd. Sth S —5C 140
Castleview Gdns. Ilf —1L 125
Castle View Rd. Can I —8G 136
Castle Wlk. Can I —9G 137
Castle Wlk. Pits —9K 119
Castle Wlk. Stans —3D 208
Castleward Clo. W'hoe —6J 177
Castle Way. St O —9M 185
Caswell Clo. Corr —1B 150
Caswell M. Chelm —9A 62
Catalin Ct. Wal A —3D 78
(off Howard Clo.)
Catchpole La. Gt Tot —8M 213 (6H 25)
Catchpool Rd. Colc —6N 167
Caterham Av. Ilf —6M 109
Caterham Clo. Clac S —7G 186
Caterham Ct. Wal A —4F 78
Cater Museum. —7J 101 (7J 33)
Cater Wood. Bill —5K 101
Cates Corner. Saf W —4K 205
Catford. —4D 46
Catford Gyratory. (Junct.) —4D 46
Catford Hill. SE6 —4D 46
Catford Rd. SE6 —4D 46
Cathall Rd. E11 —4D 124 (4E 38)
Catharine Clo. Chaf H —9J 147
Cathedral Dri. Lain —8L 117
Cathedral Wlk. Chelm —8K 61
Catherine Clo. Clac S —8L 187
Catherine Clo. E Han —3B 90
Catherine Clo. Lou —5M 93
Catherine Clo. Pil H —4D 98
Catherine Ct. Ilf —1B 126
Catherine Hunt Way. Colc —4J 175
Catherine Lodge. Sth S —5L 139
Catherine Rd. Bas —1L 135
Catherine Rd. Ben —2D 136
Catherine Rd. Romf —9F 112
Catherines Clo. Gt L —2N 59
Catmere End. —6K 5
Catons La. Saf W —1K 205
(in two parts)
Cattawade. —1H 165
Cattawade End. Bas —8E 118
Cattawade Link. Bas —8E 118
Cattawade St. Catt —1H 165
Cattermole Clo. Clac S —1F 190
Cattlegate. —4A 30
Cattlegate Rd. N'thaw & Enf —4A 30
Catt's La. Else —7E 196
Caulfield Rd. E6 —9M 125
Caulfield Rd. Shoe —7G 140 (5B 44)
Causeway. Pam —2K 5
Causeway End. —2J 23
Causeway End. Mann —3G 165
Causeway End Rd. Fels —2K 23
Causeway Reach. Clac S —6J 187
Causeway, The. Bass —3B 4
Causeway, The. Bis S —1K 21
Causeway, The. Brain —4H 193 (7C 14)
Causeway, The. Bre P —3G 11
Causeway, The. Bunt —4D 10
Causeway, The. Colc —6C 168
Causeway, The. Deb —2C 12
Causeway, The. D'mw —6L 197 (7G 13)
Causeway, The. F'fld —2K 13
Causeway, The. Fur P —5G 11
Causeway, The. Gt Bad —4G 75
Causeway, The. Gt Hork —5J 161 (3D 16)
Causeway, The. H'std —5K 199
Causeway, The. H'bri —4K 203
Causeway, The. Hghwd —4F 72 (2H 33)
Causeway, The. Lang U —1H 11
Causeway, The. Mal —1H 35
Causeway, The. Ridg —5B 8
Causeway, The. Ther —7B 4
Causeway, The. Top —7B 8
Causeway, The. Ult —7F 25
Causton Rd. Colc —7M 167
Caustonway. Ray —3K 121
Cautherly La. Gt Amw —5D 20
Cavalier Clo. Romf —8J 111
Cavell Cres. Dart —9L 155
Cavell Cres. H Wood —6J 113
Cavell Rd. Bill —7L 101
Cavendish. —2F 9
Cavendish Av. Colc —2C 176
Cavendish Av. Eri —4A 154
Cavendish Av. Horn —8F 128
Cavendish Av. Wfd G —5H 109
Cavendish Ct. Saf W —3M 205
Cavendish Cres. Horn —8F 128
Cavendish Dri. E11 —3D 124
Cavendish Dri. Clac S —9E 186
Cavendish Dri. Law —5G 164
Cavendish Gdns. Bark —7D 126
Cavendish Gdns. Brain —3L 193
Cavendish Gdns. Chelm —8N 61
Cavendish Gdns. Ilf —3N 125
Cavendish Gdns. Romf —9K 111
Cavendish Gdns. Wclf S —4G 138 (4H 43)
Cavendish La. Glem —2F 9
Cavendish Rd. E4 —3C 108
Cavendish Rd. SW12 —3A 46
Cavendish Rd. Clare —3D 8
Cavendish Rd. Hock —7E 106
Cavendish Way. Bas —6M 117
Cavenham Gdns. Horn —9G 112
Cavenham Gdns. Ilf —5C 126
Caversham Av. Shoe —4J 141
Caversham Pk. Av. Ray —3J 121
Cawdor Av. S Ock —7E 146
Cawdor Ho. Brtwd —1G 114
Cawkell Clo. Stans —2C 208
Cawkwell Clo. Chelm —7B 62
Cawley Hatch. H'low —3M 55
Caxton Pl. Ilf —5N 125
Caxton Rd. Hod —1B 54
Cazenove Rd. E17 —5A 108
Cazenove Rd. N16 —4B 38
Cecil Av. Bark —9C 126
Cecil Av. Grays —9J 147
Cecil Av. Horn —7J 113
Cecil Ct. H'low —6B 56
Cecil Ct. Sth S —3K 139
Cecil Ho. E17 —5A 108
Cecil Rd. E11 —5F 124
Cecil Rd. E17 —5A 108
Cecil Rd. Enf —6B 30
Cecil Rd. Hod —3C 54
Cecil Rd. Ilf —6A 126
Cecil Rd. Romf —2J 127
Cecil Way. Ray —5M 121
Cedar Av. B'sea —6D 184
Cedar Av. Chelm —8J 61

Cedar Av. *Romf* —9K **111**
Cedar Av. *Tip* —4C **212**
Cedar Av. *Upm* —6L **129**
Cedar Av. *W'fd* —2K **119**
Cedar Av. W. *Chelm* —8J **61**
Cedar Chase. *H'bri* —3M **203**
Cedar Clo. *Buck H* —8K **93**
Cedar Clo. *Hut* —6N **99**
Cedar Clo. *Ray* —6M **121**
Cedar Clo. *Romf* —8A **112**
Cedar Clo. *Saw* —3K **53**
Cedar Clo. *Sth S* —4M **139**
Cedar Clo. *W on N* —7K **183**
Cedar Ct. *E18* —5G **109**
Cedar Ct. *Chig* —8B **94**
Cedar Ct. *Epp* —1F **80**
Cedar Cres. *Law* —5H **165**
Cedar Dri. *Hull* —6L **105**
Cedar Dri. *Wthm* —2D **214**
Cedar Gdns. *Upm* —5N **129**
Cedar Grn. *Hod* —6A **54**
Cedar Gro. *Bur C* —2L **195**
Cedar Hall Gdns. *Ben* —9G **120**
Cedar M. *Hock* —1B **122**
Cedar Pk. Clo. *Ben* —9G **121**
Cedar Pk. Gdns. *Romf* —2J **127**
Cedar Rise. *S Ock* —4G **146**
Cedar Rd. *Ben* —9G **121**
Cedar Rd. *Can I* —1F **152**
Cedar Rd. *Enf* —5A **30**
Cedar Rd. *Eri* —6E **154**
Cedar Rd. *Grays* —1C **158**
Cedar Rd. *Horn* —5G **129**
Cedar Rd. *Hut* —5N **99**
Cedar Rd. *Romf* —8A **112**
Cedars. *Stan H* —3N **149**
Cedars Av. *E17* —9A **108**
Cedars Ho. *E17* —7B **108**
Cedars Rd. *E15* —8E **124**
Cedars Rd. *Colc* —9M **167**
Cedars, The. *Buck H* —7G **93**
Cedars, The. *Gt W* —2M **141**
Cedars, The. *S Fer* —9K **91**
*Cedars, The. Wal A —5J **79***
(off Woodbine Clo.)
Cedar Wlk. *Cwdn* —2M **107**
Cedar Wlk. *Wal A* —4D **78**
Cedar Way. *Gt Ben* —6K **179**
Cedric Av. *Romf* —7C **112**
Celandine Clo. *Bill* —4H **101**
Celandine Clo. *S Ock* —4F **146**
Celandine Ct. *E4* —9B **92**
Celandine Ct. *Colc* —5K **167**
Celandine Dri. *SE28* —8G **142**
Celeborn St. *S Fer* —2H **105**
Celedon Clo. *Grays* —1H **157**
Cement Block Cotts. *Grays* —4M **157**
Cemetery La. *Naze* —4F **64**
Cemetery Rd. *E7* —6F **124**
Cemetery Rd. *Bis S* —1K **21**
Centaur Way. *Mal* —8K **203**
Centaury Clo. *S'way* —8D **166**
Centenary Way. *L Cla* —4H **187** (2D **28**)
Central Arc. *Saf W* —4K **205**
Central Av. *E11* —4D **124**
Central Av. *Ave* —9N **145**
Central Av. *Bas* —2G **132**
Central Av. *Ben* —1L **137**
Central Av. *Bill* —3L **101**
Central Av. *Can I* —1E **152**
Central Av. *Corr* —1B **150**
Central Av. *Frin S* —8K **183**
Central Av. *Grays* —3C **156**
Central Av. *H'low* —2C **56** (6H **21**)
Central Av. *Hull* —8M **105**
Central Av. *R'fd* —2H **123**
Central Av. *Sth S* —5N **139** (4K **43**)
Central Av. *Stan H* —9N **133**
Central Av. *Til* —6C **158**
Central Av. *Well* —2J **47**
Central Clo. *Ben* —2L **137**
Central Dri. *Horn* —5J **129**
Central Hill. *SE19* —5B **46**
Central Pde. *E17* —8A **108**
Central Pde. *Ilf* —1C **126**
Central Pk. Av. *Dag* —5N **127**
Central Pk. Rd. *E13* —6F **39**
Central Rd. *Dart* —9J **155**
Central Rd. *Felix* —1J **19**
Central Rd. *H'low* —8F **52**
Central Rd. *Stan H* —4M **149**
Central Sq. *Chelm* —9K **61**
Central St. *EC1* —6A **38**
Central Wall. *Can I* —8F **136**
(in four parts)
Central Wall Cotts. *Can I* —9H **137**
Central Wall Rd. *Can I* —9H **137** (5E **42**)
Central Way. *SE28* —8F **142** (7J **39**)
Centre Av. *Epp* —2E **80**
Centre Clo. *Epp* —2E **80**
Centre Comn. Rd. *Chst* —5H **47**
Centre Dri. *E7* —6J **125**
Centre Dri. *Epp* —2E **80**
Centre Grn. *Epp* —2E **80**
*Centre Pl. Sth S —7A **140***
(off Prospect Clo.)
Centre Rd. *E11 & E7* —4G **125** (4F **39**)
Centre Rd. *Dag* —2N **143**
Centre, The. *Colc* —8E **168**
Centre, The. *H'std* —4K **199**
Centre, The. *Tip* —6D **212**
Centre Way. *E17* —4C **108**
Centre Way. *Ilf* —4B **126**
Centre Way. *Wal A* —5C **78**
Centurion Clo. *Shoe* —6K **141**
Centurion Way. *Colc* —4H **175**
Centurion Way. *Purf* —2K **155**
Centuryan Pl. *Dart* —9F **154**
Century Rd. *Hod* —4A **54**
Ceylon Rd. *Wclf S* —6J **139**
Chadacre Av. *Ilf* —7M **109**
Chadacre Rd. *Sth S* —5F **140**
Chadfields. *Til* —5C **158**
Chadville Gdns. *Romf* —9J **111**
Chadway. *Dag* —3H **127**
Chadwell Av. *Romf* —2G **127**
Chadwell By-Pass. *Grays*
—3B **158** (1G **49**)
Chadwell Heath. —2J 127 (3J 39)
Chadwell Heath Ind. Pk. *Dag* —3K **127**
Chadwell Heath La. *Chad H*
—8G **111** (3J **39**)
Chadwell Hill. *Grays* —3D **158**
Chadwell Rd. *Grays* —2M **157** (1G **49**)
Chadwell St Mary. —2C 158 (1H 49)
Chadwick Av. *E4* —1D **108**
Chadwick Ct. *Wclf S* —6H **139**
Chadwick Dri. *H Wood* —6H **113**
Chadwick Rd. *E11* —2E **124**
Chadwick Rd. *Ilf* —5A **126**
Chadwick Rd. *S Fer* —8L **91**
Chadwick Rd. *Wclf S* —6H **139**
Chadwick Way. *SE28* —7J **143**
Chaffinch Clo. *Shoe* —6J **141**
Chaffinch Cres. *Bill* —7L **101**
Chaffinch Gdns. *Colc* —7F **168**
Chaffix Clo. *Fels* —1K **23**
Chafford. *Brtwd* —7E **98**
Chafford Gdns. *W H'dn* —1N **131**
Chafford Hundred. —1J 157 (1F 49)
Chafford Wlk. *Rain* —2G **144**
Chafford Way. *Grays* —8K **147**
Chafford Way. *Romf* —8H **111**
Chaingate Av. *Sth S* —4C **140**
Chale Ct. *Stan H* —5L **149**
Chalfont Clo. *Lgh S* —2C **138**
Chalfont Rd. *Colc* —5C **168**
Chalforde Gdns. *Romf* —8F **112**
Chalford Wlk. *Wfd G* —5K **109**
Chalgrove Cres. *Ilf* —6L **109**
Chalice Clo. *Bas* —9F **118**
Chalk. —4J 49
*Chalk Ct. Grays —4K **157***
(off Jetty Wlk.)
Chalk End. —6G 23
Chalk End. *Bas* —9H **119**
Chalk Farm La. *Newp* —8D **204**
Chalk Hill. *Chelm* —7C **72**
Chalklands. *Saf W* —2L **205**
Chalklands. *S'don* —8L **75**
Chalk La. *H'low* —9M **53**
(Harlow)
Chalk La. *H'low* —9N **53** (6K **21**)
(Hobbs Cross)
Chalk Rd. *Can I* —8G **136**
Chalk Rd. *Grav* —4J **49**
Chalk Rd. *High* —4K **49**
Chalks Av. *Saw* —1J **53**
Chalk's Rd. *Wthm* —4C **214**
Chalkstone Way. *H'hll* —2J **7**
Chalk St. *Ret C* —9N **89** (6C **34**)
Chalkwell. —5G 138 (5H 43)
Chalkwell Av. *Wclf S* —7G **139** (5H **43**)
*Chalkwell Bay Flats. Lgh S —6F **138***
(off Undercliff Gdns.)
Chalkwell Esplanade. *Wclf S*
—6F **138** (5H **43**)
Chalkwell Lodge. *Wclf S* —5H **139**
Chalkwell Pk. Dri. *Lgh S* —5E **138**
Chalky La. *Chris* —6H **5**
Challacombe. *Sth S* —5G **141**
Challacombe Clo. *Hut* —7L **99**
Challenge Way. *Colc* —9B **168**
Challinor. *H'low* —3K **57**
Challis Grn. *Barr* —1E **4**
Challis La. *Brain* —7H **193** (1D **24**)
Challock Lees. *Bas* —1K **135**
Chalmers Ho. *E17* —9B **108**
Chalvedon. —9J 119 (3B 42)
Chalvedon Av. *Pits* —8J **119**
Chalvedon Sq. *Pits* —9H **119**
Chamberlain Av. *Can I* —1J **153**
Chamberlain Av. *Corr* —9B **134**
Chamberlain Av. *W on N* —7L **183**
Chamberlain Clo. *H'low* —3H **57**
Chamberlains Ride. *S Fer* —2K **105**
*Chamomile Ct. E17 —1A **124***
(off Yunus Khan Clo.)
Champion Clo. *Stan H* —2N **149**
Champion Clo. *W'fd* —1L **119**
Champion Pk. *SE5* —3B **46**
Champion Rd. *Upm* —4M **129**
Champions Grn. *Hod* —2A **54**
Champions Way. *Hod* —2A **54**
Champions Way. *S Fer* —9J **91**
Champlain Av. *Can I* —9F **136**
Chance Clo. *Grays* —1J **157**
Chancel Clo. *Ben* —9C **120**
(in two parts)
Chancel Clo. *Lain* —8L **117**
Chancel Clo. *T'ham* —3E **36**
Chancellor Rd. *Sth S* —7N **139** (5K **43**)
Chancery Gro. *B'hth* —6A **176**
Chancery La. *WC2* —7A **38**
Chancery Pl. *Writ* —1K **73**
Chandler Rd. *Lou* —9A **80**
Chandlers Clo. *Clac S* —1F **190**
Chandlers Clo. *W Mer* —2K **213**
Chandlers Corner. (Junct.)
—4G **144** (6B **40**)
Chandlers Corner. *Rain* —3G **144**
Chandlers Ct. *W Mer* —2K **213**
Chandlers Dri. *Eri* —2B **154**
Chandlers Row. *Colc* —1C **176**
Chandlers Wlk. *Kel H* —7B **84**
Chandlers Way. *Romf* —9C **112**
Chandlers Way. *Sth S* —1L **139**
Chandlers Way. *S Fer* —1L **105**
Chandos Av. *E17* —6A **108**
Chandos Clo. *Buck H* —8H **93**
Chandos Pde. *Ben* —3M **137**
Chandos Rd. *E15* —7D **124**
Chaney Rd. *W'hoe* —4G **177**
Chanlock Path. *S Ock* —7E **146**
Channing Clo. *Horn* —2K **129**
Chanterelle. *H'wds* —4B **168**
Chanton Clo. *Lgh S* —8C **122**
Chantree Gdns. *Colc* —2G **174**
Chantree Way. *Tol* —7J **211**
Chantress Clo. *Dag* —1A **144**
Chantreywood. *Brtwd* —9K **99**
Chantry Chase. *Bill* —6K **101**
Chantry Clo. *Clac S* —6J **187**
Chantry Cres. *Stan H* —4L **149**
Chantry Dri. *Ing* —6D **86**
Chantry La. *Lain* —8L **117**
Chantry, The. *E4* —7C **92**
Chantry, The. *Colc* —8K **167**
Chantry, The. *H'low* —1F **56**
Chantry Way. *Bill* —6K **101**
Chantry Way. *Rain* —2B **144**
Chant Sq. *E15* —9D **124**
Chant St. *E15* —9D **124**
Chapel Clo. *Grays* —4E **156**
Chapel Ct. *A'lgh* —9L **163**
Chapel Ct. *Bill* —6K **101**
Chapel Croft. *Ing* —5D **86**
Chapel Cut. *Mis* —4M **165**
Chapel Dri. *L Walt* —6K **59**
Chapel End. —5A 108
Chapel End. *Broxt* —6D **12**
Chapel End. *Hod* —6A **54**
Chapel End. *Stamb* —6A **8**
Chapel End Way. *Stamb* —6A **8**
Chapel Fields. *H'low* —5H **57**
Chapelfields. *Kir X* —8H **183**
Chapel Green. —1C 10
*Chapel High. Brtwd —8F **98***
(off High St. Brentwood.)
Chapel High Shop. Cen. *Brtwd* —8F **98**
Chapel Hill. *Bel W* —5F **9**
Chapel Hill. *Brain* —6K **193** (7D **14**)
Chapel Hill. *H'std* —4J **199** (3F **15**)
Chapel Hill. *Stans* —2D **208** (6A **12**)
Chapel La. *Ben* —4J **137**
Chapel La. *Boxt* —5A **162**
Chapel La. *Chig* —9E **94**
Chapel La. *Cook G* —1B **72**
Chapel La. *C Hth* —5H **169** (5G **17**)
Chapel La. *Elms* —9N **169**
Chapel La. *Gt Bro* —1F **178**
Chapel La. *Gt W* —2M **141**
Chapel La. *H'low* —5H **57**
Chapel La. *Hey B* —9N **203**
Chapel La. *H Grn* —4G **35**
Chapel La. *Kir X* —8D **182**
Chapel La. *Let G* —6A **20**
Chapel La. *L Bad* —1G **83** (1D **34**)
Chapel La. *L Cor* —6K **9**
Chapel La. *L Had* —1G **21**
Chapel La. *Newp* —8D **204**
Chapel La. *Romf* —2J **127**
Chapel La. *St O* —9M **185**
Chapel La. *Ten* —6C **18**
Chapel La. *Thorr* —9F **178**
Chapel La. *T'ham* —3E **36**
Chapel La. *W Ber* —4F **166** (5D **16**)
Chapel Lodge. *Rain* —4E **144**
*Chapel Path. E11 —1G **125***
(off Woodbine Pl.)
Chapel Rd. *SE27* —5A **46**
Chapel Rd. *Beau* —6D **18**
Chapel Rd. *Boxt* —5A **162** (3F **17**)
Chapel Rd. *B'sea* —7F **184** (3K **27**)
Chapel Rd. *Bur C* —4M **195**
Chapel Rd. *Epp* —9E **66**
Chapel Rd. *Fing* —1G **27**
Chapel Rd. *Gt Tot* —5J **25**
Chapel Rd. *Ilf* —5N **125** (4G **39**)
Chapel Rd. *L'ham* —4C **162** (3F **17**)
Chapel Rd. *Ridg* —5B **8**
Chapel Rd. *Rhdge* —9F **176**
Chapel Rd. *Shoe* —8J **141**
Chapel Rd. *S'way* —9D **166** (6C **16**)
Chapel Rd. *Tip* —7D **212** (4A **26**)
Chapel Rd. *Tol D* —5B **26**
Chapel Rd. *W Ber* —4E **166** (5C **16**)
Chapel Rd. *W'hoe* —6H **177**
Chapel Row. *Bill* —6K **101**
Chapel St. *Bill* —6J **101** (7J **33**)
Chapel St. *Dux* —2J **5**
Chapel St. *H'std* —4K **199**
Chapel St. *Rhdge* —6F **176**
Chapel St. *Stpl B* —2D **210** (5K **7**)
Chapel St. *Stoke C* —4B **8**
Chapel St. N. *Colc* —9M **167**
Chapel St. S. *Colc* —9M **167**
Chapel Ter. *Lou* —3L **93**
Chapel Wood Rd. *As & Sev* —7E **48**
Chaplaincy Gdns. *Horn* —3J **129**
Chaplemount Rd. *Wfd G* —3M **109**
Chaplin Clo. *Bas* —6N **117**
Chaplin Clo. *Chelm* —8C **74**
Chaplin Dri. *Colc* —6D **168**
Chaplin Rd. *Dag* —9K **127**
Chaplins. *Kir X* —7J **183**
*Chapman Ct. Can I —3L **153***
(off Seaview Rd.)
Chapman Rd. *E9* —5D **38**
Chapman Rd. *Can I* —2N **153**
Chapman Rd. *Clac S* —1K **191**
Chapmans Clo. *Lgh S* —5A **138**
Chapmans La. *W Mer* —1N **213** (4G **27**)
Chapmans Wlk. *Lgh S* —5A **138**
Chapmore End. —3B 20
Chappel. —4K 15
Chappel Hill. *Chap* —4K **15**
Chappel Rd. *For* —4B **16**
Chappel Rd. *Gt Tey* —1E **172** (5K **15**)
Chappel Rd. *M Bur* —3A **16**
Charfleets Clo. *Can I* —2D **152**
Charfleets Farm Ind. Est. *Can I* —2D **152**
Charfleets Farm Way. *Can I* —2D **152**
Charfleets Ind. Est. *Can I* —2C **152**
Charfleets Rd. *Can I* —2C **152**
Charfleets Service Rd. *Can I* —2D **152**
Charing Cross Rd. *WC2* —7A **38**
Charity Farm Chase. *Bill* —5H **101**
Charity La. *Cock C* —1L **91**
Charlbury Clo. *Romf* —3G **112**
Charlbury Cres. *Romf* —3G **112**
Charlbury Gdns. *Ilf* —4E **126**
Charlecote Rd. *Bla N* —1C **198**
Charlecote Rd. *Dag* —5K **127**
Charles Clo. *Wclf S* —1F **138**
Charles Ct. *Eri* —4C **154**
Charles Ct. *S'way* —9E **166**
Charles Ct. *W'hoe* —3J **177**
Charles Pell Rd. *Colc* —9E **168**
Charles Pl. *Colc* —9C **168**
Charles Rd. *E7* —9J **125**
Charles Rd. *B'sea* —7E **184**
Charles Rd. *Dag* —8B **128**
Charles Rd. *Romf* —1J **127**
Charles St. *Colc* —9A **168**
Charles St. *Epp* —2F **80**
Charles St. *Grays* —4L **157**
Charleston Av. *Bas* —6K **119**
Charleston Ct. *Bas* —6K **119**
Charlie Brown's Roundabout. (Junct.)
—6J **109** (2F **39**)
Charlieville Rd. *Eri* —5A **154**
Charlotte Av. *W'fd* —8K **103**
Charlotte Ct. *Ilf* —1M **125**
Charlotte Ct. *S Fer* —2K **105**
Charlotte Dri. *Kir X* —8H **183**
Charlotte Gdns. *Romf* —3N **111**
Charlotte M. *Sth S* —5L **139**
Charlotte Pl. *Grays* —4E **156**
Charlotte Rd. *Dag* —8N **127**
Charlotte Way. *Wthm* —5E **214**
Charlton. —2F 47
Charlton Athletic F.C. —1F **47**
Charlton Chu. La. *SE7* —1F **47**
Charlton Clo. *Hod* —5A **54**
Charlton Clo. *Pits* —8K **119**
Charlton Cres. *Bark* —2E **142**
Charlton House (Library). —2F **47**
Charlton Mead La. *Hod* —6D **54**
Charlton Pk. La. *SE7* —2F **47**
Charlton Pk. Rd. *SE7* —2F **47**
Charlton Rd. *SE3 & SE7* —2F **47**
Charlton St. *Grays* —4G **157**
Charlton Way. *SE10* —2E **46**
Charlton Way. *Hod* —5A **54** (7D **20**)
Charnock Clo. *Kir X* —8J **183**
Charnwood Av. *Chelm* —1N **73**
Charnwood Dri. *E18* —7H **109**
Charnwood Wlk. *Ben* —2L **137**
Charter Av. *Ilf* —3C **126**
Charter Ct. *H'wds* —1C **168**
Charterhouse. *Bas* —1D **134**
Charter Ho. *Mal* —6K **203**
Charterhouse St. *EC1* —7A **38**
Charteris Rd. *Wfd G* —4H **109**
Charter Rd., The. *Wfd G*
—3E **108** (2E **38**)
Charters Cross. *H'low* —6C **56**
Charters Rd. *Wfd G* —2F **39**
Charters, The. *D'mw* —6L **197**
Charter Way. *Brain* —7L **193**
Chartfield Dri. *Kir S* —6G **183**
Chartwell Clo. *Brain* —1G **193**
Chartwell Clo. *Wal A* —3E **78**
Chartwell Ct. *Wfd G* —4F **108**
*Chartwell N. Sth S —6M **139***
(off Victoria Plaza Shop. Cen.)
*Chartwell Sq. Sth S —6M **139***
(off Victoria Plaza Shop. Cen.)
*Chartwell W. Sth S —6M **139***
(off Victoria Plaza Shop. Cen.)
Chase Clo. *Ben* —1F **136**
Chase Ct. *Colc* —8E **168**
Chase Cross. —3C 112 (2A 40)
Chase Cross Rd. *Romf*
—4A **112** (2A **40**)
Chase Dri. *S Fer* —9J **91**
Chase End. *Ray* —5M **121**
Chase Gdns. *E4* —1A **108**
Chase Gdns. *Wclf S* —3J **139**
Chase Ho. Gdns. *Horn* —9K **113**
Chase La. *Chig* —9E **94**
Chase La. *Har* —5G **201**
Chase La. *Ilf* —9C **110**
(in two parts)
Chase Nature Reserve, The.
—5C **128** (4A **40**)
Chase Rd. *N14* —7A **30**
Chase Rd. *Brtwd* —9F **98**
Chase Rd. *Corr* —2B **150**
Chase Rd. *Sth S* —6A **140**
Chase Rd. E. *Gt Bro* —8G **171** (6K **17**)
Chase Rd. W. *Gt Bro* —9F **170**
Chase Side. —6A 30
Chase Side. *N14* —7A **30**
Chase Side. *Enf* —6B **30**
Chaseside. *Ray* —7L **121**
Chaseside Clo. *Romf* —3C **112**
Chase, The. *E12* —6K **125**
Chase, The. *Aldh* —6A **16**
Chase, The. *Barns* —2H **23**
Chase, The. *Bas* —3N **133**
Chase, The. *Ben* —1F **136**
Chase, The. *Bill* —6L **101**
Chase, The. *Bla N* —1H **193** (2K **13**)
Chase, The. *Boc* —3C **198**
Chase, The. *Bore* —3F **62**
Chase, The. *Bran* —5J **165**
Chase, The. *Brtwd* —9G **99**
Chase, The. *Chad H* —1K **127**
Chase, The. *Chig* —1B **110**
Chase, The. *Colc* —8B **168**
(East St.)
Chase, The. *Colc* —8D **168**
(Greenstead Rd.)
Chase, The. *Ded* —4N **163**
Chase, The. *Elms* —9A **170**
Chase, The. *Fou I* —1G **45**
Chase, The. *Fox* —3G **9**
Chase, The. *Gt Bad* —4G **75**
Chase, The. *Gt Tey* —2E **172**
Chase, The. *G Est* —8E **168**
Chase, The. *Hen* —4C **12**
Chase, The. *Hol S* —8B **188**
Chase, The. *Ingve* —2M **115**
Chase, The. *K'dn* —8C **202**
Chase, The. *Lex H* —9F **166**
Chase, The. *L Bur* —5K **117**
Chase, The. *Rain* —1G **144**
Chase, The. *Ray* —6M **121** (2F **43**)
Chase, The. *R'fd* —9G **107**
Chase, The. *Romf* —7C **112**
Chase, The. *Runw* —5A **104**
Chase, The. *Rush G* —5C **128**
Chase, The. *S'min* —7L **207**
Chase, The. *S Stif* —4G **156**
Chase, The. *S Fer* —9J **91**
Chase, The. *Stpl B* —2C **210**
Chase, The. *Tol* —7K **211**
Chase, The. *Upm* —5B **130**
Chase, The. *War* —1E **114**
Chase, The. *W Mer* —3K **213**
Chase, The. *W'fd* —9H **103**
(Belmont Av.)
Chase, The. *W'fd* —3M **119**
(Fieldway)
Chaseville Pk. Rd. *N21* —7A **30**
Chaseway. *Bas* —2G **135**
Chaseway End. *Bas* —3G **135**
Chaseways. *Saw* —4H **53**
Chaseways Vs. *Romf* —5L **111**
Chaseway, The. *Brain* —6L **193**
Chase Way, The *Colc* —7H **167**
(in two parts)
Chaseway, The. *Stock* —9B **88** (6A **34**)
Chaters Hill. *Saf W* —3L **205** (6C **6**)
Chatfield Way. *Bas* —8K **119**
Chatham Green. —1L 59 (4A 24)
Chatham Hall La. *Gt Walt*
—2J **59** (4A **24**)
Chatham Pavement. *Bas* —8K **119**
Chatham Rd. *E18* —6F **108**
Chatley Rd. *Gt L* —1M **59**
Chatsworth. *Ben* —9F **120**
Chatsworth Gdns. *Clac S* —2H **191**
Chatsworth Gdns. *Hock* —1C **122**
Chatsworth Rd. *E5* —4C **38**
Chatsworth Rd. *E15* —7F **124**
Chatsworth Rd. *Dart* —9G **155**
Chatsworth Rd. *W Mer* —2K **213**
Chatter End. —6J 11
Chatterford End. *Bas* —8B **118**
Chatteris Av. *Romf* —3G **113**
Chatton Clo. *W'fd* —2M **119**
Chaucer Clo. *Jay* —3E **190**
Chaucer Clo. *Mal* —8K **203**
Chaucer Clo. *Til* —7E **158**
Chaucer Cres. *Brain* —8J **193**
Chaucer Ho. *Sth S* —4M **139**
Chaucer Rd. *E7* —8G **125**
Chaucer Rd. *E11* —1G **124**
Chaucer Rd. *E17* —6C **108**
Chaucer Rd. *Chelm* —1E **74**
Chaucer Rd. *Romf* —4F **112**
Chaucer Wlk. *W'fd* —2L **119**
Chaucer Way. *Colc* —9G **166**
Chaucer Way. *Dart* —9L **155**
Chaucer Way. *Hod* —1A **54**
Cheapside. —2F 11
Cheapside E. *Ray* —3J **121**
Cheapside W. *Ray* —3G **121**
Cheddar Av. *Wclf S* —1F **138**
Chedington. *Shoe* —5G **140**
Cheelson Rd. *S Ock* —2F **146**
Cheldon Barton. *Sth S* —5G **140**
Chelmer Av. *L Walt* —7K **59**
Chelmer Av. *Ray* —6J **121**
Chelmer Clo. *Kir X* —7H **183**
Chelmer Clo. *L Tot* —6K **25**
Chelmer Cres. *Bark* —2G **142**
Chelmer Dri. *D'mw* —8M **197**
Chelmer Dri. *Hut* —5A **100**
Chelmer Dri. *S Ock* —7F **146**
*Chelmer Ho. Grays —3C **158***
(off River View)
Chelmer Ind. Pk. *Chelm* —7L **61**
Chelmer Lea. *Chelm* —3F **74**
Chelmer Pl. *Chelm* —8L **61**
Chelmer Rd. *Brain* —7L **193**
Chelmer Rd. *Chelm* —1E **74** (1A **34**)

Chelmer Rd. Grays —3C 158
Chelmer Rd. Upm —1A 130
Chelmer Rd. Wthm —5B 214
Chelmer Ter. Mal —6L 203
Chelmerton Av. Chelm —3F 74
Chelmer Valley Rd. Chelm —7K 61 (1A 34)
Chelmer Village. —8B 62 (1B 34)
Chelmer Village Way. Chelm —9N 61 (1B 34)
Chelmer Way. Bur C —2K 195
Chelmer Way. Shoe —7H 141
Chelmsford. —9K 61 (1A 34)
Chelmsford Av. Romf —4B 112
Chelmsford Av. Sth S —5L 139
Chelmsford Cathedral. —9K 61 (1A 34)
Chelmsford Dri. Upm —5K 129
Chelmsford & Essex Museum. —3B 74 (2A 34)
Chelmsford Gdns. Ilf —2L 125
Chelmsford Hill. Chelm —6G 72
Chelmsford Ho. D'mw —9M 197
Chelmsford Rd. E11 —3D 124
Chelmsford Rd. E17 —1A 124
Chelmsford Rd. E18 —5F 108
Chelmsford Rd. B'more —1J 85 (3F 33)
Chelmsford Rd. D'mw —8M 197 (1G 23)
Chelmsford Rd. E Han —9A 76 (3D 34)
Chelmsford Rd. Fels —1J 23
Chelmsford Rd. Gt Walt —5H 59 (5A 24)
Chelmsford Rd. Hat H —3D 202 (4B 22)
Chelmsford Rd. Hol S —8N 187
Chelmsford Rd. L Rod & Mar R —5E 22
Chelmsford Rd. Ong —6N 69 (3D 32)
Chelmsford Rd. Pur —3G 35
Chelmsford Rd. Raw —7E 104 (7E 34)
Chelmsford Rd. Shenf —5J 99 (7F 33)
Chelmsford Rd. Wdhm M —3J 77 (2F 35)
Chelmsford Rd. Writ —1L 73 (1K 33)
Chelmsford Rd. Ind. Est. D'mw —9M 197
Chelmsford Tourist Information Centre. —9K 61 (1A 34)
Chelmwood. Can I —8G 136
Chelsea Av. Sth S —8B 140
Chelsea M. Brain —7H 193
Chelsfield La. Orp —7J 47
Chelsfield Rd. Orp —7J 47
Chelsworth Clo. Romf —5K 113
Chelsworth Clo. Sth S —6D 140
Chelsworth Cres. Sth S —6C 140
Chelsworth Dri. Romf —5J 113
Cheltenham Dri. Ben —8H 121
Cheltenham Dri. Lgh S —4E 138
Cheltenham Gdns. E6 —6G 39
Cheltenham Gdns. Lou —5L 93
Cheltenham Rd. E10 —1C 124
Cheltenham Rd. SE22 —3C 46
Cheltenham Rd. Hock —9E 106
Cheltenham Rd. Sth S —6A 140
Chelwater. Chelm —2E 74
Chelwood Clo. E4 —5B 92
Cheneys Rd. E11 —5E 124
Chenies Dri. Bas —6K 117
Chenies St. WC1 —7A 38
Chepstow Av. Horn —5J 129
Chepstow Clo. Bill —3M 101
Chepstow Cres. Ilf —1D 126
Chepstow Rd. Croy —7B 46
Chequers. Buck H —7H 93
Chequers La. Dag —5L 143 (6K 39)
Chequers La. D'mw —8L 197
Chequers La. Mal —6K 203
(in two parts)
Chequers Pde. Dag —1L 143
Chequers Rd. L Bro —1G 170 (3A 18)
Chequers Rd. Lou —4N 93
Chequers Rd. Romf & S Wea —8J 97 (1C 40)
Chequers Rd. Writ —2H 73 (2J 33)
Chequers, The. Alr —7N 177
Chequers Wlk. Wal A —3F 78
Cherbury Clo. SE28 —6J 143
Cheriton Av. Ilf —6M 109
Cheriton Rd. Brain —7L 193
Cherries, The. Can I —4H 153
Cherry Av. Brtwd —9J 99
Cherry Blossom La. Cold N —4H 35
Cherrybrook. Sth S —5G 140
Cherry Chase. Tip —7D 212
Cherry Clo. E17 —9B 108
Cherry Clo. Can I —1E 152
Cherry Clo. Hock —9D 106
Cherrydene Clo. Hull —6L 105
Cherrydown. Grays —8N 147
Cherrydown. Ray —3K 121
Cherrydown Av. E4 —9A 92
Cherrydown Clo. E4 —9A 92
Cherrydown E. Bas —1B 134 (3A 42)
Cherrydown Wlk. Romf —6N 111
Cherrydown W. Bas —1B 134
Cherry Garden La. Chelm —2B 74
Cherry Garden La. Dan —3G 77
Cherry Garden La. Newp —8C 204
Cherry Garden Rd. Gt Walt —5G 59
Cherry Garden Rd. Mal —6H 203
Cherry Gdns. Bill —4G 100
Cherry Gdns. Dag —7L 127
Cherry Green. —6C 10
(nr. Buntingford)
Cherry Green. —4D 12
(nr. Thaxted)
Cherry La. Gt Yel —9D 198
Cherry La. W'fd —9A 104
Cherrymeade. Ben —2G 136
(in two parts)
Cherry Orchard. S'min —7M 207
Cherry Orchard La. R'fd —6G 123
(in two parts)
Cherry Orchard Rd. Croy —7B 46
Cherry Orchard Way. Sth S —8G 123 (3H 43)
Cherry Row. Colc —1G 174
Cherry St. Dut H —5E 12
Cherry St. Romf —9B 112
Cherry Tree Av. Clac S —3G 191 (4D 28)
Cherrytree Chase. Shoe —5N 141
Cherry Tree Clo. Grays —4N 157
Cherry Tree Clo. L Oak —8D 200
Cherry Tree Clo. Rain —2E 144
Cherrytree Ct. Colc —1G 174
Cherry Tree Dri. S Ock —4G 147
Cherry Tree La. B'hth —8N 175 (1E 26)
Cherry Tree La. Rain —3C 144 (6A 40)
Cherry Tree Rise. Buck H —1J 109
Cherrytree Rise. Wthm —2D 214
Cherry Tree Rd. E15 —7E 124
Cherry Tree Rd. Hod —4A 54
Cherrytrees. Bill —8H 101
Cherry Wlk. Grays —1C 158
Cherry Wlk. Rain —2D 144
Cherrywood Dri. Colc —1G 174
Cherrywoods. Gt Ben —6J 179
Cherston Gdns. Lou —3N 93
Cherston Path. Lou —3N 93
Cherston Rd. Lou —3N 93
Chertsey Clo. Shoe —5H 141
Chertsey Rd. E11 —4D 124
Chertsey Rd. Ilf —6C 126
Chervil Clo. Tip —7C 212
Chervil M. SE28 —8G 142
Cherwell Dri. Chelm —6E 60
Cherwell Gro. S Ock —7E 146
Chesham Clo. Romf —8B 112
Chesham Dri. Bas —6K 117
Chesham Ho. H Hill —3J 113
(off Leyburn Cres.)
Cheshire Clo. Horn —9L 113
Cheshire St. E2 —6C 38
Cheshunt. —3C 30
Cheshunt Dri. Ray —1H 121
Cheshunt Rd. E7 —8H 125
Cheshunts. Bas —9H 119
Cheshunt Wash. Chesh —3C 30
Chessington Mans. E10 —2A 124
Chessington Mans. E11 —2E 124
Chess La. Wthm —5D 214
Chester Av. Sth S —8B 140
Chester Av. Upm —4B 130
Chester Clo. Lou —9B 80
Chesterfield Av. Ben —9C 120
Chesterfield Cres. Lgh S —9C 122
Chesterfield Rd. E10 —1C 124
Chesterford Gdns. Bas —7G 118
Chesterford Grn. Bas —7G 119
Chesterford Rd. E12 —7M 125
Chester Grn. Lou —9B 80
Chester Hall La. Bas —6B 118 (2A 42)
Chester Path. Lou —9B 80
Chester Pl. Chelm —6J 61
Chester Rd. E7 —9K 125
Chester Rd. E11 —1H 125
Chester Rd. Chig —9N 93
Chester Rd. Ilf —3E 126
Chester Rd. Lou —1A 94 (6G 31)
Chester Ter. Bark —8C 126
Chesterton Way. Til —7E 158
Chester Way. Bas —7G 118
Chestnut Av. E7 —6H 125
Chestnut Av. A End —6K 5
Chestnut Av. Bill —6H 101
Chestnut Av. Brtwd —6B 98
Chestnut Av. Buck H —9K 93
Chestnut Av. Clac S —2G 190
Chestnut Av. Colc —6A 176
Chestnut Av. Gosf —3E 14
Chestnut Av. Grays —9L 147
Chestnut Av. Hat P —3L 63
Chestnut Av. H'bri —2M 203
Chestnut Av. Horn —4D 128
Chestnut Av. Kir X —8F 182
Chestnut Av. N. E17 —8D 108
Chestnut Av. S. E17 —9C 108
Chestnut Clo. Buck H —9K 93
Chestnut Clo. Bur C —3K 195
Chestnut Clo. Hock —1E 122
Chestnut Clo. Horn —6G 129
Chestnut Ct. Newp —8D 204
Chestnut Dri. E11 —1G 124
Chestnut Farm Dri. Alth —5A 36
Chestnut Glen. Horn —4D 128
Chestnut Gro. Ben —2B 136
Chestnut Gro. Brain —6G 192
Chestnut Gro. Brtwd —8F 98
Chestnut Gro. Ilf —3D 110
Chestnut Gro. Sth S —4M 139
Chestnut Ho. W'fd —9M 103
Chestnut La. Bass —3C 4
Chestnut Path. Cwdn —2M 107
Chestnut Rd. Alr —6A 178
Chestnut Rd. Van —2H 135
Chestnuts. Hut —7L 99
Chestnuts, The. Abr —2G 94
Chestnuts, The. Lou —4K 93
Chestnuts, The. Ray —3L 121
Chestnut Wlk. Can I —2E 152
Chestnut Wlk. Chelm —6J 61
Chestnut Wlk. Corr —2C 150
Chestnut Wlk. Epp G —4A 66
Chestnut Wlk. Fels —1K 23
Chestnut Wlk. L Bad —1E 76
Chestnut Wlk. Wthm —3E 214
Chestnut Wlk. Wfd G —2G 108
Chestnut Way. B'sea —6D 184
Chestnut Way. Tak —8C 210
Chestnut Way. Tip —5C 212
Chestwood Clo. Bill —3K 101
Cheswick Clo. Dart —9D 154
Chesworth Clo. Eri —7C 154
Chetwynd Rd. NW5 —4A 38
Cheveling Rd. Colc —4D 176
Chevely Clo. Coop —8J 67
Chevening Gdns. Hock —1B 122
Chevers Pawen. Bas —1H 135
Chevington Way. Horn —6H 129
Cheviot Clo. Bexh —7C 154
Cheviot Dri. Chelm —5F 60
Cheviot Ho. Sth S —5L 139
Cheviot Rd. Horn —2E 128
Cheviot Wlk. Sth S —6M 139
(off Victoria Plaza Shop. Cen.)
Cheviot Way. Ilf —9D 110
Chevron Ho. Grays —5L 157
Chevy Ct. Har —5E 200
Cheyne Av. E18 —7F 108
Cheyne Ct. W'fd —2M 119
Cheyney St. Stpl M —4A 4
Chichester Clo. Ave —8A 146
Chichester Clo. Bas —7G 119
Chichester Clo. Can I —3G 153
Chichester Dri. Chelm —7L 61
Chichester Gdns. Ilf —2L 125
Chichester Ho. Brtwd —8F 98
(off Sir Francis Way)
Chichester Rd. E11 —5E 124
Chichester Rd. Saf W —5L 205
Chichester Rd. Sth S —6M 139 (5K 43)
Chichester Way. Mal —8L 203
Chickney. —5D 12
Chickney Rd. Hen —4C 12
Chieftan Dri. Purf —2L 155
Chigborough Rd. H'bri —7J 25
Chignal Hall Rd. Chig S —2A 60
Chignall Rd. Chelm —1E 60 (6K 23)
Chignall Rd. Chig S —9B 58 (6J 23)
Chignall St James. —3B 60 (7J 23)
Chignall Smealy. —8B 58 (6J 23)
Chignall Smealy Church. —8B 58 (6J 23)
Chignalls, The. Bas —9J 117
Chigwell. —9A 94 (1H 39)
Chigwell La. Lou & Chig —4B 94 (6H 31)
Chigwell Pk. Chig —1A 110
Chigwell Pk. Dri. Chig —1N 109
Chigwell Rise. Chig —8N 93 (1G 39)
Chigwell Rd. E18 & Wfd G —7H 109 (3F 39)
Chigwell Row. —9G 94 (1J 39)
Chigwell View. Romf —3M 111
Chilburn Rd. Clac S —6K 187
Childerditch. —7K 115 (3F 41)
Childerditch Hall Dri. L War —6J 115
Childerditch Ind. Pk. L War —7J 115
Childerditch La. L War —4H 115 (2F 41)
Childerditch St. L War —6K 115
Childers, The. Wfd G —2M 109
Childs Clo. Horn —1G 129
Childwell All. Colc —9A 168
Chilford Ct. Brain —5F 192
Chilford Hundred Vineyard. —1D 6
Chilham Clo. Bas —1K 135
Chiltern App. Can I —1E 152
Chiltern Clo. Bexh —6C 154
Chiltern Clo. Colc —6M 167
Chiltern Clo. Ray —4K 121
Chiltern Gdns. Horn —5G 129
Chiltern Rd. Ilf —9D 110
Chilterns, The. Can I —1F 152
Chiltern Way. Wfd G —9G 92
Chilton Clo. Chelm —3E 74
Chilton Clo. Gt Hork —9J 161
Chilton Rd. Grays —1C 158
Chiltons, The. E18 —6G 108
Chilton Street. —2C 8
Chilton St. Clare —2C 8
Chimes, The. Ben —2E 136
Chimney Pot La. Haz & Cock C —7L 77 (3F 35)
Chimney Street. —1B 8
Chimney St. Hund —1B 8
China La. Bulp —5N 131
Chinbrook Rd. SE12 —4F 47
Chinchilla Rd. Sth S —6B 140
Chindits La. War —2F 114
Chingdale Rd. E4 —9E 92
Chingford. —7C 92 (1E 38)
Chingford Av. E4 —9A 92
Chingford Av. Clac S —5K 187
Chingford Green. —7D 92 (7E 30)
Chingford Hatch. —1D 108 (1E 38)
Chingford La. Wfd G —1E 108 (1E 38)
Chingford Mount. —1A 108 (1D 38)
Chingford Mt. Rd. E4 —1A 108 (1D 38)
Chingford Rd. E4 —3A 108 (2D 38)
Chingford Rd. E17 —5B 108
Chinook. H'wds —2B 168
Chippenham Clo. Romf —2H 113
Chippenham Gdns. Romf —2H 113
Chippenham Rd. H Hill —3H 113
Chippenham Wlk. Romf —3H 113
Chipperfield Clo. Upm —3B 130
Chipperfield Rd. Orp —6J 47
Chipping. —3C 10
Chippingdell. Wthm —3C 214
Chippingfield. H'low —9H 53
Chipping Hill. —3B 214 (4F 25)
Chipping Hill. H'std —4L 199
Chipping Hill. Wthm —4C 214 (4F 25)
Chipping Ongar. —8L 69 (3C 32)
Chipping Row. S Fer —1L 105
Chipstead Rd. Eri —5C 154
Chipstead Wlk. Clac S —7G 187
Chishill Rd. Bar —6F 5
Chishill Rd. Hey —6G 5
Chisholm Ct. W'fd —2M 119
Chislehurst. —5G 47
Chislehurst Rd. Brom & Chst —6G 47
Chislehurst Rd. Orp —6H 47
Chislehurst Rd. Sidc —5J 47
Chislehurst West. —5G 47
Chiswell St. EC2 —7B 38
Chiswick End. —3D 4
Chittock Ga. Bas —9F 118
Chittock Mead. Bas —9F 118
Chitts Hill. Colc —5E 166 (5C 16)
Chitts Hills. —7E 166
Chitty's La. Dag —4J 127
Chivers Rd. E4 —9B 92
Chivers Rd. Ston M —6C 84 (4D 32)
Chivers Sq. H Ong —6C 70
Choats Mnr. Way. Dag —2L 143
Choats Rd. Bark & Dag —2H 143
Choats Wood. For H —6A 166
Chobham Rd. E15 —7D 124 (5E 38)
Chopwell Clo. E15 —9E 124
Chorley Clo. Bas —1H 133
Chrishall. —6H 5
Chrishall Rd. Fow —3G 5
Chrismund Way. Gt Tey —1E 172
Chrisp St. E14 —7D 38
(in two parts)
Christchurch Av. Eri —4B 154
Christchurch Av. Rain —3D 144
Christchurch Av. W'fd —8H 103
Christ Chu. Ct. Colc —1L 175
Christchurch Ct. Sth S —6A 140
Christchurch Rd. SW2 —4A 46
Christchurch Rd. Ilf —3A 126
Christchurch Rd. Sth S —5A 140
Christchurch Rd. Til —6C 158
Christie Gdns. Romf —1G 127
Christina Rd. Wthm —7A 214
Christine Chase. Colc —1G 175
Christine Ct. Rain —4E 144
Christmas Field. Sib H —5B 206
Christopher Clo. Horn —6H 129
Christopher Dri. L Cla —4H 187
Christopher Gdns. Dag —7J 127
Christopher Martin Rd. Bas —5F 118
Christy Av. Chelm —7H 61
Christy Ct. Bas —8G 117
Christy Way. Lain —8G 117
Chudleigh Cres. Ilf —6D 126
Chudleigh Rd. Romf —1J 113
Churchacre. Tol —8K 211
Church Av. E4 —3D 108
Church Av. Broom —1J 61
Churchbank. E17 —8A 108
(off Teresa M.)
Church Chase. Ret C —3C 104
Church Clo. Can I —2F 152
Church Clo. Horn H —2H 149
Church Clo. Kel H —7A 84
Church Clo. Lou —1M 93
Church Clo. Mount —9A 86
Church Clo. Shoe —8H 141
Church Clo. W Ber —3F 166
Church Clo. W Bis —7J 213
Church Corner. Ben —5D 136
Church Cotts. W'fd —7M 103
Church Ct. Brox —8A 54
Church Ct. Wfd G —3J 109
Church Cres. E9 —5C 38
Church Cres. Clac S —2K 191
Church Cres. Mount —9A 86
Church Cres. Saw —2L 53
Church Cres. S Ock —3F 146
Church Dri. Ber —4J 11
Church Elm La. Dag —8M 127 (5K 39)
Church End. —6M 197 (7G 13)
(nr. Great Dunmow)
Church End. —7H 11
(nr. Little Hadham)
Church End. E17 —8B 108
Church End. Bar —6F 5
Church End. Broxt —5D 12
Church End. D'mw —6L 197 (7G 13)
Church End. H'low —5N 55
Church End. Lndsl —5H 13
Church End. Pan —1D 192 (6B 14)
Church End. Walk —5A 10
Church End. Wick B —2K 11
Church End Av. Runw —6M 103
Church End La. Runw —6L 103 (7C 34)
Church Farm Way. Colc —3M 167
Church Field. Epp —8F 66
Churchfield. H'low —1F 56
Church Field. Saf W —6L 205
Churchfield Rd. Stut —7L 195
Church Field Rd. Stut —1C 18
Churchfield Rd. W on N —6M 183
Churchfields. E18 —5G 108
Churchfields. Brox —8A 54
Church Fields. Gt Yel —7C 198
Churchfields. Lou —3L 93
Churchfields. Shoe —4J 141
Churchfields. Stans —3E 208
Churchfields. W Mer —3J 213
Churchfields Dri. Stpl B —3C 210
Churchfields La. Brox —8A 54
Church Gdns. D'mw —6L 197
Churchgate. —3C 30
Churchgate. Chesh —3C 30
Church Ga. Glem —1G 9
Churchgate. Wclf S —5H 139
Churchgate Rd. Chesh —3C 30
Churchgate Street. —6K 21
Churchgate St. H'low —8K 53 (6K 21)
Church Grn. Broom —2K 61
Church Grn. Cwdn —2M 107
Church Grn. Cogg —7L 195 (7H 15)
Church Grn. L Yel —6D 8
Church Grn. Rox —7H 23
Church Grn. W Bis —8J 213
Church Gro. Aldh —6B 16
Church Hill. E17 —8A 108 (3D 38)
Church Hill. N21 —7A 30
Church Hill. A'dn —5E 6
Church Hill. Bas —8M 117 (3K 41)
Church Hill. Cray —9C 154
Church Hill. Dart —4C 48
Church Hill. E Col —3D 196 (4J 15)
Church Hill. Epp —8F 66
Church Hill. F'fld —2K 13
Church Hill. Hel B —5H 7
Church Hill. Holb —1D 18
Church Hill. K'dn —8B 202
Church Hill. Law —5E 164
Church Hill. Lgh S —6D 138
Church Hill. L Walt —6L 59
Church Hill. Lou —2L 93 (6G 31)
Church Hill. Pits —2J 135
Church Hill. Pur —3H 35
Church Hill. R'sy —6C 200 (3F 19)
Church Hill. Rhdge —6F 176
Church Hill. Stan H —4L 149 (6K 41)
Church Hill. Whi N —2E 24
Church Hill. Wdhm W —1F 35
Chu. Hill Corner. Stans —4E 208
Church Hill Rd. E17 —8B 108
Church Hollow. Purf —3L 155
Churchill Av. H'std —3L 199
Churchill Clo. B'sea —5E 184
Churchill Clo. Ong —6L 69
Churchill Cres. Stan H —1N 149
Churchill Gdns. Wal X —4A 78
Churchill M. Wfd G —3F 108
Churchill Rise. Chelm —4N 61
Churchill Rd. Brain —2G 193
Churchill Rd. Grays —4N 157
Churchill Rd. Tip —6F 212
Churchills M. Wfd G —3F 108
Churchill S. Sth S —6M 139
(off Victoria Plaza Shop. Cen.)
Churchill Sq. Sth S —6M 139
(off Victoria Plaza Shop. Cen.)
Churchill Ter. E4 —1A 108
Churchill Ter. Brain —2G 193
Churchill Way. Colc —2B 176
Churchill W. Sth S —6M 139
(off Victoria Plaza Shop. Cen.)
Church La. E11 —3E 124
Church La. E17 —8B 108
Church La. N8 —3A 38
Church La. Abr —1K 95
Church La. Alp —1J 9
Church La. Bas —5H 119
Church La. Beau —6E 18
Church La. Boc —1H 193 (6C 14)
Church La. Bran —4K 165 (1A 18)
Church La. Brox —1C 30
Church La. Bulp —6B 132 (5G 41)
Church La. Cas C —4G 7
Church La. Cas H —3C 206
Church La. Chelm —7M 61 (1A 34)
(Arbour La.)
Church La. Chelm —9K 61
(Duke St.)
Church La. Chesh —3C 30
Church La. Colc —1G 175 (6D 16)
Church La. Corn H —7K 7
Church La. Cray H —9C 102 (1A 42)
Church La. Dag —9A 128
Church La. D End —1B 20
Church La. Deb —2C 12
Church La. Dodd —8D 84 (5E 32)
Church La. E Mer —4H 27
Church La. Else —9E 196
Church La. F End —3J 23
Church La. Grav —4K 49
Church La. Gt Hol —2E 188 (2F 29)
Church La. Gt War —1G 130
Church La. Gt Wig —4D 26
Church La. G'sted —8H 69
Church La. Hark —1E 18
Church La. Har —1N 201
Church La. Hut —7B 100 (7G 33)
Church La. Lit A —1B 6
Church La. L Can —1E 22
Church La. L L'gh —3A 24
Church La. L Tey —3E 172 (7K 15)
Church La. L Tot —7J 25
Church La. Lou —2M 93
Church La. Marg —3G 86 (4J 33)
Church La. M Tey —2J 173 (7A 16)
Church La. M Hud —2G 21
Church La. N Ock —7E 130
Church La. N Wea —5N 67
Church La. Ong —3L 69
Church La. Pam —1K 5
Church La. Purf —3L 155
Church La. Reed —7D 4
Church La. Ridg —5B 8

Church La. Romf —8C 112 (6J 31)
Church La. Srng —5A 22
Church La. S Han —9K 89 (6C 34)
Church La. S'way —1B 174 (6C 16)
Church La. Stfrd —3A 20
Church La. Stap A —3A 96
Church La. Stow M —5G 35
Church La. Tak —8B 210
Church La. Thor —2J 21
Church La. Top —7B 8
Church La. Wee H —7E 180
Church La. Wen —6H 145
Church La. W Han —4H 89
Church La. Writ —1K 73
Church La. Cotts. Ong —3M 69
Church Langley. —4J 57 (7J 21)
Church Langley Way. H'low —3H 57 (7J 21)
Church Leys. H'low —4E 56
Church Mnr. Bis S —9A 208
Church Manorway. Eri —2B 154
Church Mead. Roy —2H 55
Church Mead. Whi N —2E 24
Church Meadow. Bulm —6H 9
Church M. Bas —8K 117
Church Pde. Can I —1E 152
Church Pk. Rd. Pits —1J 135
Church Path. E11 —9G 109
Church Path. E17 —8B 108
Church Path. Bark —1B 142
Church Path. Bas —2J 135
Church Path. Grays —4J 157
Church Path. Romf —9C 112
Church Path. Saf W —3K 205
Churchponds. Cas H —3C 206
Church Rd. E10 —3A 124 (4D 38)
Church Rd. E12 —7L 125 (5G 39)
Church Rd. SE19 —6B 46
Church Rd. Alr —7A 178 (1J 27)
Church Rd. Bark —8B 126
Church Rd. Bas —7D 118 (3A 42)
Church Rd. Ben —9B 120
Church Rd. Bexh —3K 47
Church Rd. Bill —5E 102
Church Rd. Bla N —2F 198 (1C 24)
Church Rd. Bore —3F 62 (7C 24)
Church Rd. Boxt —3L 161 (2E 16)
Church Rd. B'wll —7F 15
Church Rd. B'sea —3C 184 (2J 27)
Church Rd. Buck H —7H 93
Church Rd. Bulm —5H 9
Church Rd. Bulp —6B 132 (5G 41)
(in two parts)
Church Rd. Bur C —2L 195 (6C 36)
Church Rd. Chris —6H 5
Church Rd. Clac S —2K 191
Church Rd. Cob —6H 49
Church Rd. Cop —4M 173 (7B 16)
Church Rd. Corr —2C 150 (6A 42)
Church Rd. Cres —1H 207 (1E 24)
Church Rd. Dun —1E 132 (3H 41)
Church Rd. Elms —9N 169 (6J 17)
Church Rd. Eri —3B 154
Church Rd. Fing —9F 176 (1G 27)
Church Rd. For —2A 166 (4B 16)
Church Rd. Frat —3C 178 (7J 17)
Church Rd. Gosf —4D 14
Church Rd. Gt Hal —2A 22
Church Rd. Gt Tot —6J 25
Church Rd. Gt W —3B 44
Church Rd. Gt Yel —7C 198 (6C 8)
Church Rd. Had —3L 137 (3D 42)
Church Rd. H'low —6H 57
Church Rd. H Wood —5L 113
Church Rd. Hart —7F 49
Church Rd. Hat P —2K 63 (6E 24)
Church Rd. Hpstd —7G 7
Church Rd. H Bee —2G 92 (6F 31)
Church Rd. Hock —7A 106 (1G 43)
Church Rd. Ilf —1D 126
Church Rd. K'dn —8C 202
Church Rd. Kel H —7N 83 (5D 32)
Church Rd. Lain —6N 117
(in three parts)
Church Rd. Lay H —2D 26
Church Rd. L Ben —7L 171 (6A 18)
Church Rd. L Berk —1A 30
Church Rd. L Bro —3F 170 (5K 17)
Church Rd. L Map —2F 15
Church Rd. More —1B 32
Church Rd. Mount —9A 86 (6G 33)
Church Rd. Nave —1H 97 (6B 32)
Church Rd. Noak H —7G 97 (7B 32)
Church Rd. N Fam —1F 106
Church Rd. Ong —3G 83 (4B 32)
Church Rd. Patt —6F 15
Church Rd. Pel —3E 26
Church Rd. Pits —1L 135 (3C 42)
Church Rd. Rams H —4D 102 (7A 34)
Church Rd. Raw —9C 104 (1D 42)
Church Rd. Ray —5L 121
Church Rd. Riven —2G 25
Church Rd. R'fd —9H 107
Church Rd. Shoe —8G 140
Church Rd. Short —6E 46
Church Rd. Shudy C —3G 7
Church Rd. Sth S —7M 139
Church Rd. Stamb —6A 8
Church Rd. Stans —3E 208
Church Rd. Stut —1C 18
Church Rd. S at H —5C 48
Church Rd. Swan —7A 48
(Crockenhill)
Church Rd. Swan —6B 48
(Swanley Village)
Church Rd. Terl —4D 24
Church Rd. Thorr —7F 178 (1K 27)
Church Rd. Til —6B 158 (2J 49)
Church Rd. Tip —5C 212 (3K 25)
Church Rd. Tol M —6A 26
Church Rd. T'std —7H 9
Church Rd. Ult —7F 25
Church Rd. W on N —6M 183 (1H 29)
Church Rd. W Han —5E 88 (5B 34)
Church Rd. W Mer —3J 213
Church Rd. W Til —4G 158
Church Rd. W Bis —7J 213 (5G 25)
Church Rd. Wick P —7G 9
Church Rd. Wmgfd —3B 16
Church Rd. Wrab —3D 18
Church Rd. Almshouses. E10 —4B 124
(off Church Rd.)
Church Rd. Ind. Est. E10 —3A 124
Church Rd. Residential Pk. Corr —2D 150
Church Sq. Bures —7D 194
Church Sq. St O —9M 185
Church Street. —4F 9
Church St. CO5 —2H 25
Church St. E16 —8A 142
Church St. N9 —7B 30
Church St. Bel P —4E 8
Church St. Bill —2K 117 (1J 41)
Church St. B'more —1H 85
Church St. Boxt —1N 161 (2E 16)
Church St. Brain —2M 193 (6C 14)
Church St. Bunt —4D 10
Church St. Chelm —9K 61
Church St. Clare —3D 8
Church St. Cogg —8L 195 (7H 15)
Church St. Colc —8M 167
Church St. Coln E —3H 15
Church St. Croy —7B 46
Church St. Dag —8N 127
Church St. D'mw —6L 197 (7G 13)
Church St. Enf —6B 30
Church St. Gest —6F 9
Church St. Gold —7A 26
Church St. Grays —4M 157
Church St. Gt Bad —4G 75 (2B 34)
Church St. Gt Che —3L 197 (4A 6)
Church St. Gt Map —1F 15
Church St. Har —1M 201
Church St. H'hll —2H 7
Church St. Hen —4C 12
Church St. Hund —1B 8
Church St. I'tn —1H 197 (4K 5)
Church St. K'dn —8B 202
Church St. Lit —4A 4
Church St. Mal —6L 203
Church St. Newp —7D 204 (3B 12)
Church St. Ray —5K 121
Church St. Rhdge —6F 176
Church St. Saf W —3K 205
Church St. Saw —2K 53
Church St. Sib H —6B 206 (1D 14)
Church St. Stpl B —2C 210 (5J 7)
Church St. Sud —5J 9
Church St. Thri —2H 5
Church St. Tol —8K 211 (6C 26)
Church St. Tol D —6B 26
Church St. Wal A —3C 78
Church St. Whad —2C 4
Church St. Wthm —2C 214
Church Ter. Stoke C —4A 8
Church Trad. Est., The. Eri —5D 154
Church View. A'lgh —9L 163
Church View. Ave —9N 145
Church View. Upm —4M 129
Church View Rd. Ben —9E 120
Church Wlk. Bas —9B 118
Church Wlk. Brtwd —6E 98
Church Wlk. Colc —8M 167
Church Wlk. Ked —4K 7
Church Wlk. L'bry —1J 205
Church Wlk. Mal —5J 203
(off Bull La.)
Church Wlk. R'fd —6K 123
Church Wlk. Saw —2L 53
Church Wlk. S'ly —1G 19
Church Way. Ben —4M 137
Churchwell Av. Ethpe —7J 173
Churchwood Gdns. Wfd G —1G 109
Churnwood Clo. Colc —6D 168
Churnwood Rd. Colc —6D 168
Chuzzlewit Dri. Chelm —4G 60
Cillocks Clo. Hod —4A 54
Cimarron Clo. S Fer —1K 105
Cinque Port Rd. B'sea —6E 184
Circle, The. Til —6C 158
Circular Rd. E. Colc —1N 175
Circular Rd. N. Colc —1M 175
Circular Rd. S. Colc —2M 175
(in two parts)
Circular Rd. W. Colc —1L 175
Cistern Yd. Colc —8M 167
City. —7B 38
City Rd. EC1 —6A 38
City Rd. W Mer —3H 213
Civic Sq. H'low —3C 56
Civic Sq. Til —7C 158
Civic Way. Ilf —8B 110
Clachar Clo. Chelm —8B 62
Clacton Airfield. —4C 28
Clacton-on-Sea. —2K 191 (4E 28)
Clacton-on-Sea Tourist Information Cen. —2J 191 (4D 28)
Clacton Rd. E13 —6F 39
Clacton Rd. Colc —1H 177 (6G 17)
Clacton Rd. Elms —1N 177 (6J 17)
Clacton Rd. Hol S —7C 188 (3F 29)
Clacton Rd. L Oak —9D 200 (4F 19)
Clacton Rd. Mann —5J 165 (3A 18)
Clacton Rd. Sto G —5D 18
Clacton Rd. St O —9M 185 (4B 28)
Clacton Rd. Thorr —9E 178 (1K 27)
Clacton Rd. Wee H —7D 180 (1C 28)
Clacton Rd. Wix —4D 18
Claire Clo. Ingve —1J 115
Claire Rd. Kir X —8E 182
Claire Rd. Ind. Est. Kir X —8E 182
Clairmont Clo. Brain —6H 193
Clairmont Rd. Colc —1F 174
Clairs M. Ong —5L 69
Clairvale. Horn —2J 129
Clandon Rd. Ilf —4D 126
Clanver End. —7K 5
Clapgate. —6H 11
(nr. Bishop's Stortford)
Clapgate. —4B 84 (4D 32)
(nr. Stondon Massey)
Clapgate Dri. L Cla —3G 187
Clapham. —3A 46
Clapham Common. (Junct.) —3A 46
Clapham Comn. N. Side. SW4 —3A 46
Clapham Comn. S. Side. SW4 —3A 46
Clapham High St. SW4 —3A 46
Clapham Park. —3A 46
Clapham Pk. Rd. SW4 —3A 46
Clapham Rd. SW9 —3A 46
Clap La. Dag —4N 127
Claps Ga. La. E6 —4A 142
Clapton Comn. N16 —4B 38
Clapton Hall La. D'mw —1G 23
Clapton Park. —5C 38
Clara James Cotts. Can I —2G 153
(off Kitkatts Rd.)
Clara Reeve Clo. Colc —2G 174
Clare. —3D 8
Clare Ancient House Museum. —3D 8
Clare Av. W'fd —6L 103
Clare Castle. —3D 8
Clare Clo. H'std —7J 199
Clare Ct. Thax —2J 211
Clare Gdns. E7 —6G 124
Clare Gdns. Bark —8E 126
Claremont Clo. Grays —1M 157
Claremont Cres. Dart —9C 154
Claremont Dri. Bas —2H 135
Claremont Gdns. Ilf —4D 126
Claremont Gdns. Upm —3A 130
Claremont Gro. Wfd G —3J 109
Claremont Heights. Colc —6M 167
Claremont Rd. E7 —7H 125
Claremont Rd. E11 —5D 124
Claremont Rd. Bas —7L 117
Claremont Rd. Horn —1E 128
Claremont Rd. Wclf S —5J 139
Claremont Rd. W'hoe —6J 177
Claremont St. N18 —2C 38
Clarence Av. Ilf —1N 125
Clarence Av. Upm —4L 129
Clarence Clo. Ben —2D 136
Clarence Clo. Chelm —7B 62
Clarence Ct. Grays —4L 157
(off Clarence Rd.)
Clarence Rd. E12 —7K 125
Clarence Rd. Bas —8N 119
Clarence Rd. Ben —3D 136
Clarence Rd. Corr —1D 150
Clarence Rd. Grays —4K 157 (2F 49)
Clarence Rd. Pil H —5E 98
Clarence Rd. Ray —7N 121 (3G 43)
Clarence Rd. Sth S —7M 139
Clarence Rd. Stans —2D 208
Clarence Rd. N. Ben —2D 136
Clarence St. Sth S —7M 139
Clarendon Gdns. Ilf —2M 125
Clarendon Pk. Clac S —8M 187
Clarendon Rd. E11 —3D 124
Clarendon Rd. E17 —1B 124
Clarendon Rd. E18 —7G 108
Clarendon Rd. Bas —8K 119
Clarendon Rd. Can I —1J 153
Clarendon Rd. Hock —7F 106
Clarendon Rd. L Can —8E 210
Clarendon Way. Colc —6M 167
Clare Priory. —3D 8
Clare Rd. E11 —1D 124
Clare Rd. Ben —9A 120
Clare Rd. Brain —6F 192
Clare Rd. Clare —2D 8
Clare Rd. Hund —1C 8
Clare Way. Clac S —8F 186
Claridge Rd. Dag —3J 127
Clarissa Rd. Romf —2J 127
Clark Clo. Eri —6E 154
Clarkebourne Dri. Grays —4N 157
Clarke Mans. Bark —9E 126
(off Upney La.)
Clarke Rise. Cold N —4H 35
(off Latchingdon Rd.)
Clarkesmead. Tip —7C 212
Clarke's Rd. Har —4H 201
Clark Gro. Stan H —9A 134
Clarkhill. H'low —6D 56
Clarkia Wlk. Colc —8D 168
Clark Rd. Hock —2D 122
Clarks Farm Rd. Dan —2F 76
Clarks La. Colc —9M 173
Clarks La. Epp —1E 80
Clarksons, The. Bark —2B 142
Clarks Rd. Ilf —4C 126
Clark Way. Broom —2K 61
Claston Clo. Dart —9C 154
Claters Clo. Sth S —4D 140
Clatterbury La. Clav —2J 11
Clatterfield Gdns. Wclf S —4F 138
Clatterford End. —6N 69 (3D 32)
(nr. High Ongar)
Clatterford End. —9F 68 (3B 32)
(nr. North Weald Bassett)
Claude Rd. E10 —4C 124
Claudian Way. Grays —1D 158
Claud Ince Av. Cres —2D 194
Claudius Rd. Colc —1A 176
Claudius Way. Wthm —7B 214
Claughton Way. Hut —5N 99
Claverhambury. —3F 31
Claverhambury Rd. Wal A —7G 64 (3F 31)
Clavering. —3J 11
Clavering. Bas —2G 135
Clavering Castle. —3J 11
Clavering Ct. Ray —4G 121
Clavering Gdns. W H'dn —1N 131
Clavering Rd. E12 —3K 125
Clavering Rd. Brain —2H 193
Clavering Rd. Man —5K 11
Clavering Way. Hut —5M 99
Claverton St. SW1 —1A 46
Claybrick Av. Hock —2C 122
Clayburn Circ. Bas —9E 118
Clayburn End. Bas —9E 118
Clayburn Gdns. S Ock —7E 146
Clayburn Side. Bas —9E 118
Claybury B'way. Ilf —7L 109
Claybury Hospital Woods Nature Reserve. —4N 109 (2G 39)
Claybury Rd. Wfd G —4L 109
Clay Ct. E17 —7D 108
Claydon Cres. Bas —8D 118
Claydons La. Ben —8J 121
Claydons La. Ray —7J 121
Clay End. Walk —6A 10
Claygate Clo. Horn —6E 128
Claygate La. Wal A —9E 64
(in two parts)
Clayhall. —6M 109 (2G 39)
Clayhall Av. Ilf —7L 109 (2G 39)
Clayhall Rd. Clac S —8L 187
Clay Hill. —5B 30
Clay Hill. Enf —5A 30
Clay Hill. Gt Hen —7J 9
Clay Hill La. Bas —3C 134
Clay Hill Rd. Bas —1C 134 (3A 42)
Clay La. St O —8N 185 (3B 28)
Clay La. Gro. Colc —3D 168
Claypit Hill. Stans —4K 209
Claypit Hill. Tye G —6C 12
Claypit Hill. Wal A —6J 79 (5F 31)
Clay Pit Piece. Saf W —7L 205
Claypits. Brain —5M 193
Claypits Av. Bures —8E 194
Claypits La. Fox —3G 9
Claypits Rd. Bore —2G 62
Claypits Vs. Thax —3L 211
Claypole Ct. E17 —1A 124
(off Yunus Khan Clo.)
Clay Ride. Lou —9K 79
Clayshotts Dri. Wthm —7E 214
Clayside. Chig —2B 110
Clays La. E15 —7B 124
Clay's La. Lou —9N 79 (6G 31)
Clays La. Clo. E15 —7B 124
Clays Meadow. L'bry —1H 205
Clayspring Clo. Hock —9C 106
Clays Rd. W on N —6K 183
Clayton Av. Upm —7M 129
Clayton Rd. R'sy —5E 200
Clayton Rd. Romf —3A 128
Clayton Way. Mal —8K 203
Clay Tye Rd. Upm —4N 130 (4E 40)
Claywall Bri. Stpl B —2C 210
Cleall Av. Wal A —4C 78
Clear Bay Pk. St O —9E 184
Clearwater. Colc —2B 176
Cleeborn St. S Fer —2H 105
Cleland Path. Lou —9A 80
Clematis Clo. Romf —4G 113
Clematis Gdns. Wfd G —2G 109
Clematis Tye. Chelm —4N 61
Clematis Way. Colc —8E 168
Clemence Clo. Dag —1A 144
Clementhorpe Rd. Dag —8H 127
Clements Ct. Ilf —5A 126
Clements Gdns. Hock —1F 122
Clements Grn. La. S Fer —9K 91
Clements Hall La. Hock —1F 122
Clements Hall Way. H'wl —3F 122
Clement's La. H'hll —3J 7
Clements La. Ilf —5A 126
Clements Pl. S Fer —9K 91
Clements Rd. E6 —9L 125
Clements Rd. Ilf —5A 126
Clement St. Swan & Dart —5B 48
Clement Way. Upm —5K 129
Clerkenwell. —6A 38
Clerkenwell Rd. EC1 —6A 38
Clerk's Piece. Lou —2M 93
Clevedon Clo. Bla N —1C 198
Cleveland Clo. H'wds —3C 168
Cleveland Dri. Wclf S —3J 139
Cleveland Pk. Av. E17 —8A 108
Cleveland Pk. Cres. E17 —8A 108
Cleveland Rd. E18 —7G 109
Cleveland Rd. Bas —9D 118
Cleveland Rd. Can I —3H 153
Cleveland Rd. Ilf —5A 126
Clevelands, The. Bark —8B 126
Cleveland St. W1 —6A 38
Cleves Av. Brtwd —7E 98
Cleves Clo. Lou —5L 93
Cleves Ct. Bore —2F 62
Cleves Wlk. Ilf —4B 110
Clevis Dri. S Fer —3M 105
Clewer Ct. E10 —3A 124
(off Leyton Grange Est.)
Clewer Ho. SE2 —9J 143
(off Wolvercote Rd.)
Clicket Hill. Bures —8F 194 (2A 16)
Clickett End. Bas —9D 118
Clickett Hill. Bas —9D 118
Clickett Side. Bas —9D 118
(in two parts)
Clieveden Rd. Sth S —8D 140
Cliff Av. Lgh S —6F 138
Cliff Av. Wclf S —5K 139
Cliff Gdns. Lgh S —6F 138 (5H 43)
Cliffield. Shalf —4B 14
Clifford Av. Ilf —5A 110
Clifford Clo. Lain —1M 133
Clifford Rd. E17 —6C 108
Clifford Rd. SE25 —6C 46
Clifford Rd. Chaf H —1J 157
Cliff Pde. Lgh S —6D 138 (5H 43)
Cliff Pde. W on N —2M 183
Cliff Pl. S Ock —3G 146
Cliff Rd. Har —4L 201 (3H 19)
Cliff Rd. Hol S —8B 188
Cliff Rd. Lgh S —6F 138
Cliffsea Gro. Lgh S —5E 138
Clifftown. —7L 139
Clifftown Pde. Sth S —7L 139 (5J 43)
Clifftown Rd. Sth S —7M 139
Cliff Way. Frin S —9L 183
Clifton Av. Ben —2B 136
Clifton Clo. Ben —2D 136
Clifton Ct. Wfd G —3G 109
Clifton Dri. Wclf S —7J 139
Clifton Gro. Alr —7A 178
Clifton Hatch. H'low —6F 56
Clifton Ho. E11 —4E 124
Clifton M. Lou —3A 94
Clifton M. Sth S —7M 139
Clifton Rd. E7 —8K 125
Clifton Rd. Bas —8N 119
Clifton Rd. Can I —2H 153
Clifton Rd. Horn —1E 128
Clifton Rd. Ilf —1C 126
Clifton Rd. Lou —3L 93
Clifton Rd. R'fd —9H 107
Clifton Ter. Ing —5E 86
Clifton Ter. Sth S —7M 139
Clifton Ter. W'hoe —6H 177
Clifton Wlk. Ben —2D 136
Clifton Way. Ben —2C 136
Clifton Way. Hut —7N 99
Climmen Rd. Can I —9H 137
Clinton Clo. E Han —2C 90
Clinton Cres. Ilf —3D 110
Clinton Rd. E7 —6G 125
Clinton Rd. Can I —2D 152
Clipped Hedge. Hat H —2C 202
Clipper Boulevd. Dart —9B 156
Clipper Boulevd. W. Dart —8A 156
Clitheroe Rd. Romf —2A 112
Cliveden Clo. Chelm —8G 60
Cliveden Clo. Shenf —6J 99
Clivedon Rd. E4 —2E 108
Clive Rd. Colc —1N 175
Clive Rd. Gt War —4F 114 (2E 40)
Clive Rd. Romf —9F 112
Clobbs Yd. Broom —3K 61
Clockhall La. Hund —1B 8
Clock Ho. E17 —8D 108
(off Wood St.)
Clock Ho. Lain —9K 117
Clockhouse Av. Bark —1B 142
Clockhouse La. N Stif —8G 147 (1F 49)
(in two parts)
Clockhouse La. Romf —4N 111 (2K 39)
Clock Ho. Rd. Beck —6D 46
Clock Ho. Rd. L Bur —2G 117 (1J 41)
Clockhouse Way. Brain —6K 193
Clodmore Hill. A'den —1J 11
Cloes La. Clac S —8F 186 (3C 28)
Cloister Clo. Rain —4F 144
Cloisters. Stan H —3N 149
Cloisters, The. Brain —3J 193
Cloisters, The. K'dn —9B 202
Cloisters, The. Lain —9L 117
Clopton Grn. Bas —8C 118
Close, The. E4 —4C 108
Close, The. Ben —6D 136
(High St. Benfleet)
Close, The. Ben —7H 121
(Kingsley La.)
Close, The. Brtwd —9G 98
Close, The. Cres —2E 194
Close, The. Deb —2C 12
Close, The. D'mw —9M 197
Close, The. Frin S —9H 183
Close, The. Grays —9M 147
Close, The. Gt Hol —2D 188
Close, The. Har —4J 201
Close, The. Hat H —2C 202
Close, The. Hock —7B 106
Close, The. Ilf —1D 126
Close, The. Jay —5F 190
Close, The. Romf —1K 127
Cloudberry Rd. Romf —3H 113
Clouded Yellow Clo. Bla N —8G 192
Cloudesley Rd. Eri —6D 154
Clough Ho. Wclf S —2H 139
Clough Rd. Colc —1D 168
Clova Rd. E7 —8F 124
Clova Rd. Lgh S —4E 138
Clovelly Ct. Horn —4L 129
Clovelly Gdns. Romf —5N 111

Clovelly Gdns. *W'fd* —7K **103**
Clover Clo. *E11* —4D **124**
Clover Clo. *Bas* —3F **134**
Clover Ct. *Grays* —4N **157**
Clover Ct. *S'way* —1E **174**
Clover Dri. *Thorr* —9F **178**
Cloverfield. *H'low* —6F **56**
Cloverlands. *Colc* —5C **168**
Clover Leas. *Epp* —8E **66**
Cloverley Rd. *Ong* —9L **69**
Cloverleys. *Lou* —4K **93**
Clover Way. *A'lgh* —2H **169**
Clover Way. *Bas* —3F **134**
Cluff Ct. *War* —2F **114**
Clunas Gdns. *Romf* —7H **113**
Cluny Sq. *Sth S* —3A **140**
Clusters, The. *Sth S* —5L **139**
Clyde. *E Til* —2L **159**
Clyde Cres. *Chelm* —7F **60**
Clyde Cres. *Ray* —7J **121**
Clyde Cres. *Upm* —1B **130**
Clyde Pl. *E10* —2B **124**
Clyde Rd. *Hod* —7D **54**
*Clydesdale Ho. Eri —9K **143***
(off Kale Rd.)
Clydesdale Rd. *Brain* —6G **192**
Clydesdale Rd. *Horn* —2D **128**
Clyde Way. *Romf* —4C **112**
Clydon Clo. *Eri* —4C **154**
*Clynes Ho. Dag —5M **127***
(off Uvedale Rd.)
Coach Ho. Way. *Wthm* —5D **214**
Coach La. *Mal* —5J **203**
Coach M. *Bill* —3M **101**
Coach Rd. *Alr* —7A **178** (1J **27**)
Coach Rd. *Gt Hork* —8F **160** (4D **16**)
Coach Rd. *Hpstd* —6G **7**
Coal Ct. *Grays* —5K **157**
Coalhill. —9M 89 (6C 34)
Coalhouse Fort & Thameside Aviation Mus. —6N **159** (2K **49**)
Coalport Clo. *H'low* —4H **57**
Coal Rd. *Til* —2H **159**
Coan Av. *Clac S* —3H **191**
*Coaster Steps. Sth S —7A **140***
(off Kursaal Way)
Coast Rd. *W Mer* —2H **213** (5F **27**)
Coates Clo. *H'bri* —4L **203**
Coates Quay. *Chelm* —9M **61**
Coats Hutton Rd. *Colc* —3J **175**
Cobbetts Av. *Ilf* —9K **109**
Cobbinsbank. *Wal A* —3D **78**
Cobbins Chase. *Bur C* —1J **195**
Cobbins Clo. *Bur C* —1J **195**
Cobbinsend Rd. *Wal A* —7K **65**
Cobbins Gro. *Bur C* —1J **195**
Cobbins, The. *Bur C* —1L **195**
Cobbins, The. *Wal A* —3E **78**
Cobbins Way. *H'low* —8K **53**
Cobbles, The. *Brtwd* —8H **99**
Cobbles, The. *Upm* —2C **130**
Cobbold Rd. *E11* —5F **124**
Cobbold Rd. *Felix* —1K **19**
Cobbs Fenn. —8B 206 (2E 14)
Cobbs Pl. *Chelm* —8M **61**
Cobden Rd. *E11* —5E **124**
Cobden Wlk. *Bas* —8K **119**
(in two parts)
Cobham. —6J 49
(nr. Henley Street)
Cobham. —6J 49
(nr. Meopham)
Cobham. *Grays* —9L **147**
Cobhambury Rd. *Cob* —6J **49**
Cobham Hall. —6K **49**
Cobham Ho. *Bark* —1B **142**
(in two parts)
Cobham Ho. *Eri* —5D **154**
*Cobham Mans. Wclf S —6H **139***
(off Station Rd.)
Cobham Rd. *E17* —5C **108**
Cobham Rd. *Ilf* —4D **126**
Cobham Rd. *Wclf S* —7H **139**
Cobill Clo. *Horn* —8G **113**
Cobler's Green. —2K 23
Coborn Rd. *E3* —6D **38**
Coburg Gdns. *Ilf* —6K **109**
Coburg La. *Bas* —2H **133**
Coburg Pl. *S Fer* —1K **105**
*Cochrane Ct. E10 —3A **124***
(off Leyton Grange Est.)
*Cockabourne Ct. H Wood —6L **113***
(off Archibald Rd.)
Cockaynes La. *Alr* —6N **177** (1J **27**)
Cock Clarks. —8M 77 (3F 35)
Cockerell Clo. *Bas* —6J **119**
Cockethurst Clo. *Wclf S* —2F **138**
Cockett Wick La. *St O* —3A **190** (4B **28**)
Cock Green. —2K 23
Cock Grn. *H'low* —5A **56**
Cock Hill. *Ked* —2A **8**
Cock La. *F End* —3H **11**
Cock La. *Gt Bro* —6G **170**
Cock La. *Hghwd* —8B **72** (3G **33**)
(in two parts)
Cock La. *Hod* —6A **54** (1C **30**)
Cockmannings La. *Orp* —7J **47**
Cockmannings Rd. *Orp* —7J **47**
Cockrell's Rd. *L Hork* —4B **160** (3C **16**)
Cock Rd. *L Map* —1G **15**
Cocksure La. *Sidc* —4K **47**
Codenham Grn. *Bas* —2C **134**
Codenham Straight. *Bas* —2C **134**
Codham Hall La. *Gt War* —8E **114**
Coeur De Lion. *Colc* —5N **167**
Coggeshall. —8L 195 (7H 15)
Coggeshall Grange Barn. —9K **195** (7H **15**)
Coggeshall Hamlet. —1H 25
Coggeshall Heritage Museum. —8K **195** (7H **15**)
Coggeshall Pieces. *H'std* —4M **199**
Coggeshall Rd. *Brain* —5H **193** (7C **14**)
Coggeshall Rd. *Cogg & M Tey* —3A **172** (7J **15**)
Coggeshall Rd. *Ded* —6M **163** (3H **17**)
Coggeshall Rd. *E Col* —4D **196** (6H **15**)
Coggeshall Rd. *Fee* —9M **195** (7J **15**)
Coggeshall Rd. *Gt Tey* —2D **172** (6J **15**)
Coggeshall Rd. *K'dn* —6B **202** (1H **25**)
Coggeshall Way. *H'std* —4M **199**
Cogmore. *Dud E* —7J **5**
Cohort Dri. *Colc* —4H **175**
Cokefield Av. *Sth S* —3A **140**
Coker Rd. *Can I* —3D **152**
Cokers Clo. *Bla N* —3C **194**
Coke St. *Har* —2M **201**
Colam La. *L Bad* —7J **63** (1D **34**)
Colbert Av. *Sth S* —7D **140**
Colbourne Clo. *Stan H* —2A **150**
Colchester. —8M 167 (6E 16)
Colchester Arts Centre. —8M **167** (6E **16**)
Colchester Av. *E12* —5M **125**
Colchester Bus. Pk. *Colc* —1C **168**
Colchester By-Pass. *Colc* —7J **167**
Colchester By-Pass Rd. *Colc* —6A **168**
Colchester By-Pass Rd. *G Est* —9E **168**
Colchester Castle. —8N **167** (6E **16**)
Colchester Clo. *Sth S* —4L **139**
Colchester Natural History Museum. —8N **167** (6E **16**)
Colchester Rd. *E10* —2C **124**
Colchester Rd. *E17* —1A **124**
Colchester Rd. *A'lgh* —9K **163** (4H **17**)
Colchester Rd. *Bures* —8C **194** (2A **16**)
Colchester Rd. *Cogg* —8M **195** (7H **15**)
Colchester Rd. *Colc* —4F **168** (5G **17**)
Colchester Rd. *C Hth* —4M **169** (5J **17**)
Colchester Rd. *Ded* —3L **163** (2H **17**)
Colchester Rd. *E Col & Whi C* —2E **196** (4J **15**)
Colchester Rd. *Elms* —9L **169** (6H **17**)
Colchester Rd. *Frat & Wee* —3F **178** (7K **17**)
Colchester Rd. *Gt Tot* —8N **213** (5J **25**)
Colchester Rd. *H'std* —4L **199** (3F **15**)
Colchester Rd. *H'bri* —3L **203** (7H **25**)
Colchester Rd. *Hol S* —8N **187**
Colchester Rd. *Hor X & Wix* —5B **18**
Colchester Rd. *L'hoe* —8B **176** (2F **27**)
Colchester Rd. *Law* —5G **165** (3K **17**)
Colchester Rd. *Romf & S Wea* —5H **113** (2B **40**)
Colchester Rd. *Sth S* —4L **139**
Colchester Rd. *Spri* —6B **62** (7B **24**)
Colchester Rd. *Sto G* —5C **18**
Colchester Rd. *St O* —5L **185** (3A **28**)
Colchester Rd. *T Sok* —4F **180** (7C **18**)
Colchester Rd. *Tip* —4D **212** (3K **25**)
Colchester Rd. *Tol D* —5C **26**
Colchester Rd. *Vir & Gt Wig* —4C **26**
Colchester Rd. *Wak C* —4K **15**
Colchester Rd. *W Ber* —2F **166** (4D **16**)
Colchester Rd. *W Mer* —1L **213** (5F **27**)
Colchester Rd. *Wthm* —5D **214** (4G **25**)
Colchester Rd. *W'hoe* —1G **177** (6G **17**)
Colchester Rd. *Wmgfd* —7B **160** (3C **16**)
Colchester Tourist Information Centre. —8N **167** (6E **16**)
Colchester United F.C. —2K **175** (7E **16**)
Colchester Zoo. —6D **174** (1C **26**)
Coldblow. —4A 48
Cold Christmas. —3E 20
Cold Christmas La. *Thun* —3C **20**
Cold Hall Chase. *Elms* —9D **170**
Coldhall La. *Chelm* —6G **73**
Coldharbour La. *SW9 & SE5* —3A **46**
Coldharbour La. *Rain* —6C **144**
Coldharbour Rd. *H'low* —4M **55**
Coldharbour Rd. *N'fleet* —4G **49**
Coldnailhurst Av. *Brain* —4G **193**
Cold Norton. —4H 35
Colebrooke Dri. *E11* —2H **125**
Colebrook Gdns. *Lou* —1A **94**
Colebrook La. *Lou* —1A **94**
Colebrook Path. *Lou* —1A **94**
Cole Clo. *SE28* —8G **143**
Cole Ct. *H Hill* —2J **113**
Cole End. —7D 6
Cole End Rd. *Sew E* —7D **6**
Colegrave Rd. *E15* —7D **124**
Cole Green. —3G 11
Cole Grn. By-Pass. *Col G & Hert* —5A **20**
Cole Hill. *Gt L* —3B **24**
Colehills Clo. *Clav* —2J **11**
Coleman Rd. *Dag* —8K **127**
Coleman's Av. *Wclf S* —2J **139**
Colemans La. *Dan* —3D **76**
Coleman St. *Sth S* —5M **139**
Colenso Rd. *Ilf* —3D **126**
Coleridge Av. *E12* —8L **125**
Coleridge Ct. *Chelm* —6H **61**
Coleridge Rd. *Dart* —9M **155**
Coleridge Rd. *Mal* —7K **203**
Coleridge Rd. *Romf* —4F **112**
Coleridge Rd. *Til* —7E **158**
Coleridge Wlk. *Hut* —6M **99**
Coles Clo. *Ong* —5L **69**
Coles Grn. *Lou* —9N **79**
Coles La. *W on N* —6K **183**
Coles Oak La. *Ded* —2H **163** (2G **17**)
Colet Rd. *Hut* —4M **99**
Colinton Rd. *Ilf* —4G **127**
Collard Av. *Lou* —1B **94**
Collard Grn. *Lou* —1B **94**
*Collards Almshouses. E17 —9C **108***
(off Maynard Rd.)
College Av. *Grays* —2L **157**
College Clo. *Grays* —2M **157**
College Ct. *Mann* —4H **165**
College Gdns. *E4* —6B **92**
College Gdns. *Ilf* —9L **109**
College Pl. *E17* —8E **108**
College Pl. *They B* —6B **80**
College Point. *E15* —8F **124**
College Rd. *E17* —9C **108**
College Rd. *SE21 & SE19* —4B **46**
College Rd. *Brain* —6G **192**
College Rd. *Brom* —6F **47**
College Rd. *Chesh* —3C **30**
College Rd. *Clac S* —1L **191**
College Rd. *Grays* —2M **157**
College Rd. *Swan* —6A **48**
College Sq. *H'low* —3C **56**
College St. *NW1* —5A **38**
College Way. *Sth S* —6M **139**
Coller Rd. *Pkstn* —2H **201**
Colles Brook Rd. *Gt Ben* —1L **185** (2A **28**)
Collett Rd. *Ware* —4C **20**
Colletts Chase. *Wmgfd* —4A **160**
Colley Bri. La. *Ing* —2N **71**
Colley Rd. *Chelm* —4H **75**
Collier Clo. *E6* —7A **142**
Collier Row. —4N 111 (2K 39)
Collier Row La. *Romf* —4N **111** (2K **39**)
Collier Row Rd. *Romf* —5L **111** (2K **39**)
Colliers End. —1D 20
Colliers Hatch. —1N 81 (3A 32)
Colliers, The. *Hey B* —8N **203**
Collier St. *Hat O* —2C **22**
Colliers Water La. *T Hth* —7A **46**
Collindale Clo. *Can I* —1K **153**
Collindale Gdns. *Clac S* —8N **187**
Collingwood. *Ben* —2E **136**
Collingwood Clo. *Brain* —3L **193**
Collingwood Rd. *E17* —1A **124**
Collingwood Rd. *Bas* —2E **134**
Collingwood Rd. *Clac S* —3H **191**
Collingwood Rd. *Colc* —9F **166**
Collingwood Rd. *S Fer* —2M **105**
Collingwood Rd. *Wthm* —5C **214** (4F **25**)
Collingwood Ter. *Bas* —2E **134**
Collingwood Wlk. *Bas* —1E **134**
Collingwood Way. *Shoe* —5K **141**
Collins Clo. *Brain* —6H **193**
Collins Clo. *Stan H* —3N **149**
Collins Cross. *Bis S* —8A **208**
Collins Hill. *They B* —6C **80**
Collins Ho. *Stan H* —1A **150**
Collins La. *Wthm* —5D **214**
Collins Meadow. *H'low* —3A **56**
Collins Rd. *Horn* —2L **129**
Collins Rd. *L Map* —1G **15**
Collins Way. *Hut* —4B **100**
Collins Way. *Lgh S* —9F **122**
Collinwood Gdns. *Ilf* —9M **109**
Collops Rd. *Steb* —7J **13**
Colman Clo. *Stan H* —2M **149**
Colmore Rd. *Enf* —6C **30**
Colne. *E Til* —1L **159**
Colne Bank Av. *Colc* —7L **167** (6E **16**)
Colne Causeway. *Colc* —1D **176** (6F **17**)
Colne Chase. *Wthm* —5B **214**
Colne Clo. *S Ock* —7F **146**
Colne Clo. *S Fer* —1L **105**
Colne Ct. *Brain* —7L **193**
Colne Ct. *E Til* —1L **159**
Colne Dri. *Romf* —3K **113**
Colne Dri. *Shoe* —5J **141**
Colne Engaine. —3H 15
Colne Engaine Rd. *Whi C* —3J **15**
Colneford Hill. *Whi C* —2E **196** (4J **15**)
Colne Ho. *H'bri* —3L **203**
Colneis Rd. *Felix* —1K **19**
Colne Pk. Rd. *Whi C* —1E **196** (4J **15**)
Colne Pl. *Bas* —2D **134**
Colne Rise. *Rhdge* —6F **176**
Colne Rd. *B'sea* —7D **184** (3K **27**)
Colne Rd. *Bures* —9A **194** (2A **16**)
Colne Rd. *Clac S* —2K **191**
Colne Rd. *Cogg* —6L **195** (6H **15**)
(in two parts)
Colne Rd. *H'std* —4L **199** (3G **15**)
Colne Rd. *Peb & Coln E* —2H **15**
Colne Rd. *Sib H* —7C **206**
Colne Springs. *Ridg* —5B **8**
Colne Ter. *W'hoe* —6H **177**
Colne Valley. *Upm* —1B **130**
Colne Valley Clo. *H'std* —4J **199**
Colne Valley Nature Reserve. —2E **196** (4J **15**)
Colne Valley Railway & Museum. —2A **206** (7D **8**)
Colne View. *St O* —4K **27**
Colne View Retail Pk. *Colc* —6A **168**
Colne Wlk. *Brain* —7M **193**
Colne Way. *P Bay* —9D **184** (4K **27**)
Colombo Rd. *Ilf* —2B **126**
Colson Gdns. *Lou* —3A **94**
Colson Grn. *Lou* —4A **94**
Colson Path. *Lou* —3N **93**
Colson Rd. *Lou* —3A **94**
Colston Rd. *E7* —8K **125**
Colt Hatch. *H'low* —2A **56**
Colthorpe Rd. *Clac S* —5K **187**
Coltishall Clo. *W'fd* —1B **120**
Coltishall Rd. *Horn* —8G **128**
Coltsfield. *Stans* —1D **208**
Coltsfoot Ct. *Colc* —5K **167**
Coltsfoot Ct. *Grays* —4N **157**
Coltsfoot Path. *Romf* —4G **113**
(in three parts)
Columbia Rd. *E2* —6B **38**
Columbia Wharf Rd. *Grays* —4K **157**
Columbine Gdns. *W on N* —7L **183**
Columbine M. *S'way* —8D **166**
Columbine Way. *Romf* —5J **113**
Columbus Ct. *Eri* —5D **154**
Columbus Sq. *Eri* —4D **154**
Colvers. *Mat G* —6B **22**
Colville Clo. *Bla N* —2C **198**
Colville Clo. *Corr* —9A **134**
Colville M. *Bill* —3H **101**
Colville Rd. *E11* —5C **124**
Colvin Chase. *Gall* —9C **74**
Colvin Clo. *Colc* —8G **167**
Colvin Gdns. *E4* —9C **92**
Colvin Gdns. *E11* —8H **109**
Colvin Gdns. *Ilf* —5B **110**
Colvin Rd. *E6* —9L **125**
Colwall Gdns. *Wfd G* —2G **109**
Colworth Clo. *Ben* —2K **137**
Colworth Rd. *E11* —1E **124**
Colyers Clo. *Eri* —6B **154**
Colyers La. *Eri* —6A **154** (2A **48**)
Colyers Reach. *Chelm* —9B **62**
Colyers Wlk. *Eri* —6C **154**
Colyton Rd. *SE22* —3C **46**
Comely Bank Rd. *E17* —9C **108**
Comet Clo. *E12* —6K **125**
Comet Clo. *Purf* —2L **155**
Comet Way. *Sth S* —9G **122**
Comet Way Ind. Est. *Sth S* —9G **122**
Comfrey Ct. *Grays* —4N **157**
Comma Clo. *Brain* —8G **193**
Commerce Pk. *Colc* —2D **176**
Commerce Way. *Colc* —2D **176**
Commercial Rd. *E1 & E14* —7C **38**
Commercial Rd. *Wclf S* —2J **139**
Commercial St. *E1* —6B **38**
Commercial Way. *SE5* —2B **46**
Common App. *Ben* —9G **120**
Commonfields. *H'low* —2D **56**
Commonhall La. *Ben* —3K **137**
Common Hill. *Saf W* —3K **205** (6B **6**)
Common La. *Ben* —8G **121**
Common La. *Dart* —4B **48**
Common La. *Gt Eas* —6E **12**
Common La. *L Bad* —9M **63**
(in two parts)
Common La. *Stock* —7N **87**
Common La. *Wdhm W* —1E **34**
Common Rd. *Gt W* —2M **141**
Common Rd. *Ingve* —2M **115**
Common Rd. *Stock* —6N **87**
Common Rd. *Wal A* —9L **55** (1G **31**)
Commonside E. *Mitc* —6A **46**
Commonside Rd. *H'low* —7D **56** (1H **31**)
Commons, The. *Colc* —1G **175** (6D **16**)
Common, The. *Ben* —8G **120**
Common, The. *Dan* —4E **76** (2E **34**)
Common, The. *E Han* —1B **90** (4D **34**)
Community Rd. *E15* —7D **124**
Como St. *Romf* —9B **112**
Compasses Rd. *Patt* —6F **15**
Compasses Row. *Chelm* —7J **61**
Compass Gdns. *Bur C* —2K **195**
Compton Av. *Hut* —7M **99**
Compton Av. *Romf* —7G **112**
Compton Ct. *Can I* —3K **153**
Compton Pl. *Eri* —4D **154**
Compton Rd. *N21* —7A **30**
Compton Rd. *Colc* —7B **168**
Compton Ter. *W'fd* —9M **103**
Compton Wlk. *Bas* —8K **117**
Comyns Pl. *Writ* —1K **73**
Comyns Rd. *Dag* —9M **127**
Conan Doyle Clo. *Brain* —8J **193**
*Concorde Ho. Horn —8F **128***
(off Astra Clo.)
Concord Rd. *Can I* —9F **136**
Conder Way. *Colc* —2C **176**
Condor Wlk. *Horn* —9F **128**
Conduct La. *Gt Hor* —3F **11**
Conduit La. *N18* —1C **38**
Conduit La. *Hod* —5A **54** (7D **20**)
Conduit La. *Wdhm M* —4K **77** (2F **35**)
Conduit La. E. *Hod* —5B **54**
Conduit St. *W1* —7A **38**
*Conduit St. Chelm —9K **61***
(off High St. Chelmsford,)
Coney Burrows. *E4* —8E **92**
Coney Byes La. *W Ber* —9D **160** (4C **16**)
Coney Grn. *Saw* —1J **53**
Coney Hall. —7E 46
Coney Hill Rd. *W Wick* —7E **46**
Conference Clo. *E4* —8C **92**
Congreve Rd. *Wal A* —3E **78**
Conies Rd. *H'std* —6J **199**
Conifer Av. *Romf* —2N **111**
Conifer Clo. *Alr* —7M **177**
Conifer Clo. *Colc* —7D **168**
Conifer Dri. *War* —2G **114**
Conifers. *Ben* —3L **137**
Coningsby Gdns. *E4* —3B **108**
Coniston. *Sth S* —8F **122**
Coniston Av. *Bark* —9D **126**
Coniston Av. *Upm* —6N **129**
Coniston Clo. *Bark* —9D **126**
Coniston Clo. *Bexh* —6A **154**
Coniston Clo. *Brain* —2D **198**
Coniston Clo. *Eri* —5C **154**
Coniston Clo. *Ray* —5L **121**
Coniston Ct. *Epp* —1F **80**
Coniston Gdns. *Ilf* —8L **109**
Coniston Rd. *Ben* —8E **120**
Coniston Rd. *Bexh* —6A **154**
Coniston Rd. *Can I* —2G **152**
Coniston Way. *Horn* —7E **128**
Connaught Av. *E4* —6D **92**
Connaught Av. *Frin S* —9J **183** (1G **29**)
Connaught Av. *Grays* —9L **147**
Connaught Av. *Lou* —3K **93**
Connaught Bri. *E16* —7F **39**
Connaught Clo. *Clac S* —1M **191**
*Connaught Ct. E17 —8B **108***
(off Orford Rd.)
Connaught Dri. *S Fer* —1J **105**
Connaught Gdns. *N13* —1A **38**
Connaught Gdns. *Brain* —4K **193**
Connaught Gdns. *Shoe* —8G **141**
Connaught Gdns. E. *Clac S* —9M **187**
Connaught Gdns. W. *Clac S* —9M **187**
Connaught Hill. *Lou* —3K **93**
Connaught La. *Ilf* —4B **126**
Connaught Rd. *E4* —6E **92**
Connaught Rd. *E11* —3D **124**
Connaught Rd. *E17* —9A **108**
Connaught Rd. *Horn* —5H **129**
Connaught Rd. *Ilf* —4C **126**
Connaught Rd. *Ray* —7N **121**
(in two parts)
Connaught Rd. *Wee H* —9G **180**
Connaught Wlk. *Ray* —7N **121**
Connaught Way. *Bill* —3J **101**
Connington Cres. *E4* —9D **92**
Connor Rd. *Dag* —6L **127**
Conqueror Ct. *H Hill* —4H **113**
Conquerors Clo. *Hat P* —3M **63**
Conrad Clo. *Grays* —9L **147**
Conrad Gdns. *Grays* —9L **147**
Conrad Rd. *Stan H* —3N **149**
Conrad Rd. *Wthm* —2B **214**
Consort Clo. *War* —2F **114**
Constable Av. *Clac S* —7F **186**
Constable Clo. *Law* —4G **164**
Constable Clo. *M End* —3M **167**
Constable Clo. *W Mer* —2L **213**
Constable Gdns. *Ilf* —3N **125**
Constable Ho. *Brain* —5G **192**
Constable M. *Dag* —6G **127**
Constable M. *Ded* —1M **163**
Constable Row. *Ded* —2N **163**
Constable View. *Chelm* —5A **62**
Constable Way. *Shoe* —6K **141**
Constance Clo. *Broom* —9J **59**
Constance Clo. *Wthm* —7E **214**
Constantine Rd. *Colc* —1L **175**
Constantine Rd. *Wthm* —7B **214**
Constitution Hill. *Ben* —3D **136**
Convent Clo. *Lain* —9L **117**
Convent Hill. *Brain* —3J **193** (6D **14**)
Convent La. *Brain* —3J **193**
Convent Rd. *Can I* —2H **153**
Con Way. *Ben* —3D **136**
Conway Av. *Gt W* —3L **141**
Conway Clo. *H'std* —6J **199**
Conway Clo. *Rain* —9E **128**
Conway Clo. *W'hoe* —6J **177**
Conway Cres. *Romf* —1H **127**
Conway Gdns. *Grays* —5L **157**
Conways Rd. *Ors* —2C **148** (6H **41**)
Conybury Clo. *Wal A* —2G **79**
Conyer Clo. *Mal* —8J **203**
Conyers Clo. *Wfd G* —3E **108**
Conyers, The. *H'low* —1B **56**
Conyers Way. *Lou* —2A **94**
Cook Clo. *Har* —6H **201**
Cook Ct. *Eri* —5D **154**
Cook Cres. *Colc* —8E **168**
Cookes Clo. *E11* —4F **124**
Cook Ga. *Thax* —3K **211**
Cookham Ct. *Shoe* —4J **141**
Cookham Rd. *Swan* —6K **47**
Cookhill Rd. *SE2* —9G **142**
Cook La. *Tip* —7C **212**
Cook Pl. *Chelm* —8A **62**
Cook Rd. *Dag* —1K **143**
Cooks Clo. *H'std* —6L **199**
Cook's Clo. *Romf* —5A **112**
Cook's Green. —2M 187 (2E 28)
Cooks Grn. *Bas* —6K **119**
Cooks Hall Rd. *W Ber* —4D **166**
Cooks Hill. *Boxt* —1A **162** (2F **17**)
Cooks Hill. *Tak* —8A **210** (1C **22**)
Cook's La. *Gt Bar* —9J **13**
Cooksmill Green. —1B 72 (1G 33)
Cook Sq. *Eri* —5D **154**
Cooks Spinney. *H'low* —1F **56**
Coolgardie Av. *E4* —2D **108**
Coolgardie Av. *Chig* —9N **93**
Coolyne Way. *Clac S* —6M **187**
Coombe Dri. *Bas* —5L **133**
Coombe Ho. *E4* —3A **108**
Coombe Rise. *Chelm* —4K **61**
Coombe Rise. *Shenf* —7J **99**
Coombe Rise. *Stan H* —3N **149**
Coombe Rd. *Romf* —7K **113**
Coombe Rd. *S'min* —7L **207**
Coombe Rd. *Ther* —6A **4**

Coombes Clo. Bill —4H 101
Coombes Corner. Lgh S —1D 138
Coombes Gro. R'fd —5M 123
Coombes Rd. Dag —1L 143
Coombewood Dri. Ben —1E 136
Coombe Wood Dri. Romf —1L 127
Cooper Ct. E15 —7B 124
Cooper Ct. Brain —8G 193
Cooper Dri. Brain —4F 192
Coopers. Bore —3F 62
Coopersale Clo. Wfd G —4J 109
Coopersale Common. —8J 67 (3J 31)
Coopersale Comn. Coop —8J 67 (3J 31)
Coopersale La. They B —7F 80 (5J 31)
Coopersales. Bas —9J 117
Coopersale Street. —1H 81 (4J 31)
Coopersale St. Epp —2H 81
Coopers Av. H'bri —3M 203
Coopers Beach Holiday Pk. E Mer —5H 27
Coopers Clo. Chig —8G 95
Coopers Clo. Dag —8N 127
Coopers Cres. W Ber —3G 167
Coopers Dri. Bill —1L 117
Coopers End Rd. Stan Apt —6M 209
Coopers Hill. Ong —8L 69 (3C 32)
Coopers La. E10 —3B 124
Coopers La. Clac S —1G 190
Cooper's La. Ded —3M 163
Coopers La. Gt L —1M 59
(in two parts)
Cooper's La. W Til —5F 158 (2H 49)
Coopers La. Rd. Pot B —4A 30
Coopers M. Ong —8L 69
Cooper's Row. Chelm —7J 61
Coopers Wlk. E15 —7E 124
Coopers Way. Sth S —1M 139
Cooper Wlk. Colc —7D 168
Coote Gdns. Dag —5L 127
Coote Rd. Dag —5L 127
Copdoek. Bas —8D 118
Copeland Rd. E17 —1B 124
Copelands. R'fd —1J 123
Copeman Rd. Hut —6N 99
Copenhagen St. N1 —6A 38
Copford. —2M 173 (7B 16)
Copford Av. Ray —6M 121
Copford Clo. Bill —6L 101
Copford Clo. Wfd G —3L 109
Copford Green. —4M 173 (7B 16)
Copford Rd. Bill —6L 101
Copford St Michael & All Angels Church. —4A 174 (7B 16)
Copland Clo. Broom —2J 61
Copland Clo. Gt Bad —2G 74
Copland Rd. Stan H —4M 149
Coploe Rd. I'tn —2H 197 (4K 5)
Coppen Rd. Dag —2L 127
Coppens Grn. W'fd —1M 119
Copperas Rd. B'sea —8E 184
Copperas Wood Nature Reserve. —3A 200 (3F 19)
Copper Beech Clo. Ilf —5M 109
Copper Beech Ct. Lou —9N 79
Copper Beeches. Ben —8J 121
Copper Beeches. S'way —1E 174
Copper Beech Rd. S Ock —3F 146
Copper Ct. Saw —2K 53
Copperfield. Bill —1M 117
Copperfield. Chig —2C 110
Copperfield App. Chig —3C 110
Copperfield Gdns. Brtwd —7E 98
Copperfield Rd. SE28 —6H 143
Copperfield Rd. Chelm —4F 60
Copperfields. Bas —8L 117
Copperfields Way. Romf —5H 113
Coppergate Ct. Wal A —4G 79
(off Farthingale La.)
Coppice Clo. D'mw —7L 197
Coppice End. H'wds —4B 168
Coppice Hatch. H'low —5C 56
Coppice La. Bas —6A 118
Coppice Path. Chig —1G 110
Coppice Rd. Alr —6A 178
Coppice Row. They B —6B 80 (5G 31)
Coppice, The. Kel H —6B 84
Coppice Way. E18 —8F 108
Coppingford End. Cop —1M 173
Coppings, The. Hod —2A 54
Coppins Clo. Chelm —7N 61
Coppins Rd. Clac S —9G 186 (4D 28)
Copse Hill. H'low —6A 56
Copse, The. E4 —7F 92
Copse, The. Bill —4J 101
Copse, The. Bis S —9B 208
Copse, The. Colc —4N 167
Copse, The. Fels —1K 23
Coptfold Clo. Sth S —5D 140
Coptfold Hall La. Marg —8F 72
Coptfold Rd. Brtwd —8F 98
Copthall Green. —3L 79 (4F 31)
Copt Hall La. L Wig —4D 26
Copthall La. Thax —3K 211 (3F 13)
Copt Hall Rd. Cob —6H 49
Copt Hill. Dan —4E 76 (2E 34)
Copthorne Av. Ilf —3A 110
Copthorne Gdns. Horn —9L 113
Copy Hill. Hel B —4J 7
Coral Clo. Romf —8H 111
Coral Clo. S Fer —9J 91
Coralin Wlk. S'way —9D 166
Coralline Wlk. SE2 —9H 143
Coram Grn. Hut —5N 99
Corasway. Ben —1J 137
Corbets Av. Upm —7M 129
Corbets Tey. —7N 129 (5D 40)
Corbets Tey Rd. Upm —6M 129 (4C 40)
Corbett Rd. E11 —1J 125
Corbett Rd. E17 —7C 108
Corbett W. E11 —1J 125
Corbicum. E11 —2E 124
Corcorans. Pil H —5F 98
Cordelia Cres. Ray —4J 121
Cordwainers, The. Sth S —1M 139
Cordy's La. T Mary —1J 19
Corfe Clo. Pits —1J 135
Corhaven Ho. Eri —5C 154
Coriander Rd. Tip —7C 212
Cories Clo. Dag —4J 127
Corinthian Manorway. Eri —2B 154
Corinthian Rd. Eri —2B 154
Coriolanus Clo. Colc —3H 175
Corkers Path. Ilf —4B 126
Corkscrew Hill. W Wick —7E 46
Cormorant Rd. E7 —7F 124
Cormorant Wlk. Chelm —5D 74
Cormorant Wlk. Horn —8F 128
Cornard Rd. Sud —5J 9
Cornard Tye. —5K 9
Cornec Av. Lgh S —9A 122
Cornec Chase. Lgh S —9B 122
Cornel Clo. Wthm —3A 214
Cornelia Pl. Eri —4C 154
Cornells La. Widd —3C 12
Cornell Way. Romf —2M 111 (1K 39)
Corner Pk. Saf W —2L 205
Corner Rd. Cray H —2E 118
Cornerways. Dodd —8G 84
Cornfields. S Fer —9J 91
Cornflower Clo. S'way —8D 166
Cornflower Dri. Chelm —6A 62
Cornflower Gdns. Bill —4H 101
Cornflower Rd. Jay —5E 190
Cornflower Way. Romf —5J 113
Cornford Way. Law —4G 165
Cornhill. Chelm —9K 61
Cornhill Av. Hock —9D 106
Cornish Gro. S Fer —2L 105
Cornish Hall End. —7J 7
Cornish Hall End Rd. Stamb —6K 7
Cornmill. Wal A —3B 78
Corn Mill Ct. Saf W —5L 205
Cornshaw Rd. Dag —3J 127
Cornsland. Brtwd —9G 98
Cornsland Ct. Brtwd —9G 98
Cornwall Clo. Bark —8E 126
Cornwall Clo. Horn —8L 113
Cornwall Clo. Law —5G 164
Cornwall Cres. Chelm —4J 61
Cornwall Gdns. Brain —4K 193
Cornwall Gdns. R'fd —2H 123
Cornwall Ga. Purf —2A 154
Cornwallis Clo. Eri —4D 154
Cornwallis Dri. S Fer —1M 105
Cornwallis Pl. Saf W —3L 205
Cornwallis Rd. Dag —6J 127
Cornwall Rd. Bas —8N 119
Cornwall Rd. Dart —8K 155
Cornwall Rd. Pil H —4E 98
Cornwalls Dri. M Tey —3G 173
Corn Way. E11 —5D 124
Cornwell Cres. E7 —6J 125
Cornwell Cres. Stan H —2N 149
Cornworthy. Shoe —6G 141
Cornworthy Rd. Dag —7H 127
Corona Rd. Bas —3K 133
Corona Rd. Can I —9K 137
Coronation Av. Brain —6H 193
Coronation Av. Colc —5A 176
Coronation Av. E Til —2K 159
Coronation Clo. Gt W —2K 141
Coronation Clo. Ilf —8B 110
Coronation Ct. E15 —8F 124
Coronation Ct. E Til —2L 159
(off Coronation Av.)
Coronation Ct. Eri —5B 154
Coronation Dri. Horn —7F 128 (5B 40)
Coronation Hill. Epp —9E 66
Coronation Rd. Bur C —4L 195
Coronation Rd. Clac S —1G 191
Coronation Way. Cres —2D 194
Corporation Rd. Chelm —7J 61
Corran Way. S Ock —7E 146
Corriander Dri. Else —7D 196
Corringham. —6A 42
Corringham Clo. Corr —2B 150
Corringham Rd. Stan H & Corr
(in two parts) —4M 149 (6K 41)
Corsel Rd. Can I —2L 153
Cortoncroft Clo. Kir X —7J 183
Corton Trad. Est. Ben —8D 120
Corve La. S Ock —7E 146
Cory Dri. Hut —6L 99
Coryton. —3K 151 (6B 42)
Coryton Wharves. —5N 151
Cosgrove Av. Lgh S —3A 138
Cossington Rd. Wclf S —6K 139
Costead Mnr. Rd. Brtwd —7E 98
Cosway Cvn. Pk. E Mer —4J 27
Coteford Clo. Lou —1A 94
Cotelands. Bas —3G 134
Cotesmore Gdns. Dag —6H 127
Cotleigh Rd. Romf —1B 128
Cotman Av. Law —3G 164
Cotman M. Dag —7H 127
(off Highgrove Rd.)
Cotman Rd. Clac S —7H 187
Cotman Rd. Colc —1H 175
Coton St. E14 —7E 38
Cotswold Av. Ray —4K 121
Cotswold Clo. Bexh —7C 154
Cotswold Ct. H'wds —3C 168
Cotswold Cres. Chelm —5F 60
Cotswold Gdns. Hut —6A 100
Cotswold Gdns. Ilf —2C 126
Cotswold Lodge. Hut —6A 100
Cotswold Rd. Clac S —8K 187
Cotswold Rd. Romf —6K 113
Cotswold Rd. Wclf S —6J 139
Cottage Dri. Colc —3C 176
Cottage Grn. Clac S —7G 186
Cottage Gro. Clac S —7G 186
Cottage M. Horn —8G 112
Cottage Pl. Chelm —8K 61
Cottages, The. Shoe —7K 141
Cottage, The. Bas —3F 134
(off London Rd.)
Cottage Wlk. Clac S —7G 186
Cottered. —4A 10
Cottered Rd. Thro —3B 10
Cottered Warren. —4B 10
Cottesmore Av. Ilf —6N 109
Cottesmore Clo. Can I —3H 153
Cottesmore Ct. Lgh S —4N 137
Cottesmore Gdns. Lgh S —5N 137
Cottey Ho. Gall —8C 74
Cottis Clo. Bas —3J 133
Cottis La. Epp —9E 66
Cotton La. Dart & Grnh —3D 48
Cottons App. Romf —9B 112
Cottons Ct. Romf —9B 112
Cottonwood Clo. Colc —4L 175
Couchmore Av. Ilf —6M 109
Coulde Dennis. E Han —2B 90
Coulsdon Clo. Clac S —7G 186
Coulson Clo. Dag —3H 127
Countess Cross. —3J 15
Counting Ho. La. D'mw —7L 197
County Gdns. Bark —2D 142
County Pl. Chelm —1C 74
County Rd. E6 —5A 142
Coupals Rd. H'hll —3K 7
Courage Clo. Horn —1G 128
Courage Ct. Hut —5M 99
Courage Wlk. Hut —5N 99
Courtauld Clo. SE28 —8F 142
Courtauld Clo. H'std —5L 199
Courtauld Rd. Bas —6H 119 (2B 42)
Courtauld Rd. Brain —4J 193 (7D 14)
Court Av. Romf —4L 113
Courtenay Dri. Chaf H —1J 157
Courtenay Gdns. Upm —3N 129
Courtenay Rd. E11 —5F 124
Courtfield Clo. Brox —8A 54
Court Gdns. Romf —3L 113
Courthill Rd. SE13 —3E 46
Courtland Av. E4 —8F 92
Courtland Av. Ilf —4M 125
Courtland Dri. Chig —9A 94
Courtland Gro. SE28 —7J 143
Courtland M. Mal —8J 203
Courtland Pl. Mal —8J 203
Courtlands. Bill —6G 101
Courtlands. Chelm —5J 61
Courtlands. Lgh S —8A 122
(off Musket Gro.)
Court La. SE21 —3B 46
Courtney Pk. Rd. Bas —1K 133
Courtney Rd. Grays —9E 148
Court Rd. SE9 —4G 47
Court Rd. Broom —8J 59 (6A 24)
Court Rd. Orp —7J 47
Courtsend. —1G 45
Courts, The. Ray —4L 121
Court St. Nay —1D 16
Court View. Ing —8B 86
Court Way. Ilf —7B 110
Court Way. Romf —6J 113
Court Way. Wfd G —2J 109
Coval Av. Chelm —8J 61
Coval La. Chelm —9J 61 (1A 34)
Covelees Wall. E6 —6A 142
Covenbrook. Brtwd —9L 99
Coventry Clo. Colc —7A 168
Coventry Clo. Hull —7M 105
Coventry Hill. Hull —7L 105 (7F 35)
Coventry Rd. Ilf —4A 126
Coverdales, The. Bark —2C 142
Coverley Clo. Gt War —3F 114
Covert Rd. Ilf —2E 110
Coverts, The. Hut —7K 99
Coverts, The. W Mer —3L 213
Coverts, The. Writ —1K 73
Cowbridge. Hert —5B 20
Cowbridge La. Bark —9A 126
Cowdray Av. Colc —6M 167 (5E 16)
Cowdray Cen., The. Colc —6N 167
Cowdray Cres. Colc —8N 167
Cowdray Way. Horn —6D 128
Cowell Av. Chelm —6G 61
Cowels Farm La. Lndsl —4G 13
Cowey Green. —7F 170 (6K 17)
Cow La. Gt Che —2M 197 (4A 6)
Cow La. St O —4A 28
Cowley La. E11 —5E 124
Cowley Rd. E11 —9H 109
Cowley Rd. Ilf —2M 125
Cowley Rd. Romf —4F 112
Cowlins. H'low —8J 53
Cowpar M. Brain —8J 193
Cowper Av. E6 —9L 125
Cowper Av. Til —6D 158
Cowper Rd. Rain —4E 144
Cowslip Ct. S'way —8D 166
Cowslip Mead. Bas —9C 118
Cowslip Rd. E18 —6H 109
Cow Watering La. Writ —1J 33
Cow Watering Rd. Writ —9A 60
Coxbridge Ct. Bill —6J 101
Coxes Clo. Stan H —2M 149
Coxes Farm Rd. Bill —8N 101 (1K 41)
Cox Hill. —6E 12
Cox Ley. Hat H —2C 202
Cox Rd. Alr —6A 178
Coxs Clo. S Fer —9L 91
Cox's Hill. Law —5F 164 (3K 17)
Coxtie Green. —4A 98 (7D 32)
Coxtie Grn. Rd. Brtwd —3L 97 (7C 32)
Crabb's Green. —4H 11
Crabbs Grn. Hat O —3C 22
Crabb's Hill. Hat P —4K 63 (6E 24)
Crabtree. Kir S —6F 182
Crabtree Av. Romf —8J 111
Crabtree Ct. E15 —7B 124
Crabtree Hill. —6L 95
Crabtree La. W Ber —6D 160 (3C 16)
Crabtree Manorway N. Belv —9A 144
Crabtree Manorway S. Belv —1A 154
Cracknell Clo. W'hoe —4H 177
Cradle End. —1J 21
Craftsmans Sq. Sth S —1M 139
Craigdale Rd. Horn —1D 128
Craigfield Av. Clac S —7K 187
Craig Gdns. E18 —6F 108
Craig's End. —7A 8
Craig's Hill. M Bur —2K 15
Craigs La. M Bur —2A 16
Craiston Way. Chelm —5G 74
Crammavill St. Grays —8K 147 (7F 41)
Crammerville Wlk. Rain —4F 144
Cramphorn Wlk. Chelm —8H 61
Cramwell Gdns. Bis S —8B 208
Cranborne Gdns. Upm —4M 129
Cranborne Rd. Bark —1C 142
Cranborne Rd. Hod —4B 54
Cranbourne Av. E11 —8H 109
Cranbourne Dri. Hod —1C 54
Cranbourne Gdns. Ilf —7B 110
Cranbourne Rd. E12 —7L 125
Cranbourne Rd. E15 —6C 124
Cranbrook. —3M 125 (4G 39)
Cranbrook Av. Ben —2J 137
Cranbrook Dri. Romf —8F 112
Cranbrook Ho. Eri —5D 154
(off Boundary St.)
Cranbrook Rise. Ilf —1M 125
Cranbrook Rd. Ilf —2N 125 (3G 39)
Crane Clo. Dag —8M 127
Cranell Grn. S Ock —8E 146
Cranes. —5G 118 (2B 42)
Cranes Clo. Bas —5G 119
Cranes Ct. Bas —7D 118
Cranes Farm Rd. Bas —7A 118 (3K 41)
Cranes La. Bas —7D 118
Crane's La. K'dn —2H 25
Cranfield Ct. W'fd —8K 103
Cranfield Pk. Av. N Ben —5M 119
Cranfield Pk. Rd. W'fd —3L 119 (2C 42)
Cranford Clo. Frin S —9H 183
Cranham. —3B 130 (4D 40)
Cranham Gdns. Upm —3B 130
Cranham Marsh Nature Reserve. —6A 130 (5D 40)
Cranham Rd. Broxt —5D 12
Cranham Rd. Horn —1F 128
Cranham Rd. L Walt —6N 59 (5B 24)
Cranleigh Clo. Clac S —7F 186
Cranleigh Dri. Lgh S —4D 138 (4H 43)
Cranleigh Gdns. Bark —9C 126
Cranleigh Gdns. Hull —7K 105
Cranleigh Gdns. Lou —5M 93
Cranley Av. Wclf S —5J 139
Cranley Dri. Ilf —2B 126
Cranley Gardens. —3A 38
Cranley Gdns. N10 —3A 38
Cranley Gdns. Shoe —8G 141
Cranley Rd. Ilf —1B 126
Cranley Rd. Wclf S —6J 139
Cranmer Clo. Bill —2K 101
Cranmere Ct. Colc —8A 168
Cranmer Gdns. Dag —6A 128
Cranmer Ho. Chelm —3A 74
Cranmer Rd. E7 —6H 125
Cranmore Clo. Else —2C 196
Cranmoregreen La. L Mel —2H 9
Cranston Av. Wclf S —1J 139
Cranston Gdns. E4 —3B 108
Cranston Pk. Av. Upm —6M 129
Cranston Rd. SE23 —4D 46
Cranworth Cres. E4 —7D 92
Craven Av. Can I —2G 152
Craven Clo. R'fd —2J 123
Craven Ct. Romf —1K 127
Craven Dri. Colc —4C 168
Craven Gdns. Bark —2D 142
Craven Gdns. Col R —2M 111
Craven Gdns. H Wood —3N 113
Craven Gdns. Ilf —6C 110 (2H 39)
Crawford Av. Grays —8L 147
Crawford Chase. W'fd —2M 119
Crawford Clo. Bill —3L 101
Crawford Compton Clo. Horn —8G 129
Crawley Clo. Corr —9B 134
Crawley End. —5H 5
Crawley Rd. E10 —3B 124
Craxe's Grn. B'ch —2C 26
Cray Av. Orp —7J 47
Cray Clo. Dart —9E 154
Craydene Rd. Eri —6D 154
Crayfields. D'mw —7L 197
Crayford. —3A 48
Crayford Clo. Mal —8H 203
Crayford High St. Dart —9C 154
Crayford Rd. Dart —3A 48
Crayford Way. Dart —9E 154 (3A 48)
Craylands. Bas —8G 118
(in two parts)
Craylands La. Swans —3E 48
Craymill Sq. Dart —7D 154
Cray Rd. Sidc —5J 47
Cray Rd. Swan —7A 48
Crays Hill. —2E 118 (2A 42)
Crays Hill. Bill —3C 118 (2A 42)
Crays Hill Rd. Cray H —2D 118
Crayside Ind. Est. Dart —9F 154
Crays View. Bill —8K 101
Crealock Gro. Wfd G —2F 108
Creasen Butt Clo. H'bri —4K 203
Creasey Clo. Horn —4F 128
Creasy Ct. Bas —9G 118
Credon Clo. Clac S —6K 187
Credon Dri. Clac S —6K 187
Credo Way. Grays —4E 156
Creekhurst Clo. B'sea —7F 184
Creekmouth. —4F 142 (6H 39)
Creek Rd. SE8 & SE10 —2D 46
Creek Rd. Bark —3E 142
Creek Rd. Can I —1K 153
Creeksea. —3H 195 (6B 36)
Creeksea Ferry Rd. Cwdn —1A 44
Creeksea La. Bur C —2H 195 (6B 36)
Creekside. Rain —4C 144
Creek View. Bas —3F 134
Creek View Av. Hull —5J 105
Creekview Rd. S Fer —1M 105
Creek Way. Rain —5C 144
Creephedge La. E Han —4C 90 (4D 34)
Cree Way. Romf —4C 112
Creffield Rd. Colc —9L 167 (6E 16)
Creighton Rd. N17 —2B 38
Crepping Hall Rd. Wak C —4A 16
Crescent Av. Grays —3N 157
(in two parts)
Crescent Av. Horn —4D 128
Crescent Clo. Bill —4H 101
Crescent Clo. D'mw —7K 197
Crescent Ct. Grays —3N 157
Crescent Ct. H'bri —3J 203
Crescent Ct. Lgh S —5A 138
Crescent Dri. Shenf —7H 99
Crescent Gdns. Bill —4H 101
Crescent Rd. E4 —6E 92
Crescent Rd. E10 —4B 124
Crescent Rd. E18 —5J 109
Crescent Rd. Ave —9N 145
Crescent Rd. Ben —4D 136
Crescent Rd. Bill —4H 101
Crescent Rd. Can I —2K 153
(in two parts)
Crescent Rd. Chelm —3H 75
Crescent Rd. Dag —5N 127
Crescent Rd. Eri —4D 154
Crescent Rd. Felix —1K 19
Crescent Rd. H'bri —2J 203
Crescent Rd. Lgh S —5A 138
Crescent Rd. Tol —8L 211
Crescent Rd. W on N —6M 183
Crescent Rd. War —1E 114 (1E 40)
Crescent, The. Ben —3M 137
Crescent, The. Clac S —6M 187
Crescent, The. Colc —1B 168 (4F 17)
Crescent, The. Epp —2E 80
Crescent, The. Frin S —9J 183
Crescent, The. Gt Hol —1D 188
Crescent, The. Gt Hork —7J 161
Crescent, The. Gt L —3B 24
Crescent, The. H'low —6H 53
Crescent, The. Ilf —1N 125
Crescent, The. Lou —5L 93
Crescent, The. M Tey —3J 173
Crescent, The. T Sok —4K 181
Crescent, The. Upm —2C 130
Crescent, The. W Ber —2F 166
Crescent View. Lou —5K 93
Crescent Wlk. Ave —9N 145
Crescent Way. Ave —8A 146
Cressage Clo. Fels —1K 23
Cress Croft. Brain —7M 193
Cressells. Bas —9A 118
Cressing. —1H 207 (1E 24)
Cressing Rd. Brain —5K 193 (7D 14)
Cressing Rd. Wthm —1A 214
Cressing Temple Barn. —2E 24
Crest Av. Bas —9K 119
Crest Av. Grays —5L 157
Cresthill Av. Grays —2M 157
Crestlands. Alr —7A 178
Crest, The. Lgh S —9C 122
Crest, The. Saw —2J 53
Crest View. Grnh —9E 156
Creswick Av. Ray —4J 121
Creswick Ct. Ray —4J 121
Crews Hill. —5A 30
Crichton Gdns. Romf —2M 127
Cricketers Clo. Broom —2L 61
Cricketers Clo. Eri —3C 154
Cricketers La. Heron —4N 115
Cricketers Row. Heron —4N 115
Cricketers Way. Bas —5H 119
Cricketfield Gro. Lgh S —4E 138
Cricketfield La. Bis S —1J 21
Cricketfield Rd. E5 —5C 38
Crickhollow. S Fer —3J 105
Cricklade Av. Romf —3H 113
Cringle Lock. S Fer —3L 105
Cripple Corner. —1H 15
Cripplegate. —6M 207
Cripplegate. S'min —6M 207 (4D 36)
Cripsey Av. Ong —5K 69
Crispe Ho. Bark —2C 142

Crispin Ct. Colc —8M 167
Crispins. Sth S —6E 140
Crittall Clo. Sil E —3M 207
Crittall Dri. Brain —4F 192
Crittall Rd. Wthm —4E 214
Crittall's Corner. (Junct.) —5J 47
Crix Grn. Fels —1A 24
Croasdaile Rd. Stans —1D 208
Croasdale Clo. Stans —1D 208
Crockenhill. —7A 48
Crockenhill La. Swan & Eyns —7B 48
Crockenhill Rd. Orp & W Wick —7J 47
Crocklands. G'std G —5G 15
Crockleford Heath. —5H 169 (5H 17)
Crockleford Rd. Elms —9M 169 (6H 17)
Crocus Clo. Clac S —9G 187
Crocus Way. Chelm —4N 61
Croft Clo. Ben —1C 136
Croft Clo. Brain —5J 193
Croft Clo. Lgh S —2D 138
Croft Ct. Chelm —3N 61
Crofters. Saw —1K 53
Crofters End. Saw —1K 53
Croft Ho. E17 —8B 108
Croft La. Ples —1B 58
Croft Lodge Clo. Wfd G —3H 109
Crofton. —7H 47
Crofton Av. Corr —1A 150
Crofton Gro. E4 —1D 108
Crofton La. Orp —7H 47
Crofton Rd. Grays —9A 148
Crofton Rd. Orp —7G 47
Croft Rd. Ben —1B 136
Croft Rd. Clac S —9H 187
Croft Rd. K'dn —8B 202
Crofts, The. Gt W —2J 141
Croft, The. E4 —8E 92
Croft, The. Bures —7D 194
Croft, The. E Col —3B 196
Croft, The. Else —8C 196
Croft, The. Gt Yel —7D 198
Croft, The. Lou —1N 93
Croft, The. Ray —7M 121
Croft Way. Wthm —4D 214
Crombie Clo. Ilf —9M 109
Crome Clo. Colc —1H 175
Cromer. —4A 10
Cromer Av. Bas —7K 117
Cromer Clo. Bas —7K 117
Crome Rd. Clac S —7H 187
Cromer Postmill. —4A 10
Cromer Rd. E10 —2D 124
Cromer Rd. Chad H —1K 127
Cromer Rd. Horn —2H 129
Cromer Rd. Romf —1A 128
Cromer Rd. Sth S —6N 139
Cromer Rd. Wfd G —1G 109
Crompton Av. Lain —7M 117
Crompton Clo. Bas —7A 118
Crompton Pl. Eri —4D 154
Crompton St. Chelm —2A 74
Cromwell Av. Bill —5J 101
Cromwell Av. Chesh —3C 30
Cromwell Cen. Wthm —5E 214
Cromwell Cen., The. Dag —2L 127
(off Selinas La.)
Cromwell Clo. Bore —3E 62
Cromwell Hill. Mal —5J 203
Cromwell La. Mal —5J 203
Cromwell Rd. E7 —9J 125
Cromwell Rd. E17 —9C 108
Cromwell Rd. Colc —9N 167
Cromwell Rd. Grays —2K 157
Cromwell Rd. Hock —1D 122
Cromwell Rd. Saf W —6L 205
Cromwell Rd. Sth S —3M 139
Cromwell Rd. War —1E 114
Cromwells Mere. Romf —3B 112
Cromwell Way. Wthm —5B 214
Crondon. —4K 33
Crondon Pk. La. Stock —4N 87 (5K 33)
Crooked Billet. (Junct.) —5A 108 (2D 38)
Crooked Elms. Har —4K 201
Crooked Mile. Wal A —3C 78 (3E 30)
Crooked Way. Naze —1E 64
Crook Log. Bexh —3J 47
Croom's Hill. SE10 —2E 46
Cropenburg Wlk. Can I —9H 137
Croppath Rd. Dag —6M 127
Croquet Gdns. W'hoe —5J 177
Crosbie Ho. E17 —7C 108
(off Prospect Hill)
Crosby Ct. Chig —9F 94
Crosby Ho. E7 —8G 124
Crosby Rd. E7 —8G 124
Crosby Rd. Dag —2N 143
Crosby Rd. Wclf S —6G 139
Cross Av. W'fd —1K 119
Crossbow Ct. Ong —8L 69
Crossbow Rd. Chig —2E 110
Crossbrook St. Chesh —4C 30
Crossby Clo. Mount —9A 86
Cross Cotts. Boxt —2B 162
Cross End. —2H 15
Crossfell Rd. Ben —8F 120
Crossfield Rd. Clac S —1J 191
Crossfield Rd. Hod —3B 54
Crossfield Rd. Sth S —4B 140
Crossfields. Lou —4A 94
Cross Field Way. Boxt —2B 162
Crossfield Way. Kir X —8E 182
Cross Grn. Bas —1A 134
Cross Hill. Gt Oak —5E 18
Crossing House Garden. —2E 4
Crossing Rd. Epp —2F 80
Cross La. W Mer —2N 213
Cross La. E. Grav —4H 49
Cross La. W. Grav —4H 49
Cross Lees. More —1C 32
Crossley Av. Jay —5C 190
Crossness Footpath. Eri —8L 143
Crossness La. SE28 —7J 143
Crossness Rd. Bark —3E 142
Cross Pk. Rd. W'fd —4K 119
Cross Rd. E4 —7E 92
Cross Rd. Bas —8N 119
Cross Rd. Ben —3H 137
Cross Rd. Brom —7G 47
Cross Rd. Chad H —2H 127
Cross Rd. Mal —7K 203 (1H 35)
Cross Rd. Mawn —8M 111
Cross Rd. Wthm —2C 214
Cross Rd. Wfd G —3M 109
Cross Roads. Lou —1H 93 (6F 31)
Cross St. N1 —6A 38
Cross St. Eri —4C 154
Cross St. Saf W —4K 205
Cross St. Sud —5J 9
Cross Ter. Wal A —4E 78
(off Stonyshotts)
Crosstree Wlk. Colc —3A 176
Crossway. SE28 —7H 143 (7J 39)
Crossway. Dag —5H 127
Crossway. Stan H —2A 150
Cross Way. W Mer —2M 213
Cross Way. Wfd G —1J 109
Crossways. Can I —1E 152
Crossways. Chelm —3D 74
Crossways. Coln E —3H 15
Crossways. Jay —4D 190 (5C 28)
Crossways. Lou —4N 93
Crossways. Romf —7F 112
Crossways. Shenf —5K 99
Crossways 25 Bus. Pk. Dart —9N 155
Crossways Boulevd. Dart
—9N 155 (3D 48)
Crossways Hill. L Bad —1E 34
Crossways, The. Wclf S —6F 138
Crossway, The. Bill —5M 101
Crossway, The. W'fd —4M 119
Crouch Av. Bark —2G 143
Crouch Av. Hull —7L 105
Crouch Beck. S Fer —1K 105
Crouch Cvn. Pk. Hull —4L 105
Crouch Ct. Brain —7M 193
Crouch Ct. H'low —1B 56
Crouch Dri. W'fd —8L 103
Crouch Dri. Wthm —5B 214
Crouch End. —3A 38
Crouch End Hill. N8 —4A 38
Crouch Grn. Cas H —4B 206
Crouch Hill. N8 & N4 —3A 38
Crouch La. Chesh —3B 30
Crouchmans. Shoe —5K 141
Crouchmans Av. Gt W —3L 141
Crouchman's Farm Rd. Ult —7F 25
Crouch Meadow. Hull —4L 105
Crouch Rd. Bur C —3L 195
Crouch Rd. Grays —3C 158
Crouch St. Bas —6N 117
Crouch St. Colc —9M 167
(in two parts)
Crouch Valley. Upm —2B 130
Crouchview Clo. W'fd —9B 104
Crouch View Cotts. Ret C —3C 104
Crouch View Cres. Hock —8F 106
Crouch View Gro. Hull —5K 105
Crouch Way. Shoe —7H 141
Crowborough Rd. Sth S —4L 139
Crowden Way. SE28 —7H 143
Crow Green. —2D 98 (6E 32)
Crow Grn. La. Pil H —4D 98
Crow Grn. Rd. Pil H —4C 98 (7E 32)
Crowhall La. Brad —3B 18
Crowhurst Ct. Colc —8M 167
Crowhurst Rd. Colc —8M 167
Crowland Rd. H'hll —3J 7
Crowlands. —4K 39
Crowlands Av. Romf —1N 127
Crow La. Reed —7D 4
Crow La. Romf —2L 127 (4K 39)
Crow La. Wee —4D 180 (7C 18)
Crown Av. Bas —9K 119
Crown Bays Rd. Colc —7C 168
Crown Bldgs. E4 —7D 92
Crown Clo. Bas —9K 119
Crown Clo. Srng —4A 22
Crown Cotts. Romf —5L 111
Crown Ct. Til —7C 158
Crown Dale. SE19 —5A 46
Crowndale Rd. NW1 —6A 38
Crownfield. Brox —9A 54
Crownfield Av. Ilf —1D 126
Crownfield Rd. E15 —6D 124 (5E 38)
Crown Gdns. Ray —5J 121
Crown Ga. H'low —3C 56
Crown Ga. H'wds —1D 168
Crown Hill. A'dn —5E 6
Crown Hill. Ray —5J 121 (2F 43)
Crown Hill. Wal A —3L 79 (4G 31)
Crownhill Rd. Wfd G —4L 109
Crown La. SW16 —5A 46
Crown La. Brom —7F 47
Crown La. Shorne —5K 49
Crown La. Ten —4B 180 (7B 18)
Crown La. N. A'lgh —9E 162 (4G 17)
Crown La. S. A'lgh —3G 168
Crown Meadow. Brain —4M 193
Crownmead Way. Romf —8N 111
Crown Rd. Bill —6K 101
Crown Rd. Clac S —3G 191
Crown Rd. Cold N —4H 35
Crown Rd. Grays —4K 157 (2F 49)
Crown Rd. Horn —2A 122
Crown Rd. Ilf —8C 110
Crown Rd. Kel H —7N 83 (5D 32)
Crown Rd. N'side —9A 84 (6D 32)
Crown St. Brtwd —8F 98
Crown St. Cas H —3C 206
Crown St. Dag —8A 128
(in two parts)
Crown St. Ded —2M 163 (2H 17)
Crown St. Gt Bar —3J 13
Crown Way. S'min —7J 207
Crown Yd. Bill —7J 101
Crow Pond Rd. Terl —4D 24
Crows Field Cotts. W Han —5G 88
Crow's Green. Bar S —6K 13
Crowsheath La. D'ham —3F 102 (6B 34)
Crowsheath Wood Nature Reserve.
—2F 102 (6B 34)
Crows La. Wdhm F —3H 91 (4E 34)
Crows Rd. Epp —9E 66
Crowstone Av. Wclf S —7H 139
Crowstone Clo. Wclf S —5J 139
Crowstone Rd. Grays —9M 147
Crowstone Rd. Wclf S —6H 139
Crow St. Hen —4C 12
Croxford Way. Romf —3B 128
Croxon Way. Bur C —1L 195
Croxted Rd. SE24 & SE24 —4B 46
Croydon. —1A 4
Croydon Hill. Cydn —1A 4
Croydon Rd. SE20 —6C 46
Croydon Rd. Arr —1A 4
Croydon Rd. Beck —7C 46
Croydon Rd. Mitc & Croy —7A 46
Croydon Rd. W Wick & Brom —7E 46
Cruce Way. St O —4K 27
(off New Way)
Crucible Clo. Romf —1G 127
Cruick Av. S Ock —6F 146
Cruikshank Rd. E15 —6E 124
Crummock Clo. Brain —2C 198
Crunch Croft. Stur —3K 7
Crusader Bus. Pk. Clac S —5L 187
Crusader Clo. Purf —2L 155
Crusader Way. Brain —6M 193
Crushes Clo. Hut —5A 100
Crusoe Rd. Eri —3B 154
Crutches La. Roch & Strd —6K 49
Crystal Av. Horn —6J 129
Crystal Palace. —5B 46
Crystal Palace F.C. —6B 46
Crystal Pal. Pde. SE19 —5B 46
Crystal Pal. Pk. Rd. SE26 —5C 46
Crystal Steps. Sth S —7A 140
(off Beresford Rd.)
Crystal Way. Dag —3H 127
Cubitt Town. —1E 46
Cuckingstool End. —8D 204
Cuckoo Corner. Sth S —2K 139
Cuckoo Hill. Bures —7D 194 (1A 16)
Cuckoo Hill. Sib H —2D 14
Cuckoo La. N Stif —8J 147
(in two parts)
Cuckoos La. Gt Can —2E 22
Cuckoo Tye. —3J 9
Cuckoo Way. Bla N —2B 198
Cudmore Grove Country Park. —4J 27
Cuffley. —3A 30
Cuffley Hill. Chesh —3A 30
Culford Rd. Grays —9M 147
Cullen Sq. S Ock —8F 146
Cullings Ct. Wal A —3F 78
Culmley Rd. Toot —9C 68
Culpeper Clo. Ilf —3A 110
Culver Arc. Colc —8M 167
Culverdown. Bas —9B 118
Culver Rise. S Fer —1L 105
Culver Shop. Cen. Colc —8M 167
Culver Sq. Colc —8M 167
(off Culver Shop. Cen.)
Culver St. E. Colc —8N 167
Culver St. W. Colc —8M 167
Culvert Clo. Cogg —9K 195
Culver Wlk. Colc —8N 167
Cumberland Av. Ben —3C 136
Cumberland Av. Horn —5J 129
Cumberland Av. Mal —7H 203
Cumberland Av. Sth S —4A 140
Cumberland Clo. Brain —4K 193
Cumberland Clo. Horn —5J 129
Cumberland Clo. Ilf —5B 110
Cumberland Ct. Hod —4A 54
Cumberland Cres. Chelm —4J 61
Cumberland Dri. Bas —9J 117
Cumberland Rd. E12 —6K 125
Cumberlow Green. —3A 10
Cumbrian Av. Bexh —7C 154
Cumming Rd. D'ham —6H 103
Cummings Hall La. Noak H —9G 97
Cunningham Clo. Colc —2A 176
Cunningham Clo. Romf —9H 111
Cunningham Clo. Shoe —5K 141
Cunningham Dri. W'fd —2N 119
Cunningham Rise. N Wea —4A 68
Cunnington Rd. Brain —5L 193
Cunobelin Way. Colc —4G 175 (7D 16)
Cupid's Chase. Gt W —4N 141
Cuppers Clo. Wthm —6B 214
Curds Rd. E Col —4B 196 (4H 15)
Curfew Ho. Bark —1B 142
Curlew Av. May —3D 204
Curlew Clo. SE28 —7J 143
Curlew Clo. Clac S —7K 187
Curlew Clo. H'bri —3M 203
Curlew Clo. Ilf —7N 109
Curlew Clo. K'dn —8D 202
Curlew Cres. Bas —3C 134
Curlew Croft. Colc —7F 168
Curlew Dri. Ben —4C 136
Curling La. Badg D —3J 157
Curling Tye. Bas —8E 118
Curling Tye Green. —1G 35
Curling Tye La. Wdhm W —1F 35
Curling Wlk. Bas —8E 118
Currants Farm Rd. Brain —3G 193
Currents La. Har —1N 201
Currier Av. Lou —2B 94
Curtain Rd. EC2 —6B 38
Curteys. H'low —7J 53
Curtis Clo. Clac S —1F 190
Curtismill Green. —3D 96 (6A 32)
Curtis Mill La. Nave —1A 96
Curtis Rd. Horn —3K 129
Curtis Way. SE28 —7G 143
Curtisway. Ray —3L 121
Curwen Av. E7 —6H 125
Curzon Cres. Bark —2E 142
Curzon Dri. Grays —5M 157
Curzon Way. Chelm —9A 62
Cusack Rd. Chelm —8A 62
Custerson Ct. Saf W —4K 205
Custom House. —7F 39
Custom Ho. La. Har —1M 201
Cut-a-Thwart La. Mal —1G 35
Cutforth Rd. Saw —1K 53
Cuthbert Rd. E17 —7C 108
Cut Hedge. Bla N —2C 198
Cuthedge La. Cogg —1G 25
Cutlers Green. —3E 12
Cutlers Rd. S Fer —9L 91
Cutmore Pl. Chelm —2A 74
Cuton Hall La. Spri —6B 62 (7B 24)
Cutter Ridge Rd. Ludd —7J 49
Cut, The. SE1 —1A 46
Cut, The. Gt Ben —6K 179
Cut, The. Tip —6C 212
Cut Throat Rd. Wthm —4D 214
Cutting Dri. H'std —5K 199
Cutty Sark. —2E 46
Cuxton. —7K 49
Cygnet Ct. Sib H —6C 206
Cygnet View. W Thur —2C 156
Cymbeline Way. Colc —8G 166 (6D 16)
Cypress Clo. Clac S —6J 187
Cypress Clo. Wal A —4D 78
Cypress Dri. Chelm —4D 74
Cypress Gro. Colc —7E 168
Cypress Gro. Ilf —3D 110
Cypress M. W Mer —2J 213
Cypress Path. Romf —4H 113
Cypress Rd. Wthm —3D 214 (4G 25)
Cyprus. —7A 142
Cyprus Pl. E6 —7A 142
Cyril Child Clo. Colc —8E 168
Cyril Dowsett Ct. Mal —6H 203

Daarle Av. Can I —2G 152
Dabbling Clo. Eri —4F 154
Dack La. Ded —5M 163
Dacre Av. Ave —8A 146
Dacre Av. Ilf —6N 109
Dacre Clo. Chig —1B 110
Dacre Cres. Ave —8A 146
Dacre Gdns. Chig —1B 110
Dacre Rd. E11 —3F 124
Daen Ingas. Dan —3C 76
Daffodil Av. Pil H —4E 98
Daffodil Gdns. Ilf —7A 126
Daffodil Way. Chelm —4N 61
Dagenham. —8M 127 (5K 39)
Dagenham Av. Dag —1K 143 (6K 39)
(in two parts)
Dagenham Rd. Dag & Romf —6N 127
Dagenham Rd. Rain —9B 128
Dagenham Rd. Romf —2B 128 (4A 40)
Dagmar Rd. Dag —9A 128
Dagnam Pk. Clo. Romf —2L 113
Dagnam Pk. Dri. Romf
—2J 113 (1C 40)
Dagnam Pk. Gdns. Romf —3L 113
(in two parts)
Dagnam Pk. Sq. Romf —3M 113
Dagnets La. Brain —4C 198 (2C 24)
Dagwood La. Dodd —8E 84 (5E 32)
Dahlia Clo. Chelm —6A 62
Dahlia Clo. Clac S —9G 186
Dahlia Gdns. Ilf —8A 126
Dahlia Wlk. Colc —8D 168
Daiglen Dri. S Ock —7D 146 (7E 40)
Daimler Av. Jay —6B 190
Daines Clo. E12 —5M 125
Daines Clo. Sth S —6F 140
Daines Clo. S Ock —4D 146
Daines Rd. Bill —6L 101
Daines Way. Sth S —5E 140
Dairy Farm La. Ing —3G 84
Dairy Farm Rd. Alth —5B 36
Dairyhouse La. Brad —4C 18
Dairy Rd. Spri —7A 62
Daisley Rd. Lndsl —5H 13
Daisleys La. L Walt —4B 24
Daisy Ct. Chelm —5B 62
Daisy Rd. E18 —6H 109
Dakyn Clo. Stock —6M 87
Dakyn Dri. Stock —7M 87
Dale Clo. Elms —9N 169
Dale Clo. S Ock —6D 146
Dale Clo. S'way —8C 166
Dale Ct. Saw —3J 53
Dale Gdns. Wfd G —1H 109
Dalen Av. Can I —2G 153
Dale Rd. Lgh S —5A 138
Dale Rd. S'fleet —5F 49
Daleside Gdns. Chig —9B 94
Dales, The. Har —6H 201
Dales, The. R'fd —4J 123
Dalestone M. Romf —3F 112
Dale, The. Ben —2G 136
Dale, The. Wal A —4E 78
Dale, The. W'hoe —6J 177
Dale View. Eri —7D 154
Dale View Av. E4 —8C 92
Daleview Av. Wix —4D 18
Dale View Cres. E4 —8C 92
Dale View Gdns. E4 —9D 92
Dalewood Clo. Horn —2K 129
Dalkeith Rd. Ilf —5B 126
Dallwood Way. Brain —5K 193
Dalmatia Rd. Sth S —5B 140
Dalmeny. Bas —2K 133
Dalroy Clo. S Ock —6D 146
Dalrymple Clo. Chelm —8M 61
Dalston. —5B 38
Dalston La. E8 —5B 38
Daltes La. St O —1A 190 (4B 28)
Daltons Fen. Pits —7K 119
Daltons Rd. Orp & W Wick —7A 48
Dalwood. Shoe —5H 141
Dalwood Gdns. Ben —2L 137
Daly Ct. E15 —7B 124
Dalys Rd. R'fd —5K 123 (2J 43)
Damant's Farm La. T Sok
—6A 182 (1E 28)
Damases La. Bore —6D 24
Damask Rd. S'way —8D 166
Dames Rd. E7 —5G 124 (4F 39)
Dampier Rd. Cogg —7K 195
Danacre. Bas —8K 117
Danbury. —4D 76 (2E 34)
Danbury Clo. Lgh S —2E 138
Danbury Clo. M Tey —3H 173
Danbury Clo. Pil H —4C 98
Danbury Clo. Romf —7J 111
Danbury Clo. S Ock —6E 146
Danbury Common. —2E 34
Danbury Common Nature Reserve.
—5E 76 (2E 34)
Danbury Country Park. —4C 76 (2D 34)
Danbury Down. Bas —7E 118
Danbury Mans. Bark —9A 126
(off Whiting Av.)
Danbury Rd. Lou —6L 93
Danbury Rd. Rain —1D 144
Danbury Rd. Ray —4H 121
Danbury Vale. Dan —4G 76
Danbury Way. Wfd G —3J 109
Dancing Dick's La. Wthm —4E 24
Dandies Chase. Lgh S —8D 122
Dandies Clo. Lgh S —8C 122
Dandies Dri. Lgh S —8C 122
Danebridge Rd. M Hud —2G 21
Dane End. —1C 10
(nr. Buntingford)
Dane End. —1B 20
(nr. Ware)
Dane End Rd. H Cro —2C 20
Danehurst Gdns. Ilf —9L 109
Danemead. Hod —2A 54
Dane Rd. Chelm —9G 61
Dane Rd. Ilf —7B 126
Danes Av. Shoe —9K 141
Danescroft Clo. Lgh S —2D 138
Danescroft Dri. Lgh S —2C 138
Danesfield. Ben —4B 136
Danesleigh Gdns. Lgh S —2C 138
Danes Rd. Romf —2A 128
Dane St. Bis S —1K 21
(in two parts)
Dane St. Shoe —8L 141
Danes Way. Pil H —4D 98
Danette Gdns. Dag —4M 127
Dangan Rd. E11 —1G 124
Daniel Clo. Chaf H —9H 147
Daniel Clo. Grays —1D 158
Daniel Cole Rd. Colc —2N 175
Daniell Clo. Clac S —7G 187
Daniell Dri. Colc —4J 175
Daniel Way. Sil E —3M 207
Dannatts. Gt Walt —5H 59
Dansie Ct. Colc —7C 168
Danson Interchange. (Junct.) —3J 47
Danson La. Well —3J 47
Danson Rd. Bex & Bexh —3J 47
(in two parts)
Dantells Ho. W Ber —3G 167
Danyon Clo. Rain —2G 144
Daphne Clo. Bla N —1C 198
Daphne Gdns. E4 —9C 92
Darby Dri. Wal A —3C 78
D'Arcy Av. Mal —7L 203
D'Arcy Clo. Bur C —2M 195
Darcy Clo. Hut —6L 99
Darcy Clo. Kir X —8J 183
Darcy Gdns. Dag —1L 143
D'Arcy Heights. Colc —3C 176
Darcy Rise. L Bad —1E 76
D'Arcy Rd. Colc —3C 176
D'Arcy Rd. St O —8N 185
D'Arcy Rd. Tip —8F 212 (4A 26)
Darcy Way. B'sea —6D 184
D'Arcy Way. Tol D —6B 26
Dare Ct. E10 —2C 124
Dare Gdns. Dag —5K 127
Darell Way. Bill —7M 101
Darenth. —5D 48
Darenth Hill. Dart —5C 48

Darenth Interchange. (Junct.) —4C 48
Darenth La. S Ock —6D 146
Darenth Rd. Dart —4C 48
Darenth Rd. Lgh S —5A 138
Darent Ind. Pk. Eri —4H 155
Darina Ct. S'way —8C 166
Darkhouse La. Rhdge —6G 176
Dark La. Ben —9G 120
Dark La. Chesh —3C 30
Dark La. Gt War —2C 114 (1D 40)
Dark La. S'don —1A 10
Darlinghurst Gro. Lgh S —4F 138
Darlington Gdns. Romf —2H 113
Darlington Path. Romf —2H 113
Darlton Clo. Dart —8D 154
Darlton Ct. Pil H —5D 98
Darnay Rise. Chelm —5F 60
Darnell Way. S'way —8C 166
Darnet Rd. Tol —8L 211
Darnicle Hill. Chesh —2A 30
Darnley Rd. E8 —5C 38
Darnley Rd. Grav —4H 49
(in two parts)
Darnley Rd. Grays —4L 157
Darnley Rd. Wfd G —5G 109
Darrell Clo. Chelm —5K 61
Dart Clo. Upm —1A 130
Dart Clo. Wthm —5A 214
Dartfields. Romf —3H 113
Dartford. —3C 48
Dartford Borough Museum. —4C 48
Dartford By-Pass. Bex & Dart —4A 48
Dartford Crossing. Dart & Grays —8A 156
Dartford Gdns. Chad H —9G 111
Dartford Heath. (Junct.) —4A 48
Dartford Rd. Bex —4A 48
Dartford Rd. Dart —3B 48
Dartford Rd. F'ham —7C 48
(in two parts)
Dartford Tunnel. Dart & Grays —8A 156
Dart Grn. S Ock —5E 146
Dartmouth Clo. Ray —2K 121
Dartmouth Hill. SE13 —2E 46
Dartmouth Pk. Hill. N19 —4A 38
Dartmouth Rd. SE26 & SE23 —4C 46
Dartmouth Rd. Chelm —5N 61
Dartview Clo. Grays —2A 158
Darwin Clo. Brain —7H 193
Darwin Clo. Colc —5B 176
Darwin Rd. Til —6B 158
Dashes, The. H'low —2D 56
Dashwood Rd. Grav —4H 49
Dassels. —5E 10
Datchet Dri. Shoe —4J 141
Daubeney Rd. E5 —5D 38
Davall Clo. R'sy —6E 200
Davenants. Bas —7J 119
Daventry Av. E17 —1A 124
Daventry Gdns. Romf —2G 112
Daventry Grn. Romf —2G 112
Daventry Rd. Romf —2G 112
Davey Clo. Colc —9C 168
Davey Rd. E9 —9A 124
David Av. W'fd —6L 103
David Crompton Lodge, The. H Hill —2J 113
David Dri. Romf —3L 113
David Rd. Dag —4K 127
Davidson Gdns. W'fd —2M 119
Davidson Rd. Croy —7B 46
Davidson Terraces. E7 —7H 125
(off Claremont Rd.)
Davidson Terraces. E7 —7H 125
(off Windsor Rd.)
Davidson Way. Romf —1C 128
David St. E15 —8D 124
David's Wlk. Bill —6L 101
David's Way. Ilf —4D 110
David Ter. Romf —4L 113
Davies Clo. Rain —3G 144
Davies La. E11 —4E 124
Davington Gdns. Dag —7G 127
Davington Rd. Dag —8G 126
Davinia Clo. Wfd G —3M 109
Davis Rd. Ave —8A 146
Davis Rd. Chaf H —1J 157
Davy Rd. Clac S —5N 187
Dawberry Pl. S Fer —3K 105
Dawes Av. Horn —5H 129
Dawes La. W Mer —1M 213 (4G 27)
Dawley Grn. S Ock —6D 146
Dawlish Cres. Ray —2K 121
Dawlish Dri. Ilf —6D 126
Dawlish Dri. Lgh S —4D 138
Dawlish Rd. E10 —3C 124
Dawlish Rd. Clac S —4G 191
Dawlish Wlk. Romf —5G 113
Dawn Clo. Mal —8L 203
Dawnford Ct. S'way —8D 166
Dawnings, The. S Fer —9J 91
Daws Clo. Writ —1H 73
Daw's Cross. —2K 15
Daws Heath. —1L 137 (3F 43)
Daws Heath Rd. Ben —9J 121 (3F 43)
Daws Heath Rd. Ray —6K 121 (2F 43)
Daws Hill. E4 —1C 92 (6E 30)
Dawson Av. Bark —9D 126
Dawson Clo. Saf W —3M 205
Dawson Dri. Rain —9F 128
Dawson Gdns. Bark —9E 126
Daw St. Bird —5A 8
Daw St. F'fld —3K 13
Daylop Dri. Chig —9G 94
Days Clo. Broom —3K 61
Days La. Pil H —3D 98 (6E 32)
Dayton Dri. Eri —3H 155
Dazeley's La. E Ber —1E 164
Deacon Dri. Lain —8L 117
Deacon Way. Wfd G —3M 109
Dead La. A'lgh —9J 163 (4H 17)
Dead La. Gt Ben —4L 185 (2A 28)
Dead La. Gt Hol —9E 182
Dead La. Law —6G 164 (3K 17)
Dead La. L Cla —4F 186
(in two parts)
Deadman's La. Chelm —6D 74 (3A 34)
Deal Clo. Brain —2G 193
Deal Clo. Clac S —4G 191
Dealtree Clo. Hook E —5E 84
Deal Way. B'sea —5D 184
Dean Ct. Romf —9B 112
Deanery Gdns. Brain —1H 193
Deanery Hill. Brain —1G 193 (6C 14)
Deanery Rd. E15 —9E 124
Deane's Clo. Dov —5J 201
Deane's La. Dov —6G 200
Dean Gdns. E17 —8D 108
Deanhill Av. Clac S —8M 187
Dean Rd. Bart —3E 6
Dean Rd. Meop —7H 49
Dean Rogers Pl. Brain —1H 193
Deans Rd. War —9E 98
Dean St. E7 —7G 124
Dean St. B'sea —6D 184
Dean Wlk. Colc —9E 168
Dean Way. Chelm —1N 73
Debden. —3B 94 (6G 31)
Debden Clo. Wfd G —4J 109
Debden Dri. Wim —1D 12
Debden Green. —8A 80 (5G 31)
Debden Grn. Bas —2L 133
Debden Ho. Lou —8A 80
Debden La. Lou —8B 80 (5G 31)
Debden Rd. Lou —8A 80
Debden Rd. Newp —8D 204 (2B 12)
Debden Rd. Saf W —7L 205 (7C 6)
(Landscape View)
Debden Rd. Saf W —4K 205 (7B 6)
(London Rd.)
Debden Wlk. Clac S —7G 187
Debden Wlk. Horn —8F 128
Debden Way. Bur C —2K 195
De Beauvoir Chase. Rams H —5E 102
De Beauvoir Rd. N1 —6B 38
De Beauvoir Town. —6B 38
Deben. E Til —1L 159
Deben Clo. Wthm —5B 214
Deben Ct. Brain —7M 193
Deben Rd. Colc —6E 168
De Bohun Ct. Saf W —3L 205
Deborah Ct. E18 —7H 109
(off Victoria Rd.)
Debrabant Clo. Eri —4B 154
De Burgh Rd. Colc —9F 166
Dedham. —1M 163 (2J 17)
Dedham Art and Craft Centre. —1M 163 (2H 17)
Dedham Av. Clac S —8F 186
Dedham Clo. Bill —6L 101
Dedham Heath. —5M 163 (3H 17)
Dedham Meade. Ded —5M 163
Dedham Mill. Ded —1M 163
Dedham Rd. A'lgh —6K 163 (3H 17)
Dedham Rd. Bill —6L 101
Dedham Rd. Boxt —3B 162 (2F 17)
Dedham Rd. Law —4D 164 (3K 17)
Dedham Rd. Strat M —1H 17
Dedham Toy Museum. —1M 163 (2H 17)
Dedham Vale Family Farm. —1N 163 (2H 17)
Dee Clo. Upm —1B 130
Deepdale. Ben —1F 136
Deepdale Rd. Har —3J 201
Deepdene. Bas —1C 134
Deepdene. Ing —6D 86
Deepdene Av. Ray —2J 121
(in two parts)
Deepdene Clo. E11 —8G 109
Deepdene Path. Lou —3N 93
(in two parts)
Deepdene Rd. Lou —3N 93
Deeping. Sth S —6M 139
Deeping Wlk. St O —8N 185
Deepwater Rd. Can I —2E 152
Deerbank Rd. Bill —5L 101
Deere Av. Rain —8E 128
Deerhurst. Ben —8H 121
Deerhurst Chase. Bick —9F 76
Deerhurst Clo. Ben —8H 121
Deerleap Gro. E4 —4B 92
Deerleap Way. Brain —4M 193
Deer Pk. H'low —6N 55
Deer Pk. Clo. Cas H —4D 206
Deer's Green. —3J 11
Deeside Wlk. W'fd —1M 119
Dee Way. Romf —4C 112
Defoe Clo. Eri —6D 154
Defoe Cres. Colc —2L 167 (5E 16)
Defoe Pde. Grays —1D 158
Defoe Way. Romf —3M 111
Deford Rd. Wthm —7A 214
Deirdre Av. W'fd —1J 119
Deirdre Clo. W'fd —9J 103
Delafield Rd. Grays —3N 157
Delamere Rd. Chelm —1N 73
Delamere Rd. Colc —4D 168
Delancey St. NW1 —6A 38
Delargy Clo. Grays —1D 158
Delaware Cres. Shoe —7H 141
Delaware Ho. Shoe —6G 140
Delaware Rd. Shoe —7G 140 (5B 44)
Delder Av. Can I —3K 153
Delderfield Ho. Romf —6B 112
(off Portnoi Clo.)
Delft Rd. Can I —1G 153
Delfzul Rd. Can I —1G 153
Delgada Rd. Can I —2K 153
Delhi Rd. Bas —9K 119
Delimands. Bas —9A 118
Delius Wlk. Colc —9E 168
Delius Way. Stan H —2L 149
Dell Clo. Wfd G —9H 93
Dell Ct. Horn —4J 129
Dellfield Ct. H'low —8H 53
Dell La. L Hal —3K 21
Dellow Clo. Ilf —2C 126
Dellows La. Ugley —7A 196
Dell Rd. Grays —2L 157
Dells Clo. E4 —6B 92
Dell, The. Bas —3C 134
Dell, The. Colc —9A 168
Dell, The. D'mw —7M 197
Dell, The. Gt Bad —4G 74
Dell, The. Gt War —3E 114
Dell, The. W'fd —9M 103
Dell, The. Wfd G —9H 93
Dellwood Gdns. Ilf —7N 109
Delmar Gdns. W'fd —6K 103
Delmores. Bas —3L 133
Delta Rd. Hut —5N 99
De Luci Rd. Eri —3A 154
Delvers Mead. Dag —6A 128
Delview. Can I —9F 136
Delvin End. —1C 14
Delvins. Bas —7H 119
Delvyn's La. Gest —7F 9
De Mandeville Rd. Else —7C 196
Denbar Pde. Romf —8A 112
Denbigh Clo. Horn —8L 113
Denbigh Rd. Bas —1K 133
Denby Grange. Chu L —3K 57
Dencourt Cres. Bas —1G 134
Dene Clo. Ray —3K 121
Dene Ct. Chelm —6F 60
Denecroft Gdns. Grays —1N 157
Dene Gdns. Ray —3K 121
Denehurst Gdns. Lang H —2G 133
Denehurst Gdns. Wfd G —1H 109
Dene Path. S Ock —6D 146
Dene Rd. Buck H —7K 93
Denesmere. Ben —2C 136
Deneway. Bas —4E 134
Dengayne. Bas —9E 118
Dengie. —4E 36
Dengie Clo. Wthm —7C 214
Denham Clo. W'hoe —6J 177
Denham Dri. Ilf —1B 126
Denham Rd. Can I —1G 152
Denham Vale. Ray —4G 120
Denham Way. Bark —1D 142
Denholm Ct. Wthm —7C 214
Denholme Wlk. Rain —8D 128
Denmark Hill. —3B 46
Denmark Hill. SE5 —2B 46
Denmark St. E11 —5E 124
Denmark St. Colc —9M 167
Denner Rd. E4 —8A 92
Dennett Rd. Croy —7A 46
Dennises La. Upm —1B 146 (6D 40)
Dennis Mans. Wclf S —6H 139
(off Station Rd.)
Dennison Gdns. Bas —2G 133
Dennison Point. E15 —9C 124
Dennis Rd. S Ock —9D 130 (6E 40)
Denny Av. Wal A —4D 78
Denny Ct. Bis S —7A 208
Denny Gdns. Dag —9H 127
Densham Rd. E15 —6E 38
Dent Clo. S Ock —6D 146
Denton. —4J 49
Denton App. Wclf S —1H 139
Denton Av. Wclf S —1H 139
Denton Clo. Wclf S —1H 139
Denton Rd. Dart —4A 48
Denton's Ter. W'hoe —6H 177
Denver Dri. Bas —6K 119
Denys Dri. Bas —6G 118
Deptford. —2D 46
Deptford Bri. SE8 —2D 46
Deptford B'way. SE14 —2D 46
Deptford Chu. St. SE8 —2D 46
Deptford High St. SE8 —2D 46
Derby Av. Romf —1A 128
Derby Av. Upm —5K 129
Derby Clo. Bill —3M 101
Derby Clo. Lang H —2H 133
Derby Clo. May —2C 204
Derbydale. R'fd —1H 123
Derby Rd. E7 —9K 125
Derby Rd. E18 —5F 108
Derby Rd. Croy —7A 46
Derby Rd. Grays —3L 157 (2F 49)
Derby Rd. Hod —7D 54
Derby Rd. Bri. Grays —4L 157
Dereham Clo. Colc —3K 175
Dereham Rd. Bark —7E 126
Derek Gdns. Sth S —1K 139
Derham Gdns. Upm —5N 129
Deri Av. Rain —4F 144
Dering Cres. Lgh S —8C 122
Derry Av. S Ock —6D 146
Derry Downs. —7J 47
Dersingham Av. E12 —6M 125
Derventer Av. Can I —8G 136
Derwent Av. Ray —5L 121
Derwent Gdns. Hol S —7N 187
Derwent Gdns. Ilf —8L 109
Derwent Pde. S Ock —6D 146
Derwent Rd. H'wds —2C 168
Derwent Way. Brain —2C 198
Derwent Way. Chelm —7F 60
Derwent Way. Horn —7F 128
Dessons Ct. Corr —1A 150
De Staunton Clo. Alr —7A 178
Detling Clo. Horn —7G 128
Detling Rd. Eri —5B 154
Devalls Clo. E6 —7A 142
Devas St. E3 —6D 38
Devenay Rd. E15 —9F 124
Devenish Rd. SE2 —9F 142
Devereaux Clo. W on N —6J 183
De Vere Av. Mal —7L 203
De Vere Clo. Hat P —3M 63
De Vere Clo. W'hoe —6H 177
De Vere Est. Gt Ben —6J 179
De Vere Gdns. Ilf —4M 125
De Vere La. W'hoe —6H 177
De Vere Rd. Colc —1H 175
De Vere Rd. E Col —2A 196
De Veres Rd. H'std —5J 199
Devereux Pl. B'wck —4K 167
Devereux Rd. Grays —1J 157
Devereux Rd. Sth S —7M 139
Devereux Way. Bill —3J 101
De Vere Way. Har —5H 201
Deveron Gdns. S Ock —6D 146
Deveron Way. Romf —5C 112
De Vigier Av. Saf W —3N 205
Deville Way. Lain —3J 41
Devizes Ho. H Hill —2H 113
(off Montgomery Cres.)
Devon Clo. Buck H —8H 93
Devon Gdns. R'fd —2H 123
Devonport Gdns. Ilf —1M 125
Devon Rd. Bark —1D 142
Devon Rd. Colc —3J 175
Devon Rd. S Dar —6C 48
Devonshire Clo. E15 —6E 124
Devonshire Clo. Bas —7J 117
Devonshire Gdns. Brain —4K 193
Devonshire Gdns. Linf —1J 159
Devonshire Rd. E15 —6E 124
Devonshire Rd. E17 —1A 124
Devonshire Rd. SE23 —4C 46
Devonshire Rd. Bas —7J 117
Devonshire Rd. Bur C —3L 195
Devonshire Rd. Chaf H —2H 157
Devonshire Rd. Horn —4G 129
Devonshire Rd. Ilf —2D 126
Devonshire Rd. S'min —7K 207
Devons Rd. E3 —7D 38
Devon Way. Can I —9H 137
Devon Way. Har —6F 200
Devon Way. Hol S —6B 188
Dewberry Clo. Colc —8D 168
Dewes Green. —3H 11
Dewes Grn. Rd. Ber —3H 11
Dewey Path. Horn —8G 129
Dewey Rd. Dag —8N 127
Dewlands. Bas —8B 118
Dewsbury Clo. Romf —3J 113
Dewsbury Gdns. Romf —3H 113
Dewsbury Rd. Romf —3H 113
Dewsgreen. Bas —2F 134
Dewyk Rd. Can I —9J 137
Dexter Clo. Grays —1K 157
Deyncourt Gdns. Upm —4N 129
Deynecourt Gdns. E11 —8J 109
Deynes Rd. Deb —2C 12
Dial Rd. Gt Ben —2K 185 (2A 28)
Diamond Clo. Dag —3H 127
Diamond Clo. Grays —1J 157
Diamond Ct. Horn —3E 128
Diana Clo. E18 —5H 109
Diana Clo. Grays —1J 157
Diana Ct. Eri —4C 154
Diana Way. Clac S —2G 191
Diban Av. Horn —6F 128
Diban Ct. Horn —6F 128
(off Diban Av.)
Dickens Av. Dart —9L 155
Dickens Av. Til —6D 158
Dickens Clo. Brain —8J 193
Dickens Clo. Sth S —4N 139
Dickens Ct. E11 —8G 109
(off Makepeace Rd.)
Dickens Ct. Lain —8M 117
Dickens Dri. Bas —8L 117
Dickens Pl. Chelm —4F 60
Dickens Rise. Chig —9A 94
Dickett's Hill. Gt Yel —7D 8
Dicky Moors. Gt Walt —5H 59
Digby Gdns. Dag —1M 143
Digby M. W Mer —3K 213
Digby Rd. Bark —9E 126
Digby Rd. Corr —9C 134
Digby Wlk. Horn —8G 128
Diggens Ct. Lou —2L 93
Dilbridge Rd. E. Colc —7C 168
Dilbridge Rd. W. Colc —7B 168
Dilston. Dan —4G 77
Dimond Clo. E7 —6G 125
Dinant Av. Can I —1E 152
Dinant Link Rd. Hod —4A 54
Dinants Cres. M Tey —3G 172
Dinsdale Clo. Colc —7C 168
Disney Clo. Ing —5D 86
Disraeli Clo. SE28 —8H 143
Disraeli Rd. E7 —8G 125
Disraeli Rd. Ray —6A 122
Distillery La. Colc —2C 176
Ditches Ride, The. Lou & Epp —7N 79
Ditchfield Rd. Hod —2A 54
Ditton Ct. Rd. Wclf S —6J 139
Dixon Av. Chelm —7H 61
Dixon Av. Clac S —7G 187
Dixon Clo. Law —4G 164
Dixon Ct. Bas —9J 119
Dixon Way. W'hoe —3G 177
Dobbies La. M Tey —3H 173
Dobbs Weir. —6D 54
Dobb's Weir Rd. Hod —6D 54 (7E 20)
Dobsons Clo. Ray —6L 121
Dockfield Av. Har —4H 201
Docklands. —7G 39
Docklands Av. Ing —5E 86
Docklands Visitor Centre. —1E 46
Dock La. Gt Oak —5F 19
Dock Rd. Felix —2K 19
Dock Rd. Grays —4N 157 (2G 49)
Dock Rd. May —2E 204
Dock Rd. Til —6A 158
Dock St. E1 —7C 38
Dockwra La. Dan —3F 76
Doctor's La. Ashen —4C 8
Docwra Rd. K'dn —8C 202
Docwra's Manor Gardens. —2E 4
Doddenhill Rd. Saf W —2L 205
Doddinghurst. —7F 84 (5E 32)
Doddinghurst Rd. Brtwd —8G 85 (5E 32)
Dodding's La. M Tey —6G 173
Doddington Lodge. Dodd —6F 84
Doesgate La. Bulp —5C 132 (4H 41)
Doeshill Dri. W'fd —9M 103
Dog Chase. Weth —3A 14
Dogden La. Man —5K 11
Doggetts Chase. R'fd —1L 123
Doggetts Clo. R'fd —4L 123
Doggett's Corner. Horn —4K 129
Doggetts La. M Tey —4H 173
Doghouse Rd. Patt —6F 15
Dog Kennel Hill. SE22 —3B 46
Dog Kennel La. Mill G —2D 86
Dolby Rise. Chelm —9A 62
Dollant Av. Can I —2G 153
Dolley Clo. Hut —8M 99
Dolley Gro. Stans —3D 208
Dolley La. Ong —8L 69
Dolphin App. Romf —8D 112
Dolphinarium. —3K 191 (4D 28)
Dolphin Clo. SE28 —6J 143
Dolphin Ct. Chig —9A 94
Dolphin Ct. Frin S —8L 183
Dolphin Gdns. Bill —3H 101
Dolphins. Wclf S —1J 139
Dombey Clo. Chelm —4H 61
Dome Village, The. Hock —7B 106
Dominion Dri. Romf —3N 111
Dominion Way. Rain —3E 144
Domsey Bank. M Tey —3G 173
Domsey Chase. Fee —6D 172
Domsey La. L Walt —9N 59 (6B 24)
Doms La. Terl —4D 24
Donald Dri. Romf —9H 111
Donald Thorn Clo. W'fd —1L 119
Donald Way. Chelm —3D 74
Donard Dri. W Ber —3E 166
Doncaster Way. Upm —5K 129
Doncel Ct. E4 —6D 92
Don Ct. Wthm —5A 214
Donington Av. Ilf —9B 110
Donkey La. F'ham —7C 48
Donne Dri. Jay —4E 190
Donne Rd. Dag —4H 127
Donovan's Garden. Heron —4A 116
Don Way. Romf —4C 112
Donyland Way. Rhdge —7F 176
Dooley Rd. H'std —5J 199
Doran Wlk. E15 —9C 124
Dorchester Av. Hod —3A 54
Dorchester Ct. E18 —5F 108
(off Buckingham Rd.)
Dorchester End. Colc —3B 176
Dorchester Gdns. E4 —1A 108
Dorchester Rd. Bill —3J 101
Dordells. Bas —9N 117
Dore Av. E12 —7N 125
Doreen Capstan Ho. E11 —5E 124
(off Apollo Pl.)
Dorewards Av. Brain —1H 193
Dorian Rd. Horn —3E 128
Doric Av. R'fd —2J 123
Doris Av. Eri —6A 154
Doris Rd. E7 —9G 125
Dorking Cres. Clac S —7G 187
Dorking Gdns. H Hill —2H 113
Dorking Glen. H Hill —1H 113
Dorking Rise. Romf —1H 113
Dorking Rd. Romf —2H 113
Dorking Tye. —1A 16
Dorking Wlk. Chelm —3F 74
Dorking Wlk. Romf —1H 113
Dorkins Way. Upm —2B 130
Dormer Clo. E15 —8F 124
Dorothy Curtice Ct. Cop —1N 173
Dorothy Farm Rd. Ray —6N 121
Dorothy Gdns. Ben —1F 136
Dorothy Gdns. Dag —6G 127
Dorothy L. Sayers Centre. —5D 214 (4G 25)
Dorothy Sayers Dri. Wthm —2C 214
Dorrington Gdns. Horn —3H 129
Dorset Av. Chelm —3E 74
Dorset Av. Romf —7B 112
Dorset Clo. Chelm —4F 74
Dorset Clo. Hol S —7B 188

Dorset Gdns. *Linf* —9J 149
Dorset Gdns. *R'fd* —2H 123
Dorset Pl. *E15* —8D 124
Dorset Rd. *E7* —9J 125
Dorset Rd. *Bur C* —4M 195
Dorset Rd. *Mal* —7J 203
Dorset Way. *Bill* —3J 101
Dorset Way. Can I —9G 137 (off Hilton Rd.)
Dorvis La. *A'dn* —4E 6
Doubleday Corner. *Cogg* —8K 195
Doubleday Dri. *H'bri* —3J 203
Doubleday Gdns. *Brain* —3K 193
Doubleday Rd. *Lou* —2B 94
Doublegate La. *Raw* —2B 120
Doublet M. *Bill* —3M 101
Douglas Av. *E17* —5A 108
Douglas Av. *Romf* —6J 113
Douglas Clo. *Chaf H* —1H 157
Douglas Clo. *Chelm* —7E 74
Douglas Dri. *W'fd* —2L 119
Douglas Gro. *Wthm* —5A 214
Douglas Rd. *E4* —6E 92
Douglas Rd. *Ben* —3M 137
Douglas Rd. *Clac S* —9G 186
Douglas Rd. *Har* —4K 201
Douglas Rd. *Horn* —1D 128
Douglas Rd. *Ilf* —2F 126
Douglas Wlk. *Chelm* —2B 74
Doug Siddons Ct. *Grays* —4M 157
Doulton Way. *R'fd* —1H 123
Dounsell Ct. *Pil H* —5D 98
Dove Clo. *Stans* —2D 208
Dovecote. *Shoe* —5J 141
Dovecourt Bay. —4M 201
Dove Cres. *Har* —6F 200
Dovedale. *Can I* —9K 137
Dovedale Av. *Ilf* —6N 109
Dovedale Clo. *Bas* —2J 133
Dovedale Gdns. *Hol S* —7N 187
Dove Dri. *Ben* —8J 137
Dovehouse Croft. *H'low* —1F 56
Dove Ho. Gdns. *E4* —8A 92
Dovehouse Mead. *Bark* —2C 142
Dove La. *Chelm* —4B 74
Dovercliff Rd. *Can I* —2L 153
Dover Clo. *Brain* —2G 193
Dover Clo. *Clac S* —4H 191
Dover Clo. *Romf* —6A 112
Dovercourt. —4K 201 (3H 19)
Dovercourt By-Pass. *Pkstn* —3J 201 (3H 19)
Dovercourt Haven Cvn. Pk. *Har* —7J 201
Dover Rd. *E12* —4J 125
Dover Rd. *B'sea* —5E 184 (in two parts)
Dover Rd. *N'fleet* —4G 49
Dover Rd. *Romf* —1K 127
Dover Rd. E. *Grav* —4G 49
Dovers Corner. (Junct.) —3E 144 (6B 40)
Dovers Corner. *Rain* —3E 144
Dovers Corner Ind. Est. *Rain* —3D 144
Dovervelt Rd. *Can I* —9H 137
Dover Way. *Pits* —1J 135
Doves Cotts. *Chig* —9F 94
Dovesgate. *Ben* —2B 136
Doves La. *D'mw* —2F 23
Doves M. *Lain* —6M 117
Dove Wlk. *Horn* —8F 128
Dowches Dri. *K'dn* —7C 202
Dowches Gdns. *K'dn* —7C 202
Dow Ct. *S'min* —7K 207
Dowding Clo. *Colc* —2A 176
Dowding Way. *Horn* —9F 128
Dowland Clo. *Stan H* —2L 149
Dowland Wlk. *Bas* —8L 117
Dowling Rd. *M Bur* —3A 16
Downbank Av. *Bexh* —6B 154
Downer Rd. *Ben* —2D 136
Downer Rd. N. *Ben* —1E 136
Downesway. *Ben* —3D 136
Downey Clo. *Bas* —8D 118
Downfield Rd. *Hert H* —6C 20
Downhall. *Brad S* —1F 37
Downhall Clo. *Ray* —3K 121
Downhall Pk. Way. *Ray* —1J 121
Downhall Rd. *Mat G* —5B 22
Downhall Rd. *Ray* —4J 121 (2F 43)
Downham. —4F 102 (7B 34)
Downham Clo. *Romf* —4M 111
Downham Rd. *N1* —6B 38
Downham Rd. *Can I* —2G 153
Downham Rd. *Rams H* —4D 102 (6A 34)
Downham Rd. *Stock* —5B 88 (5A 34)
Downham Rd. *W'fd* —6K 103
Downham Way. *Brom* —5E 46
Downhills Pk. Rd. *N17* —3B 38
Downing Rd. *Dag* —9L 127
Downlands. *Wal A* —4E 78
Downleaze. *S Fer* —9L 91
Downs Cres. *D'mw* —7K 197
Downsell Rd. *E15* —6C 124
Downs Footpath. *Mal* —5K 203
Downs Gro. *Bas* —3E 134
Downshall Av. *Ilf* —1D 126
Downshills Way. *N17* —2B 38
Downsland Dri. *Brtwd* —9F 98
Downs Rd. *Enf* —6B 30
Downs Rd. *Grav* —5G 49
Downs Rd. *Mal* —5K 203
Downs, The. *D'mw* —7L 197 (7G 13)
Downs, The. *H'low* —3D 56
Downs, The. *Mal* —5K 203
Downs, The. *Steb* —6H 13
Downsview Rd. *SE19* —5B 46
Downsway. *Chelm* —5M 61
Downton Wlk. *Tip* —5D 212
Dowsett La. *Rams H* —9C 88 (6A 34)
Dowsett Rd. *N17* —2C 38
Doyle Clo. *Eri* —6C 154
Doyle Way. *Til* —7E 158
Dragon Clo. *Bur C* —3K 195
Dragons Grn. *Sew E* —6D 6
Drake Av. *May* —3D 204
Drake Clo. *Ben* —2J 137
Drake Clo. *War* —2H 115
Drake Ct. Bas —1G 134 (off Beech Rd.)
Drake Ct. Eri —5D 154 (off Frobisher Rd.)
Drake Cres. *SE28* —6H 143
Drake Gdns. *Brain* —4L 193
Drake M. *Horn* —9E 128
Drake Rd. *Chaf H* —9H 147
Drake Rd. *Lain* —9M 117
Drake Rd. *Wclf S* —6H 139
Drakes App. *Jay* —3E 190
Drake's Corner. *Gt Wig* —4D 26
Drakes La. *L Walt* —5B 24
Drakes, The. *Shoe* —6J 141
Drakes Way. *Ray* —3L 121
Drapers Chase. *H'bri* —4N 203
Drapers Chase. *Rayne* —1A 24
Draper's La. *Hel B* —4H 7
Drapers Rd. *E15* —6D 124
Drapers Rd. *Enf* —6A 30
Drapers Rd. *S Fer* —9L 91
Draycot Rd. *E11* —1H 125
Dray Ct. *W Ber* —3G 167
Drayson Clo. *Wal A* —2E 78
Drayton Av. *Lou* —6M 93
Drayton Clo. *Ilf* —3C 126
Drayton Clo. *Mal* —7K 203
Drayton Ho. *E11* —3D 124
Drayton Pk. *N5* —5A 38
Drayton Rd. *E11* —3D 124
Drewstead Rd. *SW16* —4A 46
Drewsteignton. *Shoe* —6H 141
Dreys, The. *Sew E* —7D 6
Driberg Way. *Brain* —7J 193
Driffield Clo. *Fee* —6D 202
Drift, The. *Ded* —1M 163
Drift, The. *Stut* —1D 18
Driftway. *Bas* —3G 135
Driftway. *Reed* —1D 10
Drive, The. *E4* —6E 92
Drive, The. *E17* —8B 108
Drive, The. *E18* —7G 108
Drive, The. *Bark* —9E 126
Drive, The. *Buck H* —6J 93
Drive, The. *Chelm* —5J 61
Drive, The. *Clac S* —6M 187
Drive, The. *Col R* —4B 112
Drive, The. *Gt War* —3F 114 (2E 40)
Drive, The. *H'low* —2D 56
Drive, The. *H Wood* —5K 113
Drive, The. *Har* —5K 201 (3H 19)
Drive, The. *Hod* —3A 54
Drive, The. *Hull* —5K 105
Drive, The. *Ilf* —2M 125 (3G 39)
Drive, The. *Lou* —2L 93 (in two parts)
Drive, The. *May* —2C 204 (3A 36)
Drive, The. *Ray* —7A 122 (in two parts)
Drive, The. *Riven* —3H 25
Drive, The. *R'fd* —5L 123
Drive, The. *Saw* —2K 53
Drive, The. *Sidc* —4J 47
Drive, The. *S Fer* —9H 91
Drive, The. *Stap A* —6A 96
Drive, The. *Thax* —2J 211
Drive, The. *Wclf S* —5G 138
Driveway, The. E17 —1B 124 (off Hoe St.)
Driveway, The. *Can I* —3H 153
Droitwich Av. *Sth S* —5B 140
Dronfield Gdns. *Dag* —7H 127
Drood Clo. *Chelm* —5H 61
Drovers Way. *Bore* —4C 62
Droveway. *Lou* —1A 94
Druce, The. *Clav* —3J 11
Druid St. *SE1* —1B 46
Drummond Av. *Romf* —8B 112
Drummond Clo. *Eri* —6C 154
Drummond Ct. *Brtwd* —6F 98
Drummond Pl. *W'fd* —2M 119
Drummond Rd. *E11* —1J 125
Drummond Rd. *Romf* —8B 112
Drummonds, The. *Buck H* —8H 93
Drummonds, The. *Epp* —9F 66
Drury La. *WC2* —7A 38
Drury La. *Ayt R* —4E 22
Drury La. *Brain* —5H 193
Drury La. *Ridg* —5B 8
Drury Rd. *Colc* —1K 175 (6E 16)
Dryden Av. *Sth S* —4N 139
Dryden Clo. *Ilf* —3E 110
Dryden Clo. *Mal* —8K 203
Dryden Pl. *Til* —6D 158
Drysdale Av. *E4* —6B 92
Dry Street. —4K 41
Dry St. *Bas* —4L 133 (4K 41)
Drywoods. *S Fer* —3K 105
Duarte Pl. *Grays* —1J 157
Dubarry Clo. *Ben* —1F 136
Du Cane Pl. *Wthm* —5D 214
Duce Ter. *Dag* —7G 127
Duchess Gro. *Buck H* —8H 93
Duck End. —8D 208 (7A 12)
Duck End. *F'fld* —2K 13
Duckend Farm La. *Lndsl* —4G 13
Duckend Green. —5A 192 (7B 14)
Ducketts Mead. *Cwdn* —1M 107
Ducketts Mead. *Roy* —2H 55
Ducking Stool Ct. *Romf* —8C 112
Duck La. *Thorn* —5H 67 (2J 31)
Duckling La. *Saw* —2K 53
Duck St. *L Eas* —6F 13
Duck St. *Wen A* —7A 6
Duck Wood Community Nature Reserve. —2M 113 (1C 40)
Dudbrook Rd. *Kel C* —8J 83 (5C 32)
Duddenhoe End. —7H 5
Duddery Hill. *H'hll* —3J 7
Dudley Clo. *Bore* —2F 62
Dudley Clo. *Chaf H* —9H 147
Dudley Clo. *Colc* —2A 176
Dudley Gdns. *Romf* —3H 113
Dudley Rd. *E17* —6A 108
Dudley Rd. *Clac S* —1H 191
Dudley Rd. *E Col* —2A 196
Dudley Rd. *Fing* —2G 27
Dudley Rd. *Ilf* —6A 126
Dudley Rd. *Romf* —3H 113
Duffield Dri. *Colc* —8E 168
Duffield Rd. *Chelm* —4E 74
Duffries Clo. *Gt Walt* —5G 59
Duffs Hill. *Glem* —1G 9
Dugard Av. *Colc* —2F 174 (7D 16)
Duggers La. *Brain* —7J 193
Dugmore Av. *Kir S* —6F 182
Duke Gdns. *Ilf* —8C 110
Duke Pl. *Lain* —7N 117
Duke Rd. *Ilf* —8C 110
Duke's Av. *N10* —3A 38
Dukes Av. *Grays* —1K 157
Dukes Av. *S'min* —8L 207
Dukes Av. *They B* —5D 80
Dukes Clo. *N Wea* —6N 67
Dukes Farm Clo. *Bill* —3L 101
Dukes Farm Rd. *Bill* —4K 101
Dukes La. *Chelm* —7A 62
Dukes La. *Will* —7E 22
Dukes Orchard. *Hat O* —3C 22
Dukes Orchard. *Writ* —2K 73
Dukes Pk. Ind. Est. *Chelm* —7A 62
Duke's Pas. *E17* —8C 108
Duke's Pl. *Brtwd* —7F 98
Dukes Rd. *Bill* —4L 101
Dukes Rd. *Brain* —3G 193
Duke St. *B'sea* —7D 184
Duke St. *Chelm* —8J 61 (1A 34)
Duke St. *Hod* —4A 54 (7D 20)
Dulverton Av. *Wclf S* —2F 138
Dulverton Clo. *Wclf S* —1F 138
Dulverton Rd. *Romf* —3H 113
Dulwich. —4B 46
Dulwich Comn. *SE21* —4B 46
Dulwich Rd. *SE24* —3A 46
Dulwich Rd. *Hol S* —9N 187
Dulwich Village. —4B 46
Dulwich Village. *SE21* —3B 46
Dulwich Wood Pk. *SE19* —5B 46
Dumney La. *Gt L* —2B 24
Dumont Av. *St O* —4K 27
Dunbar Av. *Dag* —5M 127
Dunbar Gdns. *Dag* —7M 127
Dunbar Pl. *W'fd* —2M 119
Dunbar Rd. *E7* —8G 125
Dunbar Rd. *N22* —2A 38
Dunbridge St. *E2* —6C 38
Duncan Clo. *W'fd* —2M 119
Duncan Rise. *Gt Yel* —7C 198
Duncan Rd. *Colc* —2J 175
Dundee Av. *Lgh S* —4A 138
Dundee Clo. *Lgh S* —4B 138
Dundonald Dri. *Lgh S* —5E 138
Dunedin Rd. *E10* —5B 124
Dunedin Rd. *Ilf* —3B 126
Dunedin Rd. *Rain* —3D 144
Dunfane. *Bill* —3L 101
Dungannon Chase. *Sth S* —8F 140
Dungannon Dri. *Sth S* —8F 140
Dunkeld Rd. *Dag* —4G 127
Dunkellin Gro. *S Ock* —6D 146
Dunkellin Way. *S Ock* —6D 146
Dunkery Rd. *SE12* —5F 47
Dunkin Rd. *Dart* —9L 155
Dunkirk Rd. *Bur C* —4M 195
Dunlin Clo. *Mal* —2M 203
Dunlin Clo. *S Fer* —8K 91
Dunlin Ct. *K'dn* —8C 202
Dunlop Rd. *Til* —6B 158
Dunmill St. *Har* —2M 201
Dunmore Rd. *Chelm* —8B 62
Dunmow Clo. *Lou* —5L 93
Dunmow Clo. *Romf* —9H 111
Dunmow Dri. *Rain* —1D 144
Dunmow Gdns. *W H'dn* —1N 131
Dunmow La. *Gt Walt* —1E 58
Dunmow Rd. *E15* —6D 124
Dunmow Rd. *Ayt R* —4E 22
Dunmow Rd. *Bis S* —9C 208 (1K 21)
Dunmow Rd. *Brain* —7A 192
Dunmow Rd. *Fels* —7K 13
Dunmow Rd. *Fyf* —1D 32
Dunmow Rd. *Gt Bar* —4J 13
Dunmow Rd. *Gt Eas* —6F 13
Dunmow Rd. *Hat H* —2D 202
Dunmow Rd. *N End* —3J 23
Dunmow Rd. *Steb* —6H 13
Dunmow Rd. *Tak* —8B 210 (1C 22)
Dunmow Rd. *Thax* —3K 211 (3F 13)
Dunning Clo. *S Ock* —6D 146
Dunningford Clo. *Horn* —7D 128
Dunnings La. *W H'dn & Bulp* —4L 131 (4F 41)
Dunnock Way. *Colc* —8F 168
Dunoon Clo. *Brain* —4M 193
Dunsmure Rd. *N16* —4B 38
Dunspring La. *Ilf* —6A 110
Dunstable Clo. *Romf* —3H 113
Dunstable Rd. *Romf* —3H 113
Dunstable Rd. *Stan H* —2M 149
Dunstalls. *H'low* —7M 55
Dunstan View. *Dun* —1G 132
Dunster Av. *Wclf S* —1F 138
Dunster Clo. *Romf* —6A 112
Dunster Cres. *Horn* —4L 129
Dunthorne Rd. *Colc* —5E 168
Dunthorpe Rd. *Clac S* —7H 187
Dunton Pk. Cvn. Site. *Dun* —1G 132
Dunton Rd. *E10* —2B 124
Dunton Rd. *SE1* —1B 46
Dunton Rd. *Bill & Bas* —6F 116 (2H 41)
Dunton Rd. *Dun* —4C 116 (2H 41)
Dupont Clo. *Clac S* —7H 187
Dupre Clo. *Chaf H* —1H 157
Durants Rd. *Enf* —6C 30
Durants Wlk. *W'fd* —1L 119
Durban Ct. *E7* —9K 125
Durban Gdns. *Dag* —9A 128
Durban La. *Bas* —5A 118
Durban Rd. *Ilf* —3D 126
Durdans, The. *Bas* —2K 133
Durell Gdns. *Dag* —7J 127
Durell Rd. *Dag* —7J 127
Durham Av. *Romf* —8G 113
Durham Av. *Wfd G* —2K 109
Durham Clo. *Gt Bar* —3J 13
Durham Clo. *Saw* —3H 53
Durham Ho. Bark —9F 126 (off Margaret Bondfield Av.)
Durham Ho. *Dag* —7A 128
Durham Pl. *Ilf* —6B 126
Durham Rd. *E12* —6K 125
Durham Rd. *Dag* —7A 128
Durham Rd. *Lain & Bas* —9G 117 (3J 41)
Durham Rd. *R'fd* —2G 122
Durham Rd. *Sth S* —4B 140
Durham Sq. *Colc* —8A 168
Durham Wlk. *Bas* —8G 118
Durham Way. *Ray* —2K 121
Duriun Way. *Eri* —5F 154
Durley Av. *W'fd* —8G 102
Durley Clo. *Ben* —2E 136
Durnell Way. *Lou* —3N 93
Durninge Wlk. *Grays* —7L 147
Durnsford Rd. *N22* —2A 38
Durrants Clo. *Rain* —2G 145
Durrington Clo. *Bas* —1D 134
Dury Falls Clo. *Horn* —3L 129
Dury Falls Ct. *Romf* —6A 112
Dutch Cottage Museum. —1C 152 (6D 42)
Dutch Cottage, The. —5J 121 (2F 43)
Dutch Quarter. —8M 167
Dutch Village. —1D 152 (6D 42)
Duton Hill. —5F 13
Duxford. —2J 5
Duxford. *W'fd* —1A 120
Duxford Airfield. —3J 5
Duxford Clo. *Horn* —8G 128
Duxford Ho. SE2 —9J 143 (off Wolvercote Rd.)
Duxford Imperial War Museum. —2J 5
Duxford Rd. *Hxtn* —3K 5
Duxford Rd. *I'tn* —3K 5
Duxford Rd. *Whitt* —1J 5
Dyer's End. —6B 8
Dyer's Green. —3C 4
Dyers Hall Rd. *E11* —4E 124
Dyers Rd. *Mal* —6K 203
Dyer's Rd. *S'way* —3D 174 (7C 16)
Dyers Way. *Romf* —4F 112
Dyke Cres. *Can I* —1D 152
Dykes Chase. *Mal* —5H 203
Dymchurch Clo. *Ilf* —6N 109
Dymoke Rd. *Horn* —2D 128
Dymokes Way. *Hod* —2A 54
Dyne's Hall Rd. *H'std* —1J 199 (2F 15)
Dynevor Gdns. *Lgh S* —5A 138
Dyson Rd. *E11* —1E 124
Dyson Rd. *E15* —8F 124
Dytchleys La. *N'side* —3L 97 (6C 32)
Dytchleys Rd. *Brtwd* —3K 97 (6C 32)

Eagle Av. *Romf* —1K 127
Eagle Av. *W on N* —5N 183
Eagle Clo. *Horn* —8F 128
Eagle Clo. *Wal A* —4G 78
Eagle Ct. *E11* —8G 109
Eagle Ga. *Colc* —8A 168
Eagle La. *E11* —8G 108
Eagle La. *Brain* —3H 193
Eagle La. *Kel H* —7B 84
Eagles Rd. *Grnh* —9D 156
Eagle Ter. *Wfd G* —4H 109
Eagle Way. *Gt War* —3E 114 (2E 40)
Eagle Way. *Shoe* —5J 141
Eagle Wharf Rd. *N1* —6B 38
Eardemont Clo. *Dart* —9D 154
Eardley Rd. *SW16* —5A 46
Earleswood. *Ben* —2D 136
Earlham Gro. *E7* —7F 124
Earlhams Clo. *Har* —6H 201
Earl Mountbatten Dri. *Bill* —5H 101
Earl Rd. *N'fleet* —4G 49
Earls Colne. —3C 196 (4J 15)
Earls Colne Ind. Pk. *E Col* —5H 15
Earls Colne Rd. *Gt Tey* —5J 15
Earlsdown Ho. *Bark* —2C 142
Earlsfield Dri. *Chelm* —8A 62
Earls Hall Av. *Sth S* —3J 139
Earls Hall Dri. *Clac S* —8C 186
Earls Hall Pde. *Sth S* —2K 139
Earls Mead. *Wthm* —4C 214
Earl's Path. *Lou* —1J 93 (6F 31)
Earl's Wlk. *Dag* —6G 126
Earlswood. *Ben* —2D 136
Earlswood Gdns. *Ilf* —7N 109
Earlswood Way. *Colc* —4L 175
Easebourne Rd. *Dag* —7H 127
Easedale Dri. *Horn* —7E 128
Easington Way. *S Ock* —5D 146
East Av. *E12* —9L 125 (5G 39)
East Av. *E17* —8B 108
East Bay. *Colc* —8B 168
E. Beach Cvn. Pk. *Shoe* —7L 141
East Bergholt. —1J 17
East Bergholt Lodge Gardens. —1J 17
E. Boundary Rd. *E12* —5M 125
Eastbourne Gro. *Wclf S* —3H 139
E. Bridge Rd. *S Fer* —9K 91
Eastbrook Av. *Dag* —6A 128
Eastbrook Dri. *Romf* —4C 128
Eastbrook Rd. *Wal A* —3E 78
Eastbrooks. *Pits* —8J 119
Eastbrooks M. *Pits* —8J 119
Eastbrooks Pl. *Pits* —8J 119
Eastbury Av. *Bark* —1D 142
Eastbury Av. *R'fd* —3J 123
Eastbury Ct. *Bark* —1D 142
Eastbury Manor House & Museum. (off Blake Av.) —1E 142 (6H 39)
Eastbury Rd. *Romf* —1B 128
Eastbury Sq. *Bark* —1E 142
Eastby Clo. *Saf W* —5M 205
Eastcheap. *Ray* —3J 121
Eastcliff Av. *Clac S* —9M 187
East Clo. *Rain* —4F 144
East Colne Rd. *Gt Tey* —1D 172
Eastcote Gro. *Sth S* —3B 140
East Cres. *Can I* —1F 152
E. Dene Dri. *H Hill* —2H 113
E. Dock Rd. *Pkstn* —1H 201
East Dri. *Saw* —3K 53
East Dulwich. —3C 46
E. Dulwich Gro. *SE21* —3B 46
E. Dulwich Rd. *SE22 & SE15* —3B 46
East End. —5H 11 (nr. Furneux Pelham)
Eastend. —2L 55 (7F 21) (nr. Harlow)
Eastend La. *Else* —1N 209
Eastend Rd. *Brad S* —1F 37
E. End Rd. *E End* —1A 18
Easten Greene. *Wmgfd* —3B 16
E. Entrance. *Dag* —2N 143
Easter Av. *Grays* —2D 48
Easterford Rd. *K'dn* —8C 202
Easterford Watermill. —8D 202 (2J 25)
Easterling Clo. *Har* —3J 201
Eastern App. *Spri* —6A 62
Eastern Av. *E11 & Ilf* —1H 125 (3F 39)
Eastern Av. *Ave* —9N 145
Eastern Av. *Ben* —1C 136
Eastern Av. *Sth S* —3M 139 (4K 43)
Eastern Av. *W Thur* —3C 156
Eastern Av. E. *Romf* —7B 112 (2A 40)
Eastern Av. W. *Romf* —8K 111 (3J 39) (in two parts)
Eastern Clo. *Sth S* —3M 139
Eastern Cres. *Chelm* —6H 61
Eastern Esplanade. *Can I* —4J 153 (6F 43)
Eastern Esplanade. *Sth S* —8A 140 (5K 43)
Eastern Ind. Est. *Eri* —9M 143
Eastern Path. *Horn* —1G 144
Eastern Promenade. P Bay —4K 27 (off New Way)
Eastern Rd. *E17* —9C 108
Eastern Rd. *B'sea* —7D 184
Eastern Rd. *Bur C* —2M 195
Eastern Rd. *Grays* —2N 157
Eastern Rd. *Ray* —6H 121
Eastern Rd. *Romf* —9C 112
Easternville Gdns. *Ilf* —1B 126
Eastern Way. *SE28* —9F 142 (1J 47)
Eastern Way. *Grays* —4K 157
East Essex Aviation & Forties Museum. —9B 184 (4K 27)
E. Ferry Rd. *E14* —1D 46
Eastfield Gdns. *Dag* —6M 127
Eastfield Rd. *E17* —8A 108
Eastfield Rd. *Brtwd* —8G 98
Eastfield Rd. *Can I* —9K 137
Eastfield Rd. *Dag* —6M 127
Eastfield Rd. *Enf* —5C 30
Eastfield Rd. *Lain* —5A 118
Eastgate. *Bas* —1C 134
East Ga. *Gt Che* —3L 197
East Ga. *H'low* —2C 56
Eastgate Cen. *Bas* —1C 134
Eastgate Clo. *SE28* —6J 143
Eastgates. *Colc* —8B 168
Eastgate St. *Har* —1M 201
East Gores. —2C 172 (7K 15)
E. Gores Rd. *Cogg* —1B 172 (6J 15)
E. Hall La. *Wen* —6H 145 (7B 40)
E. Hall Rd. *Orp* —7K 47
East Ham. —6G 39
E. Ham and Barking By-Pass. *Bark* —2D 142

Eastham Cres. Brtwd —1K 115
East Hanningfield. —2B 90 (4D 34)
E. Hanningfield Rd. How G & E Han —7L 75 (3C 34)
E. Hanningfield Rd. Ret C —8A 90 (5D 34)
East Hatley. —1A 4
East Haven. Clac S —8J 187
East Hill. Colc —8A 168 (6F 17)
East Hill. Dart —4C 48
East Hill. S Dar —6D 48
East Holme. Eri —6B 154
East Horndon. —8A 116
Easthorpe. —7J 173 (1A 26)
Easthorpe Rd. Ethpe & Cop —7D 172 (1K 25)
Easthorpe Rd. Mess —9H 173 (2A 26)
E. India Dock Rd. E14 —7D 38
East La. Ded —3N 163 (2J 17)
Eastleigh Rd. Ben —5E 136
Eastleigh Rd. Bexh —8A 154
Eastley. Bas —2A 134
E. Lodge La. Enf —5A 30
E. Mayne. Bas —8G 119 (3B 42)
East Mersea. —4J 27
E. Mersea Rd. W Mer —4F 27
East Mill. H'std —4L 199
E. Milton Rd. Grav —4H 49
Easton End. Bas —9J 117
Easton Rd. Wthm —4D 214
Easton Way. Frin S —8L 183
East Pk. H'low —9H 53
East Pk. Saw —3K 53
E. Park Clo. Romf —9J 111
E. Ridgeway. Cuff —3A 30
East Rd. EC1 —6B 38
East Rd. Chad H —9K 111
East Rd. Chelm —8J 61
East Rd. E Mer —4H 27
East Rd. H'low —8G 52
East Rd. Rush G —2B 128
East Rd. W Mer —2L 213 (5F 27)
E. Rochester Way. Sidc —3H 47
East Row. E11 —1G 124
East Side. Boxt —4A 162
E. Smithfield. E1 —7B 38
East Sq. Bas —9C 118
E. Stockwell St. Colc —8N 167 (in three parts)
East St. Bark —1B 142
East St. Brain —5J 193
East St. Cogg —8L 195 (7H 15)
East St. Colc —8B 168 (6F 17)
East St. Grays —4M 157
East St. Har —3M 201
East St. Lgh S —6D 138
East St. R'fd —5L 123 (2J 43)
East St. Saf W —4L 205 (6C 6)
East St. Sth S —4L 139 (4J 43)
East St. S Stif —4H 157
East St. Sud —5J 9
East St. Tol —8K 211 (6C 26)
East St. W'hoe —7H 177
East Ter. W on N —5N 183
E. Thorpe. Bas —9D 118
E. Thurrock Rd. Grays —4M 157 (2G 49)
East Tilbury. —5M 159 (1J 49)
E. Tilbury Rd. Linf —9J 149 (1J 49)
East View. E4 —2C 108
East View. Tak —7C 210
East View. Writ —1H 73 (1J 33)
E. View Clo. R'ter —7F 7
Eastview Dri. Ray —2K 121
East Wlk. Bas —9C 118
East Wlk. H'low —2C 56
E. Ward M. Colc —8C 168
Eastway. E9 —5D 38
East Way. E11 —9H 109
Eastway Commercial Cen. E9 —7A 124
Eastway Cycle Circuit. —7B 124 (5D 38)
Eastway Ind. Est. Wthm —3E 214
Eastways. Can I —9F 136
Eastways. Wthm —4D 214
Eastwick. —8A 52 (6G 21)
Eastwick Hall La. E'wck —5G 21
East Wickham. —2J 47
Eastwick Rd. H'low —8A 52 (6G 21)
Eastwood. —1D 138 (3H 43)
Eastwood Boulevd. Wclf S —3F 138 (4H 43)
Eastwoodbury. —9H 123 (3J 43)
Eastwoodbury Clo. Sth S —9J 123
Eastwoodbury Cotts. Sth S —9H 123
Eastwoodbury Cres. Sth S —9K 123 (3J 43)
Eastwoodbury La. Sth S —9G 122 (3H 43)
Eastwood Clo. E18 —6G 109
Eastwood Dri. H'wds —3B 168
Eastwood Dri. Rain —6F 144
Eastwood Ind. Est. Lgh S —9B 122
Eastwood La. S. Wclf S —4G 138
Eastwood Old Rd. Ben & Lgh S —8M 121
Eastwood Pk. Clo. Lgh S —9D 122
Eastwood Pk. Dri. Lgh S —8D 122
Eastwood Rise. Lgh S —8A 122
Eastwood Rd. E18 —6G 109
Eastwood Rd. Ilf —2F 126
Eastwood Rd. Lgh S —4C 138 (4G 43)
Eastwood Rd. Ray —5K 121 (2F 43)
Eastwood Rd. N. Lgh S —2B 138 (4G 43)
Eatington Rd. E10 —9D 108
Eaton Clo. Bill —3J 101
Eaton Dri. Romf —4N 111
Eaton Gdns. Dag —9K 127
Eaton Ho. Bis S —9A 208
Eaton M. Colc —3B 176
Eaton Rise. E11 —9J 109
Eaton Rd. Enf —6B 30
Eaton Rd. Lgh S —4B 138
Eatons Mead. E4 —8A 92
Eaton Way. Gt Tot —5J 25
Ebenezer Clo. Wthm —2B 214
Ebony Clo. Colc —4L 175
Eccles Rd. Can I —2L 153
Eccleston Cres. Romf —2G 126
Eccleston Gdns. Bill —3J 101
Echo Heights. E4 —7B 92
Eckersley Rd. Chelm —8L 61
Eddy Clo. Romf —1N 127
Eden Clo. Wthm —4B 214
Edendale Rd. Bexh —6B 154
Eden Grn. S Ock —5E 146
Eden Gro. E17 —9B 108
Edenhall Clo. Romf —2G 113
Edenhall Glen. Romf —2G 112
Edenhall Rd. Romf —2G 113
Eden Park. —7D 46
Eden Pk. Av. Beck —6D 46 (in two parts)
Eden Rd. E17 —9B 108
Edenside. Kir X —7H 183
Eden Way. Chelm —6E 60
Edgar Ho. E11 —2G 125
Edgar Rd. Romf —2J 127
Edgecotts. Bas —2N 133
Edgefield Av. Bark —9E 126
Edgefield Av. Law —5G 164
Edgefield Ct. Bark —9E 126 (off Edgefield Av.)
Edgehill Gdns. Dag —6M 127
Edgington Way. Sidc —5J 47
Edgware Rd. Clac S —8H 187
Edinburgh Av. Corr —9A 134
Edinburgh Av. Lgh S —4A 138
Edinburgh Clo. Ray —2H 121
Edinburgh Clo. Wthm —7D 214
Edinburgh Ct. Eri —5B 154
Edinburgh Dri. Romf —8A 112
Edinburgh Gdns. Brain —4K 193
Edinburgh M. Til —7D 158
Edinburgh Pl. H'low —8F 52
Edinburgh Rd. E17 —9A 108
Edinburgh Way. H'low —9C 52 (6H 21)
Edinburgh Way. Pits —9J 119
Edison Av. Horn —3D 128
Edison Clo. E17 —9A 108
Edison Clo. Brain —7H 193
Edison Clo. Horn —3D 128
Edison Gdns. Colc —6C 168
Edison Gro. SE18 —2H 47
Edison Rd. SE18 & Well —2H 47
Edison Rd. Hol S —7B 188
Edith Cavell Way. Stpl B —3C 210
Edith Clo. Can I —2E 152
Edith Rd. E6 —9K 125
Edith Rd. E15 —7D 124
Edith Rd. Can I —2D 152
Edith Rd. Clac S —2J 191
Edith Rd. Kir S —6G 183
Edith Rd. Romf —2J 127
Edith Rd. Sth S —4L 139
Edith Way. Corr —9B 134
Edmonton. —1C 38
Edmund Grn. Gosf —4E 14
Edmund Rd. Rain —2C 144
Edmund Rd. Wthm —7B 214
Edmund's Tower. H'low —3B 56
Edney Common. —5E 72 (2H 33)
Edridge Clo. Horn —7H 129
Edward Av. E4 —3B 108
Edward Av. B'sea —6E 184
Edward Bright Clo. Mal —6K 203
Edward Clo. Bill —3H 101
Edward Clo. L Cla —9J 181
Edward Clo. R'fd —1H 123
Edward Clo. Romf —7G 112
Edward Ct. Wal A —3F 78
Edward Dri. Chelm —3D 74
Edward Gdns. W'fd —8L 103
Edward Mans. Bark —9E 126 (off Upney La.)
Edward Marke Dri. L'hoe —8B 176
Edward Rd. Romf —1K 127
Edward Rd. T Sok —7K 181
Edwards Clo. Hut —5A 100
Edward St. SE14 & SE8 —2D 46
Edward St. Har —2G 201
Edwards Wlk. Mal —5J 203
Edwards Way. Hut —5A 100
Edward Temme Av. E15 —9F 124
Edward Ter. Wee H —9J 181
Edwina Gdns. Ilf —9L 109
Edwin Clo. Rain —3D 144
Edwin Hall View. S Fer —8J 91
Edwin's Hall Rd. S Fer —5F 35
Edwin's Hall Rd. Wdham F —6J 91
Effra Rd. SW2 —3A 46
Egbert Gdns. W'fd —7L 103
Egbwerts Way. E4 —7C 92
Egerton Ct. E11 —2D 124
Egerton Dri. SE10 —2D 46
Egerton Dri. Lang H —1G 133
Egerton Gdns. Ilf —5E 126
Egerton Grn. Rd. Colc —3H 175
Egg Hall. Epp —8F 66
Eggshell La. Corn H —6K 7
Eglantine La. F'ham —7C 48
Eglington Rd. E4 —6D 92
Egremont St. Glem —2G 9
Egremont Way. S'way —2D 174
Egret Cres. Colc —7G 168
Ehringshausen Way. H'hll —3J 7
Eider Clo. E7 —7F 124
Eight Acre La. Colc —4K 175
Eight Ash Green. —7B 166 (6C 16)
Eighth Av. E12 —6M 125
Eisenhower Rd. Bas —9J 117
Elan Rd. S Ock —5D 146
Eldbert Clo. Sth S —4C 140
Eldeland. Bas —8N 117
Eldenhall Ind. Est. Dag —3L 127
Elder Av. W'fd —1J 119
Elderberry Clo. Bas —1K 133
Elderberry Gdns. Wthm —3E 214
Elder Field. Bla N —3B 198
Elderfield. H'low —8J 53
Elderfield Wlk. E11 —9H 109
Elderflower Way. E15 —9E 124
Elder Rd. SE27 —5B 46
Elderstep Av. Can I —2L 153
Elder Street. —1D 12
Elderton Rd. Wclf S —6J 139
Elder Tree Rd. Can I —1J 153 (6F 43)
Elder Way. Rain —3H 145
Elder Way. W'fd —1K 119
Eld La. Colc —8N 167
Eldon Clo. Colc —6E 168
Eldon Rd. Hod —7D 54
Eldon Wall Est. Dag —3L 127
Eldon Way. Hock —1C 122
Eldon Way Ind. Est. Hock —1D 122
Eldred Av. Colc —3J 175
Eldred Gdns. Upm —2B 130
Eldred Rd. Bark —1D 142
Eleanor Chase. W'fd —9K 103
Eleanor Clo. Tip —5D 212
Eleanor Cross Rd. Wal X —4A 78 (4D 30)
Eleanor Gdns. Dag —4L 127
Eleanor Rd. E15 —8F 124
Eleanor Wlk. Tip —5D 212
Eleanor Way. War —2G 115
Electric Av. Wclf S —5H 139
Electric Pde. E18 —6G 108
Electric Pde. Ilf —4E 126
Elephant & Castle. (Junct.) —1A 46
Eleven Acre Rise. Lou —2M 93
Eleventh Av. Stans —7G 209
Elgar Clo. Bas —7M 117
Elgar Clo. Bas —9B 120
Elgar Clo. Buck H —8K 93
Elgar Gdns. Til —6C 158
Elgin Av. Chelm —9J 61
Elgin Av. Romf —4M 113
Elgin Ho. War —1G 114
Elgin Rd. Ilf —3D 126
Elham Dri. Pits —1K 135
Elianore Rd. Colc —8J 167
Eliot Clo. W'fd —2K 119
Eliot M. Sth S —4N 139
Eliot Rd. Dag —6J 127
Eliot Way. Mal —7K 203
Elizabeth Av. Ilf —4C 126
Elizabeth Av. Ray —6J 121
Elizabeth Av. Wthm —7D 214
Elizabeth Clo. H'wds —3C 168
Elizabeth Clo. Hock —3D 122
Elizabeth Clo. Naze —2D 64
Elizabeth Clo. Romf —5N 111
Elizabeth Clo. Saf W —3M 205
Elizabeth Clo. Til —7D 158
Elizabeth Ct. Eri —5B 154 (off Valence Rd.)
Elizabeth Ct. Wfd G —4J 109
Elizabeth Dri. They B —6D 80
Elizabeth Dri. W'fd —8J 103
Elizabeth Ho. Grays —8L 147
Elizabeth Rd. E6 —9K 125
Elizabeth Rd. Grays —9J 147 (1F 49)
Elizabeth Rd. H'low —2G 56
Elizabeth Rd. Har —4J 201
Elizabeth Rd. Pil H —5E 98
Elizabeth Rd. Rain —5F 144
Elizabeth Rd. Sth S —8B 140
Elizabeth Tower. Sth S —5L 139 (off Baxter Av.)
Elizabeth Vs. Tip —9F 212
Elizabeth Way. Ben —2J 137
Elizabeth Way. B'sea —7E 184
Elizabeth Way. H'std —4K 199
Elizabeth Way. H'low —4M 55 (7G 21)
Elizabeth Way. Hat P —2L 63
Elizabeth Way. H'bri —3K 203
Elizabeth Way. Lain —1M 133
Elizabeth Way. Saf W —3M 205 (6C 6)
Elizabeth Way. W'hoe —3J 177
Elkin's Green. —1J 85 (4F 33)
Elkins, The. Romf —6C 112
Ellenbrook Clo. Lgh S —3D 138
Ellen Ct. E4 —7C 92 (off Ridgeway, The)
Ellen Way. Brain —1C 198
Ellen Wilkinson Ho. Dag —5M 127
Ellerman Rd. Til —7B 158
Ellerton Gdns. Dag —9H 127
Ellerton Rd. Dag —9H 127
Ellesmere Clo. E11 —9F 108
Ellesmere Gdns. Ilf —9L 109
Ellesmere Rd. Can I —2E 152
Ellesmere Rd. R'fd —7H 107
Ellingham Rd. E15 —6D 124
Elliot Clo. E15 —9E 124
Elliot Clo. S Fer —2M 105
Elliot Dri. Brain —5E 192
Elliots Dri. W on N —6L 183
Elliott Gdns. Romf —5F 112
Ellis Av. Rain —5E 144
Ellis Clo. Ors —6F 148
Ellis Rd. Boxt —4N 161 (3E 16)
Ellis Rd. Brad —4B 18
Ellis Rd. Clac S —2J 191
Ellmore Clo. Romf —5F 112
Ellswood. Lain —6M 117
Elm Av. H'bri —3L 203
Elm Av. Upm —5M 129
Elm Bank Pl. Horn H —1H 149
Elmbridge. H'low —9L 53
Elmbridge Rd. Ilf —3F 110 (2J 39)
Elm Bungalows. Brain —4F 192
Elm Clo. E11 —1H 125
Elm Clo. Alr —6A 178
Elm Clo. Broom —3J 61
Elm Clo. Buck H —8K 93
Elm Clo. Else —7C 196
Elm Clo. Gt Bad —4G 74
Elm Clo. Gt Ben —6K 179
Elm Clo. Ray —4K 121
Elm Clo. Romf —5N 111
Elm Clo. Shoe —7J 141
Elm Clo. Sib H —5B 206
Elm Clo. Tak —8C 210
Elm Clo. Tip —4C 212
Elm Clo. Wal A —4D 78
Elm Clo. Extension. Tak —8C 210
Elm Cotts. Bill —9N 101
Elm Cotts. Wclf S —4L 139 (off Howards Chase)
Elm Ct. Elm —6J 5
Elm Cres. Colc —8D 168
Elmcroft. Elms —9N 169
Elmcroft Av. E11 —9H 109
Elmcroft Clo. E11 —8H 109
Elmdale Dri. Mann —5J 165
Elmden Ct. Clac S —8J 187
Elmdene Av. Horn —9K 113
Elmdon. —6J 5
Elmdon Rd. S Ock —5D 146
Elm Dri. B'sea —6C 184
Elm Dri. H'std —5L 199
Elm Dri. Har —4L 201
Elm Dri. Ray —4K 121
Elmer App. Sth S —6M 139
Elmer Av. Hav —9C 96
Elmer Av. Sth S —6M 139
Elmer Clo. Rain —9E 128
Elmer Gdns. Rain —9E 128
Elmers End. —6D 46
Elmers End Rd. SE20 & Beck —6C 46
Elmfield Clo. Hol S —6B 188
Elmfield Rd. E4 —8C 92
Elm Gdns. N Wea —5N 67
Elm Grn. Bas —1H 135
Elm Grn. Bill —6N 101
Elm Grn. La. Dan —2C 76 (2D 34)
Elm Gro. Clac S —7K 187
Elm Gro. Eri —5B 154
Elm Gro. Horn —3J 129
Elm Gro. Hull —6K 105
Elm Gro. Kir X —8F 182
Elm Gro. Saf W —4K 205
Elm Gro. Sth S —6E 140
Elm Gro. W'hoe —5H 177
Elm Gro. Wfd G —2F 108
Elmgrove Ho. Saf W —4K 205
Elm Hall Gdns. E11 —1H 125 (in two parts)
Elm Hatch. H'low —4E 56
Elmhurst Av. Ben —2B 136
Elmhurst Dri. E18 —6G 109
Elmhurst Dri. Horn —3G 128
Elmhurst Rd. E7 —9H 125
Elmhurst Rd. Har —4L 201
Elmhurst Way. Lou —6M 93
Elm La. Fee & M Tey —6C 172 (1K 25)
Elm La. Rox —7G 23
Elmore Rd. E11 —5C 124
Elmores. Lou —3N 93
Elm Pde. Horn —6F 128
Elm Park. —7F 128 (5B 40)
Elm Pk. Av. Horn —6E 128 (5A 40)
Elm Rise. Wthm —2C 214
Elm Rd. E7 —8F 124
Elm Rd. E11 —4D 124
Elm Rd. E17 —9C 108
Elm Rd. Ave —8A 146
Elm Rd. Ben —4K 137
Elm Rd. Bis S —1K 21
Elm Rd. Can I —2J 153
Elm Rd. Chelm —2B 74 (2A 34)
Elm Rd. E Ber —1J 17
Elm Rd. Eri —6E 154
Elm Rd. Grays —4M 157
Elm Rd. Lgh S —5D 138 (5H 43) (in two parts)
Elm Rd. L Cla —2D 28
Elm Rd. Pits —6M 119
Elm Rd. Romf —6N 111
Elm Rd. Shoe —7J 141 (5B 44)
Elm Rd. Sidc —5J 47
Elm Rd. S Fer —9J 91
Elm Rd. W'fd —9H 103
Elms Dri. Chelm —7J 61
Elms Farm Rd. Horn —7G 128
Elms Gdns. Dag —6L 127
Elms Hall Rd. Coln E —1A 196 (4G 15)
Elms Ind. Est. H Wood —4M 113
Elmsleigh Dri. Lgh S —3D 138 (4H 43)
Elmslie Clo. Wfd G —3M 109
Elmstead. —6N 169 (6J 17)
Elmstead Clo. Corr —9C 134
Elmstead Heath. —3M 177 (7J 17)
Elmstead La. Chst —5G 47
Elmstead Market. —1N 177 (6H 17)
Elmstead Rd. Colc —9D 168 (6F 17)
Elmstead Rd. Eri —6C 154
Elmstead Rd. Ilf —4D 126
Elmstead Rd. W'hoe —3J 177 (7H 17)
Elms, The. E12 —8K 125
Elms, The. Gt Che —2M 197
Elms, The. Lou —1F 92
Elms, The. Ong —9L 69
Elms, The. Wal A —5J 79 (off Woodbine Clo.)
Elm Ter. Grays —4E 156
Elm Tree Av. Frin S —8J 183 (1G 29)
Elmtree Av. Kel H —7C 84
Elmtree Clo. Frin S —8J 183
Elmtree Rd. Bas —2G 135
Elm View Rd. Ben —3B 136
Elm Wlk. Rayne —6B 192
Elm Wlk. Romf —7E 112
Elm Way. Bore —2F 62
Elm Way. Brtwd —1D 114
Elmway. Grays —7M 147
Elmwood. Saw —3L 53
Elmwood Av. Colc —4K 175
Elmwood Av. Hock —3D 122
Elmwood Ct. E10 —3A 124 (off Goldsmith Rd.)
Elmwood Dri. Bex —4J 47
Elmwood Dri. W Mer —3L 213
Elounda Ct. Ben —2D 136
Elrick Clo. Eri —4C 154
Elrington Rd. Wfd G —2G 109
Elronds Rest. S Fer —2J 105
Elsdale St. E9 —5C 38
Elsden Chase. S'min —7L 207
Elsenham. —8C 196 (5B 12)
Elsenham Ct. Ray —4H 121
Elsenham Cres. Bas —9G 119
Elsenham Cross. —8D 196
Elsenham Rd. E12 —7N 125
Elsenham Rd. Stans —2E 208 (6A 12)
Elsham Dri. Bla N —2B 198
Elsham Rd. E11 —5E 124
Elsinor Av. Can I —8F 136
Elstow Gdns. Dag —1K 143
Elstow Rd. Dag —1K 143
Elstree Gdns. Ilf —7B 126
Eltham. —3G 47
Eltham High St. SE9 —3G 47
Eltham Hill. SE9 —3F 47
Eltham Place. —4G 47
Eltham Rd. SE12 & SE9 —3E 46
Elthorne Pk. Clac S —8H 187
Eltisley Rd. Ilf —6A 126
Elton Wlk. Tip —5D 212
Elverston Clo. Lain —7M 117
Elvet Av. Romf —8G 113
Elwes Clo. Colc —6D 168
Elwick Ct. Dart —9E 154
Elwick Rd. S Ock —6F 146
Elwin Rd. Tip —6D 212
Elwood. H'low —4K 57
Ely Clo. Eri —7D 154
Ely Clo. S'min —7L 207
Ely End. Bas —8G 118
Ely Gdns. Dag —5A 128
Ely Gdns. Ilf —2L 125
Ely Pl. Wfd G —3N 109
Ely Rd. E10 —1C 124
Ely Rd. Sth S —4N 139
Elysian Gdns. Tol —8J 211
Ely Way. Bas —8F 118
Ely Way. Ray —3J 121
Emanuel Rd. Bas —2K 133
Embankment, The. Hock —7C 106
Embassy Ct. Mal —6K 203
Emberson Ct. Chelm —7A 62
Emberson Way. N Wea —5A 68
Ember Way. Bur C —2K 195
Emblems. D'mw —6K 197
Embroidery Bus. Cen. Wfd G —6K 109 (off Southend Rd.)
Emerald Gdns. Dag —3M 127
Emerson Dri. Horn —2H 129
Emerson Park. —1J 129 (3C 40)
Emerson Pk. Ct. Horn —2H 129
Emerson Rd. Ilf —2N 125
Emes Rd. Eri —5A 154
Emily White Ct. W'fd —8N 103
Emmanuel Ct. E10 —2B 124
Emmanuel Rd. SW12 —4A 46
Emmaus Way. Chig —2N 109
Emmott Av. Ilf —9B 110
Empire Rd. Har —4M 201
Empire Wlk. Chelm —9L 61 (off Springfield Rd.)
Empress Av. E4 —4B 108
Empress Av. E12 —4J 125
Empress Av. Ilf —4M 125
Empress Av. W Mer —2L 213
Empress Av. Wfd G —4F 108
Empress Dri. W Mer —3L 213
Empress Pde. E4 —4B 108
Emson Clo. Saf W —3K 205
Emsworth Rd. Ilf —6A 110
Enborne Grn. S Ock —5D 146
Endean Ct. W'hoe —4G 177
Endeavour Clo. Tol —7K 211
Endeavour Way. Bark —2F 142
Endell St. WC2 —7A 38
Endlebury Rd. E4 —8C 92 (1E 38)
Endsleigh Ct. Colc —8K 167
Endsleigh Gdns. Ilf —4M 125

Endway. Ben —4K 137
Endway, The. Alth —5B 36
Endway, The. Gt Eas —6F 13
Endway, The. Stpl B —1D 210 (5K 7)
Endwell Rd. SE4 —2D 46
Endymion Rd. N4 —4A 38
Enfield. —6B 30
Enfield Highway. —6C 30
Enfield Ho. H Hill —4J 113
(off Leyburn Cres.)
Enfield Lock. —5D 30
Enfield Rd. Enf —6A 30
Enfield Rd. W'fd —9C 104
Enfield Town. —6B 30
Enfield Wash. —5C 30
Engayne Gdns. Upm —3M 129
Englands La. Lou —1N 93 (6G 31)
Englefield Clo. Hock —3F 122
Englefield Rd. N1 —5B 38
Engleric. Chris —6H 5
Enid Way. Colc —5L 167
Ennerdale Av. Brain —2C 198
Ennerdale Av. Horn —7E 128
Ennismore Gdns. Sth S —3M 139
Enterprise Cen., The. Bas —5F 118
Enterprise Ct. Brain —6K 193
Enterprise Ct. Wthm —4D 214
Enterprise Ho. Bark —3E 142
Enterprise Trading Est. Brain —7B 192
Enterprise Way. W'fd —1N 119
Enville Way. H'wds —3B 168
Epping. —9F 66 (3J 31)
Epping Clo. Chelm —1N 73
Epping Clo. Clac S —5K 187
Epping Clo. Lgh S —8D 122
Epping Clo. Romf —7N 111
Epping Forest. —7L 79
Epping Forest. —5F 92
Epping Forest Conservation Centre. —9J 79 (6F 31)
Epping Forest District Museum. —3C 78 (4E 30)
Epping Forest Nature Reserve. —9J 79 (6F 31)
Epping Glade. E4 —5C 92
Epping Green. —3A 66 (2G 31)
Epping New Rd. Buck H & Lou —8H 93 (1F 39)
Epping Rd. Abr —1G 94
Epping Rd. Epp —7H 67 (3J 31)
(Epping)
Epping Rd. Epp —6M 79 (5G 31)
(Epping Forest)
Epping Rd. N Wea —3C 68
Epping Rd. Ong —2A 32
Epping Rd. Roy & Epp G —3H 55 (7F 21)
Epping Rd. Toot —3A 32
Epping Rd. Wal A & H'low —7L 55
Epping Upland. —4C 66 (2G 31)
Epping Way. E4 —5B 92
Epping Way. Wthm —6B 214
Epsom Clo. Bill —3M 101
Epsom Clo. Clac S —7G 187
Epsom M. S'min —7M 207
Epsom Rd. E10 —1C 124
Epsom Rd. Ilf —1E 126
Epsom Way. Horn —6K 129
Epstein Rd. SE28 —8F 142
Erica Wlk. Colc —8D 168
Eric Clarke La. Bark —4A 142
Eric Clo. E7 —6G 124
Erick Av. Chelm —4K 61
Eric Rd. E7 —6G 124
Eric Rd. Bas —9N 119
Eric Rd. Romf —2J 127
Eridge Clo. Chelm —4M 61
Erith. —3C 154 (1A 48)
Erith Ct. Purf —2L 155
Erith Cres. Romf —5A 112
Erith High St. Eri —3C 154 (2A 48)
Erith Library & Museum. —3C 154
Erith Museum. —1A 48
(off Walnut Tree Rd.)
Erith Rd. Belv & Eri —3A 154 (1K 47)
Erith Rd. Bexh & N Hth —6A 154 (3K 47)
Erith Small Bus. Cen. Eri —4D 154
Erle Havard Rd. W Ber —3F 166
Ermine St. Thun —3C 20
Ermine Way. Arr —1B 4
Ernalds Clo. E Col —2C 196
Ernan Clo. S Ock —5D 146
Ernan Rd. S Ock —5D 146
Ernest Rd. Horn —1J 129
Ernest Rd. W'hoe —5H 177
Ernulph Wlk. Colc —8A 168
Erriff Dri. S Ock —5D 146 (7E 40)
Errington Clo. Grays —1D 158
Errington Rd. Colc —1L 175
Erroll Rd. Romf —8D 112
Erskine Pl. W'fd —1M 119
Erwarton. —1F 19
Erwarton Wlk. Erw —1G 19
Esdaile Gdns. Upm —2A 130
Esher Av. Romf —1A 128
Esher Rd. Ilf —5D 126
Eskley Gdns. S Ock —5E 146
Esk Way. Romf —4B 112
Esmond Clo. Rain —9F 128
Esplanade. Frin S —2J 189 (2G 29)
Esplanade. May —2A 204
Esplanade Ct. Sth S —8C 140
Esplanade Gdns. Wclf S —6G 138
Esplanade, The. Hol S —7C 188
Esplanade, The. Hull —5J 105
Essex Av. Chelm —4J 61
Essex Av. Jay —6C 190
Essex Clo. Bas —9K 117
Essex Clo. Can I —3G 152
Essex Clo. Ray —6M 121
Essex Clo. Romf —8N 111
Essex County Cricket Ground. —1C 74 (1A 34)
Essex Ct. Romf —4H 113
Essex Gdns. Horn —9L 113
Essex Gdns. Lgh S —2D 138
Essex Gdns. Linf —9J 149
Essex Hall Rd. Colc —6M 167
Essex Hill. Elm —6J 5
Essex Mans. E11 —2D 124
Essex Regiment Way. L Walt —1H 59 (5A 24)
Essex Rd. E4 —7E 92
Essex Rd. E10 —1C 124 (3E 38)
Essex Rd. E12 —7L 125
Essex Rd. E18 —6H 109
Essex Rd. N1 —6A 38
Essex Rd. Bark —9C 126
Essex Rd. Brain —4K 193
Essex Rd. Bur C —3M 195
Essex Rd. Can I —1J 153
Essex Rd. Chad H —2H 127
Essex Rd. Dag —7A 128
Essex Rd. Grays —4D 156
Essex Rd. Hod —4B 54 (7D 20)
(in two parts)
Essex Rd. Mal —7J 203
Essex Rd. Romf —8N 111
Essex Rd. S. E11 —2D 124 (4E 38)
Essex Showground. —2B 24
Essex St. E7 —7G 124
Essex St. Colc —9M 167
Essex St. Sth S —6M 139
Essex Way. Ben —5D 136 (4E 42)
Essex Way. Ded —1K 163
Essex Way. Gt War —3F 114
Essex Way. L'ham —1D 162
Essex Way. Tye G —4F 194
Essex Yeomanry Way. S'way —9C 166 (6C 16)
Estate Rd. Ben —3M 137
Estate Way. E10 —3A 124
Estella Mead. Chelm —4G 60
Esther Rd. E11 —2E 124
Estuary Clo. Bark —3G 143
Estuary Clo. M End —3M 167
Estuary Ct. Tol —7K 211
(off Hunts Farm Clo.)
Estuary Cres. Clac S —1H 191
Estuary Gdns. Gt W —4N 141
Estuary M. Shoe —8J 141
Estuary M. Tol —7K 211
Estuary Pk. Rd. W Mer —3M 213
Etchingham Rd. E15 —6C 124
Ethelbert Gdns. Ilf —9M 109
Ethelbert Rd. Eri —5A 154
Ethelbert Rd. R'fd —7H 107
Ethelburga Rd. Romf —5K 113
Etheldore Av. Hock —8D 106
Ethelred Gdns. W'fd —7L 103
Ethel Rd. Ray —7A 122
Etheridge Grn. Lou —2B 94
Etheridge Rd. Lou —1A 94
Etloe Rd. E10 —4A 124
Eton Clo. Can I —9H 137
Eton Mnr. Ct. E10 —4A 124
(off Leyton Grange Est.)
Eton Rd. Clac S —9K 187
Eton Rd. Frin S —9K 183
Eton Rd. Ilf —6B 126
Eton Wlk. Shoe —4J 141
Eton Way. Dart —9G 154
Etton Clo. Horn —4J 129
Euclid Way. W Thur —3C 156
Eudo Rd. Colc —2K 175
Eugene Clo. Romf —8G 112
Europa Trad. Cen. Grays —3F 156
Europa Trad. Est. Eri —3B 154
Europa Way. Har —3H 201
Eustace Rd. Romf —2J 127
Euston Rd. NW1 —6A 38
Euston Underpass. (Junct.) —6A 38
Evansdale. Rain —3D 144
Evanston Av. E4 —4C 108
Evanston Gdns. Ilf —1L 125
Eva Rd. Romf —2H 127
Evelina Rd. SE15 —3C 46
Evelyn Rd. E17 —8C 108
Evelyn Rd. Gt L —2A 24
Evelyn Rd. Hock —2D 122
Evelyn Sharp Clo. Romf —7H 113
Evelyn Sharp Ho. Romf —7H 113
Evelyn St. SE8 —1C 46
Evelyn Wlk. Gt War —3F 114
Evelyn Wood Rd. Cres —2E 194
Evenlode Ho. SE2 —9H 143
Everall Clo. S'min —7K 207
Everall Ct. Hod —4A 54
Everard Rd. Bas —7H 119
Everest. Ray —2K 121
Everest Rise. Bill —7H 101
Everest Way. H'bri —3L 203
Evergreen Ct. W'fd —1K 119
Evergreen Dri. Colc —3D 168
Evering Rd. N16 & E5 —4B 38
Everitt Rd. Saf W —3M 205
Everitt Way. Sib H —5C 206
Eve Rd. E11 —6E 124
Eversholt St. NW1 —6A 38
Eversleigh Gdns. Upm —3A 130
Eversley. —9L 119 (3C 42)
Eversley Av. Bexh —7B 154
Eversley Ct. Ben —8C 120
Eversley Cross. Bexh —7C 154
Eversley Lodge. Hod —5A 54
Eversley Pk. Rd. N21 —7A 30
Eversley Rd. Bas —1L 135
Eversley Rd. Ben —8B 120
Everson Av. W Mer —2M 213
Eves Corner. —1L 195
Eves Corner. Dan —3E 76
Eves Ct. Har —6F 200
Eves Cres. Chelm —6J 61
Evesham Av. E17 —6A 108
Evesham Rd. E15 —9F 124
Evesham Way. Ilf —7N 109
Ewan Clo. Lgh S —3N 137
Ewan Clo. S'way —9D 166
Ewanrigg Ter. Wfd G —2J 109
Ewan Rd. H Wood —6H 113
Ewan Way. Lgh S —3N 137
Ewan Way. S'way —9D 166
Ewell Hall Chase. K'dn —9C 202
Ewellhurst Rd. Ilf —6L 109
Exchange St. Romf —9C 112
Exchange, The. Ilf —4A 126
Exchange Way. Chelm —9K 61
Exell St. Dart —9M 155
Exeter Clo. Bas —8G 118
Exeter Clo. Brain —3K 193
Exeter Clo. Gt Hork —9J 161
Exeter Clo. Shoe —5K 141
Exeter Dri. Colc —8A 168
Exeter Gdns. Ilf —3L 125
Exeter Ho. Bark —9F 126
(off Margaret Bondfield Av.)
Exeter Ho. Shoe —5J 141
Exeter Rd. E17 —9A 108
Exeter Rd. Chelm —6N 61
Exeter Rd. Dag —8N 127
Exford Av. Wclf S —2F 138
Exhibition La. Gt W —3K 141
Exley Clo. Ing —5D 86
Exmoor Clo. Chelm —1M 73
Exmoor Clo. Ilf —5A 110
Exmouth Dri. Ray —2K 121
Exmouth Rd. Grays —4L 157
Express Dri. Ilf —3G 126
Exton Gdns. Dag —7H 127
Eyhurst Av. Horn —5E 128
Eynsford. —7C 48
Eynsford Castle. —7C 48
Eynsford Rd. F'ham —7C 48
Eynsford Rd. Ilf —4D 126
Eynsford Rd. Swan —7A 48
Eynsham Dri. SE2 —9G 143 (1J 47)
Eynsham Way. Bas —6H 119
Eyre Clo. Romf —8F 112

Faber Rd. Wthm —7B 214
Fabians Clo. Cogg —7L 195
Factory Hill. Tip —7D 212 (4A 26)
Factory La. E. H'std —4K 199
Factory La. W. H'std —5K 199
Factory Rd. E16 —1G 47
Factory Ter. H'std —4K 199
Faggoters La. Mat T —6A 22
Faggot Yd. Brain —3H 193
Fagus Av. Rain —3H 145
Fair Clo. B'sea —7F 184
Fairclough Av. Clac S —1F 190
Fair Cross. —7D 126 (5H 39)
Faircross Av. Bark —8B 126
Faircross Av. Romf —4B 112
Faircross Pde. Bark —8D 126
Fairfax Av. Bas —7K 119
Fairfax Dri. Wclf S —4G 139 (4J 43)
Fairfax Mead. Chelm —9A 62
Fairfax Rd. Colc —9N 167
Fairfax Rd. Grays —3L 157
Fairfax Rd. Til —6B 158
Fairfax Way. H'std —6L 199
Fairfield. Gt W —3L 141
Fairfield. Ing —5E 86
Fairfield Av. Grays —7M 147
Fairfield Av. Upm —5N 129
Fairfield Chase. Mal —6J 203
Fairfield Clo. Horn —3E 128
Fairfield Cres. Lgh S —8E 122
Fairfield Gdns. Colc —7C 168
Fairfield Gdns. Lgh S —9E 122
Fairfield Rise. Bill —8H 101
(in two parts)
Fairfield Rd. E3 —6D 38
Fairfield Rd. Brain —6H 193 (7C 14)
Fairfield Rd. Brtwd —9F 98
Fairfield Rd. Chelm —9J 61
Fairfield Rd. Clac S —9J 187
Fairfield Rd. Croy —7B 46
Fairfield Rd. Epp —8G 66
Fairfield Rd. Hod —3A 54
Fairfield Rd. Ilf —8A 126
Fairfield Rd. Lgh S —8D 122
Fairfield Rd. Ong —8K 69
Fairfield Rd. Wfd G —3G 108
Fairfields. Mal —6J 203
Fairford Av. Bexh —6B 154
Fairford Clo. Romf —3M 113
Fairford Way. Romf —3M 113
Fairham Av. S Ock —7D 146
Fairhaven Av. W Mer —2M 213
Fairhead Rd. N. Colc —7C 168
Fairhead Rd. S. Colc —7C 168
Fairholme Av. Romf —9E 112
Fairholme Gdns. Upm —2C 130
Fairholme Rd. Ilf —2M 125
Fairkytes Av. Horn —3H 129
Fairland Clo. Ray —2L 121
Fairland Rd. E15 —8F 124
Fairlands Av. Buck H —8G 93
Fairlawn Dri. Wfd G —4G 109
Fairlawn Gdns. Sth S —1K 139
Fairlawns. Brtwd —9D 98
Fairlawns. Epp —8G 66
Fairlawns. Sth S —7D 140
Fairlawns Clo. Horn —2K 129
Fairleads. Dan —2F 76
Fair Leas. Saf W —2L 205
Fairleigh Av. Bas —1L 135
Fairleigh Dri. Lgh S —5C 138
Fairleigh Rd. Bas —1L 135
Fairlight Av. E4 —8D 92
Fairlight Av. Wfd G —3G 109
Fairlight Clo. E4 —8D 92
Fairlight Rd. Ben —3J 137
Fairlop. —5E 110 (2H 39)
Fairlop Av. Can I —1G 153
Fairlop Clo. Clac S —5K 187
Fairlop Clo. Horn —8F 128
Fairlop Ct. E11 —3D 124
Fairlop Gdns. Bas —9E 118
Fairlop Gdns. Ilf —4B 110
Fairlop Rd. E11 —2D 124 (4E 38)
Fairlop Rd. Ilf —6B 110
Fairmead. Bas —7D 118
Fairmead. Ray —3H 121
Fairmead Av. Ben —1L 137
Fairmead Av. Wclf S —5H 139
Fairmead Gdns. Ilf —9L 109
Fairmead Rd. Lou —4H 93 (7F 31)
Fairmeads. Lou —1A 94
Fairmeadside. Lou —4J 93
Fairoak Gdns. Romf —6C 112
Fairstead. —3D 24
Fairstead Hall Rd. F'std —3C 24
Fairstead Rd. F'std —3D 24
Fairsted. Bas —9B 118
Fairview. Bill —7J 101
Fairview. Can I —9F 136
Fair View. D'mw —8L 197
Fairview. Eri —5D 154
Fairview Av. Hut —6A 100
Fairview Av. Rain —2H 145
Fairview Av. Stan H —4L 149
Fairview Chase. Stan H —5L 149
Fairview Clo. Ben —8C 120
Fairview Clo. Chig —1D 110
Fairview Cres. Ben —8C 120
Fairview Dri. Chig —2D 110
Fairview Dri. Wclf S —2H 139
Fairview Gdns. Lgh S —4B 138
Fairview Gdns. Wfd G —5H 109
Fairview Ind. Pk. Rain —5B 144
Fair View Lodge. Lgh S —4B 138
Fairview Rd. Bas —9E 118
(in two parts)
Fairview Rd. Chig —1D 110
Fairview Vs. E4 —4B 108
Fairview Wlk. Ben —8C 120
Fairville M. Wclf S —4H 139
Fairway. Chelm —3E 74
Fairway. Grays —8L 147 (7F 41)
Fairway. Orp —7H 47
Fairway. Saw —2K 53
Fairway. W'fd —4M 119
Fair Way. Wfd G —2J 109
Fairway Dri. Bur C —3L 195
Fairway Gdns. Ilf —7B 126
Fairway Gdns. Lgh S —1B 138
Fairway Gdns. Clo. Lgh S —1B 138
Fairways. E17 —8C 108
Fairways. B'wck —4J 167
Fairways. Sth S —6D 140
Fairways. Wal A —4E 78
Fairways, The. Cold N —4H 35
Fairway, The. Bas —4L 133
Fairway, The. Ben —8C 120
Fairway, The. H'low —5F 56
Fairway, The. Lgh S —1B 138 (3G 43)
Fairway, The. Upm —2A 130
Fairycroft Rd. Saf W —4L 205 (6B 6)
Fairy Hall La. Rayne —8B 192
(in two parts)
Falbro Cres. Ben —2K 137
Falcon Av. Grays —5L 157
Falcon Clo. Lgh S —1E 138
Falcon Clo. Ray —4H 121
Falcon Clo. Saw —3H 53
Falcon Clo. Wal A —4G 78
Falcon Ct. E18 —7H 109
(off Albert Rd.)
Falcon Cres. Colc —1B 176
Falconer Rd. Ilf —2G 111
Falconers Pk. Saw —3J 53
Falcon Fields. Mal —8J 203
Falcon M. Mal —8J 203
Falcon Rd. S'min —7K 207
Falcon Sq. Cas H —3D 206
Falcon Way. E11 —8G 109
Falcon Way. Bas —2D 134
Falcon Way. Chelm —4B 74
Falcon Way. Clac S —7K 187
Falcon Way. Horn —9E 128
Falcon Way. Shoe —5J 141
Falconwood. —3H 47
Falconwood. (Junct.) —3H 47
Falcon Yd. W'hoe —6H 177
Fal Dri. Wthm —5B 214
Falkenham End. Bas —8D 118
Falkenham Path. Bas —8D 118
Falkenham Rise. Bas —8D 118
Falkenham Row. Bas —8D 118
Falkirk Clo. Horn —3L 129
Falkland Clo. Bore —3F 62
Falkland Ct. Brain —4K 193
Falkland Grn. Wdhm M —4L 77
Falklands Dri. Mann —4J 165
Falklands Rd. Bur C —3L 195
Falkner Clo. Stock —6A 88
Fallaize Av. Ilf —6A 126
Fallow Clo. Chig —2E 110
Fallowden La. A'dn —5D 6
Fallowfield. Shoe —5H 141
Fallowfield Clo. Har —4H 201
Fallowfield Rd. Colc —4K 175
Fallow Fields. Lou —5J 93
Fallows, The. Can I —8F 136
Falmer Rd. E17 —7B 108
Falmouth Av. E4 —2D 108 (1E 38)
Falmouth Gdns. Ilf —8K 109
Falmouth Rd. Chelm —6N 61
Falmouth St. E15 —7D 124
Falstones. Bas —9M 117
Fambridge Chase. Whi N —2E 24
Fambridge Clo. Mal —7K 203
Fambridge Ct. Romf —9B 112
(off Marks Rd.)
Fambridge Dri. W'fd —1M 119
Fambridge Rd. Alth —5K 35
Fambridge Rd. Dag —3M 127
Fambridge Rd. Mal —6J 203 (1H 35)
Fambridge Rd. N Fam —1G 106
Fambridge Rd. R'fd —4F 106 (7H 35)
Fancett Hill. Van —2H 135
Fancett Pl. Gall —8D 74
Fane Rd. Ben —7D 120
(in two parts)
Fanhams Hall Rd. Ware —4D 20
Fanner's Green. —7E 58 (5J 23)
Fanns Rise. Purf —2L 155
Fanny's La. Wee H —3B 186
Fanshawe Av. Bark —8B 126 (5H 39)
Fanshawe Cres. Dag —7K 127
Fanshawe Cres. Horn —1H 129
Fanshawe Rd. Grays —1C 158
Fanton Av. W'fd —4N 119
Fanton Chase. W'fd —1A 120
Fanton Gdns. W'fd —1B 120
Fanton Hall Cotts. W'fd —5A 120
Fanton Wlk. W'fd —9B 104
Faraday Av. Sidc —4J 47
Faraday Clo. Brain —7H 193
Faraday Clo. Clac S —5L 187
Faraday Rd. E15 —8F 124
Faraday Rd. Lgh S —9B 122
Faringdon Av. H Hill —5G 113
Faringdon Av. Romf —2B 40
Faringford Rd. E15 —9E 124
Farley Dri. Ilf —3D 126
Farmadine. Saf W —4L 205
Farmadine Ct. Saf W —4L 205
Farmadine Gro. Saf W —4L 205
Farmadine Ho. Saf W —4L 205
Farmbridge End. —6G 23
Farm Clo. Buck H —9J 93
Farm Clo. Dag —9A 128
Farm Clo. Hut —6M 99
Farm Cres. Bat —4E 104
Farm Dri. Grays —7M 147
Farm End. E4 —4E 92
Farmer Rd. E10 —3B 124
Farmers Ct. Wal A —3G 78
Farmers Way. Clac S —1F 190
Farmfield Rd. Gt Tey —1D 172
Farm Hill Rd. Wal A —3D 78 (4E 30)
Farmilo Rd. E17 —2A 124
Farm La. Thri —2G 5
Farmleigh Av. Clac S —5J 187
Farm Pl. Dart —9E 154
Farm Rd. N21 —7B 30
Farm Rd. Can I —9H 137
Farm Rd. E Til —2L 159
Farm Rd. Gt Oak —5E 18
Farm Rd. Ors —9B 148
Farm Rd. Rain —3G 144
Farm View. Ray —2K 121
Farm Wlk. B'sea —5D 184
Farm Way. Ben —9H 121
Farm Way. Buck H —1J 109 (1F 39)
Farmway. Dag —5H 127
Farm Way. Horn —6G 128
Farnaby Rd. Brom —6E 46
Farnaby Way. Stan H —2L 149
Farnan Av. E17 —6A 108
Farnborough Comn. Orp —7G 47
Farnes Av. W'fd —1K 119
Farnes Dri. Romf —6G 113
Farnham. —6J 11
Farnham Clo. Saw —3H 53
Farnham Green. —6J 11
Farnham Rd. Ilf —2E 126
Farnham Rd. Romf —2H 113
Farningham. —7C 48
Farnley Rd. E4 —6E 92
Farnol Rd. Dart —9L 155
Farquhar Rd. SE19 —5B 46
Farrance Rd. Romf —2K 127
Farr Av. Bark —2F 142
Farriers Dri. Bill —3J 101
Farriers End. S'way —1E 174
Farriers Way. Sth S —1L 139
Farringdon Rd. EC1 —6A 38
Farringdon Service Rd. Sth S —6M 139
Farrington Way. Law —5F 164
Farrow Gdns. Grays —8L 147
Farrow Rd. Chelm —3N 73
Farther Howegreen. —4H 35
Farthingale Ct. Wal A —4G 78

Farthingale La. Wal A —4G 78
(in two parts)
Farthingale Wlk. E15 —9D 124
Farthing Clo. Brain —4M 193
Farthing Clo. Dart —9K 155
Farthings Clo. E4 —9E 92
Far Thorpe Green. —4G 180
Fastnet. Sth S —8F 122
Faulds Wlk. Colc —3A 176
Faulkbourne. —3E 24
Faulkbourne Rd. Wthm —3A 214 (3F 25)
Faulkner Clo. Dag —2J 127
Fauna Clo. Romf —1H 127
Fauners. Bas —1B 134
Faversham Av. E4 —7E 92
Faversham Clo. Chig —8G 95
Fawcett Dri. Lain —6N 117
Fawkham. —7E 48
Fawkham Green. —7E 48
Fawkham Grn. Rd. Fawk —7E 48
Fawkham Rd. Long —6E 48
Fawkner Clo. Chelm —9A 62
Fawkon Wlk. Hod —5A 54
Fawn Rd. Chig —2E 110
Fawters Clo. Hut —5N 99
Faymore Gdns. S Ock —6D 146
Fearns Mead. War —2F 114
Fears Grn. Kel —1B 10
Featherbed La. Romf —6K 95
Featherby Way. R'fd —8M 123
Feathers Hill. Hat O —3C 22
Feeches Rd. Sth S —1H 139
Feedhams Clo. W'hoe —3J 177
Feenan Highway. Til —7D 158 (2H 49)
Feering. —9A 172 (1J 25)
Feeringbury Manor Garden. —1J 25
Feering Dri. Bas —1G 135
Feering Grn. Bas —1G 135
Feering Hill. Fee —7D 202 (2J 25)
Feering & Kelvedon Local
History Museum. —9B 202 (2H 25)
Feering Rd. Bill —6L 101
Feering Rd. Cogg —8M 195 (7H 15)
Feering Row. Bas —1G 134
Felbrigge Rd. Ilf —4E 126
Felhurst Cres. Dag —6N 127
Felicia Way. Grays —2D 158
Felipe Rd. Chaf H —1F 156
Felix Ct. E17 —9B 108
Felixstowe. —2K 19
Felixstowe Clo. Clac S —9E 186
Felixstowe 'Q' Tower. —1K 19
Fell Christy. Chelm —6K 61
Fellcroft. Pits —9K 119
Fell Rd. New E —4A 8
Felmongers. H'low —1G 56
Felmore. —7J 119 (3B 42)
Felmore Ct. Pits —7J 119
(off Felmores End)
Felmores. Bas —7H 119
Felmores End. Pits —7J 119
Fels Clo. Dag —5N 127
Fels Farm Av. Dag —5A 128
Felstead Av. Ilf —5N 109
Felstead Clo. Ben —2D 136
Felstead Clo. Colc —6A 176
Felstead Clo. Hut —5M 99
Felstead Rd. E11 —2G 125
Felstead Rd. Ben —2D 136
Felstead Rd. Lou —6L 93
Felstead Rd. Romf —4A 112
Felsted. —1J 23
Felsted Rd. Bill —6L 101
Felsted Vineyard. —1A 24
Felton Gdns. Bark —1D 142
Felton Rd. Bark —2D 142
Fencepiece Rd. Chig —2B 110 (1H 39)
Fen Chase. Elms —1L 177
Fen Clo. Bulp —6B 132
Fen Clo. Shenf —3M 99
Fengates. S Fer —9J 91
Fen La. A'lgh —7K 163 (3H 17)
Fen La. E Mer —4H 27
Fen La. N Ock —7F 130
Fen La. Ors —4A 148 (7G 41)
Fen La. Upm —5E 40
Fen La. W Horn —2L 131 (4F 41)
Fenman Ct. Else —7C 196
Fenman Gdns. Ilf —3G 126
Fenn Clo. Frat —3F 178
Fenn Clo. S Fer —9J 91
Fennel Clo. Tip —6C 212
Fennells. H'low —8B 56
Fenner Rd. Grays —2F 156 (1E 48)
Fenners Way. Bas —5J 119
Fennes Rd. Brain —1M 193 (5C 14)
Fennfields Rd. S Fer —9H 91
Fennings Chase. Colc —8A 168
Fenno Clo. Colc —2F 174
Fenn Rd. H'std —4M 199 (3G 15)
Fenny La. Meld —2D 4
Fen Rd. Bass —3A 4
Fenstead End. —1F 9
Fentiman Rd. SW8 —2A 46
Fentiman Way. Horn —4J 129
Fenton Grange. H'low —3H 57
Fenton Way. Bas —8H 117 (3J 41)
Fenwick Way. Can I —8G 137
Ferdinand Wlk. Colc —8F 168
Ferguson Av. Romf —6G 113
Ferguson Ct. Romf —6H 113
Ferme Pk. Rd. N8 & N4 —3A 38
Fermoy Rd. Sth S —7E 140
Fernbank. Bill —7H 101
Fernbank. Buck H —7H 93
Fernbank Av. Horn —6G 128
Fernbrook Av. Sth S —6B 140
Fern Clo. Bill —4K 101
Fern Clo. Eri —6F 154
Fern Ct. Stan H —2M 149
Ferndale Av. E17 —9D 108
Ferndale Clo. Bas —9K 117
Ferndale Clo. Clac S —6K 187
Ferndale Cres. Can I —3H 153
Ferndale Rd. E7 —9H 125
Ferndale Rd. E11 —4E 124
Ferndale Rd. Har —2M 201
Ferndale Rd. Ray —1K 121
Ferndale Rd. Romf —6A 112
Ferndale Rd. Sth S —4A 140
Ferndale St. E6 —7A 142
Fernden Way. Romf —1N 127
Ferndown. Horn —1K 129
Ferndown Rd. Frin S —9H 183
Ferndown Way. Hat P —2M 63
Fernhall Dri. Ilf —9K 109
Fernhall La. Wal A —1K 79 (4F 31)
Fern Hill. —1G 9
Fern Hill. Bas —2L 133
Fern Hill. Glem —1G 9
Fernhill. H'low —7D 56
Fernhill Ct. E17 —6D 108
Fern Hill La. H'low —7D 56
Fernie Clo. Chig —2F 110
Fernie Rd. Brain —6F 192
Fernie Way. Chig —2F 110
Fernlea. Colc —5K 167
Fernlea Rd. SW12 —4A 46
Fernlea Rd. Ben —3E 136
Fernlea Rd. Bur C —3L 195
Fernlea Rd. Har —2M 201
Fernleigh Ct. Romf —9A 112
Fernleigh Dri. Lgh S —5F 138
Fernside. Buck H —7H 93
Fernside Clo. Corr —9C 134
Ferns Rd. E15 —8F 124
Fern Wlk. Can I —2F 152
Fern Wlk. Lang H —2G 133
Fern Way. Jay —5D 190
Fernways. Ilf —6A 126
Fernwood. Ben —2L 137
Fernwood Av. Hol S —8C 188
Ferrers Rd. S Fer —9H 91
Ferriers La. Bures —8A 194
Ferris Av. Cold N —4H 35
Ferris Steps. Sth S —7A 140
(off Prospect Clo.)
Ferro Rd. Rain —4E 144
Ferry La. N17 —3C 38
Ferry La. Rain —6C 144 (7A 40)
Ferry La. Ind. Est. Rain —5D 144
Ferrymead. Can I —9F 136
Ferry Rd. Ben —6D 136 (5D 42)
Ferry Rd. Bur C —4H 195 (7B 36)
Ferry Rd. Felix —1K 19
Ferry Rd. Fing —8H 177 (1G 27)
Ferry Rd. Hull —7K 105 (7F 35)
Ferry Rd. N Fam —1F 106 (6H 35)
Ferry Rd. Til —8C 158 (3G 49)
Feryby Rd. Grays —1D 158
Feryings Clo. H'low —8J 53
Fesants Croft. H'low —9G 53
Festival Clo. Eri —5D 154
Festival Gdns. Tol D —6B 26
Festival Leisure Pk. Bas —6C 118
Fetherston Rd. Stan H —3M 149
Fetter La. EC4 —7A 38
Feverills Rd. L Cla —1G 187
Fiat Av. Jay —6B 190
Fiddlers Clo. Grnh —9E 156
Fiddlers Folly. For H —5B 16
Fiddlers Hamlet. —2H 81 (4J 31)
Fiddlers Hill. For & For H
—6A 166 (5B 16)
Fiddlers La. E Ber —1J 17
Field Clo. E4 —3B 108
Field Clo. Abr —2G 94
Field Clo. Buck H —9J 93
Fielders, The. Can I —3G 152
Fieldfare. Bill —8L 101
Fieldfare Rd. SE28 —7H 143
Fieldgate Dock. B'sea —8D 184
Field Ga. La. Ugley —6A 196
Fieldhouse Clo. E18 —5H 109
Fielding Av. Til —6D 158
Fielding Way. Hut —5M 99
Field Point. E7 —6G 124
Field Rd. E7 —6F 124
Field Rd. Ave —8N 145
Fields Clo. Wee —8D 180
Fields Farm Rd. Lay H —2D 26
Fieldside. Saf W —6L 205
Fields Pk. Cres. Romf —9J 111
Field View Dri. L Tot —5K 25
Field Wlk. W on N —6K 183
Fieldway. Dag —5H 127
Fieldway. Grays —8K 147
Field Way. Hod —1C 54
Fieldway. Pits —2K 135
Fieldway. W'fd —4L 119
Field Way. W'hoe —4J 177
Fiennes Clo. Dag —3H 127
Fifth Av. E12 —6M 125
Fifth Av. Ben —9G 121
Fifth Av. Can I —1E 152
Fifth Av. Chelm —5J 61
Fifth Av. Frin S —9H 183
Fifth Av. Grays —4D 156
Fifth Av. H'std —5N 199
Fifth Av. H'low —8B 52 (6H 21)
Fifth Av. W'fd —1A 120
Filey Rd. S'min —9H 207
Fillebrook Av. Lgh S —4F 138
Fillebrook Rd. E11 —3E 124
Filliol Clo. E Han —3B 90
Filston Rd. Eri —3A 154
Finchdale. Clac S —7K 187
Finch Dri. Brain —3F 192
Finch Dri. Gt Ben —5J 179
Finches Clo. Corr —9D 134
Finches, The. Ben —8G 121
Finchfield. Ray —6K 121
Finch Hill. Bulm —5H 9
Finchingfield. —2K 13
Finchingfield Av. Wfd G —4J 109
Finchingfield Guildhall Museum. —2K 13
Finchingfield Rd. Gt Sam —1H 13
Finchingfield Rd. Hpstd —6H 7
Finchingfield Rd. Stpl B —3D 210 (5K 7)
Finchingfield Rd. Weth & Stamb —1A 14
Finchingfields, The. Kel H —7B 84
Finchingfield Way. Colc —6A 176
Finchingfield Way. W'fd —2K 119
Finchland View. S Fer —2K 105
Finch La. Elms —1A 178
Finchley Av. Chelm —2B 74
Finchley Rd. Grays —4L 157
Finchley Rd. Wclf S —6J 139
Finchmoor. H'low —6C 56
Finch's. W Bis —6L 213
Finden Rd. E7 —7J 125
Findon Gdns. Rain —5E 144
Finer Clo. Clac S —8G 187
Fingringhoe. —9F 176 (1G 27)
Fingringhoe Rd. Colc —4D 176 (7F 17)
Fingringhoe Rd. L'hoe —8B 176 (2F 27)
Fingrith Hall La. Ing —6H 71 (3F 33)
(in two parts)
Finham Clo. Colc —8F 168
Finkle Green. —6A 8
Finnymore Rd. Dag —9K 127
Finsbury. —6A 38
Finsbury Park. —4A 38
Finsbury Pl. H'std —4L 199
Finucane Gdns. Rain —8E 128
Firbank Rd. Romf —2N 111 (1K 39)
Firecrest Rd. Chelm —5D 74
Firfield Rd. Ben —9H 121
Firham Pk. Av. Romf —4L 113
Firle, The. Bas —3L 133
Firlie Wlk. Colc —4A 176
Firmans. Bas —3K 133
Firmins Ct. W Ber —3E 166
Fir Pk. H'low —6A 56
Firs Cvn. Pk. L Cla —3H 187
Firs Chase. W Mer —3H 213 (5F 27)
Firs Chase Cvn. Pk. W Mer —2H 213
Firs Dri. Lou —9N 79
Firs Dri. Writ —1K 73
Firsgrove Cres. War —1E 114
Firsgrove Rd. War —1E 114
Firs Hamlet. W Mer —3H 213
Firs La. N21 & N21 —7B 30
Firs Rd. Tip —7D 212
Firs Rd. W Mer —3J 213 (5F 27)
First Av. E12 —6L 125
First Av. E17 —9A 108
First Av. Bas —2F 132
First Av. Ben —9G 121
First Av. Bill —9G 101
First Av. Can I —1D 152
First Av. Chelm —6J 61
First Av. Clac S —9M 187
First Av. Dag —2N 143
First Av. Enf —7B 30
First Av. Frin S —1H 189
First Av. Grays —4D 156
First Av. H'std —5N 199
First Av. H'low —2C 56 (6H 21)
First Av. Har —4L 201
First Av. Hook E —4F 84
First Av. Hull —7M 105
First Av. Stan Apt —7G 208
First Av. Romf —9H 111
First Av. Stan H —2M 149 (6K 41)
First Av. Wal A —9H 65
First Av. W on N —3N 183
First Av. Wee —5D 180
First Av. Wclf S —6G 139 (5H 43)
First Av. W'fd —1A 120
Firs, The. E6 —9L 125
Firs, The. Can I —9F 136
Firs, The. Grays —8M 147
Firs, The. Lay H —8H 175
Firs, The. Pil H —5D 98
Firs, The. Wal A —5J 79
(off Woodbine Clo.)
Firstore Dri. Colc —8F 166
Firs Wlk. Wfd G —2G 108
Fir Tree Clo. Grays —4N 157
Fir Tree Clo. H'wds —3B 168
Fir Tree Clo. Romf —7B 112
Fir Tree La. L Bad —1E 76
Fir Tree Rise. Chelm —4B 74
Fir Trees. Abr —2G 95
Fir Trees. Epp —8G 66
Fir Tree Wlk. Dag —5A 128
Fir Tree Wlk. Mal —3M 203
Fir Wlk. Can I —9F 136
Fir Way. Jay —6E 190
Firwood's Rd. H'std —6K 199
Fishermans Wlk. SE28 —9D 142
Fishers Clo. Wal X —4A 78
Fishers Green. —8B 64 (3D 30)
Fishers Hatch. H'low —2D 56
(off St Michaels Clo.)
Fisher's La. Orw —1C 4
Fishers Way. Belv —8A 144
Fisher Way. Brain —4L 193
Fishmarket St. Thax —3K 211
Fishpits La. Bures —2J 15
Fishponds Hill. L Hork —3F 160 (2D 16)
Fishponds La. Holb —1D 18
Fish St. Gold —7A 26
Fisin Wlk. Colc —3F 174
Fiske Ct. Bark —2C 142
Fitch's Cres. Mal —7L 203
Fitch's M. Mal —7L 203
Fitzgerald Clo. Law —4G 165
Fitzgerald Ct. E10 —3B 124
(off Leyton Grange Est.)
Fitzgerald Rd. E11 —9G 109
Fitzgilbert Rd. Colc —2K 175
Fitzilian Av. Romf —5K 113
Fitzpiers. Saf W —3L 205
Fitzroy Clo. Bill —4J 101
Fitzstephen Rd. Dag —7G 126
Fitzwalter La. Dan —4D 76
Fitzwalter Pl. Chelm —8G 61
Fitzwalter Pl. D'mw —8L 197
Fitzwalter Rd. Bore —3G 62
Fitzwalter Rd. Colc —9J 167
Fitzwarren. Shoe —5H 141
Fitzwilliam Rd. Ben —4J 137
Fitzwilliam Rd. Colc —8J 167
Fitzwilliams Ct. H'low —8L 53
Five Acres. Dan —7F 76
Five Acres. H'low —6D 56
Five Acres. Stans —1D 208
Five Acres. W on N —6L 183
Fiveash La. B'wll —7F 15
Five Bells Roundabout. Bas —4C 134
Five Elms Rd. Brom —7F 47
Five Elms Rd. Dag —5L 127
Five Oaks. Ben —2H 137
Five Oaks La. Chig —3K 111
Fiveways. (Junct.) —4G 47
Five Ways. S'way —2E 174
Flack Ct. E10 —2B 124
Flack's Green. —4D 24
Fladgate Rd. E11 —1E 124
Flag Hill. Gt Ben —4L 185 (2A 28)
Flagstaff Clo. Wal A —3B 78
Flagstaff Rd. Colc —9N 167
Flagstaff Rd. Wal A —3B 78
Flail Clo. Elms —9M 169
Flambird's Chase. Wdham F —3M 91
Flamboro Clo. Lgh S —9C 122
Flamboro Wlk. Lgh S —9C 122
Flamingo Wlk. Horn —8E 128
Flamstead End. —3C 30
Flamstead End Relief Rd. Chesh &
Wal X —3B 30
Flamstead End Rd. Chesh —3C 30
Flamstead Gdns. Dag —9H 127
Flamstead Rd. Dag —9H 127
Flamsteed House. —2E 46
Flanders Clo. Brain —3G 192
Flanders Field. Colc —3B 176
Flanders Green. —4B 10
Flatford Bridge Cottage &
Information Centre. —1C 164 (2J 17)
Flatford Dri. Clac S —9F 186
Flatford Granary Bygones Collection.
(off Flatford Rd.) —1C 164 (2J 17)
Flatford Mill Field Centre.
—1C 164 (2J 17)
Flatford Rd. E Ber —1J 17
Flaxen Clo. E4 —9B 92
Flaxen Rd. E4 —9B 92
Flax La. Glem —2G 9
Flecks La. Shin W —2A 4
Fleece Yd. H'std —4K 199
Fleet Av. Upm —1A 130
Fleet Clo. Upm —1A 130
Fleet Downs. —4D 48
Fleethall Gro. Grays —8K 147
Fleethall Rd. R'fd —7M 123
Fleet Rd. Ben —4D 136
Fleet St. EC4 —7A 38
Fleetway. Bas —2G 134
Fleetwood. Can I —3L 153
Fleetwood Av. Hol S —6A 188
Fleetwood Av. Wclf S —5H 139
Fleetwood Clo. Hol S —6B 188
Fleming Clo. Brain —7H 193
Fleming Gdns. H Wood —6H 113
Fleming Gdns. Til —6E 158
Fleming Rd. Chaf H —2F 156
Flemings. Gt War —3F 114
Flemings Farm Rd. Lgh S —7C 122
Fleming Way. SE28 —7J 143
Flemming Av. Lgh S —3C 138
Flemming Cres. Lgh S —3C 138
Fletcher Clo. E6 —7A 142
Fletcher Dri. W'fd —1M 119
Fletcher La. E10 —2C 124
Fletcher Rd. Chig —2E 110
Fletchers. Bas —3N 133
Fletchers Sq. Sth S —1M 139
Flex Meadow. H'low —4L 55
Flint Clo. Lang H —1H 133
Flint Cross. —4F 5
Flint St. Grays —4E 156
Flintwich Mnr. Broom —4G 60
Flitch Ind. Est., The. D'mw —9L 197
Flitch La. D'mw —9M 197
Flitch Way. Brain —6C 192
Flitch Way. D'mw —8J 197
Flitch Way. Tak —8E 210
Flitch Way Visitor Centre.
—7B 192 (7B 14)
Flixton Clo. Clac S —9E 186
Flora Gdns. Romf —1H 127
Flora Rd. Wthm —3A 214 (4F 25)
Florence Clo. Ben —3K 137
Florence Clo. Grays —4H 157
Florence Clo. H'low —5H 57
Florence Clo. Horn —4J 129
Florence Ct. E11 —8H 109
Florence Gdns. Ben —3J 137
Florence Neale Ho. Can I —2G 153
(off Kitkatts Rd.)
Florence Rd. SE14 —2D 46
Florence Rd. Can I —1J 153
Florence Rd. W on N —4N 183
Florence Way. Bas —1K 133
Florie's Rd. Gt Tey —6J 15
Flowers Way. Jay —5E 190
Flux's La. Epp —3F 80
Fobbing. —6A 42
Fobbing Farm Clo. Bas —3B 134
Fobbing Rd. Corr —1C 150 (6A 42)
Fodderwick. Bas —9B 118
Foksville Rd. Can I —2J 153 (6F 43)
Foldcroft. H'low —2N 55
Fold, The. Bas —9C 118
Folkards La. B'sea —5E 184
Folkes La. Upm —9C 114
Folkestone Rd. E6 —3A 142
Folkestone Rd. E17 —8B 108
Folley, The. Lay H —8H 175 (1D 26)
Folley, The. S'way —1E 174
Folly Chase. Hock —1A 122
Folly Green. Stis —6F 15
Folly La. Hock —1A 122 (1G 43)
Folly Mill La. Thax —4F 13
Folly Rd. Gt Wal —4K 9
Folly Rd. Hun —1C 8
Folly, The. Tip —9F 212
Folly, The. W'hoe —7H 177
Fontayne Av. Chig —1B 110
Fontayne Av. Rain —9C 128
Fontayne Av. Romf —6C 112
Font Clo. Lain —9L 117
Fonteyn Clo. Bas —7L 117
Fonteyne Gdns. Wfd G —6K 109
Fonthill Rd. N4 —4A 38
Fontwell Pk. Gdns. Horn —6J 129
Foots Cray. —5J 47
Foots Cray La. Sidc —4J 47
Footscray Rd. SE9 —3G 47
Forbes Clo. Horn —3F 128
Ford Clo. Lain —9J 117
Ford Clo. Rain —9D 128
Ford End. —3J 23
Ford End. Clav —3H 11
Ford End. Wfd G —3H 109
Ford End Rd. Ples —2C 58 (4J 23)
Fordham. —2A 166 (4B 16)
Fordham Clo. Horn —2L 129
Fordham Heath. —5A 166 (5B 16)
Fordham Rd. Wak C —3A 16
Fordham Rd. W Ber —9C 160 (4C 16)
Fordham Rd. Wmgfd —3B 16
Fordhams Row. Ors —5D 148
Ford Hill. L Had —1G 21
Ford Ind. Pk. Dag —4N 143
Ford La. Alr —3A 184 (2J 27)
Ford La. Colc —3K 167
(in two parts)
Ford La. Rain —9D 128 (5A 40)
Ford Pl. S Ock —7G 146
Ford Rd. Clac S —1H 191
Ford Rd. Dag —9L 127
Ford Rd. Ind. Est. Clac S —1H 191
Fords Gro. N21 —7B 30
Fordson Rd. Chelm —5C 62
Ford Street. —5B 16
Ford St. Aldh —5B 16
Ford St. Brau —6E 10
Fordstreet Hill. Aldh —5B 16
Fordwater Clo. New E —4A 8
Fordwich Rd. B'sea —4D 184
Fordyce Clo. Horn —2K 129
Fordyke Rd. Dag —4L 127
Forebury Av. Saw —2L 53
Forebury Cres. Saw —2L 53
Forebury, The. Saw —2K 53
(in two parts)
Fore Field. Brain —5M 193
Forefield Grn. Chelm —4A 62
Forelands Pl. Saw —2K 53
Foremark Clo. Ilf —3E 110
Foresight Rd. Colc —4D 176
Forest App. E4 —6E 92
Forest App. Wfd G —4F 108
Forest Av. E4 —6E 92
Forest Av. Chig —2N 109
Forest Av. Sth S —7N 139
Forest Clo. E11 —9G 108
Forest Clo. Wal A —7H 79
Forest Clo. Wfd G —9H 93
Forest Ct. E4 —7F 92
Forest Ct. E11 —8E 108
Forest Dri. E12 —5K 125 (4F 39)
Forest Dri. Chelm —1N 73
Forest Dri. They B —6D 80
Forest Dri. Wfd G —4D 108
Forest Dri. E. E11 —2D 124
Forest Dri. W. E11 —2C 124
Forest Edge. Buck H —1J 109 (1F 39)
Forester Ct. Bill —5H 101
Forester's Ct. W'hoe —5H 177
Foresters Dri. E17 —8D 108
Forest Gate. —7H 125 (5F 39)
Forest Glade. E4 —1E 108
Forest Glade. E11 —1E 124
Forest Glade. Lang H —2H 133
Forest Glade. N Wea —6K 67

Foresthall Rd. Stans —5C 208 (7A 12)
Forest Hill. —4C 46
Forest Hill Rd. SE22 & SE23 —3C 46
Forest Ind. Pk. Ilf —5D 110
Forest La. E15 & E7 —8E 124 (5E 38)
Forest La. Chig —2N 109 (1G 39)
Forest Mt. Rd. E4 —4D 108
Forest Park Av. Clac S —6K 187
Forest Point. E7 —7H 125
(off Windsor Rd.)
Fore St. N18 & N9 —2C 38
Fore St. Bas —5N 117
Fore St. H'low —8H 53
Forest Rise. E17 —7D 108
(in two parts)
Forest Rd. E7 —6G 125
Forest Rd. E11 —2D 124
Forest Rd. N17 & E17 —7A 108 (3C 38)
Forest Rd. Colc —8D 168
Forest Rd. Eri —6E 154
Forest Rd. Ilf —6C 110 (2H 39)
Forest Rd. Lou —2K 93 (6F 31)
Forest Rd. Romf —7N 111
Forest Rd. Wthm —1D 214 (3G 25)
Forest Rd. Wfd G —9G 92
Forest Side. E4 —6F 92 (7E 30)
Forest Side. E7 —6H 125
Forest Side. Buck H —7J 93
Forest Side. Epp —3C 80
Forest Side. Wal A —6J 79 (5F 31)
Forest St. E7 —7G 125
Forest Ter. Chig —2N 109
Forest, The. E11 —8E 108
Forest View. E4 —6D 92
Forest View. E11 —2F 124
Forest View Av. E10 —9D 108
Forest View Dri. Lgh S —3N 137
Forest View Rd. E12 —6L 125
Forest View Rd. E17 —5C 108
Forest View Rd. Lou —3K 93
Forest Way. Epp Up —6M 65
Forest Way. Lou —2L 93
Forest Way. Wfd G —1H 109
Forfar Clo. Lgh S —4A 138
Forfields Way. Cres —2E 194
Forge Cres. B'wll —7F 15
Forge La. High —5K 49
Forge La. Hort K —6D 48
Forge La. Shorne —5K 49
Forge St. Ded —2N 163
Formby Rd. Hall —7K 49
Forres Clo. Hod —3A 54
Forres Ho. War —2F 114
Forrest Clo. S Fer —1J 105
Forrey's Green. —2D 14
Forsters Clo. Romf —1L 127
Forsyth Dri. Brain —8J 193
Forsythia Clo. Chelm —4N 61
Forsythia Clo. Ilf —7A 126
Forterie Gdns. Ilf —5F 126
Fortescue Chase. Sth S —5D 140
Fortess Rd. NW5 —5A 38
Forth Rd. Upm —1A 130
Fortinbras Way. Chelm —3C 74
Fortin Clo. S Ock —7D 146
Fortin Path. S Ock —7D 146
Fortin Way. S Ock —7D 146
Fort Rd. Til —9D 158 (3H 49)
Fort Rd. W Til —6E 158
Fortune Clo. Gt L —1N 59
Fortune Steps. Sth S —7A 140
(off Kursaal Way)
Fortunes, The. H'low —5E 56
Fort William Rd. Van —4C 134
Forty Hall. —5B 30
Forty Hill. —5B 30
Forty Hill. Enf —5B 30
Fosset Lodge. Bexh —6A 154
Fossetts La. For —2A 166 (5B 16)
Fossetts Way. Sth S —3A 140
Fossway. Dag —4N 127
Fostal Clo. Lgh S —3D 138
Foster Ct. Wthm —5D 214
Foster Rd. Can I —1J 153
Foster Rd. Gt Tot —8M 213
Foster Rd. Har —2G 201
Fosters Clo. E18 —5H 109
Fosters Clo. Writ —1H 73
Foster Street. —4L 57 (7K 21)
Foster St. H'low —5K 57 (7K 21)
Foulgar Clo. S Fer —9L 91
Founder Clo. E6 —6A 142
Foundry Ct. Mann —4H 165
Foundry La. Bur C —3K 195
Foundry La. Cop —1M 173
Foundry La. E Col —3C 196 (4H 15)
Fountain Dri. SE19 —5B 46
Fountain Farm. H'low —5E 56
Fountain La. Cop —6N 173 (1B 26)
Fountain La. Hock —2A 122 (1G 43)
Fountain Pl. Wal A —3C 78
Four Acres. Gt Che —2L 197
Four Acres. Saf W —4L 205
Four Acres, The. Saw —3L 53
Four Ash Hill. Ridg —5B 8
Four Oaks. Brtwd —9H 99
Four Sisters. —1J 17
Four Sisters Clo. E'wd —1E 138
Four Sisters Way. E'wd —9E 122
Fourth Av. E12 —6M 125 (5G 39)
Fourth Av. Bas —3G 132
Fourth Av. Ben —9G 121
Fourth Av. Chelm —6J 61
Fourth Av. Clac S —9N 187
Fourth Av. Frin S —9J 183 (1G 29)
Fourth Av. Grays —4D 156
Fourth Av. H'std —5N 199
Fourth Av. H'low —3M 55 (7G 21)
Fourth Av. Hull —8M 105
Fourth Av. Romf —3B 128
Fourth Av. Stan H —9N 133
Fourth Av. W'fd —1A 120
Fourth Wlk. Can I —1E 152
Four Wantz. —6F 23
Four Wantz, The. Ong —6L 69
Fourways. Else —8C 196
Fourways Ct. Hod —4A 54
Four Wents, The. E4 —7D 92
Fowey Av. Ilf —9K 109
Fowler Clo. Sth S —6A 140
Fowler Ct. Chelm —6B 74
Fowler Rd. E7 —6G 124
Fowler Rd. Ilf —3G 111
Fowley Clo. Wal X —4A 78
Fowley Mead Pk. Wal X —4A 78
Fowlmere. —3F 5
Fowlmere Aerodrome. —3F 5
Fowlmere Rd. Foxt & Fow —1F 5
Fowlmere Rd. Hey —5G 5
(in two parts)
Fowlmere Rd. Mel —2E 4
Fowlmere Rd. Shepr —2E 4
Fowlmere Rd. Thri —2G 5
Foxash Estate. —7B 164 (3J 17)
Foxborough Chase. Stock —4B 88
Fox Burrow Rd. Chig —1J 111
Fox Burrows La. Writ —9D 60
Fox Clo. Ben —9F 120
Fox Clo. Romf —2N 111
Fox Cres. Chelm —7H 61
Foxden. Riven —3G 25
(off Fox Mead)
Foxearth. —3G 9
Foxendale Folly. S'way —8D 166
Foxendown. —7H 49
Foxendown La. Meop —7H 49
Foxes Grn. Ors —9C 148
Foxes Gro. Hut —6D 100
Foxfield Clo. Hock —1F 122
Foxfield Dri. Stan H —9N 133
Foxglove Clo. Wthm —4A 214
Foxglove Gdns. E11 —8J 109
Foxglove Rd. S Ock —6F 146
Foxgloves, The. Bill —4H 101
Foxglove Wlk. Colc —8E 168
Foxglove Way. Chelm —5A 62
Foxgrove La. Felix —1K 19
Foxhall Rd. Stpl —4B 36
Foxhall Rd. Upm —7N 129
Fox Hatch. —8B 84 (5D 32)
Fox Hatch. Kel H —8B 84
Foxhatch. W'fd —1M 119
Fox Hatch Ho. Kel H —7B 84
Fox Hills Rd. Grays —8N 147
Foxholes Rd. Chelm —4G 74
Foxhounds La. S'fleet —4F 49
Foxhunter Wlk. Bill —2M 101
Foxlands Cres. Dag —7A 128
Foxlands La. Dag —7B 128
Foxlands Rd. Dag —7A 128
Fox La. N13 —1A 38
Foxleigh. Bill —8J 101
Foxleigh Clo. Bill —8J 101
Foxley Clo. Lou —1A 94
Foxley Dri. Bis S —9A 208
Foxley Rd. SW9 —2A 46
Fox Mnr. Way. Grays —4E 156
Foxmead. Riven —3G 25
Fox Meadows. Ben —9F 120
Fox Rd. Mash —5H 23
Fox's Rd. Ashen —4C 8
Fox Street. —3G 168 (5G 17)
Foxton. —1F 5
Foxton Rd. Grays —4G 157
Foxton Rd. Hod —5A 54
Foxwood Clo. Law —6B 164
Foxwood Ct. Lgh S —4B 138
Foxwood Pl. Lgh S —4C 138
Foyle Dri. S Ock —5D 146 (7E 40)
Foys Wlk. Bill —9L 101
Frambury La. Newp —9C 204
Frame, The. Bas —8M 117
Framlingham Ct. Ray —6J 121
Framlingham Way. Bla N —1C 198
Frampton Rd. Bas —6H 119
Frampton Rd. Epp —7F 66
Frances Av. Chaf H —2F 156
Frances Clo. W'hoe —4H 177
Frances Cottee Lodge. Ray —7N 121
Frances Ct. E17 —1A 124
Frances Gdns. S Ock —6C 146
Frances Rd. E4 —3A 108
Frances St. SE18 —1G 47
Francis Av. Ilf —4C 126
Francis Clo. Horn H —2H 149
Francis Clo. Tip —7C 212
Francis Ct. Bas —1G 134
Francis Ct. Sil E —2K 207
Francis Greene Ho. Wal A —3B 78
(off Grove Ct.)
Francis M. Mal —8L 203
Francis Rd. E10 —3C 124 (4E 38)
Francis Rd. Brain —6F 192
Francis Rd. Ilf —4C 126
Francis St. E15 —7E 124
Francis St. B'sea —8E 184
Francis St. Ilf —4C 126
Francis Wlk. Ray —5K 121
Francis Way. Colc —6D 168
Francis Way. Sil E —2K 207
Francombe Gdns. Romf —9E 112
Frank Bailey Wlk. E12 —8N 125
Frank Clater Clo. Colc —7B 168
Frankel Dri. Chelm —7G 61
Frank Foster Ho. They B —7D 80
Frankland Clo. Wfd G —2J 109
Frankland Rd. E4 —2A 108
Franklin Rd. Horn —8G 129
Franklin Rd. N Fam —6H 35
Franklins Rd. Colc —3D 176
Franklins Way. W'fd —8M 103
Franklyn Gdns. Ilf —3C 110
Frank Naylor Ct. Colc —8N 167
(off E. Stockwell St.)
Franks La. Hort K —7C 48
Franks Wood Av. Orp —7G 47
Franmil Rd. Horn —3E 128
Frant Rd. T Hth —7A 46
Fraser Clo. Chelm —2D 74
Fraser Clo. Lain —9H 117
Fraser Clo. Shoe —5K 141
Fraser Ho. Kel H —7B 84
Fraser Rd. E17 —9B 108
Fraser Rd. Eri —3B 154 (1A 48)
Frating. —5D 178 (7K 17)
Frating Abbey Farm Rd. Frat —7G 178 (1K 27)
Frating Ct. Brain —7M 193
Frating Cres. Wfd G —3H 109
Frating Green. —3F 178 (7K 17)
Frating Hill. Frat —3C 178 (7J 17)
Frating Pk. Cvn. Site. Frat —3E 178
Frating Rd. A'lgh —1M 169 (4H 17)
Frating Rd. Frat —9E 170 (6K 17)
Frating Rd. Thorr —6F 178 (1K 27)
Frayes Chase. Beau R —6E 22
Frazer Clo. Romf —2D 128
Frederica Rd. E4 —6D 92
Frederick Andrews Ct. Grays —4N 157
Frederick Rd. Rain —2B 144
Fred Leach Ho. Can I —2G 153
Freeborne Gdns. Rain —8E 128
Freebournes Ct. Wthm —5D 214
Freebournes Rd. Wthm —4E 214
Freebournes Rd. Ind. Est. Wthm —4E 214
Freeland Rd. Clac S —3J 191
Freelands. B'sea —7G 185
Freelands Rd. Brom —6F 47
Freeland Way. Eri —6E 154
Freeman Ct. Stan H —2A 150
Freeman Way. Horn —1K 129
Freemasons Rd. E16 —7F 39
Freewood La. Elm —6J 5
Freezy Water. —5D 30
Freightmaster Est. Rain —6C 144
Fremantle. Shoe —9H 141
Fremantle Clo. S Fer —8K 91
Fremantle Ho. Til —6B 158
Fremantle Rd. Colc —5B 176
Fremantle Rd. Ilf —6A 110 (2G 39)
Fremnells, The. Bas —8E 118 (3A 42)
Frenches Green. —1A 24
French Rd. N Fam —5H 35
French's Sq. Chelm —9L 61
(off Meadows Shop. Cen., The)
French's Wlk. Chelm —9L 61
(off Meadows Shop. Cen., The)
Frendsbury Rd. SE4 —3C 46
Frensham Clo. S'way —8E 166
Frere Way. Fing —8H 177
Frerichs Clo. W'fd —2M 119
Freshfields. Dov —6H 201
Freshfields Av. Upm —7M 129
Freshwater Cres. H'bri —4L 203
Freshwater Dri. Bas —3G 135
Freshwater Rd. Dag —3J 127
Freshwaters. H'low —2D 56
Freshwell Av. Romf —8H 111
Freshwell Gdns. Saf W —3J 205
Freshwell Gdns. W H'dn —1N 131
Freshwell St. Saf W —4J 205
Fresh Wharf Rd. Bark —1A 142
Fresian Clo. Brain —6E 192
Frettons. Bas —1F 134
Friars Av. Shenf —7K 99 (7F 33)
Friars Clo. E4 —9C 92
Friars Clo. Clac S —7J 187
Friars Clo. Colc —5C 168
Friars Clo. Lain —9L 117
Friar's Clo. Shenf —6K 99
Friars Clo. Sib H —5A 206
Friars Clo. W'hoe —6J 177
Friars Ct. Colc —3C 176
Friarscroft. Brox —8A 54
Friars Ga. Clo. Wfd G —1G 108
Friars Ho. Shoe —5K 141
Friars La. Brain —4H 193
Friars La. Mal —6J 203
Friars Rd. Brau —6E 10
Friars Rd. Hat H —4D 202
Friars St. Shoe —7K 141
Friars St. Sud —5J 9
Friars, The. Chig —1D 110
Friars, The. H'low —5N 55
Friars Wlk. Chelm —1C 74
Friars Wood. Bis S —9B 208
Friary Fields. Mal —6K 203
Friary La. Wfd G —1G 108
Friday Hill. —8E 92 (1E 38)
Friday Hill. E4 —8E 92 (1E 38)
Friday Hill E. E4 —9E 92
Friday Hill W. E4 —8E 92
Friday Rd. Eri —3B 154
Friday Wood Grn. Colc —6N 175
Friedberg Av. Bis S —1J 21
Friends Field. Bures —7D 194
Friends Wlk. Saf W —6K 205
Friern Gdns. W'fd —9J 103
Friern Pl. W'fd —1J 119
Friern Wlk. W'fd —9J 103
Frietuna Rd. Kir X —8H 183
Frimley Av. Horn —3L 129
Frimley Rd. Ilf —5D 126
Frinsted Rd. Eri —5B 154
Frinton Ct. Frin S —2J 189
Frinton Dri. Wfd G —4D 108
Frinton M. Ilf —1N 125
Frinton-on-Sea. —1J 189 (2H 29)
Frinton Rd. Hol S —8N 187 (3E 28)
Frinton Rd. Kir X —8E 182 (1F 29)
Frinton Rd. Romf —4L 111
Frinton Rd. T Sok —5M 181 (7E 18)
Friston Path. Chig —2D 110
Frith Rd. E11 —6C 124
Frith Rd. Croy —7B 46
Frithwood Clo. Bill —9H 101
Frithwood La. Bill —8H 101
Frizlands La. Dag —4N 127 (4K 39)
Frobisher Clo. Lain —9M 117
Frobisher Clo. Mal —8K 203
Frobisher Dri. Jay —3D 190
Frobisher Rd. Eri —5D 154
Frobisher Rd. Har —6H 201
Frobisher Way. Brain —4L 193
Frobisher Way. Grnh —9E 156
Frobisher Way. Shoe —5J 141
Froden Brook. Bill —9L 101
Froden Clo. Bill —9L 101
Froden Ct. Bill —1L 117
Frog End. Shepr —2E 4
Frogge St. I'tn —1H 197 (4K 5)
Frog Hall Clo. Fing —8H 177
Froghall La. Chig —1C 110
Frogmore Ind. Pk. W Thur —3D 156
Frognal Av. Sidc —5J 47
Frognal Corner. (Junct.) —5H 47
Frog St. Kel H —9B 84 (6D 32)
Frome. E Til —2L 159
Fronk's Av. Har —5L 201
Fronk's Rd. Har —4J 201 (3H 19)
Front La. Upm —4B 130 (4D 40)
Frowick La. St O —5L 185
Fry Art Gallery, The. —3K 205 (6B 6)
Fryatt Av. Har —3J 201
Fry Clo. Romf —2M 111
Fryerning. —4C 86 (4H 33)
Fryerning La. Ing —4C 86 (4G 33)
Fryerning (Mill Green) Postmill. —3B 86 (4G 33)
Fryerns. —7E 118 (3B 42)
Fry Ho. E6 —9J 125
Fry Rd. E6 —9K 125
Fryth, The. Bas —7F 118
Fuchsia Way. Clac S —8G 186
Fulbourne Rd. E17 —5C 108 (2E 38)
Fulbrook La. S Ock —7C 146
Fulcher Av. Spri —8A 62
Fulfen Way. Saf W —6K 205
Fulford Dri. Lgh S —9F 122
Fullarton Cres. S Ock —6C 146
Fullbridge. Mal —5K 203 (1H 35)
Fuller Rd. Dag —5G 127
Fullers Av. Wfd G —4F 108
Fuller's Clo. K'dn —8B 202
Fullers Clo. Romf —4A 112
Fullers Clo. Wal A —3G 78
Fullers Ct. Else —8D 196
Fuller's End. —9D 196 (6B 12)
Fullers La. Romf —4A 112
Fullers Mead. H'low —4H 57
Fullers Rd. E18 —5F 108
Fuller's Rd. Colc —4D 176
Fuller Street. —4C 24
Fullwell Av. Ilf —5M 109
Fullwell Cross. —2G 39
Fullwell Cross. Ilf —6C 110 (2H 39)
Fulmar Clo. Colc —7G 168
Fulmar Rd. Horn —9E 128
Fulmar Way. W'fd —2A 120
Fulready Rd. E10 —9D 108
Fulton Cres. Bis S —9B 208
Fulton Rd. Ben —8D 120
Fulwell Cross. —6B 110
Furlongs. Bas —2E 134
Furlongs, The. Ing —5C 86
Furneaux La. Fing —9F 176 (1G 27)
Furner Clo. Dart —8D 154
Furness Clo. Grays —3D 158
(in two parts)
Furness Way. Horn —7E 128
Furneux Pelham. —4G 11
Furrow Clo. S'way —1F 174
Furrowfelde. Bas —3B 134
Further Ford End. —2H 11
Further Meadow. Writ —2J 73
Furtherwick Rd. Can I —1H 153 (6E 42)
Furze Cres. Alr —7N 177
Furze Farm Clo. Romf —6K 111
Furze Glade. Bas —2K 133
Furze La. Gt Bro —1F 178
Furze La. Stock —9B 88 (6A 34)
Fusedale Way. S Ock —7C 146
Fyfield. —1D 32
Fyfield Av. W'fd —2K 119
Fyfield Clo. W H'dn —1N 131
Fyfield Ct. E7 —8G 125
Fyfield Dri. S Ock —7C 146
Fyfield Path. Ray —4G 121
Fyfield Rd. E17 —7D 108
Fyfield Rd. More —1C 32
Fyfield Rd. Ong —5L 69 (2C 32)
Fyfield Rd. Rain —1D 144
Fyfield Rd. Will —1E 32
Fyfield Rd. Wfd G —4J 109
Fyfields. Pits —8K 119

Gabion Av. Purf —2A 156
Gablefields. S'don —4K 75
Gables, The. Bark —8B 126
Gables, The. Bas —7J 119
Gables, The. Else —8C 196
Gables, The. Grays —2J 157
Gables, The. Har —4M 201
Gables, The. Lgh S —9N 121
Gables, The. Saw —2K 53
Gabriel Clo. Chaf H —1F 156
Gabriel Clo. Romf —4A 112
Gaces Acre. Newp —7D 204
Gadsden Clo. Upm —1B 130
Gadshill. —5K 49
Gadwall Reach. K'dn —8D 202
Gadwall Way. SE28 —9C 142
Gafzelle Dri. Can I —2L 153
Gager Dri. Tip —6E 212
Gage's Rd. Bel P —5E 8
Gaiger Clo. Chelm —4M 61
Gainsborough Av. E12 —7N 125
Gainsborough Av. Can I —2L 153
Gainsborough Av. Til —6C 158
Gainsborough Clo. Bill —7K 101
Gainsborough Clo. Clac S —7F 186
Gainsborough Clo. W Mer —3L 213
Gainsborough Ct. Brtwd —1F 114
(off Gt. Eastern Rd.)
Gainsborough Cres. Chelm —8N 61
Gainsborough Dri. Law —4G 165
Gainsborough Dri. Wclf S —3K 139
Gainsborough Ho. Dag —6G 126
(off Gainsborough Rd.)
Gainsborough Pl. Chig —9E 94
Gainsborough Pl. Hut —7N 99
Gainsborough Rd. E11 —2E 124 (4E 38)
Gainsborough Rd. Colc —1H 175
Gainsborough Rd. Dag —6G 126
Gainsborough Rd. Rain —1E 144
Gainsborough Rd. Sud —5J 9
Gainsborough Rd. Wfd G —3L 109
Gainsborough's House Museum. —5J 9
Gainsborough St. Sud —5J 9
Gains Clo. Can I —1K 153
Gainsfield Ct. E11 —5D 124
Gainsford Av. Clac S —9M 187
Gainsford End. —1B 14
Gainsford End Rd. Top —7B 8
Gainsthorpe Rd. Ong —2G 69 (2B 32)
Gaitskell Ho. E17 —7B 108
Gaitskell Ho. Grays —8L 147
(off Crammavill St.)
Galadriel Spring. S Fer —2J 105
Galahad Clo. Bur C —3L 195
Galeborough Av. Wfd G —4H 108
Gale St. Dag —7H 127 (5J 39)
Gales Way. Wfd G —4L 109
Galey Grn. S Ock —6E 146
Gall End La. Stans —2E 208
Galleon Boulevd. Dart —9A 156
Galleon Clo. Eri —2B 154
Gallery Rd. SE21 —4B 46
Galleydene. Ben —3J 137
Galleydene Av. Chelm —7D 74
Galleyend. —7E 74 (3B 34)
Galley Grn. Hail —1A 54
Galley Hill. Wal A —9F 64
Galley Hill Rd. Swans & N'fleet —3F 49
Galleyhill Rd. Wal A —3E 78 (4E 30)
Galley Roundabout. Brain —7M 193
Galleywood. —7C 74 (3A 34)
Galleywood Cres. Romf —3B 112
Galleywood Rd. Chelm —4B 74 (2A 34)
Galleywood Rd. Gt Bad —6E 74 (2A 34)
Galliard Rd. N9 —7C 30
Galliford Rd. H'bri —4K 203
Galliford Rd. Ind. Est. H'bri —3K 203
Gallions Clo. Bark —3F 142
Gallions Entrance. E16 —8B 142
Gallions Rd. E16 —7A 142
Gallops, The. Bas —1K 133
Galloway Dri. L Cla —2G 187
Gallows Corner. (Junct.) —5G 113 (2B 40)
Gallows Corner. —6G 112
Gallows Green. —5B 16
Gallows Grn. Rd. Lndsl —5G 13
Gallows Hill. Saf W —6J 205
Galpins Rd. T Hth —6A 46
Galsworthy Av. Romf —2G 126
Galsworthy Clo. SE28 —8G 142
Galsworthy Clo. Brain —1A 194
Galsworthy Rd. Til —6E 158
Galton Rd. Wclf S —6G 139
Gamble's Green. —4D 24
Gambleside. Bas —3F 134
Gamuel Clo. E17 —1A 124
Gandalfs Ride. S Fer —2J 105
Gandhi Clo. E17 —1A 124
Gandish Rd. E Ber —1J 17
Ganels Clo. Bill —9L 101
Ganels Rd. Bill —9L 101
Gangies Hill. Saw —1E 52 (4H 21)
Ganley Clo. Bill —6K 101
Gant Ct. Wal A —4F 78
Gants Hill. —1N 125 (3H 39)
Gants Hill. (Junct.) —1N 125 (3G 39)
Gantshill Cres. Ilf —9N 109
Gants Hill Cross. Ilf —1N 125 (3G 39)
Gap, The. A'den —1K 11
Gap, The. Hol S —7D 188
Garbutt Rd. Upm —4N 129

Garden City. Law —6D 164
Garden Clo. E4 —2A 108
Garden Clo. Alth —5A 36
Garden Ct. Frin S —2J 189
Gardeners. Chelm —5E 74
Gardeners La. Cwdn —2N 107 (7A 36)
Gardeners Rd. H'std —5L 199
Garden Farm. W Mer —2L 213
Garden Field. Hat P —3K 63
Garden Fields. Gt Tey —2E 172
Garden Fields. Ong —4J 83
Garden Fields. Steb —6J 13
Garden Fields. Stpl —3B 36
Garden Houses, The. Saw —1N 53
Gardenia Pl. Clac S —9F 186
Gardenia Wlk. Colc —8E 168
Gardenia Way. Wfd G —2G 109
Garden Rd. Jay —5E 190
Garden Rd. W on N —7K 183
Gardens, The. Dodd —6E 84
Gardens, The. Lgh S —6D 138
Garden Ter. H'std —4L 199
Garden Ter. Rd. H'low —8H 53
Garden View. E7 —6J 125
Garden Way. Lou —8N 79
Gardiners Clo. Bas —6E 118
Gardiners Clo. Dag —6J 127
Gardiners La. N. Cray H
—1E 118 (1A 42)
Gardiners La. S. Bas —5F 118 (2B 42)
Gardiners Link. Bas —5E 118
Gardiners Way. Bas —5E 118
Gardner Av. Corr —9A 134
Gardner Clo. E11 —1H 125
Gardner's Row. Cogg —8L 195
Garfield Rd. E4 —7D 92
Garganey Wlk. SE28 —7H 143
Garland Rd. Har —2H 201
Garlands Rd. B'ch —9E 174 (2C 26)
Garland Way. Horn —8J 113
Garling Wlk. W Ber —4F 166
Garner Rd. E17 —5C 108
Garners, The. R'fd —5L 123
Garnet St. E1 —7C 38
Garnetts. Tak —7B 210
Garnetts La. Fels —1K 23
Garnon Mead. Coop —7J 67
Garnons Chase. Wmgfd —4A 160
Garon Pk. Sth S —3B 140
Garrad's Rd. SW16 —4A 46
Garret Pl. W Ber —3G 167
Garrettlands. S'don —4N 75
Garretts La. Shalf —5A 14
Garrison La. Felix —1K 19
Garrison Pde. Purf —2L 155
Garrod Ct. Colc —7B 176
Garron La. S Ock —7C 146
Garry Clo. Romf —4C 112
Garry Way. Romf —4C 112
Garside St. Ing —5E 86
Garth Rd. S Ock —4F 146
Garthwood Clo. W Ber —3F 166
Gartmore Rd. Ilf —4E 126
Garton La. S Ock —6C 146
Gascoigne Gdns. Wfd G —4E 108
Gascoigne Rd. Bark —1B 142 (6H 39)
Gascoigne Rd. Colc —7C 168
Gascoigne Way. Bill —6M 101
Gascoyne Clo. Romf —4H 113
Gascoyne Dri. Dart —8D 154
Gascoyne Rd. E9 —5C 38
Gascoyne Way. Hert —5B 20
Gaston Green. —3K 21
Gaston St. E Ber —1J 17
Gatefield Clo. W on N —7J 183
Gatehope Dri. S Ock —6C 146
Gatehouse M. Ing —6D 86
Gatehouse Vs. D'mw —9M 197
Gatekeeper Clo. Brain —7G 192
Gate Lodge Sq. Bas —5A 118
Gate Lodge Way. Lain —5A 118
Gates Grn. Rd. W Wick & Brom —7E 46
Gate St. Mal —5J 203
Gate St. M. Mal —5J 203
Gateway. Bas —9C 118
Gateway Ho. Bark —1B 142
Gatewoods La. Rayne —7A 192
Gatley End. —5A 4
Gatscombe Clo. Hock —1C 122
Gattens, The. Ray —3M 121
Gatwick Clo. Bis S —8A 208
Gatwick View. Bill —8K 101
Gatwick Way. Horn —6K 129
Gauden Rd. Brain —1H 193
Gaunt's End. —2M 209 (6C 12)
Gavenney Path. S Ock —6C 146
Gavin Way. H'wds —1B 168
Gawsworth Clo. E15 —7F 124
Gay Bowers. Bas —8E 118
Gay Bowers. —5G 76 (2E 34)
Gay Bowers. Hock —1A 122
Gay Bowers La. Dan —3F 76 (2E 34)
Gay Bowers Rd. Dan —6E 76
Gay Bowers Way. Wthm —8D 214
Gayfere Rd. Ilf —7M 109
Gay Gdns. Dag —6A 128
Gayleighs. Ray —3K 121
Gay Links. Bas —8C 118
Gaylor Rd. Til —6B 158
Gaynes Ct. Upm —6M 129
Gaynesford. Bas —2N 133
Gaynes Hill Rd. Wfd G —3L 109
Gaynes Pk. Est. Coop —1K 81
Gaynes Pk. Rd. Upm —6L 129
Gaynes Rd. Upm —4M 129
Gaysham Av. Ilf —9N 109
Gaysham Hall. Ilf —7A 110
Gays La. Cwdn —1N 107
Gayton Rd. Sth S —4M 139
Gaywood. Bas —8J 117
Gaywood Rd. E17 —7A 108
Gazelle Ct. Colc —3C 168
Geariesville Gdns. Ilf —8A 110
Geary Ct. Brtwd —7F 98
Geary Dri. Brtwd —7F 98
Geddings Rd. Hod —5B 54
Geddy Ct. Romf —8F 112
Geerings, The. Stan H —2B 150
Geesh Rd. Can I —9J 137
Geisthorp Ct. Wal A —3G 79
Gellatly Rd. SE15 —2C 46
Gelsthorpe Rd. Romf —4N 111
Generals La. Bore —1C 62
General Wolfe Rd. SE10 —2E 46
Genesta Clo. Tol —7K 211
Genesta Rd. Wclf S —6H 139 (5J 43)
Geneva Gdns. Romf —9K 111
Genever Clo. E4 —2A 108
Genk Clo. Can I —9H 137
Gennep Rd. Can I —9H 137
Gentian Ct. Colc —5K 167
Gentry Clo. Stan H —3L 149
Geoffrey Av. Romf —3L 113
Geoff Seaden Clo. Colc —9C 168
George Av. B'sea —6E 184
George Avey Croft. N Wea —5N 67
George Cardnell Way. May —2B 204
George Clo. Clac S —2G 191
George Comberton Wlk. E12 —7N 125
George Cres. Jay —3D 190
George Cres. Wfd G —2H 109
George Crooks Ho. Grays —4L 157
(off New Rd.)
George Cut. B'sea —7E 184
George Gent Clo. Stpl B —3C 210
George La. E18 —6G 109 (2F 39)
(in two parts)
George Rd. E4 —3A 108
George Rd. Brain —5F 192
Georges Dri. Pil H —4C 98
George St. Bark —9B 126
George St. Chelm —1C 74
George St. Colc —8N 167
George St. Croy —7B 46
George St. Grays —4K 157
George St. Har —1M 201
George St. Romf —1D 128
George St. Saf W —4K 205
George St. Shoe —8L 141
George Tilbury Ho. Grays —9D 148
George View. D'mw —8M 197
Georgeville Gdns. Ilf —8A 110
George Way. Can I —8G 136
George Yd. Brain —5H 193
George Yd. Shop. Cen. Brain —5H 193
(off George Yd.)
Gepps Clo. High E —4G 23
Gerald Rd. Dag —3L 127
Geranium Clo. Clac S —9G 187
Geranium Wlk. Colc —8D 168
Gerard Gdns. Rain —2C 144
Gerard Rd. Clac S —7G 186
Gernon Bushes Nature Reserve.
—8K 67 (3K 31)
Gernon Clo. Broom —9K 59
Gernon Clo. Rain —2H 145
Gernon Rd. A'lgh —9L 163
Gernons. Bas —2A 134
Gerpins La. Upm —2K 145 (6C 40)
Gerrard Cres. Brtwd —9F 98
Gerry Raffles Sq. E15 —9D 124
Gestingthorpe. —6F 9
Gestingthorpe Rd. Bel W —5F 9
Gestingthorpe Rd. L Map —1G 15
Geylen Rd. Can I —1K 153
Ghyllgrove. —8B 118 (3A 42)
Ghyllgrove. Bas —7C 118 (3A 42)
Ghyllgrove Clo. Bas —7C 118
Gibb Croft. H'low —7D 56
(in two parts)
Gibbfield Clo. Romf —7K 111
Gibbins Rd. E15 —9C 124
(in three parts)
Gibbon Rd. SE15 —2C 46
Gibbons Ct. D'mw —7L 197
Gibcracks. Bas —9F 118
Gibraltar Clo. Gt War —3F 114
Gibraltar Wlk. W'fd —9L 103
Gibson Clo. N Wea —4A 68
Gibson Clo. Saf W —4K 205
Gibson Gdns. Saf W —4K 205
Gibson Rd. Dag —3H 127
Gibson Rd. Sib H —7B 206
Gibson Way. Saf W —4K 205
Gidea Av. Romf —7E 112
Gidea Clo. Romf —7E 112
Gidea Clo. S Ock —2F 146
Gidea Park. —7F 112 (3B 40)
Gideons Way. Stan H —2M 149
Giffins Clo. Brain —7G 193
Gifford Grn. Pits —1J 135
Gifford Pl. War —2G 114
Gifford Rd. Ben —1D 136
Giffords Cross Av. Corr —1B 150
Giffords Cross Rd. Corr
—2B 150 (6A 42)
Giffordside. Grays —3D 158
Gifford's La. Haul —7B 10
Gifhorn Rd. Can I —2L 153
Gilberd Rd. Colc —1B 176
Gilbert Clo. Ray —5M 121
Gilbert Dri. Bas —1J 133
Gilbert Ho. E17 —7C 108
Gilbert Rd. Belv —1K 47
Gilbert Rd. Chaf H —1F 156
Gilbert Rd. Romf —8D 112
Gilbert St. E15 —6E 124
Gilbert Way. Brain —3L 193
Gilbey Cotts. Else —8C 196
Gilbey Cres. Stans —1D 208
Gilbred Ct. H'wds —1C 168
Gilby Grn. Newp —7C 204
Gilchrist Way. Brain —4G 193
Gilda Ter. Brain —6D 192
Gildborne Clo. Fob —9E 134
Gilden Clo. H'low —8K 53
Gildenhill Rd. Swan —5B 48
Gilden Way. H'low —9H 53 (6J 21)
Gilderdale Clo. Colc —4D 168
Gilders. Saw —2J 53
Gilders Way. Clac S —8G 187
Giles Clo. Rain —2H 145
Gillam Way. Rain —8E 128
Gillards M. E17 —8A 108
Gillards Way. E17 —8A 108
Gill Clo. H'bri —2J 203
Gillespie Rd. N5 —4A 38
Gillian Cres. Romf —6G 113
Gilliflower Ho. Hod —6A 54
Gills Av. Can I —1J 153
Gills Rd. S Dar & Dart —6D 48
Gill, The. Ben —1K 137
Gilmore Way. Chelm —3J 75
Gilmour Rise. Bill —7H 101
Gilpin Way. Brain —1C 198
Gilroy Clo. Rain —8D 128
Gilsland. Wal A —5E 78
Gilson Clo. Chelm —9A 62
Gilstead Ho. Bark —2G 143
Gilston. —6C 52 (5H 21)
Giltspur St. EC4 —7A 38
Gilwell Clo. E4 —3B 92
Gilwell La. E4 —3B 92
Gilwell Park. —2D 92
Gilwell Pk. Clo. Colc —2H 175
Gimson Clo. Wthm —5C 214
Ginns Rd. Stoc P —4H 11
Gippeswyck. Bas —8D 118
Gipson Pk. Clo. Lgh S —9C 122
Gipsy Hill. SE19 —5B 46
Gipsy La. Bis S —5A 208 (7A 12)
Gipsy La. Grays —4M 157
Gipsy La. Har —6F 200
Gipsy Rd. SE27 —5B 46
Girling St. Sud —5L 9
Girona Clo. Chaf H —1F 156
Gisborne Gdns. Rain —3D 144
Gladden Ct. H'low —7D 56
Gladden Fields. S Fer —2J 105
Gladding Rd. E12 —6K 125
Glade Bus. Cen., The. Water P —3C 156
Glade Ct. Ilf —6M 109
Glade Rd. E12 —5M 125
Glade, The. Bas —2D 134
Glade, The. Colc —5E 168
Glade, The. Croy —7C 46
Glade, The. Hut —7K 99
Glade, The. Ilf —5M 109
Glade, The. Upm —7N 129
Glade, The. Wfd G —9H 93
Glade View. Clac S —6K 187
Gladeway, The. Wal A —3D 78
Gladiator Way. Colc —4H 175
Gladstone Av. E12 —9L 125
Gladstone Ct. Chelm —1C 74
Gladstone Gdns. Ray —6J 121
Gladstone Rd. Buck H —7J 93
Gladstone Rd. Colc —1B 176
Gladstone Rd. Hock —2D 122
Gladstone Rd. Hod —4B 54
Gladstone Rd. Tip —7D 212
Gladwin Rd. Colc —2K 175
Gladwyns. Bas —8N 117
Gladwyns Cotts. Hat H —2B 202
Gladys Dimson Ho. E7 —7F 124
Glamis Dri. Horn —3J 129
Glanmead. Shenf —7H 99
Glanmire. Bill —2M 101
Glanthams Clo. Shenf —8J 99
Glanthams Rd. Shenf —8J 99
Glanville Dri. Horn —3K 129
Glasseys La. Ray —7J 121
Glassmill La. Brom —6E 46
(in two parts)
Glastonbury Av. Wfd G —4K 109
Glastonbury Chase. Wclf S —1G 138
Glazenwood Rd. B'wll —7F 15
Glebe Av. Brain —1H 193
Glebe Av. Wfd G —3G 108
Glebe Clo. Elms —9N 169
Glebe Clo. Ray —4J 121
Glebe Clo. Sth S —6C 140
Glebe Clo. Wix —4D 18
Glebe Ct. Bis S —9A 208
Glebe Cres. Broom —2K 61
Glebe Cres. Wthm —3B 214
Glebe Dri. Ray —4J 121
Glebe End. Else —8D 196
Glebe Field. Bas —7D 118
Glebefield Rd. Hat P —2M 63
Glebe Gdns. Fee —9A 172
Glebe Gdns. Heron —4A 116
Glebe Ho. Chelm —8J 61
Glebelands. E10 —4B 124
Glebelands. Ben —8B 120
Glebelands. Chig —9G 94
Glebelands. Dart —9D 154
Glebelands. Gt Hork —7J 161
Glebelands. H'low —9E 52
Glebelands Av. E18 —6G 109
Glebelands Av. Ilf —2C 126
Glebe La. Deng —3E 36
Glebe La. L Eas —6F 13
Glebe Rd. Chelm —8K 61
Glebe Rd. Colc —4K 175
Glebe Rd. Dag —8N 127
Glebe Rd. H'bri —3M 203
Glebe Rd. K'dn —8B 202
Glebe Rd. Ong —8K 69
Glebe Rd. Rain —3G 144
Glebe Rd. Rams B —8F 102
Glebe Rd. Tip —6C 212
Glebe Rd. W'fd —9M 103
Glebe, The. Else —8C 196
Glebe, The. H'low —2D 56
Glebe, The. Pel —3E 26
Glebe, The. Pur —4G 35
Glebe, The. Saf W —6L 205
Glebe View. Chelm —7C 74
Glebe Way. Ben —3M 137
Glebe Way. Bur C —2L 195
Glebe Way. Eri —4C 154
Glebe Way. Frin S —9J 183
Glebe Way. Horn —2J 129
Glebe Way. Jay —5E 190
Glebe Way. W Wick —7E 46
Glebe Way. Wfd G —2J 109
Glemsford. —2G 9
Glen Av. Colc —8J 167 (6D 16)
Glenavon Rd. E15 —9E 124
Glenbervie Dri. Lgh S —4E 138
Glencoe Av. Ilf —2C 126
Glencoe Dri. Dag —6M 127
Glencoe Dri. W'fd —8A 104
Glen Ct. Ben —2H 137
Glencree. Bill —2M 101
Glen Cres. Wfd G —3H 109
Glendale. S Fer —8L 91
Glendale Av. Romf —2H 127
Glendale Clo. Shenf —7H 99
Glendale Gdns. Lgh S —5C 138
Glendale Gro. Colc —4C 168
Glendale Rd. Bur C —2M 195
Glendale Rd. Eri —2A 154
Glendale Way. SE28 —7H 143
Glendower Rd. E4 —7D 92
Gleneagles. Ben —1B 136
Gleneagles Clo. Romf —4K 113
Gleneagles Rd. Lgh S —1B 138
Gleneagles Way. Hat P —2M 63
Glenester Clo. Hod —2A 54
Glen Faba. —5E 54
Glen Faba Rd. Roy —5E 54
Glenfield Rd. Corr —9C 134
Glengall Rd. Wfd G —3G 109
Glenham Dri. Ilf —9A 110
Glen Hazel. Hook E —5G 85
Glenhurst Mans. Sth S —6N 139
Glenhurst Rd. Sth S —4M 139
Glenmead. Buck H —7J 93
Glenmere. Bas —4E 134
Glenmere Pk. Av. Ben —3H 137
Glenmore St. Sth S —5B 140
Glenmore Way. Bark —2F 142
Glenny Rd. Bark —8B 126
Glenparke Rd. E7 —8H 125
Glenridding. Ben —1D 136
Glen Rise. Wfd G —3H 109
Glen Rd. Bas —2G 134
Glen Rd. Ben —1E 136
Glen Rd. Lgh S —6F 138
Glenside. Bill —6M 101
Glenside. Chig —3A 110
Glen, The. Hull —4L 105
Glen, The. Rain —4G 144
Glen, The. Ray —7L 121
Glen, The. Stan H —2A 150
Glen, The. Van —2H 135
Glenthorne Gdns. Ilf —7A 110
Glenton Clo. Romf —4C 112
Glenton Way. Romf —4C 112
Glentress Clo. Colc —4D 168
Glenway Clo. Gt Hork —7J 161
Glenwood. Can I —9F 136
Glenwood Av. Hock —2E 122
Glenwood Av. Lgh S —8A 122
Glenwood Av. Rain —4E 144
Glenwood Av. Wclf S —4J 139
Glenwood Ct. E18 —7G 108
Glenwood Dri. Romf —9E 112
Glenwood Gdns. Ilf —9N 109
Glenwood Gdns. Lang H —2G 133
Gleten Rd. Can I —1K 153
Glisson Sq. Colc —2J 175
Globe Clo. Tip —5D 212
Globe Cres. Farnh —6J 11
Globe Ind. Est. Grays —3M 157
Globe Rd. E2 & E1 —6C 38
Globe Rd. E15 —7F 124
Globe Rd. Horn —1E 128
Globe Rd. Wfd G —3J 109
Globe Town. —6C 38
Globe Wlk. Tip —5D 212
Gloucester Av. Chelm —3B 74 (2A 34)
Gloucester Av. Colc —3K 175
Gloucester Av. E Til —3L 159
Gloucester Av. Grays —9M 147
Gloucester Av. Horn —8L 113
Gloucester Av. Mal —7J 203
Gloucester Av. Ray —7N 121
Gloucester Clo. S Ock —3F 146
Gloucester Ct. Til —7B 158
Gloucester Cres. Chelm —6J 61
Gloucester Gdns. Brain —4K 193
Gloucester Gdns. Ilf —2L 125
Gloucester M. E10 —2A 124
Gloucester Pl. Bill —3J 101
Gloucester Rd. E10 —2A 124
Gloucester Rd. E11 —9H 109
Gloucester Rd. E12 —5M 125
Gloucester Rd. Pil H —4E 98
Gloucester Rd. Romf —1C 128
Gloucester Ter. Sth S —8D 140
Glovers Field. Kel H —7C 84
Glovershotts. Broom —1K 61
Glovers La. H'wd —8K 57
Glyders, The. Ben —5E 136
Glynde Way. Sth S —5D 140
Glynn Rd. Bur C —3L 195
Goat Hall La. Chelm —8A 74 (3K 33)
Goat Ho. La. Haz —7L 77 (3F 35)
Goat Lodge Rd. Gt Tot —7M 213 (5H 25)
Goatsmoor La. Bill & Stock
—3N 101 (6K 33)
Goatswood La. Nave —6F 96 (7B 32)
Gobions. Bas —2B 134
Gobions Av. Romf —4B 112
Goda Clo. Wthm —7A 214
Goddard Rd. Beck —6C 46
Goddard Rd. Grays —8K 147
Goddards Way. Ilf —3C 126
Goddard Way. Chelm —9A 62
Goddard Way. Saf W —2L 205
Goddarts Ho. E17 —7A 108
Godden Lodge. Ben —9F 120
Goddington. —7J 47
Goddington La. Orp —7J 47
Godfrey's M. Chelm —1C 74
Godfrey Way. D'mw —6K 197
Goodey Clo. Colc —1A 176
Godlings Way. Brain —6G 193 (7C 14)
Godman Rd. Grays —1C 158
Godmans La. M Tey —3F 172
Godric Rd. Wthm —7B 214
Godstow Rd. SE2 —9H 143
Godwin Clo. E4 —9C 78
Godwin Clo. H'std —5J 199
Godwin Rd. E7 —6H 125
Godwit Ct. K'dn —8D 202
Goffers Rd. SE3 —2E 46
Goff's La. Beau —6D 18
Goff's La. Chesh —3B 30
Goff's Oak. —3A 30
Goings La. W Mer —3K 213
Goings Wharf Ind. Est. H'bri —3L 203
Goirle Av. Can I —1J 153
Goldace. Grays —4J 157
Gold Berry Mead. S Fer —2J 105
Goldcrest Clo. SE28 —7H 143
Goldcrest Clo. Colc —7F 168
Goldcrest Dri. Bill —7L 101
Goldenacres. Chelm —3A 62
Golden Cross Pde. R'fd —2J 123
(off Ashingdon Rd.)
Golden Cross Rd. R'fd —1J 123
Golden Dawn Way. Colc —5M 167
Golden La. EC1 —6B 38
Golden La. R'ter —6F 7
Golden La. T Sok —4J 181 (7D 18)
Golden Lion La. Har —2N 201
Golden Mnr. Dri. Ben —1F 136
Golden Noble Hill. Colc —9A 168
Golden Pde. E17 —7C 108
(off Wood St.)
Golden Sq. Wak C —3A 16
Goldfinch Clo. Colc —8F 168
Goldfinch La. Ben —8G 120
Goldfinch Rd. SE28 —9C 142
Goldhanger. —7A 26
Goldhanger Clo. Ray —4G 121
Goldhanger Ct. Brain —8M 193
Goldhanger Cross. Bas —8F 118
Goldhanger Rd. H'bri —3M 203 (1J 35)
Goldhaze Clo. Wfd G —4K 109
Golding Ct. Ilf —5N 125
Golding Cres. Stan H —2N 149
Goldingham Av. Lou —1B 94
Goldingham Dri. Brain —8J 193
Goldings. Bis S —9A 208
Goldings Cres. Bas —3F 134
Goldings Hill. Lou —6M 79 (5G 31)
Goldings Rise. Lou —9N 79
Goldings Rd. Lou —9N 79
Golding Thoroughfare. Chelm —7A 62
Goldington Cres. Bill —3H 101
Golding Way. St O —8M 185
Goldlay Av. Chelm —2D 74
Goldlay Gdns. Chelm —1D 74
Goldlay Rd. Chelm —1D 74
Goldmer Clo. Shoe —6G 140
Goldsands Rd. S'min
—9M 207 (5D 36)
Goldsborough Cres. E4 —8B 92
Goldsel Rd. Swan —7A 48
Goldsmere Ct. Horn —3J 129
Goldsmith Av. E12 —8L 125
Goldsmith Av. Romf —2M 127
Goldsmith Dri. Ray —9J 105
(in two parts)
Goldsmith Rd. E10 —3A 124
Goldsmiths. Grays —4J 157
Goldsmiths. H'low —6D 56
Goldsmiths. Lang H —5J 133
Goldsmiths Av. Corr —2A 150
Goldsmith's Row. E2 —6C 38
Goldsmiths Wharf. Grays —5K 157
Golds Nursery Bus. Pk. Else —6C 196
Gold St. Saf W —4K 205
Gold St. Sole S —7H 49
Goldsworthy Dri. Gt W —4N 141

Golfe Rd. Ilf —5C 126
Golf Grn. Rd. Jay —4E 190 (5C 28)
Golf Ride. Ben —3D 136
Goodall Rd. E11 —5C 124
Goodchild Way. Gt Yel —7D 198
Good Easter. —5G 23
Gooderham Ho. Grays —9D 148
Goodfellow Gdns. H'std —4J 199
Goodfellows Chase. Tilty —6F 13
Goodge St. W1 —7A 38
Goodlake Clo. Har —5H 201
Goodliffe Pk. Bis S —7A 208
Goodman Rd. E10 —2C 124
Goodmans. Gt W —3M 141
Goodmans La. Gt L —3B 24
Goodmayes. —3F 126 (4J 39)
Goodmayes Av. Ilf —3F 126
Goodmayes La. Ilf —6F 126 (4J 39)
Goodmayes Rd. Ilf —3F 126 (4J 39)
Goodmayes Wlk. W'fd —1L 119
Goods Way. NW1 —6A 38
Goodview Rd. Bas —5B 118
Goodwins Clo. L'bry —2H 205
Goodwood Av. Horn —6J 129
Goodwood Av. Hut —5B 100
Goodwood Clo. Ben —8G 121
Goodwood Clo. Hod —4A 54
Goojerat Rd. Colc —1L 175
Goor Av. Can I —1K 153
Gooseberry Green. —5H 101 (7J 33)
Gooseberry Grn. Bill —5H 101
Goose Cotts. W'fd —7E 104
Goose Green. —7C 20
(nr. Hoddesdon)
Goose Green. —5C 18
(nr. Horsley Cross)
Goose Green. —6C 18
(nr. Tendring)
Goose La. L Hall —3A 22
Gooseley La. E6 —3A 142
Gooshays Dri. Romf —2J 113 (1C 40)
Gooshays Gdns. Romf —3J 113
Gordon Av. E4 —3E 108
Gordon Av. Horn —4D 128
Gordon Clo. E17 —1A 124
Gordon Clo. Bill —5H 101
Gordon Clo. E Til —5M 159
Gordon Hill. Enf —6B 30
Gordon Pl. Sth S —6L 139
Gordon Rd. E4 —6E 92
Gordon Rd. E11 —1G 124
Gordon Rd. E15 —6C 124
Gordon Rd. E18 —5H 109
Gordon Rd. Bark —1D 142
Gordon Rd. Bas —1E 134
Gordon Rd. Belv —2A 154
Gordon Rd. Chelm —4B 74
Gordon Rd. Corr —6K 41
Gordon Rd. Grays —9A 148
Gordon Rd. Har —5K 201
Gordon Rd. Horn H —2H 149
Gordon Rd. Ilf —5C 126
Gordon Rd. Lgh S —4A 138
Gordon Rd. Romf —1L 127
Gordon Rd. Shenf —7K 99
Gordon Rd. Sth S —6L 139
Gordon Rd. Stan H —1A 150
Gordon Rd. Wal A —4A 78
Gordons. Bas —1H 135
Gordon Sq. WC1 —6A 38
Gordon Way. Har —5K 201
Gorefield Rd. Tak —5N 209
Gore La. H Cro —2D 20
Gore La. Rayne —6C 192
Gore Pit. —6E 202 (2J 25)
Gore Rd. Dart —4D 48
Gore Rd. Rayne —6C 192 (7B 14)
Goresbrook Rd. Dag —1G 143 (6J 39)
Gore, The. Bas —9B 118
Goring Clo. Romf —5A 112
Goring Gdns. Dag —6H 127
Goring Rd. Colc —6C 168
Goring Rd. Dag —8B 128
Gorse Hill. F'ham —7C 48
Gorse La. Clac S —3E 28
Gorse La. Tip —7D 212
Gorse La. Ind. Est. Clac S —5M 187
Gorse Rd. Orp —7K 47
Gorse Wlk. Colc —8D 168
(in two parts)
Gorse Way. Jay —5D 190
Gorseway. Romf —3C 128
Gorse Way. S'way —2E 174
Gosbecks Rd. Colc —3H 175 (7D 16)
Gosbeck's View. Colc —4H 175
Gosfield. —4E 14
Gosfield Clo. Ray —4G 120
Gosfield Hall. —4D 14
Gosfield Hall Dri. Gosf —4D 14
Gosfield Rd. Colc —6A 176
Gosfield Rd. Dag —4M 127
Gosfield Rd. Gosf —5D 14
Gosfield Rd. Weth —3B 14
Gosford Gdns. Ilf —9M 109
Goshawk Dri. Chelm —5C 74
Gosland Green. —1D 8
Goslings. Sil E —2K 207
Goslings, The. Shoe —7L 141
Gosport Dri. Horn —8G 128
Gosport Rd. E17 —3D 38
Gosset St. E2 —6C 38
Gossetts, The. Mar R —6F 23
Goss Hill. Swan —5B 48
Goswell Rd. EC1 —6A 38
Gough Rd. E15 —6F 124
Gould Clo. More —1B 32
Gouldings Av. W on N —6L 183
Goulds Cotts. Abr —2G 94
Goulds Rd. Alph —1J 15
Goul La. Saf W —4K 205
Goulton Rd. Chelm —2J 61
Gourney Gro. Grays —7L 147
Government Row. Enf —8A 78
Govier Clo. E15 —9E 124
Gowan Brae. Ben —1B 136
Gowan Clo. Ben —1B 136
Gowan Ct. Ben —1B 136
Gower Ho. E17 —7A 108
Gower Rd. E7 —8G 125
Gowers Av. Chelm —4F 74
Gowers La. Ors —9B 148
Gowers, The. H'low —1F 56
Gower St. WC1 —6A 38
Goya Rise. Shoe —6L 141
Goy Av. Rain —4G 144
Goy Grn. W'hoe —3J 177
Goy Rd. Corr —2C 150
Grace Clo. Ilf —3E 110
Graces Clo. Wthm —8D 214
Graces La. L Bad —1B 76 (1D 34)
Graces Wlk. Frin S —8K 183
Grace's Wlk. L Bad —9F 62
Graften Pl. Chelm —7B 62
Grafton Gdns. Dag —4K 127
Grafton Rd. Can I —3J 153
Grafton Rd. Dag —4K 127
Grafton Rd. Har —3M 201
Graham Clo. Bill —3K 101
Graham Clo. Hock —9D 106
Graham Clo. Hut —4M 99
Graham Clo. Stan H —1N 149
Grahame Ho. Sth S —3A 140
Graham Mans. Bark —9F 126
(off Lansbury Av.)
Graham Rd. E8 —5C 38
Grainger Clo. Sth S —4M 139
Grainger Rd. Sth S —5M 139
Grainger Rd. Ind. Est. Sth S —5M 139
Gramer Clo. E11 —4D 124
Grampian. Wclf S —5K 139
Grampian Gro. Chelm —5F 60
Granaries, The. Wal A —4E 78
Granary Clo. Latch —4K 35
Granary Ct. D'mw —9L 197
Granary Ct. Saw —2K 53
Granary Meadow. Wy G —6H 85
Granary, The. Roy —2H 55
Granchester Ct. H'wds —3C 168
Grand Ct. W. Lgh S —6E 138
(off Grand Dri.)
Grand Depot Rd. SE18 —1G 47
Grand Dri. Lgh S —6E 138 (5H 43)
Grand Pde. N4 —3A 38
Grand Pde. Lgh S —6E 138 (5H 43)
Grandview Rd. Ben —8F 120
Grange Av. Ben —1N 137
Grange Av. May —4E 204 (4A 36)
Grange Av. W'fd —1J 119
Grange Av. Wfd G —3G 108
Grange Clo. H'std —7K 199
Grange Clo. Ingve —2M 115
Grange Clo. Lgh S —3D 138
Grange Clo. W on N —7K 183
Grange Clo. Wfd G —4G 108
Grange Ct. Chelm —3A 74
Grange Ct. Lou —4K 93
Grange Ct. Wal A —4C 78
Grange Cres. SE28 —6H 143
Grange Cres. Chig —2C 110
Grange Farm Av. Felix —1K 19
Grange Farm Rd. Colc —2D 176
Grange Gdns. Ray —4H 121
Grange Gdns. Sth S —6N 139
Grange Grn. Tilty —5E 12
Grange Hill. —2C 110 (2H 39)
Grange Hill. Cogg —9K 195 (7H 15)
Grange Hill. G'std G —5G 15
Grange Ho. Eri —7E 154
Grange La. D'ham —4H 103
Grange La. Hart —7F 49
Grange La. L Dun —1H 23
Grange La. Roy —3J 55
Grange Pde. Bill —9L 101
Grange Park. —7A 30
Grange Pk. E10 —4B 124
Grange Pk. Dri. Lgh S —4E 138
Grange Pk. Rd. E10 —3B 124
Granger Av. Mal —7J 203
Grange Rd. E10 —3A 124
Grange Rd. E16 —6E 38
Grange Rd. SE1 —1B 46
Grange Rd. Ave —8N 145
Grange Rd. Bas —7M 119
Grange Rd. Ben —7E 120
(in two parts)
Grange Rd. Bill —9L 101 (1K 41)
Grange Rd. Dux —4H 5
Grange Rd. Felix —1K 19
Grange Rd. Grays —4L 157
Grange Rd. Gt Hork —9J 161
Grange Rd. Har —5J 201
Grange Rd. I'tn —5J 5
Grange Rd. Ilf —6A 126
Grange Rd. Law —1C 170 (4J 17)
Grange Rd. Lgh S —5C 138
Grange Rd. Ples —2A 58 (4J 23)
Grange Rd. Romf —3F 112
Grange Rd. T Hth & SE19 —6B 46
Grange Rd. T'ham —3E 36
Grange Rd. Tip —5A 212 (4J 25)
Grange Rd. W'fd —6K 103
Grange Rd. W Bis —8J 213 (6G 25)
Granger Pl. Can I —3K 153
Granger Way. Romf —5E 128
Grange, The. Hod —6A 54
Grangeway. Ben —9G 121
Grange Way. Colc —2D 176
Grange Way. Eri —5F 154
Grange Way. Wfd G —1J 109
Grange Way Bus. Pk. Colc —3D 176
Grangeway Gdns. Ilf —9L 109
Grangewood. Ben —1D 136
Grangewood Av. Grays —1A 158
Grangewood Av. Rain —4G 144
Grangewood Clo. Brtwd —9J 99
Granites Chase. Cray H —1A 118
Granleigh Rd. E11 —4E 124
Gransmore Green. —7K 13
Granta Clo. Gt Che —4L 197
Grant Clo. W'fd —2M 119
Grant Ct. E4 —7C 92
(off Ridgeway, The)
Grantham Ct. Colc —8A 168
Grantham Ct. Romf —2L 127
Grantham Gdns. Romf —1L 127
Grantham Rd. E12 —6N 125
Grantham Rd. Gt Hork —9J 161
Grantham Way. Grays —8K 147
Grantley Clo. Cop —1M 173
Grantock Rd. E17 —5D 108
Granton Av. Upm —5K 129
Granton Rd. Ilf —3F 126
Granville Clo. Ben —2E 136
Granville Clo. Bill —3H 101
Granville Clo. W Ber —4F 166
Granville Gdns. Hod —1A 54
Granville Rd. E17 —1B 124
Granville Rd. E18 —6H 109
Granville Rd. Clac S —1K 191
Granville Rd. Colc —1B 176
Granville Rd. Epp —8G 66
Granville Rd. Hock —7E 106
Granville Rd. Ilf —3A 126
Granville Ter. Bur C —4M 195
Granville Way. B'sea —6F 184
Grapnells. Bas —2G 135
Grasby Clo. W'hoe —4H 177
Grasmead Av. Lgh S —4E 138
Grasmere Av. Hull —5J 105
Grasmere Clo. Brain —2C 198
Grasmere Clo. Lou —1M 93
Grasmere Gdns. Ilf —9L 109
Grasmere Gdns. Kir X —7J 183
Grasmere Rd. Ben —9E 120
Grasmere Rd. Bexh —7A 154
Grasmere Rd. Can I —2E 152
Grassfields. Kir X —8H 183
Grass Green. —6B 8
Grassmere. H'wds —2B 168
Grassmere Rd. Horn —8K 113
Grass Rd. H'std —8J 199
Grass Rd. Til —4K 159
Gratmore Grn. Bas —3F 134
Gravel Clo. Chig —8F 94
Gravel Hill. Bexh —3K 47
Gravel Hill. Lou —8G 78 (5F 31)
Gravel Hill. Nay —1D 16
Gravel Hill Way. Har —6H 201
Gravel La. Chig —8F 94 (7J 31)
Gravelly La. Brau —6E 10
Gravel Pit Hill. Thri —3H 5
Gravel Rd. Brom —7G 47
Gravel Rd. Lgh S —7A 122
Gravel, The. Cogg —8K 195 (7H 15)
Gravesend. —6G 11
Gravesend Rd. High —5K 49
Gravesend Rd. Shorne —5K 49
Graves Hall Rd. Sib H —4A 206 (1D 14)
Gray Av. Dag —3L 127
Gray Gdns. Rain —8E 128
Graylands. Grays —4H 157
Graylands. They B —7C 80
Grayling Clo. Brain —8G 192
(in two parts)
Grayling Dri. Colc —6F 168
Gray Rd. Colc —9L 167
Grays. —3K 157 (2F 49)
Grays Av. Bas —5L 133
Grays Clo. W Mer —3K 213
Grays Cottage. Colc —8B 168
Grays Ct. Dag —9N 127
Gray's End Clo. Grays —1K 157
Gray's Inn Rd. WC1 —6A 38
Gray's La. Weth —2B 14
Grays Mead. Sib H —5B 206
Graysons Clo. Ray —5L 121
Grays Wlk. Hut —6N 99
Great Abington. —1B 6
Great Amwell. —5D 20
Great Baddow. —3G 75 (2B 34)
Great Bardfield. —3J 13
Great Bardfield Cage. —3J 13
Great Bardfield 'Gibraltar' Towermill. —3K 13
Great Bentley. —6K 179 (7A 18)
Gt. Bentley Rd. Frat —3F 178 (1K 27)
Great Berry. —3J 41
Gt. Berry Farm Chase. Bas —2J 133
Gt. Berry La. Bas —2J 133
(in two parts)
Gt. Blunts Cotts. Stock —2L 101
Great Braxted. —4J 25
Gt. Brays. H'low —4F 56
Great Bromley. —6D 170 (5K 17)
Gt. Burches Rd. Ben —8G 120
Great Burstead. —2L 117 (1K 41)
Great Cambridge Junction. (Junct.) —1B 38
Gt. Cambridge Rd. N9 —1B 38
Gt. Cambridge Rd. N17 & N18 —2B 38
Gt. Cambridge Rd. Enf & Wal X —7B 30
Great Canfield. —2E 22
Gt. Canfield Rd. Tak —8D 210 (1D 22)
Great Chesterford. —3L 197 (4A 6)
Great Chishill. —6G 5
Great Chishill Postmill. —6F 5
Great Clacton. —9J 187 (3D 28)
Great Cob. Chelm —6N 61
Great Cornard. —5K 9
Gt. Cullings. Romf —4C 128
Gt. Dover St. SE1 —1B 46
Great Dunmow. —8L 197 (7G 13)
Gt. Eastern Av. Sth S —5M 139
Gt. Eastern Rd. E15 —9D 124 (5E 38)
Gt. Eastern Rd. Brtwd —1F 114
Gt. Eastern Rd. Hock —2D 122
Gt. Eastern St. EC2 —6B 38
Great Easton. —6F 13
Greate Ho. Farm Rd. Lay H —9H 175
Greatfields Rd. Bark —1C 142
Gt. Fleete Way. Bark —2H 143
Gt. Fox Meadow. Kel H —8C 84
Gt. Galley Clo. Bark —3H 143
Gt. Gardens Rd. Horn —1F 128
Gt. Gibcracks Chase. S'don —8A 76
Gt. Godfreys. Writ —1H 73
Gt. Gregorie Bas —1A 134
Gt. Gregories La. Epp —3D 80
Gt. Hadham Rd. M Hud —2H 21
Great Hallingbury. —2A 22
Gt. Harrods. W on N —7K 183
Gt. Hays. Lgh S —1B 138
Great Henny. —7J 9
Great Holland. —2D 188 (2F 29)
Great Holland Common. —3A 188 (2F 29)
Gt. Holland Comn. Rd. Hol S —3A 188 (2E 28)
Great Holland Pits Nature Reserve. —2B 188 (2F 29)
Great Horkesley. —7J 161 (3D 16)
Great Hormead. —4F 11
Greathouse Chase. Fob —8D 134
Gt. Knightleys. Bas —9M 117 (3K 41)
Gt. Lawn. Ong —6L 69
Great Leighs. —1M 59 (3B 24)
Gt. Leighs Way. Bas —6K 119
Gt. Leylands. H'low —4F 56
Great Maplestead. —1F 15
Gt. Marlborough St. W1 —7A 38
Gt. Mead. Shoe —5J 141
Gt. Meadow. Brox —1A 64
Gt. Mistley. Bas —1D 134
Great Munden. —7C 10
Gt. Nelmes Chase. Horn —9K 113
Great Notley. —1B 198 (1C 24)
Gt. Notley Av. Bla N —3C 198
Gt. Oak Ct. Gt Yel —8D 198
Great Oakley. —5E 18
Gt. Oaks. Bas —9B 118
Gt. Oaks. Chig —1B 110
Gt. Oaks. Hut —5L 99
Gt. Owl Rd. Chig —9N 93
Gt. Oxcroft. Bas —9K 117
Great Oxney Green. —1H 73 (1J 33)
Great Parndon. —5A 56 (7G 21)
Gt. Plumtree. H'low —1E 56
Gt. Portland St. W1 —7A 38
Gt. Prestons La. Stock —8C 88 (5A 34)
Gt. Queen St. WC2 —7A 38
Gt. Ranton. Pits —7K 119
Gt. Ropers La. War —3D 114 (2E 40)
Great Saling. —6A 14
Gt. Saling. W'fd —1A 120
Great Sampford. —1G 13
Gt. Smails. S Fer —2J 105
Gt. Spenders. Bas —7E 118
Great Sq. Brain —5H 193
Great Stambridge. —2K 43
Great Tey. —2E 172 (5K 15)
Gt. Tey Rd. L Tey —6K 15
Great Thurlow. —1J 7
Great Totham. —7N 213
Great Totham North. —5J 25
Gt. Totham Rd. W Bis —7L 213 (5H 25)
Great Totham South. —6H 25
Great Wakering. —2L 141 (4C 44)
Great Waldingfield. —4K 9
Great Waltham. —4H 59 (5K 23)
Great Waltham Guildhall. —5H 59 (5K 23)
Great Warley. —5D 114 (2E 40)
Gt. Warley St. Gt War —5D 114 (2E 40)
Gt. Wheatley Rd. Ray —5G 120
Great Wigborough. —4D 26
Great Wood Nature Reserve. —2M 137 (4F 43)
Great Wratting. —1K 7
Great Yd. H'std —6K 199
Great Yeldham. —8D 198 (6D 8)
Gt. Yeldham Rd. Top —7C 8
Greaves Clo. Bark —9C 126
Grebe Clo. E7 —7F 124
Grebe Clo. May —3D 204
Grebe Crest. W Thur —2D 156
Greding Wlk. Hut —8L 99
Greenacre Gdns. E17 —8C 108
Greenacre La. Stock —9N 87
Greenacre M. Lgh S —4D 138
Greenacres. Ben —3L 137
Greenacres. Clac S —8L 187
Green Acres. Cogg —9K 195
Greenacres. Colc —4M 167
Greenacres. Epp —8E 66
Greenacres Clo. Rain —3J 145
Green Acres Rd. Lay H —9G 175
Green Av. Can I —2E 152
Greenaway Cvn. Pk. Stans —5F 208
(off Old Burylodge La.)
Green Bank Clo. E4 —8C 92
Greenbank Clo. Romf —9H 97
Greenbanks. Lgh S —4F 138
Green Banks. Upm —4B 130
Green Clo. Chelm —7M 61
Green Clo. Epp G —3A 66
Green Clo. Hat P —3N 63
Green Clo. Writ —1K 73
Greencotes. Else —8C 196
(off Robin Hood Rd.)
Green Ct. Rd. Swan —7A 48
Green Dragon La. N21 —7A 30
Greendyke. Can I —9F 136
Green End La. Gt Hol —9D 182
Greene View. Brain —8K 193
Green Farm La. Shorne —4K 49
Green Farm Rd. Coln E —3H 15
Greenfield. Wthm —6D 214
Greenfield Dri. Gt Tey —2D 172
Greenfield Gdns. Dag —1J 143
Greenfield Houses. B'ch —8C 174
Greenfield Rd. Dag —1H 143
Greenfields. Bill —8J 101
Greenfields. Frin S —7J 183
Greenfields. Gosf —4E 14
Greenfields. Lou —3N 93
Greenfields. Stans —2D 208
Greenfields Clo. Bill —8J 101
Greenfields Clo. Gt War —3F 114
Greenfields Clo. Lou —3N 93
Greenfield St. Wal A —4C 78
Greenfinch End. Colc —7F 168
Greenford Rd. Clac S —1G 191
Greengates Home Pk. Wee H —1G 186
Greengate St. E13 —6F 39
Green Glade. They B —7D 80
Green Glades. Horn —1K 129
Greenheys Dri. E18 —7F 108
Greenhill. Buck H —7J 93
Greenhill Gro. E12 —6L 125
Greenhills. H'low —3D 56
Greenhithe. —9E 156 (3E 48)
Greenhurst Rd. B'sea —7F 184
Greenlands. R'fd —3J 123
Green La. E4 —9E 78
Green La. SE9 & Chst —4G 47
Green La. SE20 —5C 46
Green La. SW16 & T Hth —5A 46
Green La. Aldh —6A 16
Green La. Alth —4A 36
Green La. A'lgh —9K 163
Green La. Bas —2N 133
Green La. B'more —1G 85
Green La. Boxt —3L 161 (2E 16)
Green La. Brtwd —7D 98
Green La. Brox —2B 64
Green La. Bur C —6B 36
Green La. Can I —2F 152
Green La. Chig —7B 94
Green La. Colc —4E 168
(in two parts)
Green La. C Hth —6H 169 (5H 17)
Green La. D'mw —7K 197
Green La. Gt Hork —1K 167
Green La. Gt Walt —8E 58
Green La. Gt War —4D 114
Green La. Ilf & Dag —4C 126 (4H 39)
Green La. Kel H —6D 32
Green La. Lgh S —8C 122
Green La. L Bur —3E 116
(Botney Hill)
Green La. L Bur —5J 117
(Chase, The)
Green La. L Tot —6K 25
Green La. Meop —7H 49
Green La. Mis —5J 165
Green La. N'side —1N 97
Green La. Ors —5M 147
Green La. Pil H —4F 98
Green La. Rox —1H 33
(in two parts)
Green La. S Fer —9K 91
Green La. Strat M —1H 17
Green La. Thr B —4M 57 (7K 21)
Green La. Tip —5D 212
Green La. Upm —1A 146
Green La. Wal A —4J 79
Green La. W on N —4N 183
Green La. Wee H —8E 180
Green La. Whi N —2C 24
Green Lanes. N4 & N16 —3A 38
Green Lanes. N8 —3A 38
Green Lanes. N13 & N21 —2A 38
Greenlawns. L Cla —3G 187
Greenleafe Dri. Ilf —7A 110
Greenleaf Rd. E17 —7A 108
Greenleas. Ben —9H 121
Greenleas. Wal A —4E 78
Green Man La. L Brax —5H 25
Green Mnr. Way. Grav —9J 157
Green Man Roundabout. (Junct.) —2F 124 (3E 38)
Green Mead. S Fer —1J 105
Green Meadows. Dan —4G 77
Green Oaks Clo. Ben —3E 136
Greenock Way. Romf —4C 112
Green Point. E15 —8E 124
Green Ride. Epp —5A 80
Green Ride. Lou —3J 93
Green Rd. Ben —5D 136
Green Rd. Dart —5E 48

Green Rd. H'std —9H 199
Greens Clo., The. Lou —1N 93
Greens Farm La. Bill —6L 101 (7K 33)
Greenshaw. Brtwd —7D 98
Green Side. Dag —3H 127
Greenslade Rd. Bark —9C 126
Greensmill. Law —3G 165
Greenstead. —7E 168 (6F 17)
Greenstead. Saw —3K 53
Greenstead Av. Wfd G —4J 109
Greenstead Clo. Hut —6A 100
Greenstead Clo. Wfd G —3J 109
Greenstead Ct. Colc —9D 168
Greenstead Gdns. Wfd G —3J 109
Greenstead Green. —9M 199 (5G 15)
Greenstead Rd. Colc —8C 168 (6F 17)
Greenstead Roundabout. Colc —9D 168
Greensted. —8H 69 (3B 32)
Greensted Clo. Bas —1G 135
Greensted Green. —7E 68 (3B 32)
Greensted Rd. Lou —6L 93
Greensted Rd. Ong —7E 68 (3B 32)
Greensted Saxon Wooden Church. —8H 69 (3B 32)
Greensted, The. Bas —1G 134
Greenstone M. E11 —1G 124
Green Street. —7H 11
(nr. Bishop's Stortford)
Green Street. —4M 85 (5G 33)
(nr. Mountnessing)
Green St. E7 & E13 —8H 125 (5F 39)
Green St. Dart —4C 48
Green St. Else —2M 209
Green St. Enf —6C 30
Green St. Gt Can —2D 22
Green St. Ing —3M 85 (4G 33)
Green Street Green. —5E 48
Greensward La. Hock —1D 122 (1H 43)
Green's Yd. Colc —8M 167
Green, The. —4C 194 (2D 24)
Green, The. E4 —7D 92 (7E 30)
Green, The. E11 —1H 125
Green, The. E15 —8F 124
Green, The. N9 —1C 38
Green, The. N14 —1A 38
Green, The. N21 —7A 30
Green, The. B'more —1H 85 (4F 33)
Green, The. Buck H —7H 93
Green, The. Chelm —7H 61
Green, The. Chig S —3B 60
Green, The. Fee —9A 172
Green, The. Har —5G 201
Green, The. Hat P —3N 63
Green, The. Hav —9C 96
Green, The. Lgh S —8D 122
Green, The. Mis —4L 165
Green, The. Noak H —9G 97
Green, The. Ors —5C 148
Green, The. Saf W —2K 205
Green, The. Sidc —5J 47
Green, The. S Ock —3G 146
Green, The. Stan H —4M 149
Green, The. Ten —2F 190
Green, The. They B —6C 80 (5H 31)
Green, The. Til —2H 49
Green, The. Wal A —4C 78
Green, The. Wen —7J 145
Green, The. W Til —4G 158
Green, The. Widd —4A 12
Green, The. Wfd G —2G 109
Green, The. Writ —1K 73 (1J 33)
Green Trees. Epp —1F 80
Grn. Trees Av. Cold N —4H 35
Green Tye. —2H 21
Greenview. Can I —9F 136
(off Helmsdale)
Green View Pk. Clac S —7L 187
Green Wlk. Dart —9D 154
Green Wlk. Lou —6L 93
Green Wlk. Ong —9K 69
Green Wlk. Wfd G —3L 109 (2G 39)
Green Wlk., The. E4 —7D 92
Greenway. Bill —7M 101
Green Way. Coln E —3H 15
Greenway. Dag —4H 127
Greenway. Frin S —9J 183
Greenway. H'low —3L 55
Greenway. Hut —6K 99
Greenway. Romf —3M 113
Green Way. Wfd G —2J 109
Greenway Av. E17 —8D 108
Greenway Clo. Clac S —6M 187
Greenway Gdns. Brain —1D 198
Greenways. Ben —4C 136
Greenways. Can I —9F 136
Greenways. Chelm —5K 61
Greenways. Fee —7D 202
Greenways. Gosf —4E 14
Greenways. Mal —6J 203
Greenways. R'fd —5L 123
Greenways. Saf W —6L 205
Greenways. Sth S —7C 140
Greenways Ct. Horn —1H 129
Greenways, The. Cogg —7L 195
Greenway, The. Clac S —6M 187
Greenway, The. Runw —5K 103
Greenwich. —2E 46
Greenwich Borough Museum. —1H 47
(off Speranza St.)
Greenwich High Rd. SE8 —2D 46
Greenwich Park. —2E 46
Greenwich S. St. SE10 —2E 46
Greenwood Av. Ben —5E 136
Greenwood Av. Dag —6N 127
Greenwood Dri. E4 —2D 108
Greenwood Gdns. Ilf —4B 110
Greenwood Gro. Colc —4C 168
Greenwood Mans. Bark —9F 126
(off Lansbury Av.)
Greenwood Rd. Chig —1G 110
Greenyard. Wal A —3C 78
Greg Clo. E10 —1C 124
Gregory Clo. Hock —3E 122
Gregory Rd. Romf —8J 111
Gregory St. Sud —5J 9
Gregson's Ride. Lou —8N 79
Grendel Way. Hol S —7C 188
Grenfell Av. Hol S —6B 188
Grenfell Av. Horn —3D 128
Grenfell Clo. Colc —6C 168
Grenfell Gdns. Ilf —9E 110
Grennan Clo. Ingve —3N 115
Grenville Gdns. Wfd G —5J 109
Grenville Rd. Brain —6G 193
Gresham Clo. Brtwd —9F 98
Gresham Ct. Brtwd —9F 98
Gresham Dri. Romf —9G 110
Gresham Lodge. E17 —9B 108
Gresham Rd. Brtwd —9F 98
Gresley Clo. Colc —5N 167
Gresley Lodge. Pits —1J 135
Greville Clo. W on N —2M 183
Greville Rd. E17 —8C 108
Greyfriars. Hut —6L 99
Greygoose Pk. H'low —6N 55
Greyhound Hill. L'ham —4E 162 (3G 17)
Greyhound La. SW16 —5A 46
Greyhound La. Ors —9C 148
Greyhound Retail Pk. Sth S —5M 139
Greyhound Ter. SW16 —6A 46
Greyhound Way. Sth S —5M 139
Grey Ladys. Chelm —8C 74
Greys Hollow. R Grn —3A 12
Greystone Gdns. Ilf —6B 110
Greystone Path. E11 —2F 124
(off Mornington Rd.)
Greystones Clo. Colc —3H 175
Grey Towers. Horn —2G 129
Grey Towers Av. Horn —3H 129
Grey Towers Gdns. Horn —2G 129
Gridiron Pl. Upm —4M 129
Grieves Ct. S'way —2D 174
Griffin Av. Can I —9J 137
Griffin Av. Hat P —3L 63
Griffin Av. Upm —1B 130
Griffin Rd. SE18 —1H 47
Griffins, The. Grays —9L 147
Griffith Clo. Dag —3H 127
Grifon Rd. Chaf H —2F 156
Griggs App. Ilf —4B 126 (4H 39)
Griggs Gdns. Horn —7G 129
Griggs Rd. E10 —1C 124
Grimshaw Way. Romf —9D 112
Grimstone Clo. Romf —3N 111
Grimston Rd. Bas —7G 119
Grimston Rd. Colc —2A 176
Grimston Way. W on N —7L 183
Grinstead La. L Hall —3A 22
Grip, The. Lin —2C 6
Groom Pk. Clac S —9J 187
Groom Side. Brain —6J 193
Grooms La. Sil E —3M 207
Grosvenor Av. N5 —5B 38
Grosvenor Clo. Chelm —3E 74
Grosvenor Clo. Lou —9A 80
Grosvenor Clo. Tip —6D 212
Grosvenor Ct. E10 —3B 124
Grosvenor Ct. Sth S —4L 139
Grosvenor Ct. Wclf S —7H 139
Grosvenor Dri. Horn —3G 128
Grosvenor Dri. Lou —1A 94
Grosvenor Gdns. Bill —4J 101
Grosvenor Gdns. Upm —3A 130
Grosvenor Gdns. Wfd G —3G 109
Grosvenor Ho. Bis S —9A 208
Grosvenor Mans. Wclf S —6H 139
(off Grosvenor Rd.)
Grosvenor M. Wclf S —7H 139
Grosvenor Pk. Rd. E17 —9A 108
Grosvenor Path. Lou —9A 80
Grosvenor Rise E. E17 —9B 108
Grosvenor Rd. E7 —8H 125
Grosvenor Rd. E10 —3C 124
Grosvenor Rd. E11 —9H 109
Grosvenor Rd. N10 —2A 38
Grosvenor Rd. SW1 —2A 46
Grosvenor Rd. Ben —6E 136
Grosvenor Rd. Dag —3L 127
Grosvenor Rd. Ilf —5B 126
Grosvenor Rd. Ors —6F 148
Grosvenor Rd. Romf —2B 128
Grosvenor Rd. Wclf S —7H 139
Grove Av. N10 —2A 38
Grove Av. Bas —3K 133
Grove Av. W on N —6L 183
Grove Av. W Mer —4K 213
Grovebury Clo. Eri —4B 154
Grovebury Rd. SE2 —9G 143
Grove Clo. Ray —5M 121
Grove Cotts. Cop —4M 173
Grove Ct. D'mw —9M 197
Grove Ct. Ray —6N 121
Grove Ct. Wal A —3B 78
Grove Ct. Wclf S —3G 139
Grove Cres. E18 —6F 108
Grove Cres. Rd. E15 —8D 124
Grove End. E18 —6F 108
Grove Farm Rd. Tip & Tol M —4K 25
Grove Field. Brain —5D 14
Grove Flats, The. W on N —6L 183
Grove Gdns. E15 —8E 124
Grove Gdns. Dag —5A 128
Grove Grn. Rd. E10 & E11 —4E 38
Grove Grn. Rd. E11 —5C 124
Groveherst Rd. Dart —8K 155
Grove Hill. E18 —6F 108
Grove Hill. Ded —4K 163
Grove Hill. L'ham —4F 162 (3G 17)
Grove Hill. Lgh S —8A 122
Grove Hill. Stans —2E 208 (6A 12)
Grove Ho. War —1E 114
Grovelands Rd. W'fd —1L 119
Grovelands Way. Grays —3J 157
Grove La. SE5 —2B 46
Grove La. Chig —9E 94
Grove La. Epp —9F 66
Grove La. Hark —1F 19
Grove Orchard. Brain —5D 14
Grove Park. —4F 47
Grove Pk. E11 —1H 125
Grove Pk. Av. E4 —4B 108
Grove Pk. Rd. SE12 —4F 47
Grove Pk. Rd. Rain —1E 144
Grove Pl. Bark —1B 142
Grove Rd. E4 —1C 108
Grove Rd. E9 —6C 38
Grove Rd. E11 —2F 124
Grove Rd. E17 —1B 124 (3D 38)
Grove Rd. E18 —6F 108
Grove Rd. Ben —4D 136
Grove Rd. B'ley —1A 18
Grove Rd. Bexh —9A 154
Grove Rd. Bill —6H 101
Grove Rd. Can I —1J 153
Grove Rd. Chelm —1C 74
Grove Rd. Felix —1K 19
Grove Rd. Grays —4L 157
Grove Rd. L Cla —9H 181
Grove Rd. L Hth —2G 127
Grove Rd. Mitc —6A 46
Grove Rd. Ray —5M 121 (2F 43)
Grove Rd. Romf —4J 39
Grove Rd. Stan H —5M 149
Grove Rd. Tip —6D 212 (3K 25)
Grover Wlk. Corr —2A 150
Groves Clo. S Ock —7C 146
Groveside Rd. E4 —8E 92
Grove St. SE8 —1D 46
Grove, The. (Junct.) —4C 46
Grove, The. E15 —8E 124 (5E 38)
Grove, The. Bick —9F 76
Grove, The. Bill —4L 101
Grove, The. Brtwd —1C 114
Grove, The. Clac S —2K 191
Grove, The. E Col —3C 196
Grove, The. Sth S —4N 139
Grove, The. Stan H —5M 149
Grove, The. Upm —7M 129
Grove, The. Wthm —5D 214 (4G 25)
Grove Vale. SE22 —3B 46
Grove Vs. Gt Sal —6A 14
Grove Wlk. Shoe —7J 141
Groveway. Dag —5J 127
Grovewood Av. Lgh S —8A 122
Grovewood Clo. Lgh S —8A 122
Grovewood Pl. Wfd G —3M 109
Grubb St. —6E 48
Grymes Dyke Ct. S'way —9F 166
Gryme's Dyke Way. S'way —3F 174
Guardian Bus. Cen. H Hill —4H 113
Guardian Clo. Horn —3F 128
Guardsman Clo. War —2G 115
Gubbins La. Romf —4K 113 (2C 40)
Guelph's La. Thax —2K 211
Guernsey Ct. Mal —6J 203
Guernsey Gdns. W'fd —7L 103
Guernsey Rd. E11 —3D 124
Guernsey Way. Brain —6F 192
Guildford Gdns. Romf —3J 113
Guildford Rd. E17 —5C 108
Guildford Rd. Colc —7A 168
Guildford Rd. Ilf —4D 126
Guildford Rd. Romf —3J 113
Guildford Rd. Sth S —5M 139
Guildhall Way. A'dn —5D 6
Guild Way. Eri —5D 154
Guild Way. S Fer —1L 105
Guilfords. H'low —7J 53
Guilford St. WC1 —6A 38
Guinea Clo. Brain —4M 193
Guithavon Rise. Wthm —5C 214
Guithavon Rd. Wthm —6C 214
Guithavon St. Wthm —5C 214
Guithavon Valley. Wthm —5C 214 (4F 25)
Gulls Croft. Brain —5M 193
Gull's La. Ded —5N 163
Gull Wlk. Horn —9F 128
Gulpher Rd. Felix —1K 19
Gumley Rd. Grays —4G 157
Gunfleet. Shoe —7G 141
Gunfleet Clo. W Mer —2J 213
Gun Hill. Ded —1H 163 (2G 17)
Gun Hill. W Til —4F 158 (2H 49)
Gun Hill Pl. Bas —1D 134
Gunners Gro. E4 —9C 92
Gunners Rd. Shoe —7L 141
Gurdon Rd. Colc —3N 175
Gurenne Ct. E4 —7C 92
Gurney Benham Clo. Colc —2J 175
Gurney Clo. E15 —7E 124
Gurney Clo. Bark —8A 126
Gurney Rd. E15 —7E 124
Gurton Rd. Cogg —7L 195
Gustedhall La. Hock —5D 122 (2H 43)
Gutteridge Hall La. Wee —7B 180 (1C 28)
Gutteridge La. Stap A —5A 96
Gutters La. Broom —4K 61
Guys Farm Rd. S Fer —1K 105
Guysfield Clo. Rain —1E 144
Guysfield Dri. Rain —1E 144
Guys Retreat. Buck H —6J 93
Gwendalen Av. Can I —1K 153
Gwyn Clo. Bore —3C 62
Gwynne Pk. Av. Wfd G —3M 109
Gwynne Rd. Har —3M 201
Gyllyngdune Gdns. Ilf —4E 126
Gypsy La. Fee —7E 172
Gypsy La. Gt Amw —6D 20

Haarlem Rd. Can I —1D 152
Haarle Rd. Can I —3K 153
Haase Clo. Can I —8G 137
Habgood Rd. Lou —2L 93
Hackamore. Ben —1H 137
Hackman's La. Cock C —7L 77 (3F 35)
Hackney. —5C 38
Hackney Rd. E2 —6B 38
Hackney Wick. —8A 124 (5D 38)
Hackney Wick. (Junct.) —5D 38
Hackney Wick Stadium. —8A 124 (5D 38)
Hacks Dri. Ben —8H 121
Hacton. —7K 129 (5C 40)
Hacton Dri. Horn —6H 129
Hacton La. Horn & Upm —4K 129 (4C 40)
Hacton Pde. Horn —5K 129
Haddon Clo. Ray —3G 120
Haddon Mead. S Fer —3K 105
Haddon Pk. Colc —9C 168
Hadfelda Sq. Hat P —2L 63
Hadfield Rd. Stan H —4M 149
Hadham Cross. —2G 21
Hadham Ford. —1G 21
Hadham Rd. Bis S —1J 21
Hadham Rd. Stdn —7E 10
Hadleigh. —3L 137 (4F 43)
Hadleigh Castle. —6K 137 (4F 43)
Hadleigh Castle Country Park. —6K 137 (5F 43)
Hadleigh Ct. E4 —6E 92
Hadleigh Ct. Brtwd —9D 98
Hadleigh Ct. Saf W —3M 205
(off Carnation Dri.)
Hadleigh Hall Ct. Lgh S —5B 138
(off Hadleigh Rd.)
Hadleigh Pk. Av. Ben —3J 137
Hadleigh Rd. Clac S —9F 186
Hadleigh Rd. E Ber —1J 17
Hadleigh Rd. Frin S —9J 183
Hadleigh Rd. Hghm —1G 17
Hadleigh Rd. Hol M —1J 17
Hadleigh Rd. Lgh S —5B 138 (4G 43)
Hadleigh Rd. Wclf S —7K 139
Hadley Clo. Brain —5D 14
Hadley Grange. H'low —4H 57
Hadley Rd. Cockf & Enf —5A 30
Hadley Way. N21 —7A 30
Hadrian Clo. Colc —1B 168
Hadrians Clo. Wthm —7B 214
Hadstock. —3D 6
Hadstock Common. —4C 6
Haggars La. Frat —3E 178
Hagger Ct. E17 —7D 108
Haggers Clo. Gt Che —3L 197
Haggerston. —6B 38
Ha Ha Rd. SE18 —2G 47
Haig Ct. Chelm —1B 74
Haig Rd. Grays —1C 158
Haigville Gdns. Ilf —8A 110
Hailes Wood. Else —7D 196
Hailes Wood Clo. Else —8D 196
Hailey. —1A 54 (6D 20)
Hailey Av. Hod —1A 54
Hailey La. Hail —1A 54 (6C 20)
Hailey Rd. Eri —9M 143
Hailmores. Brox —7A 54
Hailsham Clo. Romf —2G 113
Hailsham Cres. Bark —7E 126
Hailsham Gdns. Romf —2G 112
Hailsham Rd. Romf —2G 112
Hainault. —2F 110 (2J 39)
Hainault Av. R'fd —3H 123
Hainault Av. Wclf S —4J 139
Hainault Clo. Ben —2L 137
Hainault Ct. E17 —8D 108
Hainault Forest Country Park. —9J 95 (1J 39)
Hainault Gore. Romf —9K 111
Hainault Gro. Chelm —1N 73
Hainault Gro. Chig —1B 110
Hainault Ind. Est. Ilf —2H 111
Hainault Rd. E10 —4E 38
Hainault Rd. E11 —3C 124
Hainault Rd. Chad H —1L 127
Hainault Rd. Chig —9A 94 (1G 39)
Hainault Rd. Col R —6A 112
Hainault Rd. L Hth —4G 110
Hainault Rd. N Fam —5H 35
Hainault Rd. Romf —2J 39
Hainault St. Ilf —4B 126
Halbutt Gdns. Dag —5L 127
Halbutt St. Dag —6L 127
Halcyon Cvn. Pk. Hull —4M 105
Halcyon Way. Horn —3K 129
Haldane Rd. SE28 —7J 143
Haldan Rd. E4 —3C 108
Haldon Clo. Chig —2D 110
Hale Clo. E4 —9C 92
Hale End. —3D 108 (2E 38)
Hale End. Romf —3F 112
Hale End Rd. E4 & Wfd G —4D 108 (2E 38)
Hale End Rd. E17 —5D 108
Hale Ho. Horn —1E 128
(off Benjamin Clo.)
Hale Rd. N17 —3C 38
Hale Rd. Hert —5B 20
Halesworth Clo. Romf —4J 113
Halesworth Rd. Romf —3J 113
Hale, The. E4 —4D 108
Halfacre La. Har —5J 201
Halfacres. Wthm —8D 214
Halfhide La. Chesh —3C 30
Halfhides. Wal A —3D 78
Half Moon La. SE24 —3B 46
Half Moon La. Epp —1E 80
Halford Rd. E10 —9D 108
Halfpence La. Cob —6J 49
Halfway Ct. Purf —2L 155
Halfway St. Sidc —4H 47
Halidon Rise. Romf —3M 113
Hallam Clo. Dodd —6E 84
Hallam Ct. Bill —4H 101
Hall Av. Ave —8N 145
Hall Barns, The. Epp —1M 79
Hall Bri. Rise. H'bri —4L 203
Hall Chase. M Tey —3K 173
Hall Clo. Gt Bad —4H 75
Hall Clo. Hen —4C 12
Hall Clo. Romf —4F 112
Hall Clo. Stan H —1N 149
Hall Cotts., The. Cop —4N 173
Hall Cres. Ave —9N 145
Hall Cres. Ben —3J 137
Hall Cres. Hol S —7C 188
Hallcroft Chase. H'wds —3C 168
Hall Cut. B'sea —7E 184
Hall Est. Gold —7A 26
Hallet Rd. Can I —2L 153
Halley Rd. E7 & E12 —8J 125
Hall Farm Clo. Ben —5D 136
Hall Farm Clo. Fee —6D 202
Hall Farm Rd. Ben —4D 136
Hall Green. —6E 8
Hall Grn. L Hall —3A 22
Hall Grn. La. Hut —6M 99 (7G 33)
Halliford St. N1 —5B 38
Hallingbury Clo. L Hall —2K 21
Hallingbury Ct. E17 —7B 108
Hallingbury Rd. Bis S —1K 21
Hallingbury Rd. Saw —1M 53 (4K 21)
Hallingbury Street. —2B 22
Halling Hill. H'low —1D 56
(in two parts)
Hall Lane. (Junct.) —1C 38
Hall La. E4 —1A 108 (1D 38)
Hall La. Har —5J 201 (3H 19)
Hall La. H Grn —5L 75
Hall La. Ing —7D 86 (6H 33)
Hall La. Ridg —5B 8
Hall La. S'don —4K 75
Hall La. Shenf —6J 99 (6F 33)
Hall La. S Ock —2G 146
Hall La. T Sok —6M 181
Hall La. Upm —6N 113 (4D 40)
Hall La. W on N —4N 183 (7H 19)
(in two parts)
Hall La. W Han —4D 88
Hallowell Down. S Fer —2L 105
Hall Pk. Av. Wclf S —6G 138
Hall Pk. Rd. Upm —7N 129
Hall Pk. Way. Wclf S —6G 138
Hall Place. —3A 48
Hall Rise. Wthm —7C 214
Hall Rd. E11 —5E 38
Hall Rd. E15 —6D 124
Hall Rd. Ashel —4D 36
Hall Rd. Ave —9N 145
Hall Rd. Bel W —5G 9
Hall Rd. Bor —4H 9
Hall Rd. Chad H —1H 127
Hall Rd. Cop —3N 173
Hall Rd. Dart —9K 155
Hall Rd. Else —8D 196 (5B 12)
Hall Rd. For —2A 166
Hall Rd. Gid P —7F 112
Hall Rd. Gt Bro —4A 170 (5J 17)
Hall Rd. Gt Tot —8N 213 (6H 25)
Hall Rd. H'bri —4L 203
Hall Rd. Hock & R'fd —4F 122 (2H 43)
Hall Rd. Hund —1C 8
Hall Rd. Ked —1A 8
Hall Rd. M Bur —3A 16
Hall Rd. N'fleet —4G 49
Hall Rd. Pan —1B 192 (6B 14)
Hall Rd. S'min —7M 207 (5D 36)
Hall Rd. Tip —7C 212 (4K 25)
Hall Rd. Tol —8K 211
Hall Rd. W Ber —2D 166 (4C 16)
Hall Rd. Cotts. W Ber —1E 166
Hall Rd. Ind. Est. S'min —8N 207
Hallsford Bri. Ind. Est. Ong —1N 83
Halls Green. —6J 55 (7F 21)
Hall St. Chelm —1C 74
Hall St. L Mel —3J 9
Hall Ter. Ave —9A 146
Hall Ter. Romf —4L 113
Hall View Rd. Gt Ben —7K 179
Hallwood Cres. Shenf —6H 99
Halstead. —4K 199 (3F 15)
Halstead Hill. Chesh —3B 30
Halstead Ho. Romf —3H 113
(off Dartfields)
Halstead Rd. E11 —9G 109
Halstead Rd. N21 —7B 30

Halstead Rd. *Aldh & Eig G* —6A **166** (5B **16**)
Halstead Rd. *Brain* —5E **14**
Halstead Rd. *E Col* —2A **196** (4H **15**)
Halstead Rd. *Eri* —6C **154**
Halstead Rd. *For* —5A **16**
Halstead Rd. *Gosf* —3E **14**
Halstead Rd. *Kir X* —8E **182** (1F **29**)
Halstead Rd. *Lex H* —8C **166** (6C **16**)
Halstead Rd. *Sib H* —9D **206** (2E **14**)
Halstead Way. *Hut* —5M **99**
Halston Ct. *Corr* —1C **150**
Halston Pl. *Mal* —8J **203**
Halstow Way. *Pits* —1K **135**
Halt Dri. *Linf* —2J **159**
Halton Rd. *Grays* —1E **158**
Halt Robin Rd. *Belv* —2A **154**
(in two parts)
Haltwhistle Rd. *S Fer* —9J **91**
Halyard Reach. *S Fer* —3L **105**
Hamberts Rd. *S Fer* —8K **91**
Hamble Clo. *Wthm* —5B **214**
Hamble La. *S Ock* —5C **146**
Hamble Way. *Bur C* —2K **195**
Hamboro Gdns. *Lgh S* —5A **138**
Hambro Av. *Ray* —3K **121**
Hambro Clo. *Ray* —3L **121**
Hambro Hill. *Ray* —2L **121** (1F **43**)
Hambro Ho. Shenf —5L ***99***
(off Rayleigh Rd.)
Hambro Rd. *Brtwd* —8G **98**
Hamden Cres. *Dag* —5N **127**
Hamel Way. *Widd* —3B **12**
Hamford Clo. *W on N* —4N **183**
Hamford Dri. *Gt Oak* —5E **18**
Hamfrith Rd. *E15* —8F **124**
Hamilton Av. *Hod* —3A **54**
Hamilton Av. *Ilf* —8A **110**
Hamilton Av. *Romf* —6B **112**
Hamilton Clo. *Lgh S* —4N **137**
Hamilton Ct. *Chelm* —4F **60**
Hamilton Ct. Eri —5D ***154***
(off Frobisher Rd.)
Hamilton Ct. *S Fer* —2L **105**
Hamilton Cres. *War* —1F **114**
Hamilton Dri. *Romf* —6J **113**
Hamilton Gdns. *Hock* —9D **106**
Hamilton M. *Ray* —4M **121**
Hamilton M. *Saf W* —3M **205**
Hamilton Rd. *Colc* —1L **175**
Hamilton Rd. *Felix* —1K **19**
Hamilton Rd. *Gt Hol* —9D **182**
Hamilton Rd. *Ilf* —6A **126**
Hamilton Rd. *L Can* —7F **210**
Hamilton Rd. *Romf* —9F **112**
Hamilton Rd. *W'hoe* —6H **177**
Hamilton St. *Har* —2H **201**
Hamilton Wlk. *Eri* —5D **154**
Hamlet Clo. *Romf* —4M **111**
Hamlet Ct. *Bures* —8C **194**
Hamlet Ct. M. *Wclf S* —5K **139**
Hamlet Ct. Rd. *Wclf S* —6J **139** (5J **43**)
Hamlet Dri. *Colc* —8F **168**
Hamlet Hill. *Roy* —7G **54** (1E **30**)
Hamlet Ho. *Eri* —5C **154**
Hamlet Ind. Est. *E9* —9A **124**
Hamlet International Ind. Est. *Eri* —2B **154**
Hamlet Rd. *SE19* —5B **46**
Hamlet Rd. *Chelm* —1C **74**
Hamlet Rd. *H'hll* —3J **7**
Hamlet Rd. *Romf* —4M **111**
Hamlet Rd. *Sth S* —7L **139**
Hamley Clo. *Ben* —9B **120**
Hammarskjold Rd. *H'low* —2B **56**
Hammond Ct. *E10* —4B **124**
Hammonds Clo. *Dag* —5H **127**
Hammonds La. *Bill* —1L **117**
Hammonds La. *Gt War* —3E **114**
Hammonds Rd. *Hat O* —3C **22**
Hammonds Rd. *S'don & L Bad* —1L **75** (2C **34**)
Hammond Street. —**3B 30**
Hammondstreet Rd. *Chesh* —2A **30**
Hammond Way. *SE28* —7G **142**
Ham Pk. Rd. *E15 & E7* —9F **124**
Hampden Clo. *N Wea* —6M **67**
Hampden Cres. *War* —1F **114**
Hampden Rd. *Grays* —3L **157**
Hampden Rd. *Romf* —4N **111**
Hampden Way. *N14* —7A **30**
Hamperden End. —**3D 12**
Hampit Rd. *A'den* —1J **11**
Hampshire Gdns. *Linf* —9J **149**
Hampshire Rd. *Horn* —8L **113**
Hampstead Av. *Clac S* —8H **187**
Hampstead Clo. *SE28* —8G **142**
Hampstead Gdns. *Chad H* —9G **110**
Hampstead Gdns. *Hock* —9E **106**
Hampstead Rd. *NW1* —6A **38**
Hampton Clo. *Sth S* —2K **139**
Hampton Ct. *Hock* —1B **122**
Hampton Gdns. *Saw* —5G **53**
Hampton Gdns. *Sth S* —1K **139**
Hampton Ho. *Chelm* —4E **74**
Hampton Mead. *Lou* —2A **94**
Hampton Rd. *E4* —2A **108**
Hampton Rd. *E7* —7H **125**
Hampton Rd. *E11* —3D **124**
Hampton Rd. *Chelm* —4F **74**
Hampton Rd. *Ilf* —6A **126**
Hamstel Rd. *H'low* —2A **56**
Hamstel Rd. *Sth S* —3B **140** (4K **43**)
Hanbury Gdns. *H'wds* —2B **168**
Hanbury Rd. *Chelm* —2N **73**
Hance La. *Rayne* —6B **192**
Hanchet End. —**2H 7**
Hanchetts Orchard. *Thax* —2K **211**
Handcroft Rd. *Croy* —7A **46**
Handel Cres. *Til* —5C **158**
Handel Rd. *Can I* —3K **153**
Handel Wlk. *Colc* —9E **168**
Handforth Rd. *Ilf* —5A **126**
Hand La. *Saw* —3H **53**
Handley Green. —**1G 86 (4H 33)**
Handley Grn. *Bas* —1L **133**
Handleys Chase. *Lain* —5A **118**
Handleys Ct. *Lain* —5A **118**
Handley's La. *W Bis* —7L **213**
(in two parts)
Handsworth Av. *E4* —3D **108**
Handtrough Way. *Bark* —2A **142**
Handy Fisher Ct. *Colc* —2J **175**
Hanford Rd. *Ave* —8N **145**
Hangboy Slade. *Lou* —7M **79**
Hanging Hill La. *Hut* —1F **41**
Hanging Hill La. *Ingve* —9L **99**
Hangings, The. *Har* —3K **201**
Hankin Av. *Dov* —6E **200**
Hanlee Brook. *Gt Bad* —5G **74**
Hanley Rd. *N4* —4A **38**
Hanmore Bldgs. *E4* —7D **92**
Hannah Clo. *Can I* —8G **137**
Hannards Way. *Ilf* —2G **110**
Hannett Rd. *Can I* —2L **153**
Hanningfield Clo. *Ray* —4G **120**
Hanningfield Reservoir Bird Sanctuary. —8H **89** (5B **34**)
Hanningfield Way. *H'wds* —2B **168**
Hanover Clo. *Bas* —1F **134**
Hanover Ct. *Har* —4L **201**
Hanover Ct. *Hod* —4A **54**
Hanover Ct. Wal A —3C ***78***
(off Quakers La.)
Hanover Ct. *W on N* —6K **183**
Hanover Ct. *Wthm* —6D **214**
Hanover Dri. *Bas* —9F **118**
Hanover Gdns. *Ilf* —4B **110**
Hanover M. *Hock* —1C **122**
Hanover Pk. *SE15* —2C **46**
Hanover Pl. *Saf W* —4J **205**
Hanover Sq. *Fee* —8B **172**
Hansells Mead. *Roy* —3H **55**
Hanson Clo. *Lou* —1B **94**
Hanson Ct. *E17* —1B **124**
Hanson Dri. *Lou* —1B **94**
Hanson Grn. *Lou* —1B **94**
Hanwell Clo. *Clac S* —8H **187**
Harberts Rd. *H'low* —3A **56** (7G **21**)
Harberts Way. *Ray* —2J **121**
Harbet Rd. *N18 & E4* —2C **38**
Harborough Hall La. *Mess* —2K **25**
Harborough Hall Rd. *Mess* —1D **212**
Harbour Cres. *Har* —2N **201**
Harbourer Clo. *Ilf* —2G **110**
Harbourer Rd. *Ilf* —2G **110**
Harcamlow Way. *Newp* —7F **204**
Harcamlow Way. *Saf W* —2M **205**
Harcamlow Way. *Thax* —4J **211**
Harcourt Av. *E12* —6M **125**
Harcourt Av. *Har* —3J **201**
Harcourt Av. *Sth S* —5L **139**
Harcourt Ho. *Sth S* —5L **139**
Hardie Rd. *Dag* —5A **128**
Hardie Rd. *Stan H* —3M **149**
Harding Rd. *Grays* —1C **158**
Hardings Clo. *Aldh* —5A **16**
Hardings Elms Rd. *Cray H* —3C **118** (2A **42**)
Harding's La. *Ing* —2B **86**
Hardings Reach. *Bur C* —4M **195**
Hardley Cres. *Horn* —8H **113**
Hardwick Clo. *Ray* —6K **121**
Hardwick Ct. *Eri* —4B **154**
Hardwick Ct. *Sth S* —3K **139**
Hardwicke St. *Bark* —1B **142**
Hardy. *Shoe* —9H **141**
Hardy Clo. *Brain* —8J **193**
Hardy Ct. *Eri* —5D **154**
Hardy Gro. *Dart* —9L **155**
Hardy's Green. —**8N 173 (1B 26)**
Hardy's Way. *Can I* —8G **136**
Harebell Clo. *Bill* —4H **101**
Harebell Clo. *H'wds* —4B **168**
Harebell Dri. *Wthm* —4B **214**
Harebell Way. *Romf* —4H **113**
Hare & Billet Rd. *SE10 & SE10* —2E **46**
Harefield. *H'low* —2F **56**
Hare Green. —**9F 170 (6K 17)**
Hare Hall La. *Romf* —8F **112**
Hares Chase. *Bill* —5H **101**
Haresfield Rd. *Dag* —8M **127**
Haresland Clo. *Ben* —9M **121**
Hare Street. —**4E 10**
(nr. Buntingford)
Hare Street. —**3A 56 (7G 21)**
(nr. Harlow)
Hare Street. —**4H 83 (5C 32)**
(nr. Little End)
Hare St. *H'low* —3A **56**
Hare St. Rd. *Bunt* —4D **10**
Hare St. Springs. *H'low* —3B **56**
Harewood Av. *R'fd* —2H **123**
Harewood Dri. *Ilf* —6M **109**
Harewood Hill. *They B* —5D **80**
Harewood Rd. *Chelm* —1N **73**
Harewood Rd. *Pil H* —5E **98**
Harford Clo. *E4* —6B **92**
Harford Rd. *E4* —6B **92**
Harfred Av. *Hey B* —8N **203**
Hargrave Clo. *Stans* —1D **208**
Harkilees Way. *Brain* —3H **193**
Harkness Clo. *Romf* —2K **113**
Harknett's Gate. —**9L 55**
Harkstead. —**1E 18**
Harkstead Rd. *Holb* —1D **18**
Harlech Clo. *Pits* —1J **135**
Harlequin Rd. *H'low* —3G **57**
Harlequin Steps. Sth S —7A ***140***
(off Hawtree Clo.)
Harlesden Clo. *Romf* —4K **113**
Harlesden Rd. *Romf* —3K **113**
Harlesden Wlk. *Romf* —4K **113**
Harley Ct. *E11* —2G **124**
Harleyford Rd. *SE11* —2A **46**
Harley Ho. *E11* —2D **124**
Harley St. *Lgh S* —5B **138**
Harlings Gro. *Chelm* —8K **61**
Harlow. —**2C 56 (7H 21)**
Harlow Bus. Pk. *H'low* —3L **55**
Harlow Comn. *H'low* —6H **57** (7J **21**)
Harlow Gdns. *Romf* —3A **112**
Harlow Mans. Bark —9A ***126***
(off Whiting Av.)
Harlow Museum. —5B **56** (7H **21**)
Harlow Rd. *Mat T* —6A **22**
Harlow Rd. *More* —7B **22**
Harlow Rd. *Rain* —1D **144**
Harlow Rd. *Roy* —7F **21**
Harlow Rd. *Saw* —5N **53** (5J **21**)
Harlow Rd. *Srng* —5N **53** (5K **21**)
Harlow Seedbed Cen. H'low —4N ***55***
(off Lovet Rd.)
Harlow Study & Visitors Centre.
(off Tendring Rd.) —4E ***56*** *(7H **21**)*
Harlow Tye. —**9N 53**
Harlton Ct. *Wal A* —4F **78**
Harman Av. *Wfd G* —3F **108**
Harman Clo. *E4* —1D **108**
Harman Wlk. *Clac S* —8G **187**
Harmer St. *Grav* —3H **49**
Harness Clo. *Chelm* —4N **61**
Harness Rd. *SE28* —9F **142**
Harnham Dri. *Bla N* —1C **198**
Harold Clo. *H'std* —5L **199**
Harold Clo. *H'low* —4M **55**
Harold Ct. *H Wood* —4M **113**
Harold Ct. Rd. *Romf* —3M **113**
Harold Cres. *Wal A* —2C **78**
Harold Gdns. *W'fd* —7M **103**
Harold Gro. *Frin S* —1J **189**
Harold Hill. —**2J 113 (1C 40)**
Harold Hill Ind. Est. *H Hill* —4H **113**
Harold Park. —**3M 113 (2C 40)**
Harold Rd. *E4* —1C **108**
Harold Rd. *E11* —3E **124**
Harold Rd. *SE19* —5B **46**
Harold Rd. *Brain* —5G **192**
Harold Rd. *Clac S* —1K **191**
Harold Rd. *Frin S* —1J **189**
Harold Rd. *Wfd G* —5G **109**
Harold's Bridge. —3C **78** (4E **30**)
Haroldś Rd. *H'low* —4M **55**
Harold View. *Romf* —6K **113**
Harold Way. *Frin S* —1J **189**
Harold Wilson Ho. *SE28* —8G **143**
Harold Wood. —**5K 113 (2C 40)**
Harold Wood Hall. H Hill —5H ***113***
(off Widecombe Clo.)
Haron Clo. *Can I* —2H **153**
Harpenden Rd. *E12* —4J **125**
Harper Rd. *SE1* —1B **46**
Harper's Hill. *Nay* —1D **16**
Harpers La. *Dodd* —7G **84**
Harper Way. *Ray* —4J **121**
Harpour Rd. *Bark* —8B **126**
Harrap Chase. *Badg D* —3J **157**
Harridge Clo. *Lgh S* —3D **138**
Harridge Rd. *Lgh S* —3D **138**
Harrier Clo. *Horn* —8F **128**
Harrier Clo. *Shoe* —5J **141**
Harrier M. *SE28* —9C **142**
Harrier Way. *Wal A* —4G **78**
Harriescourt. *Wal A* —2G **78**
Harringay. —**3A 38**
Harrington Rd. *E11* —3E **124**
Harris Clo. *W'fd* —2N **119**
Harrison Clo. *Hut* —4N **99**
Harrison Dri. *Brain* —7J **193**
Harrison Dri. *N Wea* —5N **67**
Harrison Gdns. *Hull* —6K **105**
Harrison Rd. *Colc* —3N **175**
Harrison Rd. *Dag* —8N **127**
Harrisons. *Bchgr* —7C **208**
Harrison Vs. *Lou* —2K **93**
Harris Rd. *Dag* —7L **127**
Harrods Ct. *Bill* —6M **101**
Harrogate Dri. *Hock* —8E **106**
Harrogate Rd. *Hock* —9E **106**
Harrold Rd. *Dag* —7G **127**
Harrow Clo. *Hock* —2F **122**
Harrow Cres. *Romf* —4F **112**
Harrowcross. —**8A 206 (2D 14)**
Harrow Dri. *Horn* —1F **128**
Harrow Gdns. *Hock* —2F **122**
Harrow Grn. *E11* —5E **124**
Harrow Hill. *Top* —7B **8**
Harrow Mnr. Way. *SE2* —9H **143**
Harrow Mnr. Way. *SE28* —1J **47**
Harrow Rd. *E11* —5E **124** (4E **38**)
Harrow Rd. *Bark* —1D **142**
Harrow Rd. *Can I* —9H **137**
Harrow Rd. *Clac S* —9K **187**
Harrow Rd. *Ilf* —6B **126**
Harrow Rd. *N Ben* —5N **119** (2C **42**)
Harrow Way. *Chelm* —4H **75**
Harsnett Rd. *Colc* —1B **176**
Harston. —**1G 5**
Harston Rd. *New* —1G **5**
Hart Clo. *Ben* —9G **120**
Hart Ct. *E6* —9N **125**
Hart Cres. *Chig* —2E **110**
Hartford Clo. *Ray* —3G **121**
Hartford End. —**3K 23**
Hartford End. *Bas* —1H **135**
Hartington Pl. *Sth S* —7N **139**
Hartington Rd. *Sth S* —7N **139**
Hartland Clo. *Lgh S* —8C **122**
Hartland Rd. *E15* —9F **124**
Hartland Rd. *Epp* —1F **80**
Hartland Rd. *Horn* —4E **128**
Hartland Way. *Croy* —7C **46**
Hartley. —**6F 49**
Hartley Bottom Rd. *Sev & Hart* —7F **49**
Hartley Clo. *Chelm* —7B **62**
Hartley Green. —**7E 48**
Hartley Hill. —**7F 49**
Hartley Hill. *Hart* —7F **49**
Hartley Rd. *E11* —3F **124**
Hartley Rd. *Long* —6F **49**
Hart Rd. *Ben* —9F **120** (3E **42**)
Hart Rd. *H'low* —7H **53**
Harts Gro. *Wfd G* —2G **108**
Hart's La. *A'lgh* —7F **162** (3G **17**)
Harts La. *Bark* —9A **126**
Hartslock Dri. *SE2* —9J **143**
Hart St. *Brtwd* —8F **98**
Hart St. *Chelm* —1B **74**
Hartswood Clo. *War* —1H **115**
Hartswood Rd. *War & L War* —1H **115** (1E **40**)
Hartwell Dri. *E4* —3C **108**
Harty Clo. *Grays* —8L **147**
Harvard Ct. *Colc* —3B **168**
Harvard Ct. *Ray* —3H **121**
Harvard Wlk. *Horn* —6E **128**
Harvest Clo. *S Fer* —1K **105**
Harvest Ct. *Fee* —6E **202**
Harvest Ct. *Gt Hork* —7J **161**
Harvest End. *S'way* —1E **174**
Harvesters Way. *Gt Tey* —2D **172**
Harvest Rd. *Can I* —9H **137**
Harvest Way. *Elms* —9M **169**
Harvey. *Grays* —9L **147**
Harvey Cen. *H'low* —3B **56**
Harvey Cen. App. *H'low* —3C **56**
Harvey Clo. *Law* —4G **165**
Harvey Clo. *Pits* —6J **119**
Harvey Ct. *E17* —9A **108**
Harvey Cres. *S'way* —2D **174**
Harveyfields. *Wal A* —4C **78**
Harvey Gdns. *E11* —3F **124**
Harvey Gdns. *Lou* —2A **94**
Harvey Ho. *Romf* —8J **111**
Harvey Rd. *E11* —3E **124**
Harvey Rd. *Bas* —5J **119**
Harvey Rd. *Colc* —4J **175**
Harvey Rd. *Gt Tot* —8M **213**
Harvey Rd. *Ilf* —7A **126**
Harvey Rd. *W'hoe* —5H **177**
Harveys La. *Romf* —4B **128**
Harvey St. *H'std* —4L **199**
Harvey Way. *Hpstd* —6G **7**
Harvey Way. *Saf W* —3M **205**
Harwater Dri. *Lou* —1M **93**
Harwich. —**2N 201 (3H 19)**
Harwich Electric Palace Cinema.
(off Kings Quay St.) —1N ***201*** *(2J **19**)*
Harwich Guildhall. —1M ***201*** *(2H **19**)*
(off Church St.)
Harwich High Lighthouse. —2N **201** (2J **19**)
Harwich Ind. Est. *Pkstn* —2H **201**
Harwich Low Lighthouse. —2J **19**
Harwich Low Lighthouse & Maritime Museum. —2N **201** (2J **19**)
Harwich Maritime Museum. —2J **19**
Harwich Redoubt. —2N **201** (2J **19**)
Harwich Rd. *A'lgh* —8L **163** (4H **17**)
Harwich Rd. *Beau & Gt Oak* —6D **18**
Harwich Rd. *Brad* —3C **18**
Harwich Rd. *Colc* —7C **168** (6F **17**)
Harwich Rd. *C Hth* —3H **169** (4G **17**)
Harwich Rd. *Frat* —9C **170** (6J **17**)
Harwich Rd. *Gt Oak* —5E **18**
Harwich Rd. *L Ben* —5L **171**
Harwich Rd. *L Oak* —8D **200** (4F **19**)
Harwich Rd. *Mis* —5M **165** (3B **18**)
Harwich Rd. *T Sok* —1M **181** (1D **28**)
Harwich Rd. *Wee H* —1G **187**
Harwich Rd. *Wix* —4D **18**
Harwich Rd. *Wrab* —3D **18**
Harwich Tourist Information Centre. —3J **201** (3H **19**)
Harwich Treadmill Crane, The. —2N **201** (2J **19**)
Harwood Av. *Horn* —7J **113**
Harwood Clo. *Colc* —2A **176**
Harwood Hall La. *Upm* —8M **129** (5C **40**)
Haselbury Rd. *N18 & N9* —1B **38**
Haselfoot Rd. *Bore* —3G **62**
Haskard Rd. *Dag* —6J **127**
Haskell M. *Brain* —8J **193**
Haskins. *Stan H* —2A **150**
Haslemere Est., The. *Hod* —6D **54**
Haslemere Gdns. *Kir X* —7J **183**
Haslemere Pinnacles Est., The. *H'low* —4N **55**
Haslemere Rd. *Ilf* —4E **126**
Haslemere Rd. *W'fd* —6K **103**
Hasler Clo. *SE28* —7G **143**
Hasler Rd. *Tol* —7K **211**
Haslers Ct. *Ing* —5E **86**
Haslers La. *D'mw* —8L **197**
Haslewood Av. *Hod* —5A **54**
Haslingfield Rd. *Barr* —1E **4**
Hassell Rd. *Can I* —2K **153**
Hassenbrook Rd. *Stan H* —3M **149**
Hastings Av. *Clac S* —4G **191**
Hastings Av. *Ilf* —8B **110**
Hastings Clo. *Grays* —4H **157**
Hastings Pl. *B'sea* —5E **184**
Hastings Rd. *Brom* —7G **47**
Hastings Rd. *Colc* —2H **175**
Hastings Rd. *Romf* —9F **112**
Hastings Rd. *Sth S* —6N **139**
Hastings, The. *W'fd* —7L **103**
Hastingwood. —**7K 57 (1K 31)**
Hastingwood Ct. *E17* —9B **108**
Hastingwood Ct. *Ong* —5K **69**
Hastingwood Rd. *H'wd* —8J **57** (1K **31**)
Hatchard Ct. *Wthm* —7C **214**
Hatchcroft Gdns. *Elms* —9N **169**
Hatches Farm Rd. *L Bur* —2F **116** (1H **41**)
Hatchfields. *Gt Walt* —5H **59**
Hatch Grn. *L Hall* —3A **22**
Hatch Gro. *Romf* —8K **111**
Hatch La. *E4* —1D **108** (1E **38**)
(in two parts)
Hatch Rd. *Pil H* —4D **98** (7E **32**)
Hatch Side. *Chig* —2N **109**
Hatchwood Clo. *Wfd G* —1F **108**
Hatfield Broad Oak. —**3C 22**
Hatfield Clo. *Horn* —7H **129**
Hatfield Clo. *Hut* —6N **99**
Hatfield Clo. *Ilf* —7A **110**
Hatfield Dri. *Bill* —6M **101**
Hatfield Gro. *Chelm* —1M **73**
(in two parts)
Hatfield Heath. —**2C 202 (4B 22)**
Hatfield Heath Rd. *Hat H* —2A **202** (4K **21**)
Hatfield Heath Rd. *Saw* —1M **53** (4K **21**)
Hatfield Peverel. —**2L 63 (6E 24)**
Hatfield Rd. *E15* —7E **124**
Hatfield Rd. *Col G* —6A **20**
Hatfield Rd. *Dag* —8K **127**
Hatfield Rd. *Lang* —7G **25**
Hatfield Rd. *L Bad* —7D **24**
Hatfield Rd. *Ray* —4H **121** (2E **42**)
Hatfield Rd. *Terl* —4D **24**
Hatfield Rd. *W Bis* —6F **25**
Hatfield Rd. *Wthm* —9A **214** (5F **25**)
Hatfields. *Lou* —2A **94**
Hathaway Cres. *E12* —8M **125**
Hathaway Gdns. *Grays* —1K **157**
Hathaway Gdns. *Romf* —9J **111**
Hathaway Rd. *Grays* —1L **157** (1F **49**)
Hatherleigh Way. *Romf* —5H **113**
Hatherley Ct. *Saf W* —3L **205**
Hatherley Gdns. *E6* —6F **39**
Hatherley Ho. *E17* —8A **108**
Hatherley M. *E17* —8A **108**
Hatherley Rd. *E17* —8A **108**
Hatherley, The. *Bas* —8E **118**
Hatley Av. *Ilf* —8B **110**
Hatley Gdns. *Ben* —1B **136**
Hatterill. *Lain* —9L **117** (3K **41**)
Hatton Garden. *EC1* —7A **38**
Haubourdin Ct. *H'std* —4M **199**
Haultwick. —**7C 10**
Havana Clo. *Romf* —9C **112**
Havana Dri. *Ray* —1H **121**
Havant Rd. *E17* —7C **108**
Havelock Rd. *N17* —2C **38**
Havelock St. *Ilf* —4A **126**
Haven Av. *Hol S* —7D **188**
Haven Clo. *Bas* —3F **134**
Haven Clo. *Can I* —2E **152**
Havencourt. *Chelm* —8K **61**
Haven Ct. *Hat P* —2K **63**
Havengore. *Bas* —7K **119**
Havengore. *Chelm* —6N **61**
Havengore Clo. *Gt W* —3N **141**
Haven Pl. *Grays* —9M **147**
Haven Rise. *Bill* —1M **117**
Haven Rd. *Can I* —4C **152** (6D **42**)
Haven Rd. *Colc* —1D **176** (6F **17**)
Havenside. *Gt W* —1J **141**
Haven, The. *Grays* —3C **158**
Haven, The. *Har* —4H **201**
Havenwood Clo. *Gt War* —3F **114**
Haverhill. —**3K 7**
Haverhill By-Pass. *H'hll* —2H **7**
Haverhill & District Local History Museum. —3J **7**
Haverhill Rd. *E4* —7C **92**
Haverhill Rd. *Cas C* —4G **7**
Haverhill Rd. *H'hll* —2J **7**
Haverhill Rd. *Hel B* —5H **7**
Haverhill Rd. *H'hth* —2F **7**
Haverhill Rd. *Stpl B* —1C **210** (4J **7**)
Havering-atte-Bower. —**9C 96 (1A 40)**
Havering Clo. *Clac S* —6J **187**
Havering Clo. *Colc* —6B **168**
Havering Clo. *Gt W* —2M **141**
Havering Country Park. —1A **112** (1A **40**)
Havering Dri. *Romf* —8C **112**
Havering Gdns. *Romf* —9H **111**
Havering Park. —**2N 111**
Havering Rd. *Romf* —7B **112** (2A **40**)
Haverings Grove. —**6E 100 (7H 33)**
Havering Way. *Bark* —3G **142**
Havers La. *Bis S* —1K **21**
Havisham Way. *Chelm* —4G **60**
Havis Rd. *Stan H* —1N **149**
Hawbridge Rd. *E11* —3D **124**
Hawbush Grn. *Bas* —6J **119**
Hawbush Green. —**3F 194**

Hawbush Grn. Cres —3F 194 (1E 24)
Hawes La. E4 —8C 78
Hawfinch Rd. Lay H —9H 175
Hawfinch Wlk. Chelm —5C 74
Hawk Clo. Wal A —4G 78
Hawkdene. E4 —5B 92
Hawkenbury. H'low —5A 56
Hawkendon Rd. Clac S —9E 186
Hawkesbury Bush La. Van —4B 134
Hawkesbury Clo. Can I —3F 152
Hawkesbury Rd. Can I —2E 152
Hawkes Clo. Grays —4L 157
Hawkes Rd. Cogg —7K 195
Hawkes Way. Clac S —7K 187
Hawk Hill. Bat —5C 104 (7D 34)
Hawkhurst Clo. Chelm —9G 60
Hawkhurst Gdns. Romf —2B 112
Hawkinge Way. Horn —8G 128
Hawkins. Shoe —8H 141
Hawkins Clo. Cock C —8L 77
Hawkins Hill. —2J 13
Hawkins Rd. Alr —6A 178
Hawkins Rd. Colc —9D 168
Hawkins Way. Brain —4L 193
Hawk La. Bat —6D 104
Hawkridge. Shoe —6G 141
Hawkridge Clo. Romf —1H 127
Hawks Clo. Dan —5G 76
Hawks La. Hock —2D 122
Hawksmoor Grn. Hut —4N 99
(in two parts)
Hawksmouth. E4 —6C 92
Hawkspur Green. L Bar —3H 13
Hawkstone Rd. SE16 —1C 46
Hawksway. Bas —2C 134
Hawkswood Rd. D'ham —9D 88 (6A 34)
Hawk Ter. S Stif —3G 157
Hawkwell. —3E 122 (2H 43)
Hawkwell Chase. Hock —2D 122
Hawkwell Ct. E4 —9C 92
Hawkwell Pk. Dri. Hock —2E 122
Hawkwell Rd. Hock —1D 122
Hawkwood Clo. S Fer —8L 91
Hawkwood Cres. E4 —5B 92
Hawkwood Rd. Sib H —7B 206
Hawley. —5C 48
Hawley Rd. NW1 —5A 38
Hawley Rd. Dart —4C 48
Hawlmark End. M Tey —3G 173
Hawsted. Buck H —6H 93
Hawthorn Av. Brtwd —9J 99
Hawthorn Av. Colc —7E 168 (6G 17)
Hawthorn Av. Rain —4F 144
Hawthorn Clo. Chelm —4D 74
Hawthorn Clo. Hock —2E 122
Hawthorn Clo. Tak —8C 210
Hawthorne Gdns. Hock —1A 122
Hawthorne Rd. E17 —7A 108
Hawthorne Rd. Corr —1A 150
Hawthornes. Pur —3G 35
Hawthorn Pl. Eri —3A 154
Hawthorn Rise. Wthm —2D 214
Hawthorn Rd. Buck H —1K 109
Hawthorn Rd. Can I —2J 153
Hawthorn Rd. Clac S —6J 187
Hawthorn Rd. Hat P —1L 63
Hawthorn Rd. Hod —3B 54
Hawthorns. Ben —2C 136
Hawthorns. Frin S —7J 183
Hawthorns. H'low —7E 56
Hawthorns. Lgh S —2D 138
Hawthorns. Sib H —5B 206
Hawthorns. Wfd G —9G 92
Hawthorns, The. Corr —1D 150
Hawthorns, The. Dan —3G 77
Hawthorns, The. Lou —3N 93
Hawthorn Wlk. S Fer —8L 91
Hawthorn Way. Ray —6M 121
Hawtree Clo. Sth S —7A 140
Hayburn Way. Horn —3D 128
Hay Clo. E15 —9E 124
Haycocks La. W Mer —4G 27
Haydens. Steb —7H 13
Haydens Rd. H'low —3B 56 (7H 21)
Hayden Way. Romf —6A 112
Haydock Clo. Horn —6K 129
Haydon Rd. Dag —4H 127
Haye La. Fing —1F 27
Hayes. —7F 47
Hayes Barton. Sth S —6G 140
Hayes Chase. Bat —3F 104
(in two parts)
Hayes Clo. Chelm —1C 74
Hayes Clo. Grays —4F 156
Hayes Dri. Rain —9F 128
Hayes Farm Cvn. Pk. Bat —4G 105
Hayes Hill Farm. —7C 64 (3E 30)
Hayes Hill Rd. Brom —7E 46
Hayes La. Beck —6E 46
Hayes La. Brom —7F 47
Hayes La. Can I —2F 152
Hayes Rd. Brom —6F 47
Hayes Rd. Clac S —2J 191
Hayes St. Brom —7F 47
Hay Green. —5J 85 (4F 33)
Hay Green. Dan —2F 76
Hay Grn. La. Hook E & B'more —5G 84 (5E 32)
Hayhouse Rd. E Col —4B 196 (4H 15)
Hay La. Brain —5L 193
Hayle. E Til —1L 159
Hayllar Ct. Hod —5A 54
Haymarket. SW1 —7A 38
Haynes Grn. Rd. Lay M —2F 212 (2A 26)
Haynes Rd. Horn —8H 113
Hayrick Clo. Bas —2J 133
Haysoms Clo. Romf —8C 112
Hay Street. —5E 10
Hayter Ct. E11 —4H 125
Haytor Clo. Brain —6L 193
Haywain, The. S'way —1E 174
Hayward Ct. Colc —8C 168
Hayward Rd. Hod —3C 54
Haywards Clo. Chad H —9G 111
Haywards Clo. Hut —5A 100
Haywood Ct. Wal A —4F 78
Haywood La. Ther —7C 4
Haywood Pl. Grays —9E 148
Hazelbank Rd. SE6 —4E 46
Hazelbrouck Gdns. Ilf —4C 110
Hazel Clo. Ben —4M 137
Hazel Clo. Horn —5F 128
Hazel Clo. Lain —5A 118
Hazel Clo. Lgh S —4B 138
Hazel Clo. Thorr —9F 178
Hazel Clo. Wthm —3D 214
Hazel Ct. Lou —2M 93
Hazel Cres. Romf —5N 111
Hazeldene. Ray —3K 121
Hazeldene Rd. Ilf —4G 126
Hazeldon Clo. L Walt —6L 59
Hazel Dri. Eri —6F 154
Hazel Dri. S Ock —3G 146
Hazeleigh. —6M 77 (3G 35)
Hazeleigh. Brtwd —9L 99
Hazeleigh Gdns. Wfd G —2L 109
Hazeleigh Hall La. Wdhm M —2G 35
Hazel End. —3A 208 (6K 11)
Hazelend Rd. Bis S —4A 208 (6K 11)
Hazel Gdns. Grays —1A 158
Hazel Gdns. Saw —3L 53
Hazel Gro. Brain —7G 192
Hazel Gro. Romf —7K 111
Hazell Av. Colc —3H 175
Hazellville Rd. N19 —4A 38
Hazelmere. Pits —2H 135
Hazelmere Gdns. Horn —9G 112
Hazel Rise. Horn —1G 128
Hazel Rd. E15 —7E 124
Hazel Rd. Eri —6E 154
Hazel Shrub. B'ley —1A 18
Hazel Stub. —3H 7
Hazelton Rd. Colc —6D 168
Hazelville Clo. Har —6G 201
Hazelwood. Ben —8B 120
Hazelwood. Hock —3E 122
Hazelwood. Linf —2J 159
Hazelwood. Lou —4K 93
Hazelwood Ct. H'bri —2L 203
Hazelwood Cres. L Cla —4G 187
Hazelwood Gdns. Pil H —5D 98
Hazelwood Gro. Lgh S —1D 138
Hazelwood La. N13 —1A 38
Hazelwood Pk. Clo. Chig —2D 110
Hazlemere Rd. Ben —1D 136
Hazlemere Rd. Hol S —9N 187
Headcorn Clo. Bas —1K 135
Headgate. Colc —9M 167 (6E 16)
Headingley Clo. Ilf —3E 110
Head La. Gt Cor —5K 9
Headley App. Ilf —9A 110
Headley Chase. War —1F 114
Headley Dri. Ilf —1A 126
Headley Rd. Bill —4L 101
Head St. Colc —8M 167 (6E 16)
Head St. Gold —7A 26
Head St. H'std —4L 199 (3F 15)
Head St. Rhdge —6G 176 (1G 27)
Heard's La. Corn H —7K 7
Heards La. Shenf —2J 99
Hearn Av. Bexh —8A 154
Hearn Rd. Romf —1D 128
Hearsall Av. Chelm —4K 61
Hearsall Av. Stan H —3N 149
Heath Clo. Bill —7H 101
Heath Clo. Romf —7E 112
Heathclose Rd. Dart —4B 48
Heathcote Av. Ilf —6M 109
Heathcote Ct. Ilf —6M 109
Heathcote Gro. E4 —9C 92
Heath Dri. Chelm —4C 74
Heath Dri. Romf —5E 112
Heath Dri. They B —6D 80
Heather Av. Romf —6B 112
Heather Bank. Bill —6L 101
Heather Clo. E6 —6A 142
Heather Clo. Clac S —6M 187
Heather Clo. Lay H —9G 175
Heather Clo. Pil H —4E 98
Heather Clo. Romf —5B 112
Heather Ct. Chelm —6A 62
Heathercroft Rd. W'fd —1A 120
Heather Dri. Ben —4N 137
Heather Dri. Colc —1G 175
Heather Dri. Romf —6B 112
Heatherfield Pk. Dri. Romf —9G 110
Heather Gdns. Romf —6B 112
Heather Glen. Romf —6B 112
Heatherley Dri. Ilf —7L 109
Heather Way. Romf —6B 112
Heatherwood Clo. E12 —4J 125
Heathfield. —2H 5
Heathfield. E4 —9C 92
Heathfield. Ben —9J 121
Heathfield. Ray —6K 121
Heathfield La. Chst —5G 47
Heathfield Rd. Chelm —3K 61
Heathfields. Eig G —7B 166
Heathfield Ter. W on N —6L 183
Heathgate. W Bis —6J 213
Heathlands. Thorr —9F 178
Heath La. Dart —4B 48
Heath La. W Bis —6M 213 (5H 25)
Heathleigh Dri. Bas —2K 133
Heath Park. —1E 128 (3B 40)
Heath Pk. Ct. Romf —9E 112
Heath Pk. Rd. Romf —9E 112 (3B 40)
Heath Rd. Alr —6A 178
Heath Rd. Brad —4B 18
Heath Rd. Colc —1G 174
Heath Rd. For H —6A 166 (5B 16)
Heath Rd. Grays —8B 148 (7G 41)
Heath Rd. Hor X & Ten —4M 171 (5B 18)
Heath Rd. Ing —5H 71
Heath Rd. Mis —6N 165 (3B 18)
Heath Rd. Rams H —4N 101 (7K 33)
Heath Rd. Romf —2J 127
Heath Rd. Rhdge —6F 176
Heath Rd. S'way —2E 174 (6D 16)
Heath Rd. St O —4B 186 (2B 28)
Heath Rd. W'hoe —4H 177
Heath Row. Bis S —8A 208
Heath, The. —3C 202 (4B 22)
Heath, The. B'ley —1B 18
Heath, The. Ded —4N 163 (3J 17)
Heath, The. Gt Wal —4K 9
Heath, The. Hat H —2C 202
Heath, The. Lay H —8H 175
Heath View Gdns. Grays —9M 147
Heath View Rd. Grays —9M 147
Heathway. (Junct.) —1M 143 (6K 39)
Heathway. Dag —5L 127 (5K 39)
Heath Way. Eri —6A 154
Heath Way. Wfd G —2J 109
Heathway Ind. Est. Dag —6N 127
Heatley Way. Colc —7F 168
Heaton Av. Romf —4F 112
Heaton Clo. E4 —9C 92
Heaton Clo. Romf —4G 112
Heaton Grange Rd. Romf —6D 112
Heaton Way. Romf —4G 112
Heaton Way. Tip —5D 212
Hebing End. —7A 10
Heckfordbridge. —6B 174 (1C 26)
Heckfords Rd. Gt Ben —6K 179 (7A 18)
Heckworth Clo. Colc —1C 168
Hedge Dri. Colc —3J 175
Hedgehope Av. Ray —3K 121
Hedgelands. Cop —1M 173
Hedge La. N13 —1A 38
Hedge La. Ben —2K 137
Hedgemans Rd. Dag —9J 127 (5J 39)
Hedgemans Way. Dag —8K 127
Hedge Pl. Rd. Grnh —3D 48
Hedgerow Ct. Lain —5A 118
Hedgerows. Saw —2L 53
Hedgerows Bus. Pk. Spri —5B 62
Hedgerow, The. Bas —2E 134
Hedgers Clo. Lou —3N 93
Hedgewood Gdns. Ilf —9N 109
Hedgley. Ilf —8M 109
Hedingham Castle —3D 206 (1E 14)
Hedingham Ho. Ray —6J 121
Hedingham Rd. Bulm —7G 9
Hedingham Rd. Dag —7G 126
Hedingham Rd. Gosf & Sib H —9D 206 (3E 14)
Hedingham Rd. H'std —1J 199 (3F 15)
Hedingham Rd. Horn —3L 129
Hedingham Rd. Wick P —7G 9
Hedley Av. Grays —5F 156
Heenan Clo. Bark —8B 126
Heeswyk Rd. Can I —9K 137
Heideburg Rd. Can I —9K 137
Heideck Gdns. Hut —9L 99
Heigham Rd. E6 —9L 125
Heighams. H'low —6M 55
Heights, The. Dan —3C 76
Heights, The. Lou —1M 93
Heights, The. Naze —4H 65
Heilsburg Rd. Can I —9K 137
Helden Av. Can I —9H 137
Helena Clo. Hock —2E 122
Helena Ct. S Fer —2K 105
Helena Rd. E17 —9A 108
Helena Rd. Ray —5L 121
Helen Rd. Horn —7H 113
Helford Ct. S Ock —7E 146
Helford Ct. Wthm —5A 214
Helford Way. Upm —1A 130
Helham Green. W'side —4F 21
Helions Bumpstead. —5H 7
Helions Bumpstead Rd. H'hll —4J 7
Helions Rd. H'low —3A 56
Helions Rd. Stpl B —2B 210 (5J 7)
Helleborine. Badg D —3J 157
Hellendoorn Rd. Can I —3K 153
Hellman's Cross. —2E 22
Helm Clo. Gt Hork —9K 161
Helmons La. W Han —5H 89
Helmore Ct. Bas —9H 117
Helmores. Bas —9H 117
Helmsdale. Can I —9F 136
Helmsdale Clo. Romf —4C 112
Helmsdale Rd. Romf —4C 112
Helpeston. Bas —9E 118
Helston Rd. Chelm —6N 61
Hemingway Rd. Wthm —2C 214
Hemley Rd. Ors —6F 148
Hemlock Clo. Wthm —3D 214
Hemmells. Bas —7K 117
Hemmings Ct. Mal —8H 203
Hemnall St. Epp —1E 80
Hemp's Green. —4A 16
Hempstalls. Bas —1A 134
Hempstead. —6G 7
Hempstead Clo. Buck H —8G 92
Hempstead Rd. E17 —6D 108
Hempstead Rd. Hpstd & Stpl B —4A 210 (6G 7)
Hempstead Rd. R'ter —7F 7
Hemsted Rd. Eri —5C 154
Henbane Path. Romf —4H 113
Henderson Clo. Horn —4F 128
Henderson Dri. Dart —9K 155 (3C 48)
Henderson Gdns. W'fd —2M 119
Henderson Ho. Dag —5M 127
(off Kershaw Rd.)
Henderson Rd. E7 —8J 125
Hendon Clo. Clac S —8H 187
Hendon Clo. W'fd —1L 119
Hendon Gdns. Romf —3A 112
Hendy Mt. S Fer —9J 91
Hengist Gdns. W'fd —7L 103
Hengist Rd. Eri —5A 154
Henham. —4C 12
Henham Clo. Bill —6M 101
Henham Ct. Romf —6A 112
Henham Rd. Deb G —3D 12
Henham Rd. Else —8D 196 (5C 12)
Henhurst. —6J 49
Henhurst Rd. Sole S —6H 49
Henley Ct. Colc —9G 166
Henley Cres. Wclf S —2J 139
Henley Gdns. Romf —9K 111
Henley Rd. Ilf —6B 126
Henley Street. —7J 49
Henley St. Ludd —7J 49
Henniker Gdns. E6 —6F 39
Henniker Ga. Chelm —7B 62
Henniker Rd. E15 —7D 124
Henny Back Rd. Alph —1J 15
Henny Rd. Lmsh —7K 9
Henny Street. —6J 9
Henrietta Clo. W'hoe —3J 177
Henrietta St. E15 —7C 124
Henry Clo. Clac S —2G 191
Henry Dixon Rd. Riven —3G 25
Henry Dri. Lgh S —4N 137
Henry Rd. Chelm —7K 61
Henrys Av. Wfd G —2F 108
Henrys Rd. Wfd G —2E 38
Henry's Ter. Ston M —4E 84
Henry St. Grays —4M 157
Henry's Wlk. Ilf —4C 110
Henshawe Rd. Dag —5J 127
Henson Av. Can I —2L 153
Henwood Side. Wfd G —3M 109
Hepscott Rd. E9 —8A 124
Hepworth Gdns. Bark —7F 126
Heralds Way. S Fer —1L 105
(off Guild Way.)
Herbage Pk. Rd. Wdhm M —1J 77 (1F 35)
Herbert Gdns. Romf —2J 127
Herbert Gro. Sth S —7N 139
Herbert Rd. E12 —6L 125
Herbert Rd. SE18 —2G 47
Herbert Rd. Can I —1J 153
Herbert Rd. Clac S —1J 191
Herbert Rd. Horn —2J 129
Herbert Rd. Ilf —4D 126
Herbert Rd. Shoe —8G 141
Herd La. Corr —1D 150
Hereford Ct. Clac S —8B 188
Hereford Ct. Gt Bad —5H 75
Hereford Gdns. Ilf —2L 125
Hereford Rd. E11 —9H 109
Hereford Rd. Colc —8A 168
Hereford Rd. Hol S —8B 188
Hereford Wlk. Bas —8G 118
Herent Dri. Ilf —8L 109
Hereward Clo. Wal A —2D 78
Hereward Clo. W'hoe —3J 177
Hereward Gdns. W'fd —7L 103
Hereward Grn. Lou —9B 80
Hereward Way. Weth —3A 14
Herga Hyll. Ors —5C 148
Herington Gro. Hut —6K 99
Heriot Av. E4 —8A 92
Heriot Way. Gt Tot —8N 213
Heritage Way. R'fd —5K 123
Hermes Dri. Bur C —3L 195
Hermes Way. Shoe —6K 141
Hermitage Av. Ben —2G 137
Hermitage Clo. E18 —8F 108
Hermitage Clo. Ben —2G 137
Hermitage Ct. E18 —8G 108
Hermitage Dri. Lain —5L 117
Hermitage La. SW16 —6A 46
Hermitage Rd. N4 & N15 —4A 38
Hermitage Rd. SE19 —5B 46
Hermitage Rd. Wclf S —6K 139
Hermitage Wlk. E18 —8F 108
Hermit Rd. E16 —6E 38
Hermon Hill. E11 & E18 —9G 109 (3F 39)
Herne Hill. —3B 46
Herne Hill. SE24 —3B 46
Herne Hill Rd. SE24 —3B 46
Hernen Rd. Can I —9J 137
Hernshaw. Heron —4N 115
Heron Av. W'fd —1N 119
Heron Chase. Heron —4A 116
Heron Clo. Buck H —7G 93
Heron Clo. Saw —3J 53
Heron Ct. Heron —5A 116
Heron Dale. Bas —9E 118
Heron Flight Av. Horn —9E 128
Heron Gdns. Ray —4H 121
Herongate. —4N 115 (2G 41)
Herongate. Ben —2B 136
Herongate. Shoe —6J 141
Herongate Rd. E12 —4J 125
Heron Glade. Clac S —6K 187
Heron Hill. Belv —1K 47
Heron Ho. E6 —9L 125
Heron M. Ilf —4A 126
Heron Retail Pk. Bas —7N 117
Heron Rd. K'dn —8D 202
Heronsgate. Frin S —8J 183
Heronsgate Trad. Est. Bas —5G 119
Herons La. Fyf —1N 69 (1D 32)
(in two parts)
Herons, The. E11 —1F 124
Herons Wood. H'low —1A 56
Heronswood. Wal A —4E 78
Heron Way. Frin S —8H 183
Heron Way. Grays —3E 156 (1E 48)
Heron Way. H'bri —3M 203
Heronway. Hut —7L 99
Heron Way. May —3D 204
Heron Way. Upm —3B 130
Heron Way. Wfd G —1J 109
Herrick Pl. Colc —9H 167
Herring's Way. For —1A 166
Herschell Rd. Lgh S —4B 138
Hertford. —5B 20
Hertford Dri. Fob —5D 134
Hertford Heath. —6C 20
Hertford La. Chris —5H 5
Hertford Museum. —5B 20
Hertford Rd. N9 —1C 38
Hertford Rd. Bark —9N 125
Hertford Rd. Can I —2F 152
Hertford Rd. Enf —6C 30
Hertford Rd. Hod —4A 54 (7C 20)
Hertford Rd. Ilf —1D 126
Hertford Rd. Ware —5C 20
Hertingfordbury. —6A 20
Hertingfordbury Rd. Hert —6A 20
(in two parts)
Hervilly Way. W on N —7L 183
Hesketh Rd. E7 —5G 124
Hesselyn Dri. Rain —9F 128
Hester Ho. H'low —1B 56
Hester Pl. Bur C —3M 195
Hetherington Clo. Colc —6A 176
Hetzand Rd. Can I —2M 153
Hever Clo. Hock —1C 122
Hever Ct. Rd. Grav —5H 49
Hewes Clo. Colc —8F 168
Hewett Rd. Dag —6J 127
Hewins Clo. Wal A —2E 78
Hewitt Rd. R'sy —6E 200
Hewitt Wlk. Wthm —5D 214
Hexagon Ho. Romf —9D 112
(off Mercury Gdns.)
Hextable. —5B 48
Heybridge. —8C 86 (5G 33)
(nr. Ingatestone)
Heybridge. —2L 203 (7H 25)
(nr. Maldon)
Heybridge App. H'bri —2J 203 (7H 25)
Heybridge Basin. —8N 203 (1J 35)
Heybridge Dri. Ilf —6C 110
Heybridge Dri. W'fd —9M 103
Heybridge Ho. Ind. Est. Mal —4L 203
Heybridge Rd. Ing —8B 86
Heybridge St. H'bri —3L 203 (7H 25)
Heycroft Dri. Cres —2D 194
Heycroft Rd. Hock —2E 122
Heycroft Rd. Lgh S —9E 122
Heycroft Way. Chelm —5G 75
Heycroft Way. Tip —5D 212
Heydon. —5G 5
Heydon La. Elm —6H 5
Heydon La. Hey —5G 5
Heydon Rd. Gt Chi —6G 5
Heygate Av. Sth S —7M 139 (5K 43)
Heynes Rd. Dag —6H 127
Heythrop, The. Chelm —7M 61
Heythrop, The. Ing —6C 86
Heywood Ct. H'bri —2L 203
Heywood Way. H'bri —3L 203
Heyworth Rd. E15 —6F 124
Hibernia Point. SE2 —9J 143
(off Wolvercote Rd.)
Hickbush. Gt Hen —7J 9
Hickford Hill. Bel P —3D 8
Hickling Clo. Lgh S —9A 122
Hickling Rd. Ilf —7A 126
Hickman Av. E4 —3C 108
Hickman Rd. Romf —2H 127
Hickory Av. Colc —8D 168
Hicks Ct. Dag —5N 127
Hickstars La. Bill —9L 101 (1K 41)
Hicks Way. Stur —3K 7
Hidcote Way. Bla N —1B 198
Hides, The. H'low —2C 56
Higham. —5K 49
(nr. Shorne)
Higham. —1G 17
(nr. Stratford St Mary)
Higham Hill. —2D 38
Higham Hill Rd. E17 —2D 38
Higham Marsh. Stoke N —1G 17
Higham Pk. Ind. Est. E4 —3C 108
Higham Rd. Hghm —1G 17
Higham Rd. Wfd G —3G 108
Highams Chase. Gold —7A 26
Highams Ct. E4 —9D 92
Highams Park. —3D 108 (1E 38)
Highams Rd. Hock —2D 122
Higham Sta. Av. E4 —3A 108
Highams, The. E17 —5C 108
Higham View. N Wea —5N 67
High Ash Clo. Linf —1J 159
High Bank. Bas —2H 133

Highbank. Hull —4L 105
Highbank Clo. Lgh S —1E 138
High Barrets. Bas —1H 135
High Beech. —8H 79 (5F 31)
High Beeches. Ben —3E 136
High Beech Rd. Lou —3K 93
Highbirch Rd. Wee H —3B 186 (2B 28)
Highbridge Retail Pk. Wal A —4B 78
Highbridge Rd. Bark —1A 142
High Bri. Rd. Chelm —1D 74 (1A 34)
Highbridge St. Wal A —3B 78 (4D 30) (in two parts)
Highbury. —5A 38
Highbury Av. Hod —3A 54
Highbury Corner. (Junct.) —5A 38
Highbury Gdns. Ilf —4D 126
Highbury Gro. N5 —5A 38
Highbury Pk. N5 —5A 38
Highbury Ter. H'std —4L 199
High Chelmer. Chelm —9K 61
High Chelmer Shop. Cen. Chelm —9K 61 (off Market Rd.)
Highclere Rd. Bla N —2B 198
Highclere Rd. H'wds —3B 168
Highcliff Cres. R'fd —9J 107
High Cliff Dri. Lgh S —6E 138
Highcliffe Clo. W'fd —8N 103
Highcliffe Dri. W'fd —8G 102
Highcliffe Gdns. Ilf —9L 109
Highcliffe Rd. W'fd —9N 103
Highcliffe Way. W'fd —9N 103
Highcliff Rd. Ben —5E 136
High Cloister. Bill —6K 101
High Croft. Coln E —3H 15
High Cross. —2D 20
Highcross La. L Can —2E 22
Highcross Rd. S'fleet —5E 48
High Easter. —4G 23
High Easter Rd. Barns —2G 23
High Easter Rd. Lea R —5E 22
High Elms. Chig —1D 110
High Elms. Upm —3M 130
High Elms. Wfd G —2G 108
High Elms La. Wat S —1A 20
High Elms Rd. Hull —7L 105
High Farm Cotts. Bill —1E 118
Highfield. H'low —4F 56
Highfield. Hull —5L 105
Highfield. Saw —1K 53
Highfield App. Bill —8M 101
Highfield Av. Ben —2H 137
Highfield Av. Eri —4A 154
Highfield Av. Har —4K 201 (3H 19)
Highfield Cloisters. Lgh S —5B 138 (off Hadleigh Rd.)
Highfield Clo. Brain —2J 193
Highfield Clo. Dan —4D 76
Highfield Clo. Romf —3A 112
Highfield Clo. Wclf S —4J 139
Highfield Cres. Horn —4K 129
Highfield Cres. Ray —5K 121
Highfield Cres. Wclf S —4J 139 (4J 43)
Highfield Dri. Colc —9K 167
Highfield Dri. Wclf S —3J 139
Highfield Gdns. Grays —9N 147
Highfield Gdns. Wclf S —3J 139 (4J 43)
Highfield Grn. Epp —1D 80
Highfield Gro. Wclf S —3J 139
Highfield Link. Romf —3A 112
Highfield Pl. Epp —1D 80
Highfield Rise. Alth —5A 36
Highfield Rd. Bill —9M 101
Highfield Rd. Chelm —7F 60
Highfield Rd. Dart —4B 48
Highfield Rd. Felix —1K 19
Highfield Rd. Horn —4K 129
Highfield Rd. Romf —4A 112
Highfield Rd. Wfd G —4L 109
Highfields. Deb —2C 12
High Fields. D'mw —8K 197
Highfields. Gt Yel —7D 198
Highfields. H'std —6K 199
Highfields. Saf W —3L 205
Highfields. Wthm —4F 25
Highfields La. K'dn —3J 25
Highfields Mead. E Han —1B 90
Highfields Rd. Wthm —4B 214
Highfield Stile Rd. Brain —2J 193
Highfield Towers. Romf —2B 112
Highfield Way. Horn —4K 129
Highfield Way. Wclf S —3J 139
High Gables. Lou —4K 93
High Garrett. —5D 14
High Garrett. Brain —5D 14
Highgate Hill. N6 & N19 —4A 38
Highgate Rd. N6 & NW5 —5A 38
Highgrove. Pil H —5E 98
Highgrove Houses. Brtwd —8F 98 (off Regency Ct.)
Highgrove M. Grays —3M 157
Highgrove Rd. Dag —7H 127
High Holborn. WC1 —7A 38
High Ho. Est. H'low —8L 53
High Ho. La. W Til —1F 158
Highland Av. Brtwd —7F 98
Highland Av. Dag —5A 128
Highland Av. Lou —5L 93
Highland Ct. E18 —5H 109
Highland Gro. Bill —6K 101
Highland Rd. Fob —5C 134 (in two parts)
Highland Rd. Naze —1E 64
Highlands. Gosf —3E 14
Highlands Av. Bas —2E 134 (in two parts)
Highlands Boulevd. Lgh S —3N 137
Highlands Chalet Pk. Clac S —6L 187
Highlands Ct. Lgh S —4A 138
Highlands Cres. Bas —9N 119
Highlands Dri. Mal —6H 203
Highlands Gdns. Ilf —3M 125
Highlands Hill. May —4B 36
Highlands Hill. Swan —6B 48
Highlands Rd. Bas —9N 119
Highlands Rd. Raw —6H 105
High La. Srng —5A 22
High La. Stans —1E 208 (6A 12)
High Laver. —7B 22
High Laver Rd. Mat G —6B 22
High Leigh. Dodd —6F 84
High Mead. Chig —8B 94
High Mead. Hock —2D 122
Highmead. Ray —5H 121
Highmead. Stans —1D 208
Highmead Ct. Brtwd —7G 98
Highmead Ct. Ray —5H 121
High Meadow. Bill —6L 101
High Meadow. D'mw —8K 197
High Meadows. Chig —2C 110
High Oak Rd. Ware —4C 20
High Oaks. Bas —3K 133
High Ongar. —7A 70 (3D 32)
High Ongar Rd. Ong —6L 69 (3C 32)
High Park Corner. —8H 177 (1G 27)
High Pasture. L Bad —8L 63
High Pastures. Srng —4A 22
High Pavement. Bas —9B 118
High Rd. E18 —5G 108 (2E 38)
High Rd. N15 & N17 —3B 38
High Rd. N22 —2A 38
High Rd. Ben —1B 136 (3D 42)
High Rd. Buck H & Lou —8H 93
High Rd. Chesh —2D 30
High Rd. Chig —2N 109 (1G 39)
High Rd. Dart —4B 48
High Rd. Epp —3A 80 (4G 31)
High Rd. Fob —5D 134
High Rd. Hock —3M 121 (2G 43)
High Rd. Horn H —1H 149 (5A 42)
High Rd. Ilf & Romf —5A 126 (4H 39) (in five parts)
High Rd. Lang H & Lain (in two parts) —5K 133 (4J 41)
High Rd. Lay H —9G 175
High Rd. L'hth —1C 16
High Rd. N Stif —8G 147 (7E 40)
High Rd. N Wea —5N 67 (3K 31)
High Rd. Ors —6A 148 (7G 41)
High Rd. Ray —7J 121 (2F 43)
High Rd. Shin W —2A 4
High Rd. Stan H —4A 150 (6J 41)
High Rd. Thorn —6G 67 (2J 31)
High Rd. T Mary —1J 19
High Rd. Van & Bas —2G 134 (4B 42)
High Rd. Wat S —2A 20
High Rd. Wfd G —3F 108 (1F 39)
High Rd. Worm & Brox —2D 30
High Rd. E. Felix —1K 19
High Rd. Leyton. E10 & E15 —1B 124 (4E 38)
High Rd. Leytonstone. E11 & E15 —6E 124 (5E 38)
High Rd. N. Lain —6L 117 (2K 41)
High Rd. Turnford. Chesh —2D 30
High Rd. W. Felix —1K 19
High Rd. Woodford Grn. Wfd G & E18 —2E 38
High Roding. —3F 23
High Silver. Lou —3K 93
Highstead Cres. Eri —6C 154
High Stile. D'mw —8K 197
Highstone Av. E11 —1G 124
Highstone Ct. E11 —1F 124 (off New Wanstead)
High St. Abington Pigotts. Ab P —3A 4
High St. Acton. Act —3K 9
High St. Aveley. Ave —8N 145 (7D 40)
High St. Babraham. Bab —1A 6
High St. Balsham. B'shm —1E 6
High St. Barkingside. B'side —7B 110 (3H 39)
High St. Barkway. B'wy —1E 10
High St. Barley. Bar —6E 4
High St. Barrington. Barr —1E 4
High St. Bassingbourn. Bass —4B 4
High St. Bean. Bean —4E 48
High St. Beckenham. Beck —6D 46
High St. Benfleet. Ben —3B 136 (4D 42)
High St. Billericay. Bill —7J 101 (7J 33)
High St. Bishop's Stortford. Bis S —1K 21
High St. Bradwell on Sea. Brad S —1F 37
High St. Braintree. Brain —6G 193 (7C 14)
High St. Brentwood. Brtwd —8F 98 (1E 40)
High St. Brightlingsea. B'sea —7E 184 (3K 27)
High St. Bromley. Brom —6F 47
High St. Buntingford. Bunt —4D 10
High St. Bures. Bures —7D 194 (1A 16)
High St. Burnham-on-Crouch. Bur C —4L 195 (7C 36)
High St. Canewdon. Cwdn —1M 107 (7K 35)
High St. Canvey Island. Can I —1J 153 (6F 43)
High St. Castle Camps. Cas C —4G 7
High St. Cavendish. Caven —2F 9
High St. Chelmsford. Chelm —9K 61
High St. Cheshunt. Chesh —3C 30
High St. Chipping Ongar. Ong —6L 69 (3C 32)
High St. Chislehurst. Chst —5G 47
High St. Chrishall. Chris —6H 5
High St. Clacton-on-Sea. Clac S —2K 191 (4D 28)
High St. Clare. Clare —3D 8
High St. Clavering. Clav —3J 11
High St. Colchester. Colc —8M 167 (6E 16)
High St. Crayford. Cray —3A 48
High St. Croydon. Cydn —1A 4
High St. Dartford. Dart —4C 48
High St. Debden. Deb —2C 12
High St. Dedham. Ded —2L 163 (2H 17)
High St. Dovercourt. Dov —3H 19
High St. Earls Colne. E Col —3C 196 (4H 15)
High St. Elmdon. Elm —6J 5
High St. Elsenham. Else —8C 196 (5B 12)
High St. Epping. Epp —1E 80 (4H 31)
High St. Eynsford. Eyns —7C 48
High St. Farningham. F'ham —7C 48
High St. Felixstowe. Felix —1K 19
High St. Fowlmere. Fow —2F 5
High St. Foxton. Foxt —1F 5
High St. Grays. Grays —4K 157 (in two parts)
High St. Great Abington. Gt Ab —1B 6
High St. Great Baddow. Gt Bad —3G 75 (2B 34)
High St. Great Bardfield. Gt Bar —3J 13
High St. Great Chesterford. Gt Che —3L 197 (4A 6)
High St. Great Dunmow. D'mw —8L 197 (1G 23)
High St. Great Oakley. Gt Oak —5E 18
High St. Great Sampford. Gt Sam —1H 13
High St. Great Wakering. Gt W —2K 141 (4B 44)
High St. Great Yeldham. Gt Yel —8D 198 (6D 8)
High St. Greenhithe. Grnh —9E 156 (3E 48)
High St. Hadleigh. Had —3K 137 (4F 43)
High St. Halstead. H'std —4K 199 (3F 15)
High St. Harlow. H'low —8H 53 (6J 21) (in two parts)
High St. Harwich. Har —3M 201
High St. Hatfield Broad Oak. Hat O —3C 22
High St. Haverhill. H'hll —3J 7
High St. Hempstead. Hpstd —7G 7
High St. Henham. Hen —4C 12
High St. Heydon. Hey —5G 5
High St. Hinxton. Hxtn —3K 5
High St. Hoddesdon. Hod —5A 54 (1D 30)
High St. Hornchurch. Horn —3H 129 (4B 40)
High St. Hornsey. N8 —3A 38
High St. Hunsdon. Hun —4F 21
High St. Ingatestone. Ing —7C 86 (5H 33)
High St. Kelvedon. K'dn —9B 202 (2J 25)
High St. Langham. L'ham —4C 162 (3F 17)
High St. Layer de la Haye. Lay H —1D 26
High St. Leigh-on-Sea. Lgh S —6B 138
High St. Linton. Lin —2C 6
High St. Littlebury. L'bry —1J 205 (6A 6)
High St. Little Chesterford. L Ches —5A 6
High St. Long Melford. L Mel —2J 9
High St. Maldon. Mal —5J 203 (1H 35)
High St. Manningtree. Mann —4J 165 (3A 18)
High St. Melbourn. Mel —3E 4
High St. Meldreth. Meld —2D 4
High St. Mersea. W Mer —5F 27
High St. Mistley. Mis —4L 165 (3A 18)
High St. Much Hadham. M Hud —2G 21
High St. Nayland. Nay —1D 16
High St. Newport. Newp —1B 12
High St. Northfleet. N'fleet —3F 49
High St. Orpington. Orp —7J 47
High St. Orwell. Orw —1D 4
High St. Pampisford. Pam —1K 5
High St. Penge. SE20 —5C 46
High St. Ponders End. Enf —7C 30
High St. Puckeridge. Puck —7E 10
High St. Purfleet. Purf —3L 155
High St. Rayleigh. Ray —5J 121 (2F 43)
High St. Reed. Reed —7D 4
High St. Romford. Romf —9C 112
High St. Rowhedge. Rhdge —6G 176
High St. Roydon. Roy —2H 55 (6F 21)
High St. Saffron Walden. Saf W —3K 205 (6B 6)
High St. St Mary Cray. St M —7J 47
High St. Sawston. Saws —1K 5
High St. Shoeburyness. Shoe —8K 141 (5C 44)
High St. Sidcup. Sidc —5J 47
High St. Southend-on-Sea. Sth S —6M 139 (5K 43)
High St. Southgate. N14 —1A 38
High St. Southminster. S'min —7L 207 (5C 36)
High St. South Norwood. SE25 —6B 46
High St. Standon. Stdn —7E 10
High St. Stanford-le-Hope. Stan H —4L 149 (6K 41)
High St. Stanstead Abbots. Stan A —6E 20
High St. Stebbing. Steb —6H 13
High St. Stock. Stock —7N 87 (5K 33)
High St. Stratford. E15 —6E 38
High St. Swanley. Swan —6A 48
High St. Swanscombe. Swans —3F 49
High St. Thornton Heath. T Hth —6B 46
High St. Thorpe-le-Soken. T Sok —4J 181 (7D 18)
High St. Tollesbury. Tol —8J 211 (6C 26)
High St. Walkern. Walk —5A 10
High St. Waltham Cross. Wal X —4C 30
High St. Walthamstow. E17 —8A 108
High St. Walton-on-the-Naze. W on N —6M 183 (1H 29)
High St. Wanstead. E11 —9G 108 (3F 39)
High St. Ware. Ware —4C 20
High St. Watton at Stone. Wat S —2A 20
High St. West Ham. E13 —6F 39
High St. West Mersea. W Mer —3J 213
High St. West Wickham. W Wick (nr. Bromley) —7D 46
High St. West Wickham. W W'ck —1F 7 (nr. Colchester)
High St. Wethersfield. Weth —3A 14
High St. Whittlesford. Whitt —1J 5
High St. Wickford. W'fd —9L 103 (1C 42)
High St. Widdington. Widd —3B 12
High St. Widford. Wid —4G 21
High St. Wivenhoe. W'hoe —6H 177 (1G 27)
High St. Woolwich. SE18 —1G 47
Highstreet Green. —1D 14
High St. N. E12 & E6 —7L 125 (5G 39)
High St. N. W Mer —5F 27
High St. S. E6 —6G 39
High, The. —7H 21
High Tree La. W on N —4N 183
High Trees. Stock —7M 87
Hightrees Ct. War —1F 114
High View. Bchgr —6B 208
High View. St La —2C 36 (off Mountview Cres.)
High View Av. Clac S —7J 187
High View Av. Grays —3M 157
Highview Av. Lang H —1H 133
High View Clo. Clac S —7J 187
High View Clo. Lou —4J 93
Highview Ct. Lou —4K 93
Highview Cres. Hut —5M 99
High View Gdns. Grays —3M 157
Highview Gdns. Upm —4M 129
Highview Ho. Romf —8K 111
High View Rise. Cray H —2D 118
High View Rd. E18 —6F 108
Highview Rd. Ben —8G 120
Highway, The. E1 —7C 38
Highwood. —6B 72 (2G 33)
Highwood Clo. Brtwd —6E 98
Highwood Clo. Lgh S —2E 138
Highwood Gdns. Ilf —9M 109
Highwood La. Lou —4N 93
Highwood Rd. Hghwd & Ed C (in two parts) —6A 72 (3G 33)
High Wood Rd. Hod —2A 54
Highwood Rd. Writ —2H 73
Highwoods. —3B 168 (5F 17) (nr. Colchester)
High Woods. —8B 72 (3G 33) (nr. Highwood)
Highwoods App. Colc —3B 168
High Woods Country Park & Visitors Centre. —5N 167 (5E 16)
Highwoods Sq. H'wds —4B 168
High Wych. —3F 52 (4J 21)
High Wych La. H Wych —2F 52 (4J 21)
High Wych Rd. Saw —6D 52 (5H 21)
Hilary Clo. E11 —9G 108
Hilary Clo. Eri —6A 154
Hilary Clo. Horn —7H 129
Hilary Clo. R'fd —2K 123
Hilary Cres. Ray —5L 121
Hilbery Rd. Can I —2J 153
Hilda Rd. E6 —9K 125
Hildaville Dri. Wclf S —5H 139
Hilden Dri. Eri —5F 154
Hildersham. —1C 6
Hildersham Rd. Abgtn —1B 6
Hillary Clo. Chelm —7M 61
Hillary Clo. H'bri —3L 203
Hillary Mt. Bill —7H 101
Hill Av. W'fd —9N 103
Hillboro Ct. E11 —2D 124
Hillborough Mans. Wclf S —3J 139
Hillborough Rd. Wclf S —3J 139
Hill Clo. Ben —2E 136
Hill Ct. Romf —8D 112
Hill Cres. Chelm —9M 61
Hill Cres. Horn —1G 129
Hillcrest. Clac S —7L 187
Hillcrest. Kir S —6G 182
Hillcrest. May —2D 204
Hillcrest Av. Bas —2G 133
Hillcrest Av. Grays —4D 156
Hillcrest Av. Hull —7L 105
Hillcrest Clo. Horn H —1H 149
Hillcrest Cotts. L'ham —2E 162
Hillcrest Ct. Har —4L 201
Hillcrest Ct. Horn H —2H 149 (off Hillcrest Rd.)
Hillcrest Ct. Romf —5A 112
Hillcrest Rd. E17 —6D 108
Hillcrest Rd. E18 —6G 108
Hillcrest Rd. Hock —2D 122
Hillcrest Rd. Horn —2E 128
Hillcrest Rd. Horn H —2G 149
Hillcrest Rd. Lou —5K 93
Hillcrest Rd. Sth S —6N 139
Hillcrest Rd. S Fer —1J 105
Hillcrest Rd. Toot —9C 68
Hillcrest View. Bas —3E 134
Hillcrest Way. Epp —1F 80
Hillcroft. Lou —1N 93
Hillcroft Rd. E6 —5A 142
Hilldene Av. Romf —3G 112 (2B 40)
Hilldene Clo. H Hill —2H 113
Hill Farm Rd. Whitt —2J 5
Hillfoot Av. Romf —5A 112
Hillfoot Rd. Romf —5A 112
Hill Green. —2K 11
Hill Gro. Romf —7C 112
Hillgrove Bus. Pk. Naze —1C 64
Hillhouse. Wal A —3F 78
Hillhouse Clo. Bill —4K 101
Hillhouse Ct. Bill —4K 101
Hill Ho. Ct. B'sea —6F 184
Hillhouse Dri. Bill —4K 101
Hillhouse La. T Sok —3E 180 (7C 18)
Hill Ho. Pk. Mal —5J 203
Hilliards Rd. Gt Bro —5G 170 (5K 17)
Hillie Bunnies. E Col —2C 196
Hilliers La. Croy —7A 46
Hillingdon Rd. Bexh —7A 154
Hillington Gdns. Wfd G —6K 109
Hill La. Hock —2E 122
Hill La. Stur —4K 7
Hillman Av. Jay —6C 190
Hillman Clo. Horn —7H 113
Hillmarton Rd. N7 —5A 38
Hillreach. SE7 —1G 47
Hillridge. H'wds —4B 168
Hill Rise. Upm —4L 129
Hillrise Rd. Romf —3A 112
Hill Rd. Ben —3E 136
Hill Rd. Brtwd —9D 98
Hill Rd. Chelm —9M 61
Hill Rd. Clac S —7J 187
Hill Rd. Cogg —8M 195
Hill Rd. Har —3L 201
Hill Rd. Hpstd —7G 7
Hill Rd. Sth S —3L 139
Hill Rd. They B —8D 80
Hill's Chase. War —1F 114
Hills Clo. Brain —4H 193
Hills Cres. Colc —1H 175
Hillside. —2A 154
Hillside. Eri —2B 154
Hillside. Frin S —1H 189
Hillside. Grays —2N 157
Hillside. H'low —5H 57
Hillside. H Hill —1H 113
Hillside. Mal —5K 203
Hillside. Saws —1K 5
Hillside Av. Hock —2E 122
Hillside Av. Wfd G —3J 109 (2F 39)
Hillside Clo. Bill —7K 101
Hillside Clo. Wfd G —2J 109
Hillside Cotts. W'fd —6A 104
Hillside Cres. Hol S —7N 187
Hillside Cres. Lgh S —6F 138
Hillside Gdns. E17 —7D 108
Hillside Gdns. Brain —7H 193
Hillside Gro. Chelm —4B 74
Hillside M. Chelm —3B 74
Hillside Rd. Ben —5D 136 (in two parts)
Hillside Rd. Bill —7K 101 (7J 33)
Hillside Rd. Brom —6E 46
Hillside Rd. Bur C —3L 195
Hillside Rd. E'wd —7B 122
Hillside Rd. Hock —2A 122
Hillside Rd. Lgh S —6D 138
Hillside Rd. S'min —7K 207
Hillside Wlk. Brtwd —9C 98
Hills Rd. Buck H —7H 93
Hills Rd. Sib H —7B 206
Hillston Clo. Colc —4B 176
Hill St. Saf W —4K 205 (6B 6)
Hill Ter. Corr —1D 150
Hill, The. H'low —8H 53
Hill, The. N'fleet —3G 49
Hilltop. E17 —7B 108
Hill Top. Lou —1N 93
Hill Top Av. Ben —4F 136
Hilltop Av. Hull —7L 105
Hilltop Clo. Colc —2D 176
Hill Top Clo. Lou —2N 93
Hilltop Clo. Ray —6J 121
Hill Top Ct. Wfd G —3M 109
Hilltop Cres. Wee —5D 180
Hill Top La. Saf W —6L 205
Hill Top Pl. Lou —2N 93
Hill Top Rise. Lang H —2H 133
Hilltop Rise. Wee —5C 180
Hilltop Rd. Bas —8M 117
Hilltop Rd. Grays —4E 156
Hill Top View. Wfd G —3M 109
Hill Tree Clo. Saw —3J 53
Hillview. Bick —9F 76
Hillview Av. Horn —1G 129
Hillview Clo. Rhdge —6F 176
Hill View Cres. Ilf —1M 125
Hillview Gdns. Stan H —9A 134
Hill View Rd. Chelm —7L 61
Hillview Rd. Ray —4J 121
Hillway. Bill —6M 101 (7K 33)
Hillway. Wclf S —6F 138
Hillway, The. Ing —9A 86 (in two parts)

Hillwood Clo. Hut —7L 99
Hillwood Gro. Hut —7L 99
Hillwood Gro. W'fd —9M 103
Hilly Field. H'low —7E 56
Hillyfields. Lou —1N 93 (6G 31)
Hilly Rd. Lain —8M 117
Hilton Clo. Mann —4J 165
Hilton Rd. Can I —9G 136
Hilton Wlk. Can I —9G 137
Hilton Wlk. Sib H —7C 206
Hilton Way. Sib H —7C 206
Hilversum Way. Can I —9H 137
Hind Clo. Chig —2E 110
Hind Cres. N Hth —4B 154
Hindles Rd. Can I —1K 153
Hindmans Way. Dag —4L 143
Hines Clo. Aldh —6A 16
Hinguar St. Shoe —8K 141
Hinksey Path. SE2 —9J 143
Hinton Ct. E10 —4B 124
(off Leyton Grange Est.)
Hinton Rd. SW9 —3A 46
Hintons. H'low —7N 55
Hinxton. —3A 6
Hinxton Rd. Dux —3K 5
Hinxton Watermill. —3K 5
Hitcham Rd. Cogg —7K 195
Hitch Comn. Rd. Newp —8C 204
Hitchin Clo. Romf —1G 113
Hitchin M. Brain —8K 193
Hither Blakers. S Fer —9K 91
Hitherfield Rd. Dag —4K 127
Hither Green. —3E 46
Hither Grn. La. SE13 —3E 46
Hitherwood Clo. Horn —6H 129
Hitherwood Rd. Colc —4K 175
Hive Clo. Brtwd —9D 98
Hobart Clo. Chelm —6G 60
Hobart Rd. Dag —6J 127
Hobart Rd. Ilf —6B 110
Hobart Rd. Til —6C 158
Hobbiton Hill. S Fer —2J 105
Hobbs Cross. —6J 81 (5J 31)
(nr. Epping)
Hobbs Cross. —2M 57 (6K 21)
(nr. Harlow)
Hobbs Cross. H'low —9L 53
Hobbs Cross Rd. H'low —2M 57 (6K 21)
Hobbs Cross Rd. Stap T & They G —4H 81
Hobbs Dri. Boxt —3A 162
Hobbs La. Glem —2G 9
Hobbs M. Ilf —4E 126
Hobhouse Rd. Stan H —1M 149
Hobleythick La. Wclf S —3J 139 (4J 43)
Hoblongs Ind. Est. D'mw —1G 23
Hobtoe Rd. H'low —2N 55
Hockenden. —6K 47
Hockenden La. Swan —6K 47
Hockerill. —1K 21
Hockerill St. Bis S —1K 21
Hockley. —1D 122 (1H 43)
Hockley Clo. Bas —9E 118
Hockley Clo. Brad S —1F 37
Hockley Ct. E18 —5G 108
Hockley Dri. Romf —6F 112
Hockley Grn. Bas —9F 118
Hockley Mobile Homes. Hock —6B 106
Hockley Rise. Hock —2D 122
Hockley Rd. Bas —9E 118
Hockley Rd. Brad S —1F 37
Hockley Rd. Ray —5K 121 (2F 43)
Hoddesdon. —5A 54 (7D 20)
Hoddesdon Bus. Cen. Hod —5A 54
Hoddesdon Rd. Stan A —1B 54 (6E 20)
Hodgkin Clo. SE28 —7J 143
Hodgson Ct. W'fd —2A 120
Hodgson Way. W'fd —1N 119 (1C 42)
Hodings Rd. H'low —2A 56
Hoecroft. Naze —1F 64
Hoe Dri. Colc —1H 175
Hoe La. Abr —2G 94 (6J 31)
Hoe La. Caven —3F 9
Hoe La. Enf —5C 30
Hoe La. Gt Walt —6G 58
Hoe La. Naze —1F 64 (1E 30)
Hoe La. Ret C —2N 103 (6D 34)
Hoe La. Ware —5C 20
Hoe Mill Rd. Wdhm W —1F 35
Hoestock Rd. Saw —2J 53
Hoe St. E17 —8A 108 (3D 38)
Hoe St. Rox —1H 33
Hoe, The. Bill —3K 117
Hoffmanns Way. Chelm —7K 61
Hofford Rd. Grays & Stan H —2F 158
Hogarth Av. Brtwd —9H 99
Hogarth Clo. W Mer —3L 213
Hogarth Dri. Shoe —6L 141
Hogarth End. Kir X —7H 183
Hogarth Reach. Lou —4M 93
Hogarth Rd. Dag —7G 127
Hogarth Rd. Grays —8K 147
Hogarth Way. R'fd —1H 123
Hogges Clo. Hod —5A 54
Hogg La. Grays —9K 147 (1F 49)
Hog Hill Rd. Romf —4L 111 (2K 39)
Hog's La. Chris —6H 5
Hog's La. E Ber —1D 164
Hogwell Chase. S Fer —5G 35
Holbech Rd. Bas —7G 119
Holbeck La. Chesh —2B 30
Holbein Ter. Dag —6H 127
(off Marlborough Rd.)
Holbek Rd. Can I —2L 153
Holborn. —7A 38
Holborn. EC1 —7A 38
Holborn Viaduct. EC1 & EC4 —7A 38
Holborough Clo. Colc —8F 168
Holbrook. —1D 18
Holbrook Clo. Bill —6M 101
Holbrook Clo. Clac S —9F 186
Holbrook Clo. S Fer —1K 105
Holbrook Rd. Hark —1E 18
Holbrook Rd. Stut —1C 18
Holbrook Way. Brom —7G 47
Holcombe Rd. Ilf —2N 125
Holdbrook. —4D 30
Holdbrook Way. Romf —6K 113
Holden Clo. Dag —5G 127
Holden Gdns. Bas —6G 118
Holden Gdns. War —2G 115
Holden Rd. Bas —6G 118
Holden Rd. Colc —5N 167
Holden Wlk. Bas —6G 118
Holden Way. Upm —3A 130
Holder's Green. —4G 13
Holecroft. Wal A —4E 78
Hole Farm La. Gt War —6D 114
Holgate. Bas —7K 119
Holgate Ct. Romf —9C 112
(off Western Rd.)
Holgate Gdns. Dag —8M 127
Holgate Rd. Dag —7M 127
Holiday Hill. W Han —5F 88 (5B 34)
Holkham Av. S Fer —3K 105
Holland Av. Can I —9D 136
Holland Clo. Romf —9A 112
Holland Ct. E17 —8C 108
(off Evelyn Rd.)
Holland Haven Country Park. —5E 188 (3F 29)
Holland Ho. E4 —1D 108
Holland-on-Sea. —8A 188 (3F 29)
Holland Pk. Clac S —9L 187
Holland Pk. Av. Ilf —1D 126
Holland Rd. E6 —9N 125
Holland Rd. Clac S —2K 191 (4E 28)
(in two parts)
Holland Rd. Frin S —2H 189
Holland Rd. Kir X —8E 182
Holland Rd. L Cla —3H 187 (2D 28)
Holland Rd. Wclf S —7J 139
Hollands Rd. H'hll —3J 7
Holland Wlk. Bas —4E 134
Holledge Cres. Kir X —8H 183
Holley Gdns. Bill —5K 101
Hollidge Way. Dag —9N 127
Hollies Rd. B'wll —7F 15
Hollies, The. E11 —9G 108
(off New Wanstead)
Hollies, The. Stan H —4L 149
Hollies, The. Wal A —5J 79
(off Woodbine Clo.)
Holliland Croft. Gt Tey —2E 172
Hollingtons Gro. B'ch —8D 174
Hollis Lock. Chel V —8B 62
Hollis Pl. Grays —2K 157
Holliwell Clo. S'way —9E 166
Holloway. —4A 38
Holloway Clo. Lea R —5E 22
Holloway Cres. Lea R —5E 22
Holloway Rd. E11 —5D 124
Holloway Rd. N19 & N7 —4A 38
Holloway Rd. H'bri —2J 203 (7H 25)
Hollow Cotts. Purf —3L 155
Hollowfield Av. Grays —2N 157
Hollow La. Broom —4F 60 (7K 23)
Hollow La. Bures —1A 16
Hollow Rd. Ashen —4C 8
Hollow Rd. Chris —6H 5
Hollow Rd. Elm —6J 5
Hollow Rd. Fels —2A 24
Hollow Rd. K'dn —8A 202 (2H 25)
Hollow Rd. Widd —3B 12
Hollow, The. Wfd G —1F 108
Holly Bank. Bas —2H 133
Hollybank. Wthm —6C 214
Hollybush Clo. E11 —9G 108
Hollybush Hill. E11 —1F 124 (3E 38)
Hollybush Hill. Gt Ben —2K 185 (2A 28)
Holly Clo. Buck H —9K 93
Holly Clo. Bur C —3L 195
Holly Clo. Colc —4K 175
Holly Ct. Bill —6J 101
Holly Cres. Wfd G —4D 108
Hollycroft. Gt Bad —4J 75
Hollycross Rd. Stan A —5D 20
Hollydown Way. E11 —5D 124 (4E 38)
Holly Dri. E4 —6B 92
Holly Dri. S Ock —4G 147
Holly Field. H'low —6B 56
Hollyford. Bill —3M 101
(in two parts)
Holly Gro. Bas —1H 133
Holly Gro. Rd. B'fld —4A 20
Holly Hill Rd. Belv & Eri —3A 154
Hollyhock Rd. Saf W —3L 205
Holly Ho. Brtwd —7G 99
Holly La. Gt Hork —4K 161 (3E 16)
Hollymead. Corr —1N 149
Hollymead Clo. Colc —4N 167
Holly Oaks. Wmgfd —3B 16
Holly Rd. E11 —2F 124
Holly Rd. S'way —1D 174
Hollytree Ct. Colc —3K 175
Hollytree Gdns. Ray —7H 121
Hollytrees Museum. —8N 167 (6E 16)
Holly View Clo. Ten —1D 180
Holly Wlk. Can I —1F 152
Holly Wlk. Wthm —2E 214
(in two parts)
Holly Way. Chelm —3E 74
Holly Way. Elms —9M 169
Hollyway. Tip —6C 212
Hollywood Clo. Chelm —4F 74
Hollywood Way. Eri —5F 154
Hollywood Way. Wfd G —4D 108
Holman Cres. Colc —2H 175
Holman Rd. H'std —6K 199
Holmans. Bore —3F 62
Holmbrook Way. Frin S —9H 183
Holmcroft Ho. E17 —8B 108
Holmer Ct. Colc —9M 167
Holme Rd. Horn —3L 129
Holmes Clo. Horn H —2H 149
Holmes Ct. Can I —1K 153
(off High St. Canvey Island,)
Holmesdale Hill. S Dar —6D 48
Holmesdale Rd. S Dar —6D 48
Holmes Meadow. H'low —9A 56
Holmes Rd. H'std —6K 199
Holm Oak. Colc —3A 176
Holmsdale Clo. Wclf S —3H 139
Holmsdale Gro. Bexh —7C 154
Holmswood. Can I —9L 137
Holmwood Av. Shenf —5K 99
Holmwood Clo. Clac S —7F 186
Holmwood Rd. Ilf —4D 126
Holness Rd. E15 —8F 124
Holst Av. Bas —7L 117
Holst Clo. Stan H —2L 149
Holstock Rd. Ilf —4B 126
Holsworthy. Shoe —6H 141
Holsworthy Ho. H Hill —5H 113
Holt Clo. SE28 —7G 143
Holt Clo. Chig —2E 110
Holt Ct. E15 —7C 124
Holt Dri. Colc —7A 176
Holt Dri. W Bis —7K 213
Holt Farm Way. R'fd —3J 123
Holton Rd. Can I —2M 153
Holton Rd. Ray —6N 121
Holton St Mary. —1H 17
Holt's Rd. L Hork —5C 160 (3C 16)
Holt, The. Ilf —3B 110
Holt Way. Chig —2E 110
Holtwhite's Hill. Enf —6A 30
Holtynge. Ben —2C 136
Holybread La. L Bad —7J 63 (1D 34)
Holy Cross Hill. Worm —2C 30
Holyfield. —8D 64 (3E 30)
Holyfield Rd. Wal A —8C 64 (3E 30)
Holyoak La. Hock —3D 122
Holyrood. Har —5H 201
Holyrood Dri. Wclf S —4G 138
Holyrood Gdns. Grays —2E 158
Homebridge. Gt Sam —1H 13
Homebush Ho. E4 —6B 92
Home Clo. H'low —3E 56
Home Clo. Stpl B —2D 210
Homecove Ho. Wclf S —7J 139
(off Holland Rd.)
Homecroft Gdns. Lou —3A 94
Home Farm Clo. Gt W —2M 141
Home Farm La. A'lgh —7N 163 (4J 17)
Home Farm Rd. L War —5H 115 (2F 41)
Homefield. S'min —6M 207
Homefield. Wal A —2G 78
Homefield Av. Ilf —9D 110
Homefield Clo. Bill —1M 117
Homefield Clo. Chelm —6F 60
Homefield Clo. Epp —9F 66
Homefield Rd. Brom —6F 47
Homefield Rd. Colc —5K 175
Homefield Rd. H'hll —3J 7
Homefield Rd. Wthm —3D 214
Homefields Av. Ben —1B 136
Homefield Way. E Col —2C 196
Homefield Way. Tye G —1D 194
Home Gdns. Dag —5A 128
Home Gdns. Dart —3C 48
Homehurst Ho. Brtwd —7G 98
Homelands Gro. Rams H —4D 102
Homelands Retail Pk. Chelm —6B 62
Home Mead. Bas —7K 117
Home Mead. Gall —8D 74
Home Mead. Writ —1J 73
Home Meadows. Bill —6J 101
Homer Clo. Bexh —6A 154
Homeregal Ho. Ray —5K 121
(off Bellingham La.)
Homerton. —5C 38
Homerton Clo. Clac S —5K 187
Homerton High St. E9 —5C 38
Homerton Rd. E9 —6A 124 (5D 38)
Homesdale Clo. E11 —9G 108
Homesdale Rd. Brom —6F 47
Homestall Rd. SE22 —3C 46
Homestead. Broom —4K 61
Homestead Ct. Ben —3K 137
Homestead Dri. Bas —4L 133
Homestead Gdns. Ben —4K 137
Homestead Gdns. Clac S —7J 187
Homestead Rd. Bas —9M 119
Homestead Rd. Ben —4K 137
Homestead Rd. Dag —4L 127
Homestead Rd. Rams B —8E 102
Homestead Way. Ben —4K 137
Homeway. Romf —3M 113
Homing Rd. L Cla —1G 186
Honey Brook. Wal A —3E 78
Honey Clo. Chelm —4D 74
Honey Clo. Dag —8N 127
Honey Clo. Hook E —5G 84
Honeycroft. Law —5G 165
Honeycroft. Lou —3A 94
Honeyhill. H'low —7D 56
Honey La. Clav —3H 11
Honey La. Wal A —3E 78 (4E 30)
Honey La. Ho. Wal A —4G 78
Honeymeade. Saw —5H 53
(in two parts)
Honeypot La. Bas —7C 118
(in two parts)
Honeypot La. Brtwd —9D 98 (1E 40)
Honeypot La. Chelm —4A 58
Honeypot La. Gt Bro —7G 171
Honey Pot La. Pur —5G 35
Honeypot La. Stock —8L 87 (5K 33)
Honeypot La. Tol K —4A 26
Honeypot La. Wal A —9J 79
Honeypot La. Wee H —1E 186
Honeypot La. Wix —5C 18
Honeypots. Chelm —4D 74
Honeysuckle Clo. Pil H —4E 98
Honeysuckle Clo. Romf —3G 113
Honeysuckle Path. Chelm —5A 62
Honeysuckle Way. Colc —7E 168
Honeysuckle Way. Thorr —9F 178
Honeysuckle Way. Wthm —3A 214
Honeytree Ct. Lou —1A 94
Honey Tye. —1C 16
Honeywood Av. Cogg —7L 195
Honeywood Rd. H'std —3L 199
Honiley Av. W'fd —4M 119
Honington Clo. W'fd —1B 120
Honiton Rd. Romf —1B 128
Honiton Rd. Sth S —6A 140
Honorius Dri. H'wds —1B 168
Honor Oak. —3C 46
Honor Oak Park. —4D 46
Honor Oak Pk. SE23 —3C 46
Honor Oak Rd. SE23 —4C 46
Honywood Clo. M Tey —3B 172
Honywood Rd. Bas —5G 118
Honywood Rd. Colc —9L 167
Honywood Way. Kir X —7J 183
Hood Clo. W'fd —1M 119
Hood Gdns. Brain —4L 193
Hood Rd. Rain —2D 144
Hood Wlk. Romf —5N 111
Hook End. —5F 84 (5E 32)
Hook End La. Hook E —5F 84 (4E 32)
Hook End Rd. Hook E —5E 84 (5E 32)
Hook Field. H'low —5D 56
Hook Green. —5F 49
(nr. Gravesend)
Hook Green. —7H 49
(nr. Meopham)
Hook Grn. La. Dart —4A 48
Hook Grn. Rd. Meop —5F 49
Hook La. Romf —5L 95 (7K 31)
Hook La. Well —3J 47
Hookshall Dri. Dag —5A 128
Hookstone Way. Wfd G —4K 109
Hooley Dri. Ray —1J 121
Hoo, The. H'low —7H 53
Hoover Dri. Bas —9H 117
Hope Av. Stan H —9N 133
Hope Clo. Chad H —8H 111
Hope Clo. Mount —9A 86
Hope Clo. Wfd G —3J 109
Hope End Green. —1D 22
Hope Rd. Ben —5D 136
Hope Rd. Can I —2K 153
Hope Rd. Cray H —2D 118
Hope Rd. Stan H —5M 149
Hope's Green. —4C 136 (4D 42)
Hopes La. Ing —1L 87
Hop Gdns. La. Wdhm W —1F 35
Hop Grounds, The. F'fd —2K 13
Hopkins Clo. Kir X —8J 183
Hopkins Clo. Romf —7G 112
Hopkins Mead. Chelm —9A 62
Hopkirk Clo. Dan —2F 76
Hoppers Rd. N13 —1A 38
Hopper Wlk. Colc —9D 168
Hoppet, The. Ing —5E 86
Hoppett Rd. E4 —8E 92
Hopping Jacks La. Dan —3F 76 (2E 34)
Hoppit Mead. Brain —7H 193
Hoppit Rd. Wal A —2B 78
Hoppits, The. More —1B 32
Horace Av. Romf —3A 128
Horace Rd. E7 —6H 125
Horace Rd. Bill —4L 101
Horace Rd. Ilf —7B 110
Horace Rd. Sth S —7N 139
Hordle Pl. Har —3M 201
Hordle St. Har —3M 201
Horham Hall. —4E 12
Horkesley Hill. Nay —1H 161 (2D 16)
Horkesley Rd. Boxt —8L 161 (4E 16)
Horkesley Way. W'fd —1M 119
Horksley Gdns. Hut —5M 99
Horley Clo. Clac S —7G 187
Hornbeam Av. Upm —6L 129
Hornbeam Clo. Brtwd —9L 99
Hornbeam Clo. Buck H —9K 93
Hornbeam Clo. Chelm —4B 74
Hornbeam Clo. Colc —4L 175
Hornbeam Clo. They B —7C 80
Hornbeam Gro. E4 —9E 92
Hornbeam Ho. Buck H —9K 93
Hornbeam La. E4 —4E 92
Hornbeam La. Bexh —7A 154
Hornbeam Rd. Buck H —9K 93
Hornbeam Rd. They B —7C 80
Hornbeams. Ben —7B 120
Hornbeams, The. H'low —1B 56
Hornbeams, The. L Oak —8D 200
Hornbeam Wlk. Wthm —3D 214
Hornbeam Way. Lain —5L 117
Hornby Av. Wclf S —1H 139
Hornby Clo. Wclf S —1J 139
Hornchurch. —3J 129 (4B 40)
Hornchurch Clo. W'fd —1A 120
Hornchurch Rd. Horn —3E 128 (4A 40)
Horndon Clo. Romf —5A 112
Horndon Grn. Romf —5A 112
Horndon Ind. Pk. W H'dn —1M 131
Horndon on the Hill. —2H 149 (6J 41)
Horndon Rd. Horn H —4J 149 (6J 41)
Horndon Rd. Romf —5A 112
Horne Row. —5D 76
Horne Row. Dan —4D 76
Horner Pl. Wthm —5D 214
Horne's Green. —2K 15
Hornestreet. —3D 162 (3G 17)
Hornet Way. Bur C —3L 195
Hornfair Rd. SE7 —2F 47
Hornford Way. Romf —2C 128
Horn Hill. Sib H —9A 206 (2D 14)
Horn & Horseshoe La. H'low —5K 57
Horniman Museum. —4C 46
Horn La. Cogg —8L 195
Horn La. Wfd G —3G 109
Hornminster Glen. Horn —4L 129
Hornsby La. Ors —9C 148
Hornsby Sq. Bas —8G 117
(in two parts)
Hornsby Way. Bas —8H 117 (3J 41)
Horns Cross. —3D 48
Hornsey. —3A 38
Hornsey La. N6 —4A 38
Hornsey Pk. Rd. N8 —3A 38
Hornsey Rise. N19 —4A 38
Hornsey Rd. N19 & N7 —4A 38
Hornsey Vale. —3A 38
Hornsland Rd. Can I —2L 153
Horns Mill Rd. Hert —6B 20
Horns Rd. Ilf —9B 110 (3H 39)
Horrocks Clo. Colc —2A 176
Horsa Rd. Eri —5A 154
Horse and Groom La. Chelm —8B 74
Horsebridge Clo. Dag —1K 143
Horsecroft Pl. H'low —4L 55
Horsecroft Rd. H'low —4L 55
Horseferry Rd. SW1 —1A 46
Horseheath. —2F 7
Horseheath Rd. Lin —2D 6
Horseheath Rd. Wthfld —2H 7
Horseman Ct. Kel H —7C 84
Horseman Side. —3J 97 (6C 32)
Horseman Side. N'side —6F 96 (7B 32)
Horse Ride. Epp —5A 80
Horseshoe Barracks. Shoe —8K 141
Horseshoe Clo. Bill —3J 101
Horseshoe Clo. Elm —6J 5
Horseshoe Clo. Wal A —3J 79
Horseshoe Hill. Gt Hor —4F 11
Horseshoe Hill. Wal A —4F 31
Horseshoe La. L Hor —4E 10
Horseshoe Lawns. Hull —4L 105
Horsey Rd. Kir S —6F 182
Horsley Cross. —4N 171 (5B 18)
Horsley Cross. Bas —8C 118
Horsleycross Street. —2M 171 (4B 18)
Horsley Rd. E4 —8C 92
Horton Kirby. —6D 48
Horton Rd. Hort K —6D 48
Hortus Rd. E4 —8C 92
Hospital App. Broom —9K 59 (6A 24)
Hospital La. Colc —9L 167
Hospital Rd. Colc —9L 167
Hospital Rd. Shoe —8K 141
Houblon Dri. Chelm —8D 74
Houblons Hill. Coop —1H 81 (4J 31)
Houchin Dri. Fyf —1D 32
Houchin's La. Cogg —3A 172 (7J 15)
Houndsden Rd. N21 —7A 30
Hounslow Green. —2H 23
House on the Hill Toy Museum. —3E 208 (6A 12)
Housham Tye. —6A 22
Hove Clo. Grays —4K 157
Hove Clo. Hut —7M 99
Hovefields Av. Bas —5L 119
Hovefields Av. W'fd —4L 119
Hovefields Dri. W'fd —4L 119
Hoveton Rd. SE28 —7H 143
Howard Av. Har —5H 201
Howard Bus. Pk. Wal A —4D 78
Howard Chase. Bas —7A 118
Howard Clo. Brain —5L 193
Howard Clo. Lou —5L 93
Howard Clo. Wal A —4D 78
Howard Ct. Bark —1C 142
Howard Cres. Bas —1K 135
Howard Dri. Chelm —9B 62
Howard Lodge Rd. Kel C —7N 83 (5C 32)
Howard Pl. Can I —3H 153
Howard Rd. E11 —5E 124
Howard Rd. E17 —7A 108
Howard Rd. Bark —1C 142
Howard Rd. Grays —1F 156
Howard Rd. Hol S —9N 187
Howard Rd. Ilf —6A 126
Howard Rd. Saf W —3L 205
Howard Rd. Upm —4N 129
Howards Chase. Wclf S —4K 139
Howards Clo. Bore —3F 62
Howards Croft. Colc —2L 167
Howard Vyse Ct. Clac S —8J 187
Howard Way. H'low —9E 52 (6H 21)
Howbridge Hall Rd. Wthm —8C 214
(in two parts)
Howbridge Rd. Wthm —7C 214 (5F 25)

Howbury La. Eri —7E 154 (2A 48)
Howden Clo. SE28 —7J 143
Howe Chase. H'std —2K 199
Howe Clo. Colc —8D 168
Howe Clo. Romf —5M 111
Howe Green. —8L 75 (3C 34)
Howe Green. Gt Hal —2A 22
Howe Grn. Rd. Pur —4G 35
Howe La. Gt Sam —7H 7
Howell Clo. Romf —9J 111
Howell Ct. E10 —3B 124
Howell Rd. Corr —8A 134
Howe Street. —2H 59 (4K 23)
Howe St. F'fld —2K 13
Howfield Grn. Hod —2A 54
Howlett End. —1E 12
Hows Mead. N Wea —3B 68
Hoxton. —6B 38
Hoxton Clo. Clac S —8H 187
Hoylake Gdns. Romf —4L 113
Hoynors. Dan —3G 76
Hubbards Chase. Horn —9L 113
Hubbards Chase. W on N —6L 183
Hubbards Clo. Horn —9L 113
Hubert Rd. Brtwd —9E 98
Hubert Rd. Colc —7J 167
Hubert Rd. Rain —3D 144
Hucklesbury Av. Hol S —6B 188
Hucknall Clo. Romf —3K 113
Huddlestone Rd. E7 —6F 124
Hudson Clo. Clac S —8G 186
Hudson Clo. Har —6J 201
Hudson Ct. Lgh S —9D 122
(off Hudson Cres.)
Hudson Cres. Lgh S —9D 122
Hudson Rd. Lgh S —9C 122
Hudsons Clo. Stan H —2M 149
Hudson's Hill. Weth —3A 14
Hudsons La. Thor S —1F 17
Hudson Way. Can I —8G 137
Hughan Rd. E15 —7D 124
Hugh Dickson Rd. Colc —5M 167
Hughendon Ter. E15 —6C 124
Hughes Rd. Grays —1C 158
Hughes Stanton Way. Law —4G 164
Hugo Gdns. Rain —8E 128
Hullbridge. —5L 105 (7F 35)
Hullbridge Rd. Ray —7K 105 (1F 43)
Hullbridge Rd. S Fer —8J 91 (6F 35)
(in two parts)
Hullett's La. Pil H —2B 98
Hull Grn. Mat G —6B 22
Hull Gro. H'low —8N 55
Hull La. Terl —4D 24
Hull's La. S'don —4M 75 (2C 34)
Hulse Av. Bark —8C 126
Hulse Av. Romf —5N 111
Hulton Clo. Bore —3F 62
Humber Av. Jay —6C 190
Humber Av. S Ock —6C 146
Humber Clo. Ray —6J 121
Humber Dri. Upm —1A 130
Humber Rd. Chelm —6L 61
Humber Rd. Wthm —5A 214
Hume Av. Til —8D 158 (3H 49)
Hume Clo. Til —8C 158
Humphrey Clo. Ilf —5M 109
Humphrey Lodge. Thax —2K 211
Humphrey's Farm La. Chelm —5E 58 (5K 23)
Humphries Clo. Dag —6L 127
Hundon. —1C 8
Hundon Rd. Ked —2A 8
Hundred La. Boxt —4B 162
Hungerdown. E4 —7C 92
Hungerdown La. A'lgh —9B 164 (4J 17)
Hunnable Rd. Brain —5G 192
Hunsdon. —4F 21
Hunsdonbury. —5G 21
Hunsdon Clo. Dag —8K 127
Hunsdon Rd. Stan A —6E 20
Hunsdon Rd. Wid —4F 21
Hunt Av. H'bri —3L 203
Hunt Clo. Fee —6D 202
Hunt Dri. Clac S —8H 187
Hunter Av. Shenf —5K 99
Hunter Dri. Horn —6G 129
Hunter Dri. Law —5G 164
Hunter Dri. W'fd —2M 119
Hunter Rd. Brain —6L 193
Hunter Rd. Ilf —7A 126
Hunters Av. Bill —9K 101
Hunter's Chase. A'lgh —3H 17
Hunters Chase. Hut —7E 100
Hunters Corner. Colc —1G 174
Hunters Ct. Else —7C 196
Hunters Gro. Romf —2N 111
Hunters Hall Rd. Dag —6M 127
Hunters Ridge. H'wds —3B 168
Hunters Sq. Dag —6M 127
Hunters Way. Chelm —4A 62
Hunters Way. Saf W —6K 205
Hunters Yd. Saf W —4K 205
Huntingdon Rd. Sth S —6B 140
Huntingdon Way. Clac S —7J 187
Hunting Ga. Colc —8C 168
Huntings Farm. Ilf —5C 126
Huntings Rd. Dag —8M 127
Huntland Clo. Rain —5F 144
Hunt Rd. E Col —3B 196
Hunt's Clo. Writ —2K 73
Hunt's Dri. Writ —2K 73
Hunts Farm Clo. Tol —7K 211
Hunts Hill. Glem —2G 9
Huntsman La. Fox —3G 9
Huntsman Rd. Ilf —3F 110
Huntsmans Dri. Upm —7N 129
Hunts Mead. Bill —7H 101
Hunts Rd. Dux —3J 5
Hunts Slip Rd. SE21 —4B 46
Hunt Way. Kir X —8H 183
Hunwicke Rd. Colc —8E 168
Hurdleditch Rd. New W —1C 4
Hurlock Rd. Bill —6K 101
Hurnard Dri. Colc —8H 167
Hurrell Down. Bore —2G 62
Hurrell Down. H'wds —3A 168
Hurrells La. L Bad —8F 62 (1C 34)
Hurricane Clo. W'fd —2B 120
Hurricane Ho. W'fd —2A 120
Hurricane Way. N Wea —6M 67
Hurricane Way. W'fd —2A 120
Hurry Clo. E15 —9E 124
Hursley Rd. Chig —2E 110
Hurst Av. E4 —1A 108
Hurstbourne Gdns. Bark —8D 126
Hurst Clo. E4 —9A 92
Hurst Clo. B'sea —7F 184
Hurstcombe. Buck H —8G 93
Hurst Green. —7F 184 (3K 27)
Hurst Ho. Ben —8H 121
Hurstlands Clo. Horn —2G 128
Hurstleigh Gdns. Ilf —5M 109
Hurst Pk. Av. Horn —6J 129
Hurst Rd. E17 —7B 108
Hurst Rd. Buck H —7K 93
Hurst Rd. Eri —6A 154
Hurst Rd. Sidc & Bex —4J 47
Hurst Way. Chelm —9A 62
Hurst Way. Lgh S —2E 138
Hurstwood Av. E18 —8H 109
Hurstwood Av. Eri & Bexh —6C 154
Hurstwood Av. Pil H —6E 98
Hurstwood Ct. Upm —3N 129
Huskards. Upm —4M 129
Hutchins Clo. E15 —9C 124
Hutchins Clo. Horn —5J 129
Hutchinson Ct. Romf —8J 111
Hutson Ter. Purf —4A 156
Hutton. —4M 99 (7G 33)
Hutton Clo. Wfd G —3H 109
Hutton Ct. Hut —6B 100
Hutton Dri. Hut —6M 99
Hutton Ga. Hut —6L 99
Hutton Mount. —7L 99 (7F 33)
Hutton Rd. Shenf —6J 99 (7F 33)
Hutton Village. Hut —6A 100 (7G 33)
Huxley Dri. Romf —2G 126
Huxley Rd. E10 —4C 124
Huxtable La. For H —6B 166
Hyacinth Clo. Clac S —9G 186
Hyacinth Clo. Tol —8L 211
Hyacinth Ct. Chelm —4N 61
Hyams Way. Colc —9N 167
Hycliffe Gdns. Chig —1B 110
Hydaway Ho. Kel H —7B 84
Hyde Chase. Wdhm M —6K 77
Hyde Farm Chase. Dan —6H 77
Hyde Grn. Dan —3H 77
Hyde Hall Gardens. —6E 90 (5E 34)
Hyde Hall La. Gt Walt —2J 59 (4A 24)
Hyde Hall Rd. Ret C —5D 90
Hyde La. Dan —3G 77 (2E 34)
Hyde La. Gt Sal —5A 14
Hyde Mead. Naze —2E 64
Hyde Mead Ho. Naze —2E 64
Hyderbad Way. E15 —9E 124
Hyder Rd. Grays —1E 158
Hyde, The. Bas —2L 133
Hyde Vale. SE10 —2E 46
Hydeway. Ben —1F 136
Hyde Way. W'fd —1L 119
Hyde Wood La. Cwdn —8L 107 (1J 43)
Hydewood Rd. L Yel —6E 198
Hyland Clo. Horn —2F 128
Hylands Clo. Barns —2H 23
Hylands Park Gardens. —5L 73 (2K 33)
Hylands Rd. E17 —6D 108
Hylands, The. Hock —2C 122
Hyland Way. Horn —2F 128
Hyll Clo. Gt Che —2L 197
Hyndman Ho. Dag —5M 127
(off Kershaw Rd.)
Hynton Rd. Dag —4H 127
Hythe Clo. Brain —2G 193
Hythe Clo. Clac S —4H 191
Hythe Gro. B'sea —4D 184
Hythe Hill. Colc —9C 168 (6F 17)
Hythe Quay. Colc —9C 168 (6F 17)
Hythe Sta. Rd. Colc —9C 168 (6F 17)
Hythe, The. —1C 176 (6F 17)
Hythe, The. Mal —6L 203

Ian Rd. Bill —4H 101
Ibbetson Path. Lou —2A 94
Ibrox Ct. Buck H —8J 93
Ibscott Clo. Dag —8A 128
Iceni Way. Colc —3J 175
Ickleton. —1H 197 (3K 5)
Ickleton Rd. Dux —3J 5
Ickleton Rd. Elm —6J 5
Ickleton Rd. Gt Che —3K 197 (4A 6)
Ickleton Rd. I'tn —3K 5
Ickleton St Mary Church. —1H 197 (4K 5)
Icknield Clo. I'tn —2H 197
Icknield Dri. Ilf —9A 110
Idleigh Ct. Rd. Meop —7F 49
Idmiston Rd. E15 —6F 124
Ilchester Rd. Dag —7G 126
Ilderton Rd. SE16 & SE15 —1C 46
Ilex Clo. Colc —4L 175
Ilford. —5A 126 (4H 39)
Ilford Hill. Ilf —5N 125 (4G 39)
Ilford La. Ilf —5A 126 (5G 39)
Ilford Trad. Est. Bas —5F 118
Ilfracombe Av. Bas —1L 135
Ilfracombe Av. Sth S —6B 140
Ilfracombe Cres. Horn —6G 129
Ilfracombe Gdns. Romf —2G 126
Ilfracombe Rd. Sth S —5A 140
Ilgars Rd. W'fd —7M 103
Ilmington Dri. Bas —6H 119
Imogen Clo. Colc —8F 168
Imperial Av. May —2A 204 (3A 36)
Imperial Av. Wclf S —5G 139
Imperial Ct. Wclf S —7J 139
(off Westcliff Pde.)
Imperial Lodge. Wclf S —5H 139
Imphal Clo. Colc —5K 175
Inchbonnie Rd. S Fer —2J 105 (6F 35)
Ingarfield Rd. Hol S —7A 188
Ingatestone. —6D 86 (5H 33)
Ingatestone By-Pass. Ing —7B 86 (5G 33)
Ingatestone Hall. —7E 86 (5H 33)
Ingatestone Rd. E12 —3J 125
Ingatestone Rd. B'more —2J 85 (4F 33)
Ingatestone Rd. Hghwd —6A 72 (3G 33)
Ingatestone Rd. Ing —7G 87 (5J 33)
Ingatestone Rd. Stock —5J 33
Ingatestone Rd. Wfd G —4H 109
Ingaway. Bas —1A 134
Ingelrica Av. Hat P —3M 63
Ingels Mead. Epp —8E 66
Ingestre Rd. E7 —6G 124
Ingestre St. Har —3M 201
Ingleby Gdns. Chig —9G 94
Ingleby Rd. Dag —8N 127
Ingleby Rd. Grays —1D 158
Ingleby Rd. Ilf —3A 126
Inglefield Rd. Fob —7D 134
Ingleglen. Horn —2L 129
Inglehurst Gdns. Ilf —9M 109
Inglenook. Clac S —6L 187
Ingleside Ct. Saf W —4K 205
Inglewood Clo. Horn —6H 129
Inglewood Clo. Ilf —3E 110
Inglewood Rd. Bexh —9B 154
Inglis Rd. Colc —9L 167
Ingram M. Brain —8K 193
Ingram Rd. Grays —2M 157
Ingram Rd. T Hth —6B 46
Ingrams Piece. A'lgh —8L 163
Ingram's Well Rd. Sud —5J 9
Ingrave. —3M 115 (1G 41)
Ingrave Clo. W'fd —1M 119
Ingrave Common. —1K 115
Ingrave Rd. Brtwd —8G 99 (1E 40)
Ingrave Rd. Romf —8C 112
Ingrebourne Gdns. Upm —3N 129
Ingrebourne Rd. Rain —4F 144 (6B 40)
Ingresbourne Ct. E4 —9B 92
Ingress Ter. Grnh —9E 156
Ingreway. Romf —3M 113
Inkerpole Pl. Chelm —7A 62
Inks Grn. E4 —2B 108
Inmans Row. Wfd G —1G 109
Innes Clo. W'fd —2M 119
Innham Hill. Sib H —9A 206 (2D 14)
Inworth Wlk. Colc —5A 176
Inskip Clo. E10 —4B 124
Inskip Dri. Horn —3J 129
Inskip Rd. Dag —3J 127
Institute Rd. Coop —8J 67
Instone Rd. Dart —4C 48
Integer Gdns. E11 —2D 124
International Bus. Pk. Can I —2D 152
Inverclyde Gdns. Romf —8H 111
(in two parts)
Inverness Av. Wclf S —4J 139
Inverness Clo. Colc —7A 168
Inverness Dri. Ilf —3D 110
Invicta Ct. Bill —5G 101
Inworth. —9F 202 (3J 25)
Inworth La. Wak C —3K 15
Inworth Rd. Fee —6E 202 (2J 25)
Inworth Wlk. W'fd —8A 104
Iona Way. W'fd —2N 119
Ipswich M. Lain —1H 133
Ipswich Rd. Bran —3G 164 (1A 18)
Ipswich Rd. Colc & L'ham —8B 168 (6F 17)
Ipswich Rd. Ded & Strat M —1H 163 (2G 17)
Ipswich Rd. Hark —1E 18
Ipswich Rd. Holb —1D 18
Ipswich Rd. Hol S —7A 188
Ipswich Rd. Mann —2K 17
Ireton Pl. Grays —2K 157
Ireton Rd. Colc —1L 175
Iris Clo. Chelm —6A 62
Iris Clo. Pil H —4E 98
Iris Path. Romf —4G 113
Iron Latch La. S'way —7D 166
Iron Latch Meadow Nature Reserve. —7D 166 (6C 16)
Iron Mill La. Dart —9C 154 (3A 48)
Iron Mill Pl. Dart —9D 154
Irons Way. Romf —4A 112
Ironwell La. Hock & R'fd —4F 122
Irvine Gdns. S Ock —6C 146
Irvine Pl. W'fd —2N 119
Irvine Rd. Colc —2K 175
Irvine Way. Bill —7J 101
Irvington Clo. Lgh S —2C 138
Irvon Hill Rd. W'fd —9K 103
Isabel Evans Ct. Stan H —9A 134
Isbell Gdns. Romf —4C 112
Isbourne Rd. Colc —8F 168
Ishams Chase. Wthm —8F 214
Isis Dri. Upm —1B 130
Island La. Kir S —6H 183
Island Rd. Frin S —2H 183
Isledon Rd. N7 —4A 38
Islington. —6A 38
Islington Pk. St. N1 —5A 38
Ismailia Rd. E7 —9H 125
Istead Rise. —6G 49
Italstyle Bldgs. Saw —6H 53
Ive Farm Clo. E10 —4A 124
Ive Farm La. E10 —4A 124
Iver Rd. Pil H —5E 98
Ives Gdns. Romf —8D 112
Ivinghoe Rd. Dag —7G 126
Ivor Brown Ct. H'wds —3B 168
Ivy Barn La. Marg —1C 86 (3H 33)
Ivybridge. Brox —7A 54
Ivy Chimneys. —2E 80 (4H 31)
Ivy Chimneys Rd. Epp —2D 80 (4H 31)
Ivydale Rd. SE15 —3C 46
Ivyhouse Rd. Dag —8J 127
Ivy La. E Mer —4J 27
Ivy Lodge La. H Wood —5M 113
Ivy Lodge Rd. Gt Hork —8K 161 (4E 16)
Ivy Rd. E17 —1A 124
Ivy Rd. Ben —9A 120
Ivy Ter. Hod —3C 54
Ivy Todd Hill. Deb —2C 12
Ivy Wlk. Can I —1F 152
Ivy Wlk. Dag —8K 127

Jacaranda Clo. Chelm —5A 62
Jack Andrews Dri. H'wds —2C 168
Jack Cook Ho. Bark —9A 126
Jack Cornwell St. E12 —6N 125
Jackdaw Clo. Bill —8L 101
Jackdaw Clo. Shoe —6J 141
Jack Evans Ct. S Ock —6D 146
Jack Hatch Way. W'hoe —3G 177
Jacklin Grn. Wfd G —1G 108
Jacks Clo. W'fd —9N 103
Jack's Green. —7E 210
Jack's Hatch. —9N 55
Jack's La. Tak —8D 210
Jackson Ct. E7 —8H 125
Jackson Ho. H'wds —1B 168
Jackson Pl. Chelm —4E 74
Jackson Rd. Bark —1C 142
Jackson Rd. Clac S —2J 191
Jacksons Clo. Ong —8K 69
Jacksons La. Bill —5K 101 (7J 33)
Jackson's La. Gt Che —3L 197 (4A 6)
Jackson's La. Reed —7D 4
Jacksons M. Bill —6L 101
Jackson's Sq. Gt Che —2L 197
Jackson Wlk. Colc —2B 176
Jack Stevens Clo. H'low —5H 57
Jacob Ho. Eri —9J 143
Jacobs Av. H Wood —6J 113
Jacobs Clo. Dag —6N 127
Jacquard Way. Brain —6J 193
Jacqueline Ct. Colc —8H 167
(off Lexden Rd.)
Jacqueline Gdns. Bill —4K 101
Jacqueline Vs. E17 —9C 108
(off Shernhall St.)
Jade Clo. Dag —3H 127
Jade Ho. Rain —4E 144
Jaffe Rd. Ilf —3C 126
Jaggard's Rd. Cogg —7K 195
Jakapeni Rare Breeds Farm. —8M 105 (1F 43)
Jamaica Rd. SE1 & SE16 —1B 46
James Av. Dag —3L 127
James Carter Rd. Colc —3F 174
James Clo. Romf —9E 112
James Clo. W'hoe —3J 177
James Croft. Gall —8C 74
James Gdns. St O —8N 185
James La. E10 & E11 —2C 124 (3E 38)
Jameson Rd. Clac S —1G 191
James Rd. Clac S —2G 191
James Sq. Bill —6N 101
James St. Bark —9B 126
James St. B'sea —7E 184
James St. Colc —9A 168
James St. Epp —7F 66
James Yd. E4 —3D 108
Janette Av. Can I —2E 152
Janice M. Ilf —4A 126
Janke's Green. —4A 16
Janmead. Hut —6L 99
Janmead. Wthm —4D 214
Janson Clo. E15 —7E 124
Janson Rd. E15 —7E 124
Japan Rd. Romf —1J 127
Jardine Rd. Bas —7K 119
Jarmin Rd. Colc —7N 167
Jarndyce. Chelm —5H 61
Jarrah Cotts. Purf —4A 156
Jarrow Rd. Romf —1H 127
Jarvis Field. L Bad —6L 63
Jarvis Rd. Ben —2E 136
Jarvis Rd. Can I —8G 136
Jarvis Way. H Wood —6J 113
Jasmine Clo. Chelm —4N 61
Jasmine Clo. Colc —7D 168
Jasmine Clo. Ilf —7A 126
Jasmine Clo. Lang H —2H 133
Jasmine Way. Jay —5E 190
Jason Clo. Can I —9H 137
Jason Clo. Ors —6G 148
Jasons Clo. Brtwd —1C 114
Jasper's Green. Shalf —5B 14
Jay Ct. H'low —2D 56
Jays La. M Tey —3H 173
Jays, The. H'wds —4B 168
Jaywick. —4E 190 (5C 28)
Jaywick La. Clac S —9E 186 (4C 28)
Jeffcut Rd. Chelm —9N 61
Jefferson Av. Lain —9J 117
Jefferson Clo. Colc —1F 174
Jefferson Clo. Ilf —9A 110
Jeffery Rd. Chelm —3H 75
Jeffrey Clo. Colc —1G 175
Jeffrey's Rd. Cres —2D 194
Jeffries Way. Stan H —2A 150
Jekylls La. L Lon —1K 13
Jellicoe Way. Brain —4L 193
Jena Clo. Shoe —7J 141
Jenkins Dri. Else —6C 196
Jenkin's Hill. Mis —3B 18
Jenkins La. Bark —2B 142
Jenner Clo. Brain —7H 193
Jenner Mead. Chelm —8B 62
Jenningham Dri. Grays —8K 147
Jennings Clo. Colc —9C 168
Jenningtree Rd. Eri —5F 154
Jenningtree Way. Belv —9A 144
Jenny Hammond Clo. E11 —5F 124
Jenny Path. Romf —4H 113
Jephson Rd. E7 —9J 125
Jericho Pl. B'more —1H 85
Jermayns. Bas —9N 117
Jermyn St. SW1 —7A 38
Jerningham Av. Ilf —6A 110
Jerounds. H'low —5A 56
Jersey Clo. Hod —4A 54
Jersey Gdns. W'fd —8L 103
Jersey Rd. E11 —3D 124
Jersey Rd. Ilf —6A 126
Jersey Rd. Mal —7L 203
Jersey Rd. Rain —9E 128
Jersey Way. Brain —6E 192
Jervis Ct. Dag —8N 127
Jeskyns Rd. Meop & Grav —6H 49
Jesmond Dene. They B —6C 80
Jesmond Rd. Can I —3H 153
Jesmond Rd. Grays —8N 147
Jessel Dri. Lou —9B 80
Jesse Rd. E10 —3C 124
Jessett Clo. Eri —2B 154
Jessica Clo. Colc —8F 168
Jessop Ct. Wal A —4F 78
Jetty Wlk. Grays —4K 157
Jewel Rd. E17 —7A 108
Jim Desormeaux Bungalows. H'low —1D 56
Joan Gdns. Dag —4K 127
Joanna Ct. Grays —4N 157
Joan Rd. Dag —4K 127
Jocelyns. H'low —8H 53
Jodrell Rd. E3 —5D 38
Jodrell Way. Water P —3C 156
Joes Rd. Gt Cor —5K 9
John Ball Wlk. Colc —8N 167
John Barnes Wlk. E15 —8F 124
John Belcher Wlk. Colc —9E 168
John Burns Dri. Bark —9D 126
John Clay Gdns. Grays —7L 147
John Ct. Hod —2A 54
John Dane Player Ct. Saf W —4L 205
John Eliot Clo. Naze —9E 54
John English Av. Brain —4G 192
John Harper St. Colc —7M 167
John Islip St. SW1 —1A 46
John Kent Av. Colc —4J 175
John Parker Clo. Dag —9N 127
John Raven Ct. Fee —7D 202
John Ray Gdns. Bla N —3B 194
John Ray St. Brain —5K 193
Johnson Clo. Brain —1F 198
Johnson Clo. R'fd —2J 123
Johnson Clo. W'fd —2M 119
Johnson Rd. Chelm —5H 75
Johnson Rd. St O —9N 185
Johnsons Ct. Saf W —3K 205
Johnson's Dri. Elms —9N 169
Johnsons Yd. Saf W —3K 205
John's Ter. Romf —3M 113
Johns, The. Ong —6L 69
Johnston Clo. H'std —6L 199
Johnston Clo. Hol S —8B 188
Johnstone Rd. Sth S —7E 140
Johnston Rd. Wfd G —2G 108
Johnston Way. Mal —8K 203
John St. B'sea —7E 184
John St. Grays —4M 157
John St. Shoe —8L 141
John Strype Ct. E10 —4B 124
John Tibauld Ct. Stpl B —3C 210
John Wilson St. SE18 —1G 47
Joint, The. Reed —7C 4
Jollyboys La. S. Fels —2K 23
Jones Clo. Sth S —3K 139
Jones Corner. Lgh S —8C 122
Jones Rd. Chesh —3A 30
Jonquil Way. Colc —5K 167
Jordan Clo. Dag —6N 127
Jordans, The. Sth S —4M 139
Jordans Way. Rain —2H 145
Joseph Gdns. Sil E —3M 207
Joseph Lister Ct. E7 —9G 125
Joseph Ray Rd. E11 —4E 124
Joseph Way. Saw —2L 53
Joslin Rd. Purf —3A 156

Josselin Clo. E Col —2C 196
Josselin Ct. Bas —5K 119
Josselin Rd. Burnt M —5K 119
Jotmans La. Ben —4N 135
Journeymans Way. Sth S —1L 139
Joyce Ct. Wal A —4D 78
Joyce Dawson Way. SE28 —7F 142
Joyce Green. —9K 155 (3C 48)
Joyce Grn. La. Dart —9K 155
Joyce Grn. Wlk. Dart —9K 155
Joyces Chase. Gold —7A 26
Joydens Wood. —5A 48
Joydon Dri. Romf —1G 126
Joyes Clo. Romf —1H 113
Joyners Clo. Dag —6L 127
Joyners Field. H'low —7B 56
Jubilee Av. E4 —3C 108
Jubilee Av. Broom —1J 61
Jubilee Av. Clac S —6J 187
Jubilee Av. Romf —9N 111
Jubilee Clo. Har —5G 201
Jubilee Clo. Hock —2D 122
Jubilee Clo. Romf —9N 111
Jubilee Ct. D'mw —7K 197
Jubilee Ct. Sib H —7C 206
Jubilee Ct. Wal A —3F 78
Jubilee Dri. W'fd —8K 103
Jubilee End. Law —3H 165
Jubilee La. A'lgh —4J 169 (5H 17)
Jubilee Rise. Dan —4G 76
Jubilee Rd. Cray H —3D 118
Jubilee Rd. Grays —4E 156
Jubilee Rd. Ray —5L 121 (2F 43)
Jubilee St. E1 —7C 38
Jubilee Ter. Chelm —7J 61
Jubilee Way. Frin S —8J 183
Judd St. WC1 —6A 38
Judith Anne Ct. Upm —4B 130
Judith Av. Romf —3N 111
Julia Ct. E17 —9B 108
Julia Gdns. Bark —2J 143
Julian Av. Colc —1B 168
Julian Clo. Chelm —2K 61
Julie Ho. Hod —3C 54
Julien Ct. Rd. Brain —4J 193
Juliers Clo. Can I —2K 153
Juliers Rd. Can I —2K 153
Juliette Way. S Ock —9K 145
Junction Rd. N19 —4A 38
Junction Rd. Bas —2J 135
Junction Rd. Cold N —4H 35
Junction Rd. Romf —8D 112
Junction Rd. War —1F 114
Junction Rd. E. Romf —2K 127
Junction Rd. W. Romf —2K 127
Juniper Clo. Bill —4L 101
Juniper Clo. H'std —6J 199
Juniper Ct. Brtwd —9J 99
(off Beech Av.)
Juniper Cres. Wthm —3D 214
Juniper Dri. Chelm —4C 74
Juniper Rd. Bore —3F 62
Juniper Rd. Ilf —5N 125
Juniper Rd. Lgh S —2E 138
Juniper Rd. S'way —1D 174
Juniper Way. Colc —7D 168
Juniper Way. Romf —5J 113
Juno M. Colc —5K 175
Jupes Hill. Ded —3B 164 (2J 17)
Jupe's Hill. Wak C —3K 15
Jupp Rd. E15 —9D 124
Jurgens Rd. Purf —4A 156
Jutsums Av. Romf —1N 127
Jutsums Ct. Romf —1N 127
Jutsums La. Romf —1N 127 (3K 39)
Juvina Clo. Wthm —8C 214

Kale Croft. S'way —1E 174
Kale Rd. Ben —2E 136
Kale Rd. Eri —9K 143
Kamerwyk Av. Can I —1J 153
Kandlewood. Hut —6L 99
Kangles, The. Lang U —1H 11
Karen Clo. Ben —6D 136
Karen Clo. Brtwd —6F 98
Karen Clo. Rain —2C 144
Karen Clo. Stan H —3L 149
Karen Clo. W'fd —1K 119
Karen Cres. Wfd G —4D 108
Karen Ter. E11 —4F 124
Kate's La. A'dn —5E 6
Katherine Clo. Ray —6N 121
Katherine Gdns. Ilf —4B 110
Katherine Rd. E7 & E6 —7J 125 (5F 39)
Katherine Rd. Bas —8M 119
Katherines. —6N 55 (7G 21)
Katherines Hatch. H'low —5N 55
(off Brookside)
Katherines Ho. H'low —5N 55
(off Brookside)
Katherine's Way. H'low —6N 55 (7G 21)
Kathleen Clo. Stan H —1N 149
Kathleen Dri. Lgh S —4E 138
Kathleen Ferrier Cres. Bas —7L 117
Katie Gdns. Dart —9L 155
Katonia Av. May —2C 204
Kavanaghs Rd. Brtwd —9D 98 (1E 40)
Kavanaghs Ter. Brtwd —9E 98
Kay Clo. Gt L —1N 59
Kay St. E15 —9D 124
Keable Rd. M Tey —3G 173
Keating Clo. Law —4G 165
Keatings, The. Kel H —7B 84
Keats Av. Brain —8H 193
Keats Av. Romf —4F 112
Keats Clo. E11 —9H 109
Keats Clo. Chig —3B 110
Keats Clo. Mal —8K 203
Keats Gdns. Til —7D 158
Keats Ho. Sth S —4N 139
Keats Rd. Belv —1A 154
Keats Rd. Colc —9G 166
Keats Sq. S Fer —2L 105
Keats Wlk. Hut —6N 99
Keats Wlk. Ray —5N 121
Keats Way. W'fd —9K 103
Kebbel Ter. E7 —7H 125
(off Claremont Rd.)
Keble Clo. Colc —9L 167
Keddington Hill. L Cor —6K 9
Kedington. —2A 8
Keeble Clo. Tip —6E 212
Keeble Ct. Gt Ben —7K 179
Keeble Pk. Mal —8J 203
Keeble Way. Brain —5J 193
Keefield. H'low —8A 56
Keegan Pl. Can I —1J 153
Keelars La. W'hoe —5K 177 (7H 17)
Keelers Way. Gt Hork —9J 161
Keelings La. Deng —4E 36
Keelings Rd. Deng —4E 36
Keene Memorial Homes. Chelm —7J 61
Keene Way. Chelm —7C 74
Keepers Cotts. Bill —3N 101
Keepers Grn. B'wck —4J 167
Keer Av. Can I —3K 153
Keeres Green. —4E 22
Keighley M. Shoe —4H 141
Keighley Rd. Romf —4J 113
Keir Hardie Way. Bark —9F 126
Keith Av. W'fd —7L 103
Keith Clo. Clac S —5M 187
Keith Rd. Bark —2C 142
Keith Way. Horn —2J 129
Keith Way. Sth S —1K 139
Kelburn Way. Rain —3E 144
Keller Cres. E12 —6K 125
Kellington Rd. Can I —9J 137
(in two parts)
Kelly Rd. Bas —9M 119
Kelly Way. Romf —9K 111
Kelsall St. Kel —7B 4
Kelshall. —7B 4
Kelsie Way. Ilf —3D 110
Kelso Clo. Gt Hork —1K 167
Kelston Rd. Ilf —6A 110
Kelvedon. —8C 202 (2J 25)
Kelvedon Clo. Bill —6L 101
Kelvedon Clo. Chelm —5J 61
Kelvedon Clo. Hut —5A 100
Kelvedon Clo. Ray —4G 121
Kelvedon Common. —9A 84 (5D 32)
Kelvedon Grn. Kel H —7B 84
Kelvedon Hall La. Kel H —6M 83 (5C 32)
Kelvedon Hatch. —7B 84 (5D 32)
Kelvedon Rd. Bill —6L 101
Kelvedon Rd. Cogg —1H 25
Kelvedon Rd. K'dn —8F 202
Kelvedon Rd. Mess —1B 212 (2J 25)
Kelvedon Rd. Riven —4H 25
Kelvedon Rd. Tol D —5A 26
Kelvedon Rd. W Bis —6L 213 (5H 25)
Kelvedon Wlk. Rain —1D 144
Kelvedon Way. Wfd G —3M 109
Kelvin Ct. Frin S —2J 189
Kelvin Rd. Ben —8D 120
Kelvin Rd. Til —7C 158
Kelvinside. Stan H —1N 149
Kembles. Ray —2L 121
Kempe Rd. F'fld —2K 13
Kemp Ho. E6 —8N 125
Kempley Ct. Grays —4N 157
Kemp Rd. Dag —3J 127
Kempton Av. Horn —6K 129
Kempton Clo. Ben —8H 121
Kempton Clo. Eri —4A 154
Kemsley Rd. E Col —3B 196
Ken Cooke Ct. Colc —8N 167
Kencot Way. Eri —9L 143
Kendal Av. Bark —1D 142
Kendal Av. Epp —9F 66
Kendal Clo. Hull —7L 105
Kendal Clo. Ray —5L 121
Kendal Clo. Wfd G —8F 92
Kendal Ct. W'fd —2A 120
Kendal Croft. Horn —7E 128
Kendale. Grays —1D 158
Kendall Lodge. Epp —9F 66
Kendall Rd. Colc —9A 168
Kendall Rd. Folley. Colc —9A 168
Kendall Ter. Colc —9A 168
Kendal Way. Lgh S —8D 122
Kender St. SE14 —2C 46
Kendon Clo. E11 —9H 109
Kenholme. Lgh S —2D 138
Kenilworth Av. E17 —6A 108
Kenilworth Av. Romf —3M 113
Kenilworth Clo. Bill —6G 101
Kenilworth Gdns. Horn —5G 129
Kenilworth Gdns. Ilf —4E 126
Kenilworth Gdns. Lou —5M 93
Kenilworth Gdns. Ray —4H 121
Kenilworth Gdns. Wclf S
—3F 138 (4H 43)
Kenilworth Gro. T Sok —4L 181
Kenilworth Pl. Bas —6N 117
Kenilworth Rd. Hol S —7B 188
Kenley Clo. W'fd —1B 120
Kenley Gdns. Horn —4K 129
Kenmore Clo. Can I —3L 153
Kennard Rd. E15 —9D 124
Kennedy Av. Bas —9H 117
Kennedy Clo. Ben —8B 120
Kennedy Clo. Ray —7N 121
Kennedy Rd. Bark —1D 142
Kennedy Way. Clac S —8L 187
Kennel La. Bill —9K 101 (1J 41)
Kennel La. Pil H —9B 84
Kennet Clo. Upm —1B 130
Kennet Grn. S Ock —7E 146
Kenneth Av. Ilf —6A 126
Kenneth Gdns. Stan H —9A 134
Kenneth More Rd. Ilf —5A 126
Kenneth Rd. Bas —8K 119
Kenneth Rd. Ben —9F 120 (3E 42)
Kenneth Rd. Romf —2J 127
Kennet Rd. Dart —8E 154
Kennet Way. Chelm —6F 60
Kenninghall. (Junct.) —2C 38
Kenninghall Rd. E5 —4C 38
Kenning Rd. Hod —3A 54
Kennington. —2A 46
Kennington Av. Ben —1C 136
Kennington La. SE11 —1A 46
Kennington Oval. (Junct.) —2A 46
Kennington Oval. SE11 —2A 46
Kennington Pk. Rd. SW9 —2A 46
Kennington Rd. SE1 & SE11 —1A 46
Kennylands Rd. Ilf —4F 110
Kensington Av. E12 —8L 125
Kensington Av. T Hth —6A 46
Kensington Ct. Grays —4M 157
Kensington Dri. Wfd G —6K 109
Kensington Gdns. Bill —4J 101
Kensington Gdns. Ilf —3M 125
Kensington Rd. Pil H —5D 98
Kensington Rd. Romf —1A 128
Kensington Rd. Sth S —6B 140
Kensington Way. Hock —1B 122
(off Mey Wlk.)
Kent Av. Can I —9H 137
Kent Av. Dag —4M 143
Kent Av. Lgh S —4E 138
Kent Clo. Bas —9K 117
Kent Clo. B'sea —6E 184
Kent Dri. Horn —6H 129
Kent Elms Clo. Sth S —1E 138
Kent Elms Corner. Lgh S —1E 138
(off Rayleigh Rd.)
Kent Gdns. Brain —4K 193
Kent Grn. Clo. Hock —2E 122
Kent Ho. La. Beck —5D 46
Kent Ho. Rd. SE20 & SE26 —5C 46
Kentings, The. Brain —6G 193
Kentish Town Rd. NW1 & NW5 —5A 38
Kentish Way. Brom —6F 47
Kentmere. Colc —4E 168
Kenton Rd. E9 —5C 38
Kenton Way. Bas —1H 133
Kent Rd. Dag —7N 127
Kent Rd. Grays —4M 157
Kent Rd. Orp —7J 47
Kent's Av. Hol S —7B 188
Kents Farm La. W Han —5E 88 (5A 34)
Kents Grass. Tol —7K 211
Kents Hill Rd. Ben —3D 136 (4D 42)
Kents Hill Rd. N. Ben —1D 136
Kents La. N Wea —1A 32
Kent's La. Stdn —7E 10
Kents Yd. L'bry —1J 205
Kent View. Ave —9N 145
Kent View. Wen —7H 145
Kent View Av. Lgh S —6F 138
Kent View Gdns. Ilf —4D 126
Kent View Rd. Bas —1G 134
Kent Way. Ray —7N 121
Kentwell Ct. Ben —3C 136
Kentwell Hall. —2J 9
Kenway. Rain —3H 145
Kenway. Romf —6A 112
Kenway. Sth S —4M 139
Kenway Clo. Rain —3G 145
Kenway Wlk. Rain —3H 145
Kenwood Gdns. E18 —7H 109
Kenwood Gdns. Ilf —8N 109
Kenwood Rd. Corr —1C 150
Kenworthy Rd. E9 —5D 38
Kenworthy Rd. Brain —6G 193
Keogh Rd. E15 —8E 124
Keppel Rd. E6 —9M 125
Keppel Rd. Dag —6K 127
Kerby Rise. Chelm —9A 62
Kernow Clo. Horn —4J 129
Kerridge's Cut. Mis —4M 165
Kerril Croft. H'low —2N 55
Kerry Av. Ave —9L 145
Kerry Clo. Upm —2C 130
Kerry Ct. Colc —8C 168
Kerry Dri. Upm —2C 130
Kerry Rd. Grays —8N 147
Kersbrooke Way. Corr —9C 134
Kersey Dri. Clac S —8F 186
Kersey Gdns. Romf —4J 113
Kershaw Rd. Dag —5M 127
Kesteven Clo. Ilf —3E 110
Kestner Ind. Est. Grnh —9D 156
Keston Mark. —7G 47
Kestrel Clo. Horn —9F 128
Kestrel Clo. Ilf —1G 111
Kestrel Gro. Ray —4H 121
Kestrel Rd. Wal A —4G 78
Kestrel Wlk. Chelm —6C 74
Kestrel Way. Clac S —7K 187
Keswick Av. Hol S —7N 187
Keswick Av. Horn —3H 129
Keswick Av. Hull —6L 105
Keswick Clo. Kir X —7J 183
Keswick Clo. Ray —5L 121
Keswick Gdns. Ilf —8L 109
Keswick Ho. Romf —3H 113
(off Dartfields)
Keswick Rd. Ben —9E 120
Ketleys. Chelm —7D 74
Ketleys View. Pan —1C 192
Kettering Rd. Romf —4J 113
Kettlebury Way. Ong —9K 69
Kettle Green. —2F 21
Kevan Ct. E17 —8B 108
Kevin Clo. Bill —9M 101
Kevington. —7K 47
Kew La. Gt Hol —1D 188
Keyes Clo. Shoe —5J 141
Keyes Rd. Dart —9K 155
Keyes Way. Brain —4L 193
Keymer Way. Colc —2G 174
Keynes Way. Har —6H 201
Keynsham Av. Wfd G —1E 108
Key Rd. Clac S —1J 191
Keysers Estate. —1B 64 (1D 30)
Keysers Rd. Brox —1A 64
Keysland. Ben —9H 121
Khartoum Rd. Ilf —7A 126
Kibcaps. Bas —2A 134
Kidbrooke. —2F 47
Kidbrooke Pk. Rd. SE3 —2F 47
Kidder Rd. Rayne —7B 192
Kielder Clo. Ilf —3E 110
Kier Hardie Ho. Grays —8A 148
Kilbarry Wlk. Bill —2M 101
Kilburn Gdns. Clac S —8H 187
Kildermorie Clo. Colc —4D 168
Kildowan Rd. Ilf —3F 126
Kilhams Green. —1G 11
Kilmaine Rd. Har —6H 201
Kilmarnock Gdns. Dag —5H 127
Kilmartin Rd. Ilf —4F 126
Kilmartin Way. Horn —7F 128
Kilmington Clo. Hut —8L 99
Kiln Barn Av. Clac S —6K 187
Kiln Cotts. Ded —2M 163
Kiln Field. Hook E —5G 84
Kilnfield. Ong —8K 69
Kiln La. H'low —4H 57 (7J 21)
Kiln Rd. Ben —2F 136 (4E 42)
Kiln Rd. N Wea —6M 67
Kiln Shaw. Bas —2L 133
Kilns Hill. Cogg —6H 15
Kiln Way. Badg D —3J 157
Kilnwood Av. Hock —2C 122
Kiln Wood La. Romf —2B 112
Kilowan Clo. Lang H —3H 133
Kilsby Wlk. Dag —8G 126
Kilworth Av. Shenf —5K 99
Kilworth Av. Sth S —6N 139
Kimberley Av. SE15 —3C 46
Kimberley Av. Ilf —2C 126
Kimberley Av. Romf —1A 128
Kimberley Dri. Bas —5A 118
Kimberley Rd. E4 —7E 92
Kimberley Rd. E11 —4D 124
Kimberley Rd. Ben —3C 136
Kimberley Rd. Colc —1B 176
Kimberley Rd. Gt W —3B 44
Kimberley Way. E4 —7E 92
Kimpton Av. Brtwd —6E 98
Kimpton's Clo. Ong —5K 69
Kincaid Rd. St O —9M 185
Kinder Clo. SE28 —7H 143
Kinfauns Av. Horn —1G 128
Kinfauns Rd. Ilf —3F 126
Kingaby Gdns. Rain —9E 128
King Alfred Rd. Romf —6K 113
King Charles Rd. W Mer —3L 213
King Coel Rd. Colc —8E 166 (6C 16)
King Ct. E10 —2B 124
King Edward Av. Bur C —2L 195
King Edward Av. Rain —2H 145
King Edward Quay. Colc —1D 176
King Edward Rd. E10 —3C 124
King Edward Rd. Bas —7K 117
King Edward Rd. Brtwd —9F 98
King Edward Rd. Romf —1D 128
King Edwards Rd. Bark
—1C 142 (6H 39)
King Edward's Rd. S Fer —9J 91
King Edward's Rd. Stan H —5M 149
King Edward's Rd. Ware —4D 20
King Edward Ter. Lain —7K 117
King Edward VI's Almhouses. Saf W
—4K 205
King Edward Way. Wthm —7B 214
Kingfisher Clo. SE28 —7H 143
Kingfisher Clo. Colc —7F 168
Kingfisher Clo. H'bri —3M 203
Kingfisher Clo. Hut —6K 99
Kingfisher Clo. Shoe —5J 141
Kingfisher Dri. Ben —4C 136
Kingfisher Gdns. Ray —4H 121
Kingfisher Ga. Brain —3J 193
Kingfisher Lodge. Gt Bad —4G 74
Kingfisher Rd. Upm —3C 130
Kingfishers. Bas —2D 134
Kingfishers. Clac S —7K 187
Kingfishers. Ing —5E 86
Kingfisher Way. K'dn —8C 202
King George Av. Ilf —9C 110
King George Clo. Romf —7A 112
King George Rd. Colc —2N 175
King George Rd. Wal A —4C 78
King George's Av. Har —3K 201
King George's Clo. Ray —6K 121
King George VI Av. E Til —2K 159
King George's Pl. Mal —6K 203
(off High St. Maldon,)
King Georges Rd. Pil H —5E 98
King Harold Ct. Wal A —3C 78
(off Sun St.)
King Harold Rd. Colc —2H 175
King Harolds Way. Bexh —2J 47
King Henry's Dri. R'fd —8L 123
King Henry's M. Enf —7A 78
(off Mollison Av.)
Kingley Clo. W'fd —9J 103
Kingley Dri. W'fd —9J 103
Kingsacre. Cogg —8K 195
Kings Arms Yd. Romf —9C 112
King's Av. SW12 & SW4 —4A 46
King's Av. Buck H —8K 93
Kings Av. Hol S —8N 187 (3E 28)
Kings Av. Romf —1L 127
King's Av. Wfd G —3H 109 (2F 39)
Kingsbridge Cir. Romf —3J 113
Kingsbridge Clo. Brain —2M 193
Kingsbridge Clo. Romf —3J 113
Kingsbridge Rd. Bark —2C 142
Kingsbridge Rd. Romf —3J 113
Kingsbury Clo. M Tey —3H 173
King's Chase. Brtwd —9F 98
Kings Chase. Wthm —6D 214
Kings Clo. E10 —2B 124
Kings Clo. Can I —2C 152
King's Clo. Dart —9C 154
Kings Clo. Law —4H 165
Kings Clo. Ray —5L 121
King's Clo. St O —4B 28
Kings Ct. Buck H —8K 93
Kings Ct. Bur C —4L 195
Kings Ct. D'mw —7L 197
Kings Ct. Har —4K 201
Kings Ct. Tip —4C 212
Kings Cres. Bas —6K 117
Kings Croft. S'min —7L 207
Kings Cross. (Junct.) —6A 38
King's Cross Rd. WC1 —6A 38
Kingsdale Ct. Wal A —4G 79
(off Lamplighters Clo.)
Kingsdon La. H'low —4H 57
Kingsdown Clo. Bas —9K 119
Kingsdown Rd. E11 —5E 124
Kingsdown Wlk. Can I —9G 136
Kings Farm. —4H 49
Kings Farm. E17 —5B 108
Kings Farm. Ray —2L 121
Kingsfield. Hod —3A 54
Kings Gdns. Ilf —3C 126
Kings Gdns. Upm —2B 130
Kings Grn. Lou —2L 93
Kings Gro. Romf —9E 112
Kings Hall Rd. Beck —5D 46
Kingshawes. Ben —9H 121
Kings Head Clo. Colc —7N 167
Kings Head Ct. Saw —2K 53
Kings Head Hill. E4 —6B 92 (7D 30)
King's Head St. Har —1M 201
Kings Head Wlk. Chelm —9L 61
(off Can Bri. Way)
King's Highway. SE18 —2H 47
Kings Hill. Gt Cor —5K 9
Kings Hill. Hull —2A 8
King's Hill. Lou —1L 93
Kingshill Av. Romf —3A 112
Kings Holiday Pk. Can I —1L 153
Kingsland. H'low —5B 56
Kingsland. —5B 38
Kingsland Beach. W Mer —4K 213
Kingsland Clo. W Mer —4K 213
Kingsland High St. E8 —5B 38
Kingsland Rd. E2 & E8 —6B 38
Kingsland Rd. W Mer —4K 213 (5F 27)
King's La. Elm —6J 5
Kings La. Stis —4N 193 (7E 14)
Kingsleigh Pk. Homes. Ben —9H 121
Kingsley Clo. Dag —6N 127
Kingsley Ct. Romf —1F 128
Kingsley Cres. Ben —7H 121
Kingsley Gdns. E4 —2A 108
Kingsley Gdns. Horn —8H 113
Kingsley La. Ben —7H 121
Kingsley Rd. E7 —9G 125
Kingsley Rd. E17 —6C 108
Kingsley Rd. Hut —6N 99
Kingsley Rd. Ilf —5B 110
Kingsley Rd. Lou —2C 94
Kingsley Wlk. Grays —2C 158
Kings Lodge. Ben —3J 137
Kings Lynn Clo. H Hill —3H 113
Kings Lynn Dri. Romf —3H 113
Kings Lynn Path. H Hill —3H 113
Kingsman Dri. Clac S —8G 186
Kingsman Dri. Grays —7L 147
Kingsman Rd. Stan H —4K 149
Kingsmans Farm Rd. Hull
—5M 105 (7F 35)
Kings Mead. Peb —2H 15
Kingsmead. Saw —3K 53
Kingsmead Av. Romf —1D 128
Kingsmead Cvn. Pk. Brain —4L 193
Kingsmead Clo. Roy —4H 55
Kingsmead Hill. —4H 55
Kingsmead Mans. Romf —1D 128
(off Kingsmead Av.)
Kings Meadow Ct. Wal A —4G 79
(off Horseshoe Clo.)
Kings Meadow Rd. Colc —7N 167
Kingsmead Pk. Brain —5L 193
Kingsmere. Ben —1H 137
Kingsmere Clo. W Mer —3L 213
Kings M. Chig —8B 94

Kings M. W'hoe —2J 177
Kingsmill Gdns. Dag —7L 127
Kingsmill Rd. Dag —7L 127
Kingsmoor. —6C 56 (1H 31)
Kingsmoor Rd. H'low —5A 56 (7G 21)
Kings Pde. Hol S —4J 191 (4E 28)
Kings Pde. Stan H —4L 149
(off King St.)
Kings Pk. Ben —1F 136
Kingspark Ct. E18 —7G 108
Kings Pas. E11 —2E 124
Kings Pl. Buck H —8J 93
Kings Quay St. Har —1N 201
Kings Rd. E4 —7D 92 (7E 30)
Kings Rd. E11 —2E 124
Kings Rd. Bark —9B 126
Kings Rd. Bas —6K 117
King's Rd. Ben —4E 136
King's Rd. Brain —3G 193
King's Rd. Brtwd —8F 98 (1E 40)
Kings Rd. Bur C —4L 195
Kings Rd. Can I —2C 152
Kings Rd. Chelm —7H 61
King's Rd. Clac S —3H 191
Kings Rd. Gt Tot —5J 25
Kings Rd. H'std —5K 199
King's Rd. Har —4K 201
Kings Rd. Ray —5L 121
King's Rd. Romf —9E 112
Kings Rd. S'min —8L 207 (5C 36)
King's Rd. Wclf S —5F 138 (4H 43)
Kings St. Stan H —6K 41
Kingsteignton. Shoe —5G 141
King Stephen Rd. Colc —9B 168
Kingston Av. Chelm —8N 61
Kingston Av. Shoe —4J 141
Kingston Chase. H'bri —3J 203
Kingston Clo. Romf —7K 111
Kingston Cres. Chelm —8N 61
Kingston Hill. Bas —4M 133
Kingston Hill Av. Romf —6K 111
Kingston Ridge. Bas —4M 133
Kingston Rd. Ilf —6A 126
Kingston Rd. Romf —8D 112
Kingston Way. Bas —3N 133
Kingston Way. Ben —9F 120
King Street. —7E 70 (3E 32)
King St. Brad —4B 18
King St. Cas H —3D 206
King St. H Ong —6C 70
King St. Mal —7K 203
King St. Ong —3E 32
King St. Saf W —4K 205
King St. Stan H —4L 149
King St. Sud —5J 9
Kings Wlk. Grays —4K 157
Kings Wlk. Tol —8L 211
Kingsway. WC2 —7A 38
Kings Way. Bill —1M 117
Kingsway. Har —3M 201 (3H 19)
Kingsway. Hull —7K 105
Kings Way. S Fer —8J 91
Kingsway. Tip —5C 212
Kingsway. Ware —4C 20
Kingsway. Wclf S —4F 138
Kingsway. W Wick —7E 46
Kings Way. Wfd G —2J 109
Kingsway M. Wclf S —4F 138
Kingswood. —2B 134 (4A 42)
Kingswood Chase. Lgh S —3C 138
Kingswood Clo. Bill —6L 101
Kingswood Ct. E4 —2A 108
Kingswood Ct. Bas —1F 134
Kingswood Ct. Brad S —1F 37
Kingswood Cres. Ray —6H 121
Kingswood Dri. SE19 —5B 46
Kingswood Rd. E11 —2E 124
Kingswood Rd. Bas —1D 134
Kingswood Rd. Colc —3N 167
Kingswood Rd. Ilf —3F 126
Kingwell Av. Clac S —8J 187
Kinlett Clo. H'wds —3B 168
Kinloch Chase. Wthm —8C 214
Kinnaird Way. Wfd G —3M 109
Kino Rd. W on N —6N 183
Kipling Av. Til —6D 158
Kipling Clo. Chelm —6J 61
Kipling M. Sth S —4M 139
Kipling Way. Brain —8J 193
Kirby Clo. Ilf —3D 110
Kirby Clo. Lou —6L 93
Kirby Clo. Romf —2L 113
Kirby Cross. —8E 182 (1G 29)
Kirby Hall Rd. Cas H —1B 206 (7D 8)
Kirby-le-Soken. —6G 182 (7G 19)
Kirby Rd. Bas —9F 118
Kirby Rd. Gt Hol —1D 188 (2F 29)
Kirby Rd. W on N —6J 183 (1G 29)
Kirkbaye. Kir X —8H 183
Kirkdale. SE26 —4C 46
Kirkdale Rd. E11 —3E 124
Kirkham Av. Stan H —7H 133
Kirkham Rd. Horn H —7H 133
Kirkham Shaw. Stan H —6H 133
Kirkhurst Clo. B'sea —7F 184
Kirkland Av. Ilf —6N 109
Kirklees. Chelm —7H 61
Kirklees Rd. Dag —7H 127
Kirkmans Rd. Chelm —7E 74
Kirk Pl. Chelm —8A 62
Kirk Rd. E17 —1A 124
Kirton Clo. Horn —8G 129
Kitchener Rd. E7 —8H 125
Kitchener Rd. E17 —5B 108
Kitchener Rd. Dag —8A 128
Kitchener Rd. N Fam —5H 35
Kitchen Hill. Bulm —5H 9
Kitkatts Rd. Can I —2G 153
(in three parts)
Kit's La. SG7 —2A 10
Kitson Way. H'low —2B 56
Kittiwake Dri. H'bri —3M 203
Kitto Rd. SE14 —2C 46
Knapton Clo. Chelm —4M 61
Knares, The. Bas —2N 133 (4K 41)
Knebworth Av. E17 —5A 108
Knee Hill. SE2 —1J 47
Kneesworth. —3C 4
Kneesworth St. R'ton —5C 4
Knightbridge Wlk. Bill —5J 101
Knight Ct. E4 —7C 92
(off Ridgeway, The)
Knighton Clo. Romf —1B 128
Knighton Clo. Wfd G —1H 109
Knighton Dri. Wfd G —1H 109
Knighton Grn. Buck H —8H 93
Knighton La. Buck H —8H 93
Knighton Rd. E7 —5G 125
Knighton Rd. Romf —1A 128
Knights. Bas —8M 117
Knightsbridge Clo. Colc —3K 175
Knightsbridge Gdns. Romf —9B 112
Knights Clo. Law —4H 165
Knights Clo. Tip —8F 212
Knights Ct. Bas —7G 119
Knights Ct. Saw —2K 53
Knights Farm. —5K 15
Knights Hill. SE19 —5A 46
Knights Rd. Brain —7M 193
Knights Rd. Cogg —8K 195
Knight St. Saw —2K 53 (4K 21)
(in two parts)
Knight St. S Fer —1L 105
Knights Wlk. Abr —2G 95
Knights Way. Brtwd —9K 99
Knights Way. D'mw —7L 197
Knights Way. Ilf —3B 110
Knightswick Cen. Can I —1J 153
Knightswick Rd. Can I —1H 153 (6E 42)
Knivet Clo. Ray —6L 121
Knockhall. —3E 48
Knockhall Rd. Grnh —3E 48
Knole Clo. S Fer —3K 105
Knole La. Dud E —7J 5
Knollcroft. Shoe —9H 141
Knoll Rd. Sidc —5J 47
Knoll, The. Bill —4K 101
Knoll, The. Ray —5K 121
Knotts Grn. M. E10 —1B 124
Knotts Grn. Rd. E10 —1B 124
Knowles Clo. H'std —5K 199
Knowle, The. Bas —2D 134
Knowle, The. Hod —6A 54
Knowl Green. —5E 8
Knowlton Cotts. S Ock —5F 146
Knox Clo. Mal —8K 203
Knox Ct. W'fd —2N 119
Knox Gdns. Clac S —8J 187
Knox Rd. E7 —8F 124
Knox Rd. Clac S —8J 187
Kohima Rd. Colc —5J 175
Kolburg Rd. Can I —3K 153
Kollum Rd. Can I —2M 153
Koln Clo. Can I —2C 152
Komberg Cres. Can I —9J 137
Komeheather Ho. Ilf —9M 109
Konnybrook. Ben —2G 136
Korndyk Av. Can I —1J 153
Kreswell Gro. Har —5K 201
Kuhn Way. E7 —7G 125
Kursaal Pavement. Sth S —7A 140
Kursaal Way. Sth S —7A 140
Kyme Rd. Horn —1D 128
Kynance Clo. Romf —9G 97
Kynaston Pl. Wthm —5E 214
Kynaston Rd. Pan —1C 192 (6B 14)
Kynoch Ct. Stan H —4N 149

Laars Av. Can I —1J 153
Laburnham Clo. Upm —2D 130
Laburnham Gdns. Upm —2C 130
Laburnum Av. Horn —4E 128
Laburnum Av. W'fd —1K 119
Laburnum Clo. Clac S —1G 190
Laburnum Clo. Gt Ben —6K 179
Laburnum Clo. Hock —1B 122
Laburnum Clo. W'fd —1K 119
Laburnum Cres. Kir X —8G 182
Laburnum Dri. Chelm —4C 74
Laburnum Dri. Corr —1C 150
Laburnum Gro. Can I —2D 152
Laburnum Gro. Colc —7E 168
Laburnum Gro. Hock —1A 122
Laburnum Gro. S Ock —3F 146
Laburnum Rd. Coop —8H 67
Laburnum Rd. Hod —3B 54
Laburnum Wlk. Horn —7G 128
Laburnum Way. Hat P —3L 63
Laburnum Way. Wthm —2D 214
Labworth La. Can I —3J 153
(in two parts)
Labworth Rd. Can I —3J 153
Lacy Dri. Dag —5H 127
Ladbrook Dri. Colc —3A 176
Ladbrooke Rd. Clac S —7H 187
Ladell Clo. Colc —3F 174
Ladram Clo. Sth S —6G 140
Ladram Rd. Sth S —6F 140
Ladram Way. Sth S —6F 140
Ladyfields. Lou —3B 94
Ladyfields Clo. Lou —3B 94
Ladygate Cen. W'fd —9L 103
Lady La. Chelm —2C 74
Ladyshot. H'low —2G 56
Ladysmith Av. B'sea —6D 184 (3K 27)
Ladysmith Av. Ilf —2C 126
Ladysmith Way. Lain —6A 118
Ladywell. —3D 46
Ladywell La. Chelm —5J 75
Ladywell Prospect. Saw —3M 53
Ladywell Rd. SE4 —3D 46
Lagonda Av. Ilf —3E 110
Lagonda Way. Dart —9G 154
Laindon. —8K 117 (3K 41)
Laindon Cen. Bas —9L 117
Laindon Comn. Rd. L Bur —2H 117 (1J 41)
Laindon Link. Bas —9L 117
Laindon Link. Lain —3K 41
Laindon Rd. Bill —7J 101 (1J 41)
Laindon Rd. Horn H —8H 133
Laing Clo. Ilf —3C 110
Laing Rd. Colc —9E 168
Laird Av. Grays —9N 147
Lake Av. Bill —5J 101
Lake Av. Clac S —1G 190
Lake Av. Rain —2H 145
Lakedale Rd. SE18 —2H 47
Lake Dri. Ben —1E 136
Lakefields Clo. Rain —2H 145
Lake Footpath. SE2 —9J 143
Lake Gdns. Dag —7M 127
Lake Ho. Rd. E11 —5G 124 (4F 39)
Lakeland Clo. Chig —1G 111
Lake Meadows Bus. Pk. Bill —5H 101
Lakenham Ho. Sth S —1K 139
(off Manners Way)
Lake Rise. Grays —2D 156
Lake Rise. Romf —6D 112
Lake Rise Trad. Est. W Thur —2D 156
Lake Rd. Naze —9E 54
Lake Rd. Romf —8J 111
Lakeside. Bill —4J 101
Lakeside. Rain —2J 145
Lakeside. Ray —3K 121
Lakeside Av. SE28 —9F 142
Lakeside Av. Ilf —8K 109
Lakeside Cres. Brtwd —9G 98
Lakeside Cres. Can I —9K 137
Lakeside Path. Can I —9G 136
Lakeside Retail Pk. Grays —2D 156
Lakeside Shopping Centre. —1E 156
Lakes Meadow. Cogg —8L 195
Lakes Rd. Brain —6K 193
Lake View. Bas —2H 133
Lakeview. Can I —9G 136
Lakeview Pk. Noak H —9G 96
Lake Wlk. Clac S —1G 190
Lake Way. Jay —6D 190
Lakin Clo. Chelm —8B 62
Lamarsh. —1K 15
Lamarsh Hill. Bures —7C 194 (1K 15)
Lamarsh Hill. Lmsh —7K 9
Lamarsh Rd. Bures —1K 15
Lamb Clo. Til —7E 158
Lamb Corner. —4K 163 (3H 17)
Lamberhurst Rd. Dag —3L 127
Lambert Ct. Eri —4A 154
(off Park Cres.)
Lambert Cross. Saf W —2L 205
Lambert's Rd. Gt Tey —5J 15
Lambeth. —1A 46
Lambeth Bri. SW1 & SE1 —1A 46
Lambeth M. Hock —1B 122
(off Mey Wlk.)
Lambeth Pal. Rd. SE1 —1A 46
Lambeth Rd. SE1 —1A 46
Lambeth Rd. Ben —9C 120
Lambeth Rd. Lgh S —9D 122
Lambeth Wlk. Clac S —8J 187
Lamb La. Sib H —8A 206 (2D 14)
Lambley Rd. Dag —8G 127
Lambourn Clo. Shoe —4J 141
Lambourne. —3J 95 (7J 31)
Lambourne. Can I —3G 152
Lambourne. E Til —2L 159
Lambourne Clo. Chig —9G 95
Lambourne Clo. Clac S —5K 187
Lambourne Clo. S'way —2E 174
Lambourne Ct. Wfd G —4J 109
Lambourne Cres. Bas —1G 134
Lambourne Cres. Chig —8G 95
Lambourne Dri. Hut —6A 100
Lambourne End. —6K 95 (7K 31)
Lambourne Gdns. E4 —8A 92
Lambourne Gdns. Bark —9E 126
Lambourne Gdns. Horn —4H 129
Lambourne Gro. Mal —8J 203
Lambourne Hall Rd. Cwdn —1N 107 (7A 36)
Lambourne Rd. E11 —2C 124
Lambourne Rd. Bark —9D 126
Lambourne Rd. Chig —1E 110 (1H 39)
Lambourne Rd. Ilf —4D 126
Lambourne Sq. Abr —7H 95
Lamb's La. Rain —5F 144
Lambs La. Ind. Est. Rain —4G 145
Lambs Meadow. Wfd G —6K 109
Lamerton Rd. Ilf —6A 110
Lammas Way. W'hoe —4J 177
Lamont Clo. W'fd —2M 119
Lamorna Clo. E17 —6C 108
Lampern Clo. Bill —2K 101
Lampern Cres. Bill —2K 101
Lampern M. Bill —2K 101
Lampetsdowne. Corr —1C 150
Lampits. Hod —5B 54
Lampits Hill. Corr —8B 134 (5A 42)
Lampits Hill Av. Corr —9B 134
Lampits La. Corr —9B 134
Lamplighters Clo. Wal A —4G 79
Lamson Rd. Rain —5D 144
Lancaster Av. E18 —8H 109
Lancaster Av. SE27 —4A 46
Lancaster Av. Bark —9D 126
Lancaster Clo. Pil H —4D 98
Lancaster Cres. Sth S —6N 139
(off Hastings Rd.)
Lancaster Dri. Horn —7F 128
Lancaster Dri. Lang H —1H 133
Lancaster Dri. Lou —5L 93
Lancaster Gdns. Ray —7N 121
Lancaster Gdns. Sth S —6N 139
Lancaster Gdns. E. Clac S —9L 187
Lancaster Gdns. W. Clac S —9L 187
Lancaster Pl. WC2 —7A 38
Lancaster Pl. Ilf —6B 126
Lancaster Rd. E7 —9G 125
Lancaster Rd. E11 —4E 124
Lancaster Rd. SE25 —6B 46
Lancaster Rd. Enf —6B 30
Lancaster Rd. N Wea —5M 67
Lancaster Rd. Ray —7N 121
Lancaster Way. Brain —4G 192
Lancaster Way. E Col —5H 15
Lancelot Rd. Ilf —3D 110
Lancer Way. Bill —5H 101
Lanchester Av. Jay —6B 190
Lancia Av. Jay —6C 190
Lancing Rd. Ilf —1C 126
Lancing Rd. Romf —4J 113
Landau Way. Eri —3H 155
Land Clo. Clac S —8G 186
Landermere. —2A 182
Landermere. Bas —8C 118
Landermere Rd. T Sok —5L 181 (7E 18)
Lander Rd. Grays —3N 157
Landers Ct. Chelm —6G 61
Landguard Fort. —3K 19
Landguard Fort Museum. —3K 19
Landisdale. Dan —4G 77
Land La. Colc —8A 168
Landsburg Rd. Can I —9K 137
Landscape Rd. Wfd G —4H 109
Landscape View. Saf W —7K 205 (7B 6)
Landseer Av. E12 —7N 125
Landseer Clo. Horn —3F 128
Landseer Rd. Colc —1J 175
Landview Gdns. Ong —9K 69
Landwick La. Deng —4E 36
Lane End. —5D 182
Lane End. H'low —4K 57 (7K 21)
Lane M. E12 —5M 125
Lane Rd. Wak C —4K 15
Laneside Av. Dag —2L 127
Lane, The. Clac S —1G 190
Lane, The. Mann —4L 165
Lane, The. W Mer —2H 213
Langdale. Bras —1C 198
Langdale Clo. Dag —3H 127
Langdale Dri. H'wds —3B 168
Langdale Gdns. Chelm —2D 74
Langdale Gdns. Horn —7E 128
Langdon Hills. —3J 41
Langdon Hills Country Park. —4N 133 (4K 41)
Langdon Rd. Ray —4H 121
Langdon Way. Corr —9C 134
Langemore Way. Bill —7K 101
Langenhoe. —9B 176 (2F 27)
Langenhoe. W'fd —1M 119
Langenhoe Hall La. L'hoe —3F 27
Langenhoe Pk. L'hoe —9B 176
Langer Rd. Felix —2K 19
Langfield Clo. Naze —1E 64
Langford. —7H 25
Langford Cres. Ben —9F 120
Langford Grn. Hut —4M 99
Langford Gro. Bas —7K 119
Langford Rd. Mal —2H 203 (7H 25)
Langford Rd. Ult —7F 25
Langford Rd. W Bis —9H 213 (6G 25)
Langford Rd. Wfd G —3J 109
Langfords. Buck H —8K 93
Langham. —4D 162 (3G 17)
Langham Ct. Horn —2H 129
Langham Cres. Bill —8K 101
Langham Dri. Clac S —9F 186
Langham Dri. Ray —4G 120
Langham Dri. Romf —1G 126
Langham La. L'ham —8A 162 (4F 17)
Langham Lodge La. L'ham —8E 162
Langham Moor. —4D 162 (3F 17)
Langham Pl. H'wds —4B 168
Langham Rd. Boxt —7N 161 (3E 16)
Langham Wick. —4F 162 (3G 17)
Langhorne Rd. Dag —9M 127
Langland Clo. Corr —1B 150
Langley. —1H 11
Langley Av. Weth —2A 14
Langley Clo. Dov —4L 201
Langley Clo. Lgh S —8A 122
Langley Clo. Romf —4H 113
Langley Clo. Sth S —6A 140
Langley Cres. E11 —2J 125
Langley Cres. Dag —9H 127
Langley Dri. E11 —2H 125 (4F 39)
Langley Dri. Brtwd —9D 98
Langley Gdns. Dag —9J 127
Langley Green. —6B 172 (1J 25)
Langley Grn. Naze —1D 64
Langley Meadow. Lou —1C 94
Langley Pl. Bill —5G 101
Langleys. Bas —2C 134
Langleys. Gt Tey —1E 172
Langport Dri. Wclf S —2F 138
Langport Ho. H Hill —4J 113
(off Leyburn Rd.)
Langside Clo. Lain —7K 117
Langston Rd. Lou —4B 94
Langthorne Cres. Grays —2M 157
Langthorne Rd. E11 —5C 124 (5E 38)
Langton Av. Chelm —6G 61
Langton Way. Grays —2E 158
Langwood. W Mer —2K 213
Lanham Green. Cres —1E 24
Lanham Grn. Rd. Cres —1H 207 (1E 24)
Lanham Pl. Bas —7J 119
Lanhams. Bas —7J 119
Lanhams Ct. Pits —7J 119
Lansbury Av. Bark —9F 126
Lansbury Av. Romf —9K 111
Lansbury Gdns. Til —6C 158
Lansdown Av. Ben —9M 121
Lansdowne Av. Lgh S —5F 138
Lansdowne Clo. Tip —5C 212
Lansdowne Ct. Brox —8A 54
Lansdowne Dri. E8 —5C 38
Lansdowne Dri. Ray —4H 121
Lansdowne Rd. E4 —8A 92
Lansdowne Rd. E11 —4F 124
Lansdowne Rd. E17 —1A 124
Lansdowne Rd. E18 —7G 108
Lansdowne Rd. N17 —2C 38
Lansdowne Rd. Ilf —3E 126
Lansdowne Rd. Til —7B 158
Lansdown Rd. E7 —9J 125
Lansdown Rd. Sidc —4J 47
Lantern Ter. Sth S —7A 140
(off Kursaal Way)
Lanvalley Rd. Colc —9F 166
La Plata Gro. Brtwd —9E 98
Lappmark Rd. Can I —2K 153
Lapwater Clo. Lgh S —4B 138
Lapwater Ct. Lgh S —4B 138
(off London Rd.)
Lapwing Clo. Eri —5F 154
Lapwing Dri. H'bri —3M 203
Lapwing Dri. K'dn —8D 202
Lapwing Rd. W'fd —6K 103
Larch Clo. Colc —7D 168
Larch Clo. Lain —6L 117
Larches, The. Ben —7C 120
Larches, The. Bore —3F 62
Larch Gro. Chelm —4D 74
Larch Gro. Wthm —2D 214
Larch Rd. E10 —4A 124
Larch Wlk. Hat P —2L 63
(off Woodland Clo.)
Larch Wlk. H'bri —2M 203
Larchwood Av. Romf —3N 111
Larchwood Clo. Lgh S —9A 122
Larchwood Clo. Romf —3A 112
Larchwood Gdns. Pil H —5D 98
Largo Wlk. Eri —6C 154
Larkfield. Corr —9C 134
Larkfield Clo. R'fd —3J 123
Larkfield Rd. Gt Ben —5J 179
Lark Hill Rd. Cwdn —7L 107 (7J 35)
Larkin Clo. Hut —6M 99
Larkins Rd. Cydn —1A 4
Larksfield Cres. Har —3K 201
Larks Gro. Bark —9D 126
Larkshall Ct. Romf —6A 112
Larkshall Cres. E4 —1C 108
Larkshall Rd. E4 —2C 108 (2E 38)
Lark's La. Gt Walt —7G 59 (5K 23)
Larkspur Clo. S Ock —3F 146
Larkspur Clo. Wthm —3B 214
Larkspur Ct. Chelm —5A 62
Larkswood. H'low —5H 57
Larkswood Clo. Eri —6E 154
Larkswood Ct. E4 —2D 108
Larkswood Rd. E4 —1A 108
Larkswood Rd. Corr —1C 150
Larkswood Wlk. W'fd —1L 119
Lark Way. Kir X —7H 183
Larner Rd. Eri —5C 154
Larneys, The. Kir X —7H 183
Larsen Dri. Wal A —4D 78
Larshall Rd. E4 —9D 92
Larup Av. Can I —1J 153
Larup Gdns. Can I —1J 153
Lascelles Clo. E11 —4D 124
Lascelles Clo. Pil H —4D 98
Lascelles Gdns. R'fd —1H 123
Latchett Rd. E18 —5H 109
Latchetts Shaw. Bas —2C 134
Latchford. —1E 20
Latchford Pl. Chig —1G 110
Latching Clo. Romf —1H 113
Latchingdon. —4K 35
Latchingdon Clo. Ray —4G 120
Latchingdon Gdns. Wfd G —3L 109
Latchingdon Rd. Cold N —4H 35
Latchmore Bank. —2K 21
Latchmore Bank. L Hall —2K 21
Latchmore Common. —2K 21
Lathcoates Cres. Chelm —2F 74
Lathom Rd. E6 —9L 125
Latimer Dri. Bas —6K 117
Latimer Dri. Horn —5H 129
Latimer Ho. Chelm —8M 61
Latimer Rd. E7 —6H 125
Lattinford Hill. —1J 17
Latton Bush. —6F 56 (1J 31)
Latton Bush Cen. H'low —6D 56
Latton Comn. Rd. H'low —6F 56
Latton Grn. H'low —7E 56

Latton Hall Clo. *H'low* —2F **56**
Latton Ho. *H'low* —6G **56**
Latton St. *H'low* —2F **56**
(in four parts)
Launceston Clo. *Colc* —5B **176**
Launceston Clo. *Romf* —5G **113**
Launder's La. *Rain* —5J **145** (6C **40**)
Laundry La. *L Eas* —7F **13**
Laundry La. *Mount* —9N **85**
Laundry La. *Naze* —3E **64** (2E **30**)
Launds Farm La. *Ashen* —4C **8**
Laura Clo. *E11* —9J **109**
Laurel Av. *Har* —5H **201**
Laurel Av. *W'fd* —9K **103**
Laurel Clo. *Clac S* —6M **187**
Laurel Clo. *Hut* —4L **99**
Laurel Clo. *Ilf* —3B **110**
Laurel Clo. *Lgh S* —6C **138**
Laurel Ct. Hut —5M ***99***
(off Spinney, The)
Laurel Cres. *Romf* —3C **128**
Laurel Dri. *S Ock* —4G **146**
Laurel Gdns. *E4* —6B **92**
Laurel Gro. *Chelm* —2B **74**
Laurel La. *Horn* —4J **129**
Laurels, The. *Buck H* —7J **93**
Laurels, The. *Ray* —7M **121**
Laurels, The. *S Fer* —9K **91**
Laurel Way. *E18* —8F **108**
Laurence Av. *Wthm* —7D **214** (5G **25**)
Laurence Clo. *Elms* —9M **169**
Laurence Ct. *E10* —2B **124**
Laurence Croft. *Writ* —1K **73**
Laurence Ind. Est. *Sth S* —9G **123**
Laurie Wlk. *Romf* —9C **112**
Lauriston Rd. *E9* —5C **38**
Lausanne Rd. *SE15* —2C **46**
Lavel's Green. —6J 11
Lavender Av. *Pil H* —5E **98**
Lavender Clo. *H'low* —2D **56**
Lavender Clo. *Romf* —4H **113**
Lavender Clo. *Tip* —7C **212**
Lavender Clo. *Wthm* —3B **214**
Lavender Ct. *Chelm* —6A **62**
Lavender Dri. *S'min* —8K **207**
Lavender Field. *Saf W* —3M **205**
Lavender Gdns. *Enf* —6A **30**
Lavender Gro. *Wclf S* —3J **139**
Lavender Hill. *Enf* —6A **30**
Lavender M. *Wclf S* —3J **139**
Lavender Pl. *Ilf* —7A **126**
Lavender Sq. *E11* —5D **124**
Lavender St. *E15* —8E **124**
Lavender Wlk. *Jay* —5E **190**
Lavender Way. *Colc* —5K **167**
Lavender Way. *W'fd* —9K **103**
Lavenha Ct. *Brtwd* —7G **98**
Lavenham. —1K 9
Lavenham Clo. *Clac S* —9F **186**
Lavers, The. *Ray* —4L **121**
Lawford. —5G 165 (3A 18)
Lawford Clo. *Horn* —6G **129**
Lawford La. *Writ* —1K **73**
(in three parts)
Law Ho. *Bark* —2F **142**
Lawling Av. *H'bri* —3M **203**
Lawlinge Rd. *Latch* —4K **35**
Lawn Av. *Sth S* —4N **139**
Lawn Chase. *Wthm* —6C **214**
Lawn Dri. *E7* —6K **125**
Lawn Farm Gro. *Romf* —8K **111**
Lawn Hall Chase. *N End* —3H **23**
Lawn La. *Chelm* —4M **61** (7A **24**)
Lawns Clo. *W Mer* —2K **213**
Lawnscourt. *Ben* —8B **120**
Lawns Cres. *Grays* —4N **157**
Lawns Pl. *Grays* —4N **157**
Lawns, The. *E4* —2A **108**
Lawns, The. *Ben* —8C **120**
Lawns, The. *Chelm* —7M **61**
Lawns, The. *War* —2H **115**
Lawnsway. *Romf* —4A **112**
Lawn, The. *H'low* —9G **52**
Lawrence Av. *E12* —6N **125**
Lawrence Av. *Saw* —1L **53**
Lawrence Cres. *Dag* —5N **127**
Lawrence Gdns. *Til* —5D **158**
Lawrence Hill. *E4* —8A **92**
Lawrence Ho. *Saw* —5K **53**
Lawrence Moorings. *Saw* —3L **53**
Lawrence Rd. *N15* —3B **38**
Lawrence Rd. *Bas* —7N **119**
Lawrence Rd. *Romf* —9F **112**
Lawrie Pk. Av. *SE26* —5C **46**
Lawrie Pk. Rd. *SE26* —5C **46**
Laws Clo. *Saf W* —6K **205**
Lawshall's Hill. *Coln E* —1E **196** (4J **15**)
Lawson Gdns. *Dart* —9H **155**
Lawson Rd. *Dart* —9H **155**
Lawton Rd. *E10* —3C **124**
Lawton Rd. *Lou* —1A **94**
Laxton Ct. *Colc* —2H **175**
Laxton Gro. *Gt Hol* —1D **188**
Laxton Rd. *Alr* —6A **178**
Laxtons. *Stan H* —2M **149**
Laxtons, The. *R'fd* —2J **123**
Layborne Av. *Noak H* —8G **97**
Laybrook Lodge. *E18* —8F **108**
Layer Breton. —2C 26
Layer Breton Hill. *Lay B* —2C **26**
Layer Ct. *Colc* —2L **175**
Layer Cross. *Lay H* —9G **175**
Layer-de-la-Haye. —9G 174 (2D 26)
Layer Marney. —3B 26
Layer Marney Tower. —3B **26**
Layer Rd. *Abb* —2E **26**
Layer Rd. *Gt Wig* —4C **26**
Layer Rd. *L'hoe* —8A **176** (2F **27**)
Layer Rd. *Lay H* —8J **175** (1D **26**)
Leabank Sq. *E9* —8A **124**
Lea Bridge. —4C 38
Lea Bri. Rd. *E5, E10 & E17*
—2A **124** (4C **38**)
Leach Clo. *Chelm* —3J **75**
Lea Clo. *Bis S* —8A **208**
Lea Clo. *Brain* —7M **193**
Lea Ct. *E4* —8C **92**
Leadale Av. *E4* —8A **92**
Leaden Clo. *Lea R* —5E **22**
Leaden Roding. —5E 22
Leader Av. *E12* —7N **125**
Leafy Way. *Hut* —7N **99**
Lea Gro. *Bis S* —8A **208**
Lea Gro. *Hat P* —6F **25**
Lea Hall Gdns. *E10* —3A **124**
Lea Hall Rd. *E10* —3A **124**
Lea Interchange. (Junct.)
—7A **124** (5D **38**)
Lea La. *Gt Br* —4H **25**
Leam Clo. *Colc* —8F **168**
Leamington Av. *E17* —9A **108**
Leamington Clo. *E12* —7L **125**
Leamington Clo. *Romf* —3L **113**
Leamington Gdns. *Ilf* —4E **126**
Leamington Rd. *Hock* —9E **106**
Leamington Rd. *Romf* —2L **113** (1C **40**)
Leamington Rd. *Sth S* —6A **140**
Leander Dri. *Grav* —5J **49**
Leapingwell Clo. *Chelm* —8B **62**
Lea Rd. *Ben* —1C **136**
Lea Rd. *Grays* —3C **158**
Lea Rd. *Hod* —3C **54**
Lea Rd. *Wal A* —4A **78**
Lea Rd. Ind. Pk. *Wal A* —4A **78**
Leas Clo. *Wclf S* —6G **138**
Leas Gdns. *Wclf S* —6G **138**
Leaside. *Ben* —9B **120**
Lea Side. *W Mer* —3L **213**
Leas La. *Lay H* —8E **174**
Leasowes Rd. *E10* —3A **124**
Leas Rd. *Clac S* —3G **191** (4D **28**)
Leas Rd. *Colc* —5K **175**
Leas, The. *Bur C* —2M **195**
Leas, The. *Frin S* —8L **183**
Leas, The. *Ing* —7C **86**
Leas, The. *Upm* —2A **130**
Leas, The. *Wclf S* —7H **139** (5J **43**)
Leasway. *Brtwd* —9G **98**
Leasway. *Grays* —8M **147**
Leasway. *Ray* —5J **121**
Leasway. *Upm* —5N **129**
Leasway. *Wclf S* —6G **138**
Leasway. *W'fd* —1J **119**
Leat Clo. *Saw* —1L **53**
Leathart Clo. *Horn* —9F **128**
Leatherbottle Hill. *Stock* —7B **88**
Leather La. Brain —5H ***193***
(off Great Sq.)
Leather La. *Gt Yel* —8D **198** (6D **8**)
Leather La. *Horn* —3H **129**
Leather La. *Sth S* —6M **139**
Lea Vale. *Dart* —9B **154**
Lea Valley Rd. *Enf & E4* —5A **92** (7D **30**)
Lea Valley Viaduct. *N18 & E4* —1C **38**
Leavenheath. —1C 16
Leaview. *Wal A* —3B **78**
Leaway. *Bill* —8K **101**
Le Cateau Rd. *Colc* —9M **167**
Lechmere App. *Wfd G* —6J **109**
Lechmere Av. *Chig* —1B **110**
Lechmere Av. *Wfd G* —6K **109**
Leconfield Wlk. *Horn* —8G **128**
Lede Rd. *Can I* —1H **153**
Lee. —3E 46
Lee Av. *Romf* —1K **127**
Lee Chapel La. *Bas* —3L **133**
Lee Chapel North. —3K 41
Lee Chapel South. —3A 134 (4K 41)
Leech's La. *Colc* —3L **167**
Leecon Way. *R'fd* —4J **123**
Leeds Rd. *Ilf* —3C **126**
Lee Gdns. Av. *Horn* —3L **129**
Lee Green. (Junct.) —3E **46**
Lee Gro. *Chig* —8A **94**
Lee High Rd. *SE13 & SE12* —3E **46**
Lee Lotts. *Gt W* —2L **141**
Lee-over-Sands. —5A 28
Lee Rd. *SE3* —3E **46**
Lee Rd. *Bas* —9N **119**
Lee Rd. *Har* —4L **201**
Leeside Rd. *N17* —2C **38**
Leeson's Hill. *Chst & Orp* —6H **47**
Lee Ter. *SE3* —3E **46**
Lee Valley Cvn. Pk. *Hod* —7C **54**
Lee Wlk. *Bas* —1N **133**
Leeward Rd. *S Fer* —3L **105**
Leeway, The. *Dan* —3F **76**
Lee Wick La. *St O* —4A **28**
Lee Wootens La. *Bas* —4A **42**
Lee Woottens La. *Bas* —1B **134**
(in two parts)
Leez La. *Har E* —2K **23**
Legg St. *Chelm* —8K **61**
Legon Av. *Romf* —3A **128**
Leicester Av. *R'fd* —7L **123**
Leicester Clo. *Colc* —7A **168**
Leicester Clo. *Jay* —3D **190**
Leicester Ct. *Sil E* —4L **207**
Leicester Gdns. *Ilf* —2D **126**
Leicester Rd. *E11* —9H **109**
Leicester Rd. *Til* —6B **158**
Leige Av. *Can I* —8G **137**
Leigham Ct. Dri. *Lgh S* —5E **138**
Leigham Ct. Rd. *SW16* —4A **46**
Leighams Rd. *E Han* —4E **90** (4E **34**)
Leigh Av. *Ilf* —8K **109**
Leigh Beck. —3L 153 (6F 43)
Leigh Beck La. *Can I* —3L **153**
Leigh Beck Rd. *Can I* —2M **153**
Leigh Cliff Rd. *Lgh S* —6E **138**
Leighcroft Gdns. *Lgh S* —2C **138**
Leigh Dri. *Else* —8C **196**
Leigh Dri. *Romf* —1H **113**
Leigh Dri. *W Bis* —7J **213**
Leigh Fells. *Pits* —9K **119**
Leighfields. *Ben* —9H **121**
Leighfields Av. *Lgh S* —9C **122**
Leighfields Rd. *Lgh S* —9C **122**
Leigh Gdns. *Lgh S* —5B **138**
Leigh Hall Rd. *Lgh S* —5D **138**
Leigh Heath Ct. *Lgh S* —4N **137**
Leigh Heights. *Ben* —3M **137**
Leigh Heritage Centre & Museum.
—6C **138** (5G **43**)
Leigh Hill. *Lgh S* —6D **138** (5H **43**)
Leigh Hill Clo. *Lgh S* —6D **138**
Leigh Ho. *Lgh S* —6D **138**
Leighlands Rd. *S Fer* —1K **105**
Leigh-on-Sea. —5C 138 (4G 43)
Leigh Pk. Clo. *Lgh S* —5B **138**
Leigh Pk. Rd. *Lgh S* —6C **138**
Leigh Rd. *E6* —8N **125**
Leigh Rd. *E10* —2C **124**
Leigh Rd. *Can I* —3H **153**
Leigh Rd. *Lgh S* —5E **138** (4H **43**)
Leighs Rifleman. *Bill* —5G **101**
Leighs Rd. *L Walt* —6N **59** (5B **24**)
Leighton Av. *E12* —7N **125**
Leighton Av. *Lgh S* —5E **138**
Leighton Gdns. *Til* —5C **158**
Leighton Rd. *NW5* —5A **38**
Leighton Rd. *Ben* —8C **120**
Leigh View Dri. *Lgh S* —2D **138**
Leighville Gro. *Lgh S* —5C **138**
Leighwood Av. *Lgh S* —1C **138**
Leinster Rd. *Bas* —8L **117** (3K **41**)
Leitrim Av. *Shoe* —8G **140**
Lekoe Rd. *Can I* —8F **136**
Leman St. *E1* —7C **38**
Lemna Rd. *E11* —2E **124**
Lena Kennedy Clo. *E4* —3C **108**
Lenham Way. *Pits* —9K **119**
Lenmore Av. *Grays* —1M **157**
Lennard Rd. *SE20 & Beck* —5C **46**
Lennard Row. *Ave* —8A **146**
Lennox Clo. *Romf* —1D **128**
Lennox Dri. *W'fd* —2N **119**
Lennox Gdns. *Ilf* —3M **125**
Lennox Rd. *E17* —1A **124**
Lennox Rd. *Grav* —4G **49**
Lens Rd. *E7* —9J **125**
Lenthall Av. *Grays* —9K **147**
Lenthall Rd. *Lou* —3C **94**
Leonard Av. *Romf* —3B **128**
Leonard Davis Ho. *N Wea* —6M **67**
Leonard Dri. *Ray* —3G **121**
Leonard M. *Brain* —8K **193**
Leonard Rd. *E4* —3A **108**
Leonard Rd. *E7* —6G **124**
Leonard Rd. *SW16* —6A **46**
Leonard Rd. *Van* —4C **134**
Leonard Rd. *Wclf S* —7J **139**
Leonard Robbins Path. SE28 —7G ***142***
(off Tawney Rd.)
Leonard Way. *Brtwd* —1B **114**
Leon Dri. *Van* —3E **134**
Leopold Rd. *E17* —9A **108**
Leopold Rd. *Felix* —1K **19**
Les Bois. *Lay H* —9H **175**
Leslie Clo. *Lgh S* —9C **122**
Leslie Dri. *Lgh S* —9C **122**
Leslie Gdns. *Ray* —6M **121**
Leslie Newnham Ct. *Mal* —7K **203**
Leslie Pk. *Bur C* —4M **195**
Leslie Pk. Rd. *Croy* —7B **46**
Leslie Rd. *E11* —6C **124**
Leslie Rd. *Ray* —6L **121**
Lesney Farm Est. *Eri* —5B **154**
Lesney Gdns. *R'fd* —4J **123**
Lesney Pk. *Eri* —4B **154**
Lesney Pk. Rd. *Eri* —4B **154**
Lessingham Av. *Ilf* —7N **109**
Lessington Av. *Romf* —1A **128**
Lessness Heath. —2K 47
Leston Clo. *Rain* —3F **144**
Letfield La. *Ples* —4B **58**
Lethe Gro. *Colc* —6N **175**
Lettons Chase. *S Fer* —2K **105**
Lett Rd. *E15* —9D **124**
Letty Green. —6A 20
Letzen Rd. *Can I* —1G **153**
Leveller Row. *Bill* —5H **101**
Levens Green. —7D 10
Levens Way. *Brain* —2C **198**
Lever La. *R'fd* —5L **123**
Lever Sq. *Grays* —2B **158**
Lever St. *EC1* —6A **38**
Leverton Way. *Wal A* —3C **78** (4E **30**)
Leveson Rd. *Grays* —1D **158**
Levett Gdns. *Ilf* —6E **126**
Levett Rd. *Bark* —8D **126**
Levett Rd. *Stan H* —3N **149**
Levine Gdns. *Bark* —2J **143**
Lewes Clo. *Grays* —4K **157**
Lewes Rd. *Romf* —1H **113**
Lewes Rd. *Sth S* —3A **140**
Lewes Way. *Ben* —8H **121**
Lewin Pl. *Bore* —3F **62**
Lewis Av. *E17* —5A **108**
Lewis Clo. *Shenf* —6J **99**
Lewis Ct. *D'mw* —7L **197**
Lewis Dri. *Chelm* —4C **74**
Lewisham. —3D 46
Lewisham High St. *SE13* —3D **46**
Lewisham Hill. *SE13* —2E **46**
Lewisham Rd. *SE13* —2E **46**
Lewisham Way. *SE14 & SE4* —2D **46**
Lewis Rd. *Grav* —6G **49**
Lewis Rd. *Horn* —1G **129**
Lewis Wlk. *W'fd* —2N **119**
Lewis Way. *Dag* —8N **127**
Lexden. —9F 166 (6D 16)
Lexden Ct. *Colc* —8K **167**
Lexden Dri. *Romf* —1G **126**
Lexden Earthworks. —5E **174** (7C **16**)
Lexden Gro. *Colc* —9G **167**
Lexden Rd. *Colc* —6D **16**
Lexden Rd. *W Ber* —4E **166** (5C **16**)
Lexden Ter. Wal A —4C ***78***
(off Sewardstone Rd.)
Lexham Houses. Bark —1C ***142***
(off St Margarets)
Lexington Way. *Upm* —1C **130**
Leybourne Dri. *Chelm* —4M **61**
Leybourne Rd. *E11* —3F **124**
Leyburn Clo. *E17* —8B **108**
Leyburn Cres. *Romf* —4J **113**
Leyburn Rd. *Romf* —4J **113**
Leycroft Clo. *Lou* —4N **93**
Leycroft Gdns. *Eri* —6F **154**
Leydenhatch La. *Swan* —6A **48**
Leyd Rd. *Can I* —1H **153**
Ley Field. *M Tey* —3G **172**
Ley Field. *Tak* —8C **210**
Leyfields. *Rayne* —7B **192**
Leyland Gdns. *Wfd G* —2J **109**
Leys Av. *Dag* —1A **144**
Leys Clo. *Dag* —9B **128**
(in two parts)
Leysdown Av. *Bexh* —9A **154**
Leys Dri. *L Cla* —4G **187**
Leyside. *Rayne* —6B **192**
Leysings. *Bas* —2N **133**
Leyspring Rd. *E11* —3F **124**
Leys Rd. *W'hoe* —3J **177**
Leys, The. *Bas* —2D **134**
Leys, The. *Chelm* —6A **62**
Ley St. *Ilf* —4A **126** (4H **39**)
Leyswood Dri. *Ilf* —9D **110**
Ley, The. *Brain* —7M **193**
Leyton. —5C 124 (4D 38)
Leyton Bus. Cen. *E10* —4A **124**
Leyton Ct. *Clac S* —5K **187**
Leyton Cross Rd. *Dart* —4A **48**
Leyton Grange Est. *E10* —4A **124**
Leyton Grn. Rd. *E10* —1C **124** (3E **38**)
Leyton Orient F.C. —5B **124** (4D **38**)
Leyton Pk. Rd. *E10* —5C **124**
Leyton Rd. *E15* —7C **124** (5E **38**)
Leytonstone. —3E 124 (4E 38)
Leytonstone Rd. *E15* —6E **124** (5E **38**)
Leyton Way. *E11* —2E **124**
Leywood Clo. *Brain* —6M **193**
Liberty II Cen. *Romf* —8D **112**
Liberty, The. *Romf* —9C **112**
Libra Ct. *E4* —1A **108**
Library Hill. *Brtwd* —8G **98**
Lichfield Clo. *Chelm* —7G **61**
Lichfield Clo. *Colc* —7A **168**
Lichfield Rd. *Dag* —6G **127**
Lichfield Rd. *Wfd G* —1E **108**
Lichfields, The. *Bas* —8G **118**
Lichfield Ter. *Upm* —4B **130**
Lifchild Clo. *Wthm* —8D **214**
Lifeboat Museum. —1N **201** (2J **19**)
Lifstan Way. *Sth S* —6C **140** (5A **44**)
Lilac Av. *Can I* —9J **137**
Lilac Av. *W'fd* —1K **119**
Lilac Clo. *Chelm* —4D **74**
Lilac Clo. *Pil H* —4E **98**
Lilac Ct. *W'hoe* —4G **177**
Lilac Gdns. *Romf* —3C **128**
Lilac Rd. *Hod* —3B **54**
Lilac Tree Ct. *Colc* —7E **168**
Lilford Rd. *SW9* —2A **46**
Lilford Rd. *Bill* —4L **101**
Lilian Cres. *Hut* —8M **99**
Lilian Gdns. *Wfd G* —5H **109**
Lilian Rd. *Bur C* —3L **195**
Lillechurch Rd. *Dag* —8G **127**
Lilley Clo. *Brtwd* —1C **114**
Lilley's La. *A'lgh* —3B **170** (5J **17**)
Lillian Pl. *Ray* —7N **121**
Lilliard Clo. *Hod* —2B **54**
Lillies, The. *Brain* —5D **14**
Lilliput Rd. *Romf* —2B **128**
Lily Clo. *Chelm* —5A **62**
Lily Rd. *E17* —1A **124**
Lilystone Clo. *Stock* —8M **87**
Lilyville Wlk. *Ray* —6N **121**
Limbourne Av. *Dag* —2L **127**
Limbourne Dri. *H'bri* —3N **203**
Limburg Rd. *Can I* —1D **152**
Lime Av. *Brtwd* —9J **99**
Lime Av. *Colc* —7D **168**
Lime Av. *Har* —4K **201**
Lime Av. *Lgh S* —4B **138**
Lime Av. *Upm* —6L **129**
Limebrook Way. *Mal* —8H **203** (2H **35**)
Lime Clo. *Buck H* —8K **93**
Lime Clo. *Clac S* —1G **190**
Lime Clo. *Romf* —8A **112**
Lime Clo. *S Ock* —3F **146**
Lime Clo. *Wthm* —2D **214**
Lime Ct. E11 —4E ***124***
(off Trinity Clo.)
Lime Ct. *E17* —9C **108**
Lime Ct. *Har* —4K **201**
Limefields. *Saf W* —2K **205**
Lime Gro. *Dodd* —7F **84**
Lime Gro. *Ilf* —3E **110**
Limeharbour. *E14* —1D **46**
Limehouse. —7D 38
Limekiln La. *Stans* —3B **208** (6A **12**)
Lime Lodge. *Lgh S* —4B **138**
Lime Meadow. *Sew E* —6D **6**
Lime Pl. *Lain* —6L **117**
Limerick Gdns. *Upm* —2C **130**
Lime Rd. *Ben* —2E **136**
(in two parts)
Limes Av. *E11* —8H **109**
Limes Av. *E12* —5L **125**
Limes Av. *Chig* —2B **110**
Limes Ct. *Brtwd* —7G **99**
Limes Ct. *Hod* —5A **54**
Limeslade Clo. *Corr* —1B **150**
Limes, The. *Brtwd* —9J **99**
Limes, The. *Gall* —8C **74**
Limes, The. *Gosf* —4E **14**
Limes, The. *Ing* —5E **86**
Limes, The. *Purf* —3L **155**
Limes, The. *Ray* —6M **121**
Limestone Wlk. *Eri* —9J **143**
Lime St. *B'sea* —8E **184**
Limetree Av. *Ben* —2B **136**
Lime Tree Cotts. *D'mw* —6L **197**
Limetree Ct. Saf W —3K ***205***
(off Church St.)
Limetree Rd. *Can I* —1K **153**
Lime Wlk. *Chelm* —4C **74**
Lime Way. *Bur C* —2K **195**
Limewood Ct. *Ilf* —9M **109**
Limewood Rd. *Eri* —5A **154**
Lincefield. *Bas* —3K **133**
Lincewood Pk. Dri. *Bas* —2J **133**
Lincoln Av. *Jay* —6B **190**
Lincoln Av. *Romf* —4B **128**
Lincoln Chase. *Sth S* —3C **140**
Lincoln Clo. *Eri* —7D **154**
Lincoln Clo. *Horn* —9L **113**
Lincoln Gdns. *Ilf* —2L **125**
Lincoln La. *Gt Hork* —7K **161**
Lincoln Rd. *E7* —8K **125**
Lincoln Rd. *E18* —5F **108**
Lincoln Rd. *Bas* —8G **118**
Lincoln Rd. *Enf* —6B **30**
(in two parts)
Lincoln Rd. *Eri* —7D **154**
(in two parts)
Lincoln Rd. *R'fd* —1G **123**
Lincolns Field. *Epp* —9E **66**
Lincolns La. *Brtwd* —4N **97** (7D **32**)
Lincoln St. *E11* —4E **124**
Lincoln Way. *Can I* —1E **152**
Lincoln Way. *Colc* —8A **168**
Lincoln Way. *Ray* —2J **121**
Linda Gdns. *Bill* —4G **100**
Linden Clo. *Ben* —9C **120**
Linden Clo. *Chelm* —3D **74**
Linden Clo. *Colc* —6E **168**
Linden Clo. *Law* —5G **164**
Linden Clo. *Purf* —4N **155**
Linden Clo. *Ray* —6M **121**
Linden Ct. Lgh S —4F ***138***
(off London Rd.)
Linden Cres. *Wfd G* —3H **109**
Linden Dri. *Clac S* —7J **187**
Linden Gro. *SE15* —3C **46**
Linden Leas. *Ben* —9C **120**
Linden Rise. *War* —2G **114**
Linden Rd. *Ben* —1C **136**
Lindens, The. E17 —8B ***108***
(off Prospect Hill)
Lindens, The. *Bas* —1J **133**
Lindens, The. *Brain* —7J **193**
Lindens, The. *Lou* —4M **93**
Lindens, The. *Stock* —7A **88**
Lindens, The. Wal A —5J ***79***
(off Woodbine Clo.)
Linden St. *Romf* —8B **112**
Linden Way. *Can I* —1F **152**
Linde Rd. *Can I* —1H **153**
Lindfield Rd. *Romf* —2J **113**
Lindhurst Dri. *Rams H* —4D **102**
Lindisfarne Av. *Lgh S* —4F **138**
Lindisfarne Ct. *Mal* —8H **203**
Lindisfarne Rd. *Dag* —5H **127**
Lindley Rd. *E10* —4C **124**
Lindon Rd. *W'fd* —5K **103**
Lindsell. —5H 13
Lindsell Grn. *Bas* —1F **134**
Lindsell La. *Bas* —1F **134**
Lindsell La. *Lndsl* —5H **13**
Lindsey Clo. *Brtwd* —1D **114**
Lindsey Ct. *Ray* —4G **120**
Lindsey Ct. *W'fd* —2M **119**
Lindsey Rd. *Dag* —6H **127**
Lindsey Rd. *Gt W* —2M **141**
Lindsey St. *Epp* —7C **66** (3H **31**)
Lindsey Way. *Horn* —9G **113**
Linfold Clo. *Brain* —4M **193**
Linford. —9J 149 (1J 49)
Linford Clo. *H'low* —5A **56**
Linford Dri. *Bas* —9F **118**
Linford End. *H'low* —5B **56**
Linford M. *Mal* —8H **203**
Linford Rd. *E17* —7C **108**
Linford Rd. *Grays* —2D **158** (1H **49**)
Lingcroft. *Bas* —2B **134**
Lingfield Av. *Upm* —5K **129**

Lingfield Dri. R'fd —5M 123
Lingmere Clo. Chig —8B 94
Ling Rd. Eri —4A 154
Lingrove Gdns. Buck H —8H 93
Ling's La. Chel —1E 18
Lingwood Clo. Dan —3E 76
Lingwood Common Nature Reserve. —2D 76 (2D 34)
Link Clo. Colc —3M 167
Linkdale. Bill —8K 101
Link Pl. Ilf —3E 110
Link Rd. Bis S —1K 21
Link Rd. B'sea —7F 184
Link Rd. Can I —2E 152 (6E 42)
Link Rd. Clac S —2H 191
Link Rd. Dag —2N 143
Link Rd. H'std —6J 199
Link Rd. Ray —4K 121
Link Rd. Stan H —2M 149
Links Av. Romf —6F 112
Links Ct. Sth S —7C 140
(in two parts)
Links Dri. Chelm —3A 74
Links Ho. Dodd —5E 84
Linkside. Chig —2B 110
Links Rd. Cres —1F 25
Links Rd. Wfd G —2G 108
Links, The. Bill —4G 100
Links Way. Beck —7D 46
Links Way. Ben —3M 137
Linksway. Lgh S —2B 138
Linkway. Bas —9C 118
Linkway. Dag —6H 127
Linkway. H'low —2B 56
(off Kitson Way)
Link Way. Horn —3J 129
Linkway Rd. Brtwd —9C 98
Linley Clo. E Til —5M 159
Linley Cres. Romf —7N 111
Linley Gdns. Clac S —2H 191
Linne Rd. Can I —9J 137
Linnet Clo. SE28 —7H 143
Linnet Clo. Shoe —6J 141
Linnet Dri. Ben —4C 136
Linnet Dri. Chelm —5B 74
Linnets. Bas —3B 134
Linnets. Clac S —7K 187
Linnets, The. Kir X —8E 182
Linnett Clo. E4 —1C 108
Linnetts La. Stur —4A 8
Linnet Way. Gt Ben —6J 179
Linnet Way. Purf —3M 155
Linroping Av. Can I —2M 153
Linsdell Rd. Bark —1B 142
Linsey Ct. E10 —3A 124
(off Grange Rd.)
Linstead Clo. Clac S —9E 186
Linton. —2D 6
Linton Clo. Saf W —5M 205
Linton Ct. Romf —6C 112
Linton Rd. B'shm —1D 6
Linton Rd. Bark —9B 126
Linton Rd. Gt Ab —1B 6
Linton Rd. Hads —3C 6
Linton Rd. H'hth —2F 7
Linton Rd. Shoe —8J 141
Lintons, The. Bark —9B 126
Lintons, The. S'don —4L 75
Linton Zoo. —2C 6
Linwood. Saw —2K 53
Lionel Oxley Ho. Grays —4L 157
(off New Rd.)
Lionel Rd. Can I —2G 153
Lionfield Ter. Chelm —8M 61
Lion Hill. Fob —1E 150 (6A 42)
Lion La. Bill —6J 101
Lion Meadow. Stpl B —2C 210
Lion Rd. Glem —1G 9
Lion Wlk. Colc —8N 167
Lion Wlk. Shop. Cen. Colc —8N 167
Liphook Clo. Horn —6D 128
Lippits Hill. Bas —3L 133
Lippitts Hill. Lou —9E 78 (6E 30)
Lipton Clo. SE28 —7H 143
Lisa Clo. Bill —2K 101
Lisle Pl. Grays —1K 157
Lisle Rd. Colc —1A 176
Lister Av. H Wood —6H 113
Lister Rd. E11 —3E 124
Lister Rd. Brain —8H 193
Lister Rd. Til —7C 158
Lister Wlk. SE28 —7J 143
Liston. —3H 9
Liston Garden. —3H 9
Liston La. L Mel —3H 9
Liston Way. Wfd G —4J 109
Listowel Rd. Dag —5M 127
Litchborough Pk. Dan —2F 76
Litchfield. Har —5G 201
Litchfield Av. E15 —8E 124
Litchfield Clo. Clac S —8J 187
Litchfield Ct. E17 —1A 124
Litlington. —4A 4
Litlington Rd. Stpl N —4A 4
Littell Tweed. Chelm —8B 62
Little Abington. —1B 6
Lit. Aston Rd. Romf —4K 113
Lit. Baddow Rd. Dan —3E 76
Little Baddow. —7L 63 (1E 34)
Little Baddow Heath Nature Reserve. —1F 76 (1E 34)
Lit. Baddow Rd. Dan —2E 34
Lit. Baddow Rd. Wdhm W —1E 34
Lit. Bakers. W on N —7K 183
Little Bardfield. —3H 13
Lit. Belhus Clo. S Ock —4D 146
Little Bentley. —8L 171 (6B 18)
Lit. Bentley. Bas —8C 118
Lit. Bentley Rd. L Ben —6N 171 (5B 18)
Little Berkhamsted. —1A 30
Lit. Berry La. Lang H —2J 133
Little Braxted. —5F 214 (4G 25)
Lit. Braxted La. Riven —4F 214 (4G 25)
Lit. Brays. H'low —4F 56
Little Bromley. —1G 170 (4K 17)
Lit. Bromley Rd. A'lgh —9M 163 (4J 17)
Lit. Bromley Rd. Gt Bro —4D 170 (5K 17)
Lit. Bromley Rd. L Ben —6K 171 (5A 18)
Littlebrook Bus. Cen. Dart —7M 155
Littlebrook Interchange. (Junct.) —3C 48
Littlebrook Mnr. Way. Dart —9M 155 (3C 48)
Lit. Brook Rd. Roy —3J 55
Little Burstead. —3H 117 (1J 41)
Littlebury. —2L 83 (4C 32)
(nr. Marden Ash)
Littlebury. —1J 205 (6A 6)
(nr. Saffron Walden)
Littlebury Ct. Bas —7H 119
Littlebury Ct. Kel H —7C 84
Littlebury Gdns. Colc —2C 176
Littlebury Green. —6K 5
Littlebury Grn. Bas —7H 119
Littlebury Grn. Rd. L'bry —2H 205 (6K 5)
Little Cambridge. —5G 13
Little Canfield. —1E 22
Lit. Cattins. H'low —7M 55
Lit. Charlton. Bas —9K 119
Little Chesterford. —4A 6
Little Chishill. —7G 5
Lit. Chishill Rd. Bar —7F 5
Lit. Chittock. Bas —9F 118
Little Clacton. —3H 187 (2D 28)
Lit. Clacton By-Pass. Wee —5B 180 (7B 18)
Lit. Clacton Rd. Clac S —6F 186 (3C 28)
Lit. Clacton Rd. Gt Hol —3A 188 (2E 28)
Little Common. —8B 192
Little Cornard. —6K 9
Littlecotes. M End —3L 167
Littlecroft. S Fer —2K 105
Lit. Dodden. Bas —2A 134
Lit. Dorrit. Chelm —4G 61
Lit. Dragons. Lou —3K 93
Little Dunmow. —1H 23
Little Easton. —7F 13
Little End. —4J 83 (4C 32)
Littlefield Clo. Colc —4K 175
Littlefield Rd. Colc —4K 175
Lit. Fields. Dan —3G 76
Lit. Fretches. Lgh S —2D 138
Lit. Friday Rd. E4 —8E 92
Lit. Garth. Bas —1H 135
Lit. Gaynes Gdns. Upm —6M 129
Lit. Gaynes La. Upm —6K 129 (5C 40)
Lit. Gearies. Ilf —8A 110
Lit. Gerpins La. Upm —1K 145 (6C 40)
Lit. Goldings Est. Lou —9N 79
Lit. Gregories La. They B —5C 80
Little Gro. Field. H'low —3B 56
Lit. Gypps Clo. Can I —1F 152
Lit. Gypps Ct. Can I —1F 152
Lit. Gypps Rd. Can I —2F 152
Little Hadham. —7H 11
Little Hallingbury. —2A 22
Lit. Harrods. W on N —7K 183
Lit. Hayes Chase. N Fam —5G 35
Lit. Hays. Lgh S —9A 122
Little Heath. —8G 110 (3J 39)
Lit. Heath. SE7 —1G 47
Lit. Heath. Hat H —2B 202
Lit. Heath. L Hth —8G 111
Lit. Heath Rd. Bexh —2K 47
Little Henham. —3B 12
Lit. Holt. E11 —9G 108
Little Horkesley. —3F 160 (2C 16)
Lit. Horkesley Rd. Wmgfd —4A 160 (3C 16)
Little Hormead. —4F 11
Littlehurst La. Bas —5A 118
Lit. Hyde Clo. Gt Yel —7D 198
Lit. Hyde La. Ing —3D 86 (4H 33)
Lit. Hyde Rd. Gt Yel —7D 198
Little Ilford. —6N 125 (5G 39)
Lit. Ilford La. E12 —6N 125 (5G 39)
Lit. Kingston. Bas —4M 133
Lit. Larchmount. Saf W —5K 205
Little Laver. —7C 22
Lit. Laver Rd. Mat G —6C 22
Lit. Laver Rd. More —1C 32
Little Leighs. —3A 24
Little London. —4K 11
(nr. Berden)
Little London. —6E 202
(nr. Kelvedon)
Lit. London Hill. F'fld —2K 13
Lit. London La. Wdhm W —1F 35
Lit. Lullaway. Bas —8N 117
Lit. Malgraves Ind. Est. Bulp —5H 133
Little Maplestead. —2G 15
Lit. Maplestead Rd. Gest —7F 9
Lit. Meadow. Writ —1J 73
Lit. Meadows. Wdhm M —4L 77
Littlemoor Rd. Ilf —5C 126
Littlemore Rd. SE2 —9F 142
Little Nell. Chelm —4G 61
Lit. Norsey Rd. Bill —4L 101
Little Oakley. —8D 200 (4G 19)
Lit. Oxcroft. Bas —9K 117
Little Oxney Green. —2G 73 (2J 33)
Little Parndon. —2A 56 (6G 21)
Lit. Pastures. Brtwd —1C 114
Lit. Pluckett's Way. Buck H —7K 93
Littlepound. Dodd —6F 84
Lit. Pynchons. H'low —6F 56
Lit. Russets. Hut —6A 100
Little St Mary's. L Mel —3J 9
Little Sampford. —2H 13
Lit. Searles. Pits —8J 119
Lit. Spenders. Bas —7E 118
Little Sq. Brain —5H 193
(off Great Sq.)
Lit. Stambridge Hall La. R'fd —5N 123 (2K 43)
Lit. Stile. Writ —2J 73
Littlestone Ct. Clac S —4H 191
Little Tey. —7K 15
Lit. Tey Rd. Fee —7B 172 (1J 25)
Lit. Thorpe. Bas —2G 134
Lit. Thorpe. Sth S —5E 140
Little Thurlow. —1K 7
Little Thurrock. —2N 157 (1G 49)
Littleton Av. E4 —7F 92
Little Totham. —6K 25
Lit. Totham Rd. Gold —6K 25
Little Wakering. —3B 44
Lit. Wakering Hall La. Gt W —1L 141
Lit. Wakering Rd. Gt W —3B 44
Little Walden. —5C 6
Lit. Walden Rd. Saf W —3K 205 (6B 6)
Little Wlk. H'low —2C 56
Little Waltham. —6L 59 (5A 24)
Lit. Waltham Rd. Spri —2M 61
Little Warley. —6J 115 (2F 41)
Lit. Warley Hall La. L War —6H 115 (2F 41)
Lit. Wheatley Chase. Ray —4G 120 (2E 42)
Little Wigborough. —4E 26
Lit. Wood. Kir X —8H 183
Little Wratting. —2K 7
Little Yeldham. —6E 8
Lit. Yeldham Rd. Gt Yel —6D 8
Lit. Yeldham Rd. L Yel —7E 198
Littley Green. —3K 23
Liverpool Rd. E10 —1C 124
Liverpool Rd. N7 & N1 —5A 38
Livingstone Clo. Ong —8L 69
Livingstone College Towers. E10 —1C 124
Livingstone Ct. E10 —1C 124
Livingstone Rd. E17 —1B 124
Livingstone Ter. Rain —1C 144
Llewellyn Clo. Chelm —8M 61
Lloyd Pk. Ho. E17 —7A 108
Lloyd Rd. Dag —9L 127
Lloyd Wise Clo. Sth S —3B 140
Loampit Vale. (Junct.) —3E 46
Loampit Hill. SE4 —2D 46
Loampit Vale. SE13 —3D 46
Loamy Hill Rd. Tip & Tol M —4J 25
Loates Pasture. Stans —1C 208
Lobelia Clo. Chelm —5B 62
Locarno Av. Runw —7M 103
Locke Clo. Rain —8D 128
Locke Clo. Stan H —2L 149
Lockhart Av. Colc —8K 167
Lock Hill. Hey B —9N 203
Lockram La. Wthm —5C 214
(in two parts)
Lock Rd. H'std —6K 199
Locksbottom. —7G 47
Locks Hill. R'fd —6L 123
Locksley Clo. Sth S —4D 140
Lock View. Saw —2L 53
Lockwood Wlk. Romf —9C 112
Lockyer Rd. Purf —4N 155
Lodge Av. Chelm —3G 74
Lodge Av. Dag —1F 142 (6J 39)
Lodge Av. Romf —8E 112
Lodge Clo. Ben —1G 136
Lodge Clo. Chig —9F 94
Lodge Clo. Clac S —9J 187
Lodge Clo. L Oak —7E 200
Lodge Clo. Ray —6L 121
Lodge Ct. Horn —4J 129
Lodge Ct. W Ber —3G 166
Lodge Cres. Bore —4F 62
Lodge Farm Clo. Lgh S —1C 138
Lodge Farm La. St O —9B 186 (4B 28)
Lodge Hall. H'low —7D 56
Lodge Hill. Ilf —8L 109
Lodge Hill. Well —2J 47
Lodgelands Clo. Ray —6M 121
Lodge La. A'lgh —1G 168 (4G 17)
(in two parts)
Lodge La. B'sea —6C 184
Lodge La. Grays —9K 147 (1F 49)
Lodge La. L'hoe —9C 176 (2F 27)
Lodge La. L'ham —8C 162
Lodge La. Pel —3E 26
Lodge La. Pur —3G 35
Lodge La. Romf —4M 111 (2K 39)
Lodge La. Ten —6C 18
Lodge La. Wal A —5D 78
Lodge Rd. Brain —7H 193
Lodge Rd. B'sea —6D 184
Lodge Rd. E Han —3E 90 (4E 34)
Lodge Rd. Epp —4N 79 (4G 31)
Lodge Rd. Haz —6N 77
Lodge Rd. L Cla —8K 181 (2E 28)
Lodge Rd. L Oak —7E 200
Lodge Rd. Mal —5J 203
Lodge Rd. Mess —2K 25
Lodge Rd. Pur —3G 35
Lodge Rd. Thri —2G 5
Lodge Rd. Writ —2H 73 (2J 33)
Lodge Vs. Wfd G —3F 108
Lodwick. Shoe —9G 141
Loewen Rd. Grays —1C 158
Loftin Way. Chelm —3E 74 (2A 34)
Logan Link. W'fd —2N 119
Logs Hill. Brom —6G 47
Loman Path. S Ock —6C 146
Lombard Av. Ilf —3D 126
Lombard Ct. Romf —8A 112
(off Poplar St.)
Lombard Roundabout. (Junct.) —7A 46
Lombards Chase. W H'dn —1N 131
Lombards, The. Horn —2K 129
Lombard St. F'fld —3A 14
Lombard St. Hort K —7D 48
Lombardy Clo. Pits —9K 119
Lombardy Pl. Chelm —8K 61
Lonbarn Hill. Brad —3C 18
London Bri. SE1 —7B 38
London City Airport. —7G 39
Londonderry Pde. Eri —5B 154
London Gas Museum. —6E 38
London Hill. Ray —4K 121 (2F 43)
London Ind. Pk., The. E6 —5A 142
London La. Brom —5E 46
London Master Bakers Almshouses. E10 —1B 124
London Rd. SE1 —1A 46
London Rd. SE23 —4C 46
London Rd. SW16 & T Hth —6A 46
London Rd. Abr —3E 94 (6J 31)
London Rd. Ave —8K 145 (1C 48)
London Rd. Bark —9A 126
London Rd. B'wy —1E 10
London Rd. Bar —6E 4
London Rd. Bas —1K 135
London Rd. Ben —1B 136
London Rd. Bill —7H 33
London Rd. Bis S —1K 21
London Rd. Brtwd —1C 114 (1D 40)
London Rd. Brom —5E 46
London Rd. Bunt —4D 10
London Rd. Chad H —3K 39
London Rd. Clac S —3D 28
London Rd. Colc —9D 166 (6C 16)
London Rd. Cray —3A 48
London Rd. Cray H & W'fd —1E 118 (1A 42)
London Rd. Croy —7A 46
London Rd. Ethpe —5F 172
London Rd. Enf —7B 30
London Rd. Fow —4F 5
London Rd. Grays —4B 156
London Rd. Gt Che —3K 197 (4A 6)
London Rd. Gt Hork & L Hork —8F 160 (4D 16)
London Rd. Gt L & Brain —4B 198 (2B 24)
London Rd. Had —3J 137 (4F 43)
London Rd. H'low —9H 53 (6J 21)
(Old Harlow)
London Rd. H'low —6H 57 (7J 21)
(Potter Street)
London Rd. H'low —1G 67 (2J 31)
(Thornwood)
London Rd. Hat P —6D 24
London Rd. Hert H —5B 20
London Rd. K'dn —6E 202 (2J 25)
London Rd. Lgh S —4N 137
London Rd. L'bry —2J 205 (6A 6)
London Rd. L Cla —3H 187 (2D 28)
London Rd. Mal —5H 203 (1G 35)
London Rd. M Tey & S'way —2L 173 (7B 16)
London Rd. Newp —8D 204 (2B 12)
London Rd. N'fleet —3G 49
London Rd. Ong —7E 82
London Rd. Pam —1K 5
London Rd. Pits & Ben —3C 42
London Rd. Purf —3L 155 (1D 48)
London Rd. Raw —9C 104 (1D 42)
London Rd. Ray —3F 120
London Rd. Riven —3G 25
London Rd. Romf —1M 127
London Rd. R'ton —5C 4
London Rd. Saf W —5K 205 (7B 6)
London Rd. Saw —4K 21
London Rd. Stan H —4K 149 (6J 41)
London Rd. Stap A & Ong —5A 32
London Rd. Stap T —1A 96
London Rd. Stone & Grnh —3D 48
London Rd. Swan & Dart —6A 48
(in four parts)
London Rd. Swans —3E 48
London Rd. Thor —2K 21
London Rd. Til —7D 158
London Rd. Van —4D 134 (4A 42)
London Rd. Ware —5D 20
London Rd. Wen A —7A 6
London Rd. Wclf S —5G 138
London Rd. W Thur & Grays —4C 156 (2D 48)
London Rd. Wid —4N 73 (2K 33)
London Rd. Wthm —3F 214
Londons Clo. Upm —7N 129
London Southend Airport. Sth S —8K 123
London-Southend Airport. —3J 43
London-Stansted Airport. —7C 12
London Wall. EC2 —7B 38
Londs La. Thor S —1F 17
Lonesome. —6A 46
Long Acre. WC2 —7A 38
Longacre. Bas —9D 118
Longacre. Chelm —2M 73
Longacre. Colc —5M 167
Longacre. H'low —8G 53
Longacre Rd. E17 —5D 108
Longacre Rd. Cres —2E 194
Long Acres. Brain —7J 193
Long Acres. Fee —8B 172
Longaford Way. Hut —7M 99
Long Banks. H'low —7C 56
Long Border Rd. Stan Apt —8K 209
Longborough Clo. Bas —6H 119
Longbow. Sth S —4C 140
Long Brandocks. Writ —1H 73
Longbridge Ho. Dag —6G 126
(off Gainsborough Rd.)
Longbridge Rd. Bark & Dag —9B 126 (5H 39)
Long Clo. Fow —3G 5
Long Comn. H'bri —3J 203
Long Ct. Purf —2L 155
Long Croft. Stans —1C 208
Longcroft. Tak —8C 210
Long Croft Dri. Wal X —4A 78
Longcroft Rise. Lou —4N 93
Longcroft Rd. Colc —7C 168
Longcrofts. Wal A —4E 78
Long Deacon Rd. E4 —7E 92
Longdon Ct. Romf —9D 112
Longdryve. Colc —2K 175
Longfellow Dri. Hut —6M 99
Longfellow Rd. Mal —7K 203
Longfield. —6F 49
Longfield. H'low —5F 56
Longfield. Lou —4K 93
Longfield. Wthm —2B 214
Longfield Av. Horn —2D 128
Longfield Clo. W'fd —9A 104
Longfield Hill. —6G 49
Longfield La. Chesh —3C 30
Longfield Rd. Chelm —3F 74
Longfield Rd. Long & Grav —7G 49
Longfield Rd. S Fer —9K 91
Longfield Rd. W'fd —9A 104
Longfields. Mal —6K 203
Long Fields. Ong —8L 69
Longfields. St O —9N 185
Long Gages. Bas —8C 118
(in two parts)
Long Gardens. —1H 15
Long Grn. Chig —1D 110
Long Grn. Cres —8M 193 (1E 24)
Long Grn. M Tey —3F 172
Long Grn. La. Bar S —5K 13
Long Gro. H Wood —6J 113
Longhams Dri. S Fer —9K 91
Longhayes Av. Romf —8J 111
Longhayes Ct. Romf —8J 111
Longhedges. Saf W —4L 205
Long Horse Croft. Saf W —6L 205
Longhouse Rd. Grays —1D 158
Longlands. —4H 47
Longlands Rd. Sidc —4H 47
Long La. SE1 —1B 46
Long La. A'den —1K 11
Long La. Bexh —2J 47
Long La. Brain —8B 192
Long La. Croy —7C 46
Long La. Frin S —2F 188
Long La. Grays —9K 147 (7F 41)
Long La. Hull —7M 105 (7F 35)
Long La. L Walt —4B 24
Longleaf Dri. Brain —8H 193
Longleat Clo. Chelm —4H 61
Longleigh La. SE2 & Bexh —2J 47
Long Ley. H'low —3E 56
Long Leys. E4 —3B 108
Long Lynderswood. Bas —9A 118
Longmans. Shoe —8L 141
(off Rampart St.)
Longmead. Pits —7K 119
Longmead Av. Gt Bad —2G 74
Longmead Clo. Shenf —7H 99
Long Meadow. Bill —4J 101
(in two parts)
Long Meadow. Bla N —3B 198
Long Meadow. Hut —8M 99
Long Meadow. Noak H —8G 97
Long Meadow Dri. W'fd —8M 103
Long Meadows. Har —5G 201
Longmeads. W Bis —7K 213
Longmeads Clo. Writ —1J 73
Long Melford. —3J 9
Long Melford By-Pass. L Mel —4J 9
Longmore Av. Chelm —2F 74
Longport Clo. Ilf —3F 110
Longreach Ct. Bark —2C 142
Long Reach Rd. Bark —4E 142
Longreach Rd. Eri —5F 154
Longridge. Colc —6F 168 (6G 17)
Long Riding. Bas —9C 118
(in two parts)
Long Ridings Av. Hut —4L 99 (7F 33)
Longrise. Bill —8K 101
Long Rd. SW4 —3A 46
Long Rd. Can I —2E 152 (6E 42)
Long Rd. Law —5G 164 (3K 17)
Long Rd. E. Ded —5N 163 (3J 17)
Long Rd. W. Ded —5K 163 (3H 17)
Longsands. Shoe —7H 141
Longshaw Rd. E4 —9D 92
Longship Way. Mal —8H 203
Longshots Clo. Chelm —2J 61
Longstomps Av. Chelm —4B 74 (2A 34)
Longstraw Clo. S'way —9E 166
Long St. Wal A —2L 79 (3G 31)
Longtail. Bill —3L 101
Longtown Clo. Romf —2G 112
Longtown Rd. Romf —2G 112
Longview Vs. Romf —5L 111

Longview Way. Romf —5B 112
Long Wlk. Wal A —9A 64
Longwick. Bas —2L 133
Long Wood. H'low —8C 56
Longwood Clo. Upm —7N 129
Longwood Ct. Upm —7N 129
(off Corbets Tey Rd.)
Longwood Gdns. Ilf —8M 109 (3G 39)
Longworth Clo. SE28 —6J 143
Long Wyre St. Colc —8N 167
Lonsdale Av. E6 —6F 39
Lonsdale Av. Hut —5N 99
Lonsdale Av. Romf —1A 128
Lonsdale Cres. Ilf —1A 126
Lonsdale Rd. E11 —2F 124
Lonsdale Rd. Sth S —4B 140
Lonsdale Rd. T Sok —4L 181
Looe Gdns. Ilf —7A 110 (3G 39)
Loompits Way. Saf W —6K 205
Loop Rd. Wal A —2B 78
Lord Av. Ilf —8M 109
Lord Gdns. Ilf —8M 109
Lord Holland Rd. Colc —3N 175
Lord Roberts Av. Lgh S —5E 138
Lord's Croft La. H'hll —3J 7
Lordship Castle. —7A 10
Lordship Clo. Hut —6N 99
Lordship La. N22 & N17 —2A 38
Lordship La. SE22 —3B 46
Lordship Pk. N4 —4B 38
Lordship Rd. N16 —4B 38
Lordship Rd. Writ —1K 73 (1J 33)
Lordsland La. Stis —5F 15
Lord St. Hod —5A 54 (7C 20)
Lords Way. Bas —5J 119
Lordswood Rd. Colc —4K 175
Lordswood View. Lea R —5E 22
Lorien Gdns. S Fer —2J 105
Lorkin's La. Peb & T'std —1H 15
Lorkin Way. W Ber —3G 167
Lorne Gdns. E11 —8J 109
Lorne Rd. E7 —6H 125
Lorne Rd. E17 —9A 108
Lorne Rd. War —1F 114
Lornes Clo. Sth S —3A 140
Lorraine Clo. Bill —1M 117
Lorraine Clo. S Ock —9K 145
Lorrimore Clo. Bill —3H 101
Loten Rd. Ben —4B 136
Lothian Rd. SW9 —2A 46
Lottem Rd. Can I —3K 153
Lott's La. Wee H —1F 186
Lotts Yd. Colc —9B 168
Loudoun Av. Ilf —9A 110
Loughborough Rd. SW9 —2A 46
Loughton. —3L 93 (7G 31)
Loughton Ct. Wal A —3H 79
Loughton La. They B —8C 80 (5H 31)
Loughton Way. Buck H —7K 93 (7F 31)
Louisa Av. Ben —9B 120
Louis Dri. Ray —3G 120
Louis Dri. E. Ray —4H 121
Louis Dri. W. Ray —3G 120
Louise Clo. W on N —1M 183
Louise Gdns. Rain —3C 144
Louise Rd. E15 —8E 124
Louise Rd. Ray —5L 121
Lousehall La. Naze —5D 64
Louse La. Ded —5L 163
Louvaine Av. W'fd —8J 103
Louvain Rd. Har —6J 201
Loveday Clo. Chris —6H 5
Lovelace Av. Sth S —6B 140
Lovelace Gdns. Bark —6F 126
Lovelace Gdns. Sth S —5B 140
Lovelace Rd. SE21 —4B 46
Loveland Mans. Bark —9E 126
(off Upney La.)
Love La. Ave —9N 145
Love La. B'sea —5D 184
Love La. E Til —4K 159 (2K 49)
Love La. Ong —7L 69
Love La. Ray —5J 121
Love La. Wfd G —3M 109
Lovell Rise. Lgh S —9F 122
Lovell Wlk. Rain —8E 128
Lovens Clo. Can I —3J 153
Lover's La. Gt Ben —7M 179 (1B 28)
Lovers La. Grnh —9F 156
Lovers Wlk. Romf —2B 112
Loves Green. —5C 72 (2H 33)
Loves Wlk. Gt Bad —3F 74
Loves Wlk. Writ —2K 73
Lovet Rd. H'low —4N 55
Love Way. Clac S —8G 187
Lovibond Pl. Chelm —7A 62
Lowbrook Rd. Ilf —6A 126
Lowe Chase. W on N —6L 183
Lowe Clo. Chig —2F 110
Lowefields. E Col —4E 196
Lowen Rd. Rain —2B 144
Lwr. Addiscombe Rd. Croy —7B 46
Lwr. Alderton Hall La. Lou —4N 93
Lwr. Anchor St. Chelm —1B 74
Lower Av. Pits —7M 119
Lwr. Bedfords Rd. Romf
—3C 112 (2A 40)
Lower Bobbingworth Green.
—3F 68 (2B 32)
Lwr. Bovinger Grn. Ong —2B 32
Lwr. Broad St. Dag —1M 143
Lwr. Burnham Rd. S Fer —8N 91 (5G 35)
Lwr. Bury La. Epp —1D 80 (4H 31)
Lower Bush. —7K 49
Lwr. Chase. Alth —5A 36
Lwr. Church Rd. Ben —9B 120
Lower Clapton. —5C 38
Lwr. Clapton Rd. E5 —5C 38
Lwr. Cloister. Bill —6K 101
Lower Cres. Linf —1J 159
Lwr. Dunton Rd. Dun & Horn H
—7F 116 (3H 41)
Lower Edmonton. —1B 38
Lwr. Farm Rd. Boxt —2F 17
Lower Green. —2G 11
(nr. Buntingford)
Lower Green. —1G 11
(nr. Saffron Walden)
Lower Green. —4K 75
(nr. Sandon)
Lower Grn. Gall —9C 74 (3A 34)
Lower Grn. Lang L —1G 11
Lower Grn. Wak C —3K 15
Lwr. Green Gdns. B'sea —7E 184
Lwr. Green Rd. Bla E —2K 13
Lwr. Hall La. E4 —1D 38
Lwr. Hatfield Rd. Hert —7A 20
Lower Higham. —4K 49
Lwr. Higham Rd. Grav —4J 49
Lower Holbrook. —1E 18
Lower Holloway. —5A 38
Lwr. Holt St. E Col —3E 196 (4J 15)
Lower Houses. Bulm —6G 9
Lwr. Island Way. Wal A —5B 78
Lwr. King. Brain —7M 193
Lwr. Lambricks. Ray —3K 121
Lwr. Langley. Gt Tey —1E 172
Lwr. Lea Crossing. E14 —7E 38
Lower Luddesdown. —7J 49
Lwr. Mardyke Av. Rain —2A 144
Lwr. Marine Pde. Har —5K 201 (3H 19)
Lwr. Meadow. H'low —7D 56
Lwr. Mill Field. D'mw —9M 197
Lower Nazeing. —2D 64 (1E 30)
Lwr. Noke Clo. Brtwd —9K 83
Lwr. Park Rd. B'sea —7D 184 (3K 27)
Lwr. Park Rd. Lou —4K 93
Lwr. Park Rd. W'fd —3K 119
Lwr. Pond St. Dud E —7H 5
Lwr. Queen's Rd. Buck H —8K 93
Lower Rd. SE16 —1C 46
(in two parts)
Lower Rd. Belv & Eri —1A 154 (1K 47)
Lower Rd. B'ch —1C 26
Lower Rd. Caven —2G 9
Lower Rd. Cydn —1A 4
Lower Rd. Gt Amw —5D 20
Lower Rd. Hock —7M 105 (7F 35)
Lower Rd. Hull —7K 105 (7F 35)
Lower Rd. Hund —1B 8
Lower Rd. Lay B —9A 174 (3C 26)
Lower Rd. L Hall —3K 21
Lower Rd. L Mel —4H 9
Lower Rd. Lou —9N 79 (6G 31)
Lower Rd. M Bur —2A 16
Lower Rd. Mount & Hut —1N 99 (6G 33)
Lower Rd. N'fleet —9H 157
(in two parts)
Lower Rd. Orp —7J 47
Lower Rd. Pel —3E 26
Lower Rd. Shorne —4K 49
Lower Rd. Swan —5A 48
Lower Rd. Til —9C 158
Lower Sheering. —2M 53 (4K 21)
Lower Shorne. —4K 49
Lwr. Southend Rd. W'fd —8L 103
Lower Sq. Saf W —3K 205
Lwr. Stock Rd. Stock & W Han
—6B 88 (5A 34)
Lower St. Bas —6N 117
Lower St. Caven —2F 9
Lower St. S'std —1G 9
Lower St. Stans —3D 208 (6A 12)
Lower St. Strat M —1J 163 (2H 17)
Lower St. Stut —1C 18
Lower St. Thri —2G 5
Lwr. Swaines. Epp —9D 66
Lower Sydenham. —5C 46
Lwr. Thames St. EC3 —7B 38
Lowe, The. Chig —2F 110
Lowewood Museum. —6A 54 (7D 20)
Lowfield La. Hod —5A 54
Lowfield St. Dart —4C 48
Lowgate La. Sac —2C 20
Low Hall Clo. E4 —6B 92
Low Hill Rd. Roy —5F 54 (7E 20)
Lowlands Gdns. Romf —9N 111
Lowlands Rd. Ave —8N 145
Lowleys La. Gt L —4B 24
Low Rd. Har —6G 200 (3H 19)
Low Rd. Shoe —9J 141
Lowry Rd. Dag —7G 127
Lowshoe La. Romf —5M 111
Low Street. —4H 159
Low St. Glem —1G 9
Low St. La. E Til —2H 159
Loxford. —7B 126 (5H 39)
Loxford. Bas —7H 119
Loxford La. Ilf —7B 126 (5H 39)
Loxford Rd. Bark —8A 126
Loxford Ter. Bark —8B 126
Loxham Rd. E4 —4B 108
Loyter's Green. —7A 22
Luard Way. B'ch —8D 174
Luard Way. Wthm —6C 214
Lubbards Clo. Ray —2K 121
Lubberhedges La. Steb —5H 13
Lubbock Rd. Chst —5G 47
Lucam Lodge. R'fd —5L 123
(off Garners, The)
Lucas Av. Chelm —4D 74
Lucas Av. For —2A 166
Lucas Ct. Wal A —3F 78
Lucas End. —3B 30
Lucas Rd. Colc —9N 167
Lucas Rd. Grays —1K 157
Lucas's La. Beau —6D 18
Lucas's La. Will —2J 71
Lucerne Dri. W'fd —9A 104
Lucerne Gro. E17 —8D 108
Lucerne Rd. Elms —9N 169
Lucerne Wlk. W'fd —9A 104
Lucerne Way. Chelm —4E 74
Lucerne Way. Romf —3H 113
Luces La. Cas H —3D 206
Lucking Street. —1F 15
Lucksfield Way. Chelm —5G 75
Luck's La. Gt Walt —2H 59 (4K 23)
Luckyn La. Bas —7A 118 (3K 41)
Lucton M. Lou —3A 94
Luctons Av. Buck H —7J 93
Lucy Clo. S'way —9D 166
Lucy Gdns. Dag —5K 127
Lucy La. N. S'way —8C 166
Lucy La. S. S'way —8D 166
Lucy Rd. Sth S —7N 139
Luddesdown. —7J 49
Luddesdown Rd. Ludd —7J 49
Ludgate Hill. EC4 —7A 38
Ludgores La. Dan —5D 76
Ludgrove. Latch —4K 35
Ludham Clo. SE28 —6H 143
Ludham Hall La. Brain —1D 198
Ludlow M. Pits —9J 119
Ludlow Pl. Grays —1L 157
Luffenhall. —4A 10
Luff Way. W on N —7J 183
Lufkin Rd. Colc —4N 167
Lugar Clo. Colc —9E 168
Lugg App. E12 —5N 125
Luker Rd. Sth S —6M 139
Lukin Cres. E4 —9D 92
Lukin's Dri. D'mw —9L 197
Lukintone Clo. Lou —5L 93
Lullingstone La. Eyns —7B 48
Lullingstone Roman Villa. —7B 48
Lullington Rd. Dag —9K 127
Lulworth Clo. Clac S —4G 191
Lulworth Clo. Stan H —5K 149
Lulworth Dri. Romf —2N 111
Lumber Leys. W on N —7K 183
Luncies Rd. Bas —1F 134
Lundy Clo. Sth S —8G 122
Lunnish Hill. R'sy —5B 200 (3F 19)
Lupin Dri. Chelm —5A 62
Lupin M. Chelm —5A 62
Lupin Way. Clac S —9G 187
Luppits Clo. Hut —7K 99
Lupus St. SW1 —1A 46
Lushes Ct. Lou —4A 94
Lushes Rd. Lou —4A 94
Lushington Av. Kir X —8G 183
Lushington Rd. Mann —4H 165
Lutea Clo. Lain —6M 117
Luther King Rd. H'low —3C 56
Luthers Clo. Kel H —7B 84
Luxborough La. Chig —9L 93
Lych La. Gain —9L 117
Lychgate Ind. Est. Ben —6E 120
Lydeard Rd. E6 —9M 125
Lydford Rd. Wclf S —7K 139
Lydgate Clo. Law —4G 165
Lydia Dri. St O —4K 27
Lydia Rd. Eri —4D 154
Lylt Rd. Can I —2G 153
Lyme Rd. Sth S —5A 140
Lymington Av. Clac S —5K 187
Lymington Av. Lgh S —4D 138
Lymington Rd. Dag —3J 127
Lympstone Clo. Wclf S —1F 138
Lynbrook Clo. Rain —2B 144
Lynceley Grange. Epp —8F 66
Lynch, The. —7D 20
Lynch, The. Hod —5B 54
Lyndale. Kel H —7C 84
Lyndale Av. Sth S —3N 139
Lyndale Est. W Thur —4E 156
Lyndbourne Ct. Ben —9C 120
Lyndene. Ben —9B 120
Lyndhurst Ct. E18 —5G 109
Lyndhurst Dri. E10 —2C 124
Lyndhurst Dri. Bick —9F 76
Lyndhurst Dri. Horn —3G 128
Lyndhurst Gdns. Bark —8D 126
Lyndhurst Gdns. Ilf —1C 126
Lyndhurst Rise. Chig —1N 109
Lyndhurst Rd. E4 —4C 108
Lyndhurst Rd. Bexh —8A 154
Lyndhurst Rd. Corr —1A 150
Lyndhurst Rd. Hol S —9N 187
Lyndhurst Rd. R'fd —7H 107
(in two parts)
Lyndhurst Way. Hut —6M 99
Lynford Gdns. Ilf —4E 126
Lynfords Av. Runw —5N 103
Lynfords Dri. Runw —5N 103
(Runwell Chase)
Lynfords Dri. Runw —6N 103
(Runwell Rd.)
Lynmouth Av. Chelm —2D 74
Lynmouth Gdns. Chelm —1D 74
Lynne Clo. Kir X —8G 183
Lynnett Rd. Dag —4J 127
Lynn M. E11 —4E 124
Lynn Rd. E11 —4E 124
Lynn Rd. Ilf —2C 126
Lynn View Clo. Ben —1C 136
Lynross Clo. Romf —6K 113
Lynstede. Bas —1H 135
Lynton Av. Romf —5M 111
Lynton Clo. Har —3K 201
Lynton Cres. Ilf —1A 126
Lynton Dri. Chelm —6N 61
Lynton Rd. E4 —2B 108
Lynton Rd. Ben —3J 137
Lynton Rd. Sth S —8D 140
Lynwood Clo. E18 —5J 109
Lynwood Clo. Romf —3N 111
Lynwood Dri. Romf —3N 111
Lynwood Grn. Ray —7N 121
Lyon Bus. Pk. Bark —2D 142
Lyon Clo. Chelm —7C 74
Lyon Clo. Clac S —9L 187
Lyon Rd. Romf —2D 128
Lyons Ct. Chelm —6N 61
Lyons Hall Rd. Brain —6D 14
Lyon Trad. Est. Horn —2D 128
Lyster Av. Chelm —3H 75
Lyttelton Rd. E10 —5B 124
Lytton Clo. Lou —2C 94
Lytton Rd. E11 —2E 124
Lytton Rd. Grays —2C 158
Lytton Rd. Romf —9F 112
Lytton Strachey Path. SE28 —7G 143
Lyttons Way. Hod —2A 54

Mabbitt Way. H'wds —2B 168
Maberly Ct. Saf W —3L 205
Mabey's Wlk. H Wych —3G 52
Mabledon Pl. WC1 —6A 38
Mablin Lodge. Buck H —7J 93
McAdam Clo. Hod —3A 54
Macarthur Clo. E7 —8G 125
Macaulay Av. Bas —1J 133
Macaulay Rd. Bas —1J 133
Macaulay Way. SE28 —8G 143
Macbeth Clo. Colc —8F 168
McCalmont Dri. Ray —9J 105
McCudden Rd. Dart —8K 155
McDivitt Wlk. Lgh S —9F 122
Macdonald Av. Dag —5N 127
Macdonald Av. Horn —7J 113
Macdonald Av. Wclf S —4K 139
Macdonald Rd. E7 —8G 124
Macdonald Rd. E17 —6C 108
Macdonald Rd. Dag —5N 127
Macdonald Way. Horn —8J 113
Mace Ct. Grays —4A 158
Mace Wlk. Chelm —8H 61
McGrail Ct. Can I —2M 153
(off Aalten Av.)
McGrath Rd. E15 —7F 124
Macgregor Dri. W'fd —2M 119
McIntosh Clo. Romf —7C 112
McIntosh Rd. Romf —7C 112
Macintyres Wlk. R'fd —1H 123
Mackay Ct. Colc —5B 176
Mackenzie Clo. W'fd —1M 119
MacKenzie Rd. N7 —5A 38
MacKenzie Rd. Beck —6C 46
McKenzie Rd. Brox —8A 54
Mackley Dri. Corr —9A 134
Maclarens. W Bis —6M 213
Maclaren Way. W'fd —2M 119
Maclennan Av. Rain —3H 145
Macleod Clo. Grays —2N 157
McLeod Rd. SE2 —1J 47
Macmillan Ct. Chelm —1C 74
(off Godfreys M.)
Macmillan Gdns. Dart —9L 155
Macmurdo Clo. Lgh S —8C 122
Macmurdo Rd. Lgh S —8C 122
Macon Way. Upm —2B 130
Maddox Rd. H'low —2D 56 (6H 21)
Madeira Av. Lgh S —4D 138
Madeira Gro. Wfd G —3J 109
Madeira Rd. E11 —4D 124
Madeira Rd. Hol S —9N 187
Madeira Wlk. Brtwd —9H 99
Madeline Gro. Ilf —7C 126
Madeline Pl. Chelm —5G 60
Madells. Epp —1E 80
Madgements Rd. Stis —6E 14
Madles La. Stock —8A 88 (5K 33)
Madras Rd. Ilf —6A 126
Madrid Av. Ray —9G 105
Maeldune Centre & Maldon Embroidery.
—5K 203 (1H 35)
Maes Ho. E17 —7B 108
Mafeking Av. Ilf —2C 126
Magazine Farm Way. Colc —9H 167
Magazine Rd. Shoe —8J 141
Magdalen Clo. Clac S —9J 187
Magdalene Cres. Sil E —4L 207
Magdalen Gdns. Hut —5A 100
Magdalen Grn. Colc —9B 168
Magdalen Grn. Thax —3K 211
Magdalen Laver. —7A 22
Magdalen Rd. Clac S —9J 187
Magdalen St. Colc —9A 168 (6F 17)
Magenta Clo. Bill —5G 101
Maggots End. —5K 11
Magna Mead. Gt W —3B 44
Magnet Rd. S Stif —4F 156
Magnet Ter. Stan H —1N 149
Magnolia Clo. E10 —4A 124
Magnolia Clo. Chelm —4C 74
Magnolia Clo. Wthm —2D 214
Magnolia Dri. Colc —7E 168
Magnolia Gdns. E10 —4B 124
Magnolia Lodge. E4 —9B 92
Magnolia Rd. R'fd —1F 122
Magnolias. Bill —1L 117
Magnolia Way. Pil H —4E 98
Magnolia Way. R'fd —7M 123
Magnum Clo. Rain —4F 144
Magpie Clo. E7 —7F 124
Magpie Hall La. Brom —7G 47
Magpie La. L War —6G 114 (2E 40)
Magpies Elm Clo. Epp G —3N 65
Magwitch Clo. Chelm —4H 61
Mahonia Dri. Bas —2H 133
Maida Av. E4 —6B 92
Maida Way. E4 —6B 92
Maidenburgh St. Colc —8N 167
(in three parts)
Maiden La. Dart —8E 154
Maiden Rd. E15 —9E 124
Maidment Cres. Wthm —7C 214
Maidstone Av. Romf —6A 112
Maidstone Rd. Felix —1K 19
Maidstone Rd. Grays —4K 157
Maidstone Rd. Sidc & W Wick —5J 47
Mailers La. Man —5K 11
Main Av. Enf —7C 30
Main Dri. Dun —1G 132
Maine Cres. Ray —3H 121
Main Ho., The. Saw —1N 53
Main Rd. Alth —5A 36
Main Rd. Ben —9H 121
Main Rd. Bick —1F 90
Main Rd. Bore —4D 62 (7C 24)
Main Rd. B'fld —4A 20
Main Rd. Crock —7A 48
Main Rd. Dan —2D 34
Main Rd. Dov —5G 200 (3G 19)
Main Rd. E Han —3C 90
Main Rd. F End —4K 23
Main Rd. Frat —3D 178 (7K 17)
Main Rd. Gt Hol —1D 188 (2F 29)
Main Rd. Gt L —2M 59 (2B 24)
Main Rd. Har —3M 201 (3H 19)
Main Rd. H'wl —2D 122 (1H 43)
Main Rd. Hex —5A 48
Main Rd. Hock —2B 122 (1G 43)
Main Rd. Hull —4L 105
Main Rd. L L'gh —3B 24
Main Rd. L Walt & Broom
—6K 59 (5A 24)
Main Rd. Long —6E 48
Main Rd. Marg —1H 87
Main Rd. Mount —9A 86
Main Rd. Orp —6J 47
Main Rd. R'sy —6C 200 (3F 19)
Main Rd. Ret C —7A 90 (5D 34)
Main Rd. Romf —8D 112 (3A 40)
Main Rd. S'don —3N 75
(in two parts)
Main Rd. S'ly & Shot G —1G 19
Main Rd. Sidc —4H 47
Main Rd. St La —2C 36
Main Rd. S at H —5C 48
Main Rd. Wmgfd —4A 160 (3B 16)
Main St. Hock —7B 106
Main St. Shudy C —3F 7
Maitland Pl. Shoe —5J 141
Maitland Rd. E15 —8F 124
Maitland Rd. Stans —3D 208
Maitland Rd. W'fd —2M 119
Maitlands. Lou —2M 93
Maizey Ct. Pil H —4D 98
Major Rd. E15 —7D 124 (5E 38)
Makemores. Rayne —6B 192
Makepiece Rd. E11 —8G 109
Makinen Ho. Buck H —7J 93
Makins Rd. Har —2H 201
Malan Sq. Rain —8F 128
Malcolm Ct. E7 —8F 124
Malcolm Way. E11 —9G 108
Maldon. —5K 203 (1H 35)
Maldon Clo. E15 —7E 124
Maldon District Agricultural & Domestic
Museum. —7A 26
Maldon District Museum.
—6L 203 (1H 35)
Maldon Moot Hall. —5K 203 (1H 35)
Maldon Museum. —5K 203 (1H 35)
Maldon Rd. B'ch & H Bri —2B 26
Maldon Rd. Bur C —6B 36
Maldon Rd. Colc —1K 175 (6E 16)
Maldon Rd. Dan —3E 76 (2E 34)
(Danbury)
Maldon Rd. Dan —6H 77 (2E 34)
(Gay Bowers)
Maldon Rd. Gold —7K 25
Maldon Rd. Gt Bad —3G 74 (2B 34)
Maldon Rd. Gt Br & Tip —5J 25
Maldon Rd. Gt Tot —9N 213 (6H 25)
(in two parts)
Maldon Rd. Gt Wig —4C 26
Maldon Rd. Hat P —2L 63 (6E 24)
Maldon Rd. K'dn —9B 202 (2J 25)
Maldon Rd. Lang —2H 203 (7G 25)
Maldon Rd. Latch —4J 35
Maldon Rd. Marg —1J 87 (4J 33)
Maldon Rd. May —3E 204 (4B 36)
Maldon Rd. Romf —2A 128
Maldon Rd. S'don —3M 75
Maldon Rd. Sth S —5M 139
Maldon Rd. St La —2D 36
Maldon Rd. Tip —9A 212
Maldon Rd. W Bis —5F 25
Maldon Rd. Wthm —6D 214
Maldon Rd. Wdhm M —4K 77 (2F 35)
Maldon Tourist Information Centre.
—6J 203 (1H 35)
Maldon Wlk. Wfd G —3J 109
Maldon Way. Clac S —9F 186
Malford Ct. E18 —6G 108

Malford Gro. E18 —8F 108
Malgraves. Bas & Pits —8J 119
Malgraves Pl. Bas & Pits —8J 119
Mallard Clo. Bla N —3C 198
Mallard Clo. K'dn —7C 202
Mallard Clo. Lay H —9H 175
Mallard Clo. Tol —7K 211
Mallard Clo. Upm —2C 130
Mallard Ct. E17 —7D 108
Mallard Rd. Chelm —5B 74
Mallards. E11 —2G 125
(off Blake Hall Rd.)
Mallards. May —3D 204
Mallards. Shoe —5J 141
Mallards Rise. Chu L —3J 57
Mallards Rd. Wfd G —4H 109
Mallard Way. Hut —6L 99
Mallinson Clo. Horn —7G 129
Mallion Ct. Wal A —3F 78
Mallories, The. H'low —1E 56
Mallory Way. Bill —7J 101
Mallow Ct. Grays —4N 157
Mallow Gdns. Bill —3H 101
Mallows Field. H'std —4L 199 (3F 15)
Mallows Grn. H'low —8N 55
Mallows Grn. Man —5J 11
Mallows Grn. Rd. Man —5J 11
Mallows, The. Mal —8K 203
Mall, The. E15 —9D 124
Mall, The. Dag —8M 127
Mall, The. Grays —4K 157
Mall, The. Horn —3F 128
Malmesbury Rd. E18 —5F 108
Malmsmead. Shoe —6G 141
Malpas Rd. SE4 —2D 46
Malpas Rd. Dag —8J 127
Malpas Rd. Grays —1E 158
Malta Rd. E10 —3A 124
Malta Rd. Til —7B 158
Maltbeggar's La. M Tey —2A 172
Maltese Rd. Chelm —8J 61
Malthouse Rd. Mann —4J 165
Malthus Path. SE28 —8H 143
Malting Farm La. A'lgh —6J 163 (3H 17)
Malting Green. —9J 175
Malting Grn. Rd. Lay H —9G 175
Malting La. Brau —6E 10
Malting La. Kir S —5F 182
Malting La. M Hud —2G 21
Malting La. Ors —4C 148
Malting Rd. Colc —5K 175
Malting Rd. Pel —3E 26
Maltings Chase. Ing —6D 86
Maltings Clo. Bures —7C 194
Maltings Ct. Wthm —7C 214
Maltings Dri. Epp —8F 66
Maltings Hill. More —1B 32
Maltings Ind. Est., The. S'min —7M 207
Maltings La. Epp —8F 66 (3J 31)
Maltings La. Stpl B —1F 210 (5K 7)
Maltings La. Wthm —7B 214 (5F 25)
Maltings Pk. Rd. W Ber —3G 167
Maltings Rd. Bat —6D 104
Maltings Rd. B'sea —5D 184
Maltings Rd. Chelm —5H 75
Maltings, The. D'mw —7L 197
Maltings, The. Rayne —6C 192
Maltings, The. S'min —7M 207
Maltings, The. Thax —3K 211
Maltings View. Brain —5J 193
Malting Vs. Rd. R'fd —5L 123
Malting Yd. W'hoe —6H 177
Maltling Grn Rd. Lay H —1D 26
Malton La. Meld —1D 4
Malton Rd. Orw —1D 4
Malvern. Sth S —5N 139
(off Coleman St.)
Malvern Av. E4 —4D 108
Malvern Av. Can I —2D 152
Malvern Clo. Chelm —5F 60
Malvern Clo. Ray —4K 121
Malvern Dri. Ilf —6E 126
Malvern Dri. Wfd G —2J 109
Malvern Gdns. Lou —5M 93
Malvern Rd. E11 —4E 124
Malvern Rd. Grays —2A 158
Malvern Rd. Hock —8E 106
Malvern Rd. Horn —1E 128
Malvern Way. Gt Hork —9J 161
Malwood Dri. Ben —1B 136
Malwood Rd. Ben —1B 136
Malyon Ct. Clo. Ben —2H 137
Malyon Rd. Wthm —7C 214
Malyons. Bas —7J 119
Malyons Clo. Bas —7J 119
Malyons Grn. Bas —7J 119
Malyons La. Hull —6K 105
Malyons M. Bas —8J 119
Malyons Pl. Bas —7J 119
Malyons, The. Ben —2H 137
Manbey Gro. E15 —8E 124
Manbey Pk. Rd. E15 —8E 124
Manbey Rd. E15 —8E 124
Manbey St. E15 —8E 124
Manchester Dri. Lgh S —4C 138 (4H 43)
(in two parts)
Manchester Rd. E14 —1E 46
Manchester Rd. Hol S —7B 188
Manchester Way. Dag —6N 127
Mandeville Clo. H'low —5H 57
Mandeville Rd. M Tey —3G 172
Mandeville Rd. Saf W —5K 205
Mandeville St. E5 —4C 38
Mandeville Wlk. Hut —5A 100
Mandeville Way. Ben —8C 120
Mandeville Way. Broom —9K 59
Mandeville Way. Kir X —7J 183
Mandeville Way. Lain —9G 117 (3J 41)
Mandrake Way. E15 —9E 124
Manfield. H'std —4L 199
Manfield Gdns. St O —8N 185
Manford Clo. Chig —1F 110
Manford Cross. Chig —2F 110
Manford Ind. Est. Eri —4F 154
Manford Way. Chig —1D 110 (1H 39)
Mangapp Chase. Bur C —1H 195
Mangapps Farm Railway Museum. —5C 36
Mangrove La. Hert —6B 20
Mangrove Rd. Hert —5B 20
Manilla Rd. Sth S —7A 140
Mannering Gdns. Wclf S —3F 138
Manners Corner. Sth S —1K 139
Manners Way. Sth S —9K 123 (3J 43)
Manning Gro. Bas —2L 133
Manning Rd. Dag —8M 127
Mannings Clo. Saf W —6L 205
Manning St. Ave —8N 145
Manningtree. —4J 165 (3A 18)
Manningtree Museum. —4J 165 (3A 18)
Manningtree Rd. Ded —2N 163 (2J 17)
Manningtree Rd. E Ber —1K 17
Manningtree Rd. Stut —1C 18
Mannin Rd. Romf —2G 126
Mannock Dri. Lou —1B 94
Mannock Rd. Dart —8K 155
Manns Way. Ray —2J 121
Manor Av. E7 —6J 125
Manor Av. Bas —8K 119
Manor Av. Horn —9G 112
Manor Clo. SE28 —7H 143
Manor Clo. Ave —8N 145
Manor Clo. Cray —9B 154
Manor Clo. Dag —8B 128
Manor Clo. Gt Hork —9K 161
Manor Clo. Rams H —5D 102
Manor Clo. Ray —7K 121
Manor Clo. Romf —9E 112
Manor Clo. S. Ave —8N 145
Manor Ct. E4 —7E 92
Manor Ct. E10 —3B 124
Manor Ct. Bark —9E 126
Manor Ct. Ben —8C 120
Manor Ct. Sth S —7A 140
Manor Cres. Horn —9G 113
Manor Cres. L Walt —7K 59
Manor Dene. SE28 —6H 143
Manordene Rd. SE28 —6J 143
Manor Dri. Chelm —3G 75
Manor Farm Dri. E4 —9E 92
Manor Gdns. Colc —8L 167
Manorhall Gdns. E10 —3A 124
Manor Hatch Clo. H'low —4G 56
Manor House. (Junct.) —4B 38
Manor Ho. Way. B'sea —6D 184
Manor La. SE13 & SE12 —3E 46
Manor La. Fawk & Sev —7E 48
Manor La. Gt Che —3L 197
Manor La. Har —5J 201
(in two parts)
Manor Links. Bis S —9C 208
Manor Park. —6L 125 (5F 39)
Manor Pk. Eri —4E 154
Manor Pk. Rd. E12 —6K 125
Manor Pk. Rd. Chst —6H 47
Manor Pk. Rd. W Wick —7D 46
Manor Rd. E10 —2A 124
Manor Rd. E16 & E15 —6E 38
Manor Rd. N16 —4B 38
Manor Rd. SE25 —6C 46
Manor Rd. Abr —8H 95 (7J 31)
Manor Rd. Bark —9E 126
Manor Rd. Bas —8K 117
Manor Rd. Beck —6D 46
Manor Rd. Ben —9C 120
Manor Rd. Chad H —1J 127
Manor Rd. Chelm —1C 74
Manor Rd. Colc —8L 167
Manor Rd. Dag —8A 128
Manor Rd. Dart —9C 154 (3A 48)
Manor Rd. Deng —3E 36
Manor Rd. Eri —4D 154 (2A 48)
Manor Rd. Grays —4M 157
Manor Rd. Gt Hol —2D 188 (2F 29)
Manor Rd. H'low —7H 53
Manor Rd. Har —4J 201
Manor Rd. Hat P —5N 63
Manor Rd. H Bee —9H 79 (5F 31)
Manor Rd. Hock —1B 122
Manor Rd. Hod —4A 54
Manor Rd. L Eas —6F 13
Manor Rd. Long —7G 49
Manor Rd. Lou —5H 93 (7F 31)
Manor Rd. Mitc —6A 46
Manor Rd. Romf —9E 112
Manor Rd. S Fer —9J 91
Manor Rd. Stan H —4M 149
Manor Rd. Stans —4D 208
Manor Rd. Swans —4E 48
Manor Rd. Til —7C 158
Manor Rd. Ult —7F 25
Manor Rd. Wal A —3D 78
Manor Rd. W Ber —2F 166
Manor Rd. Wclf S —7J 139
Manor Rd. W Thur —4F 156
Manor Rd. Wthm —3D 214
Manor Rd. W'hoe —5J 177
Manor Rd. Wfd G & Chig —3M 109 (2G 39)
Manor Sq. Dag —4H 127
Manors, The. Sil E —3L 207
Manor St. Brain —5H 193 (7C 14)
Manors Way. Sil E —3K 207
Manor Trad. Est. Ben —8D 120
Manor Vineyards. —2F 9
Manor Way. E4 —1D 108
Manor Way. Bas —5L 135
Manor Way. Bexh —8B 154
Manor Way. Brtwd —9D 98
Manor Way. Clac S —7D 188
(in two parts)
Manor Way. Grav —9K 157
Manor Way. Grays —5L 157
Manor Way. Rain —4C 144 (6A 40)
Manor Way. Stan H —3B 150
Manor Way. Swans —9G 157
Manor Way. Wfd G —2J 109
Manor Way Bus. Cen. Rain —5B 144
Manorway, The. Stan H —3L 149 (6K 41)
Manpreet Ct. E12 —7M 125
Mansard Clo. Horn —4E 128
Man's Cross. —6C 8
Manse Chase. Mal —7K 203
Mansel Clo. Lgh S —9D 122
Mansel Gro. E17 —5A 108
Mansell St. EC3 —7B 38
Manser Rd. Rain —3C 144
Mansfield. H Wych —3F 52
Mansfield Gdns. Horn —4H 129
Mansfield Hill. E4 —6B 92 (7D 30)
Mansfield Rd. E11 —1H 125
Mansfield Rd. Ilf —4N 125
Mansfields. Writ —1H 73
Manstead Gdns. Rain —6F 144
Mansted Clo. Dun —1G 132
Mansted Gdns. R'fd —2J 123
Mansted Gdns. Romf —2H 127
Manston Dri. Bis S —8A 208
Manston Rd. H'low —3D 56
Manston Way. Horn —8F 128
Mantle Rd. SE4 —3D 46
Mantle Way. E15 —9E 124
Manuden. —5K 11
Manwood Green. —5C 22
Manwood Rd. SE4 —3D 46
Maple Av. Brain —6F 192
Maple Av. H'bri —2M 203
Maple Av. Lgh S —6E 138
Maple Av. Upm —5M 129
Maple Clo. Brtwd —9J 99
Maple Clo. Buck H —9K 93
Maple Clo. Clac S —1F 190
Maple Clo. H'std —4M 199
Maple Clo. Har —4L 201
Maple Clo. Horn —5F 128
Maple Clo. Ilf —2D 110
Maple Clo. They B —7C 80
Maplecroft La. Naze —9E 54
Mapledene Av. Hull —6L 105
Maple Dri. Chelm —4C 74
Maple Dri. Kir X —8G 183
Maple Dri. Ray —9J 105
Maple Dri. S Ock —4G 146
Maple Dri. Wthm —2D 214
Maple End. —7E 6
Mapleford Sweep. Bas —2E 134
Maple Ga. Lou —1N 93
Maple Ho. E17 —7B 108
Maple La. Tye G —1E 12
Maple Leaf. Tip —4C 212
Mapleleaf Clo. Hock —9F 106
Mapleleafe Gdns. Ilf —7A 110
Mapleleaf Gdns. W'fd —1J 119
Maple Mead. Bill —8L 101
Maple Rd. E11 —1E 124
Maple Rd. SE20 —6C 46
Maple Rd. Grays —4M 157
Maples. Stan H —3N 149
Maplescombe La. F'ham & Sev —7C 48
Maplesfield. Ben —2K 137
Maple Springs. Wal A —3G 78
Maple Sq. Sth S —4N 139
Maplestead. Bas —7E 118
Maplestead Rd. Dag —1G 142
Maplestead Rd. L Map —1G 15
Maples, The. H'low —8A 56
Maples, The. Wal A —5J 79
Maples, The. W'fd —2K 119
Maple St. Romf —8A 112
Mapleton Rd. E4 —9C 92
Maple Tree La. Bas —1H 133
Mapletree La. Ing —2L 85
Maple Way. Bur C —2K 195
Maple Way. Can I —2E 152 (6E 42)
Maple Way. Colc —2A 176
Maple Way. Wal A —8H 65
Maplin Clo. Ben —8C 120
Maplin Ct. Shoe —8L 141
(off Rampart Ter.)
Maplin Gdns. Bas —1F 134
Maplin Ho. SE2 —9J 143
(off Wolvercote Rd.)
Maplin M. Shoe —8J 141
Maplin Way. Sth S —7G 140 (5B 44)
Maplin Way N. Sth S —6G 140 (5B 44)
Mapperley Clo. E11 —1F 124
Mapperley Dri. Wfd G —4E 108
Maran Way. Eri —9J 143
Marasca End. Colc —7A 176
Maraschino Cres. Colc —7A 176
Marchant Rd. E11 —4D 124
Marchmant Clo. Horn —5G 129
Marconi Bungalows. N Wea —4B 68
Marconi Rd. E10 —3A 124
Marconi Rd. Chelm —8K 61
Marcos Rd. Can I —2K 153
Marcus Av. Sth S —8F 140
Marcus Chase. Sth S —7F 140
Marcus Gdns. Sth S —7F 140
Marden Ash. —9L 69 (3C 32)
Marden Ash. Bas —9J 117
Marden Clo. Chig —8G 94
Marden Rd. Romf —1C 128
Mardyke Rd. H'low —1F 56
Mardyke Wlk. Grays —8K 147
Mare Hill. Hund —1B 8
Marennes Cres. B'sea —6D 184
Maresby Ho. E4 —8B 92
Mare St. E8 —6C 38
Mareth Rd. Colc —4K 175
Margaret Av. E4 —5B 92
Margaret Av. Shenf —5K 99
Margaret Bondfield Av. Bark —9F 126
Margaret Clo. B'sea —7F 184
Margaret Clo. Epp —8E 66
Margaret Clo. Romf —9F 112
Margaret Clo. Wal A —3D 78
Margaret Dri. Horn —3K 129
Margaret Rd. Colc —7M 167
Margaret Rd. Epp —8F 66
Margaret Rd. Romf —9F 112
Margaret Roding. —5F 23
Margaret's Ho. K'dn —8C 202
Margaret St. Thax —2K 211
Margaretting. —1J 87 (4J 33)
Margaretting Rd. E12 —3J 125
Margaretting Rd. Gall —9N 73 (3K 33)
Margaretting Rd. Writ —6J 73 (3J 33)
Margaretting Tye. —2L 87 (4K 33)
Margaret Way. Ilf —1L 125
Margaret Way. Saf W —4K 205
Margarite Way. W'fd —8J 103
Margery Pk. Rd. E7 —8G 124
Margery Rd. Dag —5J 127
Margery St. WC1 —6A 38
Margeth Rd. Bill —4L 117
Margherita Pl. Wal A —4F 78
Margherita Rd. Wal A —4G 78
Margraten Av. Can I —3K 153
Marguerite Dri. Lgh S —5E 138
Mariam Gdns. Horn —4K 129
Marian Clo. N Stif —8H 147
Maria St. Har —2M 201
Marigold Av. Clac S —8G 187
Marigold Clo. Chelm —5A 62
Marigold Clo. Colc —7E 168
Marigold La. Stock —9N 87 (5K 33)
Marigold Pl. H'low —8G 53
Marina Av. Ray —4J 121
Marina Clo. Sth S —2K 139
Marina Gdns. Clac S —8N 187
Marina Gdns. Romf —1N 127
Marina M. W on N —6M 183
Marina Rd. Hat P —2L 63
Marine App. Can I —3H 153
Marine Av. Can I —3L 153
Marine Av. Lgh S —5C 138
Marine Av. Wclf S —7K 139 (5J 43)
Marine Clo. Lgh S —5N 137
Marine Ct. Eri —5D 154
Marine Ct. Frin S —1J 189
Marine Pde. Can I —3M 153
Marine Pde. Har —4L 201 (3H 19)
Marine Pde. Lgh S —5N 137 (4G 43)
Marine Pde. May —2B 204 (3A 36)
Marine Pde. Sth S —7N 139 (5K 43)
Marine Pde. E. Clac S —2K 191 (4D 28)
Marine Pde. W. Clac S —4H 191 (4D 28)
Mariner Rd. E12 —6N 125
Mariners Ct. Gt W —3N 141
Mariners Ct. Grnh —9E 156
Mariners Wlk. Eri —4D 154
Mariners Way. Mal —8K 203
Marion Av. Clac S —7J 187
Marion Clo. Ilf —4C 110
Marionette Steps. Sth S —7A 140
(off Kursaal Way)
Marion Gro. Wfd G —2E 108
Marisco Clo. Grays —2D 158
Mariskals. Bas —1H 135
Maritime Av. Hey B —8N 203
Marjorams Av. Lou —1N 93
Mark Av. E4 —5B 92
Market Av. W'fd —8K 103
Market End. Cogg —8K 195 (7H 15)
Market Gro. Gt Yel —8D 198
Market Hill. Clare —3D 8
Market Hill. Cogg —8K 195
Market Hill. H'std —4K 199
Market Hill. H'hll —3J 7
Market Hill. Mal —5K 203 (1H 35)
Market Hill. R'ton —5C 4
Market Hill. Saf W —3K 205
Market Hill. Sud —5J 9
Market Ho. H'low —2C 56
(off Post Office Rd.)
Market Link. Romf —8C 112
Market Pde. E10 —1C 124
(off High Rd. Leyton)
Market Pavement. Bas —9B 118
Market Pavilion. E10 —5A 124
Market Pl. Abr —2G 94 (6J 31)
Market Pl. Brain —5H 193
Market Pl. D'mw —7L 197 (7G 13)
Market Pl. Ing —5D 86
Market Pl. Romf —9C 112
Market Pl. Saf W —3K 205
(off Market St.)
Market Pl. Sth S —7M 139
Market Pl. Til —7C 158
Market Rd. N7 —5A 38
Market Rd. Chelm —9K 61 (1A 34)
Market Rd. W'fd —9K 103
Market Row. Saf W —4K 205
Market Sq. Bas —1B 134
Market Sq. Brom —6F 47
Market Sq. R'fd —5L 123
Market Sq. Wal A —3C 78
Market St. Brain —5H 193
Market St. Dart —4C 48
Market St. H'low —8H 53
Market St. Har —1N 201
Market St. Saf W —3K 205
Market Wlk. Saf W —4K 205
(off Market Row.)
Markfield Gdns. E4 —6B 92
Mark Hall Cycle Museum. —1G 56 (6J 21)
Mark Hall Gardens. —1G 56 (6J 21)
Mark Hall Moors. H'low —9G 52
Mark Hall North. —9F 52 (6J 21)
Mark Hall South. —1F 56 (6J 21)
Markham Ho. Dag —5M 127
(off Uvedale Rd.)
Markhams. Stan H —2A 150
Markhams Chase. Bas —8M 117 (3K 41)
Markhouse Rd. E17 —3D 38
Markings Field. Saf W —3L 205
Markland Clo. Chelm —7D 74
Markland Dri. Mal —7H 203
Marklay Dri. S Fer —1J 105
Mark Rd. T'ham —2E 36
Mark's Av. Ong —6L 69
Marks Clo. Bill —4G 101
Marks Clo. Ing —8B 86
Marks Ct. Sth S —7A 140
Marks Gdns. Brain —6L 193
Marks Gate. —6K 111 (2K 39)
Marks Hall Estate. —6G 15
Marks Hall La. Mar R —6F 23
Marks Hall Rd. Cogg —6H 15
(in two parts)
Marks Hill Nature Reserve. —2M 133 (4K 41)
Marks La. S Han —9N 89
Marks Lodge. Romf —9B 112
Marks Rd. Romf —9A 112
Marks Roundabout. Brain —5M 193
Marks Tey. —7A 16
Marks Tey Roundabout. M Tey —2J 173
Mark St. E15 —9E 124
Mark Ter. Clac S —7F 186
Markwells. Else —7C 196
Markwell Wood. H'low —9A 56
Markyate Rd. Dag —7G 127
Marlands Rd. Ilf —7L 109
Marlborough Av. T'ham —3E 36
Marlborough Clo. Ben —8D 120
Marlborough Clo. Clac S —1G 191
Marlborough Clo. Grays —9M 147
Marlborough Clo. Upm —3B 130
Marlborough Ct. Buck H —8J 93
Marlborough Dri. Ilf —7L 109
Marlborough Gdns. Upm —3A 130
Marlborough Rd. E4 —3B 108
Marlborough Rd. E7 —9J 125
Marlborough Rd. E15 —6E 124
Marlborough Rd. E18 —6G 109
Marlborough Rd. N19 —4A 38
Marlborough Rd. Brain —4J 193
Marlborough Rd. Chelm —2B 74
Marlborough Rd. Dag —6G 126
Marlborough Rd. Pil H —5D 98
Marlborough Rd. Romf —8M 111
Marlborough Rd. Sth S —6B 140
Marlborough Wlk. Hock —1B 122
Marlborough Way. Bill —3J 101
Marle Gdns. Wal A —2C 78
Marler Ho. Eri —7D 154
Marlescroft Way. Lou —4A 94
Marlin Clo. Ben —9L 121
Marlow Av. Purf —2L 155
Marlowe Clo. Bill —3K 101
Marlowe Clo. Brain —1A 194
Marlowe Clo. Ilf —5B 110
Marlowe Clo. Mal —8K 203
Marlowe Gdns. Romf —5G 113
Marlowe Rd. E17 —8C 108
Marlowe Rd. Jay —3E 190
Marlowes, The. Dart —9B 154
Marlowe Way. Colc —9G 167
Marlow Gdns. Sth S —2K 139
Marlow Rd. SE20 —6C 46
Marlpits Rd. Wdhm M & Pur —5K 77 (2F 35)
Marlyon Rd. Ilf —2G 111
Marmion App. E4 —1A 108
Marmion Av. E4 —1A 108
Marmion Clo. E4 —1A 108
Marne Rd. Colc —2M 175
Marney Clo. Chelm —2F 74
Marney Dri. Bas —1G 135
Marney Way. Frin S —8L 183
Marquis Ct. Bark —7D 126
Marram Clo. S'way —9C 166
Marram Ct. Grays —4A 158
Marriots, The. H'low —7H 53
Mar Rd. S Ock —4F 146
Marshall Clo. Fee —6D 202
Marshall Clo. Lgh S —3N 137
Marshall Ho. Eri —9J 143
Marshall Path. SE28 —7G 143
Marshalls. R'fd —3J 123
Marshalls Clo. Ray —5M 121
Marshalls Dri. Brain —7G 192
Marshalls Dri. Romf —7C 112
Marshall's La. Sac & H Cro —2C 20

Marshalls Rd. Brain —7G 193
Marshalls Rd. Romf —8B 112
Marsham Ho. Eri —9J 143
Marsham St. SW1 —1A 46
Marsh Cres. Rhdge —6G 176 (1G 27)
Marsh Farm. —4L 105 (7F 35)
Marsh Farm Country Park. —4L 105 (7F 35)
Marsh Farm La. Alr —7L 177
Marsh Farm La. Gt Ben —3J 185
Marsh Farm Rd. S Fer —4K 105
Marshfoot Rd. Grays —3A 158 (1G 49)
Marshgate La. E15 —9B 124 (5D 38)
Marshgate Trad. Est. E15 —9B 124
Marsh Grn. Rd. Dag —1M 143
Marsh Hill. E9 —5D 38
Marsh Hill. Wal A —6D 64 (3E 30)
Marsh La. Gt Can —3E 22
Marsh La. H'low —7L 53
Marsh La. Har —7H 201
Marsh La. Mount —1B 100
Marsh La. Stan H —8E 134
Marsh Rd. Bur C —2L 195 (6C 36)
Marsh Rd. Shoe —9J 141
Marsh Rd. T'ham —3E 36
Marsh St. Dart —7L 155
(in two parts)
Marsh View Ct. Bas —3F 134
Marsh Wall. E14 —1D 46
Marsh Way. B'sea —7D 184
Marsh Way. Rain —3B 144
(in two parts)
Marston Av. Dag —4M 127
Marston Beck. Chelm —9B 62
Marston Clo. Dag —5M 127
Marston Ho. Grays —4K 157
Marston Rd. Hod —4B 54
Marston Rd. Ilf —5L 109
Martello Cvn. Pk. W on N —5L 183
Martello Holiday Pk. W on N —6M 183
Martello Rd. W on N —6M 183
Martello Tower Est. St O —9D 184
Martello Tower No.1. —9B 184 (4K 27)
Martello Tower No.2. —4H 191 (5D 28)
Martello Tower No.3. —5G 190 (5D 28)
Martello Tower (Seawick). —6B 190 (5B 28)
Marten Rd. E17 —6A 108
Martens Av. Bexh —9A 154
Martens Clo. Bexh —9A 154
Martham Clo. SE28 —7J 143
Martha Rd. E15 —8E 124
Martin Clo. Bill —7K 101
Martindale Av. Bas —5M 117
Martin Dri. Rain —4F 144
Martin End. Lay H —9H 175
Martingale. Ben —1H 137
Martingale Clo. Bill —3M 101
Martingale Dri. Chelm —4A 62
Martingale Rd. Bill —3M 101
Martin Gdns. Dag —6H 127
Martin Rd. Ave —8A 146
Martin Rd. Dag —6H 127
Martins Clo. Stan H —2M 149
Martinsdale. Clac S —7K 187
Martinsfield Clo. Chig —1D 110
Martin's La. Wdham F —6M 91
Martins M. Ben —2C 136
Martin's Rd. H'std —5K 199
Martinstown Clo. Horn —1L 129
Martin Wlk. Hock —3E 122
Martlesham Clo. Horn —7G 128
Martley Dri. Ilf —9A 110
Martock Av. Wclf S —1F 138
Martyns Gro. Wclf S —4G 138
Marvels La. SE12 —4F 47
Marvens. Chelm —7E 74
Marwell Clo. Romf —9E 112
Maryborough Gro. Colc —4B 176
Maryland Ct. Colc —5A 176
Maryland Ho. E15 —8E 124
(off Manbey Pk. Rd.)
Maryland Ind. Est. E15 —7E 124
(off Maryland Rd.)
Maryland Pk. E15 —7E 124
Maryland Rd. E15 —7D 124
Marylands Av. Hock —9C 106
Maryland Sq. E15 —7E 124
Maryland St. E15 —7D 124
Mary La. Hund —1B 8
Mary La. N. Gt Bro —7E 170 (6K 17)
Mary La. S. Gt Bro —8G 170
Marylebone. —6A 38
Mary Macarthur Ho. Dag —5M 127
(off Wythenshawe Rd.)
Mary McArthur Pl. Stans —1D 208
Mary Warner Rd. A'lgh —9L 163
Mascalls Gdns. Brtwd —1C 114
Mascalls La. Gt War —1C 114 (1D 40)
Mascalls, The. Chelm —2F 74
Mascalls Way. Chelm —2F 74
Masefield Clo. Eri —6D 154
Masefield Clo. Romf —5G 112
Masefield Ct. Brtwd —1F 114
Masefield Cres. Romf —5G 112
Masefield Dri. Colc —9G 167
Masefield Dri. Upm —2N 129
Masefield Rd. Brain —8H 193 (1C 24)
Masefield Rd. Grays —9A 148
Masefield Rd. Mal —8K 203
Mashbury. —5H 23
Mashbury Rd. Chig J —3B 60
Mashbury Rd. Gt Wal —5J 23
Mashbury Rd. Mash —6A 58 (5H 23)
Mashey Rd. L Yel —5D 8
Mashiters Hill. Romf —5B 112
Mashiters Wlk. Romf —7C 112
Mason Clo. Colc —3J 175
Mason Dri. H Wood —6J 113
Mason Rd. Clac S —1F 190
Mason Rd. Colc —6N 167
Mason Rd. Wfd G —1E 108
Masons Hill. Brom —6F 47
Mason Way. Wal A —4F 78
Masthead Clo. Dart —9N 155
Matcham Rd. E11 —5E 124
Matching. —6B 22
Matching Field. Kel H —7C 84
Matching Friars La. Hat H —4B 22
Matching Green. —6C 22
Matching Grn. Bas —6F 118
Matching Rd. H'low —8N 53 (6K 21)
Matching Rd. Hat H —3D 202
Matching Tye. —6A 22
Matfield Clo. Chelm —4M 61
Mathews Pk. Av. E15 —8F 124
Matlock Gdns. Horn —5J 129
Matlock Rd. E10 —1C 124
Matlock Rd. Can I —2F 152
Matson Ct. E4 —4E 108
Matthew Ct. E17 —7C 108
Matthews Clo. H'std —3M 199
Matthews Clo. Romf —5K 113
Matthews Wlk. E17 —5A 108
(off Chingford Rd.)
Matthias Rd. N16 —5B 38
Maud Gdns. Bark —2E 142
Maudlyn Rd. Colc —9C 168
Maud Rd. E10 —5C 124
Maugham Clo. W'fd —2L 119
Maund's Hatch. H'low —7C 56
Maurice Ct. Can I —3K 153
(off Maurice Rd.)
Maurice Rd. Can I —3K 153
Maury Rd. N16 —4C 38
Mavis Gro. Horn —4J 129
Mawney. —7N 111 (3K 39)
Mawney Clo. Romf —6N 111
Mawney Rd. Romf —6N 111 (3K 39)
Maxey Gdns. Dag —6K 127
Maxey Rd. Dag —6K 127
Maximfeldt Rd. Eri —3C 154
Maxim Rd. Eri —2C 154
Maya Angelou Ct. E4 —1C 108
Maya Clo. Shoe —7J 141
May Av. Can I —1J 153
(in two parts)
Maybank Av. E18 —6H 109
Maybank Av. Horn —7F 128
Maybank Lodge. Horn —7G 128
Maybank Rd. E18 —5H 109
Maybells Commercial Est. Bark —2J 143
Mayberry Wlk. Colc —3A 176
Maybrick Rd. Horn —1G 128
Maybury Clo. Lou —3A 94
Maybury Clo. M Tey —3H 173
Maybury Rd. Bark —2E 142
Maybush Rd. Horn —2J 129
May Ct. Grays —4A 158
Maycroft Av. Grays —3N 157
Maycroft Gdns. Grays —3N 157
Mayda Clo. H'std —5J 199
Maydells. Bas —1J 135
Maydells Ct. Bas —1J 135
Maydene. S Fer —1K 105
Mayesbrook Rd. Bark —1E 142
Mayesbrook Rd. Ilf & Dag —5F 126
Mayes Clo. Bis S —9C 208
Mayesford Rd. Romf —2H 127
Mayes La. Dan —4E 76 (2E 34)
Mayes La. R'sy —6D 200 (3F 19)
Mayes La. S'don —4M 75 (2C 34)
Mayes Pl. Thax —4F 13
Mayes Rd. N22 —2A 38
Mayfair Av. Bas —7K 119
Mayfair Av. Ilf —4M 125
Mayfair Av. Romf —1J 127
Mayfair Ct. Colc —2C 176
Mayfair Gdns. Wfd G —4G 109
Mayfield. Wal A —4D 78
Mayfield Av. Hull —6L 105
Mayfield Av. Sth S —2K 139
Mayfield Av. Wfd G —3G 108
Mayfield Cen. Bur C —3K 195
Mayfield Clo. Colc —6C 168
Mayfield Clo. H'low —8L 53
Mayfield Ct. Wal A —4G 79
(off Lamplighters Clo.)
Mayfield Gdns. Brtwd —7E 98
Mayfield Rd. E4 —8C 92
Mayfield Rd. Belv —2A 154
Mayfield Rd. Dag —3B 127
Mayfield Rd. Writ —1J 73
Mayfields. Grays —9M 147
Mayflower Av. Har —2N 201
Mayflower Clo. Naze —2E 64
Mayflower Clo. Sth S —9G 122
Mayflower Clo. S Ock —4F 146
Mayflower Clo. S'way —9E 166
Mayflower Ct. H'low —7N 55
Mayflower Ct. Ong —6L 69
Mayflower Dri. Mal —8K 203
Mayflower Ho. Bark —1C 142
(off Westbury Rd.)
Mayflower Ho. Gt War —3F 114
Mayflower Path. Gt War —3F 114
Mayflower Retail Pk. Bas —5E 118
Mayflower Rd. Bill —6K 101
Mayflowers. Ben —8B 120
Mayflower Way. Ong —6L 69
Mayford Way. Clac S —7F 186
Maygreen Cres. Horn —2E 128
Mayhew Clo. E4 —9A 92
Mayland. —4B 36
Mayland Av. Can I —3F 152
Mayland Clo. H'bri —4M 203
Mayland Clo. May —4D 204
Mayland Grn. May —3D 204
Mayland Grn. Ind. Est. May —3E 204
Mayland Hill. May —4B 36
Mayland Mans. Bark —9A 126
(off Whiting Av.)
Mayland Rd. Wthm —5D 214
Maylands Av. Horn —6F 128
Maylands Dri. Brain —8F 192
Maylandsea. —2B 204 (4A 36)
Maylands Way. Romf —3N 113
Maylins Dri. Saw —2J 53
Maynard Clo. D'mw —7L 197
Maynard Clo. Eri —5D 154
Maynard Ct. Wal A —4F 78
Maynard Path. E17 —9C 108
Maynard Rd. E17 —9C 108
Maynards. Horn —2J 129
Maynards La. L Sam —1H 13
Mayne Crest. Chelm —4N 61
Mayow Rd. SE26 & SE23 —5C 46
Mayplace Av. Dart —9E 154
Mayplace Rd. E. Bexh & Dart —8A 154 (3K 47)
Mayplace Rd. W. Bexh —3K 47
Maypole Clo. Saf W —6J 205
Maypole Cres. Eri —4H 155
Maypole Cres. Ilf —4C 110
Maypole Dri. Chig —9F 94
Maypole Dri. St O —9M 185
Maypole Green. —5K 175 (7E 16)
Maypole Grn. Rd. Colc —5K 175
Maypole Rd. Mal & Lang —2J 203 (7H 25)
Maypole Rd. Tip —5C 212 (3K 25)
Maypole Rd. W Bis —7L 213 (6H 25)
Maypole, The. Thax —2J 211
May Rd. E4 —3A 108
Maysent Av. Brain —3H 193
May's La. Ded —5L 163
May St. Gt Chi —6G 5
Mayswood Gdns. Dag —8A 128
Maytree Clo. Rain —2C 144
Maytree Gdns. Else —6B 196
Maytree Wlk. Ben —9C 120
Mayville Rd. E11 —4E 124
Mayville Rd. Ilf —7A 126
May Wlk. Chelm —3D 74
May Wlk. Stans —8A 196
Maywin Dri. Horn —3K 129
Maze Hill. SE10 & SE3 —2E 46
Maze, The. Lgh S —8C 122
Mead Clo. Grays —9L 147
Mead Clo. Lou —1A 94
Mead Clo. Romf —6E 112
Mead Ct. Stans —2C 208
Mead Ct. Wal A —4B 78
Mead Cres. E4 —1C 108
Meade Clo. Bill —3M 101
Meade Rd. Bill —3M 101
Meadgate. Bas —7K 119
Meadgate Av. Chelm —2E 74
Meadgate Av. Wfd G —2L 109
Meadgate Rd. Brox —8C 54
Mead Gro. Romf —7J 111
Meadow Brook Ct. Colc —8B 168
Meadow Clo. E4 —7B 92
Meadow Clo. Ben —9H 121
Meadow Clo. Clac S —6M 187
Meadow Clo. Gt Bro —9F 170
Meadow Clo. H'std —6L 199
Meadow Clo. Linf —1J 159
Meadow Clo. Pan —1C 192
Meadow Ct. H'low —8D 56
Meadow Ct. W'fd —8M 103
Meadowcroft. Stans —2D 208
Meadowcroft Ct. Horn H —2H 149
(off Gordon Rd.)
Meadowcroft Way. Kir X —7J 183
Meadow Dri. Bas —6K 133
Meadow Dri. Sth S —6C 140
Meadowend. —5C 8
Meadowend. Ridg —6C 8
Meadowford. Newp —7C 204
Meadow Ga. Stock —7A 88
Meadow Grass Clo. S'way —9C 166
Meadowland Rd. W'fd —1A 120
Meadowlands. Horn —2J 129
Meadow La. Runw —6M 103
(in two parts)
Meadow La. W Mer —4K 213
Meadow M. S Fer —9H 91
Meadow Rise. Bill —6L 101 (7K 33)
Meadow Rise. B'more —1H 85
Meadow Rd. Bark —9E 126
Meadow Rd. Ben —4L 137
Meadow Rd. Colc —5L 175
Meadow Rd. Dag —8L 127
Meadow Rd. Epp —8E 66
Meadow Rd. Grays —8M 147
Meadow Rd. Gt Che —2L 197
Meadow Rd. Hull —6L 105
Meadow Rd. Lou —4L 93
Meadow Rd. Ret C —3C 104
Meadow Rd. Romf —3A 128
Meadows Clo. E10 —4A 124
Meadows Clo. Ingve —3M 115
Meadowside. Ben —3B 136
Meadowside. Brain —3G 193
Meadowside. Chelm —7K 61
(Rectory La.)
Meadowside. Chelm —8L 61
(Springfield Rd.)
Meadowside. Ray —5K 121
Meadowside Rd. Upm —7N 129
Meadows Shop. Cen., The. Chelm —9L 61
Meadows, The. Chelm —9L 61
(off High St. Chelmsford.)
Meadows, The. Ingve —3M 115
Meadows, The. Saw —2M 53
Meadow View. Lang H —2G 133
Meadow View Clo. S'way —1F 174
Meadow View Wlk. Can I —1E 152
Meadow Wlk. E18 —8G 108
Meadow Wlk. Chelm —9L 61
Meadow Wlk. Dag —8L 127
Meadow Way. Abb —9B 176
Meadow Way. Bla N —3C 194
Meadow Way. Chig —9B 94
Meadow Way. Hock —1D 122
Meadow Way. Jay —4E 190 (5C 28)
Meadow Way. Latch —4K 35
Meadow Way. Saw —3M 53
Meadow Way. Upm —5N 129
Meadow Way. W'fd —4L 119
Meadow Way, The. Bill —6L 101
Mead Pk. Ind. Est. H'low —8E 52
Mead Pastures. Wdhm W —1F 35
Mead Path. Chelm —2A 74
Meads Clo. Ing —5D 86
Meads Ct. E15 —8F 124
Meads La. Ilf —2D 126
Meads, The. Ing —5D 86
Meads, The. Stans —3D 208
Meads, The. Upm —4B 130
Meads, The. Van —2H 135
Meads, The. Wick B —2K 11
Meadsway. Gt War —3E 114
Mead, The. B'sea —5E 184
Mead, The. D'mw —6K 197
Mead, The. Lain —7K 117
Mead, The. Thax —2K 211
Mead Wlk. Ong —9K 69
Meadway. Ben —8C 120
Mead Way. Brom —7E 46
Meadway. Can I —3J 153
Meadway. Gosf —3D 14
Meadway. Grays —2N 157
Meadway. Hod —7A 54
Meadway. Ilf —6D 126
Meadway. Law —5G 164
Meadway. Mal —7L 203
Meadway. Ray —6M 121
Meadway. Romf —6E 112
Mead Way. Wfd G —2J 109
Meadway Ct. Dag —4L 127
Meadway, The. Buck H —7K 93
Meadway, The. Lou —5M 93
Meadway, The. Wclf S —6G 138
Meakins Clo. Lgh S —8E 122
Meanley Rd. E12 —6L 125
Mearns Pl. Chelm —7A 62
Meath Rd. Ilf —5B 126
Medebridge Rd. Grays —7J 147
Mede Way. W'hoe —3J 177
Median Rd. E5 —5C 38
Medick Ct. Grays —4A 158
Medina Ho. Eri —5C 154
Medina Rd. Grays —3N 157
Medlar Clo. Wthm —3D 214
Medlar Rd. Grays —4N 157
Medlar's Mead. Hat O —3C 22
Medlar St. SE5 —2B 46
Medley Rd. Rayne —6B 192
Medoc Clo. Bas —7K 119
Medora Rd. Romf —8B 112
Medway. Bur C —2K 195
(off Maple Way)
Medway Av. Wthm —5A 214
Medway Clo. Chelm —7F 60
Medway Clo. Ilf —7B 126
Medway Cres. Lgh S —5A 138
Medway Rd. Dart —8E 154
Meers, The. Kir X —8H 183
Meesden. —2G 11
Meeson Meadows. Mal —8H 203
Meeson Rd. E15 —9F 124
Meesons La. Grays —2J 157
Meesons Mead. R'fd —4J 123
Meeting La. E Mer —4H 27
Meeting La. Lit —4A 4
Meeting La. Ridg —5B 8
Meggison Way. Ben —3C 136
Meg Way. Brain —6K 193
Meister Clo. Ilf —3C 126
Melba Ct. Writ —1L 73
Melba Gdns. Til —5C 158
Melbourn. —3E 4
Melbourne Av. Chelm —6F 60 (7K 23)
Melbourne Chase. Colc —5B 176
Melbourne Ct. Chelm —6G 61
Melbourne Gdns. Romf —9K 111
Melbourne Pde. Chelm —6G 61
Melbourne Rd. E10 —2B 124
Melbourne Rd. Clac S —9H 187
Melbourne Rd. Ilf —3A 126
Melbourne Rd. Til —6A 158
Melbourn Rd. R'ton —5C 4
Melbourn St. R'ton —5C 4
Melcombe Rd. Ben —3C 136
Meldreth. —2D 4
Meldreth Rd. Shepr —2E 4
Meldreth Rd. Whad —2C 4
Meldrum Rd. Ilf —4F 126
Melford Av. Bark —8D 126
Melford Hall. —2J 9
Melford Pl. Brtwd —7F 98
Melford Rd. E11 —4E 124
Melford Rd. Caven —2F 9
Melford Rd. Ilf —4C 126
Melford Rd. Lav —2K 9
Melford Rd. Sud —4J 9
Melfort Rd. T Hth —6A 46
Melksham Clo. Romf —4K 113
Melksham Dri. Romf —4K 113
Melksham Gdns. Romf —4J 113
Melksham Grn. Romf —4K 113
Melliker La. Meop —7G 49
Mellish Clo. Bark —1E 142
Mellish Flats. E10 —2A 124
Mellish Gdns. Wfd G —2G 109
Mellor Chase. Colc —8F 166
Mellor Clo. Ing —5D 86
Mellow Mead. Bas —7K 117
Mellow Purgess. Bas —9L 117
Mellow Purgess Clo. Bas —9L 117
Mellow Purgess End. Bas —9L 117
Mellows Rd. Ilf —7M 109
Mell Rd. Tol —8K 211 (6D 26)
Melon Rd. E11 —5E 124
Melrose Gdns. Clac S —8N 187
Melrose Rd. W Mer —3K 213
Melstock Av. Upm —6N 129
Melton Clo. Clac S —9E 186
Melton Gdns. Romf —2D 128
Melton St. NW1 —6A 38
Melville Ct. H Hill —4J 113
Melville Dri. W'fd —3L 119
Melville Gdns. N13 —2A 38
Melville Heath. S Fer —2L 105
Melville Rd. Rain —4E 144
Melville Rd. Romf —4N 111
Memory Clo. Mal —9K 203
Mendip Clo. Ray —3K 121
Mendip Clo. W'fd —9M 103
Mendip Cres. Wclf S —1F 138
Mendip Rd. Bexh —6C 154
Mendip Rd. Chelm —5F 60
Mendip Rd. Horn —2E 128
Mendip Rd. Ilf —9D 110
Mendip Rd. Wclf S —2F 138
Mendlesham Clo. Clac S —9F 186
Mendoza Clo. Horn —9J 113
Menin Rd. Colc —2L 175
Menish Way. Chelm —9B 62
Menthone Pl. Horn —2H 129
Mentley La. Gt Mun —7C 10
Mentley La. W. Gt Mun —7D 10
Mentmore. Bas —2K 133
Menzies Av. Bas —9H 117
Meon Clo. Chelm —5L 61
Meopham. —7H 49
Meopham Green. —7H 49
Meopham Station. —7G 49
Meopham Windmill. —7G 49
Meppel Av. Can I —8G 137
Merbury Rd. SE28 —9D 142
Mercer Av. Gt W —2L 141
Mercer Rd. Bill —3M 101
Mercers. H'low —6N 55
Mercers Way. Colc —7M 167
Merchants Lodge. E17 —8A 108
(off Westbury Rd.)
Merchant St. S Fer —1L 105
Mercia Clo. Chelm —5H 75
Mercury Clo. Colc —3H 175
Mercury Clo. W'fd —8N 103
Mercury Gdns. Romf —9C 112 (3A 40)
Meredene. Bas —1G 135
Meredith Rd. Clac S —1J 191
Meredith Rd. Grays —2C 158
Merefield. Saw —3K 53
Meres Clo. Wthm —6C 214
Merewood Rd. Bexh —7A 154
Meriadoc Dri. S Fer —2K 105
Meriden Clo. Ilf —5B 110
Meriden Ct. Clac S —8L 187
Meridian Way. N18 & Enf —1C 38
Merilies Clo. Wclf S —3G 138
Merilies Gdns. Wclf S —3G 138
Merino Clo. E11 —8J 109
Merivale Clo. Law —5G 165
Merivale Rd. Law —5G 165
Merks Hill. D'mw —6N 197
Merlin Clo. Ilf —2H 111
Merlin Clo. Romf —3B 112
Merlin Clo. Wal A —4G 78
Merlin Ct. Can I —1H 153
Merlin End. Colc —6F 168
Merlin Gdns. Romf —3B 112
Merlin Gro. Ilf —4A 110
Merlin Pl. Chelm —6H 61
Merlin Rd. E12 —4K 125
Merlin Rd. Romf —3B 112
Merlin Way. N Wea —5M 67
Merlin Way. W'fd —7L 103
Mermagen Dri. Rain —9F 128
Mermaid Way. Mal —8L 203
Merriam Clo. E4 —2C 108
Merricks La. Bas —4F 134
Merrielands Cres. Dag —2L 143
Merrilees Cres. Hol S —7A 188
Merritt Ho. Romf —2D 128
(off Frazer Clo.)
Merrivale. N14 —7A 30
Merrivale. Ben —4C 136
Merrivale Av. Ilf —8K 109
Merriwigs La. Bas —4F 134
Merrydown. Lain —8J 117
Merryfield. Lgh S —2D 138
Merryfield App. Lgh S —3D 138
Merryfields Av. Hock —9C 106

Merryhill Clo. *E4* —6B 92
Merrylands. *Bas* —8J 117
Merrylands Chase. *Dun* —8F 116
Merrymount Gdns. *Clac S* —8M 187
Mersea Av. *W Mer* —3J 213
Mersea Cres. *W'fd* —1N 119
Mersea Island Museum. —4J 213 (5F 27)
Mersea Rd. *B'hth & Lang* —6B 176 (1F 27)
Mersea Rd. *Colc* —9N 167 (6E 16)
Mersea Rd. *Pel* —3E 26
Mersey Av. *Upm* —1A 130
Mersey Fleet Way. *Brain* —7L 193
Mersey Rd. *Wthm* —5B 214
Mersey Way. *Chelm* —6E 60
Merstham Dri. *Clac S* —7G 186
Merten Rd. *Romf* —2K 127
Merton Ct. *Colc* —7A 176
Merton Ct. *Ilf* —1L 125
Merton Pl. *Grays* —2C 158
Merton Pl. *L'bry* —1H 205 (5A 6)
Merton Pl. *S Fer* —2M 105
Merton Rd. *E17* —9C 108
Merton Rd. *Bark* —9E 126
Merton Rd. *Ben* —2C 136
Merton Rd. *Hull* —8N 105
Merton Rd. *Ilf* —2E 126
Merttins Rd. *SE15* —3C 46
Messant Clo. *H Wood* —6J 113
Messines Rd. *Colc* —2L 175
Messing. —1D 212 (2K 25)
Messing Rd. *Tip* —4C 212 (3K 25)
Mess Rd. *Shoe* —9K 141
Meteor Rd. *Wclf S* —6J 139
Meteor Way. *Chelm* —9H 61
Methersgate. *Bas* —8D 118
Metsons La. *Hghwd* —8N 71
Metz Av. *Can I* —1G 153
Mews Ct. *Chelm* —1C 74
Mews Pl. *Wfd G* —1G 108
Mews, The. *Frin S* —1J 189
Mews, The. *Grays* —2M 157
Mews, The. *H'low* —7D 56
Mews, The. *Hock* —1B 122
Mews, The. *Ilf* —9K 109
Mews, The. *Romf* —8C 112
Mews, The. *Saw* —1K 53
Mews, The. *Stans* —2E 208
Meyel Av. *Can I* —9J 137
Meyer Rd. *Eri* —4B 154
Meynell Av. *Can I* —3J 153
Meynell Rd. *Romf* —4F 112
Meyrick Cres. *Colc* —1N 175
Mey Wlk. *Hock* —1C 122
Micawber Way. *Chelm* —4F 60
Michael Gdns. *Horn* —8H 113
Michael Rd. *E11* —3E 124
Michael's Cotts. *Shoe* —8H 141
Michaels La. *Fawk & Sev* —7E 48
Michaels Rd. *Bis S* —7A 208 (7K 11)
Michaelstowe Clo. *Har* —5E 200
Michaelstowe Dri. *Har* —5E 200
Michen Rd. *H'low* —1E 56
Michigan Av. *E12* —6M 125
Mid Colne. *Bas* —2E 134
Middleborough. *Colc* —7M 167 (6E 16) (in two parts)
Middle Boy. *Abr* —2H 95
Middle Cloister. *Bill* —6K 101
Middle Crockerford. *Bas* —2F 134
Middle Dri. *Stan H* —5C 134
Middlefield. *H'std* —5L 199
Middlefield Av. *Hod* —3A 54
Middlefield Gdns. *Ilf* —1A 126
Middlefield Rd. *Hod* —3A 54 (7D 20)
Middlefield Rd. *Mis* —5M 165
Middle Grn. *Dodd* —7F 84
Middle Grn. *Wak C* —3K 15
Middle King. *Brain* —7M 193
Middle La. *N8* —3A 38
Middle Mead. *R'fd* —5L 123
Middlemead. *S Han* —5B 34
Middlemead. *W Han* —5G 89
Middle Mead. *W'fd* —8N 103
Middlemead Clo. *W Han* —5G 89
Middlemill Rd. *Colc* —7N 167
Middlemoor Rd. *Whitt* —1J 5
Middle Pk. Av. *SE9* —3F 47
Middle Rd. *Ingve* —2M 115
Middle Rd. *Wal A* —2B 78
Middlesburg Rd. *Can I* —9E 136
Middlesex Av. *Lgh S* —3E 138
Middleside Cvn. Pk. Stans —5F 208 *(off Old Burylodge La.)*
Middle St. *Clav* —3J 11
Middle St. *Naze* —2E 64 (1E 30)
Middle St. *Thri* —2G 5
Middleton. —6J 9
Middleton Av. *E4* —9A 92
Middleton Clo. *Clac S* —7H 187
Middleton Gdns. *Ilf* —1A 126
Middleton Hall La. *Brtwd* —8H 99 (1E 40)
Middleton Rd. *Shenf* —7H 99
Middleton Rd. *Sud* —5J 9
Middleton Row. *S Fer* —2L 105
Middlewick Clo. *Colc* —5A 176
Midfield Av. *Bexh* —8A 154
Midfield Pl. *Bexh* —8A 154
Midfield Way. *Orp* —6J 47
Midguard Way. *Mal* —8J 203
Midhurst Av. *Wclf S* —2J 139
Midhurst Clo. *Horn* —6E 128
Midland Clo. *Colc* —2N 175
Midland Rd. *E10* —2C 124
Midland Rd. *NW1* —6A 38
Midsummer Meadow. *Shoe* —5J 141
Midway. *Jay* —6B 190
Midway Rd. *Colc* —4K 175
Mighell Av. *Ilf* —9K 109
Milbanke Clo. *Shoe* —5J 141
Milbourn Ct. *R'fd* —5L 123
Milburn Cres. *Chelm* —1M 73
Milch Hill. —1B 24
Mildmayes. *Bas* —2L 133
Mildmay Gro. *N1* —5B 38
Mildmay Ind. Est. *Bur C* —3L 195
Mildmay Pk. *N1* —5B 38
Mildmay Rd. *Bur C* —3M 195
Mildmay Rd. *Chelm* —2C 74
Mildmay Rd. *Ilf* —5A 126
Mildmay Rd. *Romf* —9A 112
Mildmays. *Dan* —2C 76
Mildred Rd. *Eri* —3C 154
Mile Clo. *Wal A* —3C 78
Mile End. —3M 167 (5E 16)
Mile End Park Stadium. —7D 38
Mile End Rd. *E1 & E3* —6C 38
Mile End Rd. *Colc* —3L 167 (5E 16)
Miles Clo. *H'low* —4A 56
Miles Clo. *S'way* —9D 166
Miles Gray Rd. *Bas* —6N 117 (2K 41)
Milford Clo. *W'hoe* —5J 177
Milford Rd. *Grays* —8N 147
Military Rd. *Colc* —9A 168 (6F 17)
Milk St. *E16* —8A 142
Milkwell Gdns. *Wfd G* —4H 109
Milkwood Rd. *SE24* —3A 46
Millais Av. *E12* —7N 125
Millais Pl. *Til* —5C 158
Millais Rd. *E11* —6C 124
Millard Ter. *Dag* —8M 127
Millars Clo. *S Fer* —9L 91
Millbank. *SW1* —1A 46
Millbank Av. *Ong* —8K 69
Millbank Clo. *Ong* —8K 69
Mill Bri. *H'std* —5K 199
Mill Bri. *Hert* —5B 20
Millbridge Rd. *Wthm* —5C 214
Millbrook Gdns. *Chad H* —1L 127
Millbrook Gdns. *Gid P* —6C 112
Millbrook Rd. *St M* —6J 47
Mill Causeway. *Chris* —5H 5
Mill Chase. *H'std* —4K 199
Mill Chase. *Stpl B* —4D 210
Mill Clo. *Else* —8C 196
Mill Clo. *Gt Bar* —3J 13
Mill Clo. *Rox* —7H 23
Mill Clo. *T'ham* —3E 36
Mill Clo. *Tip* —5C 212
Mill Cotts. *Stan H* —8E 134
Mill Cotts. *W'fd* —6D 104
Mill Ct. *E10* —5C 124
Mill Ct. *Brain* —6K 193
Mill Ct. *L Can* —1E 22
Mill End. —6N 209 (7C 12)
Mill End. *Brad S* —2E 36
Mill End. *Clav* —2J 11
Mill End. *Thax* —3K 211 (3F 13)
Mill End Green. —5F 13
Millennium Dome. —7E 38
Millennium Experience Exhibition Site. —7E 38
Millennium Garden. —6K 203 (1H 35)
Millennium Way. *Brain* —7L 193 (7D 14)
Miller's Barn Rd. *Jay* —3E 190
Millers Clo. *Barns* —2H 23
Millers Clo. *Brain* —2N 193
Millers Clo. *Chig* —8G 95
Millers Clo. *Gt Hork* —9J 161
Millers Clo. *S'way* —9D 166
Millers Croft. *D'mw* —7M 197
Millers Croft. *Gt Bad* —4G 75
Millersdale. *H'low* —7A 56
Millers Gdns. *K'dn* —8B 202
Miller's Green. —1E 32
Miller's Grn. Rd. *Will* —1E 32
Miller's La. *Chig* —7G 94 (7J 31)
Millers La. *S'way* —9E 166
Millers Mead. *Fee* —6E 202
Millers M. *Ing* —5E 86
Millers Row. *Corn H* —7K 7
Millers, The. *Broom* —9J 59
Mill Field. *Barns* —1H 23
Millfield. *Bur C* —4L 195
Mill Field. *H'low* —8H 53
Millfield. *H Ong* —7N 69
Millfields. *Writ* —1J 73
Millfield Clo. *Ray* —4L 121
Millfield La. *L Had* —1H 21
Millfields. *Bur C* —4L 195
Mill Fields. *Dan* —4G 76
Millfields. *Lay H* —9K 175
Millfields. *Saw* —1K 53
Millfields. *Stans* —3D 208
Millfields Cvn. Site. *Bur C* —4K 195
Millfields Rd. *E5* —5C 38
Millfields Way. *H'hll* —3J 7
Mill Grange. *Bur C* —1L 195
Mill Green. —2B 86 (4G 33)
Mill Grn. *Bas* —9H 119
Mill Grn. *Bur C* —4L 195
Mill Grn. *H'hth* —2F 7
Mill Grn. Ct. *Pits* —8J 119
Mill Grn. Pl. *Pits* —8J 119
Mill Grn. Rd. *Ing* —4G 33
Mill Grn. Rd. *Mill G & Fry* —2B 86
Mill Hatch. *H'low* —8F 52
Millhaven Clo. *Romf* —1G 127
Millhead Way. *R'fd* —7N 123
Mill Hill. *Ben* —6E 136
Mill Hill. *Brain* —6K 193 (7D 14)
Mill Hill. *Bures* —2B 16
Mill Hill. *Chelm* —8A 74 (3K 33)
Mill Hill. *Clav* —2J 11
Mill Hill. *Farnh* —6J 11
Mill Hill. *Law* —4C 164 (3J 17)
Mill Hill. *Mann* —4H 165 (3A 18)
Mill Hill. *Pur* —3G 35
Mill Hill. *Shenf* —6H 99
Mill Hill. *Stans* —3D 208
Mill Hill. *Sud* —5J 9
Mill Hill Dri. *Bill* —3K 101
Mill Hill La. *Shorne* —5K 49
Mill Ho. *Wfd G* —2F 108
Millhurst M. *H'low* —8K 53
Milligans Chase. *Gall* —9C 74
For Milliners Ct. *Lou* —1N 93
Mill La. *E4* —2B 92
Mill La. *B'ch* —2B 26
Mill La. *Bla N* —1D 24
Mill La. *Brad* —3B 18
Mill La. *Brain* —8A 192
Mill La. *Broom* —2K 61 (in three parts)
Mill La. *Brox* —9A 54
Mill La. *Caven* —3E 8
Mill La. *Chaf H & S Stif* —2G 156
Mill La. *Clav* —2J 11
Mill La. *Colc* —8C 174
Mill La. *Coln E* —1C 196 (3H 15)
Mill La. *Dan* —3F 76 (2E 34)
Mill La. *Ded* —1M 163
Mill La. *D'mw* —8L 197
Mill La. *Fee* —5A 172 (7J 15)
Mill La. *Felix* —1K 19
Mill La. *Fry* —3C 86
Mill La. *Grays* —1E 48
Mill La. *Gt Bro* —3A 170 (5J 17)
Mill La. *Gt Hol* —2B 188
Mill La. *Gt L* —3B 24
Mill La. *Gt Map* —2F 15
Mill La. *H'low* —8K 53
Mill La. *Har E* —3K 23
Mill La. *Har* —3M 201
Mill La. *Hat H* —1B 202 (in two parts)
Mill La. *Hook E* —5G 84 (5E 32)
Mill La. *Horn H* —1H 149
Mill La. *I'tn* —1J 197
Mill La. *Ing* —4H 33
Mill La. *Ked* —2K 7
Mill La. *Kel H* —7B 84
Mill La. *Lay H* —9J 175 (in two parts)
Mill La. *Lin* —2D 6
Mill La. *L Bad* —8M 63 (1E 34)
Mill La. *L'bry* —2J 205 (6A 6)
Mill La. *L Yel* —6D 198
Mill La. *Mal* —5J 203
Mill La. *Mann* —4J 165
Mill La. *Mee* —2G 11
Mill La. *More* —7B 22
Mill La. *Nave* —8F 82 (6B 32)
Mill La. *Ong* —9N 69 (3D 32)
Mill La. *Ors* —5C 148 (7G 41)
Mill La. *Peb* —2H 15
Mill La. *Pur* —3G 35
Mill La. *Rams H* —2C 102 (in two parts)
Mill La. *Rayne* —1A 24
Mill La. *R'fd* —6N 123 (2K 43)
Mill La. *Romf* —1K 127 (3J 39)
Mill La. *Saf W* —3M 205
Mill La. *Sal* —5C 26
Mill La. *Saw* —1L 53
Mill La. *Saws* —1J 5
Mill La. *Shin W* —1A 4
Mill La. *Steb* —6H 13
Mill La. *Stock* —7A 88 (5K 33)
Mill La. *Terl* —4D 24
Mill La. *T Sok* —5K 181
Mill La. *Tol M* —6A 26
Mill La. *Toot* —8C 68 (3A 32)
Mill La. *Tye G* —1D 194
Mill La. *W on N* —5M 183
Mill La. *Wat S* —2A 20
Mill La. *Wee H* —8D 180 (1C 28)
Mill La. *Wen A* —7A 6
Mill La. *Weth* —1K 13
Mill La. *Wthm* —6C 214 (4F 25)
Mill La. *Wfd G* —2F 108
Mill La. Clo. *Wee H* —8E 180
Mill La. N. *Fob* —6C 134
Mill La. S. *Fob* —8D 134
Mill Meads. —6E 38
Mill Pk. Av. *Horn* —4J 129
Mill Pk. Dri. *Brain* —7J 193
Mill Pl. *Dart* —9E 154
Mill Pond Rd. *Dart* —3C 48
Mill Rd. *Ave* —7N 145 (7D 40)
Mill Rd. *Bay E* —4B 8
Mill Rd. *Bill* —1M 117 (1K 41)
Mill Rd. *Boxt* —4N 161 (3E 16)
Mill Rd. *Bur C* —1L 195 (6C 36)
Mill Rd. *Deb* —2C 12
Mill Rd. *E Ber* —1K 17
Mill Rd. *Eri* —3A 154
Mill Rd. *F'fld* —2K 13
Mill Rd. *For* —2A 166 (5B 16)
Mill Rd. *Fow* —2F 5
Mill Rd. *Fox* —3G 9
Mill Rd. *Good E* —5G 23
Mill Rd. *Gt Bar* —3J 13
Mill Rd. *Gt Tot* —5J 25
Mill Rd. *Hel B* —5H 7
Mill Rd. *Hen* —6E 196 (5C 12)
Mill Rd. *Hund* —1B 8
Mill Rd. *Ilf* —5N 125
Mill Rd. *Ked* —2A 8
Mill Rd. *Mal* —7K 203 (1H 35)
Mill Rd. *M Tey* —2L 173
Mill Rd. *May* —2E 204
Mill Rd. *M End* —3M 167 (5E 16)
Mill Rd. *N End* —2J 23
Mill Rd. *Purf* —4M 155
Mill Rd. *Ridg* —5B 8
Mill Rd. *R'ton* —5C 4
Mill Rd. *Stamb* —6A 8
Mill Rd. *Stock* —7N 87 (5K 33)
Mill Rd. *T'ham* —3E 36
Mill Rd. *W Mer* —2K 213 (5F 27)
Mill Rd. *Wim* —1E 12
Mill Row. *Thax* —3J 211
Mills Ho. *E17* —7D 108
Mill Side. *Stans* —3C 208
Millside Ind. Est. *Dart* —9H 155
Mills La. *Sud* —4J 9
Millsmead Way. *Lou* —1M 93
Millson Bank. *Chelm* —7B 62
Mill St. *B'sea* —7F 184 (3K 27)
Mill St. *Colc* —9A 168
Mill St. *H'low* —5K 57 (7K 21)
Mill St. *Nay* —1D 16
Mill St. *St O* —9L 185
Mills Way. *Hut* —7M 99
Mill View Ct. *R'fd* —6L 123
Millview Meadows. *R'fd* —6L 123
Mill Vue Rd. *Chelm* —9A 62
Mill Wlk. *Tip* —5C 212
Millwall. —1D 46
Millwall F.C. —1C 46
Millways. *Gt Tot* —8N 213
Millwell Cres. *Chig* —2C 110
Millwrights. *Tip* —5C 212
Milner Pl. *Bill* —3H 101
Milner Rd. *Dag* —4H 127
Milton. —3H 49
Milton Av. *E6* —9K 125
Milton Av. *Brain* —8J 193
Milton Av. *Horn* —4D 128
Milton Av. *Lang H* —2G 133
Milton Av. *Wclf S* —7K 139
Milton Clo. *Colc* —9G 167
Milton Clo. *Ray* —5M 121 (in two parts)
Milton Clo. *Sth S* —5M 139
Milton Ct. *Chad H* —2H 127
Milton Ct. *Wal A* —4C 78
Milton Ct. *Wclf S* —7K 139
Milton Cres. *Ilf* —2A 126
Milton Cres. *Ong* —5K 69
Milton Gdns. *Til* —6D 158
Milton Hall Clo. *Gt W* —3L 141
Milton Ho. *E17* —8A 108
Milton Pl. *Chelm* —6H 61
Milton Pl. *Sth S* —7L 139
Milton Rd. *E17* —8A 108
Milton Rd. *Grav* —3H 49 (in two parts)
Milton Rd. *Grays* —3L 157
Milton Rd. *Har* —3M 201
Milton Rd. *Law* —6G 164
Milton Rd. *Mal* —8K 203
Milton Rd. *Romf* —1E 128
Milton Rd. *Stan H* —8A 134
Milton Rd. *Swans* —3F 49
Milton Rd. *War* —1F 114
Milton Rd. *Wclf S* —7K 139 (5J 43)
Milton Rd. *Wthm* —2C 214
Milton St. *Sth S* —5M 139
Milton St. *Swans* —3E 48
Milton St. *Wal A* —4C 78
Miltsin Av. *Can I* —9J 137
Milverton Gdns. *Ilf* —4E 126
Milwards. *H'low* —7A 56
Mimosa Clo. *Chelm* —5A 62
Mimosa Clo. *Lang H* —2H 133
Mimosa Clo. *Pil H* —4E 98
Mimosa Clo. *Romf* —4G 113
Mimosa Ct. *Colc* —7E 168
Minerva Clo. *Har* —6H 201
Minerva End. *Colc* —5K 175
Minerva Rd. *E4* —4B 108
Minnow End. —6J 59 (5K 23)
Minories. *EC3* —7B 38
Minories Art Gallery, The. —8A 168 (6F 17)
Minsmere Dri. *Clac S* —7G 186
Minster Clo. *Ray* —6N 121
Minster Ct. *Horn* —4L 129
Minster Rd. *Lain* —9L 117
Minster Way. *Horn* —3K 129
Minster Way. *Mal* —8H 203
Minton Heights. *R'fd* —1H 123
Miramar Av. *Can I* —2E 152
Miramar Way. *Horn* —7H 129
Miranda Wlk. *Colc* —8E 168
Mirosa Dri. *Mal* —7L 203
Mirosa Reach. *Mal* —8K 203
Mirravale Trad. Est. *Dag* —2K 127
Mirror Steps. Sth S —7A 140 *(off Kursaal Way)*
Mistley. —4L 165 (3A 18)
Mistley End. *Bas* —1D 134
Mistley Heath. —6N 165 (3B 18)
Mistley Path. *Bas* —1D 134
Mistley Pl. Pk. Animal Rescue Cen. —4K 165 (3A 18)
Mistley Pl. Pk. Environmental Cen. —4K 165 (3A 18)
Mistley Rd. *H'low* —1F 56
Mistley Side. *Bas* —1D 134 (in two parts)
Mistley Towers. —4L 165 (2A 18)
Mitcham La. *SW16* —5A 46
Mitcham Rd. *Croy* —7A 46
Mitcham Rd. *Ilf* —2E 126
Mitchell Av. *H'std* —6K 199
Mitchell Circ. *Weth* —2A 14
Mitchell Clo. *Belv* —1A 154
Mitchell Clo. *Rain* —2G 145
Mitchells Av. *Can I* —1K 153
Mitchells Wlk. *Can I* —1K 153
Mitchell Way. *S Fer* —9K 91
Mitton Vale. *Chelm* —9A 62
Moat Clo. *Dodd* —6F 84
Moat Clo. *Rams H* —5D 102
Moat Edge Gdns. *Bill* —4J 101
Moat End. *Sth S* —5F 140
Moat Farm. *Bird* —5A 8
Moat Farm Chase. *Wthm* —4C 214
Moat Field. *Bas* —7D 118
Moatfields. *For* —1A 166
Moat Gdns. *SE28* —7H 143
Moat La. *Alph* —1J 15
Moat La. *Eri* —6E 154
Moat Rise. *Ray* —6K 121
Moat Rd. *Bird* —5A 8
Moat Rd. *For* —1A 166 (4B 16)
Moat St. *Gest* —7F 9
Moby Dick. (Junct.) —8K 111 (3K 39)
Modlen Rd. *W on N* —7K 183
Mohmmad Khan Rd. *E11* —3F 124
Mole Hall La. *Widd* —3C 12
Mole Hall Wildlife Park. —3C 12
Molehill Green. —6D 12 **(nr. Broxted)**
Molehill Green. —1A 24 **(nr. Great Notley)**
Molesworth. *Hod* —1A 54
Molesworth St. *SE13* —3E 46
Molineaux Ct. *Bill* —5J 101
Mollands. *Bas* —2G 134
Mollands Ct. *S Ock* —4H 147
Mollands La. *S Ock* —4F 146
Mollison Av. *Enf* —5A 78 (5D 30)
Molrams La. *Gt Bad* —2B 34
Molrams La. *S'don* —4J 75
Momples Rd. *H'low* —3F 56
Monarch Clo. *Til* —7D 158
Monarch M. *E17* —1B 124
Monarch Pl. *Buck H* —8J 93
Monarchs Way. *Chesh* —4D 30
Monastery Rd. *Lain* —9L 117
Monega Rd. *E7 & E12* —8J 125
Monier Rd. *E3* —9A 124
Monkchester Clo. *Lou* —9M 79
Monkdowns Rd. *Cogg* —7M 195
Monk Gdns. *Stan H* —2N 149
Monkhams. *Wal A* —9C 64
Monkham's Av. *Wfd G* —2H 109
Monkham's Dri. *Wfd G* —2H 109
Monkham's La. *Wfd G* —2G 109 (1F 39) (in two parts)
Monklands Ct. *H'std* —5J 199
Monksbury. *H'low* —6F 56
Monks Chase. *Ingve* —2M 115
Monks Clo. *Brox* —8A 54
Monks Ct. *Wthm* —4B 214
Monksford Dri. *Hull* —7K 105
Monks Gdns. *Stan H* —2N 149
Monksgrove. *Lou* —4N 93
Monks Haven. *Stan H* —2N 149
Monks Hill. *Saf W* —5M 205
Monkside. *Bas* —8E 118
Monk's La. *Ded* —3J 163 (2H 17) (in three parts)
Monks Lodge Rd. *Gt Map* —1F 15
Monks Mead. *Bick* —8F 76
Monks Orchard. —7D 46
Monks Orchard Rd. *Beck* —7D 46
Monks Rd. *E Col* —2C 196
Monk Street. —4F 13
Monkswick Rd. *H'low* —1E 56
Monkswood Av. *Wal A* —3D 78
Monkswood Gdns. *Ilf* —7N 109
Monkwick Av. *Colc* —4N 175
Monkwood Clo. *Romf* —9E 112
Monmouth Av. *E18* —7H 109
Monmouth M. *Lang H* —1H 133
Monmouth Rd. *N9* —1C 38
Monmouth Rd. *Dag* —7L 127
Monmouth St. *WC2* —7A 38
Monnow Grn. *Ave* —7N 145
Monnow Rd. *Ave* —7N 145
Monoux Almshouses. *E17* —8B 108
Monoux Clo. *Bill* —7M 101
Monoux Gro. *E17* —5A 108
Mons Av. *Bill* —6M 101
Mons Rd. *Colc* —2L 175
Montague Av. *Lgh S* —4A 138
Montague Bldgs. *Sth S* —6N 139
Montague Pl. *WC1* —7A 38
Montague Pl. *Can I* —2E 152
Montague Rd. *E11* —4F 124
Montague Way. *Bill* —4J 101
Montagu Rd. *N18 & N9* —1C 38
Montalt Rd. *Wfd G* —2F 108
Montbretia Clo. *S'way* —9E 166
Montbretia Ct. *Clac S* —9G 186
Monteagle Av. *Bark* —8B 126
Montefiore Av. *Ray* —8J 105
Montfort Av. *Corr* —1B 150
Montfort Gdns. *Ilf* —3B 110
Montgomery Clo. *Chelm* —4N 61
Montgomery Clo. *Colc* —2B 176
Montgomery Clo. *Grays* —9M 147

Montgomery Ct. Shoe —5J 141
Montgomery Cres. Romf —2G 113
Montpelier Clo. Bill —3J 101
Montpelier Gdns. Romf —2H 127
Montpelier Row. SE3 —2E 46
Montreal Rd. Ilf —2B 126
Montreal Rd. Til —8C 158
Montrose Av. Romf —6G 113
Montrose Clo. Wfd G —1G 108
Montrose Rd. Chelm —7A 62
Montsale. —6F 37
Montsale. Pits —7K 119
Montserrat Av. Wfd G —4D 108
Monument Way. N15 —3B 38
Moon Hall Way. H'hll —3J 7
Moons Clo. R'fd —9J 107
Moorcroft. R'fd —1J 123
Moorcroft Av. Ben —9L 121
Moore Av. Grays —3H 157
Moore Av. Til —7D 158
Moore Clo. Bill —3M 101
Moore Cres. Dag —1G 142
Moore Ho. Horn —1E 128
(off Globe Rd.)
Moor End. Gt Sam —7G 7
Moores Av. Fob —5D 134
Moorescroft. Kel H —7B 84
Moore's Pl. Brtwd —8G 98
Moore Wlk. E7 —6G 125
Moorfield Rd. Dux —2J 5
Moorfields. H'low —8B 56
Moorgate. EC2 —7B 38
Moor Green. —5B 10
Moor Hall La. Bick —9E 76
Moor Hall La. E Han —3E 34
Moor Hall La. Thor —2J 21
Moor Hall Rd. H'low —8L 53 (6K 21)
Moorhen Av. St La —2C 36
Moorhen Clo. Eri —5F 154
Moorland Clo. Romf —4N 111
Moorlands Reach. Saw —3L 53
Moor La. Upm —3B 130
Moor Pk. Clo. Lgh S —1B 138
Moor Pk. Gdns. Lgh S —1B 138
Moor Rd. Gt Tey —2E 172 (6K 15)
Moor Rd. L'ham —5D 162 (3F 17)
Moors Clo. Fee —9A 172
Moors Clo. Gt Ben —5K 179
Moors Farm Chase. L Tot —6K 25
Moorside. Colc —8B 168
Moor's La. Gt Ben —5K 179
Mope La. W Bis —6J 213 (5G 25)
Moran Av. Chelm —4K 61
Morant Gdns. Romf —2N 111
Morant Rd. Colc —1B 176
Morant Rd. Grays —1D 158
Moray Clo. Romf —4C 112
Moray Way. Romf —4B 112
Mordaunt Gdns. Dag —9K 127
Morden Green. —4A 4
Morden Rd. Romf —2K 127
Mordon Rd. Ilf —2E 126
Morebarn Rd. Gt Bro —5D 170 (5K 17)
Morecambe Clo. Horn —7F 128
Moreland Av. Ben —9C 120
Moreland Av. Grays —9M 147
Moreland Clo. Ben —9C 120
Moreland Clo. Gt W —2L 141
Moreland Rd. W'fd —6K 103
Moreland St. EC1 —6A 38
Moreland Way. E4 —9B 92
Morella Clo. Gt Ben —7K 179
Morello Ct. Colc —7A 176
Moreneal. Wal A —3D 78
Mores La. Pil H —3N 97 (7D 32)
Moreton. —1B 32
Moreton Bri. More —1H 69 (1B 32)
Moreton Ct. Dart —8D 154
Moreton Gdns. Wfd G —2L 109
Moreton Mill. —7B 22
Moreton Rd. Fyf —1C 32
Moreton Rd. More —3E 68 (1B 32)
Moreton Rd. Ong —1C 32
Moretons. Bas —9H 119
Moretons. Gall —8C 74
Moretons Ct. Bas —9H 119
Moretons M. Bas —9H 119
Moretons Pl. Bas —9H 119
Morgan Av. E17 —8D 108
Morgan Clo. Dag —9M 127
Morgan Cres. They B —6C 80
Morgan Way. Rain —3G 145
Morgan Way. Wfd G —3L 109
Morland Ct. Gt Hork —7J 161
Morland Rd. Croy —7B 46
Morland Rd. Dag —9M 127
Morland Rd. Ilf —4A 126
Morley Av. E4 —4D 108
Morley Gro. H'low —1B 56
Morley Hill. Stan H —8A 134 (5K 41)
Morley Link. Stan H —9A 134
Morley Rd. E10 —3C 124
Morley Rd. Bark —1C 142
Morley Rd. H'std —4L 199
Morley Rd. Romf —9K 111
Morley Rd. Tip —7D 212
Morley Sq. Grays —2C 158
Morleys Rd. E Col —3B 196
Morning La. E9 —5C 38
Mornington Av. Ilf —2N 125
Mornington Av. R'fd —5M 123
Mornington Clo. Wfd G —1G 108
Mornington Cres. Ben —3M 137
Mornington Cres. Can I —1J 153
Mornington Mans. Wclf S —6H 139
(off Station Rd.)
Mornington Rd. E4 —6D 92
Mornington Rd. E11 —2F 124
Mornington Rd. Can I —9H 137
Mornington Rd. Lou —2B 94
Mornington Rd. Wfd G —1F 108
Morningtons. H'low —7B 56
Morrab Gdns. Ilf —5E 126
Morrells. Bas —2A 134
Morris Av. E12 —7M 125
Morris Av. Bill —7M 101
Morris Av. Jay —6C 190
Morris Ct. E4 —9B 92
Morris Ct. Lain —8K 117
Morris Ct. Wal A —4F 78
Morris Green. —2C 14
Morris Harp. Saf W —2L 205
Morrison Ho. Grays —9N 147
Morrison Rd. Bark —2K 143
Morris Rd. E3 —7D 38
Morris Rd. E15 —6E 124
Morris Rd. Chelm —9M 61
Morris Rd. Dag —4L 127
Morris Rd. Romf —4F 112
Morrow La. A'lgh —1N 169 (4J 17)
Morses La. B'sea —5E 184
Morten Rd. Colc —7M 167
Mortimer Rd. Eri —4B 154
Mortimer Rd. Hat P —2L 63
Mortimer Rd. Ray —2K 121
Mortimer St. W1 —7A 38
Mortlake Rd. Ilf —6B 126
Mortlock Ct. E12 —6K 125
Mortlock St. Mel —3E 4
Morton Rd. E15 —9F 124
Morton Rd. Gt Tot —8M 213
Morton Way. N14 —1A 38
Morton Way. H'std —3M 199
Morval Rd. SW2 —3A 46
Mosbach Gdns. Hut —8L 99
Moseley St. Sth S —5B 140
Moss Bank. Grays —3J 157
Moss Clo. Bas —3F 134
Moss Cres. Epp —9F 66
Moss Dri. Bas —3F 134
Mossfield Clo. Colc —9K 167
Mossford Ct. Ilf —6A 110
Mossford Grn. Ilf —7A 110
Mossford La. Ilf —6A 110
Moss La. Romf —1D 128
Moss La. Til —7D 158
Moss M. Mal —2M 203
Moss Path. Gall —7D 74
Moss Rd. Dag —9M 127
Moss Rd. S Ock —5F 146
Moss Rd. S'way —2F 174
Moss Rd. Wthm —4E 214
Moss Wlk. Chelm —4C 74
Moss Way. W Ber —4F 166
Moss Way. W'fd —8N 103
Mote Hall. —3C 12
Motehill. Bas —2L 133
Motherwell Way. Grays —3D 156 (2E 48)
Mottingham. —4F 47
Mottingham La. SE9 & SE9 —4F 47
Mottingham Rd. SE9 —4G 47
Motts Clo. Brain —4G 192
Mott's Green. —3A 22
Mott's La. M Tey —2F 172
Motts La. Wthm —3D 214
(in two parts)
Mott St. E4 & Lou —8C 78 (5E 30)
Moules La. Hads —3D 6
Moulsham. —1C 74 (2A 34)
Moulsham Chase. Chelm —2D 74
Moulsham Dri. Chelm —2C 74
Moulsham Hall La. Gt L —2B 24
Moulsham St. Chelm —2B 74 (2A 34)
(in two parts)
Moulsham Thrift. Chelm —4B 74
Moultrie Way. Upm —2B 130
Mountain Ash Av. Lgh S —9A 122
Mountain Ash Clo. Colc —5C 168
Mountain Ash Clo. Lgh S —9A 122
Mountains Farm Rd. D'mw —2G 23
Mountains Rd. Gt Tot —6N 213 (5H 25)
Mountaintop Ski Centre (Beckton Alps). —6G 39
Mount Av. E4 —9A 92
Mount Av. Hock —1C 122
Mount Av. Ray —4J 121
Mount Av. Romf —3N 113
Mount Av. Shenf —6L 99
Mount Av. Wclf S —5F 138
Mountbatten Ct. Buck H —8K 93
Mountbatten Dri. Colc —3B 176
Mountbatten Dri. Shoe —5J 141
Mountbatten Rd. Brain —4K 193
Mountbatten Way. Chelm —4M 61
Mt. Bovers La. Hock —4D 122
Mount Bures. —2A 16
Mt. Bures Rd. Wak C —3A 16
Mount Clo. Ray —5J 121
Mount Clo. W'fd —8M 103
Mount Cres. Ben —2E 136
Mount Cres. Hock —9C 106
Mount Cres. War —1G 114
Mountdale Gdns. Lgh S —2D 138 (4H 43)
Mount Dri. Stans —4D 208
Mt. Echo Av. E4 —7B 92
Mt. Echo Dri. E4 —7B 92
Mount End. —2L 81 (4K 31)
Mount End. They M —4K 31
Mountfield Clo. Stan H —2N 149
Mountfields. Pits —2J 135
Mountfitchet Rd. Stans —4D 208
Mountgrove Rd. N5 —4B 38
Mount Hill. H'std —6H 199 (4F 15)
Mounthill Av. Chelm —8M 61
Mountjoy Clo. SE2 —9G 143
Mt. Lodge Chase. Gt Tot —5J 25
Mountnessing. —9A 86 (6G 33)
Mountnessing. Ben —4K 137
Mountnessing By-Pass. Mount —2N 99 (6G 33)
Mountnessing La. Dodd —8G 85 (5E 32)
Mountnessing Postmill. —9A 86 (5G 33)
Mountnessing Rd. Bill —7H 101 (7J 33)
Mountnessing Rd. B'more & Brtwd —3J 85 (4F 33)
Mountney Clo. Ing —8B 86
Mt. Pleasant. H'std —5K 199
Mt. Pleasant. Hund —2B 8
Mt. Pleasant. Ilf —7B 126
Mt. Pleasant. Mal —6J 203
Mt. Pleasant. Wee —5D 180
Mt. Pleasant Av. Hut —5A 100
Mt. Pleasant Cotts. Saf W —5K 205
Mt. Pleasant Est. Gt Tot —5J 25
Mt. Pleasant Rd. N17 —2B 38
Mt. Pleasant Rd. Chig —1C 110
Mt. Pleasant Rd. Romf —3B 112
Mt. Pleasant Rd. Saf W —5K 205 (7B 6)
Mt. Pleasant Rd. S Fer —1K 105
Mount Rise. H'std —5J 199
Mount Rd. Ben —3F 136
(in two parts)
Mount Rd. Brain —5J 193
Mount Rd. Cogg —8M 195
Mount Rd. Dag —3L 127
Mount Rd. Ilf —7A 126
Mount Rd. They G —2J 81 (4J 31)
Mount Rd. W'fd —8M 103
Mounts Rd. Grnh —3E 48
Mount, The. Bill —5N 101
Mount, The. Colc —9G 167
Mount, The. Romf —9G 97
Mount, The. Stan H —2A 150
Mount, The. Tol —8K 211
Mount View. Bill —6N 101
Mountview Clo. Van —3F 134
Mountview Cres. St La —2C 36
Mt. View Rd. E4 —6D 92
Mountview Rd. Clac S —8L 187
Mount Way. W'fd —8M 103
Moverons La. B'sea —3B 184 (2J 27)
Movers Lane. (Junct.) —2D 142 (6H 39)
Movers La. Bark —1C 142 (6H 39)
Mowbray Rd. H'low —1E 56
Mowbrays Clo. Romf —5A 112
Mowbrays Rd. Romf —6A 112
Mowbrey Gdns. Lou —9B 80
Mowden. —6D 24
Mowden Hall La. Hat P —6D 24
Moyers Rd. E10 —2C 124
Moyn's Park. —5K 7
Moy Rd. Colc —5A 176
Much Hadham. —2G 21
Much Hadham Forge Museum. —2G 21
Mucking. —6M 149 (7K 41)
Muckingford. —1J 159 (1J 49)
Muckingford Rd. W Til & Linf —2F 158 (1H 49)
Mucking Hall Rd. Gt W —3A 44
Mucking Wharf Rd. Stan H —6L 149 (7K 41)
Mudlands Ind. Est. Rain —3D 144
Muggeridge Rd. Dag —6N 127
Muirway. Ben —8B 120
Mulberry Av. Colc —2A 176
Mulberry Clo. E4 —8A 92
Mulberry Clo. Romf —8G 112
Mulberry Ct. Bark —9E 126
Mulberry Dri. Purf —2K 155
Mulberry Gdns. Bas —1K 133
Mulberry Gdns. Wthm —3D 214
Mulberry Grn. H'low —8J 53 (6J 21)
Mulberry Hill. Shenf —6J 99
Mulberry La. L Bro —3H 171
Mulberry Rd. Can I —2C 152
Mulberrys, The. Sth S —3M 139
Mulberry Ter. H'low —8G 53
Mulberry Way. E18 —6H 109 (2F 39)
Mulberry Way. Belv —9A 144
Mulberry Way. Chelm —7M 61
Mulberry Way. Ilf —8B 110
Mullein Ct. Grays —4N 157
Mullins Rd. Brain —2H 193
Mullions, The. Bill —5H 101
Mumford Clo. W Ber —3F 166
Mumford Rd. W Ber —4E 166
Mumfords La. Kir X —7D 182
Munden Rd. D End —1B 20
Mundon. —3J 35
Mundon Gdns. Ilf —3C 126
Mundon Rd. Brain —7M 193
Mundon Rd. Mal —7K 203 (1H 35)
Mungo Pk. Rd. Rain —7E 128 (5B 40)
Munnings Dri. Clac S —7H 187
Munnings Rd. Colc —1H 175
Munnings Way. Law —3G 165
Munro Ct. W'fd —2M 119
Munro Rd. Wthm —2C 214
Munsons All. S'min —7L 207
Munsterburg Rd. Can I —9K 137
Murchison Av. Bex —4J 47
Murchison Clo. Chelm —6G 60
Murchison Rd. E10 —4C 124
Murchison Rd. Hod —2B 54
Murfitt Way. Upm —6L 129
Muriel Ct. E10 —2B 124
Murray Clo. Brain —2H 193
Murrell Lock. Chelm —7B 62
Murrels La. Hock —9N 105
Murthering La. Romf —6D 96 (7A 32)
Murtwell Dri. Chig —3B 110
Muscade Clo. Tip —5D 212
Muscovy Ho. Eri —9K 143
(off Kale Rd.)
Museum of Power. —7G 25
Museum St. Colc —8N 167
Museum St. Saf W —3K 205
Musgrave Clo. Dov —6H 201
Musk Clo. S'way —8E 166
Musket Gro. Lgh S —8A 122
Muskham Rd. H'low —9F 52
Mussenden La. Hort K & Dart —7D 48
Muswell Hill. —2A 38
Muswell Hill. N10 —3A 38
Muswell Wlk. Clac S —8H 187
Mutlow Clo. Wen A —7A 6
Mutlow Hill. Wen A —7A 6
Mutton Row. Ong —1G 82 (3B 32)
Myddelton Av. Enf —5B 30
Myddleton Rd. N22 —2A 38
Myddylton Pl. Saf W —3K 205
Mygrove Clo. Rain —2H 145
Mygrove Gdns. Rain —2H 145
Mygrove Rd. Rain —2H 145
Myland Hall Chase. H'wds —4B 168
(in two parts)
Mylne Ct. Hod —2A 54
Myln Meadow. Stock —7A 88
Mynchens. Bas —9N 117
Mynott Ct. Tip —6D 212
Myrtle Clo. Eri —5C 154
Myrtle Gro. Ave —9N 145
Myrtle Gro. Colc —1B 176
Myrtle Rd. Ilf —4A 126
Myrtle Rd. Romf —3G 113
Myrtle Rd. War —1F 114
Mytchett Clo. Clac S —7F 186

Nabbott Rd. Chelm —9G 60
Nagle Clo. E17 —6D 108
Nag's Head. (Junct.) —4A 38
Nags Head La. Upm & Brtwd —6N 113 (2D 40)
Nags Head Rd. Enf —6C 30
Nairn Ct. Til —7B 158
Nalla Gdns. Chelm —5J 61
Namur Rd. Can I —1J 153
Nancy Smith Clo. Colc —1N 175
Nansen Av. R'fd —1J 123
Nansen Rd. Hol S —7A 188
Napier Av. Jay —6B 190
Napier Av. Sth S —6L 139
Napier Clo. Horn —3F 128
Napier Ct. Chelm —6G 60
Napier Cres. W'fd —2M 119
Napier Gdns. Ben —9J 121
Napier Ho. Rain —3D 144
(off Dunedin Rd.)
Napier Rd. E11 —6E 124
Napier Rd. Colc —9N 167
Napier Rd. Ray —4M 121
Narboro Ct. Romf —9E 112
Nare Rd. Ave —7N 145
Narvik Clo. Mal —8H 203
Naseby Rd. Dag —5M 127
Naseby Rd. Ilf —5M 109
Nash Bank. Meop —6G 49
Nash Clo. Colc —1J 175
Nash Clo. Law —3G 164
Nash Dri. Broom —9J 59
Nash Ho. E17 —8B 108
Nash Rd. Romf —8J 111
Nash Street. —6H 49
Nassau Path. SE28 —8H 143
Nassau Rd. St O —9N 185
Nasty. —6C 10
Natal Rd. Ilf —6A 126
Natasha Ct. Romf —4G 113
Nathan Clo. Upm —3B 130
Nathan Ct. B'hth —6B 176
Nathan's La. Ed C —5E 72
Nathan's La. Hghwd —2H 33
Nathan Way. SE28 —9F 142 (1H 47)
National Maritime Museum. —2E 46
National Motorboat Museum. —5J 135 (4B 42)
National Recreation Centre. —5C 46
(Crystal Palace)
National Vintage Wireless & T.V. Museum, The. —2N 201 (2J 19)
Nation Way. E4 —7C 92
Nats La. Wen A —7A 6
Naunton Way. Horn —5H 129
Navarre Gdns. Romf —2N 111
Navestock. —1H 97
Navestock Clo. E4 —9C 92
Navestock Clo. Ray —4G 120
Navestock Cres. Wfd G —4J 109
Navestock Gdns. Sth S —5D 140
Navestock Heath. —6B 32
Navestock Ho. Bark —2G 143
Navestock Side. —1N 97 (6C 32)
Navestockside. Brtwd —1N 97 (6C 32)
Navigation Pl. H'bri —4L 203
Navigation Rd. Chelm —9L 61
Nayland. —1D 16
Nayland Airfield. —1C 16
Nayland Clo. W'fd —9M 103
Nayland Dri. Clac S —9F 186
Nayland Ho. Sth S —9K 123
(off Manners Way)
Nayland Rd. Bures —8D 194 (2A 16)
Nayland Rd. Gt Hork & M End —9K 161 (4E 16)
Nayland Rd. L Hork —2H 161 (3D 16)
Nayland Rd. W Ber —2E 166 (4C 16)
Nayling Rd. Brain —6E 192
Naze Ct. W on N —1M 183
Nazeing. —1J 65 (1F 31)
Nazeingbury. Naze —1D 64
Nazeing Comn. Naze —3H 65 (2F 31)
Nazeing Gate. —3J 65
Nazeing Glass Works. —9C 54 (1D 30)
Nazeing Marsh. —2B 64
Nazeing Mead. —8C 54
Nazeing New Rd. Brox —9A 54 (1D 30)
Nazeing Rd. Naze —1C 64 (1E 30)
Nazeing, The. Bas —9F 118
Nazeing Wlk. Rain —9D 128
Naze Pk. Rd. W on N —4N 183 (7H 19)
Naze, The. —1N 183
Nazing Long Green. —4G 65
Neagle Clo. E7 —6G 125
Neal Ct. Wal A —3F 78
Neale Rd. H'std —5K 199
Neasden Av. Clac S —8H 187
Neasham Rd. Dag —7G 126
Neave Cres. Romf —5G 113
Needham Green. —4C 22
Neil Armstrong Way. Lgh S —8F 122
Nelmes Clo. Horn —9K 113
Nelmes Cres. Horn —9J 113
Nelmes Rd. Horn —2J 129
Nelmes Way. Horn —8H 113
Nelson Clo. Ray —3M 121
Nelson Clo. Romf —5N 111
Nelson Clo. War —2G 115
Nelson Ct. Bur C —4M 195
Nelson Ct. Eri —5D 154
(off Frobisher Rd.)
Nelson Cres. Mal —8L 203
Nelson Dri. Lgh S —5E 138
Nelson Gdns. Brain —4L 193
Nelson Gdns. Ray —3M 121
Nelson Gro. Chelm —8H 61
Nelson M. Sth S —7M 139
Nelson Pl. S Fer —2L 105
Nelson Rd. E4 —3B 108 (2D 38)
Nelson Rd. E11 —8G 109
Nelson Rd. Bas —9F 118
Nelson Rd. Clac S —3J 191
Nelson Rd. Colc —9F 166
Nelson Rd. Har —3L 201
Nelson Rd. Lgh S —4F 138
Nelson Rd. Ors —6F 148
Nelson Rd. Rain —2D 144
Nelson Rd. Ray —4M 121
Nelson Rd. R'fd —1J 123
Nelson Rd. S Ock —2F 146
Nelson St. B'sea —8D 184
Nelson St. Sth S —7M 139
Nelwyn Av. Horn —9K 113
Neptune Ct. Colc —9C 168
Neptune Ct. Eri —5D 154
(off Frobisher Rd.)
Neptune Wlk. Eri —2B 154
Ness Rd. Eri —4H 155
Ness Rd. Shoe —7H 141 (5B 44)
Ness Wlk. Wthm —5A 214
Nesta Rd. Wfd G —3E 108
Nestuda Ho. Lgh S —8A 122
Nestuda Way. Sth S —9G 123 (3H 43)
Nethan Dri. Ave —7N 145
Nether Ct. H'std —5M 199
Netherfield. Ben —2G 136
Netherfield Gdns. Bark —9C 126
Netherfield La. Stan A —1E 54
Nethergate St. Clare —3D 8
Nether Hall. —2F 9
Netherhall Rd. Roy —5F 54
Nether Hill. Gest —6F 9
Nether Mayne. Bas —1B 134 (3A 42)
Netherpark Dri. Romf —6D 112
Nether Priors. Bas —9D 118
Nether Street. —6E 22
Nether St. Ab R —6E 22
Nether St. Wid —3G 21
Netley Rd. Ilf —9C 110
Netteswell. —1D 56
Netteswell Dri. H'low —2C 56
Netteswell Orchard. H'low —2C 56
Netteswell Rd. H'low —1D 56
Netteswell Tower. H'low —2C 56
Nettleswell. —6H 21
Nevada Rd. Can I —9J 137
Nevedon. —2B 42
Nevell Rd. Grays —1D 158
Nevendon. —3J 119
Nevendon Grange. W'fd —1K 119
Nevendon Rd. Bas & W'fd —5H 119 (2B 42)
(in three parts)
Nevendon Rd. By-Pass. W'fd —2L 119 (1C 42)
Nevern Clo. Ray —7M 121
Nevern Rd. Ray —7L 121
Neville Clo. E11 —5F 124
Neville Gdns. Dag —5J 127
Neville Rd. E7 —9G 125
Neville Rd. Dag —4J 127
Neville Rd. Ilf —5B 110
Neville Rd. Saf W —3L 205

Neville Shaw. Bas —9B 118
Nevill Way. Lou —5L 93
Nevin Dri. E4 —7B 92
Nevis Clo. Romf —3C 112
Newark Knok. E6 —5A 142
Newarks Rd. Good E —6H 23
New Ash Green. —7F 49
New Av. Bas —2J 133
New Barn. —6G 49
New Barn La. L Hall —2A 22
Newbarn Rd. Gt Tey —1D 172 (5K 15)
New Barn Rd. Long & Grav —6G 49
New Barn Rd. Swan —6A 88
New Barns La. M Hud —2F 21
New Barn St. E13 —6F 39
New Barns Way. Chig —9A 94
New Beckenham. —5D 46
Newberry Side. Bas —9L 117
Newbery Rd. Eri —6D 154
Newbiggen St. Thax —2J 211 (3F 13)
New Bond St. W1 —7A 38
New Bowers Way. Chelm —5A 62 (7B 24)
Newbridge Hill. Colc & W Ber —5E 166 (5C 16)
Newbridge Rd. Tip —6E 212 (3A 26)
New Bri. St. EC4 —7A 38
Newbury Av. Enf —5D 30
Newbury Clo. Romf —3G 113
Newbury Gdns. Romf —3H 113
Newbury Gdns. Upm —5K 129
Newbury Park. —1C 126 (3H 39)
Newbury Rd. E4 —3C 108
Newbury Rd. Ilf —1D 126
Newbury Rd. Romf —2H 113
Newbury Wlk. Romf —2H 113
New Captains Rd. W Mer —3J 213
Newcastle Av. Colc —2F 174
Newcastle Av. Ilf —3F 110
New Cavendish St. W1 —7A 38
New Century Rd. Lain —9J 117
New Charlton. —1F 47
New Chu. Rd. SE5 —2B 46
New Chu. Rd. W Ber —3E 166 (5D 16)
New City Rd. E13 —6F 39
New College of Cobham. —6J 49
Newcomen Rd. E11 —5F 124
Newcomen Way. Colc —1B 168
New Comn. L Hall —1A 202 (4A 22)
New Cotts. Bas —1L 135
Newcourt Bus. Pk. H'low —7B 56
Newcourt Rd. Chelm —8M 61
Newcroft. Saf W —4L 205
New Cross. —2D 46
New Cross. (Junct.) —2D 46
New Cross Gate. —2C 46
New Cross Gate. (Junct.) —2C 46
New Cross Rd. SE14 —2C 46
New Cut. Bures —8C 194
New Cut. Gt Ben —6K 179
New Cut. Lay H —9G 174 (1D 26)
New Dukes Way. Chelm —7A 62
Newell Av. Shoe —6L 141
Newell La. Cro —4A 10
New Eltham. —4H 47
New England. —4A 8
New England Clo. Bick —9F 76
New England Cres. Gt W —4N 141
New England Ind. Est. Bark —2B 142
New Farm Cotts. Shoe —6H 141
New Farm Dri. Abr —2H 95
New Farm Rd. S'way —9E 166
New Ford Rd. Wal X —5A 78
New Forest La. Chig —3N 109
Newgate Street. —2A 30
Newgate St. E4 —9E 92
Newgate St. Chesh —2A 30
Newgate St. W on N —6M 183
Newgatestreet Rd. Chesh —2A 30
Newgate St. Village. Chesh —2A 30
Newhall. R'fd —1H 123
Newhall Ct. Wal A —3F 78
New Hall Dri. Romf —5J 113
New Hall La. Mun —3J 35
New Hall Rd. Hock —7F 106
New Hall Vineyard. —3G 35
Newham Pl. Grays —2C 158
Newham Way. E16 & E6 —3A 142 (7E 38)
Newhouse. —7C 22
(nr. Moreton)
New House. —4G 49
(nr. Northfleet)
Newhouse Av. Romf —7J 111
Newhouse Av. W'fd —9G 103
New Ho. La. A'dn —6E 6
New Ho. La. Grav —4G 49
New Ho. La. N Wea —4A 68
Newhouse La. Ong —1G 69
Newhouse Rd. E Col —4A 196 (5H 15)
Newington. —1B 46
Newington Av. Sth S —4B 140
Newington Butts. SE11 —1A 46
Newington Causeway. SE1 —1A 46
Newington Clo. Sth S —4D 140
Newington Gdns. Clac S —5K 187
Newington Grn. N1 —5B 38
Newington Grn. Rd. N1 —5B 38
New Jubilee Ct. Wfd G —4G 108
New Kent Rd. SE17 —1B 46
New Kiln Rd. Colc —8K 167
Newland Av. Gt Bar —3J 13
Newland End La. A'den —1J 11
Newland Grove Nature Reserve. —1G 63 (6C 24)
Newland Pl. Wthm —6D 214
Newland Precinct. Wthm —5D 214
(off Newland St.)
Newlands. —6F 43
Newlands Clo. Bill —4K 101
Newlands Clo. Hut —6N 99
Newlands Dri. Wthm —5D 214
Newlands End. Bas —7K 117
Newlands Pk. SE26 —5C 46
Newlands Rd. Bill —4K 101
Newlands Rd. Can I —9K 137
(in two parts)
Newlands Rd. W'fd —3L 119
Newlands Rd. Wfd G —8F 92
Newland St. Wthm —6D 214 (4G 25)
New La. Fee —9B 172 (1J 25)
New La. Holb —1D 18
New Lodge Chase. L Bad —8J 63 (1D 34)
New London Rd. Chelm —2B 74 (2A 34)
(in two parts)
New Maltings. Ave —8A 146
Newman Clo. Horn —9J 113
Newman Dri. Boxt —4A 162
Newmans Clo. Lou —2N 93
Newmans Dri. Hut —6M 99
Newman's End. —5A 22
Newman's Green. —4K 9
Newmans La. Lou —3N 93
Newmarket Rd. Gt Che —2K 197 (4A 6)
Newmarket Rd. R'ton —5D 4
Newmarket Way. Horn —6J 129
New Meadgate Ter. Chelm —2E 74
New Mistley. —4N 165 (3B 18)
New Moor Clo. S'min —7M 207
New Moor Cres. S'min —7M 207
New Mt. St. E15 —9D 124
New Nabbotts Way. Chelm —4N 61 (7B 24)
Newney Green. —1H 33
Newnham Clo. Brain —6G 192
Newnham Clo. Lou —5K 93
Newnham Grn. Mal —5H 203
Newnham Ho. Lou —5K 93
New N. Rd. N1 —5B 38
New N. Rd. Ilf —4C 110 (2H 39)
New Orleans Flats. W Mer —4J 213
New Oxford St. WC1 —7A 38
New Pk. Cas H —4D 206
New Pk. Rd. SW2 —4A 46
New Pk. Rd. Ben —1C 136
New Pk. Rd. Hock —8F 106
New Pk. St. Colc —9B 168
Newpiece. Lou —2A 94
New Pier St. W on N —6M 183
New Pl. Gdns. Upm —4A 130
New Plaistow Rd. E15 —6E 38
New Plymouth Ho. Rain —3D 144
(off Dunedin Rd.)
New Pond La. Saf W —4J 205
Newport. —7D 204 (2B 12)
Newport Av. Cold N —4H 35
Newport Clo. Chelm —4J 75
Newport Clo. Har —6J 201
Newport Ct. Ray —3H 121
Newport Dri. Clac S —6L 187
Newport Dri. Quen —3A 12
Newport Pond. —9D 204
Newport Rd. E10 —4C 124
Newport Rd. Deb —2C 12
Newport Rd. Saf W —7J 205 (7B 6)
Newports. Saw —3H 53
Newport Way. Frin S —8K 183
Newpots Clo. Pel —3E 26
Newpots La. Pel —3E 26
New River Clo. Hod —4B 54
New Rd. E1 —7C 38
New Rd. E4 —1B 108 (1D 38)
New Rd. SE2 —1J 47
New Rd. Abr —5J 95 (7J 31)
New Rd. Aldh —5A 16
New Rd. Ben —3K 137 (4F 43)
New Rd. Brtwd —8G 98
New Rd. Broom —2K 61
New Rd. Brox —7A 54
New Rd. Bur C —3M 195
New Rd. Can I —2E 152
New Rd. Dag & Rain —2M 143 (6K 39)
New Rd. Else —7C 196 (5B 12)
New Rd. Gosf —4E 14
New Rd. Grays —4K 157 (2F 49)
(in two parts)
New Rd. Gt Bad —4G 75
New Rd. Gt Chi —4F 5
New Rd. Gt W —3M 141 (4C 44)
New Rd. H'low —8J 53
New Rd. Hat P —2L 63
New Rd. Ilf —4D 126
New Rd. Ing —4E 86
New Rd. K'dn —8B 202
New Rd. Lgh S —6C 138 (5G 43)
New Rd. L Bur —5J 117
New Rd. L Had —1G 21
New Rd. Mann —5J 165 (3A 18)
New Rd. Mel —3E 4
New Rd. Mess —1C 212 (3K 25)
New Rd. Rayne —7B 192 (7B 14)
New Rd. Saf W —4L 205 (3K 5)
New Rd. Saws —1K 5
New Rd. Shudy C —3F 7
New Rd. S'way —9E 166
New Rd. Stpl M —3A 4
New Rd. Terl —4D 24
New Rd. Tip —6D 212 (3K 25)
New Rd. Tol —7K 211
New Rd. Ware —4C 20
Newsells. —7E 4
New Spitalfields Mkt. E10 —5B 124
New Sq. Hock —7B 106
Newstead Ho. Romf —1H 113
(off Troopers Dri.)
Newstead Rd. Gt W —2M 141
New St. Brain —5H 193
(in two parts)
New St. B'sea —8E 184 (3K 27)
New St. Chelm —9K 61 (1A 34)
New St. D'mw —8L 197
New St. Glem —1G 9
New St. H'std —5J 199
New St. Mal —6J 203
New St. Saw —1K 53
New St. Fields. D'mw —8L 197
New St. Pass. D'mw —8L 197
New St. Rd. Meop & Sev —7G 49
Newsum Gdns. Ray —4G 120
Newteswell Dri. Wal A —2D 78
New Thorpe Av. T Sok —4L 181
New Thundersley. —8D 120 (3D 42)
Newton. —1H 5
Newton Clo. Brain —8H 193
Newton Clo. Corr —9B 134
Newton Clo. Hod —1B 54
Newton Dri. Saw —3J 53
Newton Grn. D'mw —7K 197
Newton Gro. D'mw —7J 197
Newton Hall Chase. D'mw —6J 197
Newton Hall Gdns. R'fd —1J 123
Newton Ho. E17 —7B 108
(off Prospect Hill)
Newton Ind. Est. Romf —8J 111
Newton Pk. Rd. Ben —8H 121
Newton Rd. E15 —7D 124
Newton Rd. Chig —2G 110
Newton Rd. Har —4J 201
Newton Rd. New —1G 5
Newton Rd. Sud —5J 9
Newton Rd. Til —8C 158
Newton Rd. Whitt —1H 5
Newtons Clo. Rain —9D 128
Newtons Ct. Dart —9A 156
Newton Way. St O —8M 185
Newtown. —6C 202
New Town Rd. Colc —9A 168
New Town Rd. T Sok —4K 181
New Village. Bran —1H 165
New Wanstead. E11 —1F 124 (3F 39)
New Waverley Rd. Bas —6N 117
New Way. P Bay —4K 27
New Way La. Thr B —4N 57 (7A 22)
New Writtle St. Chelm —1B 74
New Zealand Way. Rain —3D 144
Nicholas Clo. S Ock —3F 146
Nicholas Clo. Writ —2K 73
Nicholas Ct. Chelm —5F 60
(Darnay Rise)
Nicholas Ct. Chelm —1B 74
(Up. Bridge Rd.)
Nicholas Ct. Wthm —5C 214
Nicholas Rd. Dag —4L 127
Nicholas Wlk. Grays —9D 148
Nicholl Rd. Bas —8L 117
Nicholl Rd. Epp —1E 80
Nicholls Field. H'low —4F 56
Nichols Clo. Law —5G 165
Nicholson Cres. Ben —3H 137
Nicholson Gro. W'fd —2N 119
Nicholson Pl. E Han —2B 90
Nicholson Rd. Ben —3H 137
Nicholsons Gro. Colc —9A 168
Nickelby Clo. SE28 —6H 143
Nickleby Rd. Chelm —4F 60
Nicola M. Ilf —4A 110
Nien-Oord. Clac S —9F 186
Nigel M. Ilf —6A 126
Nigel Rd. E7 —7J 125
Nightingale Av. E4 —2E 108
Nightingale Av. Upm —3C 130
Nightingale Clo. E4 —1D 108
Nightingale Clo. Clac S —8K 187
Nightingale Clo. Colc —7G 168
Nightingale Clo. Har —6H 201
Nightingale Clo. Sth S —9K 123
Nightingale Clo. Wthm —7B 214
(Epping Way)
Nightingale Clo. Wthm —6D 214
(Newland St.)
Nightingale Corner. Mal —7K 203
Nightingale Gro. Dart —9L 155
Nightingale Hall Rd. E Col —4G 15
Nightingale Hill. L'ham —2F 162 (2G 17)
Nightingale La. E11 —9G 109
Nightingale La. Brom —6F 47
Nightingale La. W Horn —9B 116
Nightingale M. Saf W —3M 205
Nightingale Pl. SE18 —1G 47
Nightingale Rd. N9 —7C 30
Nightingale Rd. Can I —2J 153
Nightingales. Bas —1H 133
Nightingales. Wal A —4E 78
Nightingale Way. Clac S —8K 187
Nineacres. Brain —7J 193
Nine Acres Clo. E12 —7L 125
Nine Ashes. —8F 70 (3E 32)
Nine Ashes Rd. B'more —8F 70 (3E 32)
Nine Ashes Rd. Ston M —3E 84
Nine Elms. —2A 46
Nine Elms La. SW8 —2A 46
Ninefields. Wal A —3F 78
Nipsells Chase. May —1C 204
Nita Rd. War —2F 114
Niton Ct. Stan H —5L 149
Niven Clo. W'fd —2M 119
Noak Bridge. —5A 118 (2K 41)
Noakes Av. Chelm —5F 74
Noakes La. L Walt —5C 24
Noak Hill. —8J 97 (1C 40)
(nr. Harold Hill)
Noak Hill. —4L 117 (2K 41)
(nr. Steeple View)
Noak Hill Clo. Bill —3K 117
Noak Hill Rd. Bill & Bas —1J 117 (1J 41)
Noak Hill Rd. Romf —1G 112 (1B 40)
Nobel Sq. Burnt M —5K 119
Nobland Green. —3F 21
Noblesgreen. —8D 122 (3H 43)
Nobles Grn. Clo. Lgh S —8D 122
Nobles Grn. Rd. Lgh S —8D 122
Noel Park. —2A 38
Noel Sq. Dag —6H 127
Nonsuch Clo. Ilf —3A 110
Nook, The. W'hoe —6J 177
Norbury. —6A 46
Norbury Av. SW16 & T Hth —6A 46
Norbury Clo. M Tey —3H 173
Norbury Cres. SW16 —6A 46
Norbury Gdns. Romf —9J 111
Norbury Rd. E4 —2A 108
Nordenfeldt Rd. Eri —3B 154
Nordland Rd. Can I —1K 153
Nordmann Pl. S Ock —4G 146
Noredale. Shoe —8H 141
Nore Rd. Lgh S —7B 122
(in two parts)
Nore View. Lang H —3H 133
Norfolk Av. Clac S —7B 188
Norfolk Av. Lgh S —3E 138
Norfolk Av. W Mer —2L 213
Norfolk Clo. Bas —9J 117
Norfolk Clo. Can I —9G 137
Norfolk Clo. Mal —7H 203
Norfolk Cres. Colc —6B 168
Norfolk Dri. Chelm —4J 61
Norfolk Gdns. Brain —4K 193
Norfolk Rd. Bark —9D 126
Norfolk Rd. Dag —7N 127
Norfolk Rd. Ilf —3D 126
Norfolk Rd. Mal —7H 203
Norfolk Rd. Romf —1A 128
Norfolk Rd. Upm —5L 129
Norfolk St. E7 —7G 125
Norfolk Way. Can I —9F 136
Norlington Rd. E10 & E11 —3C 124
Norman Clo. M Tey —3G 172
Norman Clo. Romf —5N 111
Norman Clo. St O —9M 185
Norman Clo. Wal A —3D 78
Norman Ct. Ilf —2C 126
Norman Ct. Stans —2D 208
Norman Cres. Brtwd —9K 99
Norman Cres. Ray —2L 121
Normandie Way. Bures —8C 194
Normandy Av. Bur C —3M 195
Normandy Av. Colc —3A 176
Normandy Way. Eri —6C 154
Norman Harris Ho. Sth S —7N 139
Norman Hill. Terl —4D 24
Normanhurst. Hut —5M 99
Norman Pl. Lgh S —6D 138
(off Church Hill)
Norman Rd. E11 —4D 124
Norman Rd. SE8 —2D 46
Norman Rd. Belv —9N 143 (1K 47)
Norman Rd. Clac S —6A 188
Norman Rd. Horn —2E 128
Norman Rd. Ilf —7A 126
Norman Rd. Mann —4J 165
Normansfield. D'mw —9M 197
Normanshire Av. E4 —1C 108
Normanshire Dri. E4 —1A 108
Normans Rd. Can I —1K 153
Norman's Way. Stans —2D 208
Norman Ter. Lgh S —6D 138
(off Leigh Hill)
Normanton Pk. E4 —8E 92
Norman Way. Colc —9J 167
(Lexden Rd.)
Norman Way. Colc —1J 175
(Shrub End Rd.)
Norman Way. P Bay —4K 27
(off New Way)
Norris Clo. Brain —3L 193
Norris La. Hod —4A 54
Norris Rise. Hod —4A 54
Norris Rd. Hod —5A 54
Norris Way. Dart —8D 154
Norseman Clo. Ilf —3G 127
Norsey Clo. Bill —5K 101
Norsey Ct. Bill —5K 101
Norsey Dri. Bill —5L 101
Norsey Rd. Bill —6K 101 (7J 33)
Norsey View Dri. Bill —2K 101
Norsey Wood Nature Reserve. —5M 101 (7K 33)
Northallerton Way. Romf —2H 113
Northall Rd. Bexh —7A 154 (2A 48)
Northampton Gro. Lang H —2H 133
Northampton Meadow. Gt Bar —3J 13
N. Ash Rd. New Ash —7F 49
North Av. Can I —1F 152
North Av. Chelm —6H 61
North Av. Sth S —5N 139 (4K 43)
Northaw Rd. E. Cuff —4A 30
Northbank Rd. E17 —6C 108
North Barn. Brox —9B 54
North Benfleet. —7N 119 (3C 42)
N. Benfleet Hall Rd. N Ben —6N 119
N. Birkbeck Rd. E11 —5D 124 (4E 38)
Northbourne Rd. Clac S —1K 191
North Brook End. —3A 4
N. Brook End. Stpl M —4A 4
Northbrook Rd. Ilf —4N 125 (4G 39)
Northbrooks. H'low —4B 56
N. Circular Rd. E18 —6J 109
N. Circular Rd. N13 —1A 38
North Clo. Chig —2F 110
North Clo. Dag —1M 143
N. Colchester Rd. W Mer —2K 213
N. Colne. Bas —2E 134
Northcote Rd. Croy —7B 46
North Ct. Ing —6D 86
North Cray. —5K 47
N. Cray Rd. Sidc & Bex —5J 47
North Cres. Sth S —1H 139
North Cres. Stpl B —2C 210
North Cres. W'fd —9L 103
N. Crockerford. Bas —2F 134
N. Cross Rd. Ilf —8B 110
North Dell. Chelm —4M 61
Northdene. Chig —2C 110
Northdown Gdns. Ilf —9D 110
Northdown Rd. Horn —2F 128
North Dri. Chelm —3G 74
North Dri. Hut —5D 100
North Dri. May —1C 204
North Dri. Romf —7G 112
North End. —5D 154 (2A 48)
(nr. Erith)
Northend. —6M 207
(nr. Southminster)
North End. Bass —3B 4
North End. Buck H —6J 93
North End. Meld —2D 4
North End. Noak H —8G 97
North End. S'min —6L 207 (4D 36)
Northend. War —2F 114
N. End Rd. Arr —1B 4
Northend Rd. Eri —5D 154 (2A 48)
N. End Rd. Hxtn —3K 5
N. End Rd. L Yel —6E 8
Northend Trad. Est. Eri —6C 154
Northern Av. Ben —1C 136
Northern Precinct. W Thur —2C 156
Northern Rd. Sud —5K 9
Northfalls Rd. Can I —2M 153
North Fambridge. —1F 106 (6H 35)
Northfield. Gt Bar —3J 13
Northfield. Lou —3K 93
Northfield Clo. Bill —6L 101
Northfield Cres. Gt W —2L 141
Northfield Gdns. Dag —6L 127
Northfield Gdns. H'wds —3A 168
Northfield Ho. Sth S —5L 139
Northfield Path. Dag —4L 127
Northfield Rd. E6 —9M 125
Northfield Rd. Dag —6L 127
Northfield Rd. Saf W —5L 205
Northfields. Grays —2M 157
Northfleet. —3G 49
Northfleet Green. —5G 49
Northfleet Grn. Rd. S'fleet —5G 49
Northfleet Ind. Est. N'fleet —9J 157
North Ga. H'low —2B 56
Northgate End. Bis S —1K 21
Northgate St. Colc —8M 167
North Gro. H'low —4F 56
N. Gunnels. Bas —9C 118
North Halling. —7K 49
N. Hall Rd. Quen & Ugley —3B 12
North Hill. Colc —6E 16
North Hill. Horn H —8H 133 (5J 41)
North Hill. L Bad —7D 24
N. Hill Dri. Romf —1H 113 (1B 40)
N. Hill Grn. Romf —1H 113
Northlands App. Bas —5L 133
Northlands Clo. Stan H —9N 133
Northlands Pavement. Bas & Pits —1J 135
North La. M Tey —1K 173 (6A 16)
N. Market St. D'mw —7G 13
North Ockendon. —7E 130 (5E 40)
Northolme Clo. Grays —1M 157
Northolt Av. Bis S —8A 208
Northolt Way. Horn —8G 128
Northover. Brom —4E 46
North Pl. H'low —7G 52
North Pl. Wal A —3B 78
North Rd. N7 —5A 38
North Rd. Bel W —5F 9
North Rd. Belv —9N 143
North Rd. Brtwd —7F 98
North Rd. B'sea —6E 184
North Rd. Chad H —9K 111
North Rd. Clac S —7J 187 (3D 28)
North Rd. Cray H —2E 118
North Rd. Gt Yel —7C 198 (6D 8)
North Rd. Hav —9C 96 (1A 40)
North Rd. Hert —5A 20
North Rd. Hod —4A 54
North Rd. Ilf —4D 126
North Rd. Purf —2N 155
North Rd. S Ock —9G 130 (6E 40)
North Rd. Tak —7C 210
North Rd. Tol —7J 211 (6C 26)
North Rd. Wclf S —4K 139
North Rd. Whitt —1J 5
N. Road Av. Brtwd —7F 98
North Rd. Ind. Area. Wclf S —5K 139
N. Service Rd. Brtwd —8F 98
(in two parts)
North Shoebury. —4H 141 (4B 44)
N. Shoebury Rd. Shoe —5H 141 (4B 44)
North Side. Wal A —9H 65
N. Station Rd. Colc —6M 167 (5E 16)
North Stifford. —8H 147 (7F 41)
North St. SW4 —3A 46

North St. Bark —8A 126
North St. Bis S —1K 21
North St. D'mw —7L 197 (7G 13)
North St. Gt W —2M 141
North St. Horn —3H 129 (4B 40)
North St. Lgh S —6D 138
North St. Mal —6L 203
North St. Mann —4J 165
North St. Naze —1E 64 (1E 30)
North St. R'fd —5L 123 (2J 43)
North St. Romf —7B 112 (3A 40)
North St. S'min —7L 207 (5C 36)
North St. Stpl B —2C 210 (5J 7)
North St. T'ham —3E 36
North St. Tol D —5B 26
North St. W on N —5M 183
Northumberland Av. E12 —3J 125
Northumberland Av. WC2 —7A 38
Northumberland Av. Bas —1L 133
Northumberland Av. Horn —9G 113
Northumberland Av. Sth S —7A 140
Northumberland Clo. Brain —4K 193
Northumberland Clo. Eri —5A 154
Northumberland Ct. Chelm —7A 62
Northumberland Cres. Sth S —7B 140
Northumberland Heath. —5A 154 (2A 48)
Northumberland Pk. N17 —2C 38
Northumberland Pk. Eri —5A 154
Northumberland Rd. E17 —2A 124
Northumberland Rd. Linf —9H 149
Northumberland Way. Eri —6A 154
N. View Av. Til —6C 158
Northview Dri. Wclf S —5H 139
Northview Dri. Wfd G —6K 109
Northville Dri. Wclf S —2H 139
North Weald Airfield. —2K 31
North Weald Airfield Memorial Museum. —6L 67 (3K 31)
North Weald Bassett. —5N 67 (2A 32)
N. Weald Clo. W'fd —1B 120
Northwick. —6C 42
Northwick Rd. Can I —1N 151 (6C 42)
Northwold Rd. N16 & E5 —4B 38
Northwood. Grays —9D 148
Northwood Av. Horn —6E 128
Northwood Gdns. Ilf —8N 109
Northwood Rd. T Hth & SE19 —6A 46
North Woolwich. —7G 39
North Woolwich Railway Museum. —1G 47
N. Woolwich Rd. E16 —7F 39
Norton Av. Can I —2L 153
Norton Clo. E4 —2A 108
Norton Clo. Corr —1B 150
Norton End. —1A 12
Norton Heath. —5H 71 (2E 32)
Norton Heath Rd. Will —2G 71 (2E 32)
Norton La. H Ong —4D 70 (2E 32)
Norton Mandeville. —4C 70 (2E 32)
Norton Rd. Chelm —8J 61
Norton Rd. Dag —8B 128
Norton Rd. Ing —5D 86
Norvic Ho. Eri —5D 154
Norway Cres. Har —4H 201
Norway Wlk. Rain —4G 144
Norwich Av. Sth S —3A 140
Norwich Clo. Clac S —7H 187
Norwich Clo. Colc —7A 168
Norwich Clo. Sth S —4A 140
Norwich Cres. Ray —2J 121
Norwich M. Ilf —3F 126
Norwich Rd. E7 —7G 124
Norwich Rd. Dag —2M 143
Norwich Wlk. Bas —8G 118
Norwood. —5B 46
Norwood Av. Clac S —8M 187
Norwood Av. Romf —2C 128
Norwood Dri. Ben —5E 136
Norwood End. —7D 22
Norwood End. Bas —8E 118
Norwood End. Fyf —7D 22
Norwood High St. SE27 —5A 46
Norwood La. Meop —7H 49
Norwood New Town. —5B 46
Norwood Rd. SE27 & SE24 —4A 46
Norwood Way. W on N —7K 183
Nosterfield End. Cas C —3G 7
Notley Grn. Bla N —2B 198
Notley Rd. Brain —6H 193 (7C 14)
Nottage Clo. Corr —1A 150
Nottage Clo. W'hoe —6J 177
Nottingham Rd. E10 —1C 124
Nottingham Rd. Clac S —7B 188
Nottingham Way. Lang H —1H 133
Nounsley. —5M 63 (6F 25)
Nounsley Rd. Hat P —5M 63 (6E 24)
Nuneaton Rd. Dag —9K 127
Nunhead. —3C 46
Nunhead La. SE15 —3C 46
Nunnery St. Cas H —3B 206 (1D 14)
Nunn's Rd. Colc —8M 167
Nunns Way. Grays —2N 157
Nuns Meadow. Gosf —4E 14
Nuns Wlk. Gt Yel —8C 198
Nunty's La. Patt —6F 15
Nuper's Hatch. —6C 96 (7A 32)
Nursery Clo. Ray —6K 121
Nursery Clo. Romf —1J 127
Nursery Clo. S Ock —4F 146
Nursery Clo. S'way —1D 174
Nursery Clo. Wfd G —2H 109
Nursery Dri. Brain —3J 193
Nursery Fields. Saw —2J 53
Nursery Gdns. Lain —7L 117
Nursery La. E7 —8G 125
Nursery La. Dan —2F 76
Nursery Rise. Chelm —9L 197
Nursery Rd. Chelm —2C 74
Nursery Rd. H Bee —9J 79
Nursery Rd. Hod —2B 54
Nursery Rd. Hook E —4F 84
Nursery Rd. Lou —4J 93 (6F 31)
Nursery Rd. Naze —1D 64
Nursery Rd. Stan H —2N 149
Nursery, The. Eri —5D 154
Nursery Wlk. Romf —2B 128
Nurstead Chu. La. Meop —6G 49
Nurstead La. Long —6G 49
Nutberry Av. Grays —9K 147
Nutberry Clo. Grays —9K 147
Nutbrowne Rd. Dag —1L 143
Nutcombe Cres. R'fd —3J 123
Nutfield Gdns. Ilf —4E 126
Nutfield Rd. E15 —6C 124
Nuthampstead. —1F 11
Nuthampstead Airfield. —1F 11
Nuthatch Clo. Bill —8L 101
Nuthatch Gdns. SE28 —9C 142
Nutter La. E11 —1J 125
Nuxley Rd. Belv —2K 47
Nyssa Clo. Wfd G —3M 109
Nyth Clo. Upm —1A 130

Oakapple Clo. Colc —5L 175
Oak Av. Cray H —3D 118
(in two parts)
Oak Av. Upm —5M 129
Oak Av. W'fd —9C 104
Oakbank. Hut —4A 100
Oak Bungalows. Brain —5G 192
Oak Chase. W'fd —9H 103
Oak Clo. Dart —9D 154
Oak Clo. Mal —8L 203
Oak Clo. T Sok —5L 181
Oak Clo. Wal A —4D 78
Oak Clo. W Ber —3F 166
Oak Ct. Ben —4L 137
Oak Ct. S Ock —2F 146
Oakdale Ct. E4 —2C 108
Oakdale Gdns. E4 —2C 108
Oakdale Rd. E7 —9H 125
Oakdale Rd. E11 —4D 124
Oakdale Rd. E18 —6H 109
Oakdene. Romf —6K 113
Oakdene Av. Eri —4A 154
Oakdene Clo. Horn —1F 128
Oakdene Rd. Pits —7K 119
Oak Dri. Saw —4H 53
Oak End. H'low —5E 56
Oakenden Rd. Ludd —7H 49
Oaken Grange Dri. Sth S —1K 139
Oakenholt Ho. SE2 —8J 143
Oaker Hill. Gt Yel —6C 8
Oak Fall. Wthm —2D 214
Oak Farm Rd. Wdhm W —1L 77 (1F 35)
Oakfield. E4 —2B 108
Oakfield Clo. Ben —3C 136
Oakfield Dri. Boxt —3A 162
Oakfield La. Dart —4A 48
Oakfield La. Terl —4D 24
Oakfield Lodge. Ilf —5A 126
(off Albert Rd.)
Oakfield Rd. SE20 —5C 46
Oakfield Rd. Ben —3C 136
Oakfield Rd. Croy —7B 46
Oakfield Rd. Hock —8F 106
Oakfield Rd. Ilf —5A 126
Oakfields. Lou —4N 93
Oak Glade. Coop —8J 67
Oak Glen. Horn —7J 113
Oak Grn. Bill —7M 101
Oakhall Ct. E11 —1H 125
Oak Hall Rd. E11 —1H 125
Oakham Clo. Lain —1H 133
Oak Haven. Har —6H 201
Oak Hill. Bla E —4B 14
Oak Hill. Wfd G —4D 108 (2E 38)
Oak Hill Clo. Wfd G —4D 108
Oak Hill Ct. Wfd G —4E 108
Oak Hill Cres. Wfd G —4D 108
Oak Hill Gdns. Wfd G —5E 108
Oakhill Rd. Purf —3M 155
Oak Hill Rd. Stap A —6B 96 (7A 32)
Oakhurst Clo. E17 —8E 108
Oakhurst Clo. Ilf —5B 110
Oakhurst Clo. W'fd —1K 119
Oakhurst Dri. W'fd —1J 119
Oakhurst Gdns. E4 —7F 92
Oakhurst Gdns. E17 —8E 108
Oakhurst Rd. Ray —7M 121
Oakhurst Rd. Sth S —4M 139
Oak Ind. Pk. D'mw —9N 197
Oakland Gdns. Hut —4M 99
Oakland Pl. Buck H —8G 93
Oakland Rd. E15 —6D 124
Oakland Rd. Har —4L 201
Oaklands Av. Colc —1F 174
Oaklands Av. Romf —7C 112
Oaklands Clo. Bis S —7A 208
Oaklands Clo. Brain —8F 192
Oaklands Cres. Chelm —2C 74
Oaklands Dri. Bis S —7A 208
Oaklands Dri. H'low —4H 57
Oaklands Dri. S Ock —5F 146
Oaklands M. R'fd —3H 123
Oaklands Pk. Bis S —7A 208
Oaklands Pk. Av. Ilf —4B 126
Oaklands Way. L Bad —9M 63
Oak La. Cray H —4D 118
(in two parts)
Oak La. Wfd G —1F 108
Oaklea Av. Chelm —7N 61
Oakleafe Gdns. Ilf —7A 110
Oakleigh Av. Hull —6L 105
Oakleigh Av. Sth S —6B 140
Oakleigh Pk. Dri. Lgh S —5D 138
Oakleigh Rise. Epp —2F 80
Oakleigh Rd. Clac S —5K 187
Oakleighs. Ben —2C 136
Oakley Av. Bark —9E 126
Oakley Av. Ray —4F 120
Oakley Clo. E4 —9C 92
Oakley Clo. Grays —4F 156
Oakley Ct. Lou —1N 93
Oakley Dri. Bill —3H 101
Oakley Dri. Romf —2L 113
Oakley Rd. Brain —1H 193
Oakley Rd. Brom —7G 47
Oakley Rd. Har —7E 200 (3G 19)
Oakley Rd. Wix —4D 18
Oakley Sq. NW1 —6A 38
Oak Lodge. E11 —1G 124
Oak Lodge Av. Chig —2C 110
Oak Lodge Tye. Spri —5B 62
Oakmead Rd. St O —4K 27
Oakmoor Way. Chig —2D 110
Oak Piece. N Wea —4A 68
Oak Ridge. L Oak —8D 200
Oak Rise. Buck H —9K 93
Oak Rd. Bill —4C 118
Oak Rd. Can I —2J 153
Oak Rd. Chap —5K 15
Oak Rd. Cray H —2A 42
Oak Rd. Epp —9E 66
Oak Rd. Eri —7E 154
Oak Rd. Grays —4M 157
Oak Rd. H'std —6J 199 (4F 15)
Oak Rd. H'bri —2L 203
Oak Rd. L Map —2G 15
Oak Rd. N Hth —5A 154
Oak Rd. Peb —1H 15
Oak Rd. Rams H —3E 102
Oak Rd. Riven —1F 214 (3G 25)
Oak Rd. R'fd —5K 123
Oak Rd. Romf —5K 113
Oak Rd. Tip —4B 212 (3K 25)
Oak Rd. N. Ben —4L 137
Oak Rd. S. Ben —4L 137
Oakroyd Av. D'mw —8M 197
Oakroyd Ho. D'mw —8M 197
Oaks Av. Romf —6A 112
Oaks Cotts. Bore —3F 62
Oaks Dri. Colc —8L 167
Oaks Gro. E4 —8E 92
Oaks La. Ilf —9D 110
Oaks Pl. Colc —4M 167
Oaks Retail Pk., The. H'low —9E 52
Oaks, The. E4 —4E 108
Oaks, The. Bill —1L 117
Oaks, The. Kir X —8J 183
Oaks, The. Wal A —5J 79
(off Woodbine Clo.)
Oak St. Romf —9A 112
Oakthorpe Rd. N13 —1A 38
Oaktree Clo. Brtwd —9J 99
Oak Tree Clo. Lou —9B 80
Oaktree Gro. Ilf —7C 126
Oak Tree Rd. Alr —6A 178
Oakview. Har —6H 201
Oak Wlk. Ben —7B 120
(in two parts)
Oak Wlk. Hock —9D 106
Oak Wlk. Lgh S —2C 138
Oak Wlk. Saw —4J 53
Oak Wlk. Sib H —5B 206
Oakway. Grays —8L 147
Oakwood. —7A 30
Oakwood. Wal A —4E 78
Oakwood Av. Beck —6E 46
Oakwood Av. Clac S —7B 188
Oakwood Av. Hut —5A 100
Oakwood Av. Lgh S —2D 138
Oakwood Av. W Mer —2L 213
Oakwood Bus. Pk. Clac S —4L 187
Oakwood Chase. Horn —1K 129
Oakwood Clo. Ben —1B 136
Oakwood Clo. Kir X —8H 183
Oakwood Clo. Wfd G —3L 109
Oakwood Ct. E6 —9L 125
Oakwood Ct. Alth —5A 36
Oakwood Dri. Bexh —9B 154
Oakwood Dri. W Mer —2L 213
Oakwood Est. H'low —8G 52
Oakwood Gdns. Ilf —4E 126
Oakwood Gdns. W Mer —2L 213
Oakwood Gro. Bas —9J 119
Oakwood Hill. Lou —5M 93 (7G 31)
Oakwood Hill Ind. Est. Lou —4B 94
Oakwood Rd. Corr —1C 150
Oakwood Rd. Ray —3J 121
Oak Yd. H'std —4K 199
Oasthouse Ct. Saf W —4K 205
Oast Way. R'fd —5L 123
Oates Rd. Romf —2N 111
Oatfield Clo. S'way —9E 166
Oatlands. Elms —9M 169
Oban Ct. W'fd —2A 120
Oban Ho. Bark —2C 142
Oban Rd. Sth S —5A 140
Oberon Clo. Colc —8F 168
Observer Way. K'dn —6C 202
Occupation La. Roy —3H 55
Ockelford Av. Chelm —6H 61
Ockendon Rd. Upm & N Ock —7N 129 (5D 40)
Ockendon Way. W on N —6K 183
Octavia Dri. Wthm —8B 214
Octavia Way. SE28 —7G 143
Oddcroft. Coln E —3H 15
Oddmark Rd. Bark —2C 142
Odessa Rd. E7 —5F 124
Odessa Rd. Can I —2J 153
O'Donaghue Houses. Stan H —3N 149
Odsey. —6A 4
Office La. L Tot —5K 25
Offord Rd. N1 —5A 38
Ogard Rd. Hod —3C 54
Ogilvie Ct. W'fd —2M 119
Oglethorpe Rd. Dag —5M 127
O'Grandy Ho. E17 —7B 108
Okehampton Cres. Well —2J 47
Okehampton Rd. H Hill —3G 112
Okehampton Sq. Romf —3G 112
Old Barn La. Ret C —8N 89
Old Barn Rd. M Bur —2A 16
Old Barns La. Ing —5L 71
Old Barn Way. Bexh —9B 154
Old Bell Clo. Stans —3C 208
Old Bell La. Ret C —8B 90
Old Bethnal Grn. Rd. E2 —6C 38
Old Bexley. —4K 47
Old Bexley La. Bex & Dart —4A 48
(in two parts)
Oldbury Av. Chelm —3G 74
Old Burylodge La. Stans —5F 208
Old Chapel Rd. Swan —7A 48
Oldchurch Gdns. Romf —2B 128
Old Chu. Hill. Lang H —5H 133 (4J 41)
Old Chu. La. Bulm —6H 9
Old Chu. La. Mount —2B 100 (6G 33)
Old Chu. La. Thun —3D 20
Old Chu. La. W Ber —1E 166
Oldchurch Rise. Romf —2C 128
Old Chu. Rd. E4 —1A 108 (1D 38)
Old Chu. Rd. Brtwd —2E 100
Old Chu. Rd. E Han —3B 90 (4D 34)
Old Chu. Rd. Mount —1B 100 (6H 33)
(in three parts)
Old Chu. Rd. Pits —1N 135
Oldchurch Rd. Romf —2B 128 (3A 40)
Old Coach Rd. Colc —8B 168
Old Ct. Rd. Chelm —8M 61
Old Croft Clo. Good E —5C 23
Old Crown La. Kel H —9A 84
Old Dover Rd. SE3 —2F 47
Olde Forge. B'sea —4D 184
Oldegate Ho. E6 —9K 125
Old Farm Ct. Bill —4J 101
Oldfields. War —1F 114
Old Ford. —6D 38
Old Ford. (Junct.) —6D 38
Old Ford Rd. E2 & E3 —6C 38
Old Forge Ct. Wal A —4G 79
(off Lamplighters Clo.)
Old Forge Rd. Bore —3F 62
Old Forge Rd. Lay H —9G 175
Old Fortune Cotts. Bas —6M 117
Old Hall Clo. Stpl B —2D 210
Old Hall Ct. Gt W —2L 141
Old Hall Green. —7D 10
Old Hall La. Tol D —6C 26
Old Hall La. W on N —1M 183
Old Hall Rise. H'low —3K 57
Old Hall Rd. S'ly —1G 19
Old Hall Rd. Stpl B —4E 210 (5K 7)
Old Harlow. —8H 53 (6J 21)
Old Heath. —7F 17
Old Heath Rd. Colc —1B 176 (6F 17)
Old Heath Rd. May & S'min —8H 207 (5B 36)
Old Highway. Hod —2B 54 (6D 20)
Old Hill. Chst —6G 47
Old Hill Av. Lang H —6K 133
Old House (Council Offices), The. —6L 123 (2J 43)
Oldhouse Croft. H'low —1D 56
Old Ho. La. Boxt —6N 161
Old Ho. La. Naze —2F 64
(in two parts)
Old Ho. La. Roy —6K 55
Old Ho. Rd. Gt Hork —8G 161 (4D 16)
Old House, The. —2J 43
Oldhouse Vs. Tak —7C 210
Old Ipswich Rd. A'lgh —9E 162 (4G 17)
Old Jenkins Clo. Stan H —4K 149
Old Kent Rd. SE1 & SE15 —1B 46
Old La. Patt —6F 15
Old Leigh Rd. Lgh S —5F 138
Old London Rd. H'low —9H 53 (7J 21)
Old London Rd. Raw —1D 120 (1D 42)
Old London Rd. Wdhm M —2K 77 (1F 35)
Old Macdonalds Educational Farm Park. —7K 97 (7C 32)
Old Maidstone Rd. Sidc —5K 47
Old Mnr. Way. Bexh —7B 154
Old Mead. —5B 12
Old Mead. Sth S —8F 122
Oldmead Ho. Dag —8N 127
Old Mead La. Hen —5B 12
Old Mead Rd. Hen —6C 196 (4B 12)
Old Mill Clo. E18 —7J 109
Old Mill Clo. Mal —5K 203
Old Mill La. L Hall —3K 21
Old Mill Pde. Romf —9D 112
Old Mill Pl. Romf —1B 128
Old Mill Rd. L'ham —3C 162 (2F 17)
Old Mill Rd. Saf W —5L 205
Old Nazeing Rd. Brox —9A 54 (1D 30)
Old N. Rd. R'ton —5C 4
Old N. Rd. Whad & Bass —3C 4
Old Oaks. Wal A —2E 78
Old Orchard. H'low —5C 56
Old Pk. Av. Enf —7B 30
Old Pk. Ridings. N21 —7A 30
Old Parsonage Way. Frin S —9J 183
Old Pier St. W on N —6M 183
Old Rectory Ct. Sth S —6C 140
Old Rectory La. Wthm —1D 214 (3G 25)
Old Rectory Rd. Ong —4F 82 (4B 32)
Old Rd. Clac S —1J 191 (4D 28)
Old Rd. Cogg & Fee —4A 172 (7J 15)
Old Rd. Dart —9B 154 (3A 48)
Old Rd. Frin S —1J 189
Old Rd. H'low —6H 53 (5J 21)
Old Rd. Nave —1H 97 (6B 32)
Old Rd. Patt —6F 15
Old Rd. Wick P —7G 9
Old Rd. E. Grav —4H 49
Old Rd. W. Grav —4G 49
Old Rose Garden. M End —4L 167
Old Roxwell Rd. Writ —7B 60 (1J 33)
Old Royal Observatory. —2E 46
Old School Ct. B'sea —7D 184
Old School Ct. Hat P —3M 63
Old School La. Elms —9N 169
Old School Meadow. Gt W —2J 141
Old School Yd. Saf W —4K 205
Old Ship La. R'fd —5L 123
Old Shire La. Wal A —5G 79
Old Southend Rd. H Grn —9L 75 (3C 34)
Old Southend Rd. Sth S —7N 139
Old Sta. Rd. Lou —4L 93 (7G 31)
Old Street. (Junct.) —6B 38
Old St. EC1 —6B 38
Old St. Hill. Hat H —1D 202 (4B 22)
Old Sungate Cotts. Romf —5L 111
Old Town. SW4 —3A 46
Old Town. Croy —7A 46
Old Vicarage Rd. Har & Dov —4K 201
Old Watling St. Roch —6K 49
Old Way. Frin S —1J 189
Old Wickford Rd. S Fer —9H 91
Old Wimpole Rd. Arr —1C 4
Oldwyk. Bas —2F 134
Olive Av. Lgh S —4N 137
Olive Gro. Colc —4L 175
Oliver Clo. Grays —5C 156
Oliver Pl. Wthm —5E 214
Oliver Rd. E10 —4B 124 (4D 38)
Oliver Rd. E17 —9C 108
Oliver Rd. Grays —6C 156 (2E 48)
Oliver Rd. Rain —1D 144
Oliver Rd. Shenf —4K 99
Olivers Clo. Clac S —9J 187
Olivers Ct. Clac S —9J 187
Olivers Cres. Gt W —2L 141
Olivers Dri. Wthm —8D 214
Olivers La. Colc —7F 174 (1D 26)
Olivers Rd. Clac S —9J 187 (4D 28)
Oliver Way. Chelm —5G 61
Olive St. Romf —9B 112
Oliveswood Rd. D'mw —9L 197
Olivia Dri. Lgh S —4E 138
Ollard's Ct. Lou —4K 93
Ollard's Gro. Lou —3K 93
Olmstead Green. —5G 7
Olympic Bus. Cen. Bas —5G 119
Omnibus Way. E17 —6A 108
One Tree Hill. Stan H —4A 134 (4K 41)
One Tree Hill Country Park. —6N 133 (5K 41)
Ongar Castle. —8L 69 (3C 32)
Ongar Clo. Clac S —9F 186
Ongar Clo. Romf —9H 111
Ongar Greensted Saxon Wooden Church. —3B 32
Ongar Pl. Brtwd —8G 98
Ongar Rd. Abr —2G 95 (6J 31)
Ongar Rd. D'mw —9M 197 (1G 23)
Ongar Rd. Fyf —3M 69 (2C 32)
Ongar Rd. Ing & Cook G —4K 71 (2G 33)
Ongar Rd. Kel H & Brtwd —2M 83 (4C 32)
Ongar Rd. Mar R —6E 22
Ongar Rd. Ston M —9N 69 (4D 32)
Ongar Rd. Writ —2G 73 (1J 33)
Ongar Rd. Trading Est. D'mw —9M 197
Ongar Way. Rain —1C 144
Onra Rd. E17 —2A 124
Onslow Clo. E4 —8C 92
Onslow Cres. Colc —6A 176
Onslow Gdns. E18 —7H 109
Onslow Gdns. Ong —6L 69
Opal M. Ilf —4A 126
Ophir Rd. B'sea —8E 184
Orange Gro. E11 —5E 124
(in two parts)
Orange Rd. Can I —1K 153
Orange St. Thax —3K 211
Orange Tree Clo. Chelm —4D 74
Orange Tree Hill. Hav —2B 112 (1A 40)
Orbital Cen., The. Wfd G —1K 109
Orchard Av. Bill —3L 101 (6K 33)
Orchard Av. Brtwd —9J 99
Orchard Av. Croy —7D 46
Orchard Av. H'std —5J 199
Orchard Av. Hock —9D 106
Orchard Av. Rain —4G 144
Orchard Av. Rams B —6E 102
Orchard Av. Ray —7J 121
Orchard Clo. E4 —1A 108
Orchard Clo. E11 —8H 109
Orchard Clo. Abr —2G 95
Orchard Clo. Chelm —5D 74
Orchard Clo. Clac S —8G 186

Orchard Clo. Cop —4M 173
Orchard Clo. Elms —9N 169
Orchard Clo. Gt Oak —5E 18
Orchard Clo. Gt W —2L 141
Orchard Clo. Hat P —2L 63
Orchard Clo. Hock —9E 106
Orchard Clo. Mal —6J 203
Orchard Clo. Newp —8C 204
Orchard Clo. R'sy —5C 200
Orchard Clo. Ridg —5B 8
Orchard Clo. Saf W —6K 205
Orchard Clo. Srng —5A 22
Orchard Clo. S'min —7L 207
Orchard Clo. S Ock —4F 146
Orchard Clo. Tol —8L 211
Orchard Clo. Writ —1K 73
Orchard Cotts. Bore —1H 63
Orchard Cotts. L'ham —5F 162
Orchard Ct. E10 —3B 124
Orchard Croft. H'low —1F 56
Orchard Dri. Brain —7J 193
Orchard Dri. Grays —9K 147
Orchard Dri. Gt Hol —1D 188
Orchard Dri. May —2D 204
Orchard Dri. Roy —4H 55
Orchard Dri. They B —6D 80
Orchard Gdns. Colc —7B 168
Orchard Gdns. Wal A —4C 78
Orchard Gro. Lgh S —9E 122
Orchard Ho. Eri —6D 154
Orchard La. H'low —8K 53
Orchard La. Pil H —4C 98
Orchard La. Wfd G —1J 109
Orchard Lea. Saw —3H 53
Orchard Mead. Lgh S —1D 138
Orchard Piece. B'more —9H 71
Orchard Pightle. Hads —3D 6
Orchard Rd. Alr —6A 178
Orchard Rd. Ben —8B 120
Orchard Rd. Bis S —8A 208
Orchard Rd. Bur C —4M 195
Orchard Rd. Colc —7M 167
Orchard Rd. Dag —1M 143
Orchard Rd. K'dn —7C 202
Orchard Rd. Mal —6J 203
Orchard Rd. Romf —5N 111
Orchard Rd. S'min —7L 207
Orchard Rd. S Ock —4F 146
Orchards. Wthm —6C 214
Orchard Side. Lgh S —9E 122
Orchards, The. Epp —2F 80
Orchards, The. Saw —1K 53
Orchard St. Chelm —1C 74
Orchard, The. Brox —8A 54
Orchard, The. W Mer —3L 213
Orchard, The. W'fd —9J 103
Orchard View. Dun —1G 132
Orchard Way. Chig —9F 94
Orchard Way. Croy —7D 46
Orchid Av. Wthm —3B 214
Orchid Clo. Thax —2K 211
Orchid Pl. S Fer —9K 91
Orchill Dri. Ben —2L 137
Orchis Gro. Badg D —3J 157
Orchis Way. Romf —3K 113
Ordnance Cres. SE10 —1E 46
Ordnance Rd. Enf —5C 30
Oregon Av. E12 —6M 125
Oreston Rd. Rain —3H 145
Orford Cres. Chelm —6L 61
Orford Rd. E17 —9A 108
Orford Rd. E18 —7H 109
Organ La. E4 —8C 92
Oriel Gdns. Ilf —7M 109
Orient Ind. Pk. E10 —4A 124
Oriole Way. SE28 —7G 142
Orion Ct. Bas —6G 119
Orion Way. Brain —4K 193
Orkney Gdns. W'fd —2A 120
Orlando Ct. W on N —6M 183
Orlando Dri. Bas —6K 119
Ormesby Chine. S Fer —3J 105
Ormesby Clo. SE28 —7J 143
Ormond Clo. H Wood —6H 113
Ormonde Av. Ben —4N 137
Ormonde Av. R'fd —4K 123
Ormonde Clo. W Ber —3F 166
Ormonde Ct. Horn —2D 128
(off Clydesdale Rd.)
Ormonde Gdns. Lgh S —4N 137
Ormonde Rise. Buck H —7J 93
Ormonds Cres. Wdhm F —5H 91
Ormsby Rd. Can I —3D 152
Orpen Clo. W Ber —3E 166
Orpen's Hill. B'ch —9B 174 (1C 26)
Orpington. —7J 47
Orpington Rd. Chst —6H 47
Orrmo Rd. Can I —2M 153
Orsett. —5C 148 (7G 41)
Orsett Av. Lgh S —1B 138
Orsett End. Bas —8D 118
Orsett Heath. —9C 148 (7H 41)
Orsett Heath Cres. Grays —1C 158
Orsett Rd. Grays —3K 157 (1F 49)
Orsett Rd. Ors & Horn H —4E 148 (6H 41)
Orsett Smockmill. —6A 148 (7G 41)
Orsett Ter. Wfd G —4J 109
Orsino Wlk. Colc —8F 168
Orton Clo. Marg —1J 87
Orvis La. E Ber —1K 17
Orwell. —1D 4
Orwell. E Til —2L 159
Orwell Clo. Colc —6E 168
Orwell Clo. Rain —5B 144
Orwell Ct. W'fd —2B 120
Orwell Rd. Barr —1E 4
Orwell Rd. Clac S —2K 191
Orwell Rd. Felix —1K 19
Orwell Rd. Har —3M 201
Orwell Wlk. Wthm —4B 214
Orwell Way. Bur C —2K 195
Orwell Way. Clac S —8G 186
Osbert Rd. Wthm —7B 214
Osborne Av. Hock —1B 122
Osborne Clo. Clac S —6L 187
Osborne Clo. Horn —1F 128
Osborne Cotts. Mess —1D 212
Osborne Ct. E10 —2B 124
Osborne Rd. E7 —7H 125
Osborne Rd. E10 —5B 124
Osborne Rd. Bas —1D 134
Osborne Rd. Brox —7A 54
Osborne Rd. Buck H —7H 93
Osborne Rd. Dag —7L 127
Osborne Rd. Horn —1F 128
Osborne Rd. Pil H —5D 98
Osborne Rd. Pits —7M 119
Osborne Rd. Wclf S —5K 139
Osborne Rd. W Mer —3M 213
Osborne Sq. Dag —6L 127
Osborne St. Colc —9N 167 (6E 16)
Osea Rd. Hey B —1K 35
Osea Way. Chelm —6A 62
Osidge. —7A 30
Osidge La. N14 —7A 30
Osier Ct. Romf —1B 128
Osier Way. E10 —5B 124
Osney Ho. SE2 —9J 143
Osprey Clo. E11 —8G 109
Osprey Clo. Shoe —5J 141
Osprey Ct. Brtwd —9E 98
Osprey Ct. Wal A —4G 78
Osprey Rd. Wal A —4G 79
Ospreys. Clac S —7K 187
Osprey Way. Chelm —5B 74
Ostend. —6B 36
Osterberg Rd. Dart —9K 155
Osterley Dri. Bas —1H 133
Osterley Pl. S Fer —3K 105
Othello Clo. Colc —7F 168
Othona Roman Fort. (Site of). —7G 27
Otley App. Ilf —1A 126
Otley Dri. Ilf —9A 110
Ottawa Gdns. Dag —9B 128
Ottawa Rd. Til —7C 158
Otten Rd. Bel O —4E 8
Otterbourne Rd. E4 —9D 92
Ottershaw Way. Clac S —7F 186
Oudle La. M Hud —2G 21
Ouida Rd. Can I —2K 153
Oulton Av. Can I —9F 136
Oulton Clo. SE28 —6H 143
Oulton Clo. Har —4H 201
Oulton Cres. Bark —7E 126
Oundle Ho. H Hill —2H 113
(off Montgomery Cres.)
Ouse Chase. Wthm —5A 214
Outing Clo. Sth S —7A 140
Outing's La. Dodd —5E 84 (5E 32)
Outpart Eastward. Har —1N 201
Outram Rd. Croy —7B 46
Outwood Comn. Rd. Bill —4N 101 (1K 41)
Outwood Farm Clo. Bill —6N 101
Outwood Farm Rd. Bill —6N 101 (7K 33)
Oval Cricket Ground, The. —2A 46
Oval Gdns. Grays —1M 157
Oval Rd. N. Dag —1N 143 (6K 39)
Oval Rd. S. Dag —2N 143
Overcliff. Wclf S —7J 139
Overcliffe. Grav —3G 49
Overcliff Rd. Grays —2N 157
(in two parts)
Overhall Hill. Coln E —3H 15
Overhall La. A'dn —4E 6
Overmead Dri. S Fer —9L 91
Overton Clo. Ben —9C 120
Overton Ct. E11 —2G 125
Overton Dri. E11 —2G 125 (4F 39)
Overton Dri. Ben —9C 120
Overton Dri. Chad H —2H 127
Overton Rd. Ben —9B 120
Overton Way. Ben —9B 120
Overy St. Dart —3C 48
Ovington. —4D 8
Ovington Gdns. Bill —3J 101
Owen Clo. SE28 —8H 143
Owen Gdns. Wfd G —3L 109
Owen Ward Clo. Colc —3H 175
Owl Cvn. Site, The. Lou —2F 92
Owlets Hall Clo. Horn —7K 113
Owletts. —6J 49
Owl's Hill. Terl —4D 24
Owls Retreat. Colc —7F 168
Oxcroft Ct. Lain —9K 117
Oxendon Dri. Hod —6A 54
Oxen End. L Bar —4J 13
Oxenford Clo. Har —6H 201
Oxestall's Rd. SE8 —1D 46
Oxford Av. Grays —2C 158
Oxford Av. Horn —8L 113
Oxford Clo. Lang H —1H 133
Oxford Ct. Chelm —7N 61
Oxford Ct. Colc —9L 167
Oxford Ct. War —1G 114
Oxford Cres. Clac S —9J 187
Oxford La. Sib H —5A 206
Oxford Meadow. Sib H —5B 206
Oxford Pl. E Col —3C 196
Oxford Rd. E15 —8D 124
(in two parts)
Oxford Rd. Can I —1J 153
Oxford Rd. Clac S —1K 191 (4D 28)
Oxford Rd. Colc —9L 167 (6E 16)
Oxford Rd. Frin S —9K 183
Oxford Rd. H'std —5J 199
Oxford Rd. Horn H —1G 149
Oxford Rd. Ilf —7B 126
Oxford Rd. Mann —4J 165
Oxford Rd. R'fd —3J 123
Oxford Rd. Romf —3K 113
Oxford Rd. Stan H —4K 149
Oxford Rd. Wfd G —2K 109
Oxford St. W1 —7A 38
Oxleas. E6 —6A 142
Oxley Clo. Romf —6G 113
Oxley Gdns. Stan H —9M 133
Oxley Green. —4A 26
Oxley Hill. Abb —2E 26
Oxley Hill. Tol D —4A 26
Oxleys Rd. Wal A —2G 79
Oxleys, The. H'low —8J 53
Oxlip Rd. Wthm —3B 214
Oxlow La. Dag —6L 127 (5K 39)
Oxney Ho. Writ —1H 73
Oxney Mead. Writ —2H 73
Oxney Vs. Fels —1K 23
Oxwich Clo. Corr —1B 150
Oyster Clo. W Mer —2K 213
Oyster Pk. Colc —9D 168
Oyster Pl. Chelm —7A 62
Oyster Tank Rd. B'sea —8D 184
Ozier Ct. Saf W —6L 205
Oziers. Else —7C 196
Ozonia Av. W'fd —2K 119
Ozonia Clo. W'fd —2J 119
Ozonia Wlk. W'fd —2K 119
Ozonia Way. W'fd —2K 119

Paarl Rd. Can I —1G 153
Pace Heath Clo. Romf —3B 112
Packards La. Wmgfd —7A 160 (3B 16)
Packe Clo. Fee —6D 202
Paddock Clo. Bill —9L 101
Paddock Clo. Har —3L 201
Paddock Clo. Lgh S —8D 122
Paddock Clo. Ors —5D 148
Paddock Dri. Chelm —4N 61
Paddock Mead. H'low —8B 56
Paddocks, The. Abb —9A 176
Paddocks, The. Bures —8C 194
Paddocks, The. Gt Ben —9L 179
Paddocks, The. Gt Tot —8M 213
Paddocks, The. High R —3F 23
Paddocks, The. Ing —6D 86
Paddocks, The. Ors —5D 148
Paddocks, The. Ray —5M 121
Paddocks, The. Stap A —5D 96
Paddocks, The. W Mer —3L 213
Paddocks, The. Wthm —5D 214
Paddock, The. Brox —8A 54
Paddock, The. Stock —6N 87
Paddock Way. W'hoe —3J 177
Padgets, The. Wal A —4E 78
Padgetts Way. Hull —5K 105
Padhams Green. —9D 86 (6H 33)
Padham's Grn. Rd. Ing & CM13 —9D 86 (6H 33)
Padnall Ct. Romf —7J 111
Padnall Rd. Chad H —7J 111
Pageant Clo. Til —6E 158
Page Clo. Dag —7K 127
Page Clo. Wthm —7A 214
Page Cres. Eri —5D 154
Page Heath La. Brom —6F 47
Page Rd. Bas —8N 119
Page Rd. Clac S —1J 191
Pages La. Romf —6M 113
Pages La. Tol D —7B 26
Paget Ct. Else —8C 196
Paget Dri. Bill —3J 101
Paget Rd. Ilf —6A 126
Paget Rd. Rhdge —7F 176
Paget Rd. W'hoe —6J 177
(in two parts)
Pagette Way. Badg D —3K 157
Pagles Field. Hut —5M 99
Paglesham Churchend. —1B 44
Paglesham Eastend. —1C 44
Paglesham Rd. Pag —1A 44
Paignton Av. Chelm —6M 61
Paignton Clo. Ray —2K 121
Paines Brook Rd. Romf —3K 113
Paines Brook Way. Romf —3K 113
Painswick Av. Stan H —9A 134
Painters Rd. Ilf —7E 110 (3J 39)
Pakes Way. They B —7D 80
Palace Ct. Sth S —7M 139
Palace Gdns. Buck H —7K 93
Palace Gates Rd. N22 —2A 38
Palace Gro. Lain —7N 117
Palace View Rd. E4 —2B 108
Palamos Rd. E10 —3A 124
Palatine Pk. Lain —9H 117
Pale Green. —4H 7
Paley Gdns. Lou —2A 94
Palins Way. Grays —8K 147
Palliser Dri. Rain —5E 144
Pallister Rd. Clac S —2K 191
Pall Mall. SW1 —7A 38
Pall Mall. Lgh S —5D 138
Palm Clo. E10 —5B 124
Palm Clo. Chelm —4D 74
Palm Clo. Wthm —2D 214
Palmeira Arches. Wclf S —7J 139
Palmeira Av. Wclf S —7J 139
Palmeira Ct. Wclf S —7J 139
Palmeira Pde. Wclf S —7J 139
(off Station Rd.)
Palmer Clo. Lain —9M 117
Palmer Ct. Sth S —6N 139
Palmer Gdns. Epp —1F 80
Palmer Rd. Dag —3J 127
Palmers. Stan H —2A 150
Palmers Av. Grays —3M 157 (1G 49)
Palmers Croft. Chelm —9B 62
Palmers Dri. Grays —2M 157
Palmers Gro. Naze —1F 64
Palmers Hill. Epp —8F 66 (3J 31)
Palmers La. Chris —6H 5
Palmerston Ct. Buck H —8J 93
Palmerstone Rd. Can I —2D 152
Palmerston Gdns. Grays —3G 157
Palmerston Lodge. Gt Bad —3G 74
Palmerston Rd. E7 —8H 125
Palmerston Rd. E17 —3D 38
Palmerston Rd. N22 —2A 38
Palmerston Rd. Buck H —8H 93 (1F 39)
Palmerston Rd. Grays —4G 157
Palmerston Rd. Rain —2G 144
Palmerston Rd. T Sok —4L 181
Palmerston Rd. Wclf S —7J 139
Palm M. Lain —6L 117
Palm Rd. Romf —9A 112
Pampas Clo. Colc —3A 168
Pampisford. —1K 5
Pampisford Rd. Gt Ab —1B 6
Pamplins. Bas —9A 118
Panadown. Bas —9A 118
Pancras Rd. NW1 —6A 38
Pancroft. Abr —2G 95
Panfield. —1C 192 (6B 14)
Panfield La. Brain —4G 192 (6C 14)
Panfield M. Ilf —1N 125
Panfield Rd. SE2 —9G 142
Panfields. Bas —9J 117
Pan La. E Han —4M 89 (4C 34)
Pannel's Ash. —4C 8
Pantile Av. Sth S —3A 140
Pantile Hill. S'min —7K 207 (5C 36)
Pantile Ho. Sth S —3A 140
Pantiles Clo. Wthm —8D 214
Pantiles, The. Bill —4J 101
Panton Cres. Colc —8E 168
Panton M. Brain —8J 193
Pan Wlk. Chelm —6F 60
Papenburg Rd. Can I —8G 136
Papillon Rd. Colc —8L 167
Paprills. Bas —2N 133
Parade, The. Brtwd —9F 98
Parade, The. Chelm —5J 61
Parade, The. Colc —5A 176
Parade, The. Pits —1J 135
Parade, The. Romf —3M 113
Parade, The. W on N —7M 183 (1H 29)
Paradise Centre Gardens. —7K 9
Paradise Rd. Wal A —4C 78
Paradise Rd. Writ —2K 73
Paradise Wildlife Park. —1B 30
Parchmore Rd. T Hth —4A 46
Pargat Dri. Lgh S —8B 122
Pargeters Hyam. Hock —1E 122
Pargeters Sq. Sth S —1M 139
Parham Dri. Ilf —1A 126
Paringdon Rd. H'low —7A 56 (1G 31)
Parish Clo. Horn —4F 128
Parish Cotts. Dag —4M 127
Parish La. SE20 —5C 46
Parish Way. Lain —8L 117
Parkanaur Av. Sth S —8E 140
Park Av. E15 —8E 124
Park Av. N22 —2A 38
Park Av. Bark —8B 126
Park Av. Can I —2M 153
Park Av. Chelm —8H 61
Park Av. Enf —7B 30
Park Av. Grays —4D 156
Park Av. H'low —6H 57
Park Av. Hut —7M 99
Park Av. Ilf —3N 125
Park Av. Lgh S —9D 122
Park Av. Upm —2B 130
Park Av. Wfd G —2H 109
Park Boulevd. Clac S —7B 188
Park Boulevd. Romf —5D 112
Park Chase. Ben —4L 137
Park Chase. St O —8A 186
Park Clo. N Wea —6M 67
Park Clo. W'fd —1K 119
Park Corner Rd. S'fleet —5F 49
Park Cotts. L Hall —1A 202
Park Ct. E4 —8C 92
Park Ct. E17 —9B 108
Park Ct. H'low —1C 56
Park Ct. Sib H —6B 206
Park Cres. Eri —4A 154
Park Cres. Horn —2E 128
Park Cres. Wclf S —6L 139
Park Cres. Rd. Eri —4B 154
Parkdale. Dan —3C 76
Park Dri. Brain —8J 193
Park Dri. B'sea —6D 184
Park Dri. Dag —5A 128
Park Dri. H'std —5K 199
Park Dri. Hat H —3D 202
Park Dri. Ing —5E 86
Park Dri. Mal —7L 203 (1H 35)
Park Dri. Romf —8B 112
Park Dri. Upm —6M 129
Park Dri. W'fd —1K 119
Park End Rd. Romf —8C 112
Parker Av. Til —6E 158
Parker Rd. Chelm —1D 74
Parker Rd. Grays —3J 157
Parker's Farm Rd. Ors —7B 132 (5G 41)
Parker Way. H'std —6K 199
Parkes Rd. Chig —2D 110
Parkeston. —2H 201 (2G 19)
Parkeston Rd. Dov —3H 201
Parkeston Rd. Pkstn —2H 201 (3H 19)
Park Farm Rd. Upm —7K 129 (5C 40)
Parkfields. Ben —2H 137
Park Fields. Roy —3G 55
Parkfields. Sib H —6B 206
Parkfield St. Rhdge —7F 176
Park Gdns. E10 —3A 124
Park Gdns. Eri —2B 154
Park Gdns. Hock —2E 122
Parkgate. Wclf S —6L 139
Park Ga. Rd. Corr —6B 134
Parkgate Rd. Sil E —2G 25
Park Green. —4J 11
Park Gro. Bexh —9A 154
Park Gro. Rd. E11 —4E 124
Park Hall Rd. SE21 —4B 46
Parkhall Rd. Bea E & Gosf —4C 14
Park Hill. H'low —9G 53
Park Hill. Lou —4K 93
Park Hill. Meop —6G 49
Parkhill Clo. Horn —5G 128
Parkhill Rd. E4 —7C 92
Parkhill Rd. Bex —4K 47
Pk. Hill Rd. Croy —7B 46
Park Houses. Stan H —2A 150
Parkhurst Dri. Ray —1J 121
Parkhurst Grn. La. Wak C —3K 15
Parkhurst Rd. E12 —6N 125
Parkhurst Rd. N7 —5A 38
Parkhurst Rd. Bas —1J 135
Parkland Av. Romf —6D 112
Parkland Av. Upm —7M 129
Parkland Clo. Hod —2B 54
Parkland Ct. E15 —7E 124
(off Maryland Pk.)
Parkland Rd. Wfd G —4G 109
Parklands. Bill —5K 101
Parklands. Brain —8J 193
Parklands. Can I —9G 137
Parklands. Chig —9B 94
Parklands. Cogg —8L 195
Parklands. Coop —8J 67
Parklands. R'fd —3J 123
Parklands. Wal A —3C 78 (4E 30)
Parklands Av. Ray —5L 121
Parklands Clo. Chig —9B 94
Parklands Ct. Clac S —1F 190
Parklands Dri. Chelm —8L 61
Parklands Way. Gall —8D 74
Parkland Way. Ong —9K 69
Park La. Ave —8A 146
(in two parts)
Park La. Bar & L'ly —7G 5
Park La. Brox —1D 30
Park La. Bulm —6H 9
Park La. Can I —2M 153
Park La. Cas C —4G 7
Park La. Chad H —1J 127
Park La. Chesh —2B 30
Park La. E Col —3C 196 (4H 15)
Park La. Elm P —8F 128
Park La. Glem —1G 9
Park La. Gosf —4E 14
Park La. H'low —1C 56
Park La. Heron —4N 115
Park La. Horn —1D 128 (3A 40)
Park La. L'ham —5D 162 (3F 17)
Park La. Rams H —4D 102 (7A 34)
Park La. Saf W —4K 205
Park La. Sth S —6A 140
Park La. Tip —6F 212
Park La. Tol K —4A 26
Park La. Top —7B 8
Park La. Wclf S —6L 139
Park La. Clo. E Col —3C 196
Park La. Paradise. Chesh —2C 30
Park Langley. —6E 46
Park Mead. H'low —2A 56
Parkmead. Lou —4N 93
Park Meadow. Dodd —8G 85
Park M. Ave —8A 146
Park M. Rain —8E 128
Parkmill Clo. Corr —1B 150
Parkmore Clo. Wfd G —1G 108
Park Rd. E10 —3A 124
Park Rd. E12 —3H 125
Park Rd. N8 —3A 38
Park Rd. N18 —1C 38
Park Rd. SE25 —6B 46
Park Rd. Ben —9F 120
Park Rd. Brtwd —7E 98
Park Rd. Bur C —4L 195
Park Rd. Can I —2M 153
Park Rd. Chelm —9J 61
Park Rd. Chst —5G 47
Park Rd. Clac S —2H 191
Park Rd. Colc —9K 167
Park Rd. Corr —2B 150
Park Rd. C Hth —4L 169 (5H 17)
Park Rd. Dart —4C 48
Park Rd. E End —1K 17
Park Rd. Else —7D 196
Park Rd. Grays —3L 157
Park Rd. Gt Bro —7H 171 (6A 18)
Park Rd. Gt Che —1L 197 (4A 6)
Park Rd. Har —3M 201
Park Rd. Hod —5A 54
Park Rd. Ilf —5C 126

Park Rd. Lgh S —5A 138
Park Rd. L Eas —7F 13
Park Rd. Mal —7J 203
Park Rd. Nay —1K 161 (2D 16)
Park Rd. Ples —1A 58 (4J 23)
Park Rd. Riven —2G 25
Park Rd. Stan H —4K 149
Park Rd. Stans —3D 208
Park Rd. Stoke N —1E 16
Park Rd. Wclf S —7L 139
Park Rd. Wick P —7G 9
Park Rd. W'hoe —2G 176
(Boundary Rd.)
Park Rd. W'hoe —6H 177
(Queen's Rd.)
Park Side. Bas —8H 119
Park Side. Bill —6L 101
Parkside. Buck H —8H 93
Parkside. Grays —1N 157
Parkside. Mat T —6A 22
(off Rainbow Rd.)
Parkside. Saf W —4J 205
Parkside. Steb —6J 13
Park Side. Wclf S —5F 138
Parkside Av. Bexh —7B 154 (2A 48)
Parkside Av. Romf —7B 112
Parkside Av. Til —7D 158 (2H 49)
Parkside Cen. Sth S —1L 139
Parkside Cross. Bexh —7C 154
Parkside Ho. Dag —5A 128
Parkside Lodge. Belv —3A 154
Parkside Rd. Belv —2A 154
Park Sq. Abr —5J 95
Park Sq. E. Jay —3E 190
Park Sq. W. Jay —3D 190
Parkstone Av. Ben —2H 137
Parkstone Av. Horn —1J 129
Parkstone Av. W'fd —8G 103
Parkstone Dri. Sth S —3K 139
Parkstone Rd. E17 —7C 108
Park St. SW8 —2A 46
Park St. Thax —3K 211 (3F 13)
Park St. Wclf S —6L 139
Park Ter. Har —3M 201
Park Ter. Wclf S —6L 139
Park, The. Mann —5J 165
Park Vale Clo. Cas H —3C 206
Park Vale Ct. Brtwd —7F 98
Park View. Ave —8A 146
Park View. Chad H —1J 127
Park View. Hod —5A 54
Park View Ct. Lgh S —9D 122
Park View Cres. Gt Bad —5G 75
Park View Dri. Lgh S —1A 138
Park View Gdns. Bark —2D 142
Park View Gdns. Grays —3L 157
Park View Gdns. Ilf —8M 109
Park View Ho. E4 —2A 108
Park View Rd. N17 —3C 38
Park View Rd. Well —3J 47
Park Vs. Romf —1J 127
Parkway. Chelm —8J 61 (1A 34)
Park Way. Clac S —3H 191
Parkway. Corr —9D 134
Parkway. H'low —3L 55
Park Way. Ilf —5E 126
Parkway. Ors —5C 148
Parkway. Rain —4E 144
Parkway. Ray —7M 121
Parkway. Romf —6D 112
Parkway. Saw —3K 53
Park Way. Shenf —7J 99
Park Way. Wfd G —2J 109
Parkway Clo. Lgh S —8E 122
Parkway, The. Can I —3H 153
Parkwood. Dodd —8G 85
Parkwood Av. W'hoe —5H 177
Park Wood La. L Tot —6K 25
Parnall Rd. H'low —6C 56 (7H 21)
Parndon Ho. Lou —6L 93
Parndon Mill La. H'low —9A 52
Parndon Wood Nature Reserve. —9C 56 (1H 31)
Parndon Wood Rd. H'low —8B 56
Parnell Clo. Colc —5A 176
Parnell Rd. E3 —6D 38
(in two parts)
Parney Heath. —4H 163 (3H 17)
Parr Clo. Brain —4M 193
Parr Dri. Colc —2F 174
Parrish Pl. Upm —6M 129
Parrish View. Law —4G 165
Parrock Rd. Grav —4H 49
Parrock St. Grav —4H 49
Parrots Field. Hod —4B 54
Parry Clo. Stan H —2M 149
Parry Dri. Clac S —8G 186
Parsloe Rd. Epp G & H'low —9N 55 (1G 31)
Parsloes Av. Dag —6J 127 (5J 39)
Parsonage Clo. Chelm —2J 61
Parsonage Ct. Lou —2B 94
(off Rectory La.)
Parsonage Downs. —7G 13
Parsonage Downs. D'mw —7G 13
Parsonage Farm La. Gt Sam —1H 13
Parsonage Farm Trad. Est. Stans —6E 208
Parsonage Field. Dodd —7G 84
Parsonage Green. —3H 61 (6A 24)
Parsonage La. Barns —2H 23
Parsonage La. Bis S —9A 208 (1K 21)
Parsonage La. Enf —6B 30
Parsonage La. Gt Walt —2H 59 (4K 23)
Parsonage La. Lain —9L 117
Parsonage La. L Bad —9L 63
Parsonage La. Marg —2J 87 (4J 33)
Parsonage La. Saw —3J 21
Parsonage La. Sidc —5K 47
Parsonage La. Stans —6D 208
Parsonage La. Ten —6C 18
Parsonage Leys. H'low —3E 56
Parsonage Manorway. Belv —2K 47
Parsonage Rd. Boxt —1N 161 (2F 17)
Parsonage Rd. Grays —4F 156
Parsonage Rd. Rain —2G 144
Parsonage Rd. Tak —6B 210 (7C 12)
Parsonage St. H'std —4L 199 (3F 15)
Parsonon Wlk. Colc —4D 168
Parsons Corner. Shoe —4H 141
Parson's Field. Ded —2M 163
Parson's Heath. —6E 168 (5F 17)
Parson's Heath. Colc —6E 168 (5G 17)
Parson's Hill. Colc —9H 167
Parsons Hill. Gt Bro —7D 170 (6K 17)
Parsons La. Colc —9C 168
(in two parts)
Parsons La. Dart —4B 48
Parsons Lawn. Shoe —5H 141
Parsons Mead. Croy —7A 46
Parsons Rd. Ben —8D 120
Partridge Av. Chelm —6H 61 (7K 23)
Partridge Clo. Gt Oak —5E 18
Partridge Ct. H'low —5D 56
Partridge Dri. For —2A 166
Partridge Green. —6K 23
Partridge Grn. Bas —1H 135
Partridge Rd. H'low —5C 56 (7H 21)
Parvilles. —5B 22
Parvills. Wal A —2D 78
Paschal Way. Chelm —2F 74
Pasfield. Wal A —3D 78
Paslowes. Bas —2G 135
Paslow Wood Common. —1E 84 (3E 32)
Passfield Path. SE28 —7G 143
Passingford Bridge. —9A 82 (6A 32)
Passingham Av. Bill —1L 117
Passingham Clo. Bill —9L 101
Passmores. —5C 56 (7H 21)
Pasteur Dri. H Wood —6H 113
Paston Clo. S Fer —8L 91
Pasture Rd. Dag —6L 127
Pasture Rd. Wthm —6E 214
Patching Hall La. Chelm —3H 61 (7K 23)
Paternoster Clo. Wal A —3F 78
Paternoster Hill. Wal A —2F 78 (4E 30)
Paternoster Row. Noak H —7G 97
Paternoster Row. W on N —6M 183
Pathfields Rd. Clac S —9H 187
(in two parts)
Path, The. Gt Ben —6K 179
Pathways. Bas —1F 134
Pathway, The. Kir X —8H 183
Patient End. —5G 11
Patmore End. Ugley —4A 12
Patmore Fields. Ugley —4A 12
Patmore Heath. —5H 11
Patmore Rd. Colc —6D 168
Patmore Rd. Wal A —4E 78
Patmore Way. Romf —2N 111
Patmos Rd. SW9 —2A 46
Patricia Dri. Fob —8D 134
Patricia Dri. Horn —3J 129
Patricia Gdns. Bill —9M 101
Patten Clo. M Tey —3H 173
Patterdale. Ben —8B 120
Pattison Clo. Wthm —7D 214
Pattiswick. —7F 15
Pattiswick Corner. Bas —8F 118
Pattiswick Sq. Bas —8F 118
Pattocks. Bas —9E 118
Pattock's La. Chap —5K 15
Pattrick's La. Har —3L 201
Paula Ter. Pil H —5E 98
Paul Ct. Romf —1A 128
Pauline Clo. Clac S —7M 187
Pauline Gdns. Bill —4H 101
Pauls Ct. Can I —8G 137
Paul's Cres. Elms —1M 177
Pauls La. Hod —5A 54
Paul Spendlove Ct. Colc —6E 168
Paul's Rd. Bas —7L 117
Paul St. E15 —9E 124
Paul St. EC1 —6B 38
Pauls Way. Jay —3E 190
Pavement M. Romf —2J 127
Pavement, The. E11 —3C 124
(off Hainault Rd.)
Pavet Clo. Dag —8N 127
Pavilion Clo. Sth S —5C 140
Pavilion Dri. Lgh S —4E 138
Pavilion Pl. Bill —4H 101
Pavilion Rd. Ilf —2M 125
Pavilions, The. N Wea —4A 68
Pavilions, The. Sth S —7K 139
Pavilion Ter. Ilf —9D 110
Pavitt Meadow. Gall —8D 74
Pawle Clo. Chelm —3H 75
Pawsons Rd. Croy —7B 46
Paxfords. Bas —9H 117
Paxman Av. Colc —3H 175
Paxton Rd. Clac S —5M 187
Paycocke Clo. Bas —5G 118
Paycocke M. Bas —5F 118
Paycocke Rd. Bas —5F 118
Paycocke's. —9K 195 (7H 15)
Paycocke Way. Cogg —7L 195
Paycock Rd. H'low —5N 55
Payne End. S'don —1A 10
Payne Pl. E Han —3B 90
Paynes La. Bore —3D 62
Payne's La. L Bro —4H 171 (5A 18)
(in two parts)
Paynes La. Wal A —4C 64
Paynters Mead. Bas —3F 134
Paynters Ter. H'std —4L 199
Payzes Gdns. Wfd G —2F 108
Peacehaven. Frin S —9K 183
Peace Rd. S'way —9D 166
Peach Av. Hock —8D 106
Peacock Clo. Brain —7G 192
Peacock Clo. Horn —8J 113
Peacock Rd. Stans —4D 208
Peacocks. H'low —5M 55
Peacocks Rd. Caven —2F 9
Peacock Ter. Hod —2B 54
Peacock Wood. Hut —9L 99
Peakes Clo. Tip —7B 212
Peakes La. Chesh —3B 30
Peakes Way. Chesh —3B 30
Peaketon Av. Ilf —8K 109
Pea La. Upm —9D 130 (5E 40)
Peal Rd. Saf W —6M 205
Pearce Mnr. Chelm —2A 74
Pearcroft Rd. E11 —4D 124
Peareswood Rd. Eri —6D 154
Pearl Rd. E17 —7A 108
Pearmain Clo. W'fd —7L 103
Pearmain Way. S'way —2D 174
Pear Rd. E11 —5D 124
Pearsall Ct. Clac S —1L 191
Pearsons. Stan H —2B 150
Pearsons Av. Ray —3H 121
Peartree Bus. Cen. S'way —2F 174
Peartree Clo. Brain —7J 193
Peartree Clo. Dodd —8G 85
Peartree Clo. Eri —6B 154
Peartree Clo. Sth S —3A 140
Peartree Clo. S Ock —2F 146
Pear Tree Ct. E18 —5H 109
Peartree Gdns. Dag —6G 126
Peartree Gdns. Romf —6N 111
Peartree Green. —7G 84 (5E 32)
Peartree Hill. M Bur —3A 16
Peartree La. Bulp —5B 132
Peartree La. Dan —7F 76 (3E 34)
Peartree La. Dodd —7F 84
Peartree La. Shorne & High —5K 49
Pear Tree Mead. H'low —6F 56
Peartree Rd. S'way —2E 174 (7C 16)
Pear Trees. Ben —2F 136
Pear Trees. Ingve —3M 115
Peartree Way. L Cla —3G 187
Pease Clo. Horn —9F 128
Pease Pl. E Han —3B 90
Peaslands Rd. Saf W —5L 205 (7C 6)
Peas Mead Ter. E4 —1C 108
Peawood La. A'lgh —8L 163
Pebmarsh. —2H 15
Pebmarsh Clo. Colc —6A 176
Pebmarsh Dri. W'fd —1M 119
Pebmarsh Rd. Coln E —3H 15
Pebmarsh Rd. Peb & Alph —2J 15
Peckham. —2C 46
Peckham High St. SE15 —2C 46
Peckham Hill St. SE15 —2C 46
Peckham Pk. Rd. SE15 —2C 46
Peckham Rd. SE5 & SE15 —2B 46
Peckham Rye. SE22 & SE22 —3C 46
(in two parts)
Peck's Hill. Naze —9E 54 (1E 30)
Pedder's Clo. Colc —3G 175
Pedlars Clo. Dan —4G 76
Pedlars End. —1B 32
Pedlars La. Ther —7B 4
Pedlars Path. Dan —4G 76
Pedley Rd. Dag —3H 127
Peel Av. Shoe —6L 141
Peel Clo. E4 —8B 92
Peel Cres. Brain —5G 192
Peel Dri. Ilf —7L 109
Peel Pl. Ilf —6L 109
Peel Rd. E18 —5F 108
Peel Rd. Chelm —7N 61
Peel Way. Romf —6K 113
Peerage Way. Horn —2K 129
Peerswood Rd. Colc —4L 175
Pegasus Way. Brain —3G 192
Pegasus Way. Colc —6C 168
Pegelm Gdns. Horn —2K 129
Peggotty Clo. Chelm —5H 61
Peggy's Wlk. L'bry —1H 205
Peg Millar's La. F'std —3D 24
Pegrams Rd. H'low —6B 56
Pegs La. Hert —5B 20
Pegs La. Wid —3F 21
Peldon. —3E 26
Peldon Pavement. Bas —7E 118
Peldon Rd. Gt Wig —4D 26
Peldon Rd. H'low —5N 55
(in two parts)
Peldon Rd. Pel —9A 176 (3E 26)
Pelham Av. Bark —1E 142
Pelham Clo. Har —5H 201
Pelham Pl. Stan H —1N 149
Pelham Rd. E18 —7H 109
Pelham Rd. Brau —6E 10
Pelham Rd. Clav —3J 11
Pelham Rd. Grav —4G 49
Pelham Rd. Ilf —4C 126
Pelham Rd. Sth S —5C 140
Pelham Rd. S. Grav —4G 49
Pelhams La. Colc —8N 167
Pelly Av. Wthm —7D 214
Pelly Ct. Epp —1E 80
Pemberry Hall. Bas —9E 118
Pemberton Av. Ing —5D 86
Pemberton Av. Romf —7F 112
Pemberton Ct. Ing —5D 86
Pemberton Gdns. Romf —9K 111
Pembrey Way. Horn —8G 128
Pembridge La. Brox —1B 30
Pembroke Av. Corr —1B 150
Pembroke Av. Mal —7J 203
Pembroke Bus. Cen. Bas —5F 118
Pembroke Clo. Bill —3J 101
Pembroke Clo. Colc —3C 176
Pembroke Clo. Horn —8K 113
Pembroke Ct. Bas —1J 135
Pembroke Gdns. Clac S —7B 188
Pembroke Gdns. Dag —5N 127
Pembroke Ho. R'fd —8L 123
Pembroke M. Pits —7K 119
Pembroke Pl. Chelm —4K 61
(in two parts)
Pembroke Rd. E17 —9B 108
Pembroke Rd. Eri —3A 154 (1A 48)
Pembroke Rd. Ilf —3E 126
Pembury Rd. E8 —5C 38
Pembury Rd. Wclf S —7H 139
Pendine Clo. Corr —1B 150
Pendle Clo. Bas —6H 119
Pendle Dri. Bas —7G 119
Pendlestone. Ben —2J 137
Pendlestone Rd. E17 —9B 108
Penerley Rd. Rain —5F 144
Penfold Rd. Clac S —2J 191
Penge. —5C 46
Penge Rd. SE25 & SE20 —6C 46
Penhill Rd. Bex —4J 47
Penhurst Av. Sth S —4L 139
Penhurst Rd. Ilf —4A 110
Penistone Wlk. Romf —3G 113
Penlan Hall La. For —5A 16
Penlow Rd. H'low —6C 56
Penn Clo. Ors —4D 148
Penn Gdns. Romf —4M 111
Pennial Rd. Can I —1G 153
Pennine. Sth S —5M 139
(off Coleman St.)
Pennine Rd. Chelm —5F 60
Pennine Way. Bexh —6C 154
Pennington Clo. Romf —2M 111
Pennington La. Stans —1C 208 (6A 12)
Penn M. Brain —8J 193
Pennsylvania La. Tip —5A 212
(in two parts)
Penny Clo. Rain —3F 144
Pennyfields. War —1F 114
Penny La. Stan H —1N 149
Pennymead. H'low —2F 56
Pennypot. Ded —2M 163
Pennyroyal Cres. Wthm —3B 214
Penny Royal Rd. Dan —4D 76 (2D 34)
Penny's La. Marg —1H 87
Penny Steps. Sth S —7A 140
(off Hawtree Clo.)
Pennystone Rd. Saf W —5L 205
Penrhyn Av. E17 —5A 108
Penrhyn Cres. E17 —5A 108
Penrhyn Gro. E17 —5A 108
Penrice Clo. Colc —9E 168
Penrith Cres. Rain —7E 128
Penrith Rd. Ilf —3E 110
Penrith Rd. Romf —3L 113
Penrose Mead. Writ —2K 73
Penshurst. H'low —9G 53
Penshurst Dri. S Fer —3K 105
Penshurst Pl. Bla N —2B 198
Penson's La. G'sted —7F 68
Penticton Rd. Brain —6F 192
Pentire Clo. Upm —1B 130
Pentire Rd. E17 —5D 108
Pentland Av. Chelm —5J 61
Pentland Av. Shoe —8G 141
Pentlow. —3F 9
Pentlow Hill. Pent —3G 9
Pentlow La. Caven —2F 9
Pentlow Way. Buck H —6L 93
Pentney Rd. E4 —7D 92
Penton Ho. SE2 —8J 143
Penton St. N1 —6A 38
Pentonville Rd. N1 —6A 38
Penventon Ct. Til —7C 158
(off Dock Rd.)
Penwood Clo. Bill —2M 101
Penzance Clo. Chelm —6N 61
Penzance Clo. Clac S —4G 191
Penzance Gdns. Romf —3L 113
Penzance Rd. Romf —3L 113
Peony Clo. Pil H —5E 98
Peony Ct. E4 —4E 108
Pepper All. Lou —1F 92
Peppercorn Clo. Colc —5N 167
Pepper Hill. Gt Amw —5D 20
Peppermint Pl. E11 —5E 124
Pepper's Green. —6G 23
Pepper's Rd. Colc —7M 161
Pepples La. Wim —1E 12
Pepys Clo. Dart —9L 155
Pepys Clo. Til —6E 158
Pepys Rd. SE14 —2C 46
Pepys St. Har —2M 201
Percival Gdns. Romf —1H 127
Percival Rd. Horn —1G 129
Percival Rd. Kir S —5G 182
Percival Rd. W on N —4N 183
Percival St. EC1 —6A 38
Percy Cottis Rd. R'fd —4K 123
Percy Rd. E11 —2E 124
Percy Rd. N21 —7B 30
Percy Rd. Ilf —2F 126
Percy Rd. Lgh S —4C 138
Percy Rd. Romf —7N 111
Percy St. Grays —4M 157
Peregrine Clo. Bas —2C 134
Peregrine Clo. Clac S —7K 187
Peregrine Clo. Shoe —5J 141
Peregrine Ct. Colc —7F 168
Peregrine Dri. Ben —4C 136
Peregrine Dri. Chelm —5B 74
Peregrine Gdns. Ray —4H 121
Peregrine Rd. Ilf —2G 111
Peregrine Wlk. Horn —8F 128
Peregrin Rd. Wal A —4G 78
Perkins Rd. Ilf —9C 110
Perriclose. Chelm —4M 61
Perrin Pl. Chelm —1B 74
Perry Clo. Rain —2B 144
Perryfields. Mat G —6B 22
Perry Green. —3G 21
Perry Grn. Bas —7C 118
Perry Grn. B'wll —7F 15
Perry Gro. Dart —9L 155
Perry Hall Rd. Orp —7H 47
Perry Hill. SE23 —4D 46
Perry Hill. Chelm —8M 61
Perry Hill. Naze —2F 64
(in two parts)
Perry La. L'ham —4F 162
Perrymans Farm Rd. Ilf —1C 126
Perry Rise. SE23 —4D 46
Perry Rd. Ben —3B 136
Perry Rd. Dag —5L 143
Perry Rd. H'low —7B 56
Perry Rd. Tip —6B 212
Perry Rd. Wthm —6E 214
Perry Spring. Bas —2E 134
Perry Spring. H'low —5H 57
Perry Street. —4G 49
Perry St. Bill —5H 101 (7J 33)
Perry St. Chst —5H 47
Perry St. Dart —9C 154 (3A 48)
Perry St. N'fleet —4G 49
Perry Vale. SE23 —4C 46
Perry Way. Ave —7N 145
Perry Way. Wthm —6E 214
Persardi Ct. Colc —7A 176
Pershore Clo. Ilf —9A 110
Pershore End. Colc —1F 174
Perth Clo. Colc —5A 176
Perth Ho. Til —7C 158
Perth Rd. N22 —2A 38
Perth Rd. Bark —2C 142
Perth Rd. Ilf —1N 125 (3G 39)
Perth Ter. Ilf —2B 126
Pertwee Clo. B'sea —5D 184
Pertwee Dri. Chelm —4G 74
Pertwee Dri. S Fer —1J 105
Pertwee Way. L'hoe —9B 176
Pesthouse La. Gt Oak —5E 18
Petands Ct. Horn —5H 129
(off Randall Dri.)
Peterborough Av. Upm —3B 130
Peterborough Gdns. Ilf —2L 125
Peterborough Rd. E10 —9C 108
Peterborough Way. Bas —7G 119
Peter Bruff Av. Clac S —8G 187
Peterfield's La. Gosf —4E 14
Peters Clo. Dag —3J 127
Peters Ct. Lain —9K 117
Petersfield. Chelm —5K 61
Petersfield Av. Romf —3J 113 (2C 40)
Petersfield Clo. Romf —3L 113
Peterson Ct. Lou —1N 93
Peterstone Rd. SE2 —9G 143
Peter St. Stock —8A 88
Peterswood. H'low —7C 56
(in two parts)
Petherton Rd. N5 —5B 38
Petit Way. Cres —3H 207 (2E 24)
Petlands. L Wal —5C 6
Peto Av. Colc —5N 167
Petrebrook. Chelm —8B 62
Petre Clo. Ing —7C 86
Petre Clo. W H'dn —1M 131
Petrel Way. Chelm —4D 74
Petresfield Way. W Horn —1M 131
Petrolea Clo. Colc —6N 167
Pett Clo. Horn —4F 128
Pettits Boulevd. Romf —5C 112
Pettits Clo. Romf —6C 112
Pettits La. Dodd —7H 85 (5F 33)
Pettits La. Romf —6C 112 (2A 40)
Pettits La. N. Romf —5B 112 (2A 40)
Pettits Pl. Dag —7M 127
Pettits Rd. Dag —7M 127
Pettley Gdns. Romf —9B 112
Pettman Cres. SE28 —1H 47
Petts La. L Wal —5C 6
Petts Wood. —7H 47
Petts Wood Rd. Orp —7H 47
Petunia Cres. Chelm —5A 62
Petworth Clo. Bla N —1B 198
Petworth Clo. W'hoe —6J 177
Petworth Gdns. Sth S —4D 140
Petworth Way. Horn —6D 128
Pevensey Clo. Pits —9J 119
Pevensey Dri. Clac S —4G 191
Pevensey Gdns. Hull —7M 105
Pevensey Rd. E7 —6F 124
Peverel Av. Hat P —5N 63
Peverel Ho. Dag —4M 127
Peverells. Wim —1D 12
Pewsey Clo. E4 —2A 108
Pharisee Green. —1F 23
Pharisee Grn. D'mw —1F 23
Pharos La. W Mer —3K 213

Pheasanthouse Wood Nature Reserve. —3B 58 (4J 23)
Phelips Rd. H'low —8N 55
Philan Way. Romf —3B 112
Philbrick Cres. Ray —4J 121 (in two parts)
Philip Av. Romf —3B 128
Philip Clo. Pil H —5E 98
Philip Clo. Romf —3B 128
Philip Clo. W on N —6K 183
Philip Hill. H'low —4J 57
Philip La. N15 —3B 38
Philippa Way. Grays —2D 158
Philip Rd. Rain —3C 144
Philip Rd. Wthm —7B 214
Philips Clo. Rayne —6B 192
Philips Rd. Rayne —6B 192
Phillida Rd. Romf —6L 113
Phillip Rd. W'hoe —6H 177
Phillips Chase. Brain —3J 193
Philmead Rd. Ben —4B 136
Philpot End. —2F 23
Philpot End La. D'mw —2F 23
Philpot Path. Ilf —5B 126
Philpott Av. Sth S —4B 140
Philpotts Ho. Rayne —5B 192
Phipp Clo. Broom —5G 60
Phipp Ho. Newp —7D 204
Phipps Hatch La. Enf —5B 30
Phoenix Ct. E4 —9B 92
Phoenix Ct. Colc —1D 176
Phoenix Gro. Chelm —2B 74
Phoenix Way. Ray —8J 121
Picardy Manorway. Belv —9N 143 (1K 47)
Picardy Rd. Belv —1K 47
Picardy St. Belv —1K 47
Picasso Way. Shoe —6L 141
Piccadilly. W1 —7A 38
Piccotts La. Gt Sal —6A 14
Pickers Way. Clac S —6B 188
Picketts. Can I —1D 152
Picketts Av. Lgh S —2D 138
Picketts Clo. Lgh S —2D 138
Pickford La. Bexh —2K 47
Pickford Wlk. Colc —8F 168
Pick Hill. Wal A —2F 78
Pickhurst La. W Wick & Brom —7E 46
Picknage Rd. Bar —6F 5
Pickpocket La. Brain —2D 198 (in three parts)
Pickwick Av. Chelm —5F 60
Pickwick Clo. Lain —8M 117
Picton Clo. Ray —6L 121
Picton Gdns. Ray —6L 121
Pier App. Sth S —7M 139
Pier Av. Clac S —1J 191 (4D 28)
Pierce Glade. Tip —6C 212
Piercing Hill. They B —5C 80 (5H 31)
Piercys. Bas —1J 135
Pier Gap. Clac S —3K 191
Pier Hill. Sth S —7M 139
Pierrefitte Way. Brain —5G 193 (7C 14)
Pier Rd. E16 —1G 47
Pier Rd. Eri —4C 154 (in two parts)
Pier Rd. Grnh —9E 156
Pierrot Steps. Sth S —7A 140 (off Kursaal Way)
Pier Wlk. Grays —4K 157
Pier Way. SE28 —9C 142
Piggs Corner. Grays —1M 157
Pightle, The. F'fld —2K 13
Pightle, The. H'hll —3J 7
Pightle Way. W on N —7K 183
Pig La. Bis S —2K 21
Pig Street. —8K 181
Pigstye Green. —2J 71 (2F 33)
Pigstye Grn. Rd. Will —2J 71 (2F 33)
Pike La. Upm —7C 130 (4D 40)
Pike Way. N Wea —6M 67
Pilborough Way. Colc —3F 174
Pilcox Hall La. Ten —6B 18
Pilgrim Clo. Brain —3H 193
Pilgrims Clo. Bill —6K 101
Pilgrims Clo. Gt Che —3L 197
Pilgrim's Clo. Pil H —4C 98
Pilgrims Clo. Sth S —5C 140
Pilgrims' Hatch. —5E 98 (7E 32)
Pilgrims La. N Stif —8F 146 (7E 40)
Pilgrims La. Pil H —3A 98
Pilgrims Rd. Swans —9H 157
Pilgrims Wlk. Bill —6K 101
Pilgrims Way. Ben —3M 137
Pilgrims Way. Cux —7K 49
Pilgrim Way. Lain —9L 117
Pilkingtons. H'low —4J 57
Pilot Clo. W'fd —2A 120
Pimlico. —1A 46
Pimpernel Way. Romf —3H 113
Pinceybrook Rd. H'low —7B 56
Pincey Ga. Stan Apt —6M 209
Pincey Mead. Bas —1H 135
Pincey Rd. Stan Apt —6L 209
Pinchpools Rd. Man —5K 11
Pindar Rd. Hod —4C 54
Pine Av. E15 —7D 124
Pine Clo. E10 —4B 124
Pine Clo. Can I —2E 152
Pine Clo. Gt Ben —6L 179
Pine Clo. Ing —5E 86
Pine Clo. Lgh S —1A 138
Pine Clo. W'fd —2K 119
Pinecourt. Upm —6M 129
Pine Cres. Hut —3N 99
Pinecroft. Gid P —8G 112
Pinecroft. Hut —6L 99
Pinecroft Gdns. H'wds —4B 168
Pine Dri. Ing —5E 86
Pine Gro. W Mer —2J 213
Pine Gro. Wthm —2D 214
Pine Rd. Ben —4K 137
Pines Hill. Stans —4C 208 (6A 12)
Pines Rd. Brom —6G 47
Pines Rd. Chelm —6F 60
Pines, The. Grays —8L 147
Pines, The. Hat P —1L 63
Pines, The. Lain —6L 117
Pines, The. Wfd G —9G 92
Pine Tree Ct. Colc —7E 168
Pinetrees. Ben —3J 137
Pine View Mnr. Epp —9F 66
Pinewood Av. Lgh S —9C 122
Pinewood Av. Rain —4F 144
Pinewood Clo. Clac S —6J 187
Pinewood Clo. H'low —4H 57
Pinewood Clo. Hull —6L 105
Pinewood Clo. Kir X —8G 183
Pinewood Clo. Stan H —1K 159
Pinewood Rd. Hav —1A 112
Pinewood Way. Hut —4N 99
Pinkeneys. Chris —5H 5
Pinkham Dri. Wthm —7C 214
Pinkham Way. N11 —2A 38
Pinkney Clo. Wim —1D 12
Pinkuah La. Pent —3F 9
Pinley Gdns. Dag —1G 142
Pinmill. Bas —9C 118
Pinnacles. —3M 55 (7G 21)
Pinnacles. Wal A —4E 78
Pinnacles Ind. Est. H'low —3M 55
Pinners Clo. Bur C —6B 36
Pintail Cres. Bla N —2C 198
Pintail Rd. Wfd G —4H 109
Pintails. Pits —9K 119
Pintolls. S Fer —2K 105
Pioneer Mkt. Ilf —5A 126 (off Winston Way)
Pioneer Pl. Colc —9A 168
Pipchin Rd. Chelm —5H 61
Piper Rd. Colc —8J 167
Piper's Tye. Chelm —7E 74
Pippin Ct. W'fd —8H 103
Pippin Rd. Bur C —2M 195
Pippins, The. H'std —4J 199
Pipps Hill. —7A 118 (3K 41)
Pipps Hill Ind. Est. Bas —6A 118
Pipps Hill Rd. N. Cray H —4C 118 (2A 42)
Pirie Rd. W Ber —3F 166
Pishiobury Dri. Saw —4H 53
Pishiobury M. Saw —5J 53
Pitcairn Clo. Romf —8M 111
Pitchford St. E15 —9D 124
Pitfield Cres. SE28 —8F 142
Pitfield St. EC1 —6B 38
Pit La. Tip —5C 212
Pitmans Clo. Sth S —6M 139
Pitmire La. Lmsh —7K 9
Pitsea. —1J 135 (4B 42)
Pitsea Hall Country Park. —5J 135 (4B 42)
Pitsea Hall La. Pits —5J 135 (4B 42)
Pitsea Rd. Pits —9H 119 (3B 42)
Pitsea View Rd. Cray H —3E 118
Pitseaville Gro. Bas —2F 134
Pitt Av. Wthm —7D 214
Pitt Chase. Gt Bad —4F 74
Pittfields. Bas —1J 133
Pitt Grn. Wthm —7D 214
Pittman Clo. Ingve —2M 115
Pittman Gdns. Ilf —7B 126
Pittman's Field. H'low —2E 56
Pittwood. Shenf —7K 99
Place Farm La. Dodd —7D 84 (5E 32)
Pladda M. W'fd —2N 119
Plains Farm Clo. A'lgh —1D 168
Plains Field. Brain —7M 193
Plains Rd. Gt Tot —5J 25
Plain, The. Epp —7G 67 (3J 31)
Plaistow. —6E 38
Plaistow Clo. Stan H —3M 149
Plaistow Green. —9J 199 (4F 15)
Plaistow Grn. Rd. H'std —9H 199 (4F 15)
Plaistow La. Brom —5F 47 (in two parts)
Plaistow Rd. E15 & E13 —6E 38
Plane Tree Clo. Bur C —2L 195
Plane Tree Clo. Chelm —4C 74
Plantaganet Pl. Wal A —3B 78
Plantagenet Gdns. Romf —2J 127
Plantagenet Pl. Romf —2J 127
Plantain Gdns. E11 —5D 124 (off Hollydown Way)
Plantation Clo. Saf W —7L 205
Plantation Rd. Bore —3G 63 (7C 24)
Plantation Rd. Eri —6E 154
Planton Way. B'sea —6C 184
Plashet. —8L 125 (5F 39)
Plashet Clo. Stan H —3M 149
Plashet Gdns. Brtwd —1K 115
Plashet Gro. E6 —9K 125 (6F 39)
Plashet Rd. E13 —9J 125 (6F 39)
Plashets. Srng —4A 22
Plashetts. Bas —8E 118
Plas Newydd. Sth S —8C 140
Plas Newydd Clo. Sth S —8C 140
Platford Grn. Horn —8J 113
Plaw Hatch Clo. Bis S —9A 208
Plaxton Ct. E11 —5F 124
Playfield Av. Romf —5A 112
Playhouse Sq. H'low —3B 56
Playle Chase. Gt Tot —8M 213
Plaza Way. Sth S —6B 140
Pleasant Dri. Bill —5G 101
Pleasant M. Sth S —7N 139
Pleasant Rd. Sth S —7N 139
Pleasant Ter. Lgh S —6D 138 (off Church Hill)
Pleasant Valley. Saf W —6K 205 (7B 6)
Pleasant View. Eri —3C 154
Pledgdon Green. —5D 12
Pleshey. —2A 58 (4J 23)
Pleshey Castle. —3B 58 (4J 23)
Pleshey Clo. Sth S —6E 140
Pleshey Clo. W'fd —1M 119
Pleshey Rd. F End —4J 23
Pleshey Rd. Ples —2C 58 (4J 23)
Plevna Rd. N9 —1C 38
Plough Dri. Colc —1H 175
Plough Hill. Cuff —3A 30
Plough La. L'hth —1C 16
Ploughman's Headland. S'way —1E 174
Plough Rise. Upm —2B 130
Plough Rd. Gt Ben —6K 179 (1A 28)
Plough Way. SE16 —1C 46
Plover Clo. Frin S —8H 183
Plover Gdns. Upm —3C 130
Plovers Barron. Hook E —6G 84
Plovers Mead. Wy G —6G 85
Plovers, The. St La —2C 36
Plover Wlk. Chelm —5C 74
Plowmans. Ray —3L 121
Plowman Way. Dag —3H 127
Ployters Rd. H'low —8B 56 (1H 31)
Plumberow. Bas —9N 117
Plumberow Av. Hock —9D 106
Plumberow Mt. Av. Hock —8D 106
Plume Av. Colc —2H 175
Plume Av. Mal —7J 203
Plumleys. Pits —8J 119
Plummers Rd. For —4B 16
Plumpton Av. Horn —6J 129
Plumpton Rd. Hod —3C 54
Plumptre La. Dan —5D 76
Plums La. Bar S —5K 13
Plumstead. —1H 47
Plumstead Common. —2H 47
Plumstead Comn. Rd. SE18 —2G 47
Plumstead High St. SE18 —1H 47
Plumstead Rd. SE18 —1G 47
Plum St. Glem —1F 9
Plumtree Av. Chelm —4G 74
Plumtree Clo. Dag —8N 127
Plumtree Mead. Lou —2N 93
Plymouth Ho. Bark —9F 126 (off Keir Hardie Way)
Plymouth Rd. Chelm —6N 61
Plymouth Rd. Clac S —4H 191
Plymtree. Sth S —5G 140
Pochard Way. Bla N —3C 198
Pocklington Clo. Chelm —7B 62
Pods Brook Rd. Brain —6F 192 (7C 14)
Pods La. Brain —6A 192 (7A 14)
Point Clear. —4K 27
Point Clear Rd. St O —4K 27
Point Clo. Can I —2M 153
Pointer Clo. SE28 —6J 143
Point Rd. Can I —2L 153 (6F 43)
Point Ter. E7 —7H 125 (off Claremont Rd.)
Pointwell La. Cogg —1H 25
Pole Barn La. Frin S —9J 183 (1G 29)
Polecat Rd. Cres —3F 194 (1E 24)
Pole Hill Rd. E4 —6C 92
Pole La. Whi N —2D 24
Polesworth Rd. Dag —9J 127
Poley Rd. Stan H —4L 149
Police Row. Ther —7B 4
Pollard Clo. Chig —2F 110
Pollard Hatch. H'low —6A 56
Pollards Clo. Lou —4J 93
Pollards Clo. R'fd —5K 123
Pollards Grn. Chelm —9A 62
Pollard Wlk. Clac S —8G 187
Polley Clo. Kir X —7H 183
Polstead Clo. Ray —5G 120
Polsteads. Bas —3F 134
Polstead St. Stoke N —1E 16
Polstead Way. Clac S —9F 186
Pomeroy St. SE15 —2C 46
Pomfret Mead. Bas —9B 118
Pompadour Clo. War —2F 114
Pond Chase. Colc —2H 175
Pond Clo. Hull —5L 105
Pond Cross Farm. Newp —8D 204
Pond Cross Way. Newp —8C 204
Ponders End. —7C 30
Ponders Rd. For —2A 166 (5B 16)
Pond Field End. Lou —6K 93
Pondfield La. Brtwd —1K 115 (1F 41)
Pondfield Rd. Colc —6D 168
Pondfield Rd. Dag —7N 127
Pondholton Dri. Wthm —8C 214
Pond La. Hat H —3C 202
Ponds Rd. Chelm —8C 74 (3A 34)
Pond Street. —7J 5
Pond Wlk. Upm —4B 130
Poney Chase. W Bis —7L 213
Pontypool Wlk. Romf —3G 113
Poole Ho. Grays —9E 148
Poole Rd. Horn —2K 129
Pooles La. Dag —2K 143
Pooles La. Hull —5L 105 (7F 35)
Poole St. N1 —6B 38
Poole St. Caven —2F 9
Poole St. Gt Yel —9D 198 (7D 8)
Poolhurst Wlk. Hull —4L 105 (in two parts)
Pool's La. Hghwd —7B 72
Pool Street. —7D 8
Poore St. A'den —2K 11
Poors La. Ben —2L 137
Poors La. N. Ben —1M 137 (3G 43)
Poors Piece Nature Reserve. —1F 76 (1E 34)
Poperinghe Rd. Colc —2N 175
Popes Cres. Bas —1J 135
Pope's La. Colc —8M 167
Popes Rd. Chap —5K 15
Popes Wlk. Ray —5N 121
Poplar. —7D 38
Poplar Clo. B'more —1H 85
Poplar Clo. Chelm —4D 74
Poplar Clo. Clac S —2F 190
Poplar Clo. Gt Yel —8D 198
Poplar Clo. H'std —6L 199
Poplar Clo. Ing —7C 86
Poplar Clo. S Ock —4G 146
Poplar Clo. S Fer —9J 91
Poplar Clo. Wthm —2D 214
Poplar Dri. Hut —5M 99
Poplar Gdns. SE28 —7H 143
Poplar Gro. Bur C —3L 195
Poplar High St. E14 —7D 38
Poplar Mt. Belv —1A 142
Poplar Pl. SE28 —7H 143
Poplar Rd. Can I —2J 153
Poplar Rd. Ray —7M 121
Poplar Row. They B —7D 80
Poplars Av. Hock —3D 122
Poplars Clo. Alr —7A 178
Poplar Shaw. Wal A —3F 78
Poplars Rd. E17 —1B 124
Poplars, The. Abr —2G 94
Poplars, The. Bas —9K 119
Poplars, The. D'mw —6K 197
Poplars, The. Wal A —5J 79
Poplar St. Romf —8A 112
Poplar Way. Ilf —8B 110
Poplar Way. Kir X —8G 182
Poppleton Rd. E11 —1E 124
Poppy Clo. Pil H —4E 98
Poppyfield Clo. Lgh S —9C 122
Poppy Gdns. Colc —3C 176
Poppy Grn. Chelm —5B 62
Porchester Clo. Horn —1J 129
Porchester Rd. Bill —3J 101
Pork Hall La. Gt L —2N 59 (4B 24)
Pork La. Gt Hol —7B 182 (1F 29)
Porlock Av. Wclf S —2F 138
Portal Precinct. Colc —8N 167
Porter Clo. Grays —4F 156
Porters. Bas —7K 119
Porters Av. Dag —8G 126 (5J 39)
Porters Brook Wlk. Colc —5C 168
Porters Clo. Brtwd —7D 98
Porters Clo. For H —5A 166
Porters Cotts. For H —5A 166
Porters Green. —8K 173 (1B 26)
Porters Hall Rd. Steb —7J 13
Porter's La. For H —5A 166
Porters Pk. Bore —1H 63
Porter Way. Clac S —9F 186
Port Hill. Hert —5B 20
Portia Ct. Bark —9F 126
Portland Av. Har —4L 201
Portland Av. Sth S —6N 139
Portland Clo. Brain —5K 193
Portland Clo. Romf —9K 111
Portland Cres. Har —4L 201
Portland Gdns. Romf —9J 111
Portland Pl. W1 —7A 38
Portland Rd. SE25 —6C 46
Portland Rd. Colc —9N 167
Port La. Colc —9B 168
Port La. L Hall —2K 21
Portlight Clo. Mis —4M 165
Portman Dri. Bill —3K 101
Portman Dri. Wfd G —6K 109
Portmeadow Wlk. SE2 —9J 143
Portmore Gdns. Romf —2M 111
Portnoi Clo. Romf —6B 112
Portobello Rd. W on N —6M 183
Port of Felixstowe Rd. Felix —1K 19
Port of Felixstowe, The. —2K 19
Portreath Pl. Chelm —4J 61
Portsea Rd. Til —5E 158
Portsmouth Rd. Clac S —4H 191
Portway. E15 —6E 38
Portway Ct. H'std —3L 199
Posford Ct. Colc —2N 167
Poslingford. —1D 8
Postman's La. L Bad —8M 63 (in two parts)
Post Meadow. Bill —1M 117
Post Office App. E7 —7H 125
Post Office La. L Tot —6K 25
Post Office Rd. Broom —3K 61
Post Office Rd. H'low —2C 56
Post Office Rd. Ing —6D 86
Post Office Rd. Wdhm M —5L 77 (2F 35)
Post Office Wlk. H'low —2C 56 (off Post Office Rd.)
Postway M. Ilf —5A 126 (in two parts)
Potash Rd. Bill —2M 101 (6K 33)
Potash Rd. Mat G —6D 22
Pot Kiln Rd. Gt Cor —5K 9
Potters Clo. Dan —4G 76
Potters Clo. Lou —1L 93
Potters Field. H'low —5J 57
Potter's Green. —1C 20
Potters La. Ret C —7D 90
Potter Street. —5H 57 (7J 21)
Potter St. Bis S —1K 21
Potter St. H'low —4H 57 (7J 21)
Potter St. Sib H —8C 206 (2E 14)
Potters Way. Sth S —1L 139
Pottery La. Cas H —4D 206
Pottery La. Chelm —6J 61
Poulteney Rd. Stans —1D 208
Poulton Clo. Mal —8K 203
Pound Clo. Naze —2E 64
Pound Farm Dri. Har —4H 201
Poundfield Clo. Alr —7A 178
Poundfield Rd. Lou —4N 93
Pound Fields. Writ —2K 73
Pound Ga. Steb —6J 13
Pound Hill. L Dun —1H 23
Pound La. Lain —7M 117
Pound La. Ors —4C 118
Pound La. Pits & N Ben —1N 135 (3C 42)
Pound La. Central. Lain —6M 117
Pound La. N. Lain —6M 117
Pound Wlk. Saf W —3K 205
Poverest. —7J 47
Poverest Rd. Orp —7H 47
Powdermill La. Wal A —3B 78
Powdermill M. Wal A —3B 78 (off Powdermill La.)
Powdermill Way. Wal A —2B 78
Powell Ct. E17 —7B 108
Powell Ct. R'fd —6L 123
Powell Gdns. Dag —6M 127
Powell Rd. Bas —8K 117
Powell Rd. Buck H —6J 93
Power Ind. Est. Eri —6E 154
Powerscroft Rd. E5 —5C 38
Powers Hall End. —4A 214 (4F 25)
Powers Hall End. Wthm —4A 214 (4F 25)
Pownall Cres. Colc —2N 175 (7E 16)
Pownsett Ter. Ilf —7B 126
Powys La. N13 & N14 —1A 38
Poxon Cotts. Gt Tot —8N 213
Poxon Ter. K'dn —8C 202
Poynder Rd. Til —6D 158
Poynders Rd. SW4 —3A 46
Poynings Av. Sth S —5B 140
Poynings Way. H Wood —5J 113
Poyntens. Ray —6J 121
Poynter Pl. Kir X —7J 183
Poynter's Chase. Shoe —5N 141
Poynters La. Shoe —4H 141 (4B 44)
Pratts Farm La. L Walt —8L 59 (6A 24) (in two parts)
Pratt St. NW1 —6A 38
Prayors Hill. Sib H —5A 206 (1D 14)
Prebend St. N1 —6B 38
Precinct, The. Stan H —4M 149
Premier Av. Grays —9M 147
Prentice Clo. R'fd —5L 123
Prentice Hall La. Tol —9H 211 (7C 26)
Prentice Pl. H'low —5H 57
Prescott. Bas —3L 133
Prescott Clo. Horn —3F 128
Prescott Grn. Lou —2B 94
President Rd. Colc —1F 174
Prestbury Rd. E7 —9J 125
Preston Av. E4 —3D 108
Preston Dri. E11 —9J 109
Preston Gdns. Ilf —1L 125
Preston Gdns. Ray —3K 121
Preston Ho. Dag —5M 127 (off Uvedale Rd.)
Preston Rd. E11 —1E 124
Preston Rd. Clac S —8A 188
Preston Rd. Romf —1H 113
Preston Rd. Wclf S —6J 139
Prestons Rd. Brom —7F 47
Prestwick Dri. Bis S —8A 208
Prestwood Clo. Ben —9F 120
Prestwood Dri. Ben —9G 120
Prestwood Dri. Romf —2A 112
Pretoria Av. Lain —6A 118
Pretoria Cres. E4 —7C 92
Pretoria Ho. Eri —5C 154
Pretoria Rd. E4 —7C 92
Pretoria Rd. E11 —3D 124
Pretoria Rd. N17 & N18 —2B 38
Pretoria Rd. H'std —4L 199 (3F 15)
Pretoria Rd. Ilf —7A 126
Pretoria Rd. Romf —8A 112
Pretoria Rd. N. N18 —2B 38
Prettygate Rd. Colc —1H 175 (in two parts)
Priestley Ct. Grays —2M 157
Priestley Gdns. Romf —1G 126
Priests Av. Romf —6B 112
Priest's Field. Ingve —2M 115
Priests La. Brtwd —8H 99 (1F 41)
Prime's Clo. Saf W —4K 205
Primley La. Srng —4A 22
Primrose Av. Romf —2G 126
Primrose Clo. Bas —2K 133
Primrose Clo. Can I —8G 136
Primrose Ct. Brtwd —9F 98
Primrose Field. H'low —5E 56
Primrose Glen. Horn —8J 113
Primrose Hill. Brtwd —9F 98
Primrose Hill. Chelm —8H 61
Primrose Hill. Wrab —3E 18
Primrose La. R'sy —3E 18
Primrose La. Tip —5C 212
Primrose Pl. Wthm —3B 214
Primrose Rd. E10 —3B 124
Primrose Rd. E18 —6H 109
Primrose Rd. Clac S —7B 188
Primrose Wlk. Colc —7E 168

Primrose Wlk. Mal —7L 203
Primrose Wlk. S'min —8L 207
Primula Clo. Clac S —9G 186
Primula Way. Chelm —5B 62
Prince Albert Rd. W Mer —3L 213 (5F 27)
Prince Av. Wclf S & Sth S —1F 138 (3H 43)
Prince Av. N. Wclf S —1G 138 (3H 43)
Prince Charles Av. Ors —4D 148 (6H 41)
Prince Charles Clo. Clac S —3G 191
Prince Charles Rd. SE3 —2E 46
Prince Charles Rd. Colc —4N 175
Prince Clo. Wclf S —1H 139
Prince Edward Rd. Bill —6L 101
Prince George Av. N14 —7A 30
Prince Imperial Rd. Chst —5G 47
Princel La. Ded —1M 163
Princel M. Ded —1M 163
Prince of Wales Rd. SE3 —2E 46
Prince of Wales Rd. Gt Tot —8M 213 (6H 25)
Prince of Wales Roundabout. M Tey —2K 173
Prince Philip Av. Clac S —3G 191
Prince Philip Av. Grays —8K 147
Prince Philip Rd. Colc —5N 175
Prince Regent La. E13 & E16 —6F 39
Princes Av. Ben —1F 136
Princes Av. Corr —2B 150
Princes Av. May —3D 204
Princes Av. S'min —7L 207
Princes Av. Wfd G —1H 109
Princes Clo. Bill —2L 101
Princes Clo. Lain —7N 117
Princes Clo. N Wea —4A 68
Princes Ct. Bill —2L 101
Princes Ct. Sth S —2K 139
Prince's Esplanade. W on N —6N 183 (1H 29)
Princesfield Rd. Wal A —3H 79
Princes Ga. S'min —7L 207
Princes M. Bill —2L 101
Princes Pk. Rain —9E 128
Prince's Rd. Brtwd —9J 83 (6C 32)
Princes Rd. Buck H —8J 93
Princes Rd. Bur C —2L 195
Princes Rd. Can I —2F 152
Princes Rd. Chelm —3B 74 (2A 34)
Princes Rd. Clac S —7A 188
Princes Rd. Dart —3B 48
Princes Rd. Har —4K 201
Princes Rd. Ilf —8C 110
Princes Rd. Mal —6K 203
Prince's Rd. Romf —9E 112
Princes Road Interchange. (Junct.) —4C 48
Princess Anne Clo. Clac S —3G 191
Princess Av. E Til —2L 159
Princess Ct. W'fd —8A 104
Princess Dri. H'wds —2C 168
Princess Gdns. R'fd —2H 123
Princess Ga. H'low —9D 52
Princess Margaret Rd. Linf & E Til —1K 159 (1J 49)
Princess Pde. Dag —2M 143
Princess Rd. Ray —4M 121
Princess St. Har —2H 201
Princes St. Mal —5J 203
Princes St. Sth S —6L 139
Princes Way. Buck H —8J 93
Princes Way. Hut —8K 99
Princeton M. Colc —3B 168
Prince William Av. Can I —8F 136
Printers Way. H'low —7F 52
Prior Chase. Badg D —2J 157
Prior Clo. H'std —6J 199
Priories, The. Hull —7K 105
Prior Rd. Ilf —5N 125
Priors Clo. Bas —9D 118
Priors Ct. Saw —2M 53
Priors Ct. S'min —7M 207
Priors E. Bas —9D 118
Priors Hall Barn. —3B 12
Priors Pk. Horn —5G 129
Priors Way. Cogg —7L 195
Priors Way. S'min —7M 207
Priors Wood Rd. Tak —7C 210
Prior Way. Colc —5L 167
Priory Av. E4 —9A 92
Priory Av. E17 —9A 108
Priory Av. H'low —7H 53
Priory Av. Sth S —3L 139
Priory Clo. E4 —9A 92
Priory Clo. E18 —5G 108
Priory Clo. Chelm —9G 61
Priory Clo. Hat P —5M 63
Priory Clo. Hod —6A 54
Priory Clo. I'tn —2H 197
Priory Clo. Pil H —4D 98
Priory Ct. H'low —6G 57
Priory Cres. Sth S —2K 139 (4J 43)
Priory Cres. Ind. Area. Sth S —2L 139
Priory Dri. Stans —4D 208
Priory Farm Rd. Hat P —4M 63
Priory Gro. Romf —9J 97
Priory Ho. Wclf S —3K 139
Priory Ind. Pk. Sth S —2M 139
Priory La. Bick —9E 76
Priory La. L'ham —3G 162
Priory Mead. Dodd —6F 84
Priory M. Hat P —4N 63
Priory M. Horn —3F 128
Priory Pk. St O —9M 185
Priory Path. Romf —9J 97
Priory Rd. N8 —3A 38
Priory Rd. Bark —9C 126
Priory Rd. Bick —9E 76
Priory Rd. Chap —5K 15
Priory Rd. Clac S —1J 191
Priory Rd. Lou —3L 93
Priory Rd. Romf —9J 97
Priory Rd. Stan H —2N 149
Priory Rd. Tip —4J 25
Priory Rd. N. Dart —9H 155
Priory St. Colc —9N 167 (6F 17)
Priory St. E Col —2C 196
Priory, The. Bill —3L 101
Priory, The. Writ —1K 73
Priory View Rd. Lgh S —1D 138
Priory Vineyards. —1H 23
Priory Wlk. Colc —8N 167
Priory Wood. Cas H —3C 206
Priory Wood Cres. Lgh S —1D 138
Priorywood Dri. Lgh S —1D 138
Priory Wood Roundabout. L Hall —9F 208
Pritchard's Rd. E2 —6C 38
Prittle Clo. Ben —1J 137
Prittlewell. —3H 139 (4J 43)
Prittlewell Chase. Wclf S —3G 139 (4J 43)
Prittlewell Path. Sth S —4M 139
Prittlewell Priory Museum. —3L 139 (4J 43)
Prittlewell Sq. Sth S —7L 139
Prittlewell St. Sth S —5M 139
Private Rd. Chelm —6M 73
Proctor Clo. L'hoe —9C 176
Proctor Way. M Tey —3G 173
Progress Ct. Brain —5G 193
Progress Rd. Lgh S —9B 122 (3G 43)
Progress Way. L Cla —4G 187 (2D 28)
Promenade. Clac S —2L 191
Promenade. Har —6K 201
Promenade. Jay —5F 190
Promenade. May —1C 204
Promenade. St O —6A 190
Promenade, The. Hull —5K 105
Promenade, The. Shoe —9G 140
Promenade Way. B'sea —8C 184
Prospect Av. Stan H —4K 149
Prospect Bus. Pk. Lou —3C 94
Prospect Clo. Hat P —3L 63
Prospect Clo. Sth S —7A 140
Prospect Hill. E17 —8B 108 (3D 38)
Prospect Ho. E17 —7C 108
(off Prospect Hill)
Prospect Pk. Gt Hol —9D 182
Prospect Pl. Grays —4L 157
Prospect Pl. H'std —5K 199
Prospect Pl. Romf —6A 112
Prospect Pl. Saf W —4M 205
Prospect Rd. Horn —7K 113
Prospect Rd. Wfd G —3J 109
Prospect Way. Hut —3A 100
Prospero Clo. Colc —8F 168
Protea Way. Can I —1H 153
Prout Ind. Est. Can I —2M 153
Provence Clo. S'way —8D 166
Providence. Bur C —4M 195
Providence Pl. Colc —9B 168
Providence Pl. Romf —6L 111
Provident Sq. Chelm —9L 61
Prower Clo. Bill —7K 101
Prunus Ct. Colc —7A 176
Prykes Dri. Chelm —9H 61
Pryor Clo. Wthm —6D 214
Pryors Rd. Gall —8D 74
Puckeridge. —7E 10
Puck La. Bas —1D 134
Puck La. Wal A —8E 64
Puckleside. Bas —2L 133
Pudding La. B'ch —2C 26
Pudding La. Chig —5D 94 (7H 31)
Puddledock La. Dart —5A 48
Pudsey Hall La. Cwdn —6M 107
Puffin Pl. Shoe —5J 141
Puffinsdale. Clac S —8K 187
Pugh Pl. Stan H —1M 149
Pulpitfield Clo. W on N —6K 183
Pulpits Clo. Hock —9E 106
Pulteney Rd. E18 —7H 109
Pump Hill. Bre P —3G 11
Pump Hill. Chelm —4G 75
Pump Hill. Lou —1M 93
Pump Hill. St O —9A 186
Pump La. Dan —5D 76
Pump La. Epp G —3A 66
Pump La. Ples —3A 58
Pump La. Spri —3N 61 (7B 24)
Pump Mead Clo. S'min —7L 207
Pump Rd. Pur —3G 35
Pump St. Horn H —3J 149 (6J 41)
Purbeck Ct. Chelm —4F 74
Purbeck Rd. Horn —2E 128
Purcell Clo. Bas —7M 117
Purcell Clo. Colc —9E 168
Purcell Clo. Stan H —2L 149
Purcell Cole. Writ —1J 73
Purcell Way. Stan H —2L 149
Purdeys Ind. Est. R'fd —7M 123
Purdeys Way. R'fd —7M 123
Purfleet. —3L 155 (1C 48)
Purfleet By-Pass. Purf —2M 155 (1C 48)
Purfleet Ind. Pk. Ave —9K 145
Purfleet Rd. Ave —9L 145 (1C 48)
Purford Grn. H'low —4F 56
Purland Clo. Dag —3L 127
Purland Rd. SE28 —9E 142
Purleigh. —3G 35
Purleigh Av. Wfd G —3L 109
Purleigh Clo. Bas —6K 119
Purleigh Gro. Cold N —4H 35
Purleigh Rd. Ray —4H 121
Purleigh St. Pur —3H 35
Purley Clo. Ilf —6N 109
Purley Way. Clac S —7F 186
Purley Way. Croy & Kenl —7A 46
Purley Way. Wclf S —1H 139
Purlieu Way. They B —5D 80
Purton End. —1C 12
Purvis Way. H'wds —2B 168
Putney Gdns. Chad H —9G 111
Putticks La. E Ber —1J 17
Puttock End. —5F 9
Puttock's End. —2D 22
Pye Corner. —5H 21
Pye Corner. Cas H —3C 206
Pyefleet Clo. B'sea —6D 184
Pyefleet Clo. Fing —8H 177
Pyefleet Ho. W Mer —2L 213
(off Carrington Ct.)
Pyefleet View. L'hoe —8B 176
Pyenest Rd. H'low —6A 56 (7G 21)
Pyesand. Kir S —6F 182
Pyes Bridge. Fels —1A 24
Pygot Pl. Brain —4G 192
Pym Pl. Grays —2K 157
Pyms Rd. Chelm —7C 74
Pynchon M. Chelm —8M 61
Pynchon Paddocks. L Hall —3A 22
Pyne Ga. Gall —9C 74
Pynest Grn. La. Wal A —8G 78 (5F 31)
Pypers Hatch. H'low —3E 56
Pyrles Grn. Lou —9A 80
Pyrles La. Lou —1A 94 (6G 31)
Pytt Field. H'low —4G 57

Quadrant Arc. Romf —9C 112
Quadrant, The. Purf —2N 155
Quaker La. Wal A —4C 78 (4E 30)
Quakers All. Colc —8N 167
Quantock. Sth S —6M 139
(off Chichester Rd.)
Quantock Rd. Bexh —7C 154
Quarles Clo. Romf —4M 111
Quarry Hill. Grays —3K 157
Quarry M. Purf —2L 155
Quarry Spring. H'low —3F 56
Quarter Ga. S Fer —3L 105
Quarter Mile La. E10 —6B 124
Quatre Ports. E4 —2D 108
Quay La. Beau —2M 181 (7E 18)
Quay La. Grnh —9E 156
Quay La. Kir S —6G 182
Quayside Pk. Mal —4L 203
Quay St. Mann —4J 165
Quay St. W'hoe —7H 177
Quay, The. Bur C —4M 195
Quay, The. Har —1M 201 (2H 19)
Quay, The. St O —9L 185
Quay, The. W'hoe —7H 177
Quebec Av. Sth S —6N 139
(in two parts)
Quebec Rd. Ilf —2A 126
Quebec Rd. S Fer —2K 105
Quebec Rd. Til —7C 158
Queen Anne Av. Brom —6E 46
Queen Anne Dri. W Mer —3L 213
Queen Anne Gdns. W Mer —2L 213
Queen Anne Rd. W Mer —3L 213
Queen Anne's Clo. Wclf S —2H 139
Queen Anne's Dri. Wclf S —2H 139
Queen Anne's Gro. Hull —8K 105
Queen Anne's M. Wclf S —2H 139
Queenborough Gdns. Ilf —8N 109
Queenborough La. Brain —7C 192 (7B 14)
(in two parts)
Queenborough Rd. S'min —7L 207 (5C 36)
Queenbury Clo. W Mer —3M 213
Queen Edith Dri. Stpl B —3C 210
Queen Elizabeth Av. Clac S —3G 191
Queen Elizabeth Av. E Til —2K 159
Queen Elizabeth Chase. R'fd —8L 123
Queen Elizabeth Dri. Corr —9A 134
Queen Elizabeth Pl. Til —9C 158
Queen Elizabeth II Bri. Dart & Grays —8A 156
Queen Elizabeth II Sq. S Fer —1L 105
Queen Elizabeth's Hunting Lodge. —6F 92 (7E 30)
Queen Elizabeth Way. Colc —5A 176
Queen Mary Av. Colc —2N 175
Queen Mary Av. E Til —2L 159
Queen Mary Clo. Romf —1D 128
Queen Mary Ct. Til —2L 159
Queens All. Epp —1E 80
Queens Av. Hull —4L 105
Queens Av. Lgh S —5D 138
Queen's Av. Mal —7K 203
Queen's Av. Wfd G —2H 109
Queensberry Av. Cop —2M 173
Queensbridge Rd. E8 & E2 —5B 38
Queens Clo. Stans —1D 208
Queens Corner. W Mer —2L 213
Queens Ct. Bur C —4L 195
Queen's Ct. Lgh S —6E 138
Queens Ct. W Mer —2L 213
Queens Dri. E10 —2A 124
Queen's Dri. Wal X —4A 78
Queens Farm Rd. Shorne —4K 49
Queen's Gdns. Pan —1C 192
Queen's Gdns. Rain —2B 144
Queens Gdns. Upm —1C 130
Queens Ga. Cen. Grays —3L 157
Queensgate Cen. H'low —8D 52
Queens Ga. M. Bill —3H 101
Queens Gro. Rd. E4 —7D 92
Queen's Head Rd. Boxt —6L 161 (3E 16)
Queensland Av. R'fd —8L 123
Queensland Cres. Chelm —6F 60
Queensland Dri. Colc —5A 176
Queens Lodge. Ben —3J 137
Queens Mead Rd. Brom —6E 46
Queensmere. Ben —2H 137
Queens M. W Mer —3J 213
Queen's Park. —2J 101 (6J 33)
Queens Pk. Av. Bill —4J 101 (6J 33)
Queen's Park Country Park. —2K 101 (6J 33)
Queens Pk. Lodge. Bill —4J 101
Queen's Pk. Rd. Romf —5L 113
Queens Rd. E11 —2D 124
Queen's Rd. E17 —9A 108 (3D 38)
Queens Rd. SE15 & SE14 —2C 46
Queens Rd. Bark —8B 126
Queens Rd. Bas —6L 117
Queen's Rd. Ben —4D 136
Queens Rd. Brain —3H 193
Queens Rd. Brtwd —9F 98 (1E 40)
Queen's Rd. Buck H —8H 93 (1F 39)
Queens Rd. Bur C —3L 195
Queen's Rd. Chelm —9M 61
Queen's Rd. Clac S —3G 191
Queen's Rd. Colc —9K 167
Queens Rd. Cray H —3C 118
Queens Rd. Croy —7A 46
Queen's Rd. E Col —3C 196
Queen's Rd. Eri —4C 154 (2A 48)
Queen's Rd. Frin S —1J 189
Queen's Rd. Har —5J 201
Queens Rd. Lgh S —6E 138
Queen's Rd. Lou —2L 93
Queens Rd. N Wea —5N 67
Queens Rd. Ray —6K 121
Queens Rd. R'ton —5C 4
Queen's Rd. Sth S —6L 139
Queen's Rd. W Ber —4E 166
Queen's Rd. W'hoe —6H 177
Queens St. Wthfld —2H 7
Queenstown Gdns. Rain —3D 144
Queen St. B'sea —7E 184 (3K 27)
Queen St. Cas H —4C 206 (1E 14)
Queen St. Chelm —1B 74
Queen St. Cogg —8L 195
Queen St. Colc —8N 167 (6E 16)
Queen St. Eri —4C 154
Queen St. Fyf —1D 32
Queen St. Gt Oak —5E 18
Queen St. Mal —6K 203
Queen St. Romf —1B 128
Queen St. Sib H —8D 206 (2E 14)
Queen St. S'min —7J 207 (5C 36)
Queen St. War —2F 114
Queens Wlk. E4 —7D 92
Queensway. Clac S —8A 188
Queensway. Law —4H 165
Queensway. Ong —5K 69
Queensway. Orp —7H 47
Queensway. Sth S —6L 139 (5K 43)
Queensway. Tip —5C 212
Queenswood Av. E17 —5C 108
Queenswood Av. Hut —4N 99
Queenswood Gdns. E11 —3H 125
Queenswood Ho. Brtwd —8G 98
(off Eastfield Rd.)
Queen Victoria St. EC4 —7A 38
Quendon. —3A 12
Quendon Dri. Wal A —3D 78
Quendon Hall. —3A 12
Quendon Rd. Bas —7F 118
Quendon Way. Frin S —9K 183
Quennell Way. Hut —6M 99
Quickset Rd. Elm —5J 5
Quickside Hill. A'den —1K 11
Quilp Dri. Chelm —4H 61
Quilters Clo. Bas —7E 118
Quilters Clo. Clac S —7C 188
Quilters Dri. Bill —8J 101
Quilters Green. —1A 166 (4B 16)
Quilters Straight. Bas —7E 118
Quince Tree Clo. S Ock —4F 146
Quinion Clo. Chelm —4F 60
Quintons Corner. E Ber —1J 17
Quinton Way. Wal A —5C 78
Quorn Gdns. Lgh S —5N 137
Quorn, The. Ing —7C 86
Quys La. R'fd —5L 123

Rabbits Rd. E12 —6L 125
Rabbits Rd. S Dar —6D 48
Rachael Clarke Clo. Corr —1N 149
Rachael Ct. Chelm —1C 74
(off Hall St.)
Rachael Gdns. Sil E —3M 207
Rachel Cotts. Mal —7L 203
Rackenford. Shoe —6H 141
Radbourne Cres. E17 —6D 108
Radburn Clo. H'low —7F 56
Radford Bus. Cen. Bill —5H 101
Radford Ct. Bill —5K 101
Radford Cres. Bill —5J 101
Radford Ho. Bill —5K 101
Radford Way. Bark —3E 142
Radford Way. Bill —5H 101 (7J 33)
Radlett Clo. E7 —8F 124
Radley Av. Ilf —6F 126
Radley Green. —3M 71 (2G 33)
Radley Grn. Rd. Ing —4L 71
Radley Grn. Rd. Rox —3L 71 (2F 33)
Radley Ho. SE2 —9J 143
(off Wolvercote Rd.)
Radley's La. E18 —6G 108
Radleys Mead. Dag —8N 127
Radlix Rd. E10 —3A 124
Radnor Cres. Ilf —9M 109
Radnor Rd. R'fd —7H 107
Radstock Ho. H Hill —2H 113
(off Darlington Gdns.)
Radstocks. Bill —5K 101
Radwater Av. W'fd —1C 42
Radwinter. —7F 7
Radwinter Av. W'fd —9L 103
Radwinter End. —6G 7
Radwinter Rd. A'dn —5E 6
Radwinter Rd. Saf W —4L 205 (6C 6)
Radwinter Rd. Sew E —6D 6
Raeburn Clo. Kir X —7J 183
Raglan M. Clac S —1G 190
Raglan Rd. E17 —9C 108
Raglan Rd. Frin S —9K 183
Rags La. Chesh —3B 30
Rahn Rd. Epp —1F 80
Raider Clo. Romf —5M 111
Railey Rd. Saf W —6L 205
Railton Rd. SW2 —3A 46
Railway App. Bas —8J 117
(in two parts)
Railway Pde. Shenf —6K 99
Railway Sq. Brtwd —9F 98
Railway Sq. Chelm —8J 61
Railway St. Brain —5J 193 (7D 14)
Railway St. Chelm —8J 61
Railway St. Mann —4J 165
Railway St. Romf —2H 127
Railway Ter. E17 —5C 108
Railway Ter. Clac S —1K 191
Railway Ter. Sth S —3M 139
Rainbow Av. Can I —1J 153
Rainbow La. Stan H —3A 150 (6K 41)
Rainbow La. W Til —2F 158
Rainbow Mead. Hat P —1L 63
Rainbow M. H'bri —3J 203
Rainbow Rd. Can I —1J 153
Rainbow Rd. Chaf H —2F 156
Rainbow Rd. Mat T —6A 22
Rainbow Rd. W Mer —3L 213
Rainbow Way. Coln E —3H 15
Rainham. —4E 144 (6B 40)
Rainham Hall. —4E 144 (6B 40)
Rainham Rd. Horn & Rain —7D 128 (5A 40)
Rainham Rd. N. Dag —4M 127 (4K 39)
Rainham Rd. S. Dag —6N 127 (5A 40)
Rainham Way. Frin S —1M 183
Rainsborowe Rd. Colc —2K 175
Rainsford Av. Chelm —8H 61
Rainsford La. Chelm —9H 61 (1K 33)
Rainsford Rd. Chelm —8H 61 (1K 33)
Rainsford Rd. Stans —1C 208
Rainsford Way. Horn —3E 128
Raleigh Clo. Eri —4D 154
Raleigh Ct. Eri —5D 154
Raleigh Dri. Lain —1M 133
Rambler Clo. S'way —8E 166
Ramblers Way. Bur C —4N 195
Ram Gorse. H'low —1A 56
Ram Kuteer Dri. Gt Hork —1J 167
Ramparts Clo. Gt Hork —9J 161
Ramparts Cotts. Gt Hork —9J 161
Ramparts Ct. B'wck —5J 167
Ramparts, The. Ray —5M 121
Rampart St. Shoe —8K 141
Rampart Ter. Shoe —8L 141
Ramplings Av. Clac S —8J 187
Rampton Clo. E4 —9A 92
Ramsay Dri. Bas —3F 134
Ramsay Gdns. Romf —5G 112
Ramsay Rd. E7 —6E 124
Ramsden. —7J 47
Ramsden Bellhouse. —7F 102 (7A 34)
Ramsden Clo. Clac S —8L 187
Ramsden Dri. Romf —4M 111
Ramsden Heath. —4D 102 (7A 34)
Ramsden Pk. Rd. Bill —7D 102 (7A 34)
Ramsden Rd. Eri —5B 154
Ramsden View Rd. W'fd —1G 118
Ramsey. —6C 200 (3F 19)
Ramsey Chase. Latch —4K 35
Ramsey Chase. W'fd —2N 119
Ramsey Clo. H'bri —4N 203
Ramsey Island. —2C 36
Ramsey M. Colc —2A 176
Ramsey Postmill. —6B 200 (3F 19)
Ramsey Rd. H'std —5J 199
Ramsey Rd. R'sy —6D 200 (3F 19)
Rams Farm Rd. For —1B 166 (4B 16)
Ramsgill App. Ilf —8E 110
Ramsgill Dri. Ilf —9E 110
Rams Gro. Romf —8K 111
Ramshaw Dri. Chelm —8A 62
Ramuz Dri. Wclf S —5J 139
Rana Ct. Brain —4H 193
Rana Dri. Brain —4H 193
Rancliffe Rd. E6 —6G 39
Randall Clo. D'mw —7L 197
Randall Clo. Eri —4A 154
Randall Dri. Horn —6G 129
Randalls Dri. Hut —5A 100
Randolph Av. Weth —2A 14
Randolph Clo. Bexh —8A 154
Randolph Clo. Lgh S —3D 138
Randolph Clo. Mal —8J 203
Randolph Gro. Romf —9H 111
Randolph Rd. E17 —9B 108

Rands Rd. High R —3F 23
Randulph Ter. Chelm —8M 61
Randway. Ray —6K 121
Ranelagh Gdns. E11 —9J 109
Ranelagh Gdns. Ilf —3M 125
Ranelagh Rd. E11 —6E 124
Rangers House. —2E 46
Ranger's Rd. E4 —6E 92 (7E 30)
Ranger Wlk. Colc —3B 176
Rangoon Clo. Colc —5J 175
Rank's Green. —2C 24
Ransomes Way. Chelm —7K 61
Ransom M. Colc —9D 166
Ransom Rd. Tip —6C 212
Rantree Fold. Bas —2A 134
Ranulph Way. Hat P —3M 63
Ranworth Av. Hod —1B 54
Ranworth Clo. Eri —7C 154
Raphael Av. Romf —7D 112
Raphael Av. Til —5C 158
Raphael Dri. Chelm —4A 62
Raphael Dri. Shoe —6K 141
Raphaels. Bas —1N 133
Rapier Clo. Purf —2K 155
Ratcliffe Rd. Colc —9F 166
Ratcliff Rd. E7 —7J 125
Rat Hill. Erw —1F 19
Rat La. Ray —7J 121
Ratsborough Chase. S'min —9K 207
Rats La. Lou —8H 79
Rattwick Dri. Can I —2M 153
Ratty's La. Hod —5D 54
Ravel Gdns. Ave —6N 145
Ravel Rd. Ave —6N 145
Raven Clo. Bill —4H 101
Raven Cres. Bill —4H 101
Ravencroft. Grays —9D 148
Ravendale Way. Shoe —4H 141
Raven Dri. Ben —4B 136
Ravenings Pde. Ilf —3F 126
Raven La. Bill —4H 101
Raven Rd. E18 —6J 109
Raven's Av. H'std —5L 199
Ravensbourne Cres. Romf —7K 113
Ravensbourne Dri. Chelm —1N 73
Ravensbourne Gdns. Ilf —5N 109
Ravensbourne Pk. SE6 —4D 46
Ravensbourne Rd. Dart —8E 154
Ravens Ct. Brtwd —7G 98
Ravens Ct. Sth S —7L 139
Ravenscourt Clo. Horn —5J 129
Ravenscourt Dri. Bas —1F 134
Ravenscourt Dri. Horn —5J 129
Ravenscourt Gro. Horn —4J 129 (4C 40)
Ravens Cres. Fels —1K 23
Ravensdale. Bas —2C 134
Ravensdale. Clac S —7K 187
Ravensfield. Bas —9G 119
Ravensfield Clo. Dag —6J 127
Ravensfield La. Bures —2K 15
Raven's Green. —9H 171 (6A 18)
Ravensmere. Epp —1F 80
Ravenstock La. L Wal —4C 6
Ravenswood Chase. R'fd —8L 123
Ravenswood Clo. Romf —2N 111
Ravenswood Ind. Est. E17 —8C 108
Ravenswood Rd. E17 —8C 108
Ravensworth Rd. W Wick —7E 46
Raven Way. Colc —3M 167
Rawden Clo. Har —3K 201
Rawdon Dri. Hod —6A 54
Rawlings Cres. H'wds —2B 168
Rawlings Way. H'wds —2B 168
Rawreth. —9E 104 (1E 42)
Rawreth Gdns. Raw —7E 104
Rawreth Ind. Est. Ray —2G 121
Rawreth La. Raw & Ray —9F 104 (1E 42)
Rawreth Shot. —9C 104 (1D 42)
Rawstorn Rd. Colc —8M 167
Ray Av. Har —4J 201
Rayburne Ct. Buck H —7J 93
Rayburn Rd. Horn —2L 129
Raycliffe Av. Clac S —7J 187
Ray Clo. Can I —3G 152
Ray Clo. Lgh S —5A 138
Raydons Gdns. Dag —7K 127
Raydons Rd. Dag —7K 127
Raydon Way. Gt Cor —5K 9
Rayfield. Epp —9E 66
Rayfield Clo. Barns —2H 23
Ray Gdns. Bark —2F 142
Rayhaven. Har —5E 200
Ray Ho. W Mer —2L 213
(off Carrington Ct.)
Ray Lamb Way. Eri —4F 154
Ray La. R'sy —4B 200
Rayleigh. —2F 43
Rayleigh Av. Lgh S —7A 122
Rayleigh Av. Wclf S —5K 139
Rayleigh Castle. —5K 121 (2F 43)
Rayleigh Clo. Brain —4L 193
Rayleigh Clo. Colc —6B 168
Rayleigh Clo. Hut —5M 99
Rayleigh Downs Rd. Ray —8N 121
Rayleigh Dri. Lgh S —3C 138
Rayleigh Rd. Ben —8H 121 (3E 42)
Rayleigh Rd. Hut —5L 99 (7F 33)
Rayleigh Rd. Lgh S —8A 122 (3G 43)
Rayleigh Rd. Stan H —4K 149
Rayleigh Rd. Wfd G —3J 109
Rayleigh Towermill. —5K 121 (2F 43)
Rayley La. N Wea —3M 67 (2K 31)
Ray Lodge Rd. Wfd G —3J 109
Ray Mead. Gt Walt —5H 59
Rayment Av. Can I —2K 153
Raymond Av. E18 —7F 108
Raymond Gdns. Chig —9G 95
Raymond Postage Ct. SE28 —7G 143
Raymond Rd. Ilf —2C 126
Raymonds Clo. S Fer —1J 105
Raymonds Dri. Ben —9F 120
Raymouth Rd. SE16 —1C 46
Rayne. —6B 192 (7B 14)
Rayne Ct. E18 —8F 108
Rayne Hall. —6C 192 (7B 14)
Rayne Rd. Brain —6C 192 (7B 14)
Rayner Rd. Colc —3J 175
Rayner Towers. E10 —2A 124
(off Albany Rd.)
Rayner Way. H'std —5K 199
Raynes Av. E11 —2J 125
Raynham Clo. Bis S —9A 208
Raynham Rd. Bis S —9A 208
Ray Rd. Romf —2N 111
Rays Hill. Hort K —6C 48
Rayside. Bas —9D 118
Ray, The. Chelm —6N 61
Ray Wlk. Lgh S —5A 138
Read Clo. Hock —3F 122
Read Ct. E17 —1A 124
Read Ct. Wal A —3G 79
Readers Ct. Chelm —4F 74
Reading Clo. Lang H —1H 133
Readings, The. H'low —6E 56
Reads Clo. Ilf —5A 126
Reaper Rd. Colc —2H 175
Rebecca Gdns. Sil E —3M 207
Rebecca Mead. Gt Eas —6F 13
Rebel Air Museum. —5H 15
Rebels La. Gt W —3C 140 (4A 44)
Rebow Rd. Har —5J 201
Rebow Rd. W'hoe —6H 177
Rebow St. Colc —9B 168
Reckitts Clo. Clac S —9M 187
Recreation Av. Bas —3J 133
Recreation Av. Corr —9D 134
Recreation Av. H Wood —6K 113
Recreation Av. Lgh S —4E 138
Recreation Av. Romf —9A 112
Recreation Ground. Stans —3D 208
Recreation Rd. Clac S —1K 191
Recreation Rd. Colc —1B 176
Recreation Rd. Sib H —7B 206
Recreation Wlk. Rams H —3D 102
Recreation Way. B'sea —6E 184
Rectory Av. R'fd —9G 107
Rectory Chase. Dodd —7F 84
Rectory Chase. L War —8G 115
Rectory Chase. S'don —4K 75
Rectory Clo. E4 —9A 92
Rectory Clo. Ben —3L 137
Rectory Clo. Colc —5M 167
Rectory Clo. Dart —9C 154
Rectory Clo. Ing —5D 86
Rectory Clo. L'bry —1J 205
Rectory Clo. L Walt —6L 59
Rectory Clo. Stock —7M 87
Rectory Cotts. Bas —4D 134
Rectory Ct. E18 —5F 108
Rectory Ct. Pits —8K 119
Rectory Cres. E11 —1J 125
Rectory Dri. Farnh —6J 11
Rectory Field. H'low —5A 56
Rectory Gdns. Bas —9K 119
Rectory Gdns. Upm —4A 130
Rectory Garth. Ray —5K 121
Rectory Gro. Lgh S —6C 138 (5G 43)
Rectory Gro. W'fd —9N 103
Rectory Hill. E Ber —1J 17
Rectory Hill. Pol —1E 16
Rectory Hill. W'hoe —7H 17
Rectory La. Abb —2E 26
Rectory La. A'dn —4D 6
Rectory La. Bat —2E 104
Rectory La. Chelm —7K 61 (1A 34)
Rectory La. Farnh —6J 11
Rectory La. Heron —4A 116
Rectory La. Latch —5K 35
Rectory La. L L'gh —3B 24
Rectory La. Lou —1N 93 (6G 31)
Rectory La. R'sy —6C 200
Rectory La. Sidc —5J 47
Rectory La. Wick P —7G 9
Rectory La. Wdhm M —3M 77 (2F 35)
Rectory Meadow. B'wll —7F 15
Rectory Meadow. Sib H —6B 206
Rectory Pk. Dri. Bas —1J 135
Rectory Rd. E12 —7M 125
Rectory Rd. E17 —8B 108
Rectory Rd. N16 —4B 38
Rectory Rd. Aldh —6A 16
Rectory Rd. Beck —6D 46
Rectory Rd. Cop —5L 173 (1B 26)
Rectory Rd. Dag —8N 127
Rectory Rd. Frat —5D 178 (7K 17)
Rectory Rd. Grays —1N 157 (1G 49)
Rectory Rd. Gt Hol —2D 188 (2F 29)
Rectory Rd. Gt Wal —4K 9
Rectory Rd. Had —3L 137 (4F 43)
Rectory Rd. Hark —1E 18
Rectory Rd. Hock & R'fd —4E 122 (2H 43)
Rectory Rd. Ked —2A 8
Rectory Rd. L'ham —2F 162 (2G 17)
Rectory Rd. L Ben —7K 171 (6A 18)
Rectory Rd. L Bur —3H 117 (2J 41)
Rectory Rd. L Oak —8A 200 (4F 19)
Rectory Rd. N Fam —6H 35
(in two parts)
Rectory Rd. Ors —5D 148 (7H 41)
Rectory Rd. Pits —1K 135 (3C 42)
(in three parts)
Rectory Rd. Rhdge —6E 176 (1G 27)
Rectory Rd. Sib H —6B 206 (1D 14)
Rectory Rd. Stan H —4L 149
Rectory Rd. Stis —6E 14
Rectory Rd. Sud —6J 9
Rectory Rd. Tip —7C 212
Rectory Rd. Tol K —4A 26
Rectory Rd. Wee H —4C 186 (2C 28)
Rectory Rd. W Til —4F 158 (1H 49)
Rectory Rd. W'hoe —4J 177 (7H 17)
Rectory Rd. Wdhm W —1F 35
Rectory Rd. Wrab —3E 18
Rectory Rd. Writ —2K 73
Rectory Ter. Hock —3F 122
Rectory Ter. Stan H —4L 149
Rectory Wood. H'low —2B 56
Red Barn La. Gt Oak —5E 18
Red Barn Rd. B'sea —5E 184 (3K 27)
Redbond Lodge. D'mw —8L 197
Redbridge. —1L 125 (3G 39)
Redbridge Corner. —3J 9
Redbridge Enterprise Cen. Ilf —4B 126
Redbridge La. E. Ilf —1K 125 (3G 39)
Redbridge La. W. E11 —1H 125 (3F 39)
Redbridge Rd. Clac S —5K 187
Redbridge Roundabout. (Junct.) —1K 125 (3F 39)
Redbridge Tourist Information Centre. —5A 126 (4G 39)
Redbrooke Ct. Linf —1J 159
Redbury Clo. Rain —4G 144
Redcar Rd. Romf —2K 113
Redcliff Dri. Lgh S —6E 138
Redcliffe Gdns. Ilf —3N 125
Redcliffe Rd. Chelm —1B 74
Redden Ct. Rd. Romf —7J 113
Redding La. T'ham —3E 36
Reddings Clo. Saf W —6L 205
Reddy Rd. Eri —4D 154
Redfern Gdns. Romf —6H 113
Redgate Clo. W'fd —8A 104
Redgates La. Sew E —6D 6
Redgates Pl. Chelm —7M 61
Redgrave Rd. Bas —2F 134
Redhill. —2A 10
Red Hill. Chst —5G 47
Redhill Rd. New Ash —7F 49
Redhills Rd. S Fer —9L 91
Redhouse La. Boxt —6L 161
Redinge, The. Bill —9M 101
Redlie Clo. Stan H —1M 149
Red Lion Cres. H'low —5H 57
Red Lion La. SE18 —2G 47
Red Lion La. H'low —5H 57
Red Lion St. WC1 —7A 38
Red Lion Yd. Colc —8N 167
Red Lodge Rd. W Wick —7E 46
Redmaynes Dri. Chelm —2A 74
Redmill. Colc —3H 175
Redoaks Hill. A'dn —6F 7
Red Oaks Mead. They B —7C 80
Red Post Hill. SE24 —3B 46
Red Post Ho. E6 —9K 125
Redricks. E'wck —5H 21
Redricks La. Saw —6E 52
Redriff Rd. SE16 —1C 46
Redriff Rd. Romf —6N 111
Red Rd. War —1E 114
Redrose La. B'more —9H 71
Redrose Wlk. Clac S —9G 187
Redruth Clo. Chelm —6N 61
Redruth Gdns. Romf —2K 113
Redruth Rd. Romf —2K 113
Redruth Wlk. Romf —2K 113
Redshank Cres. S Fer —8K 91
Redshank Dri. H'bri —3M 203
Redstock Rd. Sth S —4M 139
Red St. S'fleet —5F 49
Red White and Blue Rd. Bis S —7A 208 (7K 11)
Red Willow. H'low —6M 55
Redwing Ct. H Hill —5H 113
Redwing Dri. Bill —8L 101
Redwood. Dodd —6F 84
Redwood Chase. S Ock —4G 146
Redwood Clo. Buck H —8H 93
Redwood Clo. Colc —6E 168
Redwood Clo. Wthm —2D 214
Redwood Ct. Colc —7E 168
Redwood Dri. Writ —1H 73
Redwood Gdns. Chig —2F 110
Redwoods, The. Can I —2E 152
Reed. —7D 4
Reed Clo. Clac S —8G 187
Reede Gdns. Dag —7N 127
Reed End. —7C 4
Reede Rd. Dag —8M 127 (5K 39)
Reede Way. Dag —8N 127
Reed Hall Av. Colc —3K 175
Reed Hall Av. N. Colc —3L 175
Reed Pond Wlk. Bas —2K 133
Reed Pond Wlk. Romf —6D 112
Reeds Way. W'fd —8K 103
Reesland Clo. E12 —7N 125
Reeves Clo. Lang H —2H 133
Reeves Clo. Ston M —4E 84
Reeves La. Roy —7J 55 (1F 31)
Reeves Way. S Fer —1L 105
Refinery Rd. Har —2F 200
Regal Clo. Chelm —2E 74
Regan Clo. Stan H —1N 149
Regarder Rd. Chig —2F 110
Regarth Av. Romf —1C 128
Regency Clo. Chelm —8M 61
Regency Clo. Chig —2B 110
Regency Clo. R'fd —5K 123
Regency Clo. W'fd —6L 103
Regency Ct. Brtwd —8F 98
Regency Ct. Colc —2C 176
Regency Ct. H'low —6F 56
Regency Ct. H'bri —3K 203
Regency Ct. Hock —1D 122
(off Station App.)
Regency Gdns. Horn —2G 129
Regency Grn. Colc —2G 175
Regency Grn. Sth S —3L 139
Regency Lodge. Buck H —8K 93
Regency Lodge. Clac S —8J 187
Regent Clo. B'sea —5E 184
Regent Clo. Grays —9M 147
Regent Clo. Ray —3H 121
Regent Ct. Ave —8A 146
Regent Gdns. Ilf —2F 126
Regent Ho. Brtwd —9E 98
Regent Rd. B'sea —6E 184 (3K 27)
Regent Rd. Epp —9E 66
Regents Clo. H'wds —2C 168
Regents Clo. S'min —7L 207
Regents Ct. Bur C —4L 195
Regent St. W1 & SW1 —7A 38
Regent St. Mann —4J 165
Regent St. Rhdge —6F 176
Reginald Rd. E7 —8G 124
Reginald Rd. Romf —5L 113
Regina Rd. Chelm —8L 61
Reigate Av. Clac S —7H 187
Reigate Rd. Ilf —4E 126
Rembrandt Clo. Can I —2G 152
Rembrandt Clo. Shoe —6L 141
Rembrandt Gro. Chelm —5N 61
Rembrandt Way. Colc —1J 175
Rememberance Rd. E7 —6K 125
Remembrance Av. Bur C —4L 195
Remembrance Av. Hat P —3L 63
Remercie Rd. Mis —4M 165
Remus Clo. Colc —2N 167
Remus Rd. E3 —9A 124
Renacres. Bas —2A 134
Rennie Rd. Chelm —1E 74
Renoir Pl. Chelm —4A 62
Renown Clo. Romf —5M 111
Renown Shop. Cen., The. Shoe —6K 141
Renwick Rd. Bark —4G 143 (6J 39)
Repository Rd. SE18 —2G 47
Repton Av. Romf —7E 112
Repton Clo. Bas —6H 119
Repton Ct. Bas —6H 119
Repton Ct. Ilf —5M 109
Repton Dri. Romf —8E 112
Repton Gdns. Romf —7E 112
Repton Gro. Ilf —5M 109
Repton Gro. Sth S —8F 122
Repulse Clo. Romf —5N 111
Reservoir Rd. Lou —9H 79 (6F 31)
Retford Clo. Romf —3L 113
Retford Path. Romf —3L 113
Retford Rd. Romf —3K 113
Retingham Way. E4 —8B 92
Retreat Rd. Hock —1D 122
Retreat Rd. Wclf S —7K 139
Retreat, The. Brtwd —7E 98
Retreat, The. Grays —4L 157
Retreat, The. Hut —5L 99
Retreat, The. W Ber —4E 166
Retreat, The. Wthm —6D 214
Retreat Way. Chig —9G 94
Rettendon. —8A 90 (5D 34)
Rettendon Clo. Ray —4G 121
Rettendon Gdns. W'fd —7M 103
Rettendon Rd. E Han —4C 90 (4D 34)
Rettendon View. W'fd —8N 103
Reubens Rd. Hut —5L 99
Review Rd. Dag —2N 143
Rewsalls La. E Mer —4G 27
Rex Clo. Romf —4N 111
Reydon Av. E11 —1J 125
Reymead Clo. W Mer —3K 213
Reynards Clo. Kir X —8G 183
Reynards Copse. Colc —4A 168
Reynards Ct. Chelm —4G 75
Reynolds Av. E12 —7N 125
Reynolds Av. Chad H —2H 127
Reynolds Av. Colc —1J 175
Reynolds Ct. Romf —7J 111
Reynolds Ga. S Fer —2L 105
Rhoda Rd. Ben —2D 136
Rhoda Rd. N. Ben —1E 136
Rhodesia Rd. E11 —4D 124
Rhodes Memorial Museum. —1K 21
Rhodeswell Rd. E1 —7D 38
Ribble Clo. Wfd G —3J 109
Ricardo Path. SE28 —8H 143
Richard Av. B'sea —7E 184
Richard Av. W'hoe —3J 177
Richard Fell Ho. E12 —6N 125
(off Walton Rd.)
Richards Av. Romf —1A 128
Richardson Pl. Chelm —8H 61
Richardson Wlk. Colc —1G 175
Richardson Wlk. Wthm —5E 214
(off Oliver Pl.)
Richards Pl. E17 —7A 108
Richards Wlk. Clac S —7J 187
Rich Clo. Gt L —1M 59
Riches Rd. Ilf —4B 126
Richmer Rd. Eri —5E 154
Richmond Av. E4 —2D 108
Richmond Av. Ben —4C 136
Richmond Av. Shoe —7H 141
Richmond Av. Sth S —7M 139
(off High St. Southend-on-Sea,)
Richmond Av. Wclf S —6K 139
Richmond Ct. Lou —4K 93
Richmond Cres. E4 —2D 108
Richmond Cres. Har —5K 201
Richmond Dri. Jay —3E 190
Richmond Dri. Ray —7K 121
Richmond Dri. Wclf S —2H 139
Richmond Rd. E4 —7D 92
Richmond Rd. E7 —7H 125
Richmond Rd. E8 —5B 38
Richmond Rd. E11 —4D 124
Richmond Rd. Chelm —7B 62
Richmond Rd. Grays —3M 157
Richmond Rd. Ilf —5B 126
Richmond Rd. Romf —1D 128
Richmond Rd. W Mer —3L 213
Richmond Rd. W'fd —6K 103
Richmond's Green. —4G 13
Richmond St. Sth S —5B 140
Richmond Way. E11 —4G 124
Ricketts Dri. Bill —5H 101
Rickling. —3A 12
Rickling. Bas —2G 134
Rickling Green. —4A 12
Rickling Grn. Rd. R Grn —4A 12
Rickling Hall. —3K 11
Rickling Rd. Wick B —2K 11
Rickstones Rd. Wthm —3C 214 (3F 25)
Ridderford Dri. Chelm —7H 61
Riddings La. H'low —7E 56
(in two parts)
Riddles Dri. Colc —5N 167
Ridge Av. N21 —7B 30
Ridgemarsh. —7G 37
Ridgemont Pl. Horn —1H 129
Ridgemount. Ben —2E 136
Ridge Rd. N21 —7B 30
Ridge, The. L Bad —8M 63 (1E 34)
Ridge, The. W on N —6L 183
Ridgeway. Bill —8J 101
Ridgeway. Grays —2A 158
Ridgeway. H'wds —3A 168
Ridgeway. Hull —4L 105
Ridgeway. Hut —7L 99
Ridgeway. Ing —8C 86
Ridgeway. Mal —8K 203
Ridgeway. Ray —6J 121
Ridge Way. Wfd G —1J 109
Ridgeway Gdns. Ilf —9L 109
Ridgeway Gdns. Wclf S —6G 138
Ridgeway, The. E4 —7C 92 (1D 38)
Ridgeway, The. Brain —7J 193
Ridgeway, The. Cuff —3A 30
Ridgeway, The. Enf —5A 30
Ridgeway, The. Gid P —8E 112
Ridgeway, The. H Wood —5K 113
Ridgeway, The. Har —4J 201
Ridgeway, The. Shorne —5K 49
Ridgeway, The. Wclf S —6F 138 (5H 43)
Ridgewell. —5B 8
Ridgewell Av. Chelm —7H 61
Ridgewell Av. Ors —4C 148
Ridgewell Clo. Dag —1N 143
Ridgewell Rd. Bay E —4B 8
Ridgewell Rd. Gt Yel —6A 198 (6C 8)
Ridgewell Way. Colc —5N 175
Ridings, The. E11 —9G 108
Ridings, The. Can I —9G 136
Ridings, The. Chelm —3E 74
Ridings, The. Chig —1G 111
Ridings, The. R'fd —6L 123
Ridlands Clo. Cres —2E 194
Ridley Clo. Romf —5F 112
Ridley Gdns. Else —7C 196
Ridley Rd. E7 —6J 125
Ridley Rd. Burnt M —6K 119
Ridley Rd. Chelm —3K 61
Riefield Rd. SE9 —3H 47
Riffams Ct. Bas —7K 119
Riffams Dri. Bas —7K 119
Riffhams. Brtwd —9L 99
Riffhams Chase. L Bad —1C 76 (1D 34)
Riffhams Dri. Gt Bad —3H 75
Riffhams La. Dan —2C 76 (2D 34)
Rifle Hill. Brain —7H 193
Rigby Av. Mis —4L 165
(Beckford Rd.)
Rigby Av. Mis —5M 165
(Middlefield Rd.)
Rigby Gdns. Grays —2D 158
Rigby M. Ilf —4N 125
Rigdon's La. W on N —5J 183
Rignals La. Chelm —8D 74 (3A 34)
Riley Av. Jay —6C 190
Rimini Clo. Colc —4K 175
Ringtail Green. —3J 23
Ringwood Av. Horn —4H 129
Ringwood Dri. Lgh S —8A 122
Ripley Clo. Clac S —7F 186
Ripley Ct. Chig —8B 94
Ripley M. E11 —1E 124
Ripley Rd. Ilf —4E 126
Ripley View. Lou —8A 80
Ripon Gdns. Ilf —2L 125
Ripon Ho. Romf —3H 113
(off Dartfields)
Rippers Ct. Sib H —5C 206
Ripple Rd. Bark & Dag —9B 126 (6H 39)
Ripple Road Junction. (Junct.) —1F 142 (6J 39)
Rippleside. —1G 143
Rippleside. Bas —1G 135
Rippleside Commercial Cen. Bark —2H 143

Ripple Way. Colc —6B 168
Risby Clo. Clac S —9E 186
Risdens. H'low —6B 56
Risebridge Chase. Romf —4D 112
Risebridge Rd. Romf —6D 112
Risedale Rd. Bexh —8A 154
Rise Park. —5C 112 (2A 40)
Rise Pk. Bas —9A 118
Rise Pk. Boulevd. Romf —5D 112
Rise Pk. Pde. Romf —6C 112
Rise, The. E11 —9G 108
Rise, The. Buck H —6K 93
Rise, The. Dart —9D 154
Rise, The. Eig G —7B 166
Rise, The. Wal A —9H 65
Riseway. Brtwd —9H 99
Risings Ter. Horn —7K 113
(off Prospect Rd.)
Risings, The. E17 —8D 108
Rising, The. Bill —7M 101
Rivendell Vale. S Fer —2J 105
Rivenhall. —3G 25
Rivenhall. Ray —7H 121
Rivenhall. W'fd —1A 120
Rivenhall End. —3H 25
Rivenhall Gdns. E18 —8F 108
River Av. Hod —4B 54
River Clo. E11 —1J 125
River Clo. H'std —5L 199
River Clo. Rain —5F 144
River Clo. Wal X —4A 78
River Cotts. Bore —3G 63
River Ct. Saw —2L 53
Riverdale. Lgh S —8C 122
Riverdale Rd. Eri —3A 154
Riverdene Rd. Ilf —5N 125
River Dri. Upm —1N 129
Riverfield La. Saw —1K 53
River Mead. Brain —3J 193
Rivermead Ind. Est. Chelm —7K 61
Rivermill. H'low —1B 56
River Rd. Bark —2D 142 (6H 39)
River Rd. Brtwd —1C 114
River Rd. Buck H —7L 93
River Rd. Bus. Pk. Bark —3E 142
Riversdale Rd. Romf —4N 111
Riverside. Chelm —8L 61
Riverside. D'mw —7M 197 (7F 15)
Riverside. Eyns —7B 48
Riverside. Stans —4D 208
Riverside Av. Brox —1A 64
Riverside Av. E. Law —3H 165
Riverside Av. W. Law —3H 165
Riverside Bus. Pk. Stans —3D 208
Riverside Cotts. Bark —2C 142
Riverside Ct. E4 —5A 92
Riverside Ct. H'low —6H 53
Riverside Ho. W'fd —8L 103
(off Lwr. Southend Rd.)
Riverside Ind. Est. Bark —3F 142
Riverside Ind. Est. Dart —9J 155
Riverside Ind. Est. Mal —5J 203
Riverside Ind. Est. R'fd —6L 123
Riverside Pk. Retail Est. Chelm —8L 61
Riverside Rd. Bur C —4M 195
Riverside Wlk. Colc —7M 167
Riverside Wlk. W'fd —8J 103
Riverside Way. K'dn —9C 202
Riverside Works Bark —9A 126
Riversmead. Hod —6A 54
Riverton Dri. St La —1C 36
Rivertons. Bas —2G 134
Riverview. Bas —2H 135
River View. Brain —7G 193
(in two parts)
Riverview. Dart —9L 155
(off Henderson Dri.)
River View. Grays —2C 158 (1G 49)
Riverview. Hull —4L 105
Riverview. Mann —4H 165
River View. Wal A —3B 78
(off Powdermill La.)
River View. Wthm —7D 214
Riverview Cen. Bas —2G 134
(off High Rd.)
River View Clo. Lain —6L 117
Riverview Ct. Van —2F 134
Riverview Gdns. Hull —5J 105
Riverview Park. —5J 49
River View Pk. Cvn. Site. Alth —5A 36
Riverview Rd. Ben —4D 136
River View Ter. Alth —5A 36
River Way. H'low —7F 52
River Way. Lou —5M 93
River Wharf Bus. Pk. Belv —8B 144
Riviera Dri. Sth S —6A 140
Rivington Av. Wfd G —6K 109
Rixsen Rd. E12 —7L 125
Roach. E Til —2L 159
Roach Av. Ray —6J 121
Roach Clo. R'fd —5L 123
Roach Rd. E3 —9A 124
Roach Vale. Colc —6E 168
Roach Vale. Lgh S —8E 122
Roast Green. —2J 11
Robert Clo. Bill —6H 101
Robert Clo. Chig —2E 110
Robert Daniels Ct. They B —7D 80
Robert Leonard Ind. Pk. Sth S —1L 139
Roberts Clo. Romf —5F 112
Roberts Ct. Gt Bad —3G 74
Robert's Hill. M Bur —3A 16
Robertson Ct. Grays —2L 157
(off Hathaway Rd.)
Robertson Dri. W'fd —2M 119
Roberts Rd. E17 —5B 108
Roberts Rd. Bas —8K 117
Roberts Rd. Colc —1A 176
Roberts Rd. N Fam —1F 106
Robert St. E16 —8A 142
Robert St. NW1 —6A 38
Robert Suckling Ct. Stpl B —3C 210
Robert Way. W'fd —1N 119 (1C 42)
Robert Way. W'hoe —3J 177
Robin Clo. Bill —2L 101
Robin Clo. Gt Ben —6J 179
Robin Clo. Romf —4B 112
Robinhood End. —7A 8
Robin Hood Rd. Brtwd —6E 98
Robin Hood Rd. Else —8C 196 (5B 12)
Robinia Clo. Ilf —3D 110
Robinia Clo. Lain —6M 117
Robinia Cres. E10 —4A 124
Robinsbridge Rd. Cogg —8K 195
Robinsdale. Clac S —7K 187
Robin's La. They B —6B 80
Robins Nest Hill. L Berk —7A 20
Robinson Clo. Horn —9F 128
Robinson Rd. B'sea —6F 184 (3K 27)
Robinson Rd. Dag —6M 127
Robinson Rd. Horn H —1F 148
Robins, The. Hook E —5G 85
Robins Way. Wal A —4E 78
Robin Way. Chelm —5B 74
Robjohns Rd. Chelm —3N 73
Robletts Way. Wmgfd —3B 16
Roborough Wlk. Horn —8G 128
Robson Rd. SE27 —4A 46
Rochdale Rd. E17 —2A 124
Rochdale Way. Colc —9E 168
Roche Av. R'fd —5K 123
Rochefort Dri. R'fd —7L 123
Rochehall Way. R'fd —7M 123
Rochelle Clo. Thax —2K 211
Rochester Av. Brom —6F 47
Rochester Clo. Brain —4M 193
Rochester Ct. Saf W —3M 205
Rochester Dri. Wclf S —2H 139
Rochester Gdns. Ilf —2M 125
Rochester M. Wclf S —2H 139
Rochester Rd. Cux —7K 49
(in two parts)
Rochester Rd. Grav —4J 49
Rochester Way. SE3 & SE9 —3F 47
Rochester Way. Bas —8G 119
Rochester Way. Dart —4A 48
Rochester Way Relief Rd. SE3 & SE9 —2F 47
Rocheway. R'fd —5L 123
Rochford. —6K 123 (2K 43)
Rochford Av. Lou —2B 94
Rochford Av. Romf —9H 111
Rochford Av. Shenf —4K 99
Rochford Av. Wal A —3D 78
Rochford Av. Wclf S —5K 139
Rochford Clo. Horn —8F 128
Rochford Clo. Stans —4D 208
Rochford Clo. W'fd —1N 119
Rochford Garden Way. R'fd —4K 123
Rochford Grn. Lou —2B 94
Rochford Hall Clo. R'fd —6L 123
Rochford Hall Cotts. R'fd —6J 123
Rochford Rd. Bis S —8A 208
Rochford Rd. Can I —2K 153
Rochford Rd. Chelm —1D 74
(in two parts)
Rochford Rd. Sth S —2J 139 (3J 43)
Rochford Rd. St O —9N 185
Rochford Way. Frin S —7J 183
Rockall. Sth S —8F 122
Rockchase Gdns. Horn —1J 129
Rock Gdns. Dag —7N 127
Rockhampton Wlk. Colc —5A 176
Rockingham Av. Horn —1F 128
Rockingham Clo. Colc —4D 168
Rockleigh Av. Lgh S —5F 138
Rockleigh Ct. Shenf —6K 99
Rockwell Rd. Dag —7N 127
Rodborough Wlk. Horn —8G 128
Rodbridge Dri. Sth S —6D 140
Rodbridge Hill. L Mel —4H 9
Roddam Clo. Colc —9K 167
Roden Clo. H'low —8L 53
Roden St. Ilf —5N 125
Roden Way. Ilf —5N 125
(off Roden St.)
Roding. Brtwd —7E 98
Roding Av. Wfd G —3L 109
Roding Clo. Fyf —1D 32
Roding Clo. Gt W —2M 141
Roding Dri. Kel H —7C 84
Roding Gdns. Lou —5L 93
Roding La. Buck H & Chig —7K 93 (7G 31)
Roding La. N. Wfd G —3L 109 (2G 39)
Roding La. S. Ilf & Wfd G —8K 109 (3F 39)
Roding Leigh. S Fer —1L 105
Roding Rd. E6 —5A 142
Roding Rd. Lou —4L 93 (7G 31)
Rodings Av. Stan H —1M 149
Rodings, The. Lgh S —8C 122
Rodings, The. Upm —1B 130
Rodings, The. Wfd G —3J 109
Roding Trad. Est. Bark —9A 126
Roding Valley Meadows Nature Reserve. —6N 93 (7G 31)
Roding View. Buck H —7K 93
Roding View. Ong —6M 69
Roding Way. Rain —2H 145
Roding Way. W'fd —1M 119
Rodney Cres. Hod —3A 54
Rodney Gdns. Brain —4L 193
Rodney Rd. E11 —8H 109
Rodney Rd. SE17 —1B 46
Rodney Rd. Ong —8K 69
Rodney Way. Chelm —3N 73
Rodney Way. Romf —5M 111
Roebuck La. Buck H —6J 93
Roebuck Rd. Ilf —2G 111
Roedean Clo. Sth S —5D 140
Roedean Gdns. Sth S —4D 140
Roe Green. —2A 10
Rogation Clo. S'way —1E 174
Roger Reede's Almshouses. Romf —8C 112
Rogers Gdns. Dag —7M 127
Roger's Ho. Dag —5M 127
Rogers Rd. Dag —7M 127
Rogers Rd. Grays —2M 157
Roggel Rd. Can I —3K 153
Rohan Ct. S Fer —2K 105
Rokeby Gdns. Wfd G —5G 109
Rokells. Bas —8B 118
Rokell Way. Kir X —8H 183
Rokescroft. Bas —1H 135
Rokesly Av. N8 —3A 38
Roland La. Can I —1H 153
Roland Rd. E17 —8D 108
Rolands Clo. Broom —4K 61
Roles Gro. Romf —8J 111
Rollesby Way. SE28 —6H 143
Rollestons. Writ —2H 73
Rolley La. K'dn —8C 202
Roll Gdns. Ilf —9N 109
Rolls Pk. Av. E4 —2A 108
Rolls Pk. Rd. E4 —2B 108
Rolls Rd. SE1 —1B 46
Rolph Clo. T Sok —5L 181
Rolphy Green. —4J 23
Romagne Clo. Horn H —2H 149
Romainville Way. Can I —2C 152
Roman. E Til —2L 159
Roman Clo. Rain —2B 144
Roman Ct. Brain —7L 193
Roman Ct. Saf W —6L 205
Roman Hill. B'hth —7B 176 (1F 27)
Roman M. Hod —4A 54
Roman Rise. Saw —2J 53
Roman River Valley Nature Reserve. —8H 175 (1D 26)
Roman Rd. E2 & E3 —6C 38
Roman Rd. Chelm —1C 74
Roman Rd. Colc —7A 168
Roman Rd. Ilf —8A 126
Roman Rd. Ing —7B 86
Roman Rd. L'bry —1J 205
Roman Rd. L Walt —7K 59
Roman Rd. Marg —3G 86
Roman Rd. Mount —2M 99 (6G 33)
Romans Pl. Writ —1K 73
Roman Sq. SE28 —8F 142
Roman St. Hod —4A 54
Romans Way. Writ —1K 73
Roman Vale. H'low —7H 53
Roman Villa Rd. Dart —5D 48
Roman Way. Bill —8J 101
Roman Way. Bur C —1L 195
Roman Way. Colc —5M 175
Roman Way. Croy —7A 46
Roman Way. St O —4K 27
Romany Steps. Sth S —7A 140
(off Beresford Rd.)
Rom Cres. Romf —2D 128
Romeland. Wal A —3C 78
Romford. —9C 112 (3A 40)
Romford Clo. Colc —6B 168
Romford Rd. E15 & E12 —5E 38
Romford Rd. E15, E7 & E12 —9E 124
Romford Rd. Ave —7N 145 (7C 40)
Romford Rd. Chig —9G 94 (1J 39)
Romford Rd. Ong —4C 32
Romford Rd. Romf —4K 111 (2K 39)
Romford Stadium. —1A 128 (3A 40)
Romney Chase. Horn —1L 129
Romney Clo. Brain —2G 193
Romney Clo. B'sea —4D 184
Romney Clo. Clac S —8B 187
Romney Clo. Kir X —7H 183
Romney Ho. R'fd —5L 123
Romney Rd. SE10 —2E 46
Romney Rd. Bill —7H 101
Romsey Clo. Hock —1C 122
Romsey Clo. Stan H —4K 149
Romsey Cres. Ben —1B 136
Romsey Dri. Ben —1B 136
Romsey Gdns. Dag —1J 143
Romsey Rd. Ben —1A 136
Romsey Rd. Dag —1J 143
Romsey Way. Ben —1B 136
Romulus Clo. Colc —2N 167
Rom Valley Way. Romf —1C 128 (4A 40)
Ronald Dri. Ray —3G 121
Ronaldhill Gro. Lgh S —4C 138
Ronald Pk. Av. Wclf S —5H 139
Ronald Rd. H'std —6K 199
Ronald Rd. Romf —5L 113
Roneo Corner. Horn —3D 128
Roneo Link. Horn —3D 128
Ron Leighton Way. E6 —6G 39
Roodegate. Bas —9B 118
Rook Clo. Horn —9E 128
Rook End. —2C 12
Rook End La. Deb —2C 12
Rookeries, The. M Tey —2L 173
Rookery Chase. A'lgh —6K 163
Rookery Clo. Gt Che —2L 197
Rookery Clo. Hat P —2L 63
Rookery Clo. Ray —5J 121
Rookery Clo. Stan H —4K 149
Rookery Ct. Grays —4D 156
Rookery Cres. Dag —9N 127
Rookery Hill. Corr —2C 150 (6A 42)
Rookery La. Grays —3N 157
Rookery La. Gt Tot —5J 25
Rookery La. Tip —4C 212
Rookery La. Wen A —1A 12
Rookery Mead. S Fer —9K 91
Rookery Rd. B'more —8F 70 (3E 32)
Rookery, The. Grays —4D 156
Rookery, The. Law —4H 165
Rookery, The. Stans —1D 208
Rookery View. Grays —3N 157
Rookes. Saf W —1K 205
Rooks Nest La. Ther —7C 4
Rookwood Av. Lou —2B 94
Rookwood Clo. Clac S —6H 187
Rookwood Clo. Grays —3L 157
Rookwood Gdns. E4 —8F 92
Rookwood Gdns. Lou —2B 94
Rookwood Ho. Bark —2C 142
Rookwood Way. H'hll —3J 7
Rookyards. Bas —1F 134
Roosevel Av. Can I —1G 153
Roosevelt Rd. Lain —9J 117
Roosevelt Way. Colc —2B 176
Roosevelt Way. Dag —8B 128
Roos Hill. Saf W —8L 205
Roost End. —4A 8
Roothings, The. H'bri —3L 203
Roots Hall Av. Sth S —4L 139
Roots Hall Dri. Sth S —4K 139
Roots La. W Bis —8K 213 (5H 25)
Ropers Av. E4 —2B 108
Roper's Chase. Writ —3H 73
Rope Wlk. B'sea —8F 184
Rope Wlk. Mal —7K 203
Rosabelle Av. W'hoe —5H 177
Rosalind Clo. Colc —8F 168
Rosalind Ct. Bark —9F 126
(off Meadow Rd.)
Rosary Gdns. Wclf S —2G 139
Rosbach Rd. Can I —2K 153
Rosberg Rd. Can I —2L 153
Rose Acre. Bas —9G 119
Roseacre Clo. Horn —2K 129
Roseacres. Saw —1J 53
Roseacres. Tak —8C 210
Rose Av. E18 —6H 109
Rose Av. S'way —2D 174
Rose Bank. Brtwd —9G 98
Rosebank. Har —4J 201
Rosebank. Wal A —3E 78
Rosebank Av. Horn —7G 128
Rosebank Rd. E17 —1B 124
Rosebank Rd. W Mer —3J 213
Rosebank Vs. E17 —8A 108
Rosebay Av. Bill —3H 101 (6J 33)
Rosebay Clo. Wthm —4A 214
Roseberry Av. Bas —2K 133
Roseberry Av. Ben —9C 120
Roseberry Clo. Upm —1C 130
Roseberry Ct. Ben —8C 120
Roseberry Gdns. Upm —1B 130
Roseberry Wlk. Ben —8C 120
Rosebery Av. E12 —8L 125
Rosebery Av. EC1 —6A 38
Rosebery Av. Colc —8A 168
Rosebery Rd. Chelm —2C 74
Rosebery Rd. Grays —4H 157
Rosebury Ct. Hut —5N 99
Rose Clo. W'fd —2M 119
Rose Ct. Colc —6B 176
Rose Cres. Colc —5L 167
Rosecroft Clo. Bas —2J 133
Rosecroft Clo. Clac S —7J 187
Rose & Crown M. S'min —7L 207
Rose & Crown Wlk. Saf W —3K 205
Rosedale. —3C 30
Rosedale Cotts. S'way —1A 174
Rosedale Gdns. Dag —9G 126
Rosedale Rd. E7 —7J 125
Rosedale Rd. Dag —9G 126
Rosedale Rd. Grays —3N 157
Rosedale Rd. Romf —6A 112
Rosedale Way. Chesh —3C 30
Rosedene Gdns. Ilf —8N 109
Rosedene Ter. E10 —4B 124
Rose Dri. S'min —8L 207
Rose Glen. Chelm —3D 74
Rose Glen. Romf —3C 128
Rose Green. —4K 15
Rosehatch Av. Romf —7J 111
Rose Hill. Brain —6J 193 (7D 14)
Rose Hill. Wthfld —1J 7
Roselaine. Bas —8C 118
Roselands Av. Hod —2A 54
Rose La. Bill —6J 101
Rose La. Gt Che —3M 197
Rose La. Romf —7J 111 (3J 39)
Rose La. Sal —5C 26
Rose La. W'hoe —7H 177
Rosemary Almshouses. S'way —1A 174
Rosemary Av. Brain —4G 193
Rosemary Av. Romf —7D 112
Rosemary Clo. D'mw —7K 197
Rosemary Clo. H'low —8H 53
Rosemary Clo. S Ock —3F 146
Rosemary Clo. Tip —6C 212
Rosemary Cres. Clac S —2K 191
Rosemary Cres. D'mw —7K 197
Rosemary Cres. Tip —6C 212
Rosemary Dri. Ilf —9K 109
Rosemary Gdns. Dag —3L 127
Rosemary La. Cas H —2E 206 (7E 8)
Rosemary La. D'mw —7K 197 (7G 13)
Rosemary La. Steb —6H 13
Rosemary La. Thorr —9G 178
Rosemary Rd. Clac S —2J 191 (4D 28)
Rosemary Rd. W. Clac S —2J 191
Rosemary Way. Jay —5E 190
Rosemead. Ben —8C 120
Rosemead Gdns. Hut —3N 99
Rosemount. H'low —6A 56
Rosemount Clo. Wfd G —3M 109
Rosendale Rd. SE24 —4B 46
Rosepark Ct. Ilf —6M 109
Roserna Rd. Can I —2K 153
Rose Rd. Can I —2G 153
Rosery M. Gt Hol —1D 188
Roses, The. Wfd G —4F 108
Rosetta Clo. W'hoe —4H 177
Rosetti Ter. Dag —6G 127
(off Marlborough Rd.)
Rose Vale. Hod —5A 54
Rose Valley. Brtwd —9F 98
Rose Valley Cres. Stan H —1N 149
Rose Way. R'fd —7M 123
Rosewood Av. Horn —7E 128
Rosewood Clo. H'wds —3A 168
Rosewood Ct. E11 —6D 124
Rosewood Dri. Bas —6M 117
Rosewood La. Shoe —7K 141
Rosher Clo. E15 —9D 124
Rosherville. —3G 49
Rosilian Dri. Hock —7B 106
Roslings Clo. Chelm —5F 60
Roslyn Gdns. Romf —6D 112
Rossall Clo. Horn —1E 128
Ross Av. Dag —3L 127
Ross Clo. Saf W —7L 205
Rossdene Gdns. Lea R —5E 22
Rossendale. Chelm —1N 73
Rossendale Clo. Colc —4D 168
Rosshill Ind. Pk. Sth S —2M 139
Rossiter Rd. Shoe —6M 141
Rosslyn Av. E4 —8F 92
Rosslyn Av. Dag —2L 127
Rosslyn Av. Romf —6J 113
Rosslyn Clo. Hock —9D 106
Rosslyn Rd. E17 —8C 108
Rosslyn Rd. Bark —9C 126
Rosslyn Rd. Bill —6H 101
Rosslyn Rd. Hock —9D 106
Ross Way. Bas —3K 133
Ross Wyld Lodge. E17 —7A 108
(off Forest Rd.)
Rothbury Av. Rain —5F 144
Rothbury Rd. E9 —9A 124 (5D 38)
Rothbury Rd. Chelm —1M 73
Roth Dri. Hut —8L 99
Rotherhithe. —1C 46
Rotherhithe New Rd. SE1 —1C 46
Rothesay Av. Chelm —2B 74
Rothmans Av. Chelm —4F 74
Rothsay Rd. E7 —9J 125
Rothwell Clo. Lgh S —9B 122
Rothwell Gdns. Dag —9H 127
Rothwell Rd. Dag —1H 143
Rotten End. Weth —4B 14
Rotunda, The. Romf —9B 112
(off Yew Tree Gdns.)
Roughtons. Chelm —7D 74
Roundacre. Bas —9B 118 (3K 41)
Roundacre. H'std —6K 199
Roundaway Rd. Ilf —6M 109
Roundbush. —4H 35
Roundbush Green. —4E 22
Roundbush Rd. Lay M —2B 26
Roundbush Rd. Mun —4H 35
Round Clo. Colc —8J 167
Round Coppice Rd. Stan Apt —9F 208 (1B 22)
Round Hill Rd. Ben —4G 137
Roundhills. Wal A —4E 78
Round House, The. —9D 96 (1A 40)
Roundmead Av. Lou —1N 93
Roundmead Clo. Lou —2N 93
Round Street. —6H 49
Round St. Sole S —6H 49
Roundway, The. N17 —2B 38
Roundwood Av. Hut —7K 99
Roundwood Gro. Hut —6L 99
Rounton Rd. Wal A —3E 78
Rous Chase. Gall —9C 74
Rouses La. Clac S —9D 186
Rous Rd. Buck H —7L 93
Rover Av. Ilf —3E 110
Rover Av. Jay —5C 190
Rowallan Clo. Colc —3H 175
Rowallen La. Bill —2H 101
Rowallen Pde. Dag —3H 127
Rowan Chase. Tip —5C 212
Rowan Clo. Clac S —1G 190
Rowan Clo. Gt Ben —6L 179
Rowan Clo. Har —4K 201
Rowan Clo. S'way —2E 174
Rowan Dri. H'bri —3M 203
Rowan Grn. E. Brtwd —9J 99
Rowan Grn. W. Brtwd —9J 99
Rowan Rd. SW16 —6A 46
Rowans, The. Ave —8N 145
Rowans, The. Bill —8M 101
Rowans, The. Wal A —5J 79
(off Woodbine Clo.)
Rowans, The. W'fd —8M 103
Rowans Way. Lou —3M 93
Rowans Way. W'fd —8M 103
Rowan Wlk. Horn —8H 113

Rowan Wlk. Lgh S —9C 122
Rowan Wlk. Saw —2K 53
Rowan Way. Cwdn —2N 107
Rowan Way. Hat P —3L 63
Rowan Way. Romf —7H 111
Rowan Way. S Ock —4F 146
Rowan Way. Wthm —2D 214
Rowden Pk. Gdns. E4 —3A 108 (off Chingford Rd.)
Rowden Rd. E4 —3B 108
Rowdowns Rd. Dag —1L 143
Rowe Gdns. Bark —2E 142
Rowenhall. Lain —9H 117
Row Green. —3D 198 (1C 24)
Row Heath. —1E 186 (2C 28)
Rowhedge. —6G 176 (1G 27)
Rowhedge. Brtwd —9K 99
Rowhedge Clo. Bas —5K 119
Rowhedge Rd. Colc & Rhdge —4D 176 (7F 17)
Rowherns La. L Ben —2J 179
Rowland Cres. Chig —1D 110
Rowlands Rd. Dag —4L 127
Rowlands, The. Ben —3E 136
Rowland's Yd. Har —5G 201
Rowland Wlk. Hav —9C 96
Rowley Hill. Stur —3K 7
Rowley Mead. Thorn —4H 67
Rowley Rd. Ors —5C 148 (7H 41)
Rowney Av. Wim —1D 12 (off Broad Oakes Clo.)
Rowney Gdns. Dag —8H 127
Rowney Gdns. Saw —4H 53
Rowney La. Sac —1C 20
Rowney Rd. Dag —8G 127
Rowney Wood. Saw —3H 53
Rowntree Path. SE28 —8G 143
Rowntree Way. Saf W —6K 205
Row, The. Gt Wen —1H 17
Row, The. Hen —4C 12
Roxburgh Av. Upm —5N 129
Roxburghe Rd. Wee —8D 180
Roxwell. —7H 23
Roxwell Av. Chelm —8F 60
Roxwell Gdns. Hut —4M 99
Roxwell Ho. Lou —6L 93
Roxwell Rd. Bark —2F 142
Roxwell Rd. Chelm —6A 60 (1J 33)
Roxwell Way. Wfd G —4J 109
Roxy Av. Romf —2H 127
Royal Albert Way. E16 —7A 142 (7F 39)
Royal Artillery Museum. —1G 47
Royal Artillery Way. Sth S —3B 140 (4A 44)
Royal Clo. Ilf —2F 126
Royal Clo. R'fd —2J 123
Royal Ct. Bas —8K 117
Royal Ct. Colc —6E 168
Royal Ct. Mal —7K 203
Royal Docks Rd. E6 & Bark —5A 142 (7G 39)
Royal Hill. SE10 —2E 46
Royal M. Sth S —7M 139 (in two parts)
Royal Mint St. E1 —7B 38
Royal Oak Dri. W'fd —8A 104
Royal Pde. SE3 —2E 46
Royal Pde. Chst —5H 47
Royal Pde. Dag —8N 127 (off Church St.)
Royal Sq. Ded —1M 163
Royals Shop. Cen., The. Sth S —7M 139
Royal Ter. Sth S —7M 139
Roycraft Av. Bark —2E 142
Roycroft Clo. E18 —5H 109
Roydon. —3H 55 (6F 21)
Roydon Bri. Bas —7E 118
Roydonbury Ind. Est. H'low —3L 55
Roydon Clo. Lou —6L 93
Roydon Hamlet. —7J 55 (1F 31)
Roydon Lodge Chalet Est. Roy —2J 55
Roydon Rd. H'low —2L 55 (6G 21)
Roydon Rd. Stan A —6E 20
Roydon Way. Frin S —8J 183
Royds La. Kel H —9A 84 (6D 32)
Royer Clo. H'wl —3F 122
Roy Gdns. Ilf —8D 110
Royle Clo. Romf —9F 112
Royston. —5C 4
Royston and District Museum. —5C 4
Royston Av. E4 —2A 108
Royston Av. Bas —6M 117
Royston Av. Sth S —3M 139
Royston Gdns. Ilf —1K 125
Royston La. Chris & Elm —4H 5
Royston Pde. Ilf —1K 125
Royston Rd. B'wy —7E 4
Royston Rd. Bar —6E 4
Royston Rd. Foxt —1F 5
Royston Rd. Lit —4A 4
Royston Rd. Mel —4D 4
Royston Rd. Romf —4L 113
Royston Rd. Wen A —7K 5
Royston Rd. Whitt —2J 5
Ruaton Dri. Clac S —9G 186
Rubens Clo. Shoe —6L 141
Rubens Ga. Chelm —4A 62
Rubicon Av. W'fd —8N 103
Ruby M. E17 —7A 108
Ruby Rd. E17 —7A 108
Ruckholt Clo. E10 —5B 124
Ruckholt Rd. E10 —6B 124 (5D 38)
Rudd Ct. Colc —6F 168
Rudkin Rd. Colc —2N 167
Rudland Rd. Bexh —8A 154
Rudley Green. —3G 35
Rudsdale Way. Colc —1G 175
Rue de St Lawrence. Wal A —4C 78
Ruffles Clo. Ray —4L 121
Rugby Gdns. Dag —8H 127
Rugby Rd. Dag —9G 127
Rugged La. Wal A —3K 79
Rugosa Clo. S'way —8D 166
Rumbold Rd. Hod —3C 54
Rumbullion Dri. Bill —5H 101
Rumseys Fields. Dan —3F 76
Rundells. H'low —7F 56
Rundells Wlk. Bas —8F 118
Rundels Cotts. Ben —9G 121 (off Rundels, The)
Rundels, The. Ben —9G 121
Runnacles St. Sil E —2K 207
Running Mare La. Chelm —7B 74
Running Waters. Brtwd —1K 115 (1F 41)
Runnymede Chase. Ben —2G 136
Runnymede Ct. Stan H —4L 149
Runnymede Rd. Can I —2H 153
Runnymede Rd. Stan H —4L 149
Runsell Clo. Dan —3F 76
Runsell Green. —3G 77 (2E 34)
Runsell La. Dan —2E 76 (2E 34)
Runsell View. Dan —2G 76
Runwell. —7M 103 (7C 34)
Runwell Chase. Runw —6A 104
Runwell Gdns. Runw —6L 103
Runwell Rd. W'fd & Runw —8L 103 (7C 34)
Runwell Ter. Sth S —7L 139
Runwood Rd. Can I —2C 152
Rupert Rd. S'min —7K 207
Rural Clo. Horn —3F 128
Rurik Ct. Mal —8J 203
Rushbottom La. Ben —8B 120 (3D 42) (in two parts)
Rush Clo. Ben —9B 120
Rushcroft Rd. E4 —4B 108
Rushden. —3A 10
Rushdene Rd. Bill —7H 101
Rushdene Rd. Brtwd —5F 98
Rushden Gdns. Ilf —6N 109
Rushden Rd. S'don —2A 10
Rushdon Clo. Grays —1K 157
Rushdon Clo. Romf —9E 112
Rushes La. Ashel —3D 36
Rushes Mead. H'low —5D 56
Rushey Grn. SE6 —4D 46
Rushfield. Saw —2K 53
Rush Green. —3B 128 (4A 40) (nr. Beacontree Heath)
Rush Green. —1F 190 (4C 28) (nr. Point Clear)
Rush Grn. Gdns. Romf —3A 128
Rush Grn. Rd. Clac S —2E 190 (4C 28)
Rush Grn. Rd. Romf —3N 127 (4A 40)
Rush La. Else —9C 196
Rushley. Bas —7L 119 (3C 42)
Rushley Clo. Grays —8N 147
Rushley Clo. Gt W —2L 141
Rushleydale. Chelm —6N 61
Rushley Green. —1D 206 (7E 8)
Rushmere Av. Upm —5N 129
Rushmere Clo. W Mer —3L 213
Rusholme Av. Dag —5M 127
Rushton Gro. H'low —3J 57
Ruskin Av. E12 —8L 125
Ruskin Av. Sth S —4M 139
Ruskin Av. Upm —2N 129
Ruskin Av. Wal A —4E 78
Ruskin Clo. Kir X —7H 183
Ruskin Dene. Bill —5J 101
Ruskin Gdns. Romf —4F 112
Ruskin Path. W'fd —2L 119
Ruskin Rd. Chelm —9N 61
Ruskin Rd. Grays —2C 158
Ruskin Rd. Stan H —4L 149
Ruskins, The. Rayne —7B 192
Ruskoi Rd. Can I —9F 136
Rusling Dri. Ben —8C 120
Rusper Rd. Dag —8H 127
Russell Clo. Bas —9K 117
Russell Clo. Brtwd —6E 98
Russell Clo. Dart —9E 154
Russell Ct. E10 —2B 124
Russell Gdns. Chelm —6B 74
Russell Gdns. Ilf —2C 126
Russell Gdns. W'fd —9M 103 (1C 42)
Russell Green. —5C 24
Russell Gro. R'fd —5M 123
Russell Lodge. E4 —8C 92
Russell Rd. E10 —1B 124
Russell Rd. Buck H —7H 93
Russell Rd. Clac S —1L 191
Russell Rd. Enf —5B 30
Russell Rd. Grays —2K 157
Russell Rd. N Fam —5H 35
Russell Rd. Til —6A 158
Russell's Rd. H'std —6H 199 (3E 14)
Russell St. WC1 —7A 38
Russell Way. Chelm —3N 73
Russet Clo. Brain —7J 193
Russet Clo. Stan H —2M 149
Russet Ho. Grays —5M 157
Russets. Chelm —7E 74
Russets Clo. E4 —1D 108
Russetts. Bas —1J 133
Russetts. Horn —8J 113
Russetts, The. R'fd —2J 123
Russet Way. Bur C —2M 195
Russet Way. Hock —8D 106
Rustic Clo. Upm —3B 130
Rustle Ct. H'low —3H 57
Rutherford Clo. Bill —3J 101
Rutherford Clo. Lgh S —9B 122
Rutherford St. Broom —2K 61
Ruthven Clo. W'fd —1M 119
Rutland App. Horn —9L 113
Rutland Av. Colc —3J 175
Rutland Av. Sth S —6C 140
Rutland Clo. Bas —9J 117
Rutland Dri. Horn —9L 113
Rutland Dri. Ray —9H 105
Rutland Gdns. Brain —4J 193
Rutland Gdns. Dag —7H 127
Rutland Gdns. R'fd —2H 123
Rutland Rd. E7 —9K 125
Rutland Rd. E11 —9H 109
Rutland Rd. E17 —1A 124
Rutland Rd. Chelm —5J 61
Rutland Rd. Ilf —5A 126
Rutland Rd. N Fam —1F 106
Rutley Clo. H Wood —6H 113
Ruxley. —5K 47
Rydal Clo. Hull —5K 105
Rydal Clo. Ray —5L 121
Rydal Way. Brain —2C 198
Ryde Av. Clac S —6L 187
Ryde Clo. Lgh S —1A 138
Ryde Dri. Stan H —5L 149
Ryder Ct. E10 —4B 124
Ryder Gdns. Rain —8D 128
Ryder Way. Bas —5L 119
Ryde, The. Lgh S —1A 138
Rye Clo. B'sea —4D 184
Rye Clo. Hat P —3L 63
Rye Clo. Horn —7G 129
Rye Clo. S'way —1F 174
Ryecroft. H'low —3A 56
Ryecroft Av. Ilf —6A 110
Ryedene. Bas —3F 134
Ryedene Clo. Bas —3F 134
Ryedene Pl. Bas —3F 134
Ryefield Clo. Hod —1C 54
Rye Field, The. L Bad —8L 63
Ryegate Rd. Colc —7N 167
Rye Hill. —1D 66 (1H 31)
Rye Hill Rd. H'low —8C 56 (1H 31)
Rye House Gatehouse. —3D 54 (7E 20)
Rye House Marsh Bird Sanctuary. —2C 54 (6E 20)
Rye La. SE15 —2C 46
Rye Mead. Bas —2L 133
Rye Mead Cotts. Hod —3C 54
Rye Mill La. Fee —6D 202
Rye Park. —3B 54 (7D 20)
Rye Rd. Hod —3B 54 (7D 20)
Ryes La. Bulm —6H 9
Ryes La. Hat H —3B 22
Rye St. Bis S —7K 11
Rye Wlk. Ing —7C 86
Rykhill. Grays —1D 158 (in two parts)
Rylands Rd. Sth S —4A 140
Ryle, The. Writ —2J 73
Rylstone Way. Saf W —5M 205
Rysley. L Bad —7L 63

Sabina Rd. Grays —2E 158
Sabine's Green. —2J 97 (6C 32)
Sabine's Rd. Nave & N'side —1H 97 (6B 32)
Sable Ct. Sth B —8H 117
Sable Way. Lain —8H 117
Sackville Clo. Chelm —8G 60
Sackville Cres. Romf —5J 113
Sackville Gdns. Ilf —3M 125
Sackville Rd. Sth S —5C 140
Sackville Way. W Ber —3E 166
Sacombe. —2B 20
Sacombe Green. —2C 20
Sacombe Pound. Sac —2B 20
Sacombe Rd. W'frd —4A 20
Saddle M. S'way —9E 166
Saddle Rise. Chelm —3N 61
Saddleworth Rd. H Hill —3G 113
Saddleworth Sq. Romf —3G 113
Sadler Clo. Colc —2B 176
Sadlers. Ben —9B 120
Sadlers Clo. Bill —3M 101
Sadlers Clo. Kir X —8F 182
Sadlers Mead. H'low —4F 56
Saffory Clo. Lgh S —8B 122
Saffron Bus. Cen. Saf W —3M 205
Saffron Clo. Horn H —2J 149
Saffron Clo. W H'dn —1N 131
Saffron Clo. Weth —3A 14
Saffron Ct. E15 —7E 124 (off Maryland Pk.)
Saffron Ct. Saf W —4K 205
Saffron Ct. Sth B —9H 117
Saffron Gdns. Weth —3A 14
Saffron Rd. Chaf H —2F 156
Saffron Rd. Romf —6B 112
Saffron Walden. —4K 205 (6C 6)
Saffron Walden Castle. —3K 205 (6C 6)
Saffron Walden Hedge Maze. —3K 205 (6B 6)
Saffron Walden Museum. —3K 205 (6B 6)
Saffron Walden Tourist Information Centre. —4K 205 (1B 12)
Saffron Walden Turf Maze. —4L 205 (6C 6)
Saffron Wlk. Bill —6K 101
Saffron Way. Tip —7C 212
Sage Rd. Colc —4A 176
Sages. Hen —5C 12
Sages End Rd. Hel B —5H 7
Sage Wlk. Tip —7C 212
Sailing Rd. Steb —7K 13
Sains. Bas —8M 117
St Agnes Dri. Can I —2D 152
St Agnes Rd. Bill —4L 117
St Aidans Ct. Bark —2G 143
St Alban's Av. Upm —4B 130
St Alban's Cres. Wfd G —4G 108
St Albans Rd. Clac S —1L 191
St Alban's Rd. Colc —8L 167
St Alban's Rd. Coop —8J 67
St Albans Rd. Ilf —3E 126
St Alban's Rd. Wfd G —4G 108
St Andrew's Av. Colc —7C 168 (6F 17)
St Andrew's Av. Horn —7D 128
St Andrews Clo. Alr —7A 178
St Andrews Clo. Can I —1D 152
St Andrews Clo. N Wea —3B 68
St Andrews Gdns. Colc —7B 168
St Andrews Ho. H'low —1E 56 (off Stow, The)
St Andrews La. Lain —8L 117
St Andrews Meadow. H'low —4E 56
St Andrews Pl. B'sea —4D 184
St Andrew's Pl. Shenf —8J 99
St Andrew's Rise. Bulm —5H 9
St Andrew's Rd. E11 —1E 124
St Andrews Rd. Bore —2G 62
St Andrew's Rd. Clac S —1J 191
St Andrews Rd. H'std —4L 199
St Andrew's Rd. Hat P —2L 63
St Andrew's Rd. Ilf —2M 125
St Andrews Rd. R'fd —5K 123
St Andrew's Rd. Romf —1B 128
St Andrew's Rd. Shoe —8G 141
St Andrew's Rd. Til —6A 158 (2G 49)
St Andrew's Rd. Wee —5D 180
St Andrew St. Hert —5B 20
St Annes Clo. Cogg —8M 195
St Annes Clo. Grays —8L 147
St Annes Clo. Lain —8L 117
St Anne's Pk. Brox —8A 54
St Anne's Rd. E11 —4D 124
St Annes Rd. Can I —2K 153
St Annes Rd. Clac S —9J 187
St Annes Rd. Colc —7B 168
St Anne's Rd. Mount —9M 85 (6G 33)
St Annes Ter. Ilf —2D 110
St Ann's. Bark —1B 142
St Ann's Ct. Chelm —8L 61 (off St Ann's Pl.)
St Ann's Pl. Chelm —8L 61
St Ann's Rd. N15 —3A 38
St Ann's Rd. Bark —1B 142
St Ann's Rd. Sth S —5M 139
St Anthony's Av. Wfd G —3J 109
St Anthony's Dri. Chelm —4D 74
St Antony's Rd. E7 —9H 125
St Asaph Rd. SE15 —3C 46
St Augustine M. Colc —8A 168
St Augustine Rd. Grays —2D 158
St Augustine's Av. Sth S —8F 140
St Augustine's Rd. Belv —1K 47
St Austell Rd. Colc —5D 168
St Austin's La. Har —1N 201
St Awdry's Rd. Bark —9C 126
St Awdry's Wlk. Bark —9B 126
St Barbara's Rd. Colc —2L 175
St Barnabas Rd. E17 —1A 124
St Barnabas Rd. Wfd G —5H 109 (2F 39)
St Bartholomew Clo. Colc —4C 168
St Benet's Rd. Sth S —3L 139
St Bernard Rd. Colc —5D 168
St Blaise Av. Brom —6F 47
St Botolph's Chu. Wlk. Colc —9N 167
St Botolph's Cir. Colc —9N 167
St Botolph's Priory. —9A 168 (6F 17)
St Botolph's St. Colc —9N 167
St Botolph's Ter. W on N —6M 183
St Bride Ct. Colc —5D 168
St Brides Clo. Eri —9J 143
St Catharines Clo. Colc —5L 175
St Catherines Clo. W'fd —8N 103
St Catherine's Rd. E4 —8A 92
St Catherine's Rd. Brox —7A 54
St Catherine's Rd. Chelm —9G 60
St Catherines Tower. E10 —2B 124
St Cecilia Rd. Grays —2D 158
St Cedd's Ct. Grays —8L 147
St Chad Clo. Lain —8L 117
St Chad's Gdns. Romf —2K 127
St Chad's Rd. Romf —2K 127
St Chads Rd. Til —6C 158 (2H 49)
St Charles Dri. W'fd —9M 103
St Charles Rd. Brtwd —7E 98
St Christopher Rd. Colc —5D 168 (5F 17)
St Christophers Clo. Can I —1D 152
St Christophers Way. Jay —5E 190
St Clair Clo. Clac S —5K 187
St Clair Clo. Ilf —6M 109
St Clair's Dri. St O —8N 185
St Clair's Rd. St O —8N 185
St Clare Dri. Colc —8H 167
St Clare Meadow. R'fd —4L 123
St Clare Rd. Colc —9H 167
St Clement Rd. Colc —5D 168
St Clements. Thax —3K 211
St Clement's Av. Grays —4E 156
St Clements Av. Lgh S —4D 138
St Clement's Clo. Ben —1C 136
St Clement's Clo. Hock —3F 122
St Clements Ct. Grays —4J 157
St Clements Ct. Lgh S —6C 138
St Clements Ct. Purf —2L 155
St Clements Ct. E. Lgh S —6C 138 (off Broadway W.)
St Clement's Cres. Ben —1D 136
St Clements Dri. Lgh S —3D 138
St Clement's Rd. Ben —1C 136
St Clement's Rd. S Stif —5F 156
St Cleres Cres. W'fd —9N 103
St Clere's Hall La. St O —4B 28
St Cleres Way. Dan —4D 76
St Columbas Ho. E17 —8B 108
St Columb Ct. Colc —5C 168
St Cross Ct. Hod —7A 54
St Cuthbert's Rd. Hod —2C 54
St Cyrus Rd. Colc —5D 168
St Davids Clo. Colc —8C 168
St David's Dri. Lgh S —3N 137
St David's Rd. Bas —2K 133
St Davids Rd. Swan —5A 48
St David's Ter. Lgh S —3N 137
St Davids Wlk. Can I —1D 152
St David's Way. W'fd —9M 103
St Denis Clo. Har —6J 201
St Dominic Rd. Colc —6D 168
St Dunstan's Rd. E7 —8J 125
St Edith's Ct. Bill —7J 101
St Edith's La. Bill —7J 101
St Edmunds Clo. Eri —9J 143
St Edmunds Clo. Har —6J 201
St Edmund's Clo. Sth S —3A 140
St Edmund's Ct. Colc —7C 168
St Edmunds Croft. D'mw —7M 197
St Edmunds Fields. D'mw —6M 197
St Edmund's Hill. L Cor —7K 9
St Edmund's La. Bures —7D 194 (1A 16)
St Edmunds La. D'mw —6M 197 (7G 13)
St Edmund's Rd. Dart —9L 155
St Edmund's Rd. Ilf —1M 125
St Edmund's Way. H'low —8H 53
St Edwards Ct. E10 —2B 124
St Edwards Way. Romf —9B 112 (3A 40)
St Egberts Way. E4 —7C 92
St Elizabeth Ct. E10 —2B 124
St Erkenwald M. Bark —1C 142
St Erkenwald Rd. Bark —1C 142
St Ethelburga Ct. Romf —6L 113
St Fabian's Dri. Chelm —7G 60
St Faith Rd. Colc —5D 168
St Ferndale Rd. Har —2M 201
St Fidelis Rd. Eri —3B 154
St Fillan Rd. Colc —5D 168
St Frances Way. Ilf —6C 126
St Francis Rd. Eri —2B 154
St Francis Way. Grays —1E 158
St Gabriel's Clo. E11 —4H 125
St Gabriels Ct. Bas —1J 135
St George's Av. E7 —9H 125
St George's Av. Grays —2M 157
St George's Av. Har —5L 201
St George's Av. Horn —2K 129
St Georges Clo. Gt Bro —6D 170
St Georges Clo. Hook E —5E 84
St Georges Ct. E17 —9D 108
St George's Ct. Brtwd —6E 98
St George's Dri. SW1 —1A 46
St George's Dri. Wclf S —3K 139
St George's La. Shoe —8K 141
St George's Pk. Av. Wclf S —5G 139
St George's Rd. E7 —9H 125
St George's Rd. E10 —5C 124
St George's Rd. SE1 —1A 46
St George's Rd. Dag —7K 127
St George's Rd. Ilf —2M 125
St George's Sq. E7 —9H 125
St George's Wlk. Ben —9B 120
St George's Wlk. Can I —1D 152
St Giles Av. Dag —9N 127
St Giles Clo. Dag —9N 127
St Giles Clo. Mal —6H 203
St Giles Clo. Ors —4C 148
St Giles Cres. Mal —6H 203
St Giles Leper Hospital (ruins). —7H 203 (1H 35)
St Guiberts Rd. Can I —9E 136
St Helena M. Colc —1L 175
St Helena Rd. Colc —1L 175
St Helens Av. Clac S —6L 187
St Helens Ct. Epp —9F 66
St Helen's Ct. Rain —4E 144
St Helen's Grn. Har —2N 201
St Helens La. Colc —8N 167
St Helen's Rd. Eri —9J 143
St Helen's Rd. Ilf —1M 125
St Helen's Rd. Wclf S —6K 139
St Helens Wlk. Bill —4H 101
St Helier's Rd. E10 —1C 124
St Ives Clo. Clac S —1F 190
St Ives Clo. Romf —4K 113
St Ives Rd. Pel —3E 26
St Ivian's Dri. Romf —7E 112
St James' Av. Ong —9K 69
St James Av. Sth S —8F 140
St James Av. E. Stan H —2N 149
St James Av. W. Stan H —2N 149
St James Cen. H'low —8F 52
St James Clo. Can I —1D 152
St James Clo. Wclf S —3F 138
St James Ct. B'sea —7D 184
St James Ct. Romf —8D 112
St James Ct. Saf W —3M 205 (6C 6) (in two parts)
St James Gdns. Wclf S —3F 138
St James Ga. Buck H —7H 93
St James Ho. Romf —9D 112 (off Eastern Rd.)

St James La. Grnh —4D 48
St James M. Bill —6J 101
St James Pk. Chelm —7F 60
St James' Rd. E15 —7F 124
St James Rd. Brain —3H 193
St James Rd. Chesh —3B 30
St James Rd. Van —1E 134
(in two parts)
St James's. —7A 38
St James's Rd. SE1 & SE16 —1C 46
St James's Rd. Brtwd —9F 98
St James's Rd. Croy —7A 46
St James's St. SW1 —7A 38
St James's St. Cas H —3D 206 (1E 14)
St James St. E17 —3D 38
St James Wlk. Hock —1B 122
(off Belvedere Av.)
St James Way. Bis S —1J 21
St Jean Wlk. Tip —5D 212
St John Av. Brain —6H 193
St John's. —2D 46
St John's Abbey Gate. —9N 167 (6E 16)
St John's Av. Chelm —2C 74
St John's Av. Colc —9N 167
St John's Av. H'low —8H 53
St John's Av. War —1G 115
St John's Clo. Colc —3D 168
St Johns Clo. Gt Che —3L 197
St John's Clo. Gt W —3M 141
St Johns Clo. Lain —8L 117
St John's Clo. Rain —9E 128
St Johns Clo. Saf W —6K 205
St John's Ct. Buck H —7H 93
St John's Ct. Eri —3B 154
St Johns Ct. May —3D 204
St John's Ct. Tol —8J 211
St John's Ct. Wclf S —7L 139
St Johns Cres. Can I —1D 152
St John's Cres. Gt Hork —8J 161
St John's Cres. Stans —2D 208
St Johns Dri. Ray —3F 120
St John's Grn. Colc —9N 167
St John's Grn. Writ —1K 73
St John's Gro. N19 —4A 38
St John's Jerusalem Garden. —5C 48
St John's La. Stans —2D 208
St John's M. Corr —1A 150
St John's Pl. Colc —9N 167
St John's Rd. E4 —1B 108
St John's Rd. E17 —6B 108
St John's Rd. Bark —1D 142
St John's Rd. Ben —3J 137
St John's Rd. Bill —5K 101
St John's Rd. Chelm —1C 74
St John's Rd. Colc —4C 168 (5F 17)
St John's Rd. Epp —9E 66
St John's Rd. Eri —3B 154
St Johns Rd. Grays —3D 158
St John's Rd. Gt W —3M 141
St John's Rd. Ilf —2D 126
St John's Rd. Lou —1M 93
St Johns Rd. Romf —2A 112
St John's Rd. Stans —2D 208
St John's Rd. St O & Clac S
—9B 186 (4C 28)
St John's Rd. Wclf S —6K 139
St John's Rd. W'hoe —7J 177
St John's Rd. Writ —1K 73
St John's St. Colc —9M 167 (6E 16)
St Johns St. Dux —2J 5
St John's St. Tol —8J 211
St John's Ter. E7 —8H 125
St John St. EC1 —6A 38
St John's Wlk. Colc —9N 167
St Johns Wlk. H'low —8H 53
St John's Way. N19 —4A 38
St John's Way. Corr —1A 150
St John's Wynd. Colc —9M 167
St Joseph Rd. Colc —4C 168
St Joseph's Ct. E4 —6D 92
St Jude Clo. Colc —5D 168
St Jude Gdns. Colc —5E 168
St Julian Gro. Colc —9A 168
St Katherines Ct. Can I —2E 152
St Katherine's Rd. Eri —9J 143
St Kilda's Rd. Brtwd —6E 98
St Lawrence. —2D 36
St Lawrence Ct. Brain —5H 193
St Lawrence Ct. Lgh S —9D 122
St Lawrence Dri. Stpl —2C 36
St Lawrence Gdns. B'more —1G 85
St Lawrence Gdns. Lgh S —9D 122
St Lawrence Hill. St La —2D 36
St Lawrence Rd. Colc —5D 168
St Lawrence Rd. T'ham —2E 36
St Lawrence Rd. Upm —4N 129
St Leonard's Av. E4 —3D 108
St Leonards Clo. Newp —6D 204
St Leonard's Gdns. Ilf —7B 126
St Leonards Hamlet. —4B 40
St Leonard's Rd. Colc —9C 168
St Leonards Rd. Naze —2E 64 (2E 30)
St Leonard's Rd. Sth S —7N 139
St Leonards Way. Horn —4F 128
St Luke's Av. Ilf —7A 126
St Luke's Chase. Tip —7D 212
St Lukes Clo. Can I —1D 152
St Luke's Clo. Colc —5D 168
St Lukes Ct. E10 —2B 124
(off Capworth St.)
St Luke's Path. Ilf —7A 126
St Luke's Rd. Sth S —4N 139
St Margarets. —6E 20
St Margaret's. Bark —1C 142
St Margaret's Av. Stan H —5L 149
St Margaret's Cross. L'ham —4F 162
St Margaret's Gro. E11 —5F 124
St Margaret's Rd. E12 —4J 125
St Margaret's Rd. Chelm —8N 61
St Margarets Rd. S Dar & Dart —6D 48
St Margaret's Rd. Stan A —1A 54
St Margaret St. SW1 —1A 46
St Margarets Vicarage. E11 —5F 124
St Mark Dri. Colc —5D 168
St Marks Ct. E10 —2B 124
(off Capworth St.)
St Marks Field. R'fd —5K 123
St Mark's Rd. Ben —3J 137
St Marks Rd. Can I —1D 152
St Marks Rd. Clac S —9J 187
St Marks Rd. Enf —7B 30
St Martin's Clo. Ben —8B 120
St Martins Clo. Clac S —9J 187
St Martin's Clo. Eri —9J 143
St Martin's Clo. Hut —8M 99
St Martin's Clo. Ray —7J 121
St Martins Clo. Whi R —5D 22
St Martins La. WC2 —7A 38
St Martins M. Ong —8L 69
St Martins Sq. Bas —9B 118
St Mary Cray. —6J 47
St Mary Rd. E17 —8A 108
St Mary's. Bark —1C 142
St Mary's App. E12 —7M 125
St Mary's Av. E11 —2H 125
St Mary's Av. Bill —6J 101
St Mary's Av. Shenf —4K 99
St Mary's Clo. Ben —5D 136
St Mary's Clo. Grays —4N 157
St Marys Clo. Gt Bad —4G 74
St Mary's Clo. Gt Ben —9L 179
St Mary's Clo. Pan —1D 192
St Mary's Clo. Shoe —4H 141
St Mary's Ct. Sth S —4K 139
St Mary's Cres. Bas —8K 119
St Mary's Dri. Ben —5D 136
St Mary's Dri. Stans —3E 208
St Mary's La. Hert —6A 20
St Mary's La. Mal —6L 203
St Mary's La. Upm & W Horn
—4M 129 (4C 40)
St Mary's Mead. Broom —2J 61
St Mary's M. Tol —7K 211
(off Station Rd.)
St Mary's Path. Bas —8K 119
St Mary's Pl. L Dun —1H 23
St Mary's Rd. E10 —5C 124
St Mary's Rd. Ben —6D 136
St Mary's Rd. Brain —5K 193
St Mary's Rd. Bur C —2L 195
St Mary's Rd. Clac S —9J 187
St Mary's Rd. Frin S —9K 183
St Mary's Rd. Grays —2D 158
St Mary's Rd. Gt Ben —9L 179 (1A 28)
St Mary's Rd. Ilf —4B 126
St Mary's Rd. K'dn —8C 202
St Mary's Rd. Riven —3G 25
St Mary's Rd. Sth S —4L 139
St Marys Rd. W'fd —2J 119
St Mary's Sq. K'dn —9B 202
St Marys Wlk. Stpl B —3C 210
St Mary's Way. Chig —2N 109
St Matthew's Clo. Rain —9E 128
St Matthews Ct. E10 —2B 124
(off Capworth St.)
St Matthews Rd. SW2 —3A 46
St Michaels Av. Bas —2J 135
St Michael's Chase. Cop —4M 173
St Michael's Clo. Ave —7N 145
St Michael's Clo. Eri —9J 143
St Michaels Clo. H'low —2D 56
St Michaels Clo. Latch —4K 35
St Michaels Ct. Mann —4J 165
(off Stour St.)
St Michael's Dri. Rox —7H 23
St Michael's La. Brain —6H 193
St Michael's Rd. Ben —9M 121 (1D 30)
St Michael's Rd. Brain
—6H 193 (7C 14)
St Michael's Rd. Brox —8A 54
St Michaels Rd. Can I —1D 152
St Michaels Rd. Chelm —2D 74
St Michaels Rd. Colc —5K 175
St Michael's Rd. Grays —3D 158
St Michael's Rd. Har —5K 201
St Michael's Rd. T Sok —4K 181
St Michael's Wlk. Chelm —8D 74
St Mildreds Rd. SE12 & SE6 —4E 46
St Mildreds Rd. Chelm —2C 74
St Monance Way. Colc —5D 168
St Nazaire Rd. Chelm —5G 61
St Neots Clo. Colc —5D 168
St Neot's Rd. Romf —4K 113
St Nicholas Av. Horn —5E 128
St Nicholas Clo. Wthm —3C 214
St Nicholas Field. Ber —4J 11
St Nicholas Gro. Ingve —2M 115
St Nicholas La. Bas —8L 117 (3K 41)
St Nicholas Pas. Colc —8N 167
St Nicholas Rd. T'ham —3E 36
St Nicholas Rd. Wthm —3C 214
St Nicholas St. Colc —8N 167
St Nicholas Way. Cogg —7L 195
St Norbert Rd. SE4 —3C 46
St Omer Clo. W'fd —1M 119
St Osyth. —9M 185 (4B 28)
St Osyth Beach Holiday Pk. St O
—6A 190
St Osyth Heath. —4B 186 (2C 28)
St Osyth Priory. —9M 185 (4B 28)
St Osyth Rd. Alr —7A 178 (1J 27)
St Osyth Rd. Clac S —1G 190 (4D 28)
St Osyth Rd. L Cla —4F 186
(in two parts)
St Pancras. —6A 38
St Pancras Way. NW1 —5A 38
St Patrick's Ct. E4 —4E 108
St Patrick's Pl. Grays —2E 158
St Paulinus Ct. Dart —9C 154
(off Manor Rd.)
St Paul's Clo. Ave —7N 145
St Paul's Ct. Wclf S —6K 139
(off Salisbury Av.)
St Paul's Cray. —6J 47
St Paul's Cray Rd. Chst —6H 47
St Paul's Dri. E15 —7D 124
St Pauls Gdns. Bill —4J 101
St Pauls Pl. Ave —7N 145
St Paul's Rd. N1 —5A 38
St Paul's Rd. Bark —1B 142 (6H 39)
St Paul's Rd. Can I —1D 152
St Paul's Rd. Clac S —1L 191
St Paul's Rd. Colc —7M 167
St Paul's Rd. Eri —5A 154
St Pauls Tower. E10 —2B 124
(off Beaumont Rd.)
St Paul's Vs. Romf —1D 128
St Paul's Way. E14 —7D 38
St Pauls Way. Wal A —3D 78
St Paul's Wood Hill. Orp —6H 47
St Peter's Av. E17 —8E 108
St Peter's Av. Mal —6J 203
St Peter's Av. Ong —5K 69
St Peter's Clo. Brain —5H 193
St Peter's Clo. Ilf —8E 110
St Peter's Ct. Colc —7M 167
St Peter's Ct. Wclf S —2H 139
St Peters Field. Bur C —1K 195
St Peter's-in-the Fields. Brain —4H 193
St Peter's Pavement. Bas —6G 119
St Peter's Rd. Brain —4H 193
St Peters Rd. Can I —1D 152
St Peter's Rd. Chelm —9G 60
St Peter's Rd. Cogg —7M 195 (7H 15)
St Peter's Rd. Grays —2D 158
St Peters Rd. Hock —9A 106
St Peter's Rd. War —1E 114
St Peter's Rd. W Mer —3J 213
St Peter's St. Colc —7M 167
St Peter's St. Dux —3J 5
St Peter's Ter. W'fd —9K 103
St Peters Wlk. Bill —4H 101
St Peter's Wlk. Brain —5H 193
St Peter's Way. E Han —2C 90
St Peter's Way. Stock —3K 87
St Ronan's Cres. Wfd G —4G 108
St Runwald St. Colc —8N 167
St Saviour Clo. Colc —5D 168
Saints Dri. E7 —7K 125
St Stephen's Av. E17 —9C 108
St Stephen's Chapel. —7F 194 (1A 16)
St Stephen's Clo. E17 —9B 108
St Stephen's Cres. Brtwd —1K 115
St Stephen's La. Gt Wig —4D 26
St Stephens Pde. E7 —9J 125
St Stephen's Rd. E6 —9J 125
St Stephen's Rd. E17 —9B 108
St Stephens Rd. Cold N —4H 35
Saint's Wlk. Grays —2E 158
St Teresa Wlk. Grays —2D 158
St Theresa Ct. E4 —6D 92
St Thomas Clo. Colc —5E 168
St Thomas Ct. E10 —2B 124
(off Skelton's La.)
St Thomas Gdns. Ilf —8B 126
St Thomas Pl. Grays —4L 157
St Thomas Rd. Belv —9A 144
St Thomas' Rd. Brtwd —8G 98
St Thomas Rd. R'fd —4F 106
St Thomas's Clo. Wal A —3H 79
St Thomas St. SE1 —1B 46
St Valery. Tak —8C 210
St Vincent Chase. Brain —3K 193
St Vincent Rd. Clac S —3H 191
St Vincents Av. Dart —3C 48
St Vincents Hamlet. —7M 97 (7C 32)
St Vincents Rd. Chelm —2C 74
St Vincents Rd. Dart —3C 48
St Vincents Rd. Wclf S —7K 139
St Winefride's Av. E12 —7M 125
St Winifred's Clo. Chig —2B 110
Sairard Clo. Lgh S —8C 122
Sairard Gdns. Lgh S —8C 122
Sakins Croft. H'low —6E 56
Saladin Dri. Purf —2L 155
Salamons Way. Rain —6C 144
Salary Clo. Colc —6E 168
Salcombe Dri. Romf —1L 127
Salcombe Rd. Brain —7L 193
Salcott. —5C 26
Salcott Creek Ct. Brain —7L 193
Salcott Cres. W'fd —9L 103 (1C 42)
Salcott St. Sal —5C 26
Salem Wlk. Ray —3H 121
Salerno Cres. Colc —4K 175
Salerno Way. Chelm —5G 61
Salesbury Dri. Bill —6M 101
Salforal Clo. Ret C —8B 90
Salhouse Clo. SE28 —6H 143
Saling Grn. Bas —5A 118
Saling Hall Garden. —6K 13
Saling Rd. Shalf —5A 14
Salisbury Av. Bark —9C 126
Salisbury Av. Colc —9M 167
Salisbury Av. Stan H —4M 149
Salisbury Av. Wclf S —5K 139
Salisbury Clo. Upm —4B 130
Salisbury Ct. Lgh S —5C 138
Salisbury Gdns. Buck H —8K 93
Salisbury Hall Gdns. E4 —3A 108
Salisbury Rd. E4 —9A 92
Salisbury Rd. E7 —8G 124
Salisbury Rd. E10 —4C 124
Salisbury Rd. E12 —7K 125
Salisbury Rd. E17 —9C 108
Salisbury Rd. Clac S —8N 187
Salisbury Rd. Dag —8N 127
Salisbury Rd. Grays —4M 157
Salisbury Rd. Hod —3C 54
Salisbury Rd. Ilf —4D 126
Salisbury Rd. Lgh S —4B 138
Salisbury Rd. Romf —9F 112
Salisbury Side. Bas —8G 118
Salix Rd. Grays —4N 157
Salmon Clo. Colc —2G 174
Salmonds Gro. Ingve —2M 115
Salmon La. E1 —7D 38
Salmon Rd. Dart —8K 155
Salmon's Corner. —3D 172 (7K 15)
Salmon's La. Cogg —2C 172 (7K 15)
Salmons La. Thorr —9G 178
Saltash Rd. Ilf —4C 110
Saltcoat Maltings. Mal —7N 203
Saltcoats. S Fer —9K 91
Salter Pl. Chelm —9A 62
Salter Rd. SE16 —1C 46
Salters Hill. SE19 —5B 46
Salters Meadow. Tol D —6B 26
Salters Rd. E17 —8D 108
Saltford Clo. Eri —3C 154
Saltings, The. Ben —3K 137
Salvia Clo. Clac S —9G 187
Salway Clo. Wfd G —4G 108
Salway Pl. E15 —8D 124
Salway Rd. E15 —8D 124
Samantha M. Hav —9C 96
Sampford Rd. Corn H —7J 7
Sampford Rd. R'ter —7F 7
Samphire Clo. Wthm —3C 214
Samphire Ct. Grays —4A 158
Sampson's La. Pel —4E 26
Samson Ho. Lain —6K 117
Samsons Clo. B'sea —5D 184
Samson's Rd. B'sea —4D 184 (2K 27)
Samuel Mnr. Chel V —8A 62
Samuel Rd. Bas —2K 133
Samuel's Corner. —4D 44
Samuels Dri. Sth S —6F 140
Sanctuary Garden. Stan H —3N 149
Sanctuary Rd. Lgh S —3N 137
Sandbanks. Ben —4K 137
Sandbanks Hill. Bean —5E 48
Sandcliff Rd. Eri —2B 154
Sanderling Ct. SE28 —7H 143
Sanderling Gdns. H'bri —3M 203
Sanderlings. Ben —4C 136
Sanders Dri. Colc —8J 167
Sanderson Clo. W H'dn —1M 131
Sanderson Ct. Ben —1C 136
Sanderson Gdns. Wfd G —5J 109
Sanderson M. Colc —8N 167
Sanderson Rise. Ilf —1F 110
Sanderson Shaw. SE28 —7J 143
Sanders Rd. Can I —8G 136
Sandford Av. Lou —2B 94
Sandford Clo. W'hoe —6J 177
Sandfordhall Green. —9L 173
Sandford Mill Rd. Chelm —9A 62 (1B 34)
(in three parts)
Sandford Rd. Chelm —8M 61 (1A 34)
Sandgate Clo. Romf —2B 128
Sandhill Rd. Lgh S —7B 122
Sandhurst. Can I —2C 152
Sandhurst Clo. Lgh S —2E 138
Sandhurst Cres. Lgh S —2E 138
Sandhurst Dri. Ilf —6E 126
Sandhurst Rd. SE6 —4E 46
Sandhurst Rd. Til —7E 158
Sandleigh Rd. Lgh S —5F 138
Sandon. —4L 75 (2C 34)
Sandon Clo. Bas —1G 135
Sandon Clo. Gt Hork —9K 161
Sandon Clo. R'fd —4J 123
Sandon Ct. Bas —1G 135
Sandon Hall Bridleway. H Grn —7L 75
Sandon Hill. F End —3J 23
Sandon Pl. Ong —9L 69
Sandon Rd. Bas —1G 135
Sandown Av. Dag —8A 128
Sandown Av. Horn —4H 129
Sandown Av. Wclf S —4G 138
Sandown Clo. Clac S —5L 187
Sandown Clo. W'fd —9N 103
Sandown Rd. Ben —8H 121
Sandown Rd. Ors —5G 149
Sandown Rd. W'fd —9A 104
Sandpiper Clo. Colc —7G 168
Sandpiper Clo. H'bri —3M 203
Sandpiper Clo. Shoe —6J 141
Sandpiper Dri. Eri —5F 154
Sandpipers. Shoe —8L 141
(off Rampart Ter.)
Sandpiper Wlk. Chelm —4D 74
Sandpit La. Brain —5H 193
Sandpit La. Brtwd & Pil H
—7C 98 (7D 32)
Sandpit La. Bur C —3M 195
Sandpit Rd. Dart —9G 155
Sandpit Rd. Shoe —6M 141
Sandpits La. Hghm —1H 17
Sandringham Av. H'low —3L 55
Sandringham Av. Hock —1B 122
Sandringham Clo. Ilf —7B 110
Sandringham Clo. Stan H —2N 149
Sandringham Dri. Colc —2A 176
Sandringham Gdns. Ilf —7B 110
Sandringham Pl. Chelm —9L 61
Sandringham Rd. E7 —7J 125
Sandringham Rd. E8 —5B 38
Sandringham Rd. E10 —1D 124
Sandringham Rd. Bark —8E 126
Sandringham Rd. Lain —7N 117
Sandringham Rd. Pil H —5E 98
Sandringham Rd. Sth S —6B 140
Sands Way. Wfd G —3M 109
Sandwich Clo. Brain —2G 193
Sandwich Rd. B'sea —5E 184
Sandwich Rd. Clac S —4G 191
Sandy Hill. Wmgfd —2B 16
Sandyhill Rd. Ilf —6A 126
Sandy La. Ave —7K 145 (7C 40)
Sandy La. Bean —4E 48
Sandy La. Bulm —5H 9
Sandy La. Grays —4D 158
Sandy La. St M & Sidc —6J 47
Sandy La. W Thur —4M 156
Sanfordhall Green. —1B 26
Sanford St. SE14 —2D 46
Sangley Rd. SE6 —4D 46
Sanity Clo. W'hoe —6J 177
San Remo Pde. Wclf S —7K 139
San Remo Rd. Can I —2K 153
Sansom Rd. E11 —4F 124
Santour Rd. Can I —9E 136
Sappers Clo. Saw —2L 53
Sapphire Clo. Dag —3H 127
Sara Cres. Grnh —9E 156
Sara Ho. Eri —5C 154
Sarah's Wlk. Tak —8B 210
Saran Ct. W'hoe —4G 177
Sarcel. Stis —6F 15
Sargeant Clo. Colc —3B 176
Sargents La. Hads —3C 6
Sark Gro. W'fd —2A 120
Sarre Av. Horn —8G 129
Sarre Way. B'sea —5D 184
Sassoon Way. Mal —7K 203
Satanita Rd. Wclf S —6H 139
Saul's Av. Wthm —8D 214
Sauls Bri. Clo. Wthm —7E 214
Sauls Grn. E11 —5E 124
Saunders Av. Brain —5G 192
Saunders Clo. Else —8C 196
Saunders Ho. Gt War —3F 114
Saunders Way. SE28 —7G 142
Saunton Rd. Horn —4E 128
Savernake Rd. Chelm —1N 73
Saville Clo. Clav —3J 11
Saville Ho. E16 —8A 142
(off Robert St.)
Saville Rd. Romf —1L 127
Saville St. W on N —5M 183
Savill Rd. Colc —4C 176
Savill Row. Wfd G —3F 108
Savoy Clo. Lang H —1J 133
Savoy Wood. H'low —9A 56
Sawbridgeworth. —3K 53 (4J 21)
Sawbridgeworth Rd. Hat H
—2A 202 (4A 22)
Sawbridgeworth Rd. L Hall —3K 21
Sawkins Av. Chelm —4E 74
Sawkins Clo. Chelm —4E 74
Sawkins Clo. L'hoe —9B 176
Sawkins Gdns. Chelm —4E 74
Sawney Brook. Writ —1J 73
Sawpit La. L Lon —4J 11
Sawston. —1K 5
Sawyers Chase. Abr —2G 95
Sawyers Clo. Dag —8A 128
Sawyers Ct. Shenf —6H 99
Sawyers Hall La. Brtwd —6F 98
Sawyer's Rd. L Tot —5K 25
Saxham Rd. Bark —1D 142
Saxlingham Rd. E4 —9D 92
Saxmundham Way. Clac S —9E 186
Saxon Bank. Brain —6K 193
Saxon Clo. E17 —2A 124
Saxon Clo. Brtwd —9K 99
Saxon Clo. Colc —2G 175
Saxon Clo. H'std —4L 199
Saxon Clo. Ray —2L 121
Saxon Clo. Romf —6K 113
Saxon Clo. W'fd —7M 103
Saxon Ct. Ben —1C 136
(in two parts)
Saxon Dri. Wthm —4B 214
Saxon Gdns. Shoe —7G 141
Saxon Rd. Ilf —8A 126
Saxonville. Ben —2B 136
Saxon Way. Ben —4C 136
Saxon Way. Broom —4K 61
Saxon Way. Clac S —7C 188
Saxon Way. Mal —7L 203
Saxon Way. P Bay —4K 27
Saxon Way. Saf W —4J 205
Saxon Way. Wal A —3C 78
Saxted Dri. Clac S —9E 186
Sayers. Ben —9G 120
Sayers Gdns. Saw —2L 53
Sayesbury Av. Saw —1J 53
Sayesbury Rd. Saw —2K 53
Saywell Brook. Chelm —9B 62
Scalby Rd. S'min —9H 207
Scaldhurst. Pits —7K 119
Scarborough Dri. Lgh S —4D 138
Scarborough Rd. E11 —3D 124
Scarborough Rd. S'min —9H 207
Scarfe Way. Colc —9E 168
Scarlets Chase. Gt Hork —1F 166
Scarletts. Bas —7D 118

Scarletts Clo. Wthm —8D 214
Scarletts Rd. Colc —1C 176
Sceptre Clo. Tol —7K 211
Scheregate. Colc —9N 167
Scholar's Hill. W'side —4E 20
Scholars Rd. E4 —7D 92
Scholars Wlk. S Fer —9L 91
School Chase. H'std —6K 199
School Cres. Cray —9D 154
School Farm La. Lav —2K 9
Schoolfield Rd. Grays —4D 156
School Green. Bla E —3B 14
School Grn. La. N Wea —4A 68
School Hill. B'ch —8B 174 (1C 26)
(in two parts)
Schoolhouse Gdns. Lou —3A 94
School La. Abb R —6D 22
School La. Bean —5E 48
School La. Beau R —6E 22
School La. Ben —6D 136
School La. Bran —1A 18
School La. Broom —3H 61 (7A 24)
School La. Colc —8C 174
School La. Ded —1M 163
School La. Dud E —7J 5
School La. Frat —6F 178 (1K 27)
School La. Gt Hork —6G 160 (3D 16)
School La. Gt L —1M 59 (3B 24)
School La. Gt Wig —3D 26
School La. H'low —9D 52
School La. Hen —4C 12
School La. High —5K 49
School La. High E —4F 23
School La. Hort K & Dart —6D 48
School La. Ingve —3M 115
School La. Law —6F 164 (3K 17)
School La. L Hork —2E 160
School La. Mag L —7A 22
School La. Mis —4L 165
School La. Newp —7C 204 (1A 12)
School La. N Ben —5A 120
School La. Ors —5C 148 (7H 41)
School La. Stock —7M 87 (5K 33)
School La. Strat M —1H 17
School La. Swan —6B 48
School La. Tak —6D 12
School La. Thri —2G 5
School La. W Ber —3F 166
School M. Cogg —8K 195
School Rd. E12 —6M 125
School Rd. Bill —8J 101
School Rd. Colc —4A 176
School Rd. Cop —2M 173 (7B 16)
School Rd. Dag —1M 143
School Rd. D'ham —3G 102 (6B 34)
School Rd. E Ber —1J 17
School Rd. Elms —3M 177 (7H 17)
School Rd. Frin S —9H 183
School Rd. Good E —5G 23
School Rd. Gt Oak —5E 18
School Rd. Gt Tot —9N 213 (6H 25)
School Rd. Kel H —7B 84 (5D 32)
School Rd. L'ham —4E 162 (3G 17)
School Rd. L Hork —4D 160 (3C 16)
School Rd. L Map —2G 15
School Rd. L Tot —6K 25
School Rd. L Yel —6D 8
School Rd. Mess —2C 212 (2K 25)
School Rd. Ong —2E 82 (3A 32)
School Rd. Pent —3F 9
School Rd. Rayne —9A 192 (1B 24)
School Rd. Sib H —7A 206 (2D 14)
School Rd. Sil E —4M 207
School Rd. Ten —1C 180 (6C 18)
School Rd. W Bis —7L 213 (5H 25)
School Rd. Wick P —7G 9
School St. Fox —3G 9
School St. Gt Che —3L 197 (4A 6)
School View Rd. Chelm —8H 61
School Vs. Broxt —5D 12
School Wlk. Brain —5H 193
School Way. Dag —5H 127
School Way. Lgh S —3E 138
Schooner Ct. Dart —9N 155
Scilla Ct. Grays —4N 157
Scimitar Pk. Bas —5L 119
Scoter Clo. Wfd G —4H 109
Scotland Grn. Rd. Enf —7C 30
Scotland Rd. Buck H —7J 93
Scotney Wlk. Horn —7G 129
Scott Av. Weth —2A 14
Scott Clo. Brain —8J 193
Scott Cres. Eri —6D 154
Scott Dri. Colc —9G 167
Scott Dri. W'fd —2M 119
Scottes La. Dag —3J 127
Scott Ho. Horn —1E 128
(off Benjamin Clo.)
Scott Ho. Lgh S —8F 122
Scott Rd. Grays —2C 158
Scotts Clo. Horn —7G 129
Scott's Grotto. —5C 20
Scotts Hall Rd. Cwdn —2M 107 (1K 43)
Scotts Hill. S'min —7H 207 (5B 36)
Scott's La. Brom —6E 46
Scott's Rd. E10 —3C 124
Scotts Wlk. Chelm —6F 60
Scotts Wlk. Ray —5N 121
Scraley Rd. Mal —2M 203 (7J 25)
Scratchers La. Fawk —7D 48
Scratton Rd. Sth S —7L 139 (5J 43)
Scratton Rd. Stan H —3M 149
Scrattons Ter. Bark —2J 143
Scrip's Rd. Cogg —1H 25
Scrub La. Ben —3L 137
Scrub Rise. Bill —8H 101
Scrubs Wood Nature Reserve. —2F 76 (2E 34)
Scudders Hill. Fawk —7E 48
Sculpins La. Weth —2A 14
Scurvy Hall La. L Walt —4K 59
Scylla Clo. Mal —2M 203
Scythe Way. Colc —2G 175
Seaborough Rd. Grays —1E 158
Seabrink. Lgh S —6E 138
Seabrooke Rise. Grays —4L 157
Seabrook Gdns. Bore —2G 62
Seabrook Gdns. Romf —2M 127
Seabrook Rd. Dag —5J 127
Seabrook Rd. Gt Bad —4H 75
Seaburn Clo. Rain —3C 144
Sea Cornflower Way. Jay —5E 190
Seacourt Rd. SE2 —9J 143
Sea Cres. Jay —6D 190
Seaden Ct. Clac S —5M 187
Seafield Av. Mis —4N 165
Seafield Rd. Har —5K 201
Seafields Gdns. Clac S —8N 187
Seafields Rd. Clac S —8N 187
Sea Flowers Way. Jay —5E 190
Seaford Rd. E17 —7B 108
Seaforth Av. Sth S —4A 140
Seaforth Clo. Romf —4C 112
Seaforth Gdns. Wfd G —2J 109
Seaforth Gro. Sth S —4B 140
Seaforth Rd. Wclf S —7J 139
Seagers. Gt Tot —8N 213
Sea Glebe Way. Jay —5E 190
Seagry Rd. E11 —1G 125
Sea Holly Way. Jay —6E 190
Sea King Cres. Colc —3B 168
Sea La. Clac S —8N 187
Sea Lavender Way. Jay —5E 190
Seamans La. Stock —7C 88
Seamer Rd. S'min —9H 207
Seamore Av. Ben —9C 120
Seamore Clo. Ben —9B 120
Seamore Wlk. Ben —8C 120
Sea Pink Way. Jay —6E 190
Sea Reach. Lgh S —6D 138
Searle Way. Eig G —6C 166
Sea Rd. Felix —2K 19
Sea Rosemary Way. Jay —5E 190
Sea Shell Way. Jay —6E 190
Sea Thistle Way. Jay —6E 190
Seaton Av. Ilf —7D 126
Seaton Clo. Law —5G 164
Seaton Rd. Felix —1K 19
Seaveiw Cvn. Pk. W Mer —3N 213
Seaview Av. Bas —3E 134
Seaview Av. L Oak —8E 200
Seaview Av. W Mer —2M 213 (5G 27)
Seaview Dri. Gt W —3N 141
Seaview Heights. W on N —7M 183
Sea View Pde. May —1C 204
Sea View Pde. St La —1C 36
(off Wick Farm Rd.)
Sea View Promenade. St La —1C 36
(off Spar Dri.)
Seaview Rd. B'sea —6E 184
Seaview Rd. Can I —2L 153 (6F 43)
Seaview Rd. Lgh S —6D 138
Seaview Rd. Shoe —8H 141
Seaview Rd. St O —5B 28
Seaview Ter. Ben —5K 137
Seaview Ter. P Bay —4K 27
Seaway. Can I —3H 153
Sea Way. Jay —6D 190
Seaway. Sth S —7N 139
Seaway. St La —2C 36
Seawick. —5A 190 (5B 28)
Seawick Holiday Cen. St O —5A 190
Seawick Rd. St O —5B 28
Seax Ct. Bas —8H 117
Seax Way. Bas —8H 117
Sebastian Av. Shenf —5K 99
Sebastian Clo. Colc —8E 168
Sebert Clo. Bill —9M 101
Sebert Rd. E7 —7H 125
Second Av. E12 —6L 125
Second Av. E17 —9A 108
Second Av. Ben —9G 121
Second Av. Bill —9G 101
Second Av. Can I —1D 152
Second Av. Chelm —6J 61
Second Av. Clac S —9M 187
Second Av. Dag —2N 143
Second Av. Frin S —1H 189 (2G 29)
Second Av. Grays —4D 156
Second Av. H'std —5N 199
Second Av. H'low —3C 56 (7H 21)
Second Av. Har —4L 201
Second Av. Hook E —4F 84
Second Av. Hull —7M 105
Second Av. Lang H —2F 132
Second Av. Romf —9H 111
Second Av. Stan H —2M 149
Second Av. Stans —7G 208
Second Av. Wal A —9H 65
Second Av. W on N —1M 183
Second Av. Wee —6D 180
Second Av. Wclf S —7G 139
Second Av. W'fd —1A 120
Seddons Wlk. Hock —1D 122
Sedge Ct. Grays —5N 157
Sedgefield Clo. Romf —1K 113
Sedgefield Cres. Romf —1K 113
Sedgefield Way. Brain —7K 193
Sedge Grn. Naze —8E 54 (1E 30)
Sedgemoor. Shoe —4H 141
Sedgemoor Dri. Dag —6M 127
Sedgwick Rd. E10 —4C 124
Sedley Rise. Lou —1M 93
Sedop Clo. Saf W —6K 205
Seeleys. H'low —8H 53
Sejant Ho. Grays —4L 157
(off Bridge Rd.)
Selborne Av. E12 —6N 125
Selborne Rd. E17 —9A 108
Selborne Rd. Ilf —4N 125
Selborne Wlk. E17 —9A 108
Selborne Wlk. Shop. Cen. E17 —8A 108
Selbourne Rd. Ben —1D 136
Selbourne Rd. Hock —1D 122
Selbourne Rd. Sth S —3N 139
Selby Clo. Colc —5L 175
Selby Rd. E11 —5E 124
Seldon Clo. Wclf S —3G 138
Seldon Rd. Tip —6D 212
Selhurst. —7B 46
Selhurst Rd. SE25 —7B 46
Selinas La. Dag —2K 127
Selkirk Dri. Eri —6C 154
Selsdon Clo. Romf —5A 112
Selsdon Rd. E11 —2G 124
Selsey Av. Clac S —4G 191
Selwood Rd. Brtwd —9C 98
Selworthy Clo. E11 —9G 108
Selworthy Clo. Bill —9L 101
Selwyn Av. E4 —3C 108 (2E 38)
Selwyn Av. Ilf —1E 126
Selwyn Ct. E17 —9A 108
(off Yunus Khan Clo.)
Selwyn Rd. Sth S —4A 140
Selwyn Rd. Til —7B 158
Semper Rd. Grays —9E 148
Semples. Stan H —3A 150
Serbin Clo. E10 —2C 124
Sergeantsgreen La. Wal A —3J 79
Serpentine Wlk. Colc —7M 167
Service La. B'moor —1G 85
Seton Gdns. Dag —9H 127
Settle Rd. Romf —1L 113
Seven Acres. W'fd —8M 103
Seven Arches Rd. Brtwd —9G 99 (1E 40)
Seven Ash Grn. Chelm —6L 61
Seven Devils La. Saf W —6J 205
Seven Kings. —3D 126 (4H 39)
Seven Kings Rd. Ilf —4E 126 (4H 39)
Sevenoaks Clo. Romf —1G 113
Sevenoaks Rd. Grn St & Hals —7H 47
Sevenoaks Way. Orp —6J 47
Seven Sisters. (Junct.) —3B 38
Seven Sisters Rd. N7 & N15 —4A 38
Seven Star Green. —8A 166 (6B 16)
Seventh Av. E12 —6M 125
Seventh Av. Can I —1E 152
Seventh Av. Chelm —5K 61
Seventh Av. Stans —7G 209
Severalls Ind. Est. H'wds —1C 168
Severalls La. Colc —8A 162 (4F 17)
Severn. E Til —1K 159
Severn Av. Romf —7F 112
Severn Dri. Upm —1A 130
Severn Rd. Ave —6N 145
Severn Rd. Clac S —8K 187
Severns Field. Epp —8F 66
Sewards End. —6D 6
Sewards End. W'fd —1M 119
Sewardstone. —9C 78 (6E 30)
Sewardstonebury. —4E 92 (6E 30)
Sewardstone Gdns. E4 —4B 92
Sewardstone Rd. E2 —6C 38
Sewardstone Rd. E4 —6B 92 (7D 30)
Sewardstone Rd. Wal A & E4 —4C 78
Sewardstone St. Wal A —4C 78
Sewell Harris Clo. H'low —2E 56
Sewells La. Bel O —4E 8
Sexton Clo. Colc —6B 176
Sexton Clo. Rain —1D 144
Sexton Rd. Til —6B 158
Sextons La. Gt Br —4H 25
Seymer Rd. Romf —7B 112
Seymour Clo. Lain —9M 117
Seymour Clo. Lou —5L 93
Seymour Ct. E4 —8F 92
Seymour Gdns. Bill —3J 101
Seymour Gdns. Ilf —3M 125
Seymour M. Saw —5K 53
Seymour Rd. E4 —7B 92
Seymour Rd. Ben —4M 137
Seymour Rd. Jay —3D 190
Seymour Rd. Til —6B 158
Seymour Rd. Wclf S —5H 139
Seymours. H'low —6M 55
Seymours, The. Lou —9N 79
Seymour St. Chelm —9J 61
Shackleton Clo. Har —6H 201
Shacklewell. —5C 38
Shacklewell La. N16 —5B 38
Shadwell. —7C 38
Shaftenhoe End. —7F 5
Shaftenhoe End Rd. Bar —6F 5
Shafter Rd. Dag —8A 128
Shaftesbury. Lou —2K 93
Shaftesbury Av. W1 & WC2 —7A 38
Shaftesbury Av. Har —3K 201
Shaftesbury Av. Sth S —8B 140
Shaftesbury Ct. Pits —7J 119
Shaftesbury La. Dart —9M 155
Shaftesbury Rd. E4 —7D 92
Shaftesbury Rd. E7 —9J 125
Shaftesbury Rd. E10 —3A 124
Shaftesbury Rd. E17 —1B 124
Shaftesbury Rd. Epp —8E 66
Shaftesbury Rd. Romf —1D 128
Shaftesburys, The. Bark —2B 142
Shaftsbury Ct. Eri —6D 154
(off Selkirk Dri.)
Shair La. Ten —4N 179 (7B 18)
Shakespeare Av. Bas —1J 133
Shakespeare Av. Bill —6L 101
Shakespeare Av. Ray —5N 121
Shakespeare Av. Til —7D 158
Shakespeare Av. Wclf S —4K 139
Shakespeare Clo. Brain —1A 194
Shakespeare Ct. Hod —1B 54
Shakespeare Cres. E12 —8M 125
Shakespeare Dri. Mal —8K 203
Shakespeare Dri. Wclf S —4K 139
Shakespeare Rd. Colc —9G 166
Shakespeare Rd. Dart —9L 155
Shakespeare Rd. Romf —1D 128
Shakespeare Sq. Ilf —3B 110
Shakeston Clo. Writ —2K 73
Shakletons. Ong —7L 69
Shalford. —4A 14
Shalford Green. —5A 14
Shalford Lodge. Broom —3K 61
Shalford Rd. Bill —6M 101
Shalford Rd. Gt Sal —5A 14
Shalford Rd. Rayne —5A 192 (7B 14)
Shamrock Clo. Tol —7K 211
Shanklin Av. Bill —6J 101
Shanklin Clo. Clac S —5L 187
Shanklin Dri. Wclf S —4G 138
Shannon Av. Ray —6J 121
Shannon Clo. Lgh S —2D 138
Shannon Sq. Can I —2D 152
Shannon Way. Ave —6N 145
Shannon Way. Can I —2D 152
Shardeloes Rd. SE4 —2D 46
Sharlands Clo. W'fd —8N 103
Sharnbrook. Shoe —4H 141
Sharpecroft. H'low —3B 56
Sharpington Clo. Chelm —7D 74
Sharp Way. Dart —8K 155
Shatters Rd. Lay B —2C 26
Shaw Av. Bark —2K 143
Shawbridge. H'low —6B 56
Shaw Clo. SE28 —8G 143
Shaw Clo. Horn —3F 128
Shaw Clo. Kir X —7J 183
Shaw Clo. W'fd —2L 119
Shaw Cres. Hut —3N 99
Shaw Cres. Til —6D 158
Shaw Dri. Weth —2A 14
Shaw Gdns. Bark —2K 143
Shaw Green —2A 10
Shaw Rd. Wthm —2C 214
Shearers Way. Bore —2G 63
Shears Cres. W Mer —4L 213
Shearwood Cres. Dart —8D 154
Sheds La. Saf W —3L 205
Sheepcoates La. Gt Tot —6J 25
Sheepcote Green. —2J 11
Sheepcote La. Man —5K 11
Sheepcote La. Orp —7K 47
Sheepcotes La. L Walt —6L 59
(in two parts)
Sheepcotes La. Sil E —3M 207 (1F 25)
Sheepcotes La. S'min —6L 207
Sheepcotes Rd. Romf —8K 111
Sheepcot Rd. Cas H —4C 206 (1E 14)
Sheepen Pl. Colc —7M 167
Sheepen Rd. Colc —7L 167 (6E 16)
Sheering. —5A 22
Sheering Ct. Ray —4G 121
Sheering Dri. H'low —8K 53
Sheering Lwr. Rd. H'low —5L 53 (5K 21)
Sheering Mill La. Saw —2L 53 (4K 21)
Sheering Rd. H'low —8K 53 (5K 21)
Sheering Rd. Hat H —3B 202
Sheering Wlk. Colc —4N 175
Sheerwater Clo. Bur C —3L 195
Sheerwater M. Colc —7G 168
Sheffield Dri. Romf —2L 113
Sheffield Gdns. Romf —2L 113
Sheila Clo. Romf —4N 111
Sheila Rd. Romf —4N 111
Sheilings, The. Horn —9K 113
Shelbourne Rd. N17 —2C 38
Sheldon Av. Ilf —6A 110
Sheldon Clo. Corr —9C 134
Sheldon Clo. H'low —3K 57
Sheldon Rd. Can I —2L 153
Sheldon Rd. Dag —9K 127
Shelduck Clo. E7 —7F 124
Shelford Rd. Whitt —1J 5
Shellbank La. Dart —5E 48
Shellbeach Rd. Can I —3K 153
Shellcroft. Coln E —3H 15
Shellduck Cres. Bla N —3C 198
Shelley. —3L 69 (2C 32)
(nr. Bobbingworth)
Shelley. —5K 69
(nr. Chipping Ongar)
Shelley Av. E12 —8L 125
Shelley Av. Bas —1J 133
Shelley Av. Horn —4D 128
Shelley Clo. Mal —8K 203
Shelley Clo. Ong —5K 69
Shelley Ct. E10 —2B 124
(off Skelton's La.)
Shelley Ct. E11 —8G 109
(off Makepeace Rd.)
Shelley Ct. Wal A —3F 78
(off Ninefields)
Shelley Gro. Lou —3M 93
Shelley La. L Cla —4K 187
Shelley Pl. Ray —4G 120
Shelley Pl. Til —6D 158
Shelley Rd. Chelm —9M 61
Shelley Rd. Colc —9G 166
Shelley Rd. Hut —6N 99
Shelleys La. Tye G —1E 194
Shelley Sq. Sth S —4N 139
Shelley Wlk. Brain —8J 193
Shell Haven. —3H 151
Shellow Bowells. —1F 33
Shellow Rd. Will —1F 33
Shelsley Dri. Bas —3L 133
Shenfield. —6J 99 (7F 33)
Shenfield Ct. H'low —6B 56
Shenfield Cres. Brtwd —8H 99
Shenfield Gdns. Hut —5L 99
Shenfield Grn. Shenf —6K 99
Shenfield Pl. Shenf —6H 99
Shenfield Rd. Brtwd —8G 99 (7E 32)
Shenfield Rd. Wfd G —4H 109
Shenstone Clo. Dart —9B 154
Shenstone Gdns. Romf —5G 113
Shepard Clo. Lgh S —9F 122
Shepeshall. Bas —9N 117
Shepherdess Wlk. N1 —6B 38
Shepherds Clo. Ben —2L 137
Shepherds Clo. Romf —9J 111
Shepherd's Croft. S'way —1E 174
Shepherd's Hill. N6 —3A 38
Shepherds Hill. Romf —6L 113 (2C 40)
Shepherd's La. Dart —4B 48
Shepherds La. Glem —1G 9
Shepherd's Path. Brtwd —6B 98
Shepherds Wlk. Ben —2L 137
Shepherds Way. Saf W —3M 205
Shepley Clo. Horn —7H 129
Shepley M. Enf —7A 78
Sheppard Clo. Clac S —7H 187
Sheppard Dri. Chelm —7B 62
Sheppards. H'low —6M 55
Shepperton Rd. N1 —6B 38
Sheppey Clo. Eri —5F 154
Sheppey Gdns. Dag —9H 127
Sheppey Rd. Dag —9G 126
Shepreth. —2E 4
Shepreth Rd. Barr —1E 4
Shepreth Rd. Foxt —2F 5
Sherard Rd. SE9 —3G 47
Sherborne Clo. Kir X —7J 183
Sherborne Dri. Bas —6H 119
Sherborne Gdns. Romf —2M 111
Sherborne Rd. Chelm —6M 61
Sherbourne Gdns. Sth S —9L 123
Sherbourne Rd. Colc —8F 168
Sheredan Rd. E4 —2D 108
Shere Rd. Ilf —9N 109
Sherfield Rd. Grays —4L 157 (2F 49)
Sheridan Av. Ben —3H 137
Sheridan Clo. Ray —5M 121
Sheridan Clo. Romf —4G 112
Sheridan Ct. Dart —9L 155
Sheridan Rd. E7 —5F 124
Sheridan Rd. E12 —7L 125
Sheridan Wlk. Colc —9G 166
Sheriffs Way. Clac S —7J 187
Sheringham Av. E12 —6M 125
Sheringham Av. Romf —1A 128
Sheringham Clo. Stan H —2N 149
Sheringham Dri. Bark —7E 126
Sheriton Sq. Ray —3K 121
Shermanbury Pl. Eri —5D 154
Shernbroke Rd. Wal A —4F 78
Shernhall St. E17 —7C 108 (3E 38)
Sherrard Rd. E7 & E12 —8J 125
Sherringham Grn. Chelm —7B 62
Sherrin Rd. E10 —6B 124
Sherry M. Bark —9C 126
Sherry Way. Ben —9L 121
Sherwood. N Stif —8H 147
Sherwood Av. E18 —7H 109
Sherwood Clo. Colc —8D 168
Sherwood Clo. Lang H —2J 133
Sherwood Cres. Ben —2L 137
Sherwood Dri. Chelm —1M 73
Sherwood Dri. Clac S —7J 187
Sherwood Gdns. Bark —9C 126
Sherwood Ho. H'low —5E 56
Sherwood Pk. Rd. Mitc —6A 46
Sherwood Rd. Ilf —8C 110
Sherwood Way. Fee —6D 202
Sherwood Way. Sth S —3C 140
Shevon Way. Brtwd —1C 114
Shewell Wlk. Colc —8N 167
Shields Ct. Til —2L 159
(off Coronation Av.)
Shillibeer Wlk. Chig —9E 94
Shillingstone. Shoe —5H 141
Shillito Clo. Colc —2G 174
Shingay. —2A 4
Shingle Ct. Wal A —3G 78
Shingle Hall Rd. Epp Up —4C 66
Ship Hill. Brad —3C 18
Ship La. Ave & Purf —8A 146 (7D 40)
Ship La. Swan & S at H —6C 48
Shipley Hills Rd. Meop —7G 49
Ship Rd. Bur C —4M 195
Ship Rd. W Han —4C 88 (4A 34)
Shipton Clo. Dag —5J 127
Shipwrights Clo. Ben —4H 137
Shipwrights Dri. Ben —4H 137
Shipyard Est. B'sea —8E 184
Shirebourn Vale. S Fer —2K 105
Shire Clo. Bill —4M 101
Shire Clo. Chelm —4A 62
Shirehall Rd. Dart —5B 48
Shirehill. Saf W —4M 205

Shire Hill Ind. Est. *Saf W* —4M 205
Shire Hill La. *Saf W* —5M 205
(in two parts)
Shire La. *W Ber* —3G 167
Shirley. —7C 46
Shirley Chu. Rd. *Croy* —7C 46
Shirley Clo. *Dart* —9G 154
Shirley Ct. *Jay* —3D 190
Shirley Ct. *Lou* —1M 93
Shirley Gdns. *Bark* —8D 126
Shirley Gdns. *Bas* —7K 119
Shirley Gdns. *Horn* —4G 129
Shirley Oaks. —7C 46
Shirley Rd. *E15* —9E 124
Shirley Rd. *Croy* —7C 46
Shirley Rd. *Lgh S* —1D 138
Shirleys Clo. *E17* —9B 108
Shirley Way. *Croy* —7D 46
Shoebridge's Hill. *Ded* —2L 163 (2H 17)
Shoebury Av. *Shoe* —7K 141
Shoebury Comn. Rd. *Shoe*
—9G 140 (5B 44)
Shoeburyness. —8L 141 (5B 44)
Shoebury Rd. *E6* —9M 125
Shoebury Rd. *Gt W* —3M 141 (4C 44)
Shoebury Rd. *Sth S* —5E 140
Shoe La. *H'low* —4L 57
Shonks Mill Rd. *Nave* —7E 82 (5B 32)
Shooters Dri. *Naze* —1E 64
Shooters Hill. —2G 47
Shooter's Hill. *SE18 & Well* —2G 47
Shooters Hill Rd. *SE10 & SE18*
—2E 46
Shop Corner. —1F 19
Shopland Rd. *R'fd & Gt W*
—8N 123 (3K 43)
Shop La. *E Mer* —4H 27
Shop La. *L Bro* —1G 170
Shopping Hall. *Romf* —9C 112
Shop Rd. *L Bro* —4K 17
Shoreditch. —6B 38
Shoreditch High St. *E1* —6B 38
Shorefield Ct. Wclf S —7K 139
(off Station Rd.)
Shorefield Gdns. *Wclf S* —7K 139
Shorefield Rd. *Wclf S* —7J 139 (5J 43)
Shorefields. *Ben* —3B 136
Shoreham Rd. *Clac S* —4G 191
Shore La. *Brad* —3C 18
Shore Rd. *Bur C* —4M 195
Shorne. —5K 49
Shorne Ifield Rd. *Shorne* —5J 49
Shorne Ridgeway. —5K 49
Shortacre. *Bas* —9D 118
Shortcroft. *Bis S* —9C 208
Short Croft. *Kel H* —7C 84
Shortcrofts Rd. *Dag* —8L 127
Short Cut Rd. *Colc* —8M 167
Shorter Av. *Shenf* —6J 99
Shortgrove. *Newp* —9H 205
Shortlands. —6E 46
Shortlands. *Bas* —9C 118
Shortlands Av. *Ong* —5K 69
Shortlands Rd. *E10* —2B 124
Shortlands Rd. *Brom* —6E 46
Short La. *Frin S* —2F 188
Short La. *Rams H* —5D 102 (7A 34)
Shortridge Ct. *Wthm* —7C 214
Short Rd. *E11* —4E 124
Short Rd. *Ben* —4K 137
Short Rd. *Can I* —1H 153
Short St. *Sth S* —5M 139
Short Wyre St. *Colc* —8N 167
Shorwell Ct. *Purf* —3M 155
Shotgate. —1A 120 (1D 42)
Shotgate Thickets Nature Reserve.
—8B 104 (1D 42)
Shotley. —1G 19
Shotley Clo. *Clac S* —9E 186
Shotley Gate. —1H 19
Shrewsbury Clo. *Lang H* —1H 133
Shrewsbury Dri. *Ben* —8D 120
Shrewsbury Rd. *E7* —7K 125
Shropshire Clo. *Gt Bad* —5G 75
Shrubberies, The. *E18* —6G 109
Shrubberies, The. *Chig* —2B 110
Shrubberies, The. *Writ* —2H 73
Shrubbery Clo. *Lain* —7M 117
Shrubbery Rd. *S Dar* —6D 48
Shrubbery, The. *E11* —9H 109
Shrubbery, The. *Upm* —5N 129
Shrub End. —3H 175 (7D 16)
Shrub End Rd. *Colc* —4G 175 (7D 16)
Shrubland Ct. *Clac S* —8M 187
Shrubland Rd. *E10* —2A 124
Shrubland Rd. *E17* —9A 108
Shrubland Rd. *Colc* —9A 168
Shrubland Rd. *Mis* —5L 165
Shrublands. *Saf W* —2L 205
Shrublands Clo. *Chelm* —9L 61
Shrublands Clo. *Chig* —3B 110
Shudy Camps. —3F 7
Shut La. *E Col* —3C 196
Shuttle Rd. *Dart* —8E 154
Sible Hedingham. —6C 206 (2D 14)
Sibley Gro. *E12* —9L 125
Sibley's Green. —4F 13
Sibleys La. *Thax* —4F 13
Sibneys Grn. *H'low* —7D 56
Sickle Corner. *Dag* —3N 143
Sidcup. —4J 47
Sidcup By-Pass. *Chst & Sidc* —5H 47
Sidcup Hill. *Sidc* —5J 47
Sidcup Rd. *SE12 & SE9* —3F 47
Siddons Clo. *Linf* —1J 159
Sidings, The. *E11* —3D 124
Sidings, The. *Lou* —5L 93
Sidmouth Av. *Wclf S* —1J 139
Sidmouth Rd. *E10* —5C 124
Sidmouth Rd. *Chelm* —5N 61
Sidmouth St. *WC1* —6A 38
Sidney Rd. *E7* —5G 125
Sidney Rd. *They B* —6C 80
Sidney St. *E1* —7C 38
Sidwell Av. *Ben* —5E 136
Sidwell Chase. *Ben* —5E 136
Sidwell La. *Ben* —5E 136
Sidwell Pk. *Ben* —5E 136
Siena M. *Colc* —2B 176
Silchester Corner. *Gt W* —3F 140
Silcock Clo. *Colc* —5C 168
Silcott St. *B'sea* —7D 184
Silks Ct. *E11* —3F 124
Silks Way. *Brain* —6H 193
Sillett Clo. *Clac S* —7H 187
Silva Island Way. *W'fd* —2N 119
Silvanus Clo. *Colc* —9L 167
Silver Birch Av. *N Wea* —6K 67
Silver Birch Clo. *SE28* —8F 142
Silver Birches. *Hut* —7K 99
Silver Birch M. *Ilf* —3B 110
Silverdale. *Ben* —8F 120
Silverdale. *Ray* —7L 121
Silverdale. *Stan H* —1M 149
Silverdale Av. *Ilf* —9E 110
Silverdale Av. *Wclf S* —4K 139
Silverdale Dri. *Horn* —7F 128
Silverdale E. *Stan H* —1M 149
Silverdale Rd. *E4* —3D 108
Silver End. —3L 207 (2F 25)
Silver End Rd. *B'wll* —1F 25
Silver La. *Will* —1F 33
Silverlocke Rd. *Grays* —4N 157
Silvermead. *E18* —5G 109
Silvermere. *Bas* —1J 133
Silvermere Av. *Romf* —3N 111
Silverpoint Marine. *Can I* —2N 153
Silver Rd. *Bur C* —4M 195
Silversea Dri. *Wclf S* —4F 138
Silver St. *Abr* —2G 94
Silver St. *Chesh* —3A 30
Silver St. *Enf* —6B 30
Silver St. *H'hll* —2G 7
Silver St. *Ked* —2A 8
Silver St. *Lit* —4A 4
Silver St. *Mal* —5J 203
Silver St. *Sil E* —3L 207
Silver St. *Stans* —3C 208 (6A 12)
Silver St. *Wal A* —4C 78
Silver St. *Weth* —3A 14
Silverthorn. *Can I* —2F 152
Silverthorn Clo. *R'fd* —3J 123
Silverthorne Clo. *Colc* —3A 176
Silverthorne Rd. *SW8* —2A 46
Silverthorn Gdns. *E4* —8A 92
Silvertown. —1F 47
Silvertown Av. *Stan H* —3M 149
Silvertown Way. *E16* —7E 38
Silvertree Clo. *Hock* —1A 122
Silver Way. *Romf* —7N 111
Silver Way. *W'fd* —8K 103
Silverwood Clo. *Grays* —7K 147
Simmonds La. *Mun* —3H 35
Simmonds Way. *Dan* —2F 76
Simmons La. *E4* —8D 92 (1E 38)
Simmons Pl. *Grays* —8K 147
Simms La. *Ked* —2A 8
Simonds Rd. *E10* —4A 124
Simons La. *Colc* —9A 168
(in two parts)
Simons Wlk. *E15* —7D 124
Simon Way. *Bill* —7H 101
Simpson Rd. *Rain* —8D 128
Simpsons La. *Tip* —8A 212 (4K 25)
Sims Clo. *E Col* —2C 196
Sims Clo. *Romf* —8D 112
Sinclair Clo. *Colc* —5N 167
Sinclair Rd. *E4* —2A 108
Sinclair Wlk. *W'fd* —2L 119
Singer Av. *Jay* —5C 190
Singleton Clo. *Horn* —6D 128
Singleton Rd. *Dag* —7L 127
Singlewell. —5H 49
Singlewell Rd. *Grav* —4H 49
Sinnington End. *Colc* —3C 168
Sioux Clo. *H'wds* —3C 168
Sippets Ct. *Ilf* —3C 126
Sir Alfred Munnings Art Museum.
—3M 163 (2J 17)
Sirdar Rd. *Ray* —7K 121
Sir Francis Way. *Brtwd* —8E 98
Sir Isaac's Wlk. *Colc* —8M 167
Sir Walter Raleigh Dri. *Ray* —3H 121
Siskin Clo. *Colc* —7F 168
Sisley Rd. *Bark* —1D 142
Sittang Clo. *Colc* —5K 175
Sitwell Clo. *Law* —4G 165
Siviter Way. *Dag* —9N 127 (5K 39)
Siward Rd. *Wthm* —7A 214
Six Bells Ct. *Brain* —3H 193
Sixth Av. *E12* —6M 125
Sixth Av. *Ben* —1G 137
Sixth Av. *Can I* —1E 152
Sixth Av. *Chelm* —5K 61
Sixth Av. *Stans* —6H 209
Skarnings Ct. *Wal A* —3G 78
Skates Hill. *Glem* —2G 9
Skeet Hill La. *Orp* —7K 47
Skeins Way. *Clav* —3J 11
Skelley Rd. *E15* —9F 124
Skelmersdale Rd. *Clac S*
—1K 191 (4D 28)
Skelter Steps. Sth S —7A 140
(off Hawtree Clo.)
Skelton Clo. *Law* —4H 165
Skelton Rd. *E7* —8G 125
Skelton's La. *E10* —2B 124
Skerry Rise. *Chelm* —4K 61
Skibbs La. *Orp* —7K 47
Skiddaw Clo. *Brain* —1D 198
Skinner's La. *Chelm* —7C 74
Skinner St. *EC1* —6A 38
Skinney La. *Hort K* —6D 48
Skiphatch La. *L Bro* —1J 171
Skipper's Island Nature Reserve.
—1E 182 (6F 19)
Skippers La. *Wthfld* —1G 7
Skippers, The. Tol —8K 211
(off Station Rd.)
Skitts Hill. *Brain* —7J 193 (7D 14)
Skreens Ct. *Chelm* —7F 60
Skreens Pk. Rd. *Will & Rox* —7G 23
Skye Green. —5A 172 (7J 15)
Sky Hall Hill. *L'ham* —1C 162 (1F 17)
Skylark Clo. *Bill* —7L 101
Skylark Wlk. *Chelm* —5C 74
Sky Peals Rd. *Wfd G* —4D 108
Skyrmans Fee. *Kir X* —8H 183
Slacksbury Hatch. *H'low* —3A 56
Sladbury's La. *Clac S* —3N 187 (2E 28)
Slade End. *They B* —6D 80
Slade Gdns. *Eri* —6D 154
Slade Green. —6E 154 (2B 48)
Slade Grn. Rd. *Eri* —4F 154 (2B 48)
Slade Rd. *Clac S* —7N 187
Slades Hill. *Enf* —6A 30
Slade's La. *Chelm* —7B 74 (3A 34)
Slades, The. *Bas* —4F 134
Slade, The. *SE18* —2H 47
Slade Tower. E10 —4A 124
(off Leyton Grange Est.)
Slaney Rd. *Romf* —9C 112
Slaters Clo. *Kir X* —8J 183
Sleepers Farm Rd. *Grays* —9D 148
Slewins Clo. *Horn* —9G 113
Slewins La. *Horn* —9G 112 (3B 40)
Slipe La. *Brox* —3A 64
(in two parts)
Sloane M. *Bill* —3H 101
Slocum Clo. *SE28* —7H 143
Sloe Hill. *H'std* —4H 199 (3F 15)
Slough Farm Rd. *H'std* —4J 199
Slough Ho. Clo. *Brain* —7M 193
Slough La. *A'lgh* —4K 169 (5H 17)
Slough La. *C Hth* —9H 169 (6G 17)
Slough La. *L Cor* —3K 9
Slough La. *N Wea* —3A 68
Slough La. *Pur* —7K 77 (3F 35)
Slough Rd. *A Grn* —3H 21
Slough Rd. *Dan* —8H 77 (3E 34)
Slough Rd. *E End & Bran* —1A 18
Slough Rd. *High E* —4F 23
Smallbridge Entry. *Bures* —2B 16
Smallgains Av. *Can I* —1K 153
Smallgains La. *Stock* —9M 87 (6K 33)
Smallshoes Hill. *Mash* —5H 23
Smallwood Rd. *Colc* —3J 175
Smart Clo. *Romf* —5F 112
Smart's La. *Lou* —3K 93
Smartt Av. *Can I* —1G 153
Smeaton Clo. *Colc* —1C 168
Smeaton Clo. *Wal A* —2E 78
Smeaton Rd. *Wfd G* —2M 109
Smeed Rd. *E3* —9A 124
Smeetham Hall La. *Bulm* —5H 9
Smilers Ind. Est. *Bas* —7N 119
Smithers Chase. *Sth S* —1N 139
Smithers Dri. *Chelm* —4H 75
Smith Fields. *S Fer* —2J 105
Smithies Ct. *E15* —7C 124
Smiths Av. *May* —3D 204
Smith's End. —7E 4
Smith's End La. *Bar* —6E 4
Smiths Field. *Brain* —6B 192
Smiths Field. *Colc* —1C 176
Smith's Green. —4B 210 (5J 7)
(nr. Steeple Bumpstead)
Smith's Green. —8D 210 (1D 22)
(nr. Takeley)
Smiths Grn. *Tak* —8D 210 (1D 22)
Smiths La. *Chesh* —2B 30
Smith St. *Shoe* —8K 141 (5B 44)
Smyatts Clo. *S'min* —8L 207
Smythe Clo. *Bill* —3M 101
Smythe Clo. *Clac S* —7G 187
Smythe Rd. *Bill* —3M 101
Smythe's Green. —2B 26
Smythies Av. *Colc* —8A 168
Snakes Hill. *N'side* —1N 97 (6D 32)
Snakes La. *Sth S* —1E 138 (3H 43)
Snakes La. *U Grn* —7A 196 (5B 12)
Snakes La. E. *Wfd G* —3J 109 (2F 39)
Snakes La. W. *Wfd G* —2G 108 (1F 39)
Snape Clo. *Clac S* —9E 186
Snape Way. *Frin S* —8J 183
Snaresbrook. —9G 109 (3F 39)
Snaresbrook Hall. *E18* —8G 108
Snaresbrook Rd. *E11* —8E 108 (3E 38)
Sneating Hall La. *Kir S* —6A 182 (1E 28)
Snelling Gro. *Chelm* —4G 74
Snipe Clo. *Eri* —5F 154
Sniveller's La. *K'dn* —2G 25
(in three parts)
Snoreham Gdns. *Latch* —4K 35
Snowberry Ct. *Brain* —4M 193
Snowberry Gro. *Colc* —3A 176
Snowdonia Clo. *Pits* —7K 119
Snowdrop Clo. *Chelm* —4N 61
Snowdrop Clo. *Wthm* —3B 214
Snowdrop Path. *Romf* —4H 113
Snow End. —2F 11
Snow Hill. *Gt Eas* —5F 13
Snowley Pde. Bis S —8A 208
(off Manston Dri.)
Snowshill Rd. *E12* —7L 125
Soames Mead. *Ston M* —3D 84
Soane St. *Bas* —6J 119
Soft Rd. *Bel W* —5F 9
Softwater La. *Ben* —3K 137
Soils, The. *Gt Oak* —9A 200 (4F 19)
Solby's La. *Ben* —3L 137
Sole Street. —7H 49
Sole St. *Meop & Grav* —7H 49
Solid La. *Dodd* —9C 84
Solway. *E Til* —1L 159
Somerby Clo. *Brox* —9A 54
Somerby Rd. *Bark* —9C 126
Somercotes Ct. *Bas* —1L 133
Somerdean. Bas —9K 119
(off Manor Av.)
Somerdene. *Bas* —9K 119
Somersby Gdns. *Ilf* —9M 109
Somerset Av. *R'fd* —4K 123
Somerset Av. *Wclf S* —2G 138
Somerset Clo. *Colc* —3J 175
Somerset Clo. *Wfd G* —5G 109
Somerset Ct. *Buck H* —8J 93
Somerset Cres. *Wclf S* —2G 138
Somerset Gdns. *Bas & Pits* —9J 119
(in two parts)
Somerset Gdns. *Horn* —3L 129
Somerset Pl. *Chelm* —4J 61
Somerset Rd. *E17* —1A 124
Somerset Rd. *Bas* —9K 117
Somerset Rd. *Enf* —8A 78
Somerset Rd. *Linf* —9J 149
Somerset Way. *Jay* —3D 190
Somers Rd. *Colc* —2H 175
Somerton Av. *Wclf S* —1G 138
Somerville Gdns. *Lgh S* —6E 138
Somerville Rd. *Romf* —1H 127
Somme Rd. *Colc* —3L 175
Somnes Av. *Can I* —8E 136 (5E 42)
Songers Cotts. *Boxt* —3B 162
Sonnell Ct. *W'hoe* —4H 177
Sonning Way. *Shoe* —5H 141
Sonters Down. *Ret C* —3C 104
Sophia Rd. *E10* —3B 124
Sopwith Cres. *W'fd* —2B 120
Sorensen Ct. E10 —4B 124
(off Leyton Grange Est.)
Sorrel Clo. *SE28* —8F 142
Sorrel Clo. *Colc* —5K 167
Sorrel Ct. *Grays* —4N 157
Sorrell Clo. *Gold* —7A 26
Sorrell Clo. *L Walt* —6K 59
Sorrells, The. *Ben* —8D 120
Sorrells, The. *Stan H* —3A 150 (6K 41)
Sorrel Wlk. *Romf* —7D 112
Southall Way. *Brtwd* —1C 114
Southampton Row. *WC1* —7A 38
Southampton Way. *SE5* —2B 46
South Av. *E4* —6B 92
South Av. *Hull* —7L 105
South Av. *Lang H* —6K 133
South Av. *Sth S* —5N 139
S. Beech Av. *W'fd* —9L 103
South Benfleet. —3E 136 (4D 42)
S. Birkbeck Rd. *E11* —5D 124
Southborough. —7G 47
Southborough Dri. *Wclf S* —4G 138
Southborough La. *Brom* —7G 47
Southborough Rd. *Brom* —7G 47
Southborough Rd. *Chelm* —2B 74
S. Boundary Rd. *E12* —5M 125
Southbourne Gdns. *Ilf* —7B 126
Southbourne Gdns. *Wclf S* —2G 138
Southbourne Gro. *Hock* —1F 122
Southbourne Gro. *Wclf S*
—5G 139 (4H 43)
Southbourne Gro. *W'fd* —8H 103
Southbrook. *Saw* —3K 53
Southbrook Rd. *SE12* —3E 46
Southbury Clo. *Horn* —7H 129
Southbury Rd. *Enf* —6B 30
South Chingford. —1D 38
Southchurch. —5C 140 (5A 44)
Southchurch Av. *Shoe* —7L 141
Southchurch Av. *Sth S* —6N 139 (5K 43)
Southchurch Boulevd. *Sth S*
—5C 140 (4A 44)
Southchurch Hall Clo. *Sth S* —6A 140
Southchurch Hall & Museum.
—7A 140 (5K 43)
Southchurch Rectory Chase. *Sth S*
—5C 140
Southchurch Rd. *Sth S*
—6M 139 (5K 43)
Southcliff. *Ben* —2C 136
Southcliff. *W on N* —7M 183
Southcliff Pk. *Clac S* —9L 187
Southcliff Promenade. *Frin S* —9L 183
South Clo. *Dag* —1M 143
South Clo. *H'std* —6K 199
South Clo. *St O* —9N 185
S. Colne. *Bas* —2E 134
Southcote Cres. *Bas* —7F 118
Southcote Dri. *Wthm* —3C 214
Southcote Row. *Bas* —7G 118
Southcote Sq. *Bas* —7F 118
South Ct. *Ing* —6E 86
South Cres. *Sth S* —1J 139
S. Crockerford. *Bas* —2F 134
Southcroft Clo. *Kir X* —8F 182
S. Cross Rd. *Ilf* —9B 110
S. Croxted Rd. *SE21* —4B 46
S. Dagenham Rd. *Dag & Rain* —5A 40
Southdale. *Chig* —3C 110
South Darenth. —6D 48
Southdown Cres. *Ilf* —9D 110
Southdown Rd. *Horn* —2F 128
South Dri. *E12* —5L 125
South Dri. *Romf* —7G 112
South Dri. *War* —1G 115
S. Eden Pk. Rd. *Beck* —7D 46
South-end. —3H 21
South End. *Bass* —4B 4
Southend Airport Retail Pk. *Sth S*
—9K 123
Southend Arterial Rd. *Bas & W'fd*
—7G 116 (2J 41)
Southend Arterial Rd. *Ray & Lgh S*
—5D 120 (2E 42)
Southend Arterial Rd. *Romf & L War*
—6H 113 (3C 40)
Southend Arterial Rd. *Upm & Bas*
—3E 40
Southend Arterial Rd. *W Horn*
—9H 115 (3F 41)
Southend Central Museum.
—5M 139 (4K 43)
Southend Central Museum &
Planetarium. —4K 43
Southend Cres. *SE9* —3G 47
Southend La. *SE26 & SE6* —5D 46
Southend La. *Wal A* —4H 79
Southend-on-Sea. —7M 139 (5K 43)
Southend-on-Sea Tourist Information
Centre. —7M 139 (5K 43)
Southend Pier. —8N 139 (5K 43)
Southend Pier Museum.
—8N 139 (5K 43)
(off Western Esplanade.)
Southend Planetarium. —5M 139 (4K 43)
Southend Rd. *E4 & E17* —2D 38
Southend Rd. *E6* —9M 125
Southend Rd. *E17 & E18* —5B 108
Southend Rd. *E18 & Wfd G* —2F 39
Southend Rd. *Beck* —5D 46
Southend Rd. *Bill* —7K 101 (7J 33)
Southend Rd. *Corr* —5A 42
Southend Rd. *Grays* —2M 157 (1G 49)
Southend Rd. *Gt W* —3F 140 (4A 44)
Southend Rd. *Hock* —2C 122 (1H 43)
Southend Rd. *H Grn* —7K 75
Southend Rd. *How G & Ret C* —3C 34
S. End Rd. *Rain & Horn* —1E 144 (6A 40)
Southend Rd. *R'fd* —9L 123 (3J 43)
Southend Rd. *Stan H* —3M 149
Southend Rd. *W'fd* —8M 103 (1C 42)
(in two parts)
Southend Rd. *Wfd G* —6J 109
Southend Rd. *Wdhm M* —5J 77 (2F 35)
Southend Sea Life Centre.
—8A 140 (5K 43)
Southend United F.C. —4J 43
Souther Cross Rd. *Good E* —5G 23
Southern Dri. *Lou* —5M 93
Southern Dri. *S Fer* —1J 105
Southern Green. —3A 10
Southernhay. *Bas* —1B 134 (3A 42)
(in two parts)
Southernhay. *Lgh S* —1C 138
Southernhay. *Lou* —3K 93
Southern Lodge. *H'low* —6B 56
Southern Ter. *Hod* —2B 54
Southern Way. *H'low* —6N 55 (7G 21)
Southern Way. *Romf* —1M 127
S. Esk Rd. *E7* —8J 125
Southey Clo. *H'bri* —4M 203
Southey Green. —2D 14
Southey Wlk. *Til* —6D 158
Southfalls Rd. *Can I* —2M 153
South Fambridge. —4F 106 (7H 35)
Southfield. *I'tn* —2H 197
Southfield Clo. *Ben* —1L 137
Southfield Dri. *Ben* —1L 137
Southfield Rd. *Hod* —4A 54
Southfields. —3J 41
Southfields. *Ded* —2M 163
Southfields Ind. Pk. *Bas* —8H 117
Southfield Way. *S'min* —8K 207
Southfleet. —5F 49
Southfleet Rd. *Bean* —5E 48
Southfleet Rd. *Swans* —4F 49
Southgate. —1A 38
South Ga. *H'low* —3C 56
Southgate. *Purf* —2N 155
Southgate Rd. *N1* —6B 38
Southgates Ind. Pk. *Saf W* —6M 205
Southgate St. *L Mel* —3J 9
South Green. —9L 101 (1J 41)
Southgreen Gdns. *Clac S* —9G 186
S. Green Rd. *Fing* —2G 27
South Gro. *E17* —3D 38
S. Gunnels. *Bas* —9C 118
South Hackney. —6C 38
S. Hall Dri. *Rain* —5F 144
South Hanningfield. —9K 89 (6B 34)
S. Hanningfield Rd. *S Han* —6B 34
S. Hanningfield Rd. *W'fd* —2H 103
S. Hanningfield Way. *Runw* —5L 103
(in two parts)
South Heath. —2L 185 (2B 28)
S. Heath Rd. *Gt Ben* —1L 185 (2A 28)
South Hill. *Horn H* —2J 149 (6J 41)
South Hill. *Stan H & Lang H*
—8H 133 (5J 41)
S. Hill Clo. *Dan* —4D 76
S. Hill Cres. *Horn H* —2J 149

South Hornchurch. —1D 144 (6A 40)
South Ho. Chase. Mal —9M 203
South Lambeth. —2A 46
S. Lambeth Rd. SW8 —2A 46
Southland Clo. Colc —6C 168
Southlands Cotts. W'fd —6A 104
Southlands Rd. Brom —6F 47
Southlands Rd. Cray H —1E 118
S. Lodge Av. Mitc —6A 46
S. Mayne. Bas —9G 119
S. Mayne. Pits —3B 42
Southminster. —7K 207 (5D 36)
Southminster Rd. Alth —5B 36
Southminster Rd. Ashel —4C 36
Southminster Rd. Bur C —1J 195 (6C 36)
Southminster Rd. S'min —9J 207
Southminster Rd. St La —2D 36
South Norwood. —6C 46
S. Norwood Hill. SE25 —6B 46
South Ockendon. —6E 146 (7E 40)
South Pde. Can I —3L 153
South Pde. Wal A —3C 78
S. Park Cres. Ilf —5C 126
S. Park Dri. Ilf & Bark —7D 126 (4H 39)
S. Park Rd. Ilf —5C 126
S. Park Ter. Ilf —5C 126
South Pl. H'low —9F 52
S. Primrose Hill. Chelm —8H 61
S. Ridge. Bill —7L 101
S. Riding. Bas —9F 118
South Rd. Bill —2E 118
South Rd. Bis S —1K 21
South Rd. Chad H —1K 127
South Rd. Eri —5D 154
South Rd. H'low —9F 52
South Rd. L Hth —9H 111
South Rd. Puck —7E 10
South Rd. Saf W —4L 205
South Rd. S Ock —5F 146 (7E 40)
South Rd. Stan H —5D 134
South Rd. Tak —7C 210
Southsea Av. Lgh S —4C 138
Southsea Ho. H Hill —2H 113
(off Darlington Gdns.)
South Side. Til —9A 158
South Side. Wal A —9H 65
South Stifford. —4G 157 (1F 49)
South Strand. Law —3H 165
South St. Bis S —1K 21
South St. Brad S —1F 37
South St. Brain —6H 193 (7C 14)
South St. Brtwd —8F 98
South St. Colc —9M 167
South St. Enf —7C 30
South St. Gt Che —4A 6
South St. Gt Walt —6G 58
South St. Lit —4A 4
South St. Mann —4J 165
South St. Rain —2A 144
South St. R'fd —6L 123 (2J 43)
South St. Romf —9C 112 (3A 40)
South St. T'ham —3E 36
South St. Tol D —6B 26
South Tottenham. —3B 38
South View. Ded —2N 163
South View. D'mw —8K 197
South View. Ors —5D 148
S. View Av. Til —6C 158
S. View Clo. Ray —7M 121
Southview Clo. S Fer —9K 91
Southview Cres. Ilf —1A 126
S. View Dri. E18 —7H 109
Southview Dri. Bas —7L 119
Southview Dri. Clac S —7C 188
S. View Dri. Upm —5L 129
Southview Dri. W on N —7M 183
Southview Dri. Wclf S —5H 139
Southview Pde. Rain —3B 144
S. View Rd. Ben —3C 136
Southview Rd. Dan —4D 76
S. View Rd. Grays —4F 156
Southview Rd. Hock —9E 106
S. View Rd. Lou —5M 93
S. View Rd. Ret C —3C 104
Southview Rd. Van —1F 134
South Wlk. Bas —1B 134
Southwalters. Can I —1F 152
Southwark. —7A 38
Southwark Bri. SE1 —7B 38
Southwark Bri. Rd. SE1 —1A 46
Southwark Pk. Rd. SE16 —1C 46
Southwark Path. Bas —8G 118
Southwark St. SE1 —7A 38
S. Wash Rd. Lain —6N 117
Southway. Bas —5N 133
Southway. B'sea —6E 184
Southway. Colc —9M 167 (6E 16)
South Way. Purf —1B 156
South Way. Wal A —7B 78
South Weald. —8B 98 (7D 32)
S. Weald Dri. Wal A —3D 78
S. Weald Rd. Brtwd —9D 98
Southwell Gro. Rd. E11 —4E 124
Southwell Rd. Ben —2E 136
Southwest Rd. E11 —3L 124
Southwick Gdns. Can I —2F 152
Southwick Rd. Can I —2F 152
Southwold Cres. Ben —1C 136
Southwold Dri. Bark —7F 126
Southwold Way. Clac S —8E 186
Southwood Chase. Dan —6G 77
South Woodford. —6G 109 (3E 38)
S. Woodford to Barking Relief Rd.
E11 & Bark —9K 109 (3F 39)
Southwood Gdns. Ilf —8A 110
Southwood Gdns. Lgh S —7A 122
South Woodham Ferrers. —1L 105 (6F 35)
Southwood Rd. SE9 —4G 47
Southwood Rd. SE28 —8G 143
Sovereign Clo. Brain —4M 193
Sovereign Clo. R'fd —5K 123
Sovereign Ct. H'low —6A 56
Sovereign Cres. Colc —9K 167
Sovereign Rd. Bark —3H 143
Sowerberry Clo. Chelm —4H 61
Sowley Green. —1A 8
Sowley Grn. Thurl —1K 7
Sowrey Av. Rain —8D 128
Spa Clo. Hock —1D 122
Spa Ct. Hock —1D 122
Spa Hill. SE19 —6B 46
Spains Hall Garden. —1J 13
Spains Hall Pl. Bas —1D 134
Spains Hall Rd. Corn H —1J 13
Spains Hall Rd. Will —1J 71 (1F 33)
Spalding Av. Chelm —6G 61
Spalding Clo. Brain —4G 193
Spalding Way. Chelm —2G 74
Spalt Clo. Hut —8L 99
Spanbeek Rd. Can I —9H 137
Spanbrook. Chig —9A 94
Spansey Ct. H'std —5J 199
Spar Dri. St La —1C 36
Spareleaze Hill. Lou —3M 93
Sparepenny La. Eyns —7B 48
Sparepenny La. N. Gt Sam —1H 13
Sparepenny La. S. Gt Sam —1H 13
Sparkbridge. Lain —9J 117
Sparkey Clo. Wthm —8D 214
Sparks Clo. Dag —4J 127
Sparks La. Ridg —5B 8
Sparling Clo. Colc —4K 175
Sparlings, The. Kir S —6F 182
Spa Rd. Fee —7E 202
Spa Rd. Hock —1C 122 (1H 43)
Spa Rd. Wthm —4F 25
Sparrow Clo. Sib H —7B 206
Sparrow Grn. Dag —5N 127
Sparrows End. —7B 6
Sparrowsend Hill. Saf W —8H 205
Sparrowsend Hill. Wen A —1J 15
Sparrows Herne. Bas —3B 134 (4A 42)
Sparrows Herne. Clac S —7K 187
Sparrows La. Hat H —5C 22
Sparsholt Clo. Bark —1D 142
(off Sparsholt Rd.)
Sparsholt Rd. Bark —1D 142
Spearpoint Gdns. Ilf —9E 110
Speckled Wood Ct. Brain —8G 192
Speedgate Hill. Fawk —7E 48
Speedwell Clo. Wthm —4A 214
Speedwell Ct. Grays —5A 158
Speedwell Rd. Colc —4D 176
Spellbrook. —3K 21
Spellbrook Clo. W'fd —1N 119
Spellbrook La. E. Spel —3K 21
Spellbrook La. W. Spel —3J 21
Spells Clo. S'min —7L 207
Spencer Clo. Else —6C 196
Spencer Clo. Epp —8G 67
Spencer Clo. Mal —8K 203
Spencer Clo. Stans —3D 208
Spencer Clo. Wfd G —2J 109
Spencer Ct. S Fer —1L 105
Spencer Gdns. R'fd —2K 123
Spencer Ho. Lgh S —3D 138
Spencer Rd. E17 —6C 108
Spencer Rd. Ben —1D 136
Spencer Rd. Gt Che —2L 197
Spencer Rd. Ilf —3E 126
Spencer Rd. Rain —3B 144
Spencer Rd. T Sok —4L 181
Spencers. Hock —3E 122
Spencers Ct. W'fd —9K 103
Spencers Croft. H'low —5G 56
Spencers Piece. L'ham —4E 162
Spencer Sq. Brain —2M 193
Spencer St. EC1 —6A 38
Spencer Wlk. Til —7D 158
Spendells Clo. W on N —4N 183
Spenders Clo. Bas —7E 118
Spenlow Dri. Chelm —4F 60
Spennells, The. T Sok —4L 181
Spenser Cres. Upm —2N 129
Spenser Way. Jay —3D 190
Spey Way. Romf —4C 112
Spicers La. H'low —8H 53
Spielman Rd. Dart —9K 155
Spillbutters. Dodd —6E 84
Spilsby Rd. Romf —4H 113
Spindle Beams. R'fd —6L 123
Spindles. Til —5C 158
Spindle Wood. H'wds —3A 168
Spingate Clo. Horn —7H 129
Spinks La. Wthm —6B 214 (4F 25)
Spinnaker Clo. Clac S —4H 191
Spinnaker Dri. Hey B —8N 203
Spinnakers, The. Ben —2B 136
Spinnaker, The. S Fer —3L 105
Spinnel's Hill. Brad —3C 18
Spinnel's La. Wix —3D 18
Spinney Clo. Rain —2C 144
Spinney Clo. W'fd —9N 103
Spinney Ct. Saw —1K 53
Spinneyfields. Tip —5D 212
Spinney Gdns. Dag —7K 127
Spinneys, The. Hock —2E 122
Spinneys, The. Lgh S —8B 122
Spinneys, The. Ray —6N 121
Spinney, The. Bill —4K 101
Spinney, The. Brain —7L 193
Spinney, The. Hut —5M 99
Spinney, The. Lou —3A 94
Spinney, The. Ong —9K 69
Spinney, The. Ors —4C 148
Spinney, The. Stans —4D 208
Spinneywood. Lain —7C 117
Spinning Wheel Mead. H'low —6F 56
Spire Grn. Cen. H'low —4L 55
Spire Rd. Lain —8L 117
Spires, The. Gt Bad —4G 75
Spitalbrook. —7A 54 (7D 20)
Spitalfields. —7C 38
Spitalfields Market (New). —5A 124 (4D 38)
Spital La. Brtwd —9C 98
Spital Rd. Mal —2G 35
(Maldon Rd.)
Spital Rd. Mal —7H 203 (1H 35)
(Wyke Hill)
Sporeham La. S'don —6N 75
Sporehams La. Dan —3C 34
Sporhams. Bas —2N 133
Sportsmans La. Hat P —4L 63 (6E 24)
Sportsway. Colc —7N 167
Spots Wlk. Chelm —7E 74
Spout La. L Cor —7K 9
Spratt Hall Rd. E11 —1G 124
Spratts La. L Bro —3F 170 (5K 17)
Spread Eagle Pl. Ing —5E 86
Spriggs Ct. Epp —8F 66
(off Palmers Hill)
Spriggs La. B'more —7J 71 (3F 33)
Spriggs Oak. Epp —8F 66
(off Palmers Hill)
Springbank Av. Horn —7G 128
Springbank Av. Law —5G 164
Spring Chase. B'sea —6D 184 (3K 27)
Spring Chase. W'hoe —4H 177
Spring Clo. Clac S —8G 186
Spring Clo. Dag —3J 127
Spring Clo. H'wds —4C 168
Spring Clo. L Bad —6G 63
Spring Elms La. L Bad —8M 63 (1E 34)
Springfarm Clo. Rain —3H 145
Springfield. —6M 61 (7B 24)
Springfield. Ben —2K 137
Springfield. Epp —2E 80
Springfield Av. Hut —6A 100
Springfield Clo. Ong —5K 69
Springfield Cotts. H'bri —3K 203
Springfield Ct. Ilf —7A 126
Springfield Ct. Ray —3G 121
Springfield Dri. Ilf —9B 110
Springfield Dri. Wclf S —3J 139
Springfield Gdns. Upm —5M 129
Springfield Gdns. Wfd G —4J 109
Springfield Grn. Chelm —7M 61 (7B 24)
Springfield Hall La. Chelm —5L 61
(in two parts)
Springfield Ind. Est. Bur C —3K 195
Springfield Nursery Est. Bur C —2K 195
Springfield Pk. Av. Chelm —9M 61
Springfield Pk. Hill. Chelm —9M 61
Springfield Pk. La. Chelm —8N 61
Springfield Pk. Rd. Chelm —9M 61
Springfield Pl. Chelm —6M 61
Springfield Rd. E4 —7E 92
Springfield Rd. E6 —9M 125
Springfield Rd. Bill —3K 101
Springfield Rd. Bur C —2K 195
Springfield Rd. Can I —2M 153
Springfield Rd. Chelm —9L 61 (1A 34)
(in two parts)
Springfield Rd. Grays —9A 148
Springfield Rd. W'fd —8N 103
Springfields. Bas —3G 134
Springfields. B'sea —7E 184
Springfields. D'mw —8K 197
Springfields. Wal A —4E 78
Springfields Dri. Colc —3H 175
Spring Gdns. Horn —6F 128
Spring Gdns. Ray —5J 121
Spring Gdns. Romf —9A 112
Spring Gdns. Wfd G —4J 109
Spring Gdns. Rd. Wak C —4K 15
Spring Gro. Lou —5K 93
Springhall Ct. Saw —2K 53
Springhall La. Saw —3K 53
Springhall Rd. Saw —2K 53
Springhead Rd. Eri —4D 154
Springhead Rd. N'fleet —4G 49
Spring Hill. A End —6B 6
Springhill. Widd —2B 12
Springhill Clo. Gt Bro —6D 170
Springhill Rd. Saf W —5K 205
Spring Hills. H'low —2N 55
Springhouse La. Corr —2B 150 (6A 42)
Springhouse Rd. Corr —1N 149 (6K 41)
Springlands Way. Sud —4J 9
Spring La. SE25 —7C 46
Spring La. Bass —4B 4
Spring La. Colc —7H 167 (6D 16)
(in two parts)
Spring La. Eig G & For H —7B 166 (6C 16)
Spring La. Gt Tot —4L 203 (5J 25)
Spring La. Rhdge —8H 177
Spring La. W Ber —3F 166
Spring La. W Bis & Hat P —6F 25
Spring La. W'hoe —4H 177
(in two parts)
Spring La. Roundabout. Colc —8H 167
Springleigh Pl. Wclf S —4J 139
Springmead. Brain —1D 198
Spring Park. —7D 46
Springpond Clo. Chelm —2F 74
Spring Pond Meadow. Hook E —5F 84
Springpond Rd. Dag —7K 127
Spring Rise. Chelm —8D 74
Spring Rd. B'sea —6E 184
Spring Rd. St O —9M 185 (4B 28)
Spring Rd. Tip —7C 212 (4K 25)
Spring Sedge Clo. S'way —8D 166
Springvalley La. A'lgh —3H 169 (5G 17)
Spring Wlk. Worm —1C 30
Springwater Clo. Lgh S —8B 122
Springwater Gro. Lgh S —8B 122
Springwater Rd. Lgh S —7A 122
Spring Way. Sib H —6C 206
Springwell. —5B 6
Springwell Rd. L Ches —5B 6
Springwood Ct. Brain —5F 192
Springwood Dri. Brain —4E 192
Springwood Ind. Est. Brain —5E 192
Springwood Way. Romf —9E 112
Sprowston M. E7 —8G 124
Sprowston Rd. E7 —7G 125
Spruce Av. Colc —7D 168
Spruce Clo. Lain —6L 117
Spruce Clo. W Mer —2J 213
Spruce Clo. Wthm —3D 214
Spruce Hill. H'low —8D 56
Spruce Hills Rd. E17 —6C 108
Sprundel Av. Can I —3K 153
Spur Clo. Abr —2G 95
Spurgate. Hut —8K 99
Spurgeon Clo. Sib H —6C 206
Spurgeon Pl. K'dn —8C 202
Spurgeon St. Colc —9C 168
Spurling Rd. Dag —8L 127
Spur Rd. Orp —7J 47
Spur, The. Hock —7B 106
Squadrons App. Horn —8G 129
Square, The. Colc —3J 175
Square, The. H'bri —3K 203
Square, The. Horn H —2H 149
Square, The. Ilf —2N 125
Square, The. Marg —1J 87
Square, The. Saw —2K 53 (4K 21)
Square, The. Stock —7N 87
Square, The. T'ham —3E 36
Square, The. W Mer —3J 213
Square, The. Wfd G —2G 108
Squat La. Har —5J 201
Squires Ct. Hod —6A 54
Squires, The. Romf —1A 128
Squire St. S Fer —1L 105
Squirrells Ct. Chelm —6H 61
Squirrels. Lain —3K 133
Squirrels Chase. Grays —9C 148
Squirrelsfield. M End —2N 167
Squirrels Heath. —7H 113 (3B 40)
Squirrels Heath Av. Romf —7F 112
Squirrels Heath La. Romf & Horn —8G 113 (3B 40)
Squirrels Heath Rd. Romf —7J 113 (2C 40)
Squirrel's La. Buck H —9K 93
Stable Clo. S'way —9F 166
Stable Clo. W Mer —2M 213
Stablecroft. Chelm —3N 61
Stablefield Rd. W on N —7K 183
Stable M. W Mer —1M 213
Stables, The. Buck H —6J 93
Stables, The. Saw —1N 53
Stacey Clo. E10 —9D 108
Stacey Dri. Bas —4L 133
Stacey's Mt. Cray H —2D 118
Stack Av. Bas —2F 132
Stackfield. H'low —9F 52
Stack La. Hort K —6D 48
Staddles. L Hall —3K 21
Stadium Rd. Sth S —5M 139
Stadium Trad. Est. Ray —8K 121
Stadium Way. Ben —8J 121
Stafford Av. Horn —7H 113
Stafford Clo. Kir X —8H 183
Stafford Clo. Lgh S —9F 122
Stafford Clo. Linf —1J 159
Stafford Ct. Brox —8A 54
Stafford Cres. Brain —4M 193
Stafford Dri. Brox —8A 54
Stafford Grn. Lang H —2H 133
Stafford Ho. Brox —8A 54
Stafford Ind. Est. Horn —7H 113
Stafford Rd. Eri —9J 125
Staffords. H'low —8K 53
Stafford's Corner. —3C 26
Stafford Wlk. Can I —9G 137
Stagden Cross. —4G 23
Stagden Cross. Bas —1G 135
Staggart Grn. Chig —3E 110
Stag La. Buck H —8H 93
Staines Green. —6A 20
Staines Rd. Ilf —6B 126
Stainforth Rd. E17 —8A 108
Stainforth Rd. Ilf —2C 126
Stairs Rd. Gt W —4D 44
Stalin Rd. Colc —2A 176
Stallards Cres. Kir X —8H 183
Stambourne. —6A 8
Stambourne Green. —6A 8
Stambourne Rd. F'fld —3B 14
Stambourne Rd. Gt Yel —6A 198 (6B 8)
Stambourne Rd. L Sam —1H 13
Stambourne Rd. Stamb & Ridg —6B 8
Stambourne Rd. Top —7B 8
Stambridge Rd. Clac S —9G 187
Stambridge Rd. R'fd —5L 123 (2K 43)
Stamford Gdns. Dag —9H 127
Stamford Hill. —3B 38
Stamford Hill. N16 —4B 38
Stamford Rd. N1 —5B 38
Stamford Rd. Dag —1G 142
Stamford St. SE1 —7A 38
Stammers Ct. S'min —7L 207
Stammers Rd. Colc —3N 167
Stanbrook. —4F 13
Stanbrook Rd. SE2 —9G 142
Stanbrook Rd. Thax —4J 211 (4F 13)
Standard Av. Jay —5B 190
Standard Rd. Colc —9C 168
Standen Av. Horn —5H 129
Standfield Gdns. Dag —8M 127
Standfield Rd. Dag —7M 127
Standford Warren Nature Reserve. —6N 149 (7K 41)
Standingford. H'low —8A 56
Standley Rd. W on N —5N 183
Standon. —7E 10
Standon Green End. —2D 20
Standon Hill. Puck —7E 10
Standon Rd. L Had —7G 11
Standrums. D'mw —8L 197
Stane Field. M Tey —3F 172
Stanes Rd. Brain —2H 193
Staneway. Bas —3L 133 (4K 41)
Stanfield Clo. S'way —3F 174
Stanfield Rd. Sth S —5M 139
Stanford Clo. Romf —1N 127
Stanford Clo. Wfd G —2L 109
Stanford Ct. Wal A —3G 78
Stanford Gdns. Ave —8B 146
Stanford Hall. Corr —2A 150
Stanford Ho. Bark —2G 143
Stanford-le-Hope. —4M 149 (6K 41)
Stanford-le-Hope By-Pass. Stan H —9M 133
Stanford Rivers. —3G 83 (4B 32)
Stanford Rivers Rd. Ong —1L 83 (4C 32)
Stanford Rd. Can I —2G 152
Stanford Rd. Grays & Stan H —1A 158 (1G 49)
Stanham Pl. Dart —9E 154
Stanhope Gdns. Dag —5L 127
Stanhope Gdns. Ilf —3M 125
Stanhope Rd. E17 —9B 108
Stanhope Rd. Dag —4L 127
Stanhope Rd. Rain —2E 144
Stanhope Rd. Swans —3F 49
Stanier Clo. Sth S —6A 140
Stanley Av. Bark —2E 142
Stanley Av. B'sea —7F 184
Stanley Av. Dag —3L 127
Stanley Av. Romf —8E 112
Stanley Clo. Horn —4G 129
Stanley Clo. Romf —8E 112
Stanley Pl. Ong —8L 69
Stanley Rise. Chel V —8A 62
Stanley Rd. E4 —7D 92
Stanley Rd. E10 —1B 124
Stanley Rd. E12 —7L 125
Stanley Rd. E18 —5F 108
Stanley Rd. Ben —1D 136
Stanley Rd. Bulp —6B 132
Stanley Rd. Can I —1K 153
Stanley Rd. Clac S —2F 190
Stanley Rd. Grays —3L 157 (1F 49)
Stanley Rd. Gt Che —2M 197
Stanley Rd. H'std —4J 199
Stanley Rd. Horn —4G 129
Stanley Rd. Ilf —4C 126
Stanley Rd. R'fd —9H 107
Stanley Rd. Sth S —7N 139
Stanley Rd. W'hoe —5J 177
Stanley Rd. N. Rain —1C 144
Stanley Rd. S. Rain —2D 144
Stanleys Farm Rd. Saf W —5M 205
Stanley Ter. Bill —7J 101
Stanley Wooster Way. Colc —8E 168
Stanmore Clo. Clac S —8H 187
Stanmore Rd. E11 —3F 124
Stanmore Rd. Belv —2A 154
Stanmore Rd. W'fd —1B 120
Stanmore Way. Lou —9N 79
Stanmore Way. St O —9N 185
Stannard Way. Gt Cor —5K 9
Stannetts. Lain —7K 117
Stansfeld Rd. E16 —7F 39
Stansfield Ct. Ben —8B 120
(off Stansfield Rd.)
Stansfield Rd. Ben —8B 120
Stansgate Rd. Dag —4M 127
Stansgate Rd. Stpl —2B 36
Stanstead. —1H 9
Stanstead Abbots. —6E 20
Stanstead Dri. Hod —3B 54
Stanstead Rd. E11 —9H 109
Stanstead Rd. SE23 & SE6 —4C 46
Stanstead Rd. H'std —6L 199
Stanstead Rd. Hert & Gt A —5C 20
Stanstead Rd. Hod —4B 54 (7D 20)
Stansted Clo. Bill —6M 101
Stansted Clo. Chelm —1N 73
Stansted Clo. Horn —8F 128
Stansted Hill. M Hud —2G 21
Stansted Mountfitchet. —3D 208 (6A 12)
Stansted Mountfitchet Castle. —3E 208 (6A 12)
Stansted Mountfitchet Norman Village. —3E 208 (6A 12)
Stansted Mountfitchet Towermill. —3C 208 (6A 12)
Stansted Rd. Bchgr —6B 208

Stansted Rd. Bis S —8A 208 (1K 21)
Stansted Rd. Colc —5A 176
Stansted Rd. Else —9B 196 (6B 12)
Stansted Way. Frin S —8K 183
Stanstrete Field. Bla N —3B 198
Stantons. H'low —2A 56
Stanway. —1A 174 (6C 16)
Stanway Clo. Chig —2D 110
Stanway Green. —3F 174
Stanway Rd. Ben —1C 136
Stanway Rd. Wal A —3G 79
Stanwell St. Colc —9N 167 (6E 16)
Stanwick Dri. Chig —2B 110
Stanwyck Gdns. H Hill —2F 112
Stanwyn Av. Clac S —1J 191
Stapleford. —3A 20
Stapleford Abbotts. —4A 96 (7A 32)
Stapleford Av. Ilf —9D 110
Stapleford Clo. E4 —9C 92
Stapleford Clo. Chelm —1B 74
Stapleford End. W'fd —2B 120
Stapleford Gdns. Romf —3M 111
Stapleford Rd. Romf —7K 31
Stapleford Rd. Stap A —3N 95
Stapleford Tawney. —6A 82 (5A 32)
Stapleford Tawney Airfield. —1M 95 (6K 31)
Stapleford Way. Bark —3G 143
Staplegrove. Shoe —6H 141
Staplers Clo. Gt Tot —8N 213
Staplers Heath. Gt Tot —8N 213
Staplers Wlk. Gt Tot —8N 213
Staple's Rd. Lou —2K 93
Stapleton Cres. Rain —8E 128
Stapleton Hall Rd. N4 —4A 38
Staple Tye. H'low —6B 56
Staple Tye Shop. Cen. H'low —6C 56
Starboard View. S Fer —3L 105
Star Bus. Cen. Rain —5B 144
Starch Ho. La. Ilf —6C 110
Star La. D'mw —7L 197
Star La. Epp —9F 66
Star La. Gt W —3J 141 (4B 44)
Star La. Ing —5E 86
Star La. Orp —6J 47
Star La. Ind. Est. Gt W —3K 141
Starling Clo. Buck H —7G 93
Starling M. SE28 —9C 142
Starling's Green. —3J 11
Starling's Hill. Sib H —3E 14
Starmans Clo. Dag —1K 143
Star Mead. Thax —3K 211
Starr Rd. Hen —4C 12
Star St. Ware —4D 20
Start Hill. —1A 22
Starts Hill Rd. Orp —7G 47
Stafford Rd. Strat M —2H 17
Stathers Ct. Romf —5C 112
Stathers Cres. Chelm —9N 61
Station App. E4 —3D 108
Station App. E7 —6H 125
Station App. E11 —9G 108
Station App. E17 —9A 108
(in two parts)
Station App. E18 —6G 108
Station App. B'hurst —7A 154
Station App. Brain —6J 193
Station App. Buck H —1K 109
Station App. Bur C —3L 195
Station App. Can I —8F 136
Station App. Frin S —9J 183
Station App. Grays —4K 157
Station App. H'low —7H 53
Station App. Har —2N 201
Station App. Hay —7F 47
Station App. Hock —1D 122
Station App. Lain —1L 133
Station App. Lou —3B 94
(Debden)
Station App. Lou —4L 93
(Loughton)
Station App. N Fam —6H 35
Station App. Pits —2J 135
Station App. Sth S —4L 139
(Prittlewell)
Station App. Sth S —6M 139
(Southend Central)
Station App. S Fer —9J 91
Station App. They B —6D 80
Station App. Upm —4N 129
Station App. W'fd —8L 103
Station App. Rd. Til —9C 158
Station Av. Ray —4H 121
Station Av. Sth S —3M 139
Station Av. W'fd —8K 103
Station Cotts. Brox —9A 54
Station Ct. E10 —2B 124
(off Kings Clo.)
Station Ct. W'fd —8L 103
Station Cres. Cold N —4H 35
Station Cres. Ray —4K 121
Station Ga. Lain —1L 133
Station Hall La. Ing —5H 33
Station Hill. Brom —7F 47
Station Hill. Bures —8C 194 (2A 16)
Station Ind. Est. Bur C —3K 195
Station La. Bas —1J 135
Station La. Har —3L 201
Station La. Horn —5H 129 (4C 40)
Station La. Ing —6D 86
Station Pde. E11 —9G 108
Station Pde. Bark —9B 126
Station Pde. Dag —8M 127
Station Pde. Eri —7C 154
Station Pde. Horn —6F 128
Station Pde. Romf —1C 128
Station Pas. E18 —6H 109
Station Rd. E4 —7D 92 (7E 30)
Station Rd. E7 —6G 124
Station Rd. E10 —5C 124
Station Rd. E12 —6L 125
Station Rd. N11 —1A 30
Station Rd. N21 —7A 30
Station Rd. N22 —2A 38
Station Rd. Alr —6N 177 (1J 27)
Station Rd. Alth —5A 36
Station Rd. A'lgh —9L 163 (4H 17)
Station Rd. B'side —7C 110
Station Rd. Ben —6D 136
Station Rd. B'ley —1A 18
Station Rd. Bill —6H 101
Station Rd. Bird —5A 8
Station Rd. Bis S —1K 21
Station Rd. Brad —3C 18
Station Rd. Brain —6H 193
Station Rd. Brau —7E 10
Station Rd. B'sea —7D 184 (3K 27)
Station Rd. Brox —8A 54 (1D 30)
Station Rd. Bunt —4D 10
Station Rd. Bur C —3L 195 (6C 36)
Station Rd. Can I —2L 153
Station Rd. Chad H —2J 127
Station Rd. Chig —9J 94
Station Rd. Clac S —2K 191 (4D 28)
Station Rd. Cold N —4H 35
Station Rd. Coln E & E Col —1A 196 (3H 15)
Station Rd. Cray —3A 48
Station Rd. Cux —7K 49
Station Rd. Dag & Romf —4J 39
Station Rd. Dov —3M 201
Station Rd. D'mw —8M 197
Station Rd. E Til —4H 159 (2J 49)
Station Rd. Else —7C 196 (5B 12)
Station Rd. Epp —1E 80 (4J 31)
Station Rd. Eri —3C 154
Station Rd. Eyns —7B 48
Station Rd. Fels —1J 23
Station Rd. Frat —6F 178 (1K 27)
Station Rd. Gid P —8F 112 (3B 40)
Station Rd. Gt Ab —1A 6
Station Rd. Gt Ben —7K 179
Station Rd. Grnh —9D 156 (3E 48)
(in two parts)
Station Rd. H'low —8H 53 (6J 21)
Station Rd. H Wood —5K 113
Station Rd. Hars —1G 5
Station Rd. Har —2M 201
Station Rd. Hat P —5E 24
Station Rd. Hock —1D 122
Station Rd. Ilf —5A 126
Station Rd. K'dn —7C 202 (2J 25)
Station Rd. Kir X —8E 182
Station Rd. Lgh S —3D 138 (4H 43)
(in two parts)
Station Rd. L Mel —3J 9
Station Rd. Lou —3L 93 (7G 31)
Station Rd. Mal —5K 203
Station Rd. Mann —3G 164 (2K 17)
Station Rd. M Tey —2J 173 (7A 16)
Station Rd. Mel —3D 4
Station Rd. Meop —5F 49
Station Rd. Newp —8D 204
Station Rd. N Wea —6N 67
Station Rd. Odsey —6A 4
Station Rd. Orp —7H 47
Station Rd. Pkstn —2H 201 (2G 19)
Station Rd. Pot B —3A 30
Station Rd. Puck —7E 10
Station Rd. Ray —4J 121 (2F 43)
Station Rd. Rayne —7B 192
Station Rd. Saf W —5K 205
Station Rd. Saw —1K 53 (4K 21)
Station Rd. Shepr —1E 4
Station Rd. Short —6E 46
Station Rd. Sib H —5B 206 (1D 14)
Station Rd. Sidc —4J 47
Station Rd. Sth S —6F 140 (5A 44)
Station Rd. S'min —7L 207 (5C 36)
Station Rd. Stan A —6E 20
Station Rd. Stans —3D 208
Station Rd. Stpl M & Odsey —5A 4
Station Rd. St P —6J 47
Station Rd. S at H —6C 48
Station Rd. Tak —8C 210 (1D 22)
Station Rd. T Sok —6K 181 (1D 28)
Station Rd. Thorr —9E 178 (1K 27)
Station Rd. Tip —7C 212 (4K 25)
Station Rd. Tol —8K 211
Station Rd. Tol D —5B 26
Station Rd. T Mary —1K 19
Station Rd. Upm —4N 129 (4D 40)
Station Rd. Wak C —4K 15
Station Rd. Wal A —4A 78
Station Rd. Wal X —4D 30
Station Rd. Wat S —2A 20
Station Rd. Wen A —7A 6
Station Rd. Wclf S —6H 139 (5J 43)
Station Rd. W H'dn —1M 131 (3G 41)
Station Rd. W Wick —7E 46
Station Rd. Whi C —2F 196 (4J 15)
Station Rd. Whi N —2E 24
Station Rd. W'fd —6K 103
Station Rd. W Bis —8H 213 (6F 25)
Station Rd. Wthm —4D 214
Station Rd. W'hoe —6H 177 (1G 27)
Station Rd. Wrab —3D 18
Station Rd. Ind. Est. Tol D —9M 197
Station Sq. Gid P —8F 112
Station St. E15 —9D 124
Station St. E16 —8A 142
Station St. Saf W —4K 205
Station St. W on N —7M 183
Station Ter. Purf —3L 155
Station Way. Bas —1B 134
Station Way. Buck H —1J 109 (1F 39)
Staverton Rd. Horn —1H 129
Stawberry La. Tip —4A 26
Steadman Ho. Dag —5M 127
(off Uvedale Rd.)
Steamer Ter. Chelm —8J 61
Steam Mill Rd. Brad —8M 165 (4B 18)
Stebbing. —6J 13
Stebbing Green. —7K 13
Stebbing Rd. Fels —1J 23
Stebbings. Bas —2L 133
Stebbing Way. Bark —2F 142
Steed Clo. Horn —4F 128
Steeds Way. Lou —2L 93
Steele Clo. M Tey —3G 173
Steele Rd. E11 —6E 124
Steen Clo. Ing —5D 86
Steeple. —3B 36
Steeple Bumpstead. —2C 210 (5K 7)
Steeple Bumpstead Rd. Stpl B —2A 210 (5J 7)
Steeplechase. Hund —1B 8
Steeple Clo. H'bri —4N 203
Steeple Clo. R'fd —4J 123
Steeplefield. Lgh S —9C 122
Steeplehall. Bas —1J 135
Steeple Heights. Ben —9A 120
Steeple Morden. —4A 4
Steeple Rd. Latch —4K 35
Steeple Rd. May —4A 204
Steeple Rd. S'min —6J 207 (4C 36)
Steeple Rd. Stpl —3C 36
Steeple View. —2J 41
Steeple Way. Dodd —6E 84
Steerforth Clo. Chelm —4F 60
Steli Av. Can I —8F 136
Stella Maris Clo. Can I —2M 153
Stelling Rd. Eri —5B 154
Stembridge Rd. SE20 —6C 46
Stenning Av. Linf —2J 159
Stepfield. Wthm —5E 214
Stephen Av. Rain —8E 128
Stephen Cranfield Clo. Rhdge —7G 176
Stephen Marshall Av. F'fld —2K 13
Stephen Neville Ct. Saf W —5K 205
Stephen Rd. Bexh —8A 154
Stephens Clo. Romf —2G 113
Stephens Cres. Horn H —2H 149
Stephenson Av. Til —6C 158
Stephenson Rd. Brain —7J 193
Stephenson Rd. Clac S —5M 187 (3E 28)
Stephenson Rd. Colc —1D 168
Stephenson Rd. Lgh S —9B 122
Stephenson Rd. N Fam —6H 35
Stephenson Rd. W. Clac S —4L 187 (2E 28)
Stephenson St. E16 —6E 38
Stepney. —7C 38
Stepney Grn. E1 —7C 38
Stepney Way. E1 —7C 38
Sterling Clo. Colc —1F 174
Sterling Clo. Ray —2H 121
Sterling Way. N18 —1B 38
Sternhold Av. SW2 —4A 46
Sterry Cres. Dag —7M 127
Sterry Gdns. Dag —8M 127
Sterry Rd. Bark —1E 142
Sterry Rd. Dag —6M 127
Stethall. —6K 5
Stevenage Rd. E6 —8N 125
Stevens Clo. Can I —1K 153
Stevens La. Fels —1K 23
Stevenson Clo. Eri —5F 154
Stevenson Way. W'fd —2K 119
Stevens Rd. Dag —5G 127
Stevens Rd. Wthm —6B 214
Stevens Wlk. Chelm —5C 74
Stevens Wlk. Colc —8F 168
Stevens Way. Chig —1D 110
Steventon End. —4F 7
Stewards. —7C 56 (1H 31)
Stewards Clo. Epp —3F 80
Stewards Clo. Frin S —7J 183
Stewards Elm Farm La. Stam —2K 43
Steward's Green. —2G 81 (4J 31)
Stewards Grn. La. Epp —2G 81
Stewards Grn. Rd. Epp —3F 80 (4J 31)
Stewards Wlk. Romf —9C 112
Stewart Av. Upm —5M 129
Stewart Ct. Lgh S —4A 138
Stewart Pl. W'fd —1N 119
Stewart Rainbird Ho. E12 —7N 125
(off Parkhurst Rd.)
Stewart Rd. E15 —6D 124
Stewart Rd. Chelm —4B 74
Stewarts Way. Man —5K 11
Steyning Av. Sth S —4C 140
Sticking Hill. —2E 148
Stickling Green. —2J 11
Stifford Clays Rd. N Stif —8J 147 (7F 41)
(in three parts)
Stifford Hill. S Ock & N Stif —7F 146 (7E 40)
Stifford Rd. S Ock —8B 146 (7D 40)
Stile Croft. H'low —5F 56
Stile La. Ray —5K 121
Stilemans. W'fd —8L 103
Stiles, The. Hey B —8N 203
Stirling Av. Lgh S —4A 138
Stirling Clo. Rain —3F 144
Stirling Pl. Bas —7J 119
Stirrup Clo. Chelm —4N 61
Stirrup M. S'way —9E 166
Stisted. —6E 14
Stivvy's Rd. Wdhm W —1F 35
Stock. —7N 87 (5K 33)
Stock Chase. Mal —3L 203
Stock Clo. Sth S —2L 139
Stockdale Rd. Dag —4L 127
Stock Farm La. Brain —7C 192
Stockfield Av. Hod —3A 54
Stock Hill. Stock —8M 87
Stockhouse Clo. Tol K —4A 26
Stockhouse Rd. Lay M —3A 26
Stock Ind. Pk. Sth S —2L 139
Stocking Green. —6E 6
Stocking Pelham. —4H 11
Stockland Rd. Romf —1B 128
Stock La. Ing —5E 86 (5H 33)
Stock Pk. Ct. Lgh S —9D 122
Stock Rd. Bill & Stock —5K 101 (7J 33)
Stock Rd. Gall —7B 74 (3A 34)
Stock Rd. Sth S —1L 139
Stock Rd. Stock —6N 87 (5K 33)
Stocksfield. Kel H —7C 84
Stocksfield Rd. E17 —7C 108
Stocks Green. —7B 172
Stocks La. Kel H —7C 84 (5D 32)
Stockstreet. —7G 15
Stock Ter. Mal —3L 203
Stockton Rd. N18 —2C 38
Stock Towermill. —7A 88 (5K 33)
Stockwell. —2A 46
Stockwell. Colc —8N 167
Stockwell Clo. Bill —9M 101
Stockwell Rd. SW9 —2A 46
Stockwood. Ben —8H 121
Stoke Ash Clo. Clac S —9E 186
Stoke Av. Ilf —3F 110
Stoke by Clare. —4C 8
Stoke-by-Nayland. —1E 16
Stokefelde. Pits —8J 119
Stoke Newington. —4B 38
Stoke Newington Chu. St. N16 —4B 38
Stoke Newington High St. N16 —4B 38
Stoke Newington Rd. N16 —5B 38
Stoke Rd. Clare —3C 8
Stoke Rd. Nay —1D 16
Stoke Rd. Rain —2H 145
Stokes Cotts. Ilf —5B 110
Stokes, The. W on N —6L 183
Stonard Rd. N13 —1A 38
Stonard Rd. Dag —7G 127
Stonards Hill. Epp —8F 66 (3J 31)
Stonards Hill. Lou —5M 93
Stondon Massey. —3D 84 (4E 32)
Stondon Pk. SE23 —3D 46
Stondon Rd. B'more —2E 78
Stondon Rd. Ong —9L 69 (3C 32)
Stone. —3D 48
Stonebridge. —3A 44
Stonebridge Hill. Coln E —4G 15
Stonebridge Rd. N'fleet —3F 49
Stonebridge Wlk. Chelm —9K 61
Stonechat Rd. Bill —8L 101
Stone Clo. Dag —4L 127
Stone Ct. Eri —3D 154
Stonecroft Rd. Eri —5A 154
Stonecrop. Colc —5K 167
Stone Cross. H'low —2C 56
Stonehall Av. Ilf —1L 125
Stone Hall Cotts. L Hall —1A 202
Stone Hall Dri. L Cla —4H 187
Stonehall La. Sto G —5C 18
Stoneham Av. Clac S —9E 186
Stoneham St. Cogg —8K 195
(in two parts)
Stonehill Clo. Lgh S —2E 138
Stonehill Ct. E4 —6B 92
Stonehill Rd. Lgh S —2D 138
Stonehill Rd. Rox —1G 33
Stonehill Way. W Mer —3H 213
Stonehouse La. Purf —4B 156 (1D 48)
Stone La. Tip —9A 212
Stone La. Wrab —2D 18
Stoneleigh. Saw —1J 53
Stoneleigh Dri. Hod —2B 54
Stoneleigh Pk. Colc —3G 175
Stoneleigh Rd. Ilf —7L 109
Stoneleighs. Ben —9F 120
Stoneness Rd. Grays —2E 48
Stoneness Rd. W Thur —4E 156
Stone Pk. Av. Beck —6D 46
Stone Path Dri. Hat P —2K 63
Stone Pl. Rd. Grnh —3D 48
Stone Rd. Gt Bro —7F 170 (5K 17)
Stones Cross Rd. Swan —7A 48
Stones Green. —5D 18
Stones Grn. Rd. Gt Oak —5D 18
Stonewood Rd. Eri —3C 154
Stoney Comn. Stans —4D 208
Stoney Comn. Rd. Stans —4C 208
Stoneycroft Rd. Wfd G —3L 109
Stoneyfield Dri. Stans —3D 208
Stoneyhills. —6C 36
Stoney Hills. Bur C —6C 36
Stoney Hills. Chap E —3B 20
Stoney Hills. Rams H —3C 102
Stoney La. B'sea —5F 184
Stoney Pl. Stans —4D 208
Stony Corner. Meop —6G 49
Stony La. Ong —2F 68 (2B 32)
Stony La. Thax —3K 211
Stony Path. Lou —9M 79
Stonyshotts. Wal A —3E 78
Stony Wood. H'low —4D 56
Stopford Rd. E13 —6F 39
Stores La. Tip —5C 212
Store St. E15 —7D 124
Stork Rd. E7 —8G 124
Stormonts Way. Bas —4M 133
Stornoway Rd. Sth S —5A 140
Storr Gdns. Hut —4N 99
Stortford Hall Pk. Bis S —9A 208
Stortford Rd. Clav —3J 11
Stortford Rd. D'mw —8H 197 (1G 23)
Stortford Rd. Hat H —1A 202 (4A 22)
Stortford Rd. Hod —4B 54
Stortford Rd. L Can —1E 22
Stortford Rd. L Had —7H 11
Stortford Rd. Stdn —7E 10
Stort Tower. H'low —1E 56
Stort Valley Ind. Pk. Bis S —7A 208
Stour Clo. Har —5F 200
Stour Clo. Shoe —8J 141
Stour Ct. Brain —8M 193
Stourdale Clo. Law —5F 164
Stour Rd. E3 —9A 124
Stour Rd. Dag —4M 127
Stour Rd. Dart —8E 154
Stour Rd. Grays —3C 158
Stour Rd. Har —3M 201
Stour St. Caven —3E 8
Stour St. Mann —4J 165
Stour St. Sud —5J 9
Stourton Rd. Wthm —4B 214
Stour Valley Path. E Ber —1C 164
Stour Valley Path. L Hork —2C 160
Stour View. Ded —1M 163
Stour View Av. Mis —4M 165
Stourview Clo. Mis —4N 165
Stour Wlk. Colc —5E 168
Stour Way. Upm —1B 130
Stow Ct. Colc —2N 167
Stowe's La. T'ham —3E 36
Stow Maries. —5G 35
Stow Rd. Pur —4G 35
Stow, The. H'low —1E 56
Stracey Rd. E7 —6G 125
Stradbroke Dri. Chig —3N 109
Stradbroke Gro. Buck H —7K 93
Stradbroke Gro. Ilf —7L 109
Stradbroke Pk. Chig —3A 110
Stradishall Rd. Hund —1C 8
Strafford Av. Ilf —6N 109
Straight Rd. Boxt —8M 161 (4E 16)
Straight Rd. Brad —3B 18
Straight Rd. Colc —8F 166 (6D 16)
Straight Rd. E Ber & E End —1K 17
Straight Rd. Gt Ben —2L 185 (2B 28)
Straight Rd. Romf —2F 112 (1B 40)
Straight Way. Colc —9D 174
Strait Rd. E6 —7G 39
Straits, The. Wal A —2B 78
Strand. WC2 —7A 38
Strangman Av. Ben —3H 137
Strasbourg Rd. Can I —9K 137
Stratford. —9D 124 (5E 38)
Stratford Cen. E15 —9D 124
Stratford Clo. Bark —9F 126
Stratford Clo. Dag —9A 128
Stratford Gdns. Stan H —2M 149
Stratford Ho. Romf —3H 113
(off Dartfields)
Stratford Marsh. —9B 124 (6D 38)
Stratford New Town. —7D 124 (5E 38)
Stratford Office Village, The. E15
(off Romford Rd.) —9E 124
Stratford Pl. W on N —6M 183
Stratford Rd. Clac S —7A 188
Stratford Rd. Ded —1J 163
Stratford St Mary. —1H 17
Stratheden Rd. SE3 —2F 47
Strathfield Gdns. Bark —8C 126
Strathmore. E Til —2L 159
Strathmore Gdns. Horn —3D 128
Strathyre Av. SW16 —6A 46
Stratton Dri. Bark —7D 126
Stratton Rd. Romf —2L 113
Stratton Wlk. Romf —2L 113
Strawberry Clo. Brain —7J 193
Strawberry La. Tip —8E 212
Strawbrook Hill. L L'gh —4A 24
Streatham. —5A 46
Streatham Common. —5A 46
Streatham Comn. N. SW16 —5A 46
Streatham High Rd. SW16 —4A 46
Streatham Hill. —4A 46
Streatham Hill. SW2 —4A 46
Streatham Park. —5A 46
Streatham Pl. SW2 —4A 46
Streatham Vale. —5A 46
Streatham Vale. SW16 —5A 46
Street Farm Ct. Rayne —6B 192
Street Ind. Est., The. H'bri —3L 203
Streetly End. —2F 7
Streetly End. W W'ck —1F 7
Street, The. A'lgh —8L 163 (4H 17)
Street, The. Ashen —4C 8
Street, The. Ber —4J 11
Street, The. Bird —5A 8
Street, The. Bla N —3B 194
Street, The. Bore —6E 24
Street, The. Brad —3C 18
Street, The. B'wll —7F 15
Street, The. Bran —1B 18
Street, The. Brau —6E 10
Street, The. Bulm —5H 9
Street, The. Cob —6J 49
Street, The. Cres —1H 207 (1E 24)
Street, The. E Ber —1J 17
Street, The. Erw —1F 19
Street, The. Fee —9A 172 (1J 25)
Street, The. Fox —3G 9
Street, The. Fur P —4G 11

Street, The. Gall —8C 74
Street, The. Gosf —4E 14
Street, The. Grav —6J 49
Street, The. Gt Hal —2B 22
Street, The. Gt Sal —6A 14
Street, The. Gt Tey —2D 172 (6K 15)
Street, The. Gt Wal —4K 9
Street, The. Gt Wra —1K 7
Street, The. Hark —1E 18
Street, The. Hat H —4A 202 (4K 21)
Street, The. Hat P —3J 63
Street, The. Haul —7B 10
Street, The. High E —4G 23
Street, The. H Ong —6N 69 (3D 32)
Street, The. High R —3F 23
Street, The. Holb —1D 18
Street, The. Hort K —6C 48
Street, The. Kir S —5F 182 (7G 19)
Street, The. Latch —4K 35
Street, The. L Cla —2D 28
Street, The. L Dun —1H 23
Street, The. L Tot —5K 25
Street, The. L Walt —6K 59 (5A 24)
Street, The. Man —5K 11
Street, The. Mdltn —6J 9
Street, The. Meop —7H 49
Street, The. Mess —1D 212 (2K 25)
Street, The. Peb —2H 15
Street, The. Ples —2A 58 (4J 23)
Street, The. Pos —1D 8
Street, The. R'sy —6C 200 (3F 19)
Street, The. Rayne —6B 192 (7B 14)
Street, The. Rox —7H 23
Street, The. Srng —4N 53 (5K 21)
Street, The. Shorne —5K 49
Street, The. S'ly —1G 19
Street, The. Stpl —3B 36
Street, The. Stis —6E 14
Street, The. Stoke C —4B 8
Street, The. Stow M —5G 35
Street, The. Stur —3K 7
Street, The. Ten —1C 180 (6C 18)
Street, The. Terl —4D 24
Street, The. Thurl —1J 7
Street, The. Top —7B 8
Street, The. Vir —5C 26
Street, The. Wak C —4K 15
Street, The. Wlgtn —2A 10
Street, The. Wdham F —5H 91
Street, The. Wee —6D 180 (7C 18)
Street, The. Wee H —1G 187
Street, The. Whi N —2E 24
Street, The. W Bis —7K 213 (5H 25)
Street, The. Wdhm W —1F 35
Stretford Ct. Sil E —4L 207
Strethall Rd. L'bry —1H 205 (5K 5)
Strickland Av. Dart —8K 155
(in two parts)
Strode Rd. E7 —6G 125
Stroma Av. Can I —8F 136
Stroma Gdns. Shoe —8H 141
Stromburg Rd. Can I —9E 136
Stromness Pl. Sth S —6A 140
Stromness Rd. Sth S —5A 140
Strone Rd. E7 & E12 —8J 125
Strood Av. Romf —3B 128
Strood Clo. W Mer —2J 213
Strood, The. Pel —4F 27
Stroud Green. —5G 122 (2H 43)
Stroud Grn. Rd. N4 —4A 38
Struan Av. Stan H —8N 133
Strudwick Clo. Brain —6H 193
Strutt Clo. Hat P —2L 63
Stuart Clo. Can I —1H 153
Stuart Clo. Chelm —4J 75
Stuart Clo. Gt W —2K 141
Stuart Clo. Pil H —4E 98
Stuart Clo. Sth S —4M 139
Stuart Mantle Way. Eri —5C 154
Stuart Pawsey Ct. W'hoe —5J 177
Stuart Rd. Bark —9E 126
Stuart Rd. Grav —3H 49
Stuart Rd. Grays —3L 157
Stuart Rd. Sth S —4M 139
Stuarts Way. Brain —6K 193
Stuart Way. Bill —7N 101
Stubbers La. Upm —8A 130 (5D 40)
Stubbs Clo. Kir X —7H 183
Stubbs Clo. Law —4G 164
Stubbs La. Brain —6L 193
Stubbs M. Dag —6G 127
(off Marlborough Rd.)
Stublands. Bas —9G 119
Studd's La. Colc —3L 167
Studland Av. W'fd —8G 102
Studley Av. E4 —4D 108
Studley Dri. Ilf —1K 125
Studley Rd. E7 —8H 125
Studley Rd. Dag —9J 127
Stukeley Rd. E7 —9H 125
Stump Cross. —3A 6
Stump La. Chelm —7M 61 (1A 34)
Stump Rd. Thorn —6H 67
Sturge Av. E17 —6B 108
Sturmer. —4K 7
Sturmer Rd. H'hll —3J 7
Sturmer Rd. Ked —2A 8
Sturmer Rd. Stpl B —1E 210 (5K 7)
Sturrick La. Gt Ben —5J 179
Sturrocks. Bas —3F 134
Stutton. —1C 18
Stutton Grn. Stut —1D 18
Stutton La. Tatt —1B 18
Stutton Rd. Bran —1B 18
Styles. L Bar —3H 13
Sucksted Green. —4E 12
Sudbourne Av. Clac S —9E 186
Sudbrook Clo. W'fd —1L 119
Sudbury. —5J 9
Sudbury Clo. Hock —3E 122
Sudbury Rd. Act —3K 9
Sudbury Rd. Bark —7E 126
Sudbury Rd. Bulm —5H 9
Sudbury Rd. Bures —7D 194 (1A 16)
Sudbury Rd. Can I —8E 136
Sudbury Rd. Cas H —3D 206 (1E 14)
Sudbury Rd. D'ham —3G 103 (6B 34)
Sudbury Rd. Gest & Bulm —6F 9
Sudbury Rd. H'std —3L 199 (3F 15)
Sudbury Rd. L Map —1G 15
Sudbury Rd. Stoke N —1E 16
Sudbury Rd. Sud —4H 9
Sudburys Farm Rd. L Bur —1D 116
Sudeley Gdns. Hock —1C 122
Sudicamps Ct. Wal A —3G 78
Sue Ryder Foundation Museum. —2F 9
Suffield Hatch. —1C 108
Suffield Rd. E4 —1B 108
Suffolk Av. Lgh S —3E 138
Suffolk Av. W Mer —2L 213
Suffolk Clo. Clac S —6B 188
Suffolk Clo. Colc —6B 168
Suffolk Ct. E10 —2A 124
Suffolk Ct. Ilf —1D 126
Suffolk Ct. R'fd —5K 123
Suffolk Dri. Bas —9K 117
Suffolk Dri. Chelm —7B 62
Suffolk Rd. Bark —9C 126
Suffolk Rd. Dag —7A 128
Suffolk Rd. Ilf —1D 126
Suffolk Rd. Mal —7H 203
Suffolk St. E7 —6G 125
Suffolk St. W on N —6M 183
Suffolk Wlk. Can I —1E 152
Suffolk Way. Can I —1E 152
Suffolk Way. Horn —8L 113
Sugar La. Sib H —2C 14
Sugden Av. W'fd —9H 103
Sugden Way. Bark —2E 142
Sullivan Clo. Colc —9E 168
Sullivan Rd. Til —6C 158
Sullivan Way. Lang H —1J 133
Sultan Rd. E11 —8H 109
Summercourt Rd. Wclf S —6K 139
Summerdale. Alth —5A 36
Summerdale. Bill —6J 101
Summerfield Rd. Lou —5K 93
Summer Fields. Ing —6E 86
Summerfields. Sib H —6C 206
Summerhill. Alth —5A 36
Summer Hill. Chst —6G 47
Summer Hill Rd. Saf W —5K 205
Summerhouse Dri. Bex & Dart —4A 48
Summerton Way. SE28 —6J 143
Summerwood Clo. Ben —3J 137
Summit Dri. Wfd G —6K 109
Summit Rd. E17 —8B 108
Summit, The. Lou —9M 79
Sumner Rd. Croy —7A 46
Sumners. —7N 55 (1G 31)
Sumners Farm Clo. H'low —8A 56
Sumpters Way. Sth S —9L 123
Sunbank. D'mw —9M 197
Sunbeam Av. Jay —6C 190
Sunbury Ct. Shoe —4J 141
Sunbury Way. Mal —8J 203
Sun Ct. Eri —7D 154
Sundale Clo. Clac S —7C 188
Sunderland Rd. SE23 —4C 46
Sunderland Way. E12 —4K 125
Sundew Ct. Grays —4N 157
Sundridge. —5F 47
Sundridge Av. Brom & Chst —6F 47
Sunflower Clo. Chelm —5A 62
Sunflower Way. Romf —5H 113
Sungate Cotts. Romf —5L 111
Sun Hill. Fawk —7E 48
Sun-in-the-Sands. (Junct.) —2F 47
Sunken Marsh. —9J 137
Sunnedon. Bas —1E 134
Sunnedon Ct. Van —1E 134
Sunningdale. Can I —1J 153
Sunningdale Av. Bark —1C 142
Sunningdale Av. Lgh S —5F 138
Sunningdale Av. Rain —4F 144
Sunningdale Fall. Hat P —2M 63
Sunningdale Rd. Alth —5A 36
Sunningdale Rd. Chelm —7G 60
Sunningdale Rd. Rain —9E 128
Sunningdale Way. Kir X —7H 183
Sunnings La. Upm —7N 129 (5D 40)
Sunnybank Clo. Lgh S —9E 122
Sunnycroft Gdns. Upm —2C 130
Sunnydene Av. E4 —2D 108
Sunnydene Clo. Romf —4K 113
Sunnyfield Gdns. Hock —1A 122
Sunnyfields Rd. Brain —5D 14
Sunnymead Flats. Bur C —4M 195
Sunnymede. —7M 101 (7K 33)
Sunnymede. Chig —9G 95
Sunnymede Clo. Ben —9G 120
Sunnymede Dri. Ilf —9A 110
Sunny Point. W on N —1M 183
Sunny Rd. Hock —2D 122
Sunnyside. Bas —2H 133
Sunnyside. Brain —5G 193
Sunnyside. Naze —1F 64
Sunnyside. Stans —3D 208
Sunnyside Av. Bas —2K 135
Sunnyside Dri. E4 —6C 92
Sunnyside Gdns. Upm —5N 129
Sunnyside Rd. E10 —3A 124
Sunnyside Rd. Epp —3E 80
Sunnyside Rd. For —2A 166
Sunnyside Rd. Ilf —5B 126
Sunnyside Way. L Cla —4G 187
Sunnyway. Dan —7E 76
Sunnyway. St La —2C 36
Sunray Av. SE24 —3B 46
Sun Ray Av. Hut —5A 100
Sunrise Av. Chelm —6J 61
Sunrise Av. Horn —5G 128
Sunset Av. E4 —7B 92
Sunset Av. Wfd G —1F 108
Sunset Clo. Eri —3J 154
Sunset Ct. Wfd G —4J 109
Sunset Dri. Hav —2F 112
Sunset Rd. SE28 —8F 142
Sunshine Clo. Hull —5L 105
Sun St. EC2 —7B 38
Sun St. Bill —7J 101
Sun St. Saw —3L 53
Sun St. Wal A —3C 78
Surbiton Av. Sth S —6B 140
Surbiton Rd. Sth S —5B 140
Surig Rd. Can I —1G 152
Surlingham Clo. SE28 —7J 143
Surman Cres. Hut —6M 99
Surrex. —4A 172 (7J 15)
Surrey Av. Lgh S —3E 138
Surrey Canal Rd. SE15 & SE14 —2C 46
Surrey Dri. Horn —8L 113
Surrey La. Tip —7C 212
Surrey Rd. Bark —9D 126
Surrey Rd. Dag —7N 127
Surrey Way. Bas —9K 117
Surridge Clo. Rain —3G 144
Susan Clo. Romf —7A 112
Susan Fielder Cotts. Can I —2G 153
(off Kitkatts Rd.)
Susan Lawrence Ho. E12 —6N 125
(off Walton Rd.)
Sussex Av. Romf —4K 113
Sussex Clo. Bas —9K 117
Sussex Clo. Bore —3G 62
Sussex Clo. Can I —9G 137
Sussex Clo. Hod —4A 54
Sussex Clo. Ilf —9M 109
Sussex Ct. Bill —2K 101
Sussex Gdns. Clac S —7B 188
Sussex Rd. Colc —8K 167
Sussex Rd. War —1E 114
Sussex Way. Bill —2K 101
Sussex Way. Can I —9G 136
Sutcliffe Clo. W'fd —1L 119
Sutherland Boulevd. Lgh S —4A 138
Sutherland Ho. Chelm —7J 61
Sutherland Pl. W'fd —2L 119
Sutor Clo. Wthm —6B 214
Sutton Acres. L Hall —3A 22
Sutton at Hone. —5C 48
Sutton Clo. Lou —6L 93
Sutton Ct. Sth S —4A 140
Sutton Ct. Dri. R'fd —8L 123
Sutton Gdns. Bark —1D 142
Sutton Grn. Bark —1E 142
Sutton Mead. Chelm —7B 62
Sutton Pk. Av. Colc —3G 175
Sutton Rd. Bark —1D 142
Sutton Rd. R'fd & Sth S —7L 123 (3J 43)
Suttons Av. Horn —5G 129 (4B 40)
Suttons Bus. Pk. Rain —3B 144
Suttons Gdns. Horn —5H 129
Suttons La. Horn —7H 129 (5B 40)
Suttons Rd. Shoe —7M 141
Swains Ind. Est. R'fd —4J 123
Swale Clo. Ave —6N 145
Swale Rd. Ben —1H 137
Swale Rd. Dart —9E 154
Swallowcliffe. Shoe —5H 141
Swallow Clo. Eri —6C 154
Swallow Clo. Lay H —9H 175
Swallow Ct. Ilf —9A 110
Swallow Dale. Bas —2C 134
Swallowdale. Clac S —6K 187
Swallow Dale. Colc —3C 176
Swallow Dri. Ben —4B 136
Swallow Field. E Col —3C 196
Swallow Path. Chelm —6C 74
Swallow Rd. W'fd —6K 103
Swallows. H'low —8H 53
Swallows Cross. —7K 85 (5F 33)
Swallows Cross Rd. Mount —7K 85 (5F 33)
Swallow's Row. Gt Ben —6N 179 (1B 28)
Swallows, The. Bill —8L 101
Swallow Wlk. Horn —8F 128
Swanage Rd. E4 —4C 108
Swanage Rd. Sth S —5N 139
Swan Av. Upm —3C 130
Swanbourne Dri. Horn —7G 129
Swan Bus. Pk. Dart —9H 155
Swan Chase. Sib H —7C 206
Swan Clo. Bas —9N 117
Swan Clo. Colc —9E 168
Swan Clo. Hat P —2K 63
Swan Ct. Ben —1B 136
Swan Ct. H'bri —4L 203
Swan Ct. Mis —5M 165
(off High St. Mistley,)
Swan Ct. Sib H —7C 206
Swandale. Clac S —6K 187
Swanfield Cotts. S'way —1N 173
Swan Gro. Chap —4K 15
Swan La. Dart —4A 48
Swan La. H'hll —3J 7
Swan La. Kel H —7B 84
Swan La. Lou —6J 93
Swan La. Runw & W'fd —6L 103 (7C 34)
Swan La. Stock —3L 87 (4K 33)
Swanley. —6A 48
Swanley By-Pass. Sidc & Swan —6K 47
Swanley Interchange. (Junct.) —7B 48
Swanley La. Swan —6A 48
Swanley Village. —6B 48
Swanley Village Rd. Swan —6B 48
Swan Mead. Bas —2E 134
Swan Paddock. Brtwd —8F 98
Swan Pas. Colc —8N 167
Swan & Pike Rd. Enf —8A 78
Swan Rd. Beau —1G 181 (6D 18)
Swanscombe. —3F 49
Swanscombe St. Swans —3F 49
Swanscomb Rd. Gt Tey —5J 15
Swans Grn. Clo. Ben —9G 120
Swanshope. Lou —1A 94
Swan Side. Brain —5H 193
Swanstead. Bas —2F 134
Swan Street. —5K 15
Swan St. Chap —5K 15
Swan St. K'dn —7D 202
Swan St. Sib H —6C 206 (1E 14)
Swan, The. (Junct.) —7E 46
Swan Wlk. Romf —9C 112
Swan Yd. Cogg —8L 195
Swatchways. Sth S —8B 140
Sweden Clo. Har —3H 201
Sweeps La. Orp —7J 47
Sweet Briar Av. Ben —4D 136
Sweet Briar Dri. Lain —6M 117
Sweetbriar Lodge. Can I —1E 152
(off Link Rd.)
Sweet Briar Rd. S'way —8D 166
Sweetland Ct. Dag —8G 126
Sweet Mead. Saf W —2L 205
Swell Ct. E17 —1B 124
Sweyne Av. Hock —3F 122
Sweyne Av. Sth S —5L 139
Sweyne Clo. Ray —3H 121
Sweyne Ct. Ray —5K 121
Sweyns, The. H'low —5H 57
Swift Av. Jay —6D 190
Swift Clo. Brain —1A 194
Swift Clo. Upm —3B 130
Swinborne Ct. Bas —5J 119
Swinborne Rd. Bas —6K 119
Swinbourne Dri. Brain —5F 192
Swinburne Gdns. Til —7D 158
Swindon Clo. Ilf —4D 126
Swindon Clo. Romf —2K 113
Swindon Gdns. Romf —2K 113
Swindon La. Romf —2K 113
Swingate La. SE18 —2H 47
Swingboat Ter. Sth S —7A 140
(off Outing Clo.)
Swiss Av. Chelm —7H 61
Sycamore Av. Upm —5L 129
Sycamore Clo. Can I —2F 152
Sycamore Clo. Tak —8C 210
Sycamore Clo. Til —7C 158
Sycamore Clo. Wthm —2D 214
Sycamore Ct. E7 —8G 125
Sycamore Ct. Eri —3B 154
(off Sandcliff Rd.)
Sycamore Ct. W'fd —8L 103
Sycamore Dri. Brtwd —7F 98
Sycamore Field. H'low —7N 55
Sycamore Gro. Brain —6F 192
Sycamore Gro. Sth S —4N 139
Sycamore Ho. Buck H —8K 93
Sycamore M. Eri —3B 154
(off St John's Rd.)
Sycamore Pl. Gt Ben —6K 179
Sycamore Rd. Colc —7D 168
Sycamore Rd. H'bri —2L 203
Sycamores, The. Ave —8A 146
Sycamores, The. Bas —9K 119
Sycamores, The. Wal A —5J 79
Sycamore Wlk. Ilf —8B 110
Sycamore Way. Cwdn —2M 107
Sycamore Way. Chelm —4D 74
Sycamore Way. Clac S —1G 190
Sycamore Way. Kir X —8G 182
Sycamore Way. S Ock —4G 146
Sydenham. —5C 46
Sydenham Clo. Romf —8D 112
Sydenham Hill. SE26 & SE23 —5C 46
Sydenham Rd. SE26 —5C 46
Sydenham Rd. Croy —7B 46
Sydervelt Rd. Can I —1G 152
Sydner Clo. Chelm —5H 75
Sydney Rd. E11 —1H 125
Sydney Rd. Ben —2C 136
Sydney Rd. Enf —6B 30
Sydney Rd. Ilf —6B 110
Sydney Rd. Lgh S —4A 138
Sydney Rd. Til —7C 158
Sydney Rd. Wfd G —1G 108
Sydney St. B'sea —8E 184
Sydney St. Colc —5B 176
Syers Field. Bla E —3B 14
Sykes Mead. Ray —6K 121
Sylvan Av. Horn —1J 129
Sylvan Av. Romf —1L 127
Sylvan Clo. Can I —3H 153
Sylvan Clo. Chaf H —2H 157
Sylvan Clo. Chelm —4C 74
Sylvan Clo. Lain —9K 117
Sylvan Ct. Bas —8H 117
Sylvan Hill. SE19 —6B 46
Sylvan Rd. E7 —8G 125
Sylvan Rd. E11 —9G 108
Sylvan Rd. E17 —9A 108
Sylvan Tryst. Bill —4K 101
Sylvan Way. Chig —9G 95
Sylvan Way. Dag —6G 127
Sylvan Way. Lain —8H 117
Sylvan Way. Lgh S —2N 137
Sylvester Gdns. Ilf —2G 111
Sylvesters. H'low —5M 55
Sylvia Av. Hut —8M 99
Sylvia Pankhurst Ho. Dag —5M 127
(off Wythenshawe Rd.)
Symmons Clo. Rayne —7B 192
Symonds La. Lin —2C 6
Symons Av. Lgh S —8D 122
Syracuse Av. Rain —3J 145
Syrett Dri. Colc —8G 168
Syringa Ct. Grays —5N 157

Taber Pl. Wthm —4E 214
Tabora Av. Can I —9F 136
Tabor Av. Brain —5G 192
Tabor Clo. B'sea —5E 184
Tabor Rd. Colc —8C 168
Tabors Av. Chelm —2G 74
Tabor's Hill. Gt Bad —3G 74
Tabrum's La. Bat —2G 104
Tabrums, The. S Fer —8J 91
Tabrums Way. Upm —2B 130
Tadlows Clo. Upm —7M 129
Tadworth Pde. Horn —6F 128
Taffrail Gdns. S Fer —3L 105
Tailors Ct. Sth S —1L 139
Taits. Stan H —3A 150
Takeley. —8C 210 (1D 22)
Takeley Clo. Romf —6B 112
Takeley Clo. Wal A —3D 78
Takeley Pk., The. Tak —9C 210
Takeley Street. —1C 22
Takely End. Bas —1B 134
Takely Ride. Bas —1B 134
Talbot Av. Jay —6D 190
Talbot Av. Ray —4J 121
Talbot Gdns. Ilf —4F 126
Talbot Rd. E7 —6G 124
Talbot Rd. Dag —8L 127
Talbot Rd. Wee H —1F 186
Talbot St. Har —2M 201
Talbrook. Brtwd —9C 98
Talcott Rd. Colc —4A 176
Talisman Clo. Ilf —3G 127
Talisman Clo. Tip —5D 212
Talisman Wlk. Bill —2M 101
Talisman Wlk. Tip —5D 212
Tallack Rd. E10 —3A 124
Tallis Clo. Stan H —2L 149
Tallis Rd. Bas —7M 117
Tallon Rd. Hut —4A 100
Tallow Ga. S Fer —2L 105
Tall Trees. Colc —4M 167
Tall Trees Cvn. Pk. Stans —5F 208
(off Old Bury Lodge La.)
Tall Trees Clo. Horn —9J 113
Tally-Ho Dri. Hut —7D 100
Tally Ho. H'wds —3B 168
Tally Ho. Dri. Hut —7D 100
Talus Clo. Purf —2A 156
Talza Way. Sth S —6M 139
(off Victoria Plaza Shop. Cen.)
Tamage Rd. Act —3K 9
Tamar Av. Wthm —5B 214
Tamar Clo. Upm —1B 130
Tamar Dri. Ave —6N 145
Tamarisk. Ben —2C 136
Tamarisk Rd. S Ock —3F 146
Tamarisk Way. Colc —7E 168
Tamarisk Way. Jay —6D 190 (5C 28)
Tamar Rise. Chelm —5L 61
Tamar Sq. Wfd G —3H 109
Tambour Clo. Gt Tey —2E 172
Tamdown Way. Brain —4E 192
Tamsy Clo. H Hill —3J 113
Tamworth Av. Wfd G —3E 108
Tamworth Chase. Colc —4A 176
Tamworth Rd. Croy —7A 46
Tanfield Dri. Bill —6J 101
Tangent Link. H Hill —5H 113
Tangerine Clo. Colc —9D 168
Tangham Wlk. Bas —8C 118
Tangmere Clo. W'fd —1B 120
Tangmere Cres. Horn —8F 128
Tan Ho. La. N'side —3K 97 (6C 32)
Tankerville Dri. Lgh S —3C 138
Tank Hill Rd. Purf —2L 155 (1C 48)
Tank La. Purf —2L 155
Tan La. L Cla —9J 181 (1D 28)
Tanner Clo. Clac S —1F 190
Tanners La. Ilf —7B 110 (3H 39)
Tanners Meadow. Brain —6M 193
Tanner St. Bark —8B 126
Tanners Way. Saf W —4L 205
Tanners Way. S Fer —9J 91
Tannery Clo. Dag —5N 127
Tanswell Av. Bas —9J 119
Tanswell Clo. Bas —9J 119
Tanswell Ct. Bas —8J 119
Tansy Clo. Romf —3J 113
Tantelen Rd. Can I —9F 136
Tantony Gro. Romf —7J 111
Tanyard Hill. Shorne —5K 49
Tanyard, The. Thax —3K 211 (3F 13)
Tany's Dell. H'low —9F 52
Tapestry Way. Brain —6M 193
Tapley Rd. Chelm —5H 61
Tapsworth Clo. Clac S —8G 187
Tapwoods. Colc —8H 167
Tara Clo. Colc —6D 168
Taranto Rd. Can I —2K 153

Tarnworth Rd. Romf —3L 113
Tarpots. —2C 136 (3D 42)
Tarragona M. Colc —2B 176
Tarragon Clo. Tip —6C 212
Tasker Ho. Bark —2C 142
Tasker Rd. Grays —1D 158
Tasman Clo. Corr —1A 150
Tasman Ct. Chelm —6G 60
Tatsfield Av. Naze —2D 64
Tattenham Rd. Bas —8K 117
(in two parts)
Tattersall Gdns. Lgh S —5N 137 (4G 43)
Tattersalls Chase. S'min —7M 207
Tattersall Way. Chelm —3N 73
Tattingstone Wonder. —1B 18
Tattle Hill. W'frd —4A 20
Taunton Clo. Bexh —7B 154
Taunton Clo. Ilf —3E 110
Taunton Dri. Wclf S —2G 138
Taunton Rd. Chelm —6N 61
Taunton Rd. Romf —1G 113
Taveners Grn. Clo. W'fd —1M 119
Taverners Green. —2D 22
Taverners Wlk. Wthm —3C 214
Taverners Way. E4 —7E 92
Taverners Way. Hod —5A 54
Tavistock Clo. Romf —5H 113
Tavistock Dri. Bill —3H 101
Tavistock Gdns. Ilf —6D 126
Tavistock M. E18 —7G 109
Tavistock Pl. E18 —8G 109
Tavistock Pl. WC1 —6A 38
Tavistock Rd. E7 —6F 124
Tavistock Rd. E15 —8F 124
Tavistock Rd. E18 —7G 108
Tavistock Rd. Bas —7L 117
Tavistock Rd. Chelm —6N 61
Tavistock Sq. WC1 —6A 38
Tavy Bri. SE2 —9H 143
Tavy Bri. Cen. SE2 —9H 143
Tawney Common. —4K 31
Tawney Comn. They M —2M 81 (4K 31)
Tawney Rd. SE28 —7G 142
Tawney's Ride. Bures —7E 194
Tawneys Rd. H'low —5D 56 (7H 21)
Tawny Av. Upm —7M 129
Taylifers. H'low —8N 55
Taylor Av. Chelm —6G 61
Taylor Clo. Romf —4M 111
Taylor Ct. E15 —7C 124
Taylor Ct. Colc —8N 167
Taylor Dri. Law —4H 165
Taylor Pl. Brox —1A 64
Taylor Rd. Colc —6M 167
Taylor Row. Noak H —8G 97
Taylors Av. Hod —6A 54
Taylors End Rd. Stan Apt —8K 209
Taylor's La. High —5K 49
Taylor's Rd. Rhdge —6F 176
Taylor Wlk. Bas —2K 133
Tayside Way. W'fd —2L 119
Tay Way. Romf —5D 112
Teagles. Bas —9N 117
Teak Wlk. Wthm —3D 214
Teal Av. May —3D 204
Teal Clo. Bla N —3B 198
Teal Clo. Colc —7G 168
Teal Way. K'dn —8D 202
Tedder Clo. Colc —3A 176
Tees Clo. Upm —2A 130
Tees Clo. Wthm —5B 214
Teesdale Rd. E11 —2F 124
Tees Dri. Romf —9H 97 (1B 40)
Tees Rd. Chelm —5L 61
Teign Dri. Wthm —5A 214
Teigngrace. Shoe —6H 141
Teignmouth Dri. Ray —2K 121
Telegraph Hill. High —5K 49
Telegraph M. Ilf —3F 126
Telese Av. Can I —2K 153
Telford Rd. N11 —1A 38
Telford Rd. Brain —7J 193
Telford Rd. Clac S —5M 187 (3E 28)
Telford Way. Colc —1D 168
Temperance Yd. E Col —3C 196
Tempest Way. Rain —8E 128
Templar Dri. SE28 —6J 143
Templar Rd. Brain —6M 193
Templars Clo. Wthm —3C 214
Templars Ho. E15 —7B 124
Temple Av. Dag —3M 127
Temple Clo. E11 —2E 124
Temple Clo. Ben —3M 137
Temple Clo. Bill —3H 101
Temple Clo. Frin S —8K 183
Temple Clo. Lain —8L 117
Temple Ct. Colc —5D 168
Temple Ct. Sth S —3A 140
Temple End. —1J 7
(nr. Little Thurlow)
Temple End. —4G 9
(nr. Sudbury)
Temple End. Thurl —1J 7
Temple Farm Ind. Est. Sth S —1M 139
Temple Farm Trading Est. W Han —2C 88
Temple Fields. —8F 52 (5J 21)
Temple Gdns. Dag —5J 127
Temple Gro. Cvn. Pk. W Han —2D 88
Temple Hall Ct. E4 —8D 92
Temple Hill. —3C 48
Temple Hill. Dart —3C 48
Temple Hill Sq. Dart —3C 48
Temple La. Brain —4J 207
Temple La. Cres & Sil E —2F 25
Temple Mead. Roy —3H 55
Templemead. Wthm —4C 214
Temple Mill La. E10 & E15
(in two parts) —6B 124 (5E 38)
Temple Mills. —7B 124 (5D 38)
Templer Av. Grays —2C 158
Temple Rd. Colc —4H 175
Templeton Av. E4 —1A 108
Templeton Cvn. Pk. W Han —2C 88
Templewood Ct. Ben —3K 137
Templewood Rd. Ben —3K 137
Templewood Rd. Colc —6E 168
Temptin Av. Can I —2L 153
Ten Acre App. H'bri —3J 203
Tenbury Clo. E7 —7K 125
Tenby Clo. Romf —1K 127
Tenby Rd. Romf —1K 127
Tendring. —1D 180 (6C 18)
Tendring Av. Ray —4G 121
Tendring Ct. Hut —4N 99
Tendring Green. —5C 18
Tendring Rd. H'low —5B 56 (7H 21)
Tendring Rd. L Ben —7L 171 (6A 18)
Tendring Rd. Ten —5B 18
Tendring Rd. T Sok —2G 181 (7D 18)
Tendring Way. Romf —9H 111
Tennants Row. Til —7A 158
Tennison Rd. SE25 —7B 46
Tenny Ho. Grays —5L 157
Tennyson Av. E11 —2G 125
Tennyson Av. Eri —9L 125
Tennyson Av. Grays —1L 157
Tennyson Av. Sth S —4N 139
Tennyson Av. Wal A —4E 78
Tennyson Clo. Brain —8H 193
Tennyson Clo. Lgh S —4N 137
Tennyson Dri. Bas —1J 135
Tennyson Rd. E10 —3B 124
Tennyson Rd. E15 —9E 124
Tennyson Rd. Chelm —6H 61
Tennyson Rd. Hut —6M 99
Tennyson Rd. Mal —8K 203
Tennyson Rd. Romf —4G 112
Tennyson Wlk. Til —7D 158
Tennyson Way. Horn —3D 128
Tenpenny Hill. Thorr —8D 178 (1K 27)
Tensing Gdns. Bill —7J 101
Tenterden Rd. Dag —4L 127
Tenterfield Rd. Mal —6K 203
Tenterfields. D'mw —8M 197
Tenterfields. Newp —7C 204
Tenterfields. Pits —7K 119
Tenth Av. Stan Apt —7G 209
Tentree Rd. Gt Wal —3K 9
Teramo Rd. Can I —2K 153
Tercel Path. Chig —1G 111
Terence McMillan Stadium. —6F 39
Terence Webster Rd. W'fd —1M 119
Teresa M. E17 —8A 108
Terling. —4D 24
Terling. Bas —1C 134
Terling Clo. E11 —5F 124
Terling Clo. Colc —5A 176
Terling Hall Rd. Terl —5D 24
Terling Rd. Dag —4M 127
Terling Rd. Hat P —1K 63 (5E 24)
Terling Rd. Wthm —4A 214 (4E 24)
Terlings, The. Brtwd —9D 98
Terminal Clo. Shoe —7K 141
Terminal Clo. Ind. Est. Shoe —7K 141
Terminal Rd. N. Tak —6N 209 (7C 12)
Terminal Rd. S. Tak —6N 209 (7C 12)
Terminus Dri. Bas —2J 135
Terminus St. H'low —2C 56
Terms Av. Can I —9G 137
Tern Clo. K'dn —7D 202
Tern Clo. May —3D 204
Terndale. Clac S —7K 187
Tern Gdns. Upm —3B 130
Terni Rd. Can I —2K 153
Tern Way. Brtwd —1B 114
Terrace Hall Chase. Gt Hork —1K 167
Terrace, The. E4 —9E 92
(off Newgate St.)
Terrace, The. Ben —6D 136
Terrace, The. Grav —3H 49
(in three parts)
Terrace, The. Lgh S —6D 138
Terrace, The. Shoe —8K 141
Terrace, The. Wfd G —3G 108 (2F 39)
Terrace Wlk. Dag —7K 127
Teviot Av. Ave —6N 145
Tewkesbury Clo. Lou —5L 93
Tewkesbury Rd. Clac S —9J 187
Tewkes Rd. Can I —9K 137
Tey Gdns. M Tey —3E 172
Tey Rd. Cogg —7M 195 (7J 15)
Tey Rd. E Col —3E 196 (4J 15)
Tey Rd. Gt Tey —5K 15
Tey Rd. Clo. E Col —3E 196
Thackeray Av. Til —6D 158
Thackeray Clo. Brain —8J 193
Thackeray Dri. Romf —2F 126
Thackeray Row. W'fd —2L 119
Thal Massing Clo. Hut —8L 99
Thames Av. Chelm —6E 60
Thames Av. Dag —4N 143
Thamesbank Pl. SE28 —6H 143
Thames Barrier Visitor Centre. —1F 47
Thames Clo. Brain —7M 193
Thames Clo. Corr —2B 150
Thames Clo. Lgh S —5A 138
Thames Clo. Rain —6F 144
Thames Clo. Ray —6J 121
Thames Cres. Corr —9C 134
Thames Dri. Grays —3C 158
Thames Dri. Lgh S —5N 137 (4G 43)
Thames Flood Barrier. —1F 47
Thames Haven. —5K 151 (7B 42)
Thames Haven Rd. Corr —2C 150
Thameshill Av. Romf —6A 112
Thameside Community Nature Reserve. —4G 143 (6J 39)
Thameside Cres. Can I —2F 152
Thameside Ind. Est. Eri —4H 155
Thameside Wlk. SE28 —6F 142
Thames Ind. Pk. E Til —3K 159
Thamesmead. —9F 142 (7J 39)
Thamesmead Central. —8F 142
Thamesmead East. —9M 143
Thamesmead North. —6H 143
Thamesmead South. —9J 143
Thamesmead South West. —9E 142
Thamesmere Dri. SE28 —7F 142
Thames Rd. Bark —3E 142 (6H 39)
Thames Rd. Can I —3F 152
Thames Rd. Dart —7D 154 (2A 48)
Thames Rd. Grays —5L 157
Thames View. Bas —5L 133
Thames View. Grays —3C 158
Thamesview Ct. Ben —4M 137
Thames Way. Bur C —2K 195
Thames Way. Grav —4G 49
(in two parts)
Thamley. Purf —2L 155
Thanet Grange. Sth S —1H 139
Thanet Rd. Eri —5C 154
Thant Clo. E10 —5B 124
Thatchers Clo. Lou —1B 94
Thatchers Croft. Latch —4J 35
Thatchers Dri. Elms —9M 169
Thatches Gro. Romf —8K 111
Thaxted. —2K 211 (3F 13)
Thaxted Bold. Hut —4N 99
Thaxted Grn. Hut —4M 99
Thaxted Guildhall. —3K 211 (3F 13)
Thaxted Ho. Dag —9N 127
Thaxted "John Webb's" Towermill. —3J 211 (3F 13)
Thaxted Rd. Buck H —6L 93
Thaxted Rd. Deb —2D 12
Thaxted Rd. Gt Sam —2G 13
Thaxted Rd. Saf W —4L 205 (6C 6)
Thaxted Wlk. Colc —6A 176
Thaxted Wlk. Rain —9C 128
Thaxted Way. Wal A —3D 78
Thear Clo. Wclf S —2H 139
Theberton St. N1 —6A 38
Thelma Av. Can I —1G 153
Thelsford Wlk. Colc —8F 168
Theobald Rd. E17 —2A 124
Theobalds Av. Grays —3M 157
Theobald's Ct. Lgh S —5B 138
Theobalds La. Chesh —4C 30
Theobalds Pk. Rd. Enf —5A 30
Theobalds Rd. WC1 —7A 38
Theobald's Rd. Lgh S —5B 138
Therfield. —7B 4
Thesiger Rd. SE20 —5C 46
Thetford Ct. Chelm —1N 73
Thetford Gdns. Dag —9K 127
Thetford Pl. Bas —6M 117
Thetford Rd. Dag —9J 127
Theydon. Bas —6G 119
Theydon Bois. —7D 80 (5H 31)
Theydon Bower. Epp —1F 80
Theydon Ct. Wal A —3G 79
Theydon Cres. Bas —6G 118
Theydon Gdns. Rain —9C 128
Theydon Garnon. —5H 81 (5J 31)
Theydon Gro. Epp —9F 66
Theydon Gro. Wfd G —3J 109
Theydon Mount. —6M 81 (5K 31)
Theydon Mt. They M —4L 81
Theydon Pk. Rd. They B —7D 80
Theydon Pl. Epp —1E 80
Theydon Rd. Epp —2C 80 (5H 31)
Thicket Gro. Dag —8H 127
Thicket Rd. SE20 —5C 46
Thickett Gro. Dag —8H 127
Thielen Rd. Can I —1G 152
Thieves La. Hert —5A 20
Third Av. E12 —6L 125
Third Av. E17 —9A 108
Third Av. Bas —3G 132
Third Av. Ben —9G 121
Third Av. Can I —1E 152
Third Av. Chelm —6J 61
Third Av. Clac S —9N 187
Third Av. Dag —1N 143
Third Av. Frin S —1H 189
Third Av. Grays —4D 156
Third Av. H'std —5N 199
Third Av. H'low —4M 55 (7G 21)
Third Av. Har —4L 201
Third Av. Stan Apt —7G 209
Third Av. Romf —1H 127
Third Av. Stan H —1N 149
Third Av. Wal A —9H 65
Third Av. W on N —1M 183
Third Av. W'fd —1A 120
Third Wlk. Can I —1E 152
Thirlmere Clo. Brain —1D 198
Thirlmere Rd. Ben —8E 120
Thirlmere Rd. Bexh —6A 154
Thirslet Dri. H'bri —4M 203
Thirtieth St. Stan Apt —6L 209
Thirtle Clo. Clac S —7H 187
Thisselt Rd. Can I —9G 136
Thistlebrook. SE2 —9H 143
Thistle Clo. Lain —6A 118
Thistledene Av. Romf —2N 111
Thistledown. Bas —9D 118
Thistledown. H'wds —4B 168
Thistledown. Pan —1C 192
Thistledown Ct. Bas —9D 118
Thistle Mead. Lou —2N 93
Thistley Clo. Gold —7A 26
Thistley Clo. Lgh S —2E 138
Thistley Cres. R Grn —3A 12
Thistley Green. —1K 193 (6D 14)
Thistley Grn. Rd. Brain —1K 193
(in two parts)
Thistly Rd. Tol —9K 211
Thoby La. Mount —8M 85 (5G 33)
Thomas Bata Av. E Til —2K 159
Thomas Bell Rd. E Col —3B 196
Thomas Clo. Brtwd —8H 99
Thomas Clo. Chel V —8A 62
Thomas Ct. E17 —9B 108
Thomas Ct. Colc —8B 168
Thomas Dri. Can I —9C 136
Thomas England Ho. Romf —1B 128
(off Waterloo Gdns.)
Thomasin Rd. Bas —6K 119
Thomas More St. E1 —7C 38
Thomas Rd. Bas —8M 119
Thomas Rd. Clac S —9H 187
Thomas Sims Ct. Horn —8F 128
Thomas St. B'sea —7E 184
Thomas Wakley Clo. Colc —2N 167
Thompson Av. Can I —2M 153
Thompson Av. Colc —9G 167
Thompson Clo. Ilf —4B 126
Thompson Rd. Dag —5L 127
Thompson's La. Lou —8G 78
Thong. —5J 49
Thong La. Grav —5J 49
Thorington Av. Ben —9K 121
Thorington Hall. —1F 17
Thorington Rd. Ray —6N 121
Thorington Street. —1F 17
Thorins Ga. S Fer —2J 105
Thorley. —2J 21
Thorley Hill. Bis S —1K 21
Thorley La. Bis S —2J 21
(Thorley)
Thorley La. Bis S —1J 21
(Thorley Houses)
Thorley Rd. Grays —8K 147
Thorley Street. —2K 21
Thornberry Av. Wee —5D 180
Thornborough Av. S Fer —1L 105
Thornbridge. Ben —2B 136
Thornbury Clo. Hod —1B 54
Thornbury Rd. Clac S —9K 187
Thornbush. Bas —9N 117
Thorncroft. Horn —1F 128
Thorncroft. Saf W —3M 205
Thorndale. Ben —8H 121
Thorndales. War —1G 115
Thorndene. SE28 —7G 143
Thorndon App. Heron —4N 115
Thorndon Av. W H'dn —9M 115 (3G 41)
Thorndon Clo. Clac S —9E 186
Thorndon Country Park & Visitors Centre. —3K 115 (2F 41)
Thorndon Ga. Ingve —2M 115
Thorndon Pk. Clo. Lgh S —1B 138
Thorndon Pk. Cres. Lgh S —1A 138
Thorndon Pk. Dri. Lgh S —1A 138
Thorne Clo. E11 —6E 124
Thorne Rd. K'dn —8B 202
Thorney Bay Beech Camp. Can I —3F 152
Thorney Bay Rd. Can I —2F 152 (6E 42)
Thornford Gdns. Sth S —1L 139
Thornham Gro. E15 —7D 124
Thornhill. Lgh S —2D 138
Thornhill. N Wea —5A 68
Thorn Hill. Pur —3G 35
Thornhill Av. SE18 —2H 47
Thornhill Clo. Kir X —7J 183
Thornhill Gdns. E10 —4B 124
Thornhill Gdns. Bark —9D 126
Thornhill Rd. E10 —4B 124
Thornhill Rd. N1 —5A 38
Thorn La. Rain —2H 145
Thornridge. Brtwd —7E 98
Thorns, The. Kel H —9B 84
Thorns Way. W on N —6K 183
Thornton Av. SW2 —4A 46
Thornton Dri. Colc —5N 167
Thornton Heath. —6A 46
Thornton Heath Pond. (Junct.) —7A 46
Thornton Pl. Stock —7N 87
Thornton Rd. E11 —4D 124
Thornton Rd. SW12 —4A 46
Thornton Rd. Croy & T Hth —7A 46
Thornton Rd. Ilf —6A 126
Thornton Rd. L Can —7F 210
Thorntons. Ingve —3M 115
Thorntons Farm Av. Romf —3A 128
Thornton Way. Bas —9J 117
Thornwood. —2G 67
Thornwood. Colc —3N 167
Thornwood Clo. E18 —6H 109
Thornwood Clo. W Mer —3L 213
Thornwood Common. —5H 67 (2J 31)
Thornwood Ho. Buck H —6L 93
Thornwood Rd. Epp —8G 66 (3J 31)
Thorogood Gdns. E15 —7E 124
Thorogood Way. Rain —1C 144
Thorold Rd. Ilf —4A 126
Thorolds. Bas —3F 134
Thoroughgood Rd. Clac S —1K 191
Thorpe Bay. —6F 140 (5A 44)
Thorpe Bay Gdns. Sth S —8E 140
Thorpe Clo. Hock —3E 122
Thorpe Cross. —1F 29
Thorpedale Gdns. Ilf —8N 109
Thorpedene Av. Hull —6L 105
Thorpedene Gdns. Shoe —7H 141
Thorpe Esplanade. Sth S —8D 140 (5A 44)
Thorpe Gdns. Hock —3E 122
Thorpe Green. —3J 181 (7D 18)
Thorpe Hall Av. Sth S —5E 140 (4A 44)
Thorpe Hall Clo. Sth S —6E 140
Thorpe Hall Rd. E17 —5C 108
Thorpe Leas. Can I —3H 153
Thorpe-le-Soken. —5L 181 (7E 18)
Thorpe Lodge. Horn —1J 129
Thorpe Pk. La. T Sok —7L 181 (1E 28)
(in two parts)
Thorpe Rd. E7 —6F 124
Thorpe Rd. E17 —6C 108
Thorpe Rd. Bark —9C 126
Thorpe Rd. Clac S —7K 187 (3D 28)
Thorpe Rd. Hock —3E 122
Thorpe Rd. Kir X —6A 182 (1E 28)
Thorpe Rd. Ten —1D 180 (6C 18)
Thorpe Rd. Wee —5D 180 (7C 18)
Thorpe Wlk. Colc —8F 168
Thorrington. —9F 178 (2K 27)
Thorrington Bold. Hut —4N 99
Thorrington Cross. Bas —9D 118
Thorrington Rd. Gt Ben —1K 27
Thorrington Rd. L Cla —2G 186
Thorrington Tide Mill. —2D 184 (2K 27)
Thors Oak. Stan H —3N 149
Thracian Clo. Colc —4H 175
Thrale Rd. SW16 —5A 46
Threadneedle St. Chelm —9K 61
Threadneedle St. Ded —1M 163
Three Acres. St O —9M 185
Three Colts La. E2 —6C 38
Three Corners. Bexh —7A 154
Three Crowns Rd. Colc —5M 167
Three Gates Clo. H'std —6J 199
Three Gates Rd. Fawk —7D 48
Three Horseshoes Rd. H'low —5A 56
Three Mile Hill. Ing —8K 73 (3J 33)
Thremhall Av. L Hall —9E 208 (1A 22)
Threshelford. Bas —2A 134
Threshelfords Bus. Pk. K'dn —6E 202
Threshers Bush. —4N 57 (7A 22)
Threshers Bush. H'low —6K 21
Threshers End. S'way —1E 174
Thrift Grn. Brtwd —9K 99
Thrifts Mead. They B —7D 80
Thrift, The. —6A 4
Thrift Wood. Bick —9E 76
Thrift Wood Nature Reserve. —1G 90 (4E 34)
Thrimley La. Farnh —6J 11
Thriplow. —2G 5
Thriplow Rd. Fow —2G 5
Throcking. —3B 10
Throcking La. Thro —3C 10
Throwley Clo. Bas —1K 135
Throws Corner. Steb —7H 13
Thrushdale. Clac S —7K 187
Thundersley. —9F 120 (3E 42)
Thundersley Chu. Rd. Ben —1D 136
(in two parts)
Thundersley Gro. Ben —1F 136
Thundersley Pk. Rd. Ben —4D 136
Thundridge. —3D 20
Thurgood Rd. Hod —3A 54
Thurlby Clo. Wfd G —2M 109
Thurlestone Av. Ilf —6E 126
Thurloe Gdns. Romf —1D 128 (3A 40)
Thurloe Wlk. Grays —1K 157
Thurlow Clo. E4 —3C 108
Thurlow Dri. Sth S —6D 140
Thurlow Gdns. Ilf —3C 110
Thurlow Pk. Rd. SE27 —4A 46
Thurlow Rd. Gt Wra —1K 7
Thurlow Rd. Wthfld —1H 7
Thurlow St. SE17 —1B 46
Thurlston Clo. Colc —6D 168
Thurlstone. Ben —1J 137
Thurrock Bus. Pk. W Thur —4C 156
Thurrock Commercial Cen. Ave —9K 145
Thurrock Enterprise Cen. Grays —4K 157
Thurrock Lakeside. —1E 48
Thurrock Lakeside Shopping Centre. —1E 156
Thurrock Lakeside Shop. Cen. W Thur —1E 156
Thurrock Museum. —3L 157 (1F 49)
Thurrock Pk. Way. Til —5N 157
Thurrock Service Area Tourist Information Centre. —1C 156 (1D 48)
Thurso Clo. Romf —3M 113
Thurstable Clo. Tol —7L 211
Thurstable Rd. Tol —7K 211
Thurstable Way. Tol —7L 211
Thurstans. H'low —8A 56
Thurston Av. Sth S —5C 140
Thurston Rd. SE13 —2D 46
Thwaite Clo. Eri —4A 154
Thyme M. Wthm —4B 214
Thyme Rd. Tip —6C 212
Thynne Rd. Bill —6L 101
Tiberius Gdns. Wthm —7B 214
Tickenhall Dri. H'low —4J 57
Tickfield Av. Sth S —4L 139
Tickford Clo. SE2 —9H 143
Tideswell Clo. Brain —4M 193
Tide Way. Mal —8L 203
Tidings Hill. H'std —7K 199 (4F 15)

Tidworth Av. Runw —6M 103
Tidy's La. Epp —8G 66
Tiepigs La. W Wick & Brom —7E 46
Tighfield Wlk. S Fer —3K 105
Tilburg Rd. Can I —1G 152
(in two parts)
Tilbury. —7C 158 (3H 49)
Tilbury Fort. —9E 158 (3H 49)
Tilbury Green. —5C 8
Tilbury Juxta Clare. —5D 8
Tilbury Mead. H'low —5F 56
Tilbury Rd. E10 —2C 124
Tilbury Rd. Gt Yel —7D 198 (6D 8)
Tilbury Rd. Ridg —5C 8
Tilbury Rd. W H'dn —8A 116 (3G 41)
Tile Barn La. Law —6B 164 (3J 17)
Tilegate Green. —7A 22
Tilegate Rd. H'low —5E 56
Tile Ho. Rd. Gt Hork —8J 161
Tilehurst Point. SE2 —9J 143
Tilekiln Green. —1B 22
Tile Kiln La. Bex —4A 48
(in two parts)
Tile Works La. Ret C —9M 89
Tilkey. —7K 195 (7H 15)
Tilkey Rd. Cogg —6K 195
Tillet Pl. Til —6D 158
Tillingham. —3E 36
Tillingham Ct. Wal A —3G 78
Tillingham Grn. Bas —9J 117
Tillingham Rd. Ashel —4D 36
Tillingham Rd. S'min —6M 207 (4D 36)
Tillingham Way. Ray —4G 121
Tillotson Rd. Ilf —2N 125
Tillwicks Clo. E Col —3B 196
Tillwicks Rd. H'low —4E 56 (7H 21)
Tilney Ct. Buck H —8G 93
Tilney Dri. Buck H —8G 93
Tilney Rd. Dag —8L 127
Tilney Turn. Bas —2F 134
(in two parts)
Tilston Clo. E11 —5F 124
Tilty. —5E 12
Tilty Chu. Rd. Tilty —5F 13
Timber Clo. Bla N —1B 198
Timber Ct. Grays —4K 157
Timbercroft La. SE18 —2H 47
Timberdene Av. Ilf —5A 110
Timber Hill. Colc —9C 168
Timberlog Clo. Bas —9F 118
Timberlog La. Bas —9F 118 (3B 42)
Timbermans View. Bas —2G 134
Timothy Ho. Eri —9K 143
(off Kale Rd.)
Timsons La. Chelm —7N 61
Tindall Clo. Romf —6K 113
Tindal Sq. Chelm —9K 61
Tindal St. Chelm —9K 61
Tindon End. —1F 13
Tindon End Rd. Gt Sam —1F 13
Tine Rd. Chig —2D 110
(in two parts)
Tinker Av. Weth —2A 14
Tinker's La. R'fd —7L 123
Tinker St. R'sy —7A 200 (4E 18)
Tinkler Side. Bas —9C 118
Tinnocks La. St La —1C 36
Tintage Ct. Horn —3L 129
Tintagel Way. Mal —8H 203
Tintern Av. Wclf S —5H 139
Tiplers Bri. Rams H —3C 102
Tippersfield. Ben —2E 136
Tippett Clo. Colc —9E 168
Tipps Cross La. Hook E —4E 84 (4E 32)
Tipps Cross Mead. Hook E —5E 84
Tip's Cross. —4E 84 (4E 32)
Tiptree. —6D 212 (3K 25)
Tiptree Clo. E4 —9C 92
Tiptree Clo. Horn —3L 129
Tiptree Clo. Lgh S —2E 138
Tiptree Cres. Ilf —7N 109
Tiptree Gro. W'fd —9L 103
Tiptree Hall La. Tip —8B 212
Tiptree Heath. —8A 212 (4K 25)
Tiptree Heath Nature Reserve.
—9A 212 (4K 25)
Tiptree Rd. Gt Br —4J 25
Tiptree Rd. W Bis —7L 213 (5H 25)
Tiptree (Tolleshunt Knights) Towermill.
—5A 212 (3K 25)
Tiree Chase. W'fd —2A 120
Titania Clo. Colc —8F 168
Titan Ind. Est. Grays —2K 157
Titan Rd. Grays —3K 157
Titan Way. Grays —3K 157
Tithe Clo. Wthm —4B 214
Tithelands. H'low —6N 55
Tithe, The. W'fd —1J 119
Titley Clo. E4 —2A 108
Titmuss Av. SE28 —7G 143
Titus Way. Colc —1B 168
Tiverton Av. Ilf —7N 109
Tiverton Gro. Romf —2L 113
Tobruk Rd. Chelm —5H 61
Tobruk Rd. Colc —3L 175
Toddbrook. H'low —4A 56
Todd Clo. Rain —4H 145
Toft Av. Grays —2N 157
Tofts Chase. L Bad —6L 63 (7E 24)
Toga Clo. Colc —4H 175
Tog La. Gt Hork —5G 161 (3D 16)
Tokely Rd. Frat —3F 178
Tolbut Ct. Romf —1D 128
Toledo Clo. Sth S —6N 139
Toledo Rd. Sth S —6N 139
Tollesbury. —8K 211 (6C 26)
Tollesbury Clo. W'fd —1M 119
Tollesbury Ct. Hut —4N 99
Tollesbury Gdns. Ilf —7C 110
Tollesbury Rd. Tol D & Tol
—8H 211 (6B 26)
Tolleshunt D'Arcy. —5B 26
Tolleshunt D'arcy Rd. Tol M —6A 26
Tolleshunt Knights. —9F 212 (4A 26)
Tolleshunt Major. —6A 26
Tollgate. Ben —9J 121
Tollgate Cen., The. S'way —1D 174
Tollgate Ct. S'way —9D 166
Tollgate Dri. S'way —9C 166
Tollgate E. S'way —9D 166
Tollgate Rd. E16 & E6 —7F 39
Tollgate Rd. S'way —9D 166 (6C 16)
Tollgate Roundabout. S'way —9C 166
Tollgate W. S'way —1C 174
Tolliday Clo. W'hoe —4G 177
Tollington Pk. N4 —4A 38
Tollington Rd. N7 —5A 38
Tollington Way. N7 —4A 38
Tolworth Gdns. Romf —9J 111
Tolworth Pde. Chad H —9K 111
Tom Groves Clo. E15 —7D 124
Tom Hood Clo. E15 —7D 124
Tomkins Clo. Stan H —2L 149
Tomkyns La. Upm —6A 114 (2D 40)
Tomlins Orchard. Bark —1B 142
Tomlyns Clo. Hut —5A 100
Tom Mann Clo. Bark —1D 142
Tom Oakman Cen. E4 —9D 92
Tomswood Ct. Ilf —5B 110
Tomswood Hill. Ilf —3A 110 (2G 39)
Tomswood Rd. Chig —3N 109 (2G 39)
Tom Tit La. Wdhm M —2L 77 (2F 35)
Tonbridge Rd. Hock —8E 106
Tonbridge Rd. Romf —4H 113
Tonge Ct. Brox —8A 54
Tonge Rise. Shoe —7L 141
Tongres Rd. Can I —1G 153
Tonwell. —3B 20
Tony Webb Clo. H'wds —3B 168
Took Dri. S Fer —2J 105
Tooley St. SE1 —7B 38
Toot Hill. —8D 68 (3A 32)
Toot Hill Rd. Ong —3A 32
Toot Hill Rd. Toot —8D 68
Tooting Bec Gdns. SW16 —5A 46
Tooting Bec Rd. SW17 & SW16 —4A 46
Top Dartford Rd. Swan & Dart —5A 48
Top Ho. Rise. E4 —6C 92
Toplands Av. Ave —8N 145
Toppesfield. —7B 8
Toppesfield Av. W'fd —2K 119
Toppesfield Rd. F'fld —2K 13
Toppesfield Rd. Gt Yel —9C 198 (7C 8)
Top Rd. Tol K —4A 26
Top Rd. Wim —1E 12
Top Rd. Wdhm W —1F 35
Torbitt Way. Ilf —9E 110
Tor Bryan Ing —7C 86
Tornley Clo. Lang H —2H 133
Toronto Av. E12 —6M 125
Toronto Rd. E11 —6D 124
Toronto Rd. Ilf —3A 126
Toronto Rd. Til —7C 158
Torquay Clo. Ray —2K 121
Torquay Dri. Lgh S —5D 138
Torquay Gdns. Ilf —8K 109
Torquay Rd. Chelm —6M 61
Torrance Clo. Horn —3F 128
Torrens Rd. E15 —8F 124
Torrens Sq. E15 —8F 124
Torriano Av. NW5 —5A 38
Torridge. E Til —2L 159
Torridon Rd. SE6 —4E 46
(in two parts)
Torrington. Shoe —6H 141
Torrington Clo. Chelm —6N 61
Torrington Dri. Lou —3B 94
Torrington Gdns. Lou —3B 94
Torrington Pl. WC1 —7A 38
Torrington Rd. E18 —7G 109
Torrington Rd. Dag —3L 127
Torsi Rd. Can I —2K 153
Tortoiseshell Way. Brain —8G 192
Tortosa Clo. Colc —2B 176
Torver Clo. Brain —2C 198
Totham Hill. —5J 25
Totham Hill Grn. Gt Tot —5J 25
Totlands Dri. Clac S —6L 187
Tot La. Bir —7A 12
Tot La. Bis S —6C 208
Totman Clo. Ray —7K 121
Totman Cres. Ray —7K 121
Totnes Wlk. Chelm —5N 61
Tottenham. —2B 38
Tottenham Ct. Rd. W1 —6A 38
Tottenham Hale. —3C 38
Tottenham Hale Gyratory. (Junct.)
—3B 38
Tottenham Hotspur F.C. —2C 38
Tottenham La. N8 —3A 38
Totteridge Clo. Clac S —8H 187
Totts La. Walk —5A 10
Toucan Clo. Shoe —5J 141
Toucan Way. Bas —3B 134
Toucan Way. Clac S —7K 187
Toulmin Rd. Hat P —2L 63
Tovey Av. Hod —3A 54
Tovey Clo. Naze —2F 64
Tower Av. Chelm —8H 61
Tower Av. Lain —8L 117
Tower Bri. SE1 —7B 38
Tower Bri. Rd. SE1 —1B 46
Tower Cvn. Pk. Hull —5L 105
Tower Cen. Hod —5A 54
Tower Clo. Ilf —3A 110
Tower Clo. N Wea —3B 68
Tower Ct. Brtwd —8F 98
Tower Ct. Wclf S —7K 139
Tower Ct. M. Wclf S —7K 139
Tower Cut. B'sea —7E 184
Towerfield Clo. Shoe —7J 141
Towerfield Rd. Shoe —7J 141
Towerfield Rd. Ind. Est. Shoe —7J 141
Tower Hamlets Rd. E7 —6F 124
Tower Hamlets Rd. E17 —7A 108
Tower Hill. (Junct.) —7B 38
Tower Hill. Brtwd —8F 98
Tower Hill. M Hud —2G 21
Tower M. E17 —8A 108
Tower Rd. Belv —2A 154
Tower Rd. Clac S —3J 191
Tower Rd. Epp —9D 66
Tower Rd. Orp —7H 47
Tower Rd. W'hoe —4H 177
Tower Rd. Writ —1H 73
Tower Side. Hull —4L 105
Towers Rd. Grays —3M 157
Towers Rd. Mal —3M 203
Tower St. B'sea —8E 184
Towncourt La. Orp —7H 47
Town Croft. Chelm —6J 61
Towneley Cotts. Stap A —7C 96
Town End Field. Wthm —7B 214
Townfield. Thax —3L 211
Townfield Rd. R'fd —5L 123
Townfield St. Chelm —8K 61
Townfield Wlk. Gt W —2J 141
Towngate. Bas —9B 118
Town Grn. Rd. Orw —1C 4
Town La. B'tn —7A 10
Town La. Pam —1K 5
Townley Ct. E15 —8F 124
Townley Rd. Bexh —3K 47
Townmead Rd. Wal A —4C 78
Town Quay. Bark —1A 142
Town Rd. N9 —1C 38
Townsend Rd. Tip —5C 212 (3K 25)
Town Sq. Bas —9B 118
Town Sq. Eri —4C 154
Town St. New —1G 5
Town St. Thax —3K 211 (3F 13)
Town, The. Enf —6B 30
Towse Clo. Clac S —8G 186
Tracyes Rd. H'low —5G 56
Traddles Ct. Chelm —5H 61
Trader Rd. E6 —6A 142
Trafalgar Av. SE15 —2B 46
Trafalgar Bus. Cen. Bark —4E 142
Trafalgar Ct. Brain —4K 193
Trafalgar Ct. Eri —5D 154
(off Frobisher Rd.)
Trafalgar Pl. E11 —8G 109
Trafalgar Rd. SE10 —2E 46
Trafalgar Rd. Clac S —3J 191
Trafalgar Rd. Colc —8F 166
Trafalgar Rd. Rain —2D 144
Trafalgar Rd. Shoe —7H 141
Trafalgar Sq. WC2 —7A 38
Trafalgar Way. Bill —3K 101
Trafalgar Way. Brain —4K 193
Trafford Clo. E15 —7B 124
Trafford Clo. Ilf —3E 110
Trafford Ho. Lgh S —4E 138
Trajan Clo. Colc —1B 168
Tramway Av. E15 —9E 124
Tranquil Rise. Eri —3C 154
Tranquil Vale. SE3 —2E 46
Trap's Hill. Lou —3M 93 (6G 31)
Travers Way. Bas —9H 119
Tredegar Rd. E3 —6D 38
Tredgetts. A'dn —4E 6
Treebeard Copse. S Fer —2H 105
Tree Clo. Clac S —6K 187
Treecot Dri. Lgh S —2E 138
Treelawn Dri. Lgh S —2E 138
Treelawn Gdns. Lgh S —2E 138
Tree Top M. Dag —8B 128
Tree Tops. Brtwd —7F 98
Treetops Ct. M End —2N 167
Trefgarne Rd. Dag —4M 127
Trefoil Ho. Eri —9K 143
(off Kale Rd.)
Trefoil Ho. Grays —5L 157
Tregelles Rd. Hod —2A 54
Trego Rd. E9 —9A 124
Trehearn Rd. Ilf —4C 110
Trelawney Rd. Ilf —4C 110
Trelawn Rd. E10 —5C 124
Trelawny Clo. E17 —8B 108
Trenance Gdns. Ilf —5F 126
Trenchard Cres. Chelm —4M 61
Trenchard Lodge. Chelm —4M 61
Trenders Av. Ray —1H 121
Trenham Av. Pits —8K 119
Trent. E Til —2L 159
Trent Av. Upm —1A 130
Trentbridge Clo. Ilf —3E 110
Trent Clo. Bur C —2K 195
Trent Clo. W'fd —1L 119
Trent Rd. Buck H —7H 93
Trent Rd. Chelm —6E 60
Trent Rd. Wthm —5B 214
Trescoe Gdns. Romf —2A 112
Tresco Gdns. Ilf —4F 126
Tresco Way. W'fd —2N 119
Tresham Rd. Bark —9E 126
Treswell Rd. Dag —1K 143
Trevelyan Av. E12 —6M 125
Trevelyan Clo. Dart —9K 155
Trevelyan Rd. E15 —6F 124
Treviria Av. Can I —1J 153
Trevithick Dri. Dart —9K 155
Trevor Clo. Bill —9H 101
Trevor Rd. Wfd G —4G 109
Trevose Rd. E17 —5D 108
Trevthick Dri. Dart —3C 48
Trewithen Ct. Ray —7N 121
(off Connaught Rd.)
Trewsbury Ho. SE2 —8J 143
Trews Gdns. K'dn —7C 202
Triangle Shop. Cen. Frin S —7J 183
Triangle, The. Bark —8B 126
Triangle, The. Bas —2K 133
(off High Rd.)
Trident Ind. Est. Hod —5C 54
Trigg La. Dan —3F 76
Trigg Pl. Saw —2K 53
Trigg View. Grays —7M 147
Trigg Way. B'sea —6D 184
Trillo Ct. Ilf —2D 126
Trimble Clo. Ing —5D 86
Trimley Clo. Bas —8D 118
Trimley Clo. Clac S —9F 186
Trimley Lower Street. —1J 19
Trimley St Mary. —1J 19
Trims Green. —3J 21
Trindehay. Bas —1N 133
Trinder Way. W'fd —1J 119
Tring Clo. Ilf —9C 110
Tring Clo. Romf —1K 113
Tring Gdns. Romf —1J 113
Tring Grn. Romf —1J 113
Tring Wlk. Romf —1J 113
Trinidad Gdns. Dag —9B 128
Trinity Av. Felix —1K 19
Trinity Av. Wclf S —7K 139
Trinity Clo. E11 —4E 124
Trinity Clo. Bill —1L 117
Trinity Clo. Chelm —8M 61
Trinity Clo. Lain —9L 117
Trinity Clo. Mann —5J 165
Trinity Clo. Ray —6L 121
Trinity Clo. W Mer —2K 213
Trinity Clo. W'hoe —5J 177
Trinity Ct. H'std —4K 199
(High St. Halstead,)
Trinity Ct. H'std —5K 199
(Kings Rd.)
Trinity M. W Mer —2K 213
Trinity Rd. Bill —1L 117
Trinity Rd. Chelm —9M 61
Trinity Rd. H'std —5J 199
Trinity Rd. Ilf —7B 110
Trinity Rd. Mann —5J 165 (3A 18)
Trinity Rd. Ray —6L 121 (2F 43)
Trinity Rd. Sth S —5A 140
Trinity Sq. Colc —8N 167
Trinity Sq. S Fer —1L 105
Trinity St. Colc —8N 167
Trinity St. H'std —5J 199 (3F 15)
Trinity Wood Rd. Hock —8F 106
Tripat Clo. Stan H —9E 134
Tripton Rd. H'low —4D 56 (7H 21)
Tristram Clo. E17 —7D 108
Triton Way. Ben —9G 121
Triumph Av. Jay —5C 190
Triumph Ho. Bark —3F 142
Trojan Ter. Saw —1K 53
Troopers Dri. Romf —1H 113
Trotters Field. Brain —5K 193
Trotters Rd. H'low —6F 56 (7J 21)
Trot Wood. Chig —2C 110
Trotwood. Shenf —7H 99
Trotwood Clo. Chelm —4G 60
Troubridge Clo. S Fer —1M 105
Trowbridge Rd. Romf —3H 113
Troys Chase. F'std —3D 24
Troys La. Fau —3E 24
Trueloves La. Ing —6A 86 (5G 33)
Truman Building, The. W Ber —3G 167
Truman Clo. Bas —9J 117
Trumpeter Ct. Bill —5H 101
Trumpington Rd. E7 —6F 124
Trundleys Rd. SE8 —1C 46
Trunette Rd. Clac S —2G 191
Trunnions, The. R'fd —6L 123
Truro Cres. Ray —2J 121
Truro Gdns. Ilf —2L 125
Truro Rd. N22 —2A 38
Truro Wlk. Romf —3G 113
Trusses Rd. Brad S —1E 36
Truston's Gdns. Horn —2E 128
Tryfan Clo. Ilf —9K 109
Tubbenden La. Orp —7H 47
Tucker Dri. Wthm —7C 214
Tucknott Gro. Writ —2K 73
Tuck Rd. Rain —8E 128
Tudor Av. Chelm —8J 61
Tudor Av. Romf —7E 112
Tudor Av. Stan H —1N 149
Tudor Chambers. Bas —1J 135
Tudor Clo. Ben —1F 136
Tudor Clo. B'sea —5D 184
Tudor Clo. Chig —1N 109
Tudor Clo. Ing —7C 86
Tudor Clo. Jay —3E 190
Tudor Clo. Lgh S —8B 122
Tudor Clo. Ray —5M 121
Tudor Clo. Shenf —5K 99
Tudor Clo. W on N —4N 183
Tudor Clo. Wthm —7C 214
Tudor Clo. Wfd G —2H 109
Tudor Ct. Bas —5A 118
Tudor Ct. Romf —3M 113
Tudor Ct. Saw —1K 53
Tudor Ct. W Mer —2K 213
Tudor Cres. Ilf —3A 110
Tudor Dri. Romf —8E 112
Tudor Gdns. Lgh S —3C 138
Tudor Gdns. Romf —8E 112
Tudor Gdns. Shoe —7H 141
Tudor Gdns. Upm —4N 129
Tudor Grn. Jay —3D 190
Tudor Mans. Pits —1J 135
Tudor M. Romf —9D 112
Tudor Pde. Jay —4E 190
Tudor Pde. Romf —2J 127
Tudor Pl. May —3D 204
Tudor Rd. E4 —3B 108
Tudor Rd. Bark —1E 142
Tudor Rd. Can I —2D 152
Tudor Rd. Lgh S —8B 122
Tudor Rd. Wclf S —4K 139
Tudor Rose Clo. S'way —8D 166
Tudor Wlk. W'fd —9H 103
Tudor Way. Hock —3E 122
Tudor Way. Orp —7H 47
Tudor Way. Wal A —3D 78
Tudor Way. W'fd —9H 103
Tudwick Rd. Tip —8E 212
Tudwick Rd. Tol M —5A 26
Tufnell Park. —5A 38
Tufnell Way. Colc —5K 167
Tufted Clo. Bla N —3C 198
Tufter Rd. Chig —2E 110
Tufton Rd. E4 —1A 108
Tugboat St. SE28 —9D 142
Tugby Pl. Chelm —5G 61
Tukes Way. Saf W —6M 205
Tulip Clo. Chelm —4N 61
Tulip Clo. Pil H —4E 98
Tulip Clo. Romf —3G 113
Tulip Gdns. E4 —9D 92
Tulip Gdns. Ilf —8A 126
Tulip Wlk. Colc —8D 168
Tulip Way. Clac S —9G 186
Tulse Hill. —4A 46
Tulse Hill. SW2 —3A 46
Tumbler Rd. H'low —4F 56
Tumbler's Green. —6F 15
Tumulus Way. Colc —4G 175
Tunbridge Av. Sth S —4M 139
Tunbridge Rd. Sth S —4L 139
Tunfield Rd. Hod —2B 54
Tunnel App. SE16 —1C 46
Tunnel Av. SE10 —1E 46
(in two parts)
Tunnel Est. Grays —2C 156
Tunnmeade. H'low —2F 56
Tunstall Av. Ilf —3F 110
Tunstall Clo. Bas —1K 135
Tunstall Clo. St O —8N 185
Tupelo Rd. E10 —4B 124
Tupman Clo. Chelm —5F 60
Turkey Cock La. S'way & Lex H
—8A 166 (6B 16)
Turkey Oaks. Chelm —8L 61
Turkey St. Enf —5C 30
Turnage Rd. Dag —3K 127
Turner Av. Law —3G 165
Turner Clo. Shoe —6K 141
Turner Clo. W'hoe —5J 177
Turner Rd. E17 —7C 108
Turner Rd. Colc —6M 167 (5E 16)
Turners Clo. Ong —8K 69
Turner's Hill. Chesh —3C 30
Turner's Spring Nature Reserve.
—4G 209 (6B 12)
Turney Rd. SE21 —4B 46
Turnford. —2C 30
Turnpike Clo. L'ham & A'lgh —9E 162
Turnpike Hill. Wthfld —2H 7
Turnpike La. N8 —3A 38
Turnpike La. W Til —2F 158 (1H 49)
Turnstone End. Colc —7F 168
Turold Rd. Stan H —1N 149
Turp Av. Grays —9M 147
Turpin Av. Romf —4M 111
Turpington La. Brom —7G 47
Turpin La. Eri —4E 154
Turpins. Bas —8D 118
Turpins Av. Clac S —8N 187
Turpins Clo. Clac S —8N 187
Turpins La. Kir X —6G 183
(in three parts)
Turpin's La. Wfd G —2M 109
Turret Ct. Ong —8L 69
Turstan Rd. Wthm —7B 214
Tusser Clo. Riven —3G 25
Tusser Ct. Chelm —2E 74
Tusset M. Colc —8F 166
Tutors Way. S Fer —1L 105
Tuttlebee La. Buck H —8G 93
Tuttleby Cotts. Abr —6L 95
Twain Ter. W'fd —2K 119
Twankhams All. Epp —9F 66
Tweed. E Til —2L 159
Tweedale Ct. E15 —7C 124
Tweed Clo. H'std —6J 199
Tweed Glen. Romf —4B 112
Tweed Grn. Romf —4B 112
Tweed Way. Romf —4B 112
Tweedy Rd. Brom —6E 46
Twelve Acres. Brain —5M 193
Twentyfirst St. Stan Apt —6L 209
Twentyman Clo. Wfd G —2G 109
Twickenham Rd. E11 —4D 124
Twigg Clo. Eri —5C 154
Twining Rd. Colc —2F 174
Twin Oaks. Chelm —7B 62

Twins Clo. Bark —3G 143
Twinstead. —7J 9
Twinstead. W'fd —1M 119
Twinstead Green. —7H 9
Twitten La. Chelm —8C 74
Twitty Fee. Dan —1G 77 (2E 34)
(in two parts)
Two Tree Island Nature Reserve. —7A 138 (5G 43)
Twyford Av. Gt W —2L 141
Twyford Rd. Ilf —7B 126
Twyzel Rd. Can I —1J 153
Tyburn Hill. Wak C —4K 15
Tyburns, The. Hut —8M 99
Tycehurst Hill. Lou —3M 93
Tydeman Clo. S'way —2D 174
Tye Common. —8H 101
Tye Comn. Rd. Bill —9F 100 (1H 41)
Tyefields. Pits —8K 119 (3C 42)
Tye Grn. Glem —1G 9
Tye Grn. H'low —5D 56
Tye Green. —2E 194 (1D 24)
(nr. Braintree)
Tye Green. —3J 209 (6C 12)
(nr. Elsenham)
Tye Green. —5E 56 (7H 21)
(nr. Harlow)
Tye Grn. Rd. Else —9D 196 (6B 12)
Tye Grn. Village. H'low —6E 56
Tyehurst Cres. Colc —5C 168
Tyelands. Bill —8H 101
Tye La. W'hoe —3L 177 (7H 17)
Tye Rd. Elms —8L 169 (6H 17)
Tye Rd., The. Gt Ben —6N 179 (1B 28)
Tye, The. E Han —2C 90 (4D 34)
Tye, The. Marg —3L 87 (4K 33)
Tyle Grn. Horn —8H 113
Tylehurst Gdns. Ilf —7B 126
Tyler Av. Bas —9L 117
Tyler Av. Clac S —1F 190
Tyler Gro. Dart —9K 155
Tylers. Sew E —6D 6
Tylers Av. Bill —3K 101
Tylers Av. Sth S —6M 139
Tylers Causeway. —1A 30
Tylers Causeway. New S —1A 30
Tylers Clo. Chelm —4C 74
Tylers Clo. Lou —6L 93
Tylers Ct. E17 —8A 108
(off Westbury Rd.)
Tylers Cres. Horn —7G 129
Tylerscross. —8L 55
Tyler's Green. —3B 68 (2A 32)
Tylers Grn. Rd. Swan —7A 48
Tylers Ride. S Fer —1L 105
Tylers Rd. Roy —7J 55 (1F 31)
Tyler St. Har —2H 201
Tyler Way. Brtwd —7E 98
Tylewood. Ben —4J 137
Tylney Av. R'fd —4K 123
Tylney Croft. H'low —5A 56
Tylney Rd. E7 —6J 125 (5F 39)
Tylney Rd. Brom —6F 47
Tylneys Rd. H'std —3M 199
Tymperleys Clock Museum. —8N 167 (6E 16)
Tyms Way. Ray —3L 121
Tyndale Clo. Hull —5K 105
Tyndale Dri. Jay —3E 190
Tyndales La. Dan —5H 77 (2E 34)
Tyndall Gdns. E10 —4C 124
Tyndall Rd. E10 —4C 124
Tyne. E Til —2L 159
Tyne Clo. Upm —1A 130
Tynedale Ct. H'wds —3B 168
Tynedale Sq. H'wds —3B 168
Tyne Gdns. Ave —7N 145
Tynemouth Clo. E6 —6A 142
Tyne Way. Chelm —6F 60
Tyrell Pl. Shenf —7J 99
Tyrell Rise. War —2F 114
Tyrells. Hock —2C 122
Tyrells Clo. Chelm —7N 61
Tyrells Clo. Upm —4M 129
Tyrells, The. Corr —2B 150
Tyrells Way. Gt Bad —3G 75
Tyrone Clo. Bill —1L 117
Tyrone Rd. Bill —1L 117
Tyrone Rd. Sth S —8E 140
Tyrrel Dri. Sth S —6N 139
Tyrrell Ct. Bas —9K 119
Tyrrell Rd. Ben —4B 136
Tyrrells Hall Clo. Grays —4N 157
Tyrrells Rd. Bill —1M 117
Tysea Clo. H'low —6E 56
Tysea Hill. —6D 96
Tysea Hill. Stap A —7D 96 (7A 32)
Tysea Rd. H'low —6E 56 (7H 21)
Tyssen Mead. Bore —3F 62
Tyssen Pl. S Ock —2F 146
Tythe Barn Way. S Fer —9J 91
Tythe Clo. Chelm —3N 61
Tythings, The. H'std —6J 199

Udall Gdns. Romf —3M 111
Ugley. —4A 12
Ugley Green. —6A 196 (5B 12)
Ullswater Clo. Brain —2C 198
Ullswater Rd. Ben —8E 120
Ullswater Way. Horn —7E 128
Ulster Av. Shoe —8G 141
Ulting. —7F 25
Ulting Hall Rd. Ult —7F 25
Ulting La. Ult —7F 25
Ulting Rd. Hat P —3M 63 (6F 25)
Ulting Way. W'fd —8A 104
Ulverston Rd. E17 —6D 108
Ulverston Rd. R'fd —7H 107
Una Rd. Bas —9N 119
Una Rd. Har —3G 201
Undercliff Gdns. Lgh S —6E 138
Undercliff Rd. E. Felix —1K 19
Undercliff Rd. W. Felix —1K 19
Underhill Rd. Ben —3E 136
Underwood Ct. E10 —3B 124
(off Leyton Grange Est.)
Underwood Rd. E4 —2B 108
Underwood Rd. Wfd G —4J 109
Underwood Sq. Lgh S —4B 138
Union Clo. E11 —6D 124
Union Cotts. E15 —9E 124
Union La. R'fd —5K 123
Union Rd. Jay —4E 190
Union St. SE1 —1A 46
Unity Clo. Colc —2B 176
University of Essex. —6G 17
University Pl. Eri —5A 154
University Way. Dart —9G 155 (3B 48)
Unwin Pl. Stock —7N 87
Uphall Rd. Ilf —7A 126
Upland Clo. Bill —4J 101
Upland Ct. Rd. Romf —6K 113
Upland Cres. W Mer —2K 213
Upland Dri. Bill —4H 101
Upland Dri. Colc —5C 168 (5F 17)
Upland Rd. Bill —4H 101
Upland Rd. Epp Up —4C 66
Upland Rd. Lgh S —6F 138
Upland Rd. Thorn —2H 31
Upland Rd. W Mer —2K 213
Uplands Clo. Ben —3B 136
Uplands Clo. Hock —2E 122
Uplands Ct. Clac S —3H 191
Uplands Dri. Chelm —4M 61
Uplands End. Wfd G —4L 109
Uplands Pk. Ct. Ray —4L 121
Uplands Pk. Rd. Enf —6A 30
Uplands Pk. Rd. Ray —3K 121
Uplands Rd. Ben —3B 136
Uplands Rd. Clac S —3H 191
Uplands Rd. Hock —2E 122
Uplands Rd. Romf —7J 111
Uplands Rd. War —2H 115
Uplands Rd. Wfd G —4L 109
Uplands, The. Lou —2M 93
Upminster. —4N 129 (4D 40)
Upminster Rd. Horn —4K 129 (4C 40)
Upminster Rd. N. Rain —3G 145 (6B 40)
Upminster Rd. S. Rain —4E 144 (6A 40)
Upminster Smockmill. —4M 129 (4C 40)
Upminster Tithe Barn Museum. —2A 130 (4D 40)
Upminster Trad. Pk. Upm —2G 130
Upney Clo. Horn —7H 129
Upney La. Bark —8D 126 (5H 39)
Uppark Dri. Ilf —1B 126
Uppend. —5J 11
Upper Acres. Wthm —2C 214
Upper Av. Bas —6M 119
Up. Beulah Hill. SE19 —6B 46
Up. Branston Rd. Clac S —9H 187
Up. Brentwood Rd. Romf —8G 112 (3B 40)
Up. Bridge Rd. Chelm —2B 74
Up. Chapel St. H'std —4K 199
Up. Chase. Alth —5A 36
Up. Chase. Chelm —2B 74
Upper Clapton. —4C 38
Up. Clapton Rd. E5 —4C 38
Up. Cornsland. Brtwd —9G 98
Upper Dovercourt. —5G 200 (3G 19)
Upper Edmonton. —1C 38
Upper Elmers End. —7D 46
Up. Elmers End Rd. Beck —6D 46
Up. Farm Rd. Ashen —5C 8
Up. Fenn Rd. H'std —4M 199
Up. Fourth Av. Frin S —9J 183
Upper Green. —1H 11
Upper Grn. Wak C —3K 15
Up. Hall La. Gt Tey —6K 15
Up. Haye La. Fing —9E 176 (2F 27)
Upper Holloway. —4A 38
Up. Holt St. E Col —3D 196 (4J 15)
Up. Hook. H'low —5E 56
Upper Houses. Bulm —6G 9
Up. Lambricks. Ray —3L 121
Up. Market Rd. W'fd —8L 103
Up. Marsh La. Hod —6A 54
Up. Mayne. Bas —6N 117 (3K 41)
Up. Mealines. H'low —6F 56
Up. Mill Field. D'mw —9M 197
Up. Moors. Gt Walt —5H 59
Up. North St. E14 —7D 38
Up. North St. Hund —1B 8
Upper Norwood. —6B 46
Upper Pk. H'low —2A 56
Upper Pk. Lou —3K 93
Up. Park Rd. Belv —1K 47
Up. Park Rd. B'sea —6D 184
Up. Park Rd. Clac S —1H 191
Up. Park Rd. W'fd —3L 119
Up. Pond St. Dud E —7H 5
Up. Rainham Rd. Horn —3D 128 (4A 40)
Upper Rd. E13 —6E 38
Upper Rd. Cray H —2E 118
Upper Rd. L Cor —7K 9
Up. Roman Rd. Chelm —1C 74
Up. Ryle. Brtwd —6E 98
Up. Second Av. Frin S —9H 183
Up. Shirley Rd. Croy —7C 46
Upper Sq. Saf W —3K 205
Up. Stonyfield. H'low —3A 56
Upper Street. —1B 18
Upper St. N1 —6A 38
Upper St. S'std —1H 9
Upper St. Strat M —1H 17
Up. Swaines. Epp —9E 66
Upper Sydenham. —5C 46
Up. Thames St. EC4 —7A 38
Up. Third Av. Frin S —9H 183
Up. Tollington Pk. N4 —4A 38
Up. Trinity Rd. H'std —5K 199
Upper Walthamstow. —8D 108 (3E 38)
Up. Walthamstow Rd. E17 —8C 108
Up. Wickham La. Well —2J 47
Upsheres. Saf W —5M 205
Upshire. —2K 79 (4F 31)
Upshirebury Grn. Wal A —3K 79
Upshire Rd. Wal A —2F 78 (4E 30)
Upton. —9G 125 (5F 39)
Upton Av. E7 —9G 125
Upton Clo. Stan H —3M 149
Upton Clo. W Ber —3E 166
Upton Ho. H Hill —2H 113
(off Barnstaple Rd.)
Upton La. E7 —9G 125 (5F 39)
Upton Lodge. E7 —8G 125
Upton Park. —6F 39
Upton Pk. Rd. E7 —9H 125
Upton Rd. Bexh & Bex —3K 47
Upward Ct. Romf —8D 112
Upway. Ray —4K 121
Upway, The. Bas —7D 118
Upwick Green. —6H 11
Urban Av. Horn —5G 129
Urmond Rd. Can I —1G 152
Urswick Gdns. Dag —9K 127
Urswick Rd. E9 —5C 38
Urswick Rd. Dag —9J 127
Usk Rd. Ave —6N 145
Usterdale Rd. Saf W —2L 205
Uttons Av. Lgh S —6C 138
Uvedale Rd. Dag —5M 127
Uxbridge Clo. W'fd —1N 119

Vaagen Rd. Can I —1H 153
Vadsoe Rd. Can I —9G 136
Valance Av. E4 —7E 92
Valance Rd. Clav —2J 11
Vale Av. Sth S —4M 139
Vale Clo. Colc —5E 168
Vale Clo. Pil H —4K 98
Vale End. Chelm —7D 74
Valence Av. Dag —3J 127 (4J 39)
Valence Cir. Dag —5J 127
Valence House Museum & Art Gallery. —4K 127 (4K 39)
Valence Rd. Eri —5B 154
Valence Way. Bas —1L 133
Valence Way. Clac S —9K 187
Valence Wood Rd. Dag —5J 127
Valentine Ct. Brain —4G 193
Valentines. Stock —7A 88
Valentines. W'fd —1L 119
Valentines Dri. Colc —6C 168
Valentines Rd. Ilf —3A 126
Valentine's Way. Romf —4C 128
Valentine Vs. S Ock —5F 146
Valentine Way. Sil E —3L 207
Vale Pk. View. Hod —7D 20
Vale Rd. E7 —8H 125
Vale Rd. N'fleet —4G 49
Vale, The. Bas —3E 134
Vale, The. Brtwd —7F 98
Vale, The. Stock —1M 101
Vale, The. Wfd G —4G 109
Valfreda Way. W'hoe —5H 177
Valiant Clo. Romf —6N 111
Valkyrie Clo. Tol —7K 211
Valkyrie Rd. Wclf S —6J 139 (5J 43)
Vallance Clo. Sth S —3C 140
Vallance Rd. E2 & E1 —6C 38
Vallentin Rd. E17 —8C 108 (3E 38)
Valletta Clo. Chelm —8J 61
Valley Bri. Broom —5K 61
Valley Bri. Chelm —7A 24
Valleybridge Rd. Clac S —8L 187
Valley Clo. Lou —5M 93
Valley Clo. S'way —3F 174
Valley Clo. Wal A —2C 78
Valley Cres. W Ber —4F 166
Valley Dri. Grav —5H 49
Valley Hill. Lou —6L 93 (7G 31)
Valley Rd. SW16 —5A 46
Valley Rd. Belv —2A 154
Valley Rd. Bill —6K 101 (7K 33)
Valley Rd. Brain —4J 193
Valley Rd. Clac S —8K 187 (3D 28)
Valley Rd. Colc —2F 176
Valley Rd. Eri —2B 154
Valley Rd. Fawk —7E 48
Valley Rd. Gt Wal —4K 9
Valley Rd. Har —5F 200
Valley Rd. Short —6E 46
Valley Rd. W'hoe —6J 177
Valley Side. E4 —8A 92
Valley Side Pde. E4 —8A 92
Valley View. S'std —1H 9
Valley View. W Ber —4F 166
Valley View Clo. H'wds —3A 168
Valley Wlk. W on N —7K 183
Valley Wash. Hund —1B 8
Valmar Av. Stan H —4K 149
Vanbrugh Hill. SE10 & SE3 —1E 46
Vanbrugh Pk. SE3 —2E 46
Vandenburg Circ. Weth —2A 14
Vanderbilt Av. Ray —8J 105
Vanderwalt Av. Can I —2K 153
Van Dieman's La. Chelm —2D 74
Van Dieman's Rd. Chelm —2D 74 (2A 34)
Van Diemens Pass. Can I —2M 153
Van Dyck Rd. Colc —1H 175
Vane Ct. Wthm —2D 214
Vane La. Cogg —8L 195
Vanessa Dri. W'hoe —5H 177
Vange. —2E 134 (4B 42)
Vange Bells Corner. Fob —5C 134
Vange By-Pass. Bas —4D 134 (4A 42)
Vange Corner Dri. Van —5C 134
Vange Hill Ct. Bas —3F 134
Vange Hill Dri. Bas —1E 134
Vange Pk. Rd. Van —4C 134
Vanguard Clo. Romf —6M 111
Vanguards, The. Shoe —7K 141
(in two parts)
Vanguard Way. Brain —4K 193
Vanguard Way. Shoe —7K 141
Vanguard Way Ind. Est. Shoe —7J 141
Vanryne Ho. Lou —2L 93
Vansittart Rd. E7 —6F 124
Vansittart St. Har —2M 201
Vantorts Clo. Saw —2K 53
Vantorts Rd. Saw —3K 53
Varden Clo. Chelm —5H 61
Vardon Dri. Lgh S —3N 137
Vaughan Av. Horn —6H 129
Vaughan Av. Sth S —5B 140
Vaughan Clo. Rayne —6B 192
Vaughan Clo. R'fd —2K 123
Vaughan Gdns. Ilf —2M 125
Vaughan Rd. E15 —8F 124
Vaughan Williams Rd. Bas —7L 117
Vaulx Rd. Can I —1H 153
Vaux Av. Har —6H 201
Vauxhall. —1A 46
Vauxhall Av. Jay —6C 190
Vauxhall Bri. SW1 & SE1 —1A 46
Vauxhall Bri. Rd. SW1 —1A 46
Vauxhall Cross. (Junct.) —1A 46
Vauxhall Dri. Brain —6F 192
Veitch Clo. SE28 —7J 143
Veitch Rd. Wal A —4C 78
Velizy Av. H'low —2C 56
Vellacotts. Chelm —4K 61
Venables Clo. Can I —1J 153
Venables Clo. Dag —6N 127
Venables Ct. Can I —1J 153
Venette Clo. Rain —5F 144
Venlo Rd. Can I —9H 137
Venmore Dri. D'mw —8L 197
Venners Clo. Bexh —7C 154
Ventnor Dri. Clac S —5L 187
Ventnor Gdns. Bark —8D 126
Veny Cres. Horn —7H 129
Vera Lynn Clo. E7 —6G 125
Vera Rd. D'ham —6H 103
Verbena Clo. S Ock —6F 146
Verdant La. SE6 —4E 46
Verderers Rd. Chig —2F 110
Vere Rd. Lou —3B 94
Verlander Dri. Ray —9H 105
Vermeer Cres. Shoe —6L 141
Vermeer Ride. Chelm —4A 62
Vermont Clo. Bas —7K 119
Vermont Clo. Clac S —9L 187
Verney Gdns. Dag —6K 127
Verney Rd. Dag —6K 127
(in two parts)
Vernon Av. E12 —6M 125
Vernon Av. Ray —3H 121
Vernon Av. Wfd G —4H 109
Vernon Corner. Stock —7M 87
Vernon Ct. Lgh S —5B 138
Vernon Cres. Brtwd —9K 99
Vernon Pl. WC1 —7A 38
Vernon Rd. E11 —3E 124
Vernon Rd. E15 —9E 124
Vernon Rd. Ilf —3E 126
Vernon Rd. Lgh S —5B 138
Vernon Rd. N Fam —5H 35
Vernon Rd. Romf —2A 112
Vernon's Clo. Hen —5C 12
Vernons Rd. Wak C —4A 16
Vernons Wlk. Bas —7G 119
Vernon Way. Brain —4L 193
Verona Ho. Eri —5D 154
Verona Rd. E7 —9G 125
Veronica Clo. Romf —4G 113
Veronica Wlk. Colc —8E 168
Veronique Gdns. Ilf —9B 110
Vert Ho. Grays —5M 157
Vesta Clo. Cogg —8K 195
Vesta Rd. SE14 —2D 46
Vestry Clo. Lain —8L 117
Vestry House Museum. —8B 108 (3D 38)
Vestry Rd. E17 —8B 108
Vexil Clo. Purf —2A 156
Veysey Gdns. Dag —5M 127
Viaduct Rd. Chelm —9J 61
Viaduct Rd. Ware —4D 20
Viaduct, The. E18 —6H 109
Viborg Gdns. Mal —8H 203
Vicarage Av. Whi N —2E 24
Vicarage Causeway. Hert H —6C 20
Vicarage Clo. Brtwd —1B 114
Vicarage Clo. Can I —2D 152
Vicarage Clo. Eri —4A 154
Vicarage Clo. Gt Sal —6A 14
Vicarage Clo. Lain —9L 117
Vicarage Clo. Rox —7H 23
Vicarage Clo. Thax —2K 211
Vicarage Clo. Tol D —6B 26
Vicarage Ct. H'std —4J 199
Vicarage Ct. Ilf —7A 126
Vicarage Ct. Wal A —4G 79
(off Horseshoe La.)
Vicarage Cres. Hat P —2M 63
Vicarage Dri. Bark —9B 126
Vicarage Field Shop. Cen. Bark —9B 126
Vicarage Gdns. Clac S —2H 191
Vicarage Hill. Ben —5D 136 (4E 42)
Vicarage La. E15 —9E 124 (5E 38)
Vicarage La. Act —3K 9
Vicarage La. Ber —4J 11
Vicarage La. Chig —8B 94 (1H 39)
Vicarage La. Grav —4J 49
Vicarage La. Gt Bad —7G 74 (3B 34)
Vicarage La. Ilf —3C 126
Vicarage La. Mun —3J 35
Vicarage La. N Wea —3N 67 (2K 31)
Vicarage La. Thax —2K 211
Vicarage La. T Sok —4K 181
Vicarage La. T'ham —3E 36
Vicarage La. Ugley —4A 12
Vicarage La. W on N —6M 183
Vicarage La. W'frd —4A 20
Vicarage Mead. Thax —2K 211
Vicarage Meadow. H'std —5K 199
Vicarage Meadow. S'min —8L 207
Vicarage M. Gt Bad —4G 75
Vicarage Rd. E10 —2A 124
Vicarage Rd. E15 —9F 124
Vicarage Rd. Bel P —4E 8
Vicarage Rd. Bex —4K 47
Vicarage Rd. Bunt —4D 10
Vicarage Rd. Chelm —3B 74
Vicarage Rd. Coop —8H 67
Vicarage Rd. Dag —9N 127
Vicarage Rd. F'fld —2K 13
Vicarage Rd. Horn —3E 128
Vicarage Rd. Ples —2A 58
Vicarage Rd. Rox —7H 23
Vicarage Rd. Ware —4D 20
Vicarage Rd. Wfd G —4L 109
Vicarage Sq. Grays —4K 157
Vicarage Wood. H'low —2F 56
Vicars Orchard. Bulm —5H 9
Vicars Wlk. Dag —5G 127
Viceroy Clo. Colc —3B 176
Viceroy Ct. Horn H —2H 149
(off Gordon Rd.)
Viceroy Ct. Wclf S —7G 139
Vickers Rd. Eri —3B 154
Vickers Rd. Sth S —9J 123
V.I. Components Ind. Pk. Eri —3C 154
Victor App. Horn —3H 129
Victor Av. Bas —9L 119
Victor Clo. Horn —3H 129
Victor Ct. Horn —3H 129
(off Victor Wlk.)
Victor Dri. Lgh S —6E 138
Victor Gdns. Hock —2E 122
Victor Gdns. Horn —3H 129
Victoria Av. Grays —9M 147
Victoria Av. Kir S —6G 182
Victoria Av. Lang H —3L 133
Victoria Av. Ray —3H 121
Victoria Av. Romf —3N 111
Victoria Av. Saf W —5L 205
Victoria Av. Sth S —3K 139 (4J 43)
Victoria Av. W'fd —8K 103
Victoria Chase. Colc —7M 167
Victoria Clo. Bas —8K 117
Victoria Clo. Grays —9M 147
Victoria Clo. W'hoe —4H 177
Victoria Ct. E18 —7H 109
Victoria Ct. Brtwd —1F 114
Victoria Ct. Mal —6L 203
Victoria Ct. Romf —9E 112
Victoria Ct. Wclf S —7K 139
(off Tower Ct. M.)
Victoria Cres. Chelm —8K 61
Victoria Cres. Lain —7K 117
Victoria Cres. Law —4M 165
Victoria Cres. W'fd —9J 103
Victoria Dock Rd. E16 —7E 38
Victoria Dri. Gt W —4N 141
Victoria Dri. Lgh S —5D 138
Victoria Embkmt. SW1, WC2 & EC4 —1A 46
Victoria Esplanade. W Mer —4L 213 (5F 27)
Victoria Gdns. Colc —4B 168
Victoria Gdns. Saf W —5L 205
Victoria Hill. Shalf —5A 14
Victoria Pk. Ind. Cen. E9 —9A 124
(off Rothbury Rd.)
Victoria Pk. Rd. E8 —6C 38
Victoria Pl. B'sea —7E 184
Victoria Pl. Colc —9B 168
(Cannon St.)
Victoria Pl. Colc —8N 167
(Eld La.)
Victoria Plaza Shop. Cen. Sth S —6M 139
Victoria Rd. E4 —7E 92
Victoria Rd. E11 —6E 124
Victoria Rd. E17 —6C 108
Victoria Rd. E18 —6H 109
Victoria Rd. N18 & N9 —1B 38
Victoria Rd. Bark —8A 126
Victoria Rd. Buck H —8K 93 (1F 39)
Victoria Rd. Bulp —6B 132
Victoria Rd. Chelm —8K 61 (1A 34)
(in two parts)
Victoria Rd. Clac S —1L 191
Victoria Rd. Colc —1K 175

Victoria Rd. Cold N —4H 35
Victoria Rd. Dag —7N 127
Victoria Rd. Dart —3C 48
Victoria Rd. Eri —4C 154
(in two parts)
Victoria Rd. Horn H —2H 149
Victoria Rd. Lain —8J 117
Victoria Rd. Lgh S —6D 138
Victoria Rd. Mal —5K 203
Victoria Rd. Ray —4L 121
Victoria Rd. Romf —1D 128 (3A 40)
Victoria Rd. Sth S —6A 140
Victoria Rd. S Fer —2K 105
Victoria Rd. Stan H —4L 149
Victoria Rd. Van —4E 134
Victoria Rd. Wal A —4C 78
Victoria Rd. W on N —6M 183
Victoria Rd. War —1F 114
Victoria Rd. Wee H —9F 180
Victoria Rd. Writ —1G 72 (1J 33)
Victoria Rd. S. Chelm —9K 61 (1A 34)
Victoria Scott Ct. Dart —8C 154
Victoria St. E15 —9E 124
Victoria St. SW1 —1A 46
Victoria St. Brain —6H 193 (7C 14)
Victoria St. Har —3M 201
Victor M. Clo. W'fd —2L 119
Victor Rd. Colc —9B 168
Victor's Cres. Hut —8L 99
Victor Wlk. Horn —3H 129
Victory Clo. W'fd —2A 120
Victory Ct. Eri —5D 154
(off Frobisher Rd.)
Victory Gdns. Brain —4K 193
Victory Path. Wclf S —6G 138
Victory Rd. E11 —8G 109
Victory Rd. Clac S —1H 191
Victory Rd. Rain —2E 144
Victory Rd. W Mer —3H 213
Victory Way. Dart —9N 155
Victory Way. Romf —6N 111
Vienna Clo. Har —6J 201
Vienna Clo. Ilf —6K 109
View Clo. Chig —2C 110
Vigar Wlk. Clac S —8G 187
Vigerons Way. Grays —2D 158
Vigilant Way. Grav —5J 49
Vignoles Rd. Romf —2M 127
Viking Rd. Mal —8H 203
Vikings Way. Can I —2D 152
Viking Way. Clac S —7C 188
Viking Way. Eri —1A 154
Viking Way. Pil H —5E 98
Viking Way. Rain —4E 144
Viking Way. Runw —6L 103
Village Arc. E4 —7D 92
Village Clo. E4 —2C 108
Village Clo. Kir X —7G 183
Village Clo. L Cla —4H 187
Village Dri. Can I —2E 152
Village Ga. Chelm —8B 62
Village Grn. Cwdn —1M 107
Village Grn. Rd. Dart —9E 154
Village Hall Clo. Can I —2D 152
Village Heights. Wfd G —2F 108
Village Rd. Enf —7B 30
Village Sq. Chel V —8B 62
Village, The. SE7 —2F 47
Village, The. Will —1E 32
Village Way. SE21 —3B 46
Village Way. Beck —6D 46
Village Way. Kir X —7G 183
Villa Rd. Ben —2B 136
Villa Rd. High —5K 49
Villa Rd. S'way —9D 166 (6C 16)
Villiers Clo. E10 —4A 124
Villiers Pl. Bore —3F 62
Villiers-Sur-Marne Av. Bis S —1J 21
Villiers Way. Ben —1F 136
Vince Clo. W Mer —3K 213
Vincent Av. Horn H —2H 149
Vincent Clo. Corr —2C 150
Vincent Clo. Ilf —3B 110
Vincent Clo. Shoe —7J 141
Vincent Lodge. S Fer —2L 105
Vincent M. Shoe —7J 141
Vincent Rd. E4 —3D 108
Vincent Rd. Dag —9K 127
Vincent Rd. Hock —7G 106
Vincent Rd. Rain —4G 144
Vincent Way. Bill —3H 101
Vine Dri. W'hoe —3J 177
Vine Farm Rd. W'hoe —3J 177
Vinegar All. E17 —8B 108
Vine Gdns. Ilf —7B 126
Vine Gro. Gil —7D 52
Vine Pde. W'hoe —3J 177
Vineries Clo. Dag —8L 127
Vine Rd. E15 —9F 124
Vine Rd. Tip —5C 212
Vinesse Rd. L Hork —6E 160 (3C 16)
Vine St. Gt Bar —3J 13
Vine St. Romf —8A 112
Vine Way. Brtwd —7F 98
Vineway, The. Har —3J 201
Vineyard Ga. Colc —9N 167
Vineyard Steps. Colc —9N 167
Vineyards, The. Gt Bad —3G 75
Vineyard St. Colc —9N 167
Vint Cres. Colc —9K 167
Vintners, The. Sth S —1L 139
Vintry M. E17 —8A 108
Viola Clo. S Ock —3F 146
Viola Wlk. Colc —8E 168
Violet Clo. Chelm —4N 61
Violet Rd. E3 —6D 38
Violet Rd. E17 —1A 124
Violet Rd. E18 —6H 109
Virgil Rd. Wthm —2C 214
Virginia Clo. Ben —8B 120
Virginia Clo. Clac S —3E 190
Virginia Clo. Romf —4A 112
Virginia Gdns. Ilf —6B 110
Virginia Rd. T Hth —6A 46
Virley. —5C 26
Virley Clo. H'bri —4N 203
Viscount Dri. H'wds —2C 168
Vista Av. Kir S —5G 182
Vista Dri. Ilf —9K 109
Vista Rd. Clac S —9K 187
Vista Rd. W'fd —9N 103
Vitellus Clo. Colc —1B 168
Vivian Ct. W on N —6M 183
Voluntary Pl. E11 —1G 124
Volwycke Av. Mal —8J 203
Voorburg Rd. Can I —2K 153
Voorne Av. Can I —3K 153
Vowler Rd. Bas —2K 133
Voyagers Clo. SE28 —6H 143
Voysey Gdns. Bas —6J 119

Waalwyk Dri. Can I —1J 153
Waarden Rd. Can I —1G 152
Waarem Av. Can I —1G 153
Waddesdon Rd. Har —3M 201
Waddington Rd. E15 —7D 124
Waddington St. E15 —8D 124
Waddon. —7A 46
Waddon New Rd. Croy —7A 46
Waddon Rd. Croy —7A 46
Wade Reach. W on N —6K 183
Wade Rd. Clac S —5M 187
Wades Hill. N21 —7A 30
Wade's La. S'ly —1G 19
Wadesmill. —3C 20
Wadesmill Rd. Hert —4B 20
Wadesmill Rd. Ware —4C 20
Wadeville Av. Romf —1K 127
Wadey Clo. Bas —8N 117
Wadey Grn. Chelm —7B 62
Wadham Av. E17 —4B 108
Wadham Clo. Ing —5D 86
Wadham Pk. Av. Hock —7N 105
Wadham Rd. E17 —5B 108 (2D 38)
Wadley Rd. E11 —2E 124
Wagon Mead. Hat H —2C 202
Wagtail Dri. H'bri —3M 203
Wagtail Pl. K'dn —8C 202
Wainfleet Av. Romf —6A 112
Wainscott Northern By-Pass. Strood & Wain —6K 49
Wainsfield Vs. Thax —3L 211
Wainwright Av. Hut —5N 99
Wakefield Av. Bill —6J 101
Wakefield Clo. Colc —7A 168
Wakefield Clo. Gt Che —2L 197
Wakefield Gdns. Ilf —1L 125
Wakelin Chase. Ing —6C 86
Wakelin Way. Wthm —5E 214
Wakerfield Clo. Horn —9K 113
Wakering Av. Shoe —7L 141
Wakering Rd. Bark —8B 126
Wakering Rd. Gt W —1J 141
Wakering Rd. Shoe —6L 141 (5C 44)
Wakering Rd. Sth S —4E 140 (4A 44)
Wakerings, The. Bark —8B 126
Wake Rd. Lou —8J 79 (5F 31)
Wakes Colne. —4K 15
Wakescolne. W'fd —1A 120
Wakes Colne Green. —3K 15
Wakeshall La. Ovgtn —5D 8
Wakes St. Wak C —4K 15
Waldair Ct. E16 —9A 142
Waldegrave. Bas —1C 134
Waldegrave Clo. Law —5G 165
Waldegrave Ct. Bark —1C 142
Waldegrave Ct. Upm —3M 129
Waldegrave Gdns. Upm —3M 129
Waldegrave Rd. Dag —4H 127
Waldegraves Farm Holiday Pk. W Mer —5G 27
Waldegraves La. W Mer —1N 213 (5G 27)
Waldegrave Way. Law —5G 165
Walden Av. Rain —2B 144
Walden Av. Wim —1D 12
Walden Clo. Gt Tot —8M 213
Walden Ct. Bis S —9C 208
Walden Ho. Rd. Gt Tot —7M 213 (5H 25)
Walden Pl. Saf W —4K 205
Walden Rd. A'dn —5D 6
Walden Rd. Deb —1C 12
Walden Rd. Gt Che —1L 197 (4A 6)
Walden Rd. Hads —3C 6
Walden Rd. Horn —1H 129
Walden Rd. L'bry —1J 205 (6A 6)
Walden Rd. R'ter —6E 6
Walden Rd. Saf W —6D 6
Walden Rd. Thax —1J 211 (2F 13)
Walden Rd. Wen A —7B 6
Waldens Rd. Orp —7J 47
Walden Way. Frin S —9J 183
Walden Way. Horn —1H 129
Walden Way. Ilf —4D 110
Waldgrooms. D'mw —7K 197
Waldingfield Rd. Act —3K 9
Waldingfield Rd. Sud —5J 9
Waldon. E Til —1K 159
Waldram Pk. Rd. SE23 —4C 46
Waldring Field. Bas —8C 118
Waldrist Way. Eri —9L 143
Wales End. —1E 8
Walford Pl. Chelm —9A 62
Walfords Clo. H'low —9H 53
Walford Way. Cogg —8L 195
Walfrey Gdns. Dag —9K 127
Walkato Lodge. Buck H —7J 93
Walker Av. Fyf —1D 32
Walker Clo. Dart —8D 154
Walker Dri. Lgh S —4N 137
Walkern. —5A 10
Walkern Rd. B'tn —6A 10
Walkern Rd. Wat S —1A 20
Walkers Clo. Chelm —4M 61
Walkers Sq. Stan H —4M 149
Walkey Way. Shoe —7L 141
Walk, The. Bill —7J 101
Walk, The. Eig G —7B 166
Walk, The. Horn —4K 129
Walk, The. Hull —5K 105
Walkways. Can I —9F 136
Wallace Binder Clo. Mal —7J 203
Wallace Clo. SE28 —7J 143
Wallace Clo. Hull —5K 105
Wallace Cres. Chelm —2D 74
Wallace Dri. W'fd —2M 119
Wallace Rd. Grays —1K 157
Wallace's La. Bore —6C 24
Wallace St. Shoe —7K 141
Wallasea Gdns. Chelm —6A 62
Wall Ct. Brain —8G 192
Wallend. —6G 39
Wall End Rd. E6 —9N 125
Wallenger Av. Romf —7F 112
Waller Pl. Can I —1F 152
Wallers Clo. Dag —1K 143
Wallers Clo. Wfd G —3M 109
Waller's Hoppet. Lou —1M 93
Waller St. Rain —4G 145
Wallers Way. Hod —2B 54
Wallflower Ct. Chelm —6A 62
Wallhouse Rd. Eri —5F 154
Wallington. —2A 10
Wallington Rd. Ilf —2E 126
Wallington Rd. Wlgtn —2A 10
Wallis Av. Sth S —4L 139
Wallis Clo. Horn —3F 128
Wallis Ct. Colc —3F 174
Wallis Rd. E9 —8A 124 (5D 38)
Wall La. Wrab —3D 18
Wall Rd. Can I —2M 153
Wall's Green. —1F 33
Walls, The. Mann —4J 165 (3A 18)
Wall St. Lee S —5A 28
Wallwood Rd. E11 —2D 124
Walmer Clo. E4 —8B 92
Walmer Clo. Romf —6N 111
Walnut Clo. Ilf —8B 110
Walnut Cotts. Saw —1K 53
(off Station Rd.)
Walnut Ct. E17 —8C 108
Walnut Ct. Hock —9D 106
Walnut Dri. Wthm —3D 214
Walnut Gdns. E15 —6E 124
Walnut Gro. Brain —6G 192
Walnut Hill Rd. Grav —6G 49
Walnut Rd. E10 —4A 124
Walnut Tree Clo. Hod —5A 54
Walnut Tree Cres. Saw —1K 53
Walnuttree Green. —7J 11
Walnut Tree Rd. Dag —4J 127 (4K 39)
Walnut Tree Rd. Eri —3C 154
Walnut Tree Way. Colc —3J 175
Walnut Tree Way. Tip —4C 212
Walnut Way. B'sea —6D 184
Walnut Way. Buck H —9K 93
Walnut Way. Clac S —1G 190
Walpole Clo. Grays —2M 157
Walpole Rd. E6 —9J 125
Walpole Rd. E18 —5F 108
Walpole Rd. N17 —3B 38
Walpole Wlk. Ray —5N 121
(off Bramfield Rd. E.)
Walsham Clo. SE28 —7J 143
Walsham Enterprise Cen. Grays —3M 157
Walsingham Clo. Lain —8L 117
Walsingham Rd. Colc —9N 167
Walsingham Rd. Sth S —3N 139
Walsingham Way. Bill —3K 101
Walter Hurford Pde. E12 —6N 125
Walter Radcliffe Way. W'hoe —7J 177
Walter Rodney Clo. E6 —8M 125
Walters Clo. Chelm —7D 74
Walters Clo. Lgh S —9D 122
Walters Yd. Colc —8N 167
Walter Way. Sil E —2L 207
Waltham Abbey. —3C 78 (4E 30)
Waltham Abbey. —3C 78
(Remains of)
Waltham Abbey Church. —3C 78 (4E 30)
Waltham Abbey Gatehouse. —3C 78 (4E 30)
Waltham Abbey Tourist Information Centre. —3C 78 (4E 30)
Waltham Clo. Hut —5M 99
Waltham Ct. Wclf S —6H 139
Waltham Cres. Sth S —3N 139
Waltham Cross. —4C 30
Waltham Glen. Chelm —3D 74
Waltham Pk. Way. E17 —5A 108
Waltham Rd. Bore —1H 63 (5C 24)
Waltham Rd. Naze —5E 64 (3E 30)
Waltham Rd. Ray —4H 121
Waltham Rd. Terl —4C 24
Waltham Rd. Wfd G —3L 109
Walthams. Pits —8J 119
Waltham's Cross. Gt Bar —3K 13
Walthams Pl. Pits —8J 119
Walthamstow. —8A 108 (3D 38)
Walthamstow Av. E4 —4A 108
Walthamstow Bus. Cen. E17 —6C 108
Walthamstow Greyhound Race Track. —4B 108 (2D 38)
Waltham Way. E4 —8A 92 (1D 38)
Waltham Way. Frin S —9K 183
Walton. —1K 19
Walton Av. Felix —1K 19
Walton Ct. Bas —7L 117
Walton Ct. Hod —3C 54
Walton Gdns. Hut —4M 99
Walton Gdns. Wal A —3B 78
Walton Hall Farm Museum. —8K 149 (7J 41)
Walton High. Felix —1K 19
Walton Ho. E4 —2A 108
Walton Ho. E17 —7B 108
(off Drive, The)
Walton Maritime Museum. —5N 183 (7H 19)
Walton-on-the-Naze. —6N 183 (1H 29)
Walton-on-the-Naze Tourist Information Centre. —6N 183 (1H 29)
Walton Rd. E12 —6N 125
(in two parts)
Walton Rd. Clac S —1K 191
Walton Rd. Hod —3B 54
Walton Rd. Kir X —8H 183 (1G 29)
Walton Rd. Kir S —6G 182 (1G 29)
Walton Rd. Romf —4L 111
Walton Rd. Sth S —8D 140
Walton Rd. T Sok —3M 181 (7E 18)
Walton's Hall Rd. Stan H —9J 149 (1J 49)
Walworth. —1B 46
Walworth Rd. SE1 —1A 46
Wambrook. Shoe —5H 141
Wambrook Clo. Hut —7M 99
Wamburg Rd. Can I —1L 153
Wanderer Dri. Bark —3H 143
Wandsworth Rd. SW8 —3A 46
Wangey Rd. Romf —2J 127
Wannock Gdns. Ilf —4A 110
Wansbeck Rd. E9 & E3 —9A 124
Wansfell Gdns. Sth S —5D 140
Wansford Clo. Brtwd —9C 98
Wansford Rd. Wfd G —5J 109
Wanstead. —2H 125 (4F 39)
Wanstead Gdns. Ilf —1K 125
Wanstead La. Ilf —1K 125
Wanstead Pk. Av. E12 —3K 125
Wanstead Pk. Rd. Ilf —1K 125
Wanstead Pl. E11 —1G 124
Wantz Chase. Mal —6K 203
Wantz Corner. —4F 88
Wantz Haven. Mal —6K 203
Wantz La. Rain —4F 144
(in two parts)
Wantz Rd. Dag —6N 127
Wantz Rd. Mal —6K 203 (1H 35)
Wantz Rd. Marg —9H 73 (4J 33)
Wapping. —7C 38
Wapping High St. E1 —7C 38
Wapping La. E1 —7C 38
Wapping La. B'sea —4A 184
Wapping Way. E1 —7C 38
Warboys Cres. E4 —2C 108
Warburton Av. Sib H —7B 206
Warburtons. Stan H —2B 150
Warburton Ter. E17 —6B 108
Ward Av. Grays —2K 157
Ward Clo. Eri —4B 154
Warde Chase. W on N —6L 183
Warden Av. Romf —2A 112
Ward Gdns. H Wood —6J 113
Ward Hatch. H'low —9F 52
Wardle Way. Broom —4G 60
Wards Croft. Saf W —7K 205
Wards Rd. Ilf —2C 126
Ware. —4D 20
Warehouse Rd. Steb —6J 13
Waremead Rd. Ilf —9A 110
Ware Museum. —4C 20
Warepoint Dri. SE28 —9C 142
Ware Priory & Ware Priory Gardens. —4C 20
Ware Rd. Gt Amw & Hail —1A 54 (6D 20)
Ware Rd. Hert —5B 20
Ware Rd. Hly & EN11 —6D 20
Ware Rd. Hod —1A 54
Ware Rd. Ton —3B 20
Ware Rd. Wat S & Ton —2A 20
Ware Rd. Wid —4F 21
Warescot Clo. Brtwd —6E 98
Warescot Rd. Brtwd —6E 98
Wareside. —4E 20
Wares Rd. Good E —5G 23
Wargrave Rd. Clac S —9H 187
Warham Rd. Har —5G 201
Warish Hall Rd. Tak —7D 210 (1D 22)
Warley. —2F 114 (1E 40)
Warley Av. Dag —2L 127
Warley Clo. Brain —4L 193
Warley Gap. L War —4E 114 (2E 40)
Warley Hill. Gt War & War —3E 114 (2E 40)
Warley Hill Bus. Pk., The. Gt War —3F 114
Warley Mt. War —1F 114
Warley Rd. Ilf —5N 109
Warley Rd. Upm & Gt War —6N 113 (2D 40)
Warley Rd. Wfd G —4H 109
Warley St. Gt War & Upm —8F 114 (3E 40)
Warley Way. Frin S —8L 183
Warleywoods Cres. Brtwd —1E 114
Warner Clo. E15 —7E 124
Warner Clo. Bill —7M 101
Warner Dri. Brain —4E 192
Warner Pl. E2 —6C 38
Warners. D'mw —8L 197
Warners Bri. Chase. R'fd —9L 123
Warners Clo. Wfd G —2G 108
Warners Gdns. Sth S —9K 123
Warners Mill. —6H 193 (7C 14)
Warners Path. Wfd G —2G 108
Warnham Clo. Clac S —7F 186
Warren Av. E10 —5C 124
Warren Av. Brom —5E 46
Warren Chase. Ben —2G 137
Warren Clo. Broom —9K 59
Warren Clo. Ray —7J 121
Warren Clo. Stan H —4M 149
Warren Clo. Tak —8D 210
Warren Ct. Chig —1C 110
Warren Dri. Horn —6E 128
Warren Dri. W'fd —8A 104
Warren Dri., The. E11 —2J 125
Warren Farm Cotts. Romf —8L 111
Warren Field. Epp —2F 80
Warren Gdns. E15 —7D 124
Warren Heights. Chaf H —2H 157
Warren Hill. Lou —4J 93
Warren La. Cot —4A 10
Warren La. Dodd —9C 84 (6D 32)
Warren La. Grays —2G 156 (1E 48)
Warren La. S'way —7C 16
Warren Pond Rd. E4 —7F 92
Warren Rd. E4 —8C 92
Warren Rd. E10 —5C 124 (4E 38)
Warren Rd. E11 —1J 125
Warren Rd. Brain —6L 193
Warren Rd. Brom —7F 47
Warren Rd. Chaf H —2F 156
Warren Rd. H'std —5J 199
Warren Rd. Ilf —9C 110
Warren Rd. Lgh S —3N 137
Warren Rd. Ludd —7K 49
Warren Rd. S'fleet —5F 49
Warren Rd. S Han —2J 103 (6B 34)
Warrens. H'std —5J 199
Warrenside. Brain —8J 193
Warrens, The. Kir X —8H 183
Warrens, The. W Bis —7L 213
Warren Ter. Grays —9G 147
Warren Ter. Romf —8J 111
(in two parts)
Warren, The. E12 —6L 125
Warren, The. Bill —4G 101
Warren, The. Stan H —6N 149
Warriner Av. Horn —4H 129
Warrington Gdns. Horn —1G 129
Warrington Rd. Dag —4J 127
Warrington Sq. Bill —5G 101
Warrington Sq. Dag —4J 127
Warrior Sq. E12 —6N 125
Warrior Sq. Sth S —6M 139
Warrior Sq. E. Sth S —6M 139
Warrior Sq. N. Sth S —6M 139
Warrior Sq. Rd. Shoe —9K 141
Warton Rd. E15 —9C 124
Warwall. E6 —6A 142
Warwick Bailey Clo. Colc —5L 167
Warwick Clo. Ben —8D 120
Warwick Clo. Brain —4J 193
Warwick Clo. Can I —9G 137
Warwick Clo. Mal —7K 203
Warwick Clo. Ray —6M 121
Warwick Ct. Bur C —4L 195
Warwick Ct. Colc —2C 176
Warwick Ct. Eri —5D 154
Warwick Cres. Clac S —9J 187
Warwick Cres. Mal —7K 203
Warwick Dri. Mal —7K 203
Warwick Dri. R'fd —8L 123
Warwick Gdns. Ilf —3A 126
Warwick Gdns. Ray —6M 121
Warwick Gdns. Romf —7G 113
Warwick Grn. Ray —6N 121
Warwick La. Rain & Upm —2K 145 (6C 40)
Warwick Pde. S Fer —9K 91
Warwick Pl. Lang H —2H 133
Warwick Pl. Pil H —3N 97
Warwick Rd. E4 —2A 108
Warwick Rd. E11 —9H 109
Warwick Rd. E12 —7L 125
Warwick Rd. E15 —8F 124
Warwick Rd. Clac S —1H 191
Warwick Rd. L Can —7F 210
Warwick Rd. Rain —4G 145
Warwick Rd. Ray —6L 121
(in two parts)
Warwick Rd. Sth S —8D 140
Warwick Sq. Chelm —7H 61
Warwick Ter. E17 —9D 108
(off Lea Bri. Rd.)
Warwick Ter. SE18 —2H 47
Warwick Way. SW1 —1A 46
Washall Green. —3H 11
Washford Gdns. Clac S —2H 191
Washington Av. E12 —6L 125
Washington Av. Lain —9J 117
Washington Clo. Mal —7H 203
Washington Ct. Colc —1F 174
Washington Meads. Stans —3D 208
Washington Rd. E6 —9J 125

Washington Rd. *E18* —6F **108**
Washington Rd. *Dov* —5H **201**
Washington Rd. *Mal* —7H **203**
Wash La. *Clac S* —3H **191** (4D **28**)
(in two parts)
Wash La. *L Tot* —6K **25**
Wash Rd. *Bas* —5L **117** (2K **41**)
(in two parts)
Wash Rd. *Hut* —5N **99** (7G **33**)
Watch House Green. —1K 23
Watch Ho. Rd. *Steb* —6J **13**
Watchouse Rd. *Chelm* —8C **74** (3A **34**)
Waterbeach Rd. *Dag* —8H **127**
Waterden Cres. *E15* —7A **124**
Waterdene. *Can I* —9E **136**
Waterden Rd. *E15* —7A **124** (5D **38**)
Water End. —5E 6
Waterfall Rd. *N11 & N14* —1A **38**
Waterfalls, The. *Lang H* —3K **133**
Waterfield Clo. *SE28* —8G **142**
Waterfield Gdns. *SE28* —8G **143**
Waterford. —4A 20
Waterford Rd. *Shoe* —8H **141**
Waterglade Ind. Pk. *W Thur* —4C **156**
Waterhale. *Sth S* —5E **140**
Waterhales. —4H 97 (7B 32)
Waterhall Av. *E4* —1E **108**
Water Hall La. *Shalf* —4B **14**
Waterhall Meadows Nature Reserve.
—8G **63** (1C **34**)
Waterhead Clo. *Eri* —5C **154**
Waterhouse La. *A'lgh* —2N **169** (4J **17**)
Waterhouse La. *Chelm* —1N **73** (1K **33**)
Waterhouse Moor. *H'low* —4E **56**
Waterhouse St. *Chelm* —2A **74**
Water La. *E15* —8E **124** (5E **38**)
Water La. *Bures* —7C **194**
Water La. *Caven* —2F **9**
Water La. *Colc* —7K **167**
Water La. *Deb* —1C **12**
Water La. *Gt Eas* —6E **12**
Water La. *Hel B* —5H **7**
Water La. *Ilf* —5D **126** (4H **39**)
Water La. *L'ham* —1E **162** (2G **17**)
Water La. *L Hork* —3F **160** (2D **16**)
Water La. *Newp* —7D **204**
Water La. *Pan* —5B **14**
Water La. *Peb* —2H **15**
Water La. *Ples* —1B **58**
Water La. *Purf* —2L **155**
Water La. *R'ter* —7F **7**
Water La. *Roy* —7L **55** (1G **31**)
Water La. *Stans* —3D **208**
Water La. *Stpl B* —3B **210** (5J **7**)
Water La. *Stis* —6F **15**
Waterloo Bri. *SE1* —7A **38**
Waterloo Gdns. *Romf* —1B **128**
Waterloo La. *Chelm* —9K **61**
Waterloo Rd. *E6* —9J **125**
Waterloo Rd. *E7* —7F **124**
Waterloo Rd. *E10* —2A **124**
Waterloo Rd. *SE1* —1A **46**
Waterloo Rd. *Brtwd* —7F **98**
Waterloo Rd. *Ilf* —6B **110**
Waterloo Rd. *Romf* —9C **112** (3A **40**)
Waterloo Rd. *Shoe* —7H **141**
Watermans. *Romf* —9D **112**
Watermans Way. *N Wea* —6M **67**
Watermead Way. *N17* —3C **38**
Watermill Rd. *Fee* —6E **202**
Waters Edge. *Wclf S* —7J **139**
Waters Gdns. *Dag* —7M **127**
Waterside. *B'sea* —8E **184** (3K **27**)
Waterside. *Sth S* —8B **140**
Waterside. *Stans* —3D **208**
Waterside Clo. *Bark* —6F **126**
Waterside Clo. *H Wood* —4L **113**
Waterside Pl. *Saw* —2M **53**
Waterside Rd. *Brad S* —1E **36**
Waterside Rd. *Pag* —1C **44**
Watersmeet. *H'low* —7A **56**
Watersmeet Way. *SE28* —6H **143**
Waterson Rd. *Grays* —2D **158**
Waterville Dri. *Van* —2H **135**
Waterville M. *Colc* —3B **176**
Waterwick Hill. *Lang L* —2G **11**
Waterworks Corner. (Junct.)
—5E **108** (2E **38**)
Waterworks Dri. *Clac S* —8F **186**
Waterworks La. *Fob* —8D **134**
Waterworks Rd. *Tol* —7K **211**
Watery La. *Cogg* —7G **15**
Watery La. *D'mw* —2F **23**
Watery La. *Man* —5J **11**
Watery La. *Mat G* —7B **22**
Watery La. *Raw* —7H **105** (7E **34**)
Watery La. *Sidc* —5J **47**
Wates Way. *Brtwd* —7G **98**
Watkins Clo. *Burnt M* —6L **119**
Watkins Way. *Shoe* —5K **141**
Watling La. *Thax* —1J **211**
Watling St. *Bexh* —9A **154** (3K **47**)
Watling St. *Cob & Strd* —6K **49**
Watling St. *Dart & Grav* —4C **48**
Watling St. *Thax* —2K **211**
Watlington Rd. *Ben* —4B **136**
Watlington Rd. *H'low* —8J **53**
Watney's Rd. *Mitc* —7A **46**
Watson Av. *E6* —9N **125**
Watson Clo. *Grays* —6D **156**
Watson Clo. *Shoe* —7H **141**
Watson Gdns. *H Wood* —6J **113**
Watson Rd. *Clac S* —1J **191**
Watsons Ct. *Saf W* —3K **205**
Watton at Stone. —2A 20
Watton Rd. *Ware* —4C **20**
Watton Rd. *Wat S* —2A **20**
Watton's Green. —5F 96 (7B 32)
Watts Bri. Rd. *Eri* —4D **154**
Watts Clo. *Barns* —1H **23**
Watts Cres. *Purf* —2N **155**
Watts La. *Chst* —6G **47**
Watts La. *R'fd* —6L **123**
Watts Rd. *Colc* —4J **175**
Watts Yd. *Man* —5K **11**
Wat Tyler Rd. *SE13* —2E **46**
Wat Tyler Wlk. Colc —8N 167
(off W. Stockwell St.)
Wavell Av. *Colc* —2K **175**
Wavell Clo. *Spri* —3M **61**
Waveney Dri. *Chelm* —5L **61**
Waverley Av. *E17* —7D **108**
Waverley Bri. Ct. *H'bri* —4L **203**
Waverley Clo. *E18* —5J **109**
Waverley Cres. *SE18* —2H **47**
Waverley Cres. *Romf* —4G **112**
Waverley Cres. *W'fd* —5K **103**
Waverley Gdns. *Bark* —2D **142**
Waverley Gdns. *Grays* —9K **147**
Waverley Gdns. *Ilf* —6B **110**
Waverley Rd. *E17* —7C **108**
Waverley Rd. *E18* —5J **109**
Waverley Rd. *Bas* —6N **117**
Waverley Rd. *Ben* —1C **136**
Waverley Rd. *Rain* —4F **144**
Waver Ter. *Abb* —8B **176**
Wavertree Rd. *E18* —6G **109**
Wavertree Rd. *Ben* —2B **136**
Wavring Av. *Kir X* —7H **183**
Waxwell Rd. *Hull* —6L **105**
Wayback, The. *Saf W* —3L **205**
Way Bank La. *Stoke C* —3B **8**
Waycross Rd. *Upm* —2B **130**
Wayfarer Gdns. *Bur C* —3K **195**
Wayfaring Grn. *Badg D* —3J **157**
Wayletts. *Lain* —7J **117**
Wayletts. *Lgh S* —9A **122**
Wayre St. *H'low* —8H **53**
Wayre, The. *H'low* —8H **53**
Wayside. *L Bad* —2E **76**
Wayside Av. *Horn* —4H **129**
Wayside Clo. *Romf* —7D **112**
Wayside Gdns. *Dag* —7M **127**
Wayside M. *Ilf* —9N **109**
Weald Bri. Rd. *N Wea* —3B **68** (2A **32**)
Weald Clo. *Brtwd* —9D **98**
Weald Country Park & Visitors Centre.
—8B **98** (1D **40**)
Wealdgullet. —5M 67
Weald Hall La. *Thorn* —4H **67** (2J **31**)
Weald Hall La. Ind. Est. *Thorn* —4H **67**
Weald Pk. Way. *S Wea* —9B **98** (1D **40**)
Weald Rd. *Brtwd* —7C **32**
Weald Rd. *S Wea* —7K **97**
Weald, The. *Can I* —1E **152**
Weald Way. *Romf* —1N **127**
Weale Rd. *E4* —9D **92**
Wear Dri. *Chelm* —5M **61**
(in two parts)
Weare Gifford. *Shoe* —6G **140**
Weaver Clo. *E6* —7A **142**
Weaverdale. *Shoe* —5J **141**
Weaverhead Clo. *Thax* —2K **211**
Weaverhead La. *Thax* —2K **211**
Weavers. *Bas* —2G **135**
Weavers Clo. *Bill* —6K **101**
Weavers Clo. *Brain* —5H **193**
Weavers Clo. *Colc* —1G **174**
Weavers Ct. *H'std* —5K **199**
Weaversfield. *Sil E* —2K **207**
Weavers Grn. *For* —1A **166**
Weavers Ho. E11 —1G 124
(off New Wanstead)
Weavers Row. *H'std* —5L **199**
Webber Clo. *Eri* —5F **154**
Webb Ho. Dag —5M 127
(off Kershaw Rd.)
Webbscroft Rd. *Dag* —6N **127**
Webster Clo. *Horn* —5H **129**
Webster Clo. *Sib H* —7B **206**
Webster Clo. *Wal A* —3F **78**
Webster Pl. *Stock* —7N **87**
Webster Rd. *E11* —5C **124**
Webster Rd. *Stan H* —3N **149**
Websters Way. *Ray* —5K **121** (2F **43**)
Wedderburn Rd. *Bark* —1D **142**
Wedds Way. *Gt W* —2M **141**
Wedgewood Clo. *Epp* —9F **66**
Wedgewood Dri. *Chu L* —4J **57**
Wedgewood Dri. *Colc* —5M **167**
Wedgwood Ct. *R'fd* —1J **123**
Wedgwood Way. *R'fd* —1H **123**
Wedhey. *H'low* —3B **56**
Wedlake Clo. *Horn* —3J **129**
Wedmore Av. *Ilf* —5N **109**
Wednesbury Gdns. *Romf* —4K **113**
Wednesbury Grn. *Romf* —4K **113**
Wednesbury Rd. *Romf* —4K **113**
Wedow Rd. *Thax* —2K **211**
Weeley. —5D 180 (7C 18)
Weeley Bri. Cvn. Pk. *Wee* —6C **180**
Weeley By-Pass Rd. *Wee*
—5C **180** (7C **18**)
Weeleyhall Wood Nature Reserve.
—8F **180** (1C **28**)
Weeley Heath. —8E 180 (1C 28)
Weeley Rd. *Gt Ben* —6K **179** (1A **28**)
Weeley Rd. *L Cla* —1G **186** (2D **28**)
Weelkes Clo. *Stan H* —2L **149**
Weel Rd. *Can I* —3K **153**
Weggs Willow. *Colc* —8C **168**
Weigall Rd. *SE12* —3F **47**
Weighbridge Ct. *Saf W* —5K **205**
Weight Rd. *Chelm* —9L **61**
Weind, The. *They B* —6D **80**
Weir. —7J 121 (3F 43)
Weir Farm Rd. *Ray* —7J **121**
Weir Gdns. *Ray* —7J **121**
Weir La. *B'thth* —7B **176** (1F **27**)
(in two parts)
Weir Pond Rd. *R'fd* —5L **123** (2J **43**)
Weir Wynd. *Bill* —7J **101**
Welbeck Clo. *Hock* —3E **122**
Welbeck Dri. *Bas* —2J **133**
Welbeck Rise. *Bas* —2J **133**
Welbeck Rd. *Can I* —3G **153**
Welch Clo. *Sth S* —4C **140**
Welcome Ct. E17 —2A 124
(off Saxon Clo.)
Welcome Ct. *Stan H* —4L **149**
Welfare Rd. *E15* —9E **124**
Welland. *E Til* —2L **159**
Welland Av. *Chelm* —6E **60**
Welland Rd. *Bur C* —2K **195**
Wellands. *W Bis* —7K **213**
Wellands Clo. *W Bis* —7J **213**
Wellcome Av. *Dart* —9J **155**
Well Cottage Clo. *E11* —1J **125**
Weller Gro. *Chelm* —4G **61**
Wellesley. *H'low* —8N **55**
Wellesley Rd. *E11* —9G **109**
Wellesley Rd. *E17* —1A **124**
Wellesley Rd. *Brtwd* —7F **98**
Wellesley Rd. *Clac S* —9J **187** (4D **28**)
Wellesley Rd. *Colc* —9M **167**
Wellesley Rd. *Croy* —7B **46**
Wellesley Rd. *Ilf* —4A **126**
Well Field. *H'std* —6L **199**
Well Field. *Writ* —1J **73**
Wellfields. *Lou* —2N **93**
Wellfield Way. *Kir X* —8G **183**
Well Grn. Clo. *Saf W* —6L **205**
Well Hall Rd. *SE9* —3G **47**
Well Hall Roundabout. (Junct.) —3G **47**
Welling. —2J 47
Wellingbury. *Ben* —1C **136**
Welling High St. *Well* —3J **47**
Welling Rd. *Ors* —6E **148**
Wellington Av. *E4* —8A **92**
Wellington Av. *Hull* —8K **105**
Wellington Av. *Wclf S* —5F **138**
Wellington Clo. *Brain* —4L **193**
Wellington Clo. *Chelm* —6F **60**
Wellington Clo. *Dag* —9A **128**
Wellington Ct. *Grays* —8L **147**
Wellington Dri. *Dag* —9A **128**
Wellington Hill. *Lou* —7G **79** (5F **31**)
Wellingtonia Av. *Hav* —1A **112**
Wellington Mans. *E11* —3A **124**
Wellington M. *Bill* —3J **101**
Wellington Pas. E11 —9G 109
(off Wellington Rd.)
Wellington Pl. *War* —2F **114**
Wellington Rd. *E7* —6F **124**
Wellington Rd. *E11* —9G **109**
Wellington Rd. *Har* —1N **201**
Wellington Rd. *Hock* —7E **106**
Wellington Rd. *Mal* —6J **203**
Wellington Rd. *N Wea* —6M **67**
Wellington Rd. *Ray* —3M **121**
Wellington Rd. *Til* —7C **158**
Wellingtons, The. S'min —8L 207
(off Kings Rd.)
Wellington St. *SE18* —1G **47**
Wellington St. *WC2* —7A **38**
Wellington St. *Bark* —1B **142**
Wellington St. *B'sea* —7E **184**
Wellington St. *Colc* —9M **167**
Wellington St. *Grav* —4H **49**
Welling Way. *SE9 & Well* —3H **47**
Well La. *Clare* —3D **8**
Well La. *Dan* —4C **76** (2D **34**)
Well La. *Ethpe* —7J **173** (1A **26**)
Well La. *Gall* —8C **74**
Well La. *H'low* —2N **55**
(in three parts)
Well La. *N Stif* —8H **147**
Well La. *Pil H* —2C **98**
Well La. *Stock* —8N **87** (5K **33**)
Well Mead. *Bill* —9L **101**
Wellmeads. *Chelm* —2C **74**
Wellpond Green. —1F 21
Well Row. *B'frd* —2A **20**
Wells Av. *Sth S* —9J **123**
Wells Ct. *Chelm* —6M **61**
Wells Ct. *D'mw* —7L **197**
Wellsfield. *Ray* —3L **121**
Wells Gdns. *Bas* —7G **118**
Wells Gdns. *Dag* —7N **127**
Wells Gdns. *Ilf* —2L **125**
Wells Gdns. *Rain* —8D **128**
Wells Hall Rd. *Gt Cor* —5K **9**
Wells Ho. Bark —9F 126
(off Margaret Bondfield Av.)
Well Side. *M Tey* —3G **173**
Wells Pk. Rd. *SE26* —5C **46**
Wells Rd. *Colc* —7A **168**
Wells St. *Chelm* —8J **61**
Wellstead Gdns. *Wclf S* —3G **138**
Well St. *E8* —5C **38**
Well St. *E15* —8E **124**
Well St. *B'sea* —6D **184**
Wellstye Green. —2H 23
Wellstye Grn. *Bas* —7F **118**
Wells Way. *SE5* —2B **46**
Well Ter. *H'bri* —4L **203**
Wellwood Rd. *Ilf* —3F **126**
Welshwood Park. —5E 168
Welshwood Pk. Rd. *Colc* —5E **168**
Welwyn Rd. *Hert* —5A **20**
Wembley Av. *May* —3C **204**
Wendene. *Bas* —2G **135**
Wenden Rd. *A'den* —1K **11**
Wenden Rd. *A End* —6H **205**
Wenden Rd. *Wen A* —7B **6**
Wendens Ambo. —1A 12
Wendon Clo. *R'fd* —3H **123**
Wendover Gdns. *Brtwd* —9L **99**
Wendover Way. *Horn* —7G **129**
Wendover Way. *Well* —3J **47**
Wendy. —2B 4
Wendy Rd. *Shin W* —3A **4**
Wenham Dri. *Wclf S* —4K **139**
Wenham Gdns. *Hut* —5M **99**
Wenlock Rd. *Wee* —8D **180**
Wenlock's La. *Ing* —3G **84** (4E **32**)
Wennington. —7H 145 (7C 40)
Wennington Rd. *Rain* —4E **144** (6B **40**)
Wensley Av. *Wfd G* —4F **108**
Wensley Clo. *Romf* —2M **111**
Wensleydale Av. *Ilf* —6L **109**
Wensley Rd. *W Bis* —2H **137**
Wents Clo. *Gt Ben* —5K **179**
Wentworth Clo. *Hat P* —2M **63**
Wentworth Cres. *Brain* —3H **193**
Wentworth Meadows. *Mal* —6J **203**
Wentworth Pl. *Grays* —1N **157**
Wentworth Rd. *E12* —6K **125**
Wentworth Rd. *Sth S* —3M **139**
Wentworth Way. *Rain* —3F **144**
Werneth Hall Rd. *Ilf* —7M **109**
Wesel Av. *Felix* —1K **19**
Wesley Av. *Colc* —7C **168**
Wesley Ct. *Sth S* —6N **139**
Wesley End Rd. *Stamb* —6A **8**
Wesley Gdns. *Bill* —3H **101**
Wesley Rd. *E10* —2C **124**
Wesley Rd. *Sth S* —7N **139**
Wessem Rd. *Can I* —9H **137**
Wessex Clo. *Ilf* —1D **126**
Wessex Dri. *Eri* —7C **154**
Westall Rd. *Lou* —2A **94**
West Av. *E17* —8B **108**
West Av. *Chelm* —6H **61**
West Av. *Clac S* —2J **191**
West Av. *Hull* —5J **105**
West Av. *Lang H* —2G **133**
West Av. *May* —2B **204**
W. Avenue Rd. *E17* —8A **108**
West Bank. *Bark* —1A **142**
W. Beech Av. *W'fd* —9L **103**
W. Beech Clo. *W'fd* —9M **103**
W. Belvedere. *Dan* —3F **76**
West Bergholt. —3F 166 (5C 16)
Westborough. —4H 139
Westborough Rd. *Wclf S* —4G **139**
Westbourne Clo. *Ben* —1K **137**
Westbourne Clo. *Hock* —9F **106**
Westbourne Dri. *Brtwd* —1C **114**
Westbourne Gdns. *Bill* —3K **101**
Westbourne Gro. *Chelm* —3E **74**
Westbourne Gro. *Wclf S*
—5G **139** (4H **43**)
Westbourne Rd. *N7* —5A **38**
W. Bowers Rd. *Wdhm W* —1E **34**
Westbrook. *H'low* —6M **55**
Westbury. *R'fd* —3H **123**
Westbury Av. *N22* —3A **38**
Westbury Clo. *Cop* —2M **173**
Westbury Ct. Bark —1C 142
(off Westbury Rd.)
Westbury Dri. *Brtwd* —8F **98**
Westbury La. *Buck H* —8J **93**
Westbury Rise. *H'low* —4J **57**
Westbury Rd. *E7* —8H **125**
Westbury Rd. *E17* —8A **108**
Westbury Rd. *Bark* —1C **142**
Westbury Rd. *Brtwd* —8F **98**
Westbury Rd. *Buck H* —7J **93**
Westbury Rd. *Gt Hol* —9D **182**
Westbury Rd. *Ilf* —4N **125**
Westbury Rd. *Sth S* —4A **140**
W. Bury St. *N9* —7B **30**
Westbury Ter. *E7* —8H **125**
Westbury Ter. *Upm* —4B **130**
W. Chase. *Mal* —5J **203** (3J **35**)
Westcliff Av. *Wclf S* —7K **139** (5J **43**)
Westcliff Dri. *Lgh S* —5C **138**
Westcliff Gdns. *Can I* —3L **153**
Westcliff-on-Sea. —7J 139 (5J 43)
Westcliff Pde. *Wclf S* —7K **139** (5J **43**)
Westcliff Pk. Dri. *Wclf S* —5J **139**
W. Cloister. *Bill* —6K **101**
West Clo. *Hod* —3A **54**
West Clo. *Rain* —4F **144**
Westcombe Hill. *SE3* —2F **47**
W. Common Rd. *Brom* —7F **47**
Westcott Clo. *Clac S* —7H **187**
Westcourt. —4J 49
West Ct. *E17* —8B **108**
West Ct. *Ing* —6D **86**
West Ct. *Saw* —1K **53**
West Cres. *Can I* —1F **152**
W. Croft. *Bill* —7K **101**
Westcroft Ct. *Brox* —7A **54**
W. Dene Dri. *H Hill* —2H **113**
W. Dock Rd. *Pkstn* —2G **200**
Westdown Rd. *E15* —6C **124**
West Dri. *SW16* —5A **46**
West Dri. *Weth* —3A **14**
West Dulwich. —4B 46
Wested La. *Swan* —7A **48**
West End. —7A 6
West End. *Whitt* —2J **5**
W. End Av. *E10* —9D **108**
W. End La. *Har* —6K **201**
W. End La. *Ked* —2A **8**
W. End Rd. *Tip* —8A **212** (4J **25**)
W. End Rd. *Worm* —1B **30**
Westerdale. *Chelm* —4M **61**
Westergreen Meadow. *Brain* —7G **193**
Westerham Rd. *E10* —2B **124**
Westerings. *Bick* —8F **76**
Westerings. *Pur* —3G **35**
Westerings, The. *Gt Bad* —5G **75**
Westerings, The. *Hock* —2D **122**
Westerland Av. *Can I* —1K **153**
Westerlings, The. *Tye G* —2E **194**
Western Approaches. *Sth S* —8F **122**
Western Av. *Brtwd* —7F **98** (7E **32**)
Western Av. *Dag* —8A **128**
Western Av. *Epp* —2E **80**
Western Av. *Romf* —6G **112**
Western Clo. *Sil E* —4M **207**
Western Ct. Romf —9C 112
(off Chandlers Way)
Western Esplanade. *Can I*
—3H **153** (6E **42**)
Western Esplanade. *Wclf S & Sth S*
—7H **139** (5J **43**)
Western Gdns. *Brtwd* —8F **98**
Western La. *Sil E* —4M **207**
Western M. *Bill* —6J **101**
Western Pathway. *Rain & Horn*
—9F **128**
Western Promenade. *P Bay*
—9D **184** (4K **27**)
Western Rd. *E17* —9C **108**
Western Rd. *Ben* —9L **121** (3F **43**)
Western Rd. *Bill* —7H **101** (7J **33**)
Western Rd. *Brtwd* —8F **98** (1E **40**)
Western Rd. *B'sea* —7D **184**
Western Rd. *Bur C* —4L **195**
Western Rd. *Epp* —2E **80**
Western Rd. *Lgh S* —5N **137**
Western Rd. *Naze* —1E **64**
Western Rd. *Ray* —7H **121**
Western Rd. *Romf* —9C **112** (3A **40**)
Western Rd. *Sil E* —4M **207** (2F **25**)
Western Ter. *Hod* —2B **54**
Westernville Gdns. *Ilf* —2B **126**
Western Way. *SE28* —9D **142** (1H **47**)
Westferry Rd. *E14* —7D **38**
Westfield. *Bas* —7J **117**
Westfield. *H'low* —4D **56**
Westfield. *Lou* —4K **93**
Westfield Av. *Chelm* —7J **61**
Westfield Clo. *Ray* —2H **121**
Westfield Clo. *W'fd* —8N **103**
Westfield Dri. *Cogg* —7L **195**
Westfield Pk. Dri. *Wfd G* —3L **109**
Westfield Rd. *Bexh* —8A **154**
Westfield Rd. *Dag* —6K **127**
Westfield Rd. *Hod* —4A **54**
Westfields. *Saf W* —5L **205**
Westfleet Trad. Est. *W'fd* —1N **119**
West Ga. *H'low* —3B **56**
(in two parts)
Westgate. *Shoe* —8J **141**
Westgate Rd. *Dart* —3B **48**
(in two parts)
Westgate St. *L Mel* —2J **9**
West Green. —3B 38
West Grn. *Barr* —1E **4**
West Grn. *Ben* —1B **136**
W. Green Rd. *N15* —3A **38**
West Gro. *Wfd G* —3J **109**
West Ham. —6F 39
W. Ham La. *E15* —9D **124** (5E **38**)
West Ham United F.C. —6F **39**
West Hanningfield. —5H 89 (4B 34)
W. Hanningfield Rd. *W Han*
—3F **88** (4B **34**)
West Heath. —2J 47
W. Heath Rd. *SE2* —2J **47**
West Hill. *Dart* —3B **48**
W. Hill Rd. *Hod* —3A **54**
W. Holme. *Eri* —6A **154**
West Hook. *Bas* —3H **133**
West Horndon. —1M 131 (3G 41)
Westhorne Av. *SE12 & SE9* —3F **47**
W. House Est. *S'min* —7K **207**
West House Wood Nature Reserve.
—5H **167** (5D **16**)
W. India Dock Rd. *E14* —7D **38**
Westlake Av. *Bas* —9M **119**
Westlake Cres. *W'hoe* —4G **177**
Westland Av. *Horn* —3J **129**
Westland Green. —1G 21
Westland View. *Grays* —8K **147**
West Lawn. *Chelm* —8D **74**
Westleigh Av. *Lgh S* —4C **138**
Westleigh Ct. *E11* —9G **109**
Westleigh Ct. Lgh S —4C 138
(off Westleigh Av.)
Westley. *Bur C* —3M **195**
Westley Heights Country Park.
—5L **133** (4K **41**)
Westley La. *Saf W* —5B **6**
Westley Rd. *Bas* —4L **133**
W. Lodge Rd. *Colc* —9L **167**
Westlyn Clo. *Rain* —4G **145**
W. Malling Way. *Horn* —7G **128**
Westman Rd. *Can I* —2L **153**
Westmarch. *S Fer* —2J **105**
W. Mayne. *Bas* —7F **116** (3H **41**)
Westmayne Ind. Pk. *Lain* —9G **117**
Westmede. *Bas* —2L **133**
Westmede. *Chig* —3B **110**
West Mersea. —3J 213 (5F 27)

Westmill. —5D 10
Westmill Rd. Ware —3B 20
Westminster. —1A 46
Westminster Bri. SW1 & SE1 —1A 46
Westminster Bri. Rd. SE1 —1A 46
Westminster Clo. Ilf —6C 110
Westminster Ct. E11 —1G 125
(off Cambridge Pk.)
Westminster Ct. Colc —2C 176
Westminster Dri. Hock —1B 122
Westminster Dri. Wclf S —5G 139
Westminster Gdns. E4 —7E 92
Westminster Gdns. Bark —2D 142
Westminster Gdns. Brain —4J 193
Westminster Gdns. Ilf —6B 110
Westmoreland Av. Horn —9G 112
Westmoreland Rd. Brom —7E 46
Westmorland Clo. E12 —4K 125
Westmorland Clo. Mis —5N 165
Westmorland Rd. E17 —1A 124
Westmount Rd. SE9 —2G 47
West Norwood. —5B 46
Weston Av. Grays —1D 48
Weston Av. W Thur —4C 156
Weston Chambers. Sth S —7M 139
(off Weston Rd.)
Weston Clo. Hut —6M 99
Westone Mans. Bark —9E 126
(off Upney La.)
Weston Grn. Dag —6L 127
Weston Rd. Colc —2B 176
Weston Rd. Dag —6K 127
Weston Rd. Sth S —7M 139
Westow Hill. SE19 —5B 46
Westow St. SE19 —5B 46
West Pk. SE9 —4G 47
W. Park Av. Bill —5J 101
W. Park Clo. Romf —9J 111
W. Park Cres. Bill —6J 101
W. Park Dri. Bill —6J 101
W. Park Hill. Brtwd —9D 98
W. Point Pl. Can I —2C 152
Westpole Av. Barn —6A 30
W. Ridge. Bill —8J 101
Westridge Way. Clac S —7L 187
West Rd. Chad H —1J 127
West Rd. Clac S —4E 190 (5C 28)
West Rd. H'std —5K 199
West Rd. H'low —8F 52
West Rd. Rush G —2B 128
West Rd. Saf W —5K 205
West Rd. Saw —1G 52 (4J 21)
West Rd. Shoe —7H 141
West Rd. S Ock —3D 146 (6E 40)
West Rd. Stans —4D 208
West Rd. Wclf S —5J 139 (4J 43)
Westrow Dri. Bark —8E 126
Westrow Gdns. Ilf —4E 126
Westside Ind. Est. S'way —1C 174
W. Smithfield. EC4 —7A 38
West Sq. Chelm —9K 61
West Sq. H'low —2B 56
West Sq. Mal —6J 203
W. Station Ind. Est. Mal —7H 203
W. Station Yd. Mal —7H 203
W. Stockwell St. Colc —8N 167
West St. E11 —5E 124
West St. Cogg —9H 195 (7G 15)
West St. Colc —9M 167
West St. Eri —2B 154 (1A 48)
West St. Grav —3H 49
West St. Grays —4K 157 (2F 49)
West St. Har —1M 201 (2J 19)
West St. Lgh S —6D 138
West St. R'fd —5K 123 (2J 43)
West St. Rhdge —6F 176
West St. Sth S —4K 139 (4J 43)
West St. Tol —8H 211 (6C 26)
West St. W on N —6M 183
West St. W'hoe —6H 177
W. Thorpe. Bas —9D 118
West Thurrock. —4D 156 (1E 48)
W. Thurrock Way. W Thur —2C 156 (1E 48)
West Tilbury. —4G 158 (1J 49)
West View. Ded —2M 163
West View. Lou —3M 93
West View. Tak —7C 210
W. View Clo. Colc —4B 168
Westview Clo. Rain —3G 145
West View Dri. Ray —6H 121
Westview Dri. Wfd G —6K 109
West Wlk. H'low —3B 56
Westward Deals. Ked —2A 8
Westward Rd. E4 —2A 108
Westwater. Ben —2B 136
West Way. Brtwd —9D 98
Westway. Chelm —3N 73 (2K 33)
Westway. Colc —6M 167 (5E 16)
Westway. Shoe —8J 141
Westway. S Fer —1J 105
West Way. Wal A —6B 78
West Wickham. —7E 46
(nr. Bromley)
West Wickham. —1F 7
(nr. Horseheath)
W. Wickham Rd. B'shm —1E 6
Westwood Av. Brtwd —1D 114
Westwood Clo. Ben —2J 137
Westwood Ct. Ben —2K 137
Westwood Dri. W Mer —3M 213
Westwood Gdns. Ben —2K 137
Westwood Hill. SE26 —5C 46
Westwood Hill. B'wck —4J 167
Westwood La. Well —3H 47
Westwood Lodge. Ben —1J 137
Westwood Pk. Rd. W Ber —8E 160 (4C 16)
Westwood Rd. Can I —2H 153
Westwood Rd. Ilf —3E 126
Westwood Rd. S'fleet —5E 48
W. Wratting Comn. B'shm —1G 7
W. Wratting Rd. B'shm —1E 6
West Yd. H'std —6K 199
West Yoke. —7E 48
West Yoke. As —7E 48
W. Yoke Rd. New Ash —7F 49
Wetherfield. Stans —2C 208
Wetherfield Rd. Sib H —2C 14
Wetherland. Bas —1A 134
Wetherly Clo. H'low —8L 53
Wethersfield. —3A 14
Wethersfield Clo. Ray —4G 120
Wethersfield Rd. Colc —6A 176
Wethersfield Rd. Sib H —6A 206 (1D 14)
Wethersfield Rd. Weth —2K 13
Wethersfield Way. W'fd —2B 120
Wet La. Boxt —2M 161 (2E 16)
Wetzlar Clo. Colc —2B 176
Weybourne Clo. Sth S —3N 139
Weybourne Gdns. Sth S —3N 139
Weybridge Wlk. Shoe —5J 141
Weydale. Corr —9C 134
Weylond Rd. Dag —5L 127
Weymarks. Bas —8M 117
Weymouth Clo. E6 —6A 142
Weymouth Clo. Clac S —4H 191
Weymouth Rd. Chelm —5N 61
Whadden Chase. Ing —6C 86
Whaddon. —2C 4
Whaddon Rd. Meld —2D 4
Whalebone Av. Romf —1L 127
Whalebone Gro. Romf —1L 127
Whalebone La. E15 —9E 124
Whalebone La. N. Romf —4K 111 (2K 39)
Whalebone La. S. Romf & Dag —2L 127 (4K 39)
Whales Yd. E15 —9E 124
(off West Ham La.)
Whaley Rd. Colc —8C 168
Wharf Clo. Stan H —4M 149
Wharfdale Rd. N1 —6A 38
Wharfe Clo. Wthm —5B 214
Wharf La. Bas —4G 134
Wharf Rd. Brox —3A 64
(in two parts)
Wharf La. Bures —8D 194
Wharf Rd. Brtwd —9F 98
Wharf Rd. Chelm —9L 61
Wharf Rd. Fob —1E 150 (6K 41)
Wharf Rd. Grays —4J 157
Wharf Rd. Stan H —4M 149
Wharf Rd. S. Grays —4J 157
Wharley Hook. H'low —6E 56
Wharncliffe Rd. SE25 —6B 46
Wheatear Pl. Bill —7L 101
Wheatfield Rd. S'way —9E 166
Wheatfields. E6 —6A 142
Wheatfields. H'low —6H 53
Wheatfields. Stam —1K 43
Wheatfields Ct. Wal A —4G 79
(off Farthingale La.)
Wheatfield Way. Bas —3J 133
Wheatfield Way. Chelm —8H 61
(in two parts)
Wheatlands. Elms —9M 169
Wheatley Av. Brain —5L 193
Wheatley Clo. Horn —9H 113
Wheatley Clo. R'fd —3J 123
Wheatley Clo. Saw —3H 53
Wheatley Mans. Bark —9F 126
(off Bevan Av.)
Wheatley Rd. Corr —9C 134
Wheatley Ter. Rd. Eri —4D 154
Wheaton Rd. Wthm —5E 214
Wheatsheaf Clo. Wrab —3D 18
Wheatsheaf Ct. Colc —9A 168
Wheatsheaf La. Wrab —3D 18
Wheatsheaf Rd. Romf —1D 128
Wheeler Clo. Colc —9C 168
Wheeler Clo. Wfd G —3M 109
Wheelers. Epp —8E 66
Wheelers Clo. Naze —1E 64
Wheelers Cross. Bark —2C 142
Wheelers Farm Gdns. N Wea —5N 67
Wheeler's Hill. L Walt —6L 59 (5A 24)
Wheelers La. Pil H —3M 97 (6C 32)
Wheelers La. Stan H —9E 134
Wheel Farm Dri. Dag —5A 128
Wheelwrights, The. Sth S —1M 139
Whempstead. —1B 20
Whempstead La. Whem —1A 20
Whempstead Rd. B'tn —7A 10
Whernside Av. Can I —9J 137
Whernside Clo. SE28 —7H 143
Whiffins Orchard. Coop —8J 67
Whimbrel Clo. SE28 —7H 143
Whinchat Rd. SE28 —9C 142
Whinfield Av. Dov —6G 201
Whinhams Way. Bill —5H 101
Whipletree Rd. Whitt —1J 5
Whipps Cross. E17 —9D 108
Whipps Cross Ho. E17 —8D 108
(off Wood St.)
Whipps Cross Rd. E11 —9D 108 (3E 38)
Whist Av. W'fd —7N 103
Whistler M. Dag —7G 127
(off Fitzstephen Rd.)
Whistler Rise. Shoe —6L 141
Whiston Rd. E2 —6C 38
Whitakers Way. Lou —9M 79
Whitbreads Farm La. L L'gh —4A 24
Whitby Av. Ingve —3N 115
Whitby Rd. S'min —9J 207
Whitchurch Rd. Romf —1H 113 (1B 40)
Whitcroft. Bas —3L 133
Whitear Wlk. E15 —8D 124
Whiteash Green. —3E 14
Whitebarn La. Dag —1M 143
Whitebeam Clo. Chelm —3A 74
Whitebeam Dri. S Ock —3F 146
Whitebear. Stans —1D 208
Whitechapel. —7C 38
Whitechapel Rd. E1 —7C 38
White City. Fou I —1G 45
White Colne. —3F 196 (4J 15)
White Cres. Gt Bad —5G 75
Whitecroft Rd. Meld —2D 4
Whiteditch La. Newp —6C 204 (1A 12)
White Elm Rd. Bick —8F 76
Whitefield Ct. May —3D 204
Whitefoot La. Brom —2D 46
Whitefriars Cres. Wclf S —6H 139
Whitefriars Way. Colc —1H 175
White Gdns. Dag —8M 127
Whitegate Rd. B'sea —7F 184
Whitegate Rd. Sth S —6M 139
Whitehall. SW1 —7A 38
Whitehall Clo. Chig —9F 94
Whitehall Clo. Colc —2C 176
Whitehall Clo. Naze —1E 64
Whitehall Ct. Wthm —5D 214
Whitehall Est. H'low —4L 55
Whitehall Gdns. E4 —7E 92
Whitehall Ind. Est. Colc —2D 176
Whitehall La. Buck H —8G 92
Whitehall La. Eri —7D 154 (2A 48)
Whitehall La. Grays —3M 157
Whitehall La. Stan H —7D 134
Whitehall La. T Sok —3G 180 (7D 18)
Whitehall Pl. E7 —7G 125
Whitehall Rd. E4 & Wfd G —8E 92 (1E 38)
Whitehall Rd. Colc —3C 176 (7F 17)
Whitehall Rd. Grays —2M 157
White Hall Rd. Gt W —2M 141
White Hart La. N22 & N17 —2A 38
White Hart La. Brtwd —8F 98
White Hart La. Chelm —3N 61 (7B 24)
White Hart La. Har —1M 201
White Hart La. Hock —2D 122
White Hart La. Romf —5M 111 (2K 39)
White Hart La. W Ber —2E 166
White Hill. Cro —5A 10
Whitehill La. Grav —4H 49
Whitehill Rd. Grav —4H 49
Whitehill Rd. Long & Grav —6E 48
Whitehill Rd. Meop —7H 49
Whitehills Rd. Lou —2N 93
White Horse Av. H'std —6J 199
White Horse Hill. Chst —5G 47
White Horse La. E1 —6C 38
Whitehorse La. SE25 —6B 46
White Horse La. Mal —6J 203
Whitehorse La. Newp —7D 204
White Horse La. Wthm —4C 214
Whitehorse Rd. Croy & T Hth —7B 46
White Horse Rd. E Ber —1J 17
White Ho. Chase. Ray —6L 121
Whitehouse Cres. Chelm —2E 74
White Ho. Dri. Wfd G —3F 108
Whitehouse Est. E10 —1C 124
Whitehouse Hill. Tol D —5C 26
Whitehouse La. Bel O —4E 8
Whitehouse La. W Ber —4E 166 (5C 16)
Whitehouse Meadows. Lgh S —9F 122
Whitehouse Pde. W'fd —1G 118
White Ho. Rd. Lgh S —9E 122 (3H 43)
Whitehouse Rd. S Fer —9K 91
Whitehouse Rd. Steb —6J 13
Whitelands. Hook E —5G 85
Whitelands Clo. W'fd —7M 103
Whitelands Way. Romf —5H 113 (2C 40)
Whiteley La. Bkld —2C 10
White Lodge Cres. T Sok —5N 181
White Lyons Rd. Brtwd —8F 98
Whitemead. Broom —1K 61
White Notley. —2E 24
White Post Field. Saw —2J 53
White Post La. E9 —8A 124
White Post La. Meop —6H 49
White Rd. E15 —9E 124
White Rd. Can I —2C 152
White Roding. —5D 22
Whites Av. Ilf —1D 126
Whitesbridge La. Ing —8M 73
(in two parts)
Whites Hill. Cogg —7F 15
White's Hill. Stock —7A 88 (5K 33)
Whiteshott. Bas —2B 134
Whiteshot Way. Saf W —3M 205
Whites La. L L'gh —3B 24
Whitesmith Dri. Bill —5G 101
White St. D'mw —8L 197
White Stubbs La. B'frd & EN10 —1A 30
Whitethorn Gdns. Chelm —3D 74
Whitethorn Gdns. Horn —1G 129
White Tree Ct. S Fer —2H 105
Whitewaites. H'low —2D 56
Whiteways. Bill —6N 101
Whiteways. Can I —3K 153
Whiteways. Gt Che —3K 197
Whiteways. Lgh S —9E 122
White Ways Ct. Wthm —4B 214
Whitewebbs La. Enf —5B 30
Whitewebbs Rd. Enf —5A 30
Whitewebs Museum of Transport & Industry, The. —5A 30
Whitewell Rd. Colc —9N 167
Whitfield Rd. E6 —9J 125
Whitfields. Stan H —3A 150
Whiting Av. Bark —9A 126
Whitings. Ilf —9D 110
Whitley Ct. Hod —3B 54
Whitley Rd. Hod —3B 54
Whitley's Chase. Corn H —7K 7
Whitlock Dri. Gt Yel —8C 198
Whitmore Av. Grays —8L 147
Whitmore Av. H Wood —6J 113
Whitmore Clo. Ors —6G 148
Whitmore Ct. Bas —7F 118
Whitmore Way. Bas —8C 118 (3A 42)
Whitney Av. Ilf —8K 109
Whitney Rd. E10 —2B 124
Whittaker Rd. E6 —9J 125
Whittaker Way. W Mer —2J 213
Whitta Rd. E12 —6K 125
Whittingham Av. Sth S —4C 140
Whittingham Ho. Sth S —4C 140
Whittingstall Rd. Hod —3B 54
Whittington Rd. N22 —2A 38
Whittington Rd. Hut —5M 99
Whittington Way. Bis S —2K 21
Whittlesford. —1J 5
Whittlesford Rd. New —1H 5
Whittlesford Rd. Whitt —1H 5
Whittle Wlk. Bas —8F 118
Whitwell Clo. Stan H —5L 149
Whitworth Cen., The. Noak H —2G 112
Whitworth Rd. SE25 —6B 46
Whybrews. Stan H —3A 150
Whybridge Clo. Rain —1C 144
Whyteville Rd. E7 —8H 125
Whytewaters. Bas —3G 134
Whyverne Clo. Chelm —5N 61
Wick Beech Av. W'fd —9M 103
Wick Cen., The. W'fd —2N 119
Wick Chase. Sth S —4D 140
Wick Cres. W'fd —2M 119
Wick Dri. W'fd —2M 119
(Cranfield Pk. Rd.)
Wick Dri. W'fd —9L 103
(Nevendon Rd.)
Wicken Bonhunt. —2A 12
Wicken Rd. A'den —1K 11
Wicken Rd. Newp —8B 204 (2A 12)
Wickets Way. Ilf —3E 110
Wick Farm Rd. St La —2C 36
Wickfield Ash. Chelm —5F 60
Wickford. —8K 103 (1C 42)
Wickford Av. Bas —9H 119 (3B 42)
Wickford Clo. Romf —2K 113
Wickford Ct. Bas —9H 119
Wickford Dri. Romf —2K 113
Wickford M. Bas —9H 119
Wickford Pl. Bas —9H 119
Wickford Rd. S Fer —9G 91 (6E 34)
Wickford Rd. Wclf S —7K 139
Wick Glen. Bill —4H 101
Wickham Bishops. —7J 213 (5G 25)
Wickham Bishops Rd. Hat P —3N 63 (6F 25)
Wickham Ct. Rd. W Wick —7E 46
Wickham Hall La. W Bis —9H 213 (6G 25)
Wickham La. SE2 & Well —1J 47
Wickham Pl. Bas —1D 134
Wickham Rd. E4 —4C 108
Wickham Rd. SE4 —3D 46
Wickham Rd. Beck —6D 46
Wickham Rd. Colc —1L 175
Wickham Rd. Croy —7C 46
Wickham Rd. Grays —9E 148
Wickham Rd. Wthm —7C 214
Wickham St Paul. —7G 9
Wickham's Chase. Bick —8J 77
Wickham St. Well —2J 47
Wickham Way. Beck —6E 46
Wickhay. Bas —1A 134
Wick La. E3 —6D 38
(in two parts)
Wick La. A'lgh —8F 162 (4G 17)
Wick La. Fing —2H 27
Wick La. Gt Ben —1N 185
(in two parts)
Wick La. Har —3H 19
Wick La. W'fd —9M 103
(in two parts)
Wicklow Av. Chelm —5F 60
Wicklow Wlk. Shoe —7G 140
Wickmead Clo. Sth S —4C 140
Wick Rd. E9 —5C 38
Wick Rd. Bur C —4N 195
Wick Rd. Colc —4D 176
Wick Rd. Gt Ben —1M 185 (2B 28)
Wick Rd. L'ham —5F 162 (3G 17)
Wick Rd. Thor S —1F 17
Wicks Clo. Brain —4E 192
Wick Ter. L'ham —5F 162
Widbrook. Dodd —6F 84
Widbury Hill. Ware —4D 20
Wid Clo. Hut —4N 99
Widdington. —3C 12
Widdin St. E15 —9D 124
Widecombe Clo. Romf —5H 113
Widecombe Gdns. Ilf —8L 109
Wide Way. Mitc —6A 46
Widford. —3A 74 (2K 33)
(nr. Chelmsford)
Widford. —4G 21
(nr. Hunsdon)
Widford Chase. Chelm —3A 74
Widford Clo. Chelm —3A 74
Widford Gro. Chelm —3A 74
Widford Ind. Est. Chelm —3N 73
Widford Pk. Pl. Chelm —3A 74
Widford Rd. Chelm —3A 74
Widford Rd. Hun —4F 21
Widford Rd. Wid & Hun —3G 21
Widgeon Pl. K'dn —8C 202
Widgeon Rd. Eri —5F 154
Widgeons. Pits —9K 119
Widmore. —6F 47
Widmore Rd. Brom —6F 47
Wid Ter. Dodd —6F 84
Widworthy Hayes. Hut —7L 99
Wigborough Rd. Gt Wig & Lay H —3D 26
Wigborough Rd. L Wig —4D 26
Wigboro Wick La. St O —4A 28
Wigeon Clo. Bla N —3C 198
Wiggens Green. —4J 7
Wiggin's La. L Bur & Bill —1G 116
Wightman Rd. N8 & N4 —3A 38
Wigley Bush La. S Wea —8B 98 (1D 40)
Wignall St. Law —5E 164 (3K 17)
Wigram Rd. E11 —1J 125
Wigram Sq. E17 —7C 108
Wigton Rd. Romf —1J 113
Wigton Way. Romf —1J 113
Wilbury Way. N18 —1B 38
Wilbye Clo. Colc —2J 175
Wilde Clo. Til —7E 158
Wilfred Av. Rain —5E 144
Wilkes Rd. Hut —4N 99
Wilkin Ct. Colc —2H 175
Wilkin Ct. Lgh S —4C 138
Wilkinson Clo. Dart —9K 155
Wilkinsons Mead. Chelm —7B 62
Willers Mill Wildlife Park. —1E 4
Willett Rd. Colc —3J 175
William Barefoot Dri. SE9 —5G 47
William Boys Clo. Colc —7D 168
William Clo. Romf —5A 112
William Clo. W'hoe —2J 177
William Cory Promenade. Eri —3C 154
William Dri. Clac S —2H 191
William Grn. Hull —5L 105
William Groom Av. Dov —5J 201
William Morris Gallery. —7A 108 (2D 38)
William Pike Ho. Romf —1B 128
(off Waterloo Gdns.)
William Rd. Bas —9N 119
Williamsons Way. Corr —9A 134
William Sparrow Ct. W'hoe —4J 177
Williams Rd. Chelm —2K 61
William St. E10 —1B 124
William St. Bark —9B 126
William St. Grays —4L 157
(in two parts)
Williams Wlk. Colc —8N 167
Willingale. —1E 32
Willingale Av. Ray —4G 120
Willingale Clo. Hut —5A 100
Willingale Clo. Lou —1B 94
Willingale Clo. Wfd G —3J 109
Willingale Rd. Brain —4M 193
Willingale Rd. Fyf —1D 32
Willingale Rd. Lou —2B 94 (6H 31)
Willingale Rd. Ong —2E 32
Willingale Rd. Will —2G 70 (2E 32)
Willingales, The. Bas —9J 117
Willingale Way. Sth S —5E 140
Willinghall Clo. Wal A —2D 78
Willingham Way. Colc —8E 168
Willis Rd. Eri —2B 154
Willmott Rd. Sth S —9J 123
Willoughby Av. W Mer —3L 213
Willoughby Dri. Chelm —9A 62
Willoughby Dri. Rain —9C 128
Willoughby La. N17 —2C 38
Willoughby's La. Brain —6D 14
Willow Av. Kir X —8G 182
Willow Bank. Chelm —7C 74
Willow Brook Rd. SE15 —2B 46
Willow Clo. B'sea —7C 184
Willow Clo. Broom —2K 61
Willow Clo. Buck H —9K 93
Willow Clo. Bur C —2L 195
Willow Clo. Can I —2F 152
Willow Clo. Colc —1D 168
Willow Clo. Dodd —8G 84
Willow Clo. Hock —1E 122
Willow Clo. Horn —5F 128
Willow Clo. Hut —5L 99
Willow Clo. Lgh S —9E 122
Willow Clo. Ray —3K 121
Willow Cotts. E Han —3G 90
Willow Ct. E11 —4E 124
(off Trinity Clo.)
Willow Cres. Hat P —3L 63
Willowdale Cen. W'fd —8L 103
Willowdene. Pil H —4C 98
Willow Dene. Sib H —5B 206
Willowdene Ct. War —1F 114
Willow Dri. Ray —3J 121
Willowfield. H'low —5C 56
Willowfield. Lain —7L 117 (3K 41)
Willow Grn. Ing —5D 86
Willow Gro. S Fer —7G 90 (5E 34)
Willow Hall La. Wix —4D 18
Willowherb Wlk. Romf —4G 113
Willowhill. Stan H —9N 133
Willow Mead. Chig —9F 94
Willowmead. Rams H —3D 102
Willow Mead. Saw —3K 53
Willow Meadows. Sib H —7C 206
Willow Pde. Upm —3B 130

Willow Path. Wal A —4E 78
Willow Pl. H'wd —7L 57
Willow Rise. Wthm —2D 214
Willow Rd. E12 —5M 125
Willow Rd. Enf —6B 30
Willow Rd. Eri —6E 154
Willow Rd. Romf —1K 127
Willows Green. —2B 24
Willows, The. E6 —9N 125
Willows, The. Bas —9K 119
Willows, The. Ben —2B 136
Willows, The. Bill —9M 101
Willows, The. Bore —3F 62
Willows, The. Colc —3A 176
Willows, The. Grays —4N 157
Willows, The. Gt Che —2L 197
Willows, The. Lou —5K 93
Willows, The. Sth S —5E 140
Willow St. E4 —6D 92
Willow St. Romf —8A 112
Willow Tree Way. E Col —3C 196
Willow Wlk. Ben —3K 137
Willow Wlk. Cwdn —2M 107
Willow Wlk. Dart —9G 155
Willow Wlk. Hock —1E 122
Willow Wlk. Ilf —4A 126
Willow Wlk. Mal —3M 203
Willow Wlk. Tip —4C 212
Willow Wlk. Upm —3B 130
Willow Wlk. Wee —6D 180
Willow Way. H'std —5J 199
Willow Way. Har —5H 201
Willow Way. Jay —5E 190
Willow Way. Romf —3M 113
Will Perrin Ct. Rain —1E 144
Will's Ayley La. Sew E —6D 6
Wills Grn. Fee —8B 172
Wills Hill. Stan H —2M 149
Wilmer Lea Clo. E15 —9D 124
Wilmer Way. N14 —1A 38
Wilmington. —5B 48
Wilmington Gdns. Bark —8C 126
Wilmington Rd. Colc —5C 168
Wilmot Grn. Gt War —3F 114
Wilmot Rd. E10 —4B 124
Wilmslowe. Can I —9K 137
Wilrich Av. Can I —2K 153
Wilshire Av. Spri —8A 62
Wilsman Rd. S Ock —2F 146
Wilsner. Pits —8K 119
Wilson Clo. Stan H —5L 149
Wilson Clo. W'hoe —4G 177
Wilson Ct. W'fd —1K 119
Wilson Cres. S Ock —6E 146
Wilson La. S Dar —6D 48
Wilson Marriage Rd. Colc —6C 168
Wilson Rd. Ilf —2M 125
Wilson Rd. Sth S —7L 139
Wilsons Corner. Brtwd —8G 98
(off High St. Brentwood,)
Wilsons Ct. Mal —6L 203
Wilson St. E17 —9C 108
Wilson St. EC2 —7B 38
Wilthorne Gdns. Dag —9N 127
Wilton Dri. Romf —4A 112
Wiltshire Av. Horn —8K 113
Wiltshire Ct. Ilf —8B 126
Wimarc Cres. Ray —3H 121
Wimbish. —7E 6
Wimbish Ct. Bas —8J 119
Wimbish End. Bas —9J 119
Wimbish Green. —1F 13
Wimbish M. Bas —8J 119
Wimbish Wlk. Wim —1D 12
Wimborne Clo. Buck H —8H 93
Wimborne Clo. Saw —2J 53
Wimborne Gdns. Kir X —7J 183
Wimborne Rd. Sth S —5N 139
Wimbourne. Bas —8J 117
Wimhurst Clo. Hock —9D 106
Wimpole. —1C 4
Wimpole Rd. Colc —9B 168 (6F 17)
Wimsey Ct. Wthm —2D 214
Winbrook Clo. Ray —7L 121
Winbrook Rd. Ray —7L 121
Wincanton Gdns. Ilf —7A 110
Wincanton Rd. Romf —9H 97
Wincelow Hall Rd. Hpstd —6G 7
Winchcombe Clo. Lgh S —3D 138
Winchelsea Dri. Chelm —3E 74
Winchelsea Pl. B'sea —5E 184
Winchelsea Rd. E7 —5G 124
Winchester Av. Upm —3C 130
Winchester Clo. Lgh S —8E 122
Winchester Dri. Ray —1H 121
Winchester Gdns. Bas —6L 117
Winchester Ho. Bark —9F 126
(off Keir Hardie Way)
Winchester Rd. E4 —4C 108
Winchester Rd. E17 —2E 38
Winchester Rd. N9 —7B 30
Winchester Rd. Colc —1A 176
Winchester Rd. Frin S —9K 183
Winchester Rd. Ilf —5C 126
Winchester Way. Bas —8G 119
Winchmore Hill. —7A 30
Winchmore Hill. Good E —5H 23
Winchmore Hill Rd. N14 & N21 —7A 30
Wincoat Clo. Ben —3C 136
Wincoat Dri. Ben —3C 136
Windermere Av. Horn —7E 128
Windermere Av. Hull —6J 105
Windermere Dri. Brain —1C 198
Windermere Gdns. Ilf —9L 109
Windermere Rd. Ben —8E 120
Windermere Rd. Bexh —7A 154
Windermere Rd. Clac S —7N 187
Windermere Rd. Sth S —6A 140
Windhill. Bis S —1K 21
(in two parts)
Wind Hill. H Lav —1A 32
Winding Shott. B'fld —4A 20
Winding Way. Dag —5H 127
Windmill Clo. Boxt —4N 161
Windmill Clo. D'mw —7M 197
Windmill Clo. Upm —4L 129
Windmill Clo. Wal A —4E 78
Windmill Ct. Cop —2M 173
Windmill Ct. M End —3M 167
Windmill Fields. Cogg —7K 195
Windmill Fields. H'low —8L 53
Windmill Gdns. Brain —2N 193
Windmill Green. —5C 212
Windmill Heights. Bill —8K 101
Windmill Hill. Enf —6A 30
Windmill Hill. L Mel —2H 9
Windmill Hill. Man —5K 11
Windmill Hill. Saf W —6B 6
Windmill La. E15 —8D 124 (5E 38)
Windmill La. Chesh —3C 30
Windmill Meadows. Ayt R —4E 22
Windmill Pk. Clac S —8K 187
Windmill Rd. Brad —6N 165 (3B 18)
Windmill Rd. Croy —7A 46
Windmill Rd. H'std —5J 199
Windmill Rd. Mitc —6A 46
Windmills. Gt Tey —2E 172
Windmill Steps. Sth S —7A 140
(off Kursaal Way)
Windmills, The. Broom —9J 59
Windmill St. Grav —4H 49
(in two parts)
Windmill View. Tip —5C 212
Windmill Way. Kel H —7B 84
Windrush. SE28 —8G 143
Windrush Dri. Chelm —5L 61
Windsor Av. Clac S —1H 191
Windsor Av. Corr —9B 134
Windsor Av. Grays —9L 147
Windsor Clo. Can I —2H 153
Windsor Clo. Colc —4A 176
Windsor Ct. B'sea —6E 184
Windsor Dri. Hert —5A 20
Windsor Gdns. Ben —2J 137
Windsor Gdns. Brain —4K 193
Windsor Gdns. Hock —3G 123
Windsor Gdns. W'fd —7L 103
Windsor Ho. W Mer —2L 213
(off Carrington Ct.)
Windsor M. Ray —6J 121
Windsor Rd. E4 —1B 108
Windsor Rd. E7 —7H 125
Windsor Rd. E10 —4B 124
Windsor Rd. E11 —3G 124
Windsor Rd. Bas —7M 119
Windsor Rd. Dag —5K 127
Windsor Rd. D'ham —3E 102
Windsor Rd. Horn —2G 129
Windsor Rd. Ilf —6A 126
Windsor Rd. Pil H —5E 98
Windsor Rd. Wclf S —5K 139
Windsor Rd. W Mer —2L 213
Windsor Rd. Folley. W Mer —2L 213
Windsors, The. Buck H —8L 93
Windsor Trad. Est. Rams H —4E 102
Windsor Way. Chelm —1N 73
Windsor Way. Ray —6L 121
Windsor Wharf. E9 —8A 124
Windsor Wood. Wal A —3E 78
Windward Way. S Fer —2M 105
Windy Hill. Hut —7M 99
Winfields. Pits —8K 119
Winford Dri. Brox —1A 64
Wingate Clo. Brain —4G 193
Wingate Rd. Ilf —7A 126
Wingfield. Badg D —3J 157
Wingfield Clo. Brtwd —9K 99
Wingfield Gdns. Upm —1B 130
Wingfield Rd. E15 —6E 124
Wingfield Rd. E17 —9B 108
Winging Hill. M Hud —2G 21
Wingletye La. Horn —3K 129 (4C 40)
Wingrave Cres. Brtwd —1B 114
Wingrove. E4 —6B 92
Wingrove Ct. Chelm —5J 61
Wingrove Ct. Romf —9A 112
Wing Way. Brtwd —7F 98
Winifred Av. Horn —6H 129
Winifred Dell Ho. Gt War —3F 114
Winifred Rd. Bas —9J 119
Winifred Rd. Dag —4K 127
Winifred Rd. Eri —3C 154
Winifred Whittington Ho. Rain —5F 144
Winmill Rd. Dag —5L 127
Winningales Ct. Ilf —7L 109
Winnock Rd. Colc —9A 168
(in two parts)
Winnowers Ct. R'fd —6L 123
Winn Rd. SE12 —4F 47
Winns Av. E17 —6A 108
Winns Ter. E17 —7A 108
Winsbeach. E17 —6D 108
Winsey Chase. F'fld —2K 13
Winsford Gdns. Wclf S —2F 138
Winsford Way. Chelm —4C 62
Winsley Rd. Colc —9B 168
Winsley Sq. Colc —2B 176
Winslow Gro. E4 —8E 92
Winsor Park. —5A 142
Winsor Ter. E6 —5A 142
Winstanley Rd. Saf W —6L 205
Winstanley Way. Bas —7B 118
Winstead Gdns. Dag —7A 128
Winston Av. Colc —2J 175
Winston Av. Tip —6E 212
Winston Clo. Brain —2G 193
Winston Clo. Romf —8N 111
Winston Way. H'std —3M 199
Winston Way. Ilf —5A 126 (4G 39)
Winstree. Bas —7J 119
Winstree Clo. Lay H —9G 175
Winstree Rd. Bur C —3L 195
Winstree Rd. S'way —9E 166
Winterbourne Rd. Dag —4H 127
Winterbournes. W on N —7K 183
Winter Folly. Lain —1N 133
Winter Gardens. —9E 136 (5E 42)
Winter Gdns. Path. Can I —7E 136
Winter's Ct. E4 —9B 92
Winterscroft Rd. Hod —4A 54
Winters Hill. Lay M —2B 26
Winters La. Walk —5A 10
Winters Rd. Lay M —2B 26
Winters Way. Wal A —3G 78
Winterswyk Av. Can I —2L 153
Winton Av. Wclf S —7K 139
Winton Av. W'fd —8H 103
Winton Lodge. Wclf S —5H 139
Wiscombe Hill. Bas —3L 133
Wisdoms Grn. Cogg —7L 195
Wisdons Clo. Dag —3N 127
Wiseman Rd. E10 —4A 124
Wisemans Gdns. Saw —3H 53
Wissants. H'low —7A 56
Wissington. —1D 160
Wistaria Clo. Pil H —4E 98
Wistaria Pl. Clac S —8G 187
Wisteria Clo. Ilf —7A 126
Wisteria Gdns. Wfd G —2G 109
Wiston Rd. Nay —2C 16
Witchards. Bas —1C 134
Witch Elm. Har —5H 201
Witch La. Cogg —6H 15
Witchtree La. Hpstd —6G 7
Witham. —5D 214 (4F 25)
Witham By-Pass. Wthm —5F 25
Witham Clo. Lou —5L 93
Witham Ct. E10 —5B 124
Witham Fossil Hall. —3M 207 (2F 25)
Witham Gdns. W H'dn —1N 131
Witham Lodge. Wthm —7A 214
Witham Rd. Bla N —2A 194 (1D 24)
Witham Rd. Cres —1E 24
Witham Rd. Dag —7M 127
Witham Rd. Lang —7G 25
Witham Rd. L Brax —4G 25
Witham Rd. L Tot —5K 25
Witham Rd. Riven —5F 214
Witham Rd. Romf —9F 112
Witham Rd. Terl —4E 24
Witham Rd. Tye G —3F 194
Witham Rd. Whi N —3E 24
Witham Rd. W Bis —6J 213 (5G 25)
Witherings, The. Horn —9J 113
Withermarsh Green. —1F 17
Withersfield. —2H 7
Withersfield Rd. H'hll —2J 7
Withersfield Rd. Wthfld —1J 7
Withies Grn. Cres —1E 24
Withrick Wlk. St O —8M 185
Withy Mead. E4 —9D 92
Withypool. Shoe —5H 141
Withywindle, The. S Fer —2J 105
Witney Green. —1E 32
Witney Rd. Bur C —4M 195
Wittem Rd. Can I —9H 137
Wittenham Way. E4 —9D 92
Witterings, The. Bas —1F 134
Witterings, The. Can I —9G 137
Wittering Wlk. Horn —8G 128
Witting Clo. Clac S —8H 187
Witton Wood La. Frin S —9G 183
Witton Wood Rd. Frin S —9H 183
Wivenhoe. —6H 177 (7H 17)
Wivenhoe Cross. W'hoe
—4J 177 (7G 17)
Wivenhoe Rd. Alr —7L 177 (1H 27)
Wivenhoe Rd. Bark —2F 142
Wivenhoe Rd. C Hth —6J 169 (6H 17)
Wix. —4D 18
Wix By-Pass. L Ben & Wix
—8G 171 (6A 18)
Wixoe. —4A 8
Wix Rd. Brad —3C 18
Wix Rd. Dag —1J 143
Wix Rd. Gt Oak —5E 18
Wix Rd. R'sy —6A 200 (3F 19)
Wix Rd. Wix —5D 18
Woburn Av. Horn —6E 128
Woburn Av. Kir X —7G 182
Woburn Av. They B —7D 80
Woburn Ct. E18 —6G 109
Woburn Pl. WC1 —6A 38
Woburn Pl. Bill —3H 101
Wodehouse Rd. Dart —9L 155
Wokindon Rd. Grays —1D 158
Wolfe Av. Colc —1A 176
Wolfe Gdns. Ilf —2L 125
Wolferton Rd. E12 —6M 125
Wolffe Gdns. E15 —8F 124
Wollaston Cres. Bas —5L 119
Wollaston Way. Burnt M —5K 119
Wolmers Hey. Gt Walt —5H 59
Wolseley Av. Jay —6D 190
Wolseley Rd. E7 —9H 125
Wolseley Rd. N8 —3A 38
Wolseley Rd. Chelm —1B 74
Wolseley Rd. Romf —2B 128
Wolsey Gdns. Ilf —3A 110
Wolton Rd. Colc —4J 175
Wolvercote Rd. SE2 —9J 143
Wolves Hall La. Ten —5C 18
Wolves La. N22 & N13 —2A 38
Wonston Rd. S'min —7K 207
Wood Av. Hock —8D 106
Wood Av. Purf —2N 155
Wood Barn La. Law —7C 164
Woodberry Clo. Can I —8G 136
Woodberry Clo. Lgh S —1B 138
Woodberry Down. Epp —8F 66
Woodberry Gro. N4 —4B 38
Woodberry Rd. W'fd —1A 120
Woodberry Way. E4 —6C 92
Woodberry Way. W on N —7L 183
Woodbine Clo. H'low —5B 56
Woodbine Clo. Wal A —5J 79
Woodbine Clo. Cvn. Pk. Wal A —5J 79
Woodbine Pl. E11 —1G 125
Woodbridge Clo. Romf —1H 113
Woodbridge Ct. Wfd G —4L 109
Woodbridge Gro. Clac S —9E 186
Woodbridge Ho. E11 —3F 124
Woodbridge La. Romf —9H 97
Woodbridge Rd. Bark —7E 126
Woodbrook Cres. Bill —5J 101
Woodbrooke Way. Corr —9C 134
Woodbrook Gdns. Wal A —3E 78
Woodburn Clo. Ben —2J 137
(in two parts)
Woodbury Clo. E11 —8H 109
Woodbury Hill. Lou —2L 93
Woodbury Hollow. Lou —1L 93
Woodbury Rd. E17 —8B 108
Woodcock Clo. Colc —9E 168
Woodcote App. Ben —8B 120
Woodcote Av. Horn —6E 128
Woodcote Cres. Bas —9L 119
Woodcote Rd. E11 —2G 124
Woodcote Rd. Lgh S —4F 138
Woodcotes. Shoe —5J 141
Woodcote Way. Ben —8B 120
Woodcroft. H'low —5B 56
Woodcroft Clo. Ben —2J 137
Woodcutters Av. Grays —9M 147
Woodcutters Av. Lgh S —1C 138
Wood Dale. Gt Bad —4F 74
Woodedge Clo. E4 —7F 92
Woodend. —6D 22
Wood End. Hock —2C 122
Wood End. Widd —3B 12
Wood End Clo. Ben —2J 137
Woodend Green. —4C 12
Woodend Rd. E17 —6C 108
Wooder Gdns. E7 —6G 124
Woodfall Dri. Dart —9C 154
Wood Farm Clo. Lgh S —2C 138
Woodfield. W'fd —1L 119
Woodfield Av. SW16 —4A 46
Woodfield Clo. Stans —3D 208
Woodfield Clo. W on N —7K 183
Woodfield Cotts. Mal —2M 203
Woodfield Dri. Romf —8E 112
Woodfield Dri. W Mer —2J 213
Wood Field End. Lay H —9H 175
Woodfield Gdns. Lgh S —6E 138
Woodfield Pk. Dri. Lgh S —5F 138
Woodfield Rd. Brain —5J 193
Woodfield Rd. Had —4M 137
Woodfield Rd. Lgh S —5F 138
Woodfields. Stans —3D 208
Woodfield Ter. Stans —3D 208
Woodfield Ter. Thorn —4M 67
Woodfield Way. Hat P —2L 63
Woodfield Way. Horn —3H 129
Woodfines, The. Horn —1H 129
Woodford. —3H 109 (2F 39)
Woodford Av. Ilf —7K 109 (3G 39)
Woodford Bridge. —3L 109 (2G 39)
Woodford Bri. Rd. Ilf —7K 109 (3G 39)
Woodford Clo. Clac S —5K 187
Woodford Ct. Wal A —3G 79
Woodford Green. —3G 108 (1F 39)
Woodford Hall Path. E18 —5F 108
Woodford Ho. E18 —8G 108
Woodford New Rd. E18, E17 & Wfd G
—8E 108 (3E 38)
Woodford Rd. E7 —5H 125 (5F 39)
Woodford Rd. E11 —3E 38
Woodford Rd. E18 —8G 108
Woodford Side. —2F 108 (1E 38)
Woodford Trad. Est. Wfd G —7K 109
Woodford Wells. —9H 93 (1F 39)
Woodgates End. D'mw —6D 12
Woodgates Rd. E Ber —1J 17
Woodgrange Av. Bas —3L 133
Woodgrange Clo. Sth S —6C 140
Woodgrange Ct. Hod —6A 54
Woodgrange Dri. Sth S
—7A 140 (5K 43)
Woodgrange Rd. E7 —6H 125 (5F 39)
Wood Green. —4J 79 (4F 31)
Wood Grn. Bas —6J 119
Wood Grn. Est. Gt Ben —9L 179
Woodgreen Rd. Wal A —3H 79 (4F 31)
Woodhall Cres. Horn —2K 129
Woodhall Hill. Chelm —1E 60
Woodhall Rd. Chelm —4J 61
Woodham Ct. E18 —8F 108
Woodham Dri. Halt P —2M 63
Woodham Fenn Nature Reserve.
—9H 91 (6E 34)
Woodham Ferrers. —6H 91 (5E 34)
Woodham Halt. S Fer —9J 91
Woodham Mortimer. —4M 77 (2F 35)
Woodham Mortimer Rd. Wdhm M
—2L 77 (2F 35)
Woodham Pk. Dri. Ben —4B 136
Woodham Rd. Bat —5C 104 (7D 34)
Woodham Rd. Ben —4B 136
Woodham Rd. S Fer —9M 91 (5F 35)
Woodhams Rd. Brain —6M 193
Woodhams Way. R'fd —5M 123
Woodham Walter. —1F 35
Woodham Walter Common Nature
Reserve. —8H 63 (1D 34)
Woodhatch. —2A 82 (4A 32)
Woodhaven Gdns. Ilf —8B 110
Woodhays. Bas —9K 119
Woodhill. —5B 76 (2D 34)
Woodhill. H'low —6D 56
Wood Hill. Meop —7H 49
Woodhill Rd. S'don & Dan
—4K 75 (2C 34)
Woodhouse Gro. E12 —8L 125
Woodhouse La. Broom & L Walt
—8G 59 (6K 23)
Woodhouse La. Gt Hork —1H 167
Woodhouse Rd. E11 —5F 124
Woodhurst Rd. Can I —2E 152
Wooding Gro. H'low —3A 56
Woodland Av. Hut —4M 99 (7G 33)
Woodland Chase. For H —6A 166
Woodland Clo. Ben —3M 137
Woodland Clo. Hat P —1L 63
Woodland Clo. Hut —4M 99
Woodland Clo. Wfd G —9H 93
Woodland Dri. Colc —1G 174
Woodland Gro. Epp —1F 80
Woodland Rise. Wee —5D 180
Woodland Rd. E4 —7C 92
Woodland Rd. Chelm —7J 61
Woodland Rd. Lou —2L 93
Woodlands. Alth —5A 36
Woodlands. Bis S —9B 208
Woodlands. Brain —5K 193
Woodlands. Colc —6F 168
Woodlands. Epp —1F 80
Woodlands. Gt Oak —5E 18
Woodlands Av. E11 —3H 125
Woodlands Av. Bas —3J 133
Woodlands Av. Horn —9H 113
Woodlands Av. Ray —7L 121
Woodlands Av. Romf —2K 127
Woodlands Clo. Bas —2G 135
Woodlands Clo. Clac S —5L 187
Woodlands Clo. Grays —1A 158
Woodlands Clo. Hock —2C 122
Woodlands Clo. Hod —6A 54
Woodlands Clo. Ing —5E 86
Woodlands Clo. Ray —7K 121
Woodlands Ct. Lou —4N 93
Woodlands Dri. Fob —5D 134
Woodlands Dri. Hod —7A 54
Woodlands Gdns. E17 —8E 108
Woodlands La. Shorne —5K 49
Woodlands Park. —7J 197
Woodlands Pk. Lgh S —3N 137
Woodlands Rd. E11 —4E 124
Woodlands Rd. E17 —7C 108
Woodlands Rd. H Wood —5L 113
Woodlands Rd. Hock —2C 122
Woodlands Rd. Ilf —5B 126
Woodlands Rd. Romf —7D 112
Woodlands Rd. W'fd —9L 103
Woodlands, The. B'sea —6D 184
Woodlands, The. Shoe —6K 141
Woodland Way. Gosf —4D 14
Woodland Way. Grnh —9E 156
Woodland Way. Ong —9K 69
Woodland Way. They B —6C 80
Woodland Way. W'hoe —5H 177
Woodland Way. Wfd G —9H 93
Wood La. Bchgr —7C 208
Wood La. Dag —6J 127 (5J 39)
Wood La. For H —6A 166 (5B 16)
Wood La. Hol S —3N 187
Wood La. Horn —7E 128 (5B 40)
Wood La. Mal —3K 203
Wood La. Will —1F 33
Wood La. Wfd G —1F 108
Woodleigh. E18 —5G 108
Woodleigh Av. Lgh S —3C 138
Woodleys. H'low —2F 56
Woodley Wlk. Shoe —4J 141
Woodlow. Bas —9H 121
Woodmanhurst Rd. Corr —9A 134
Woodman La. E4 —4E 92
Woodman Path. Ilf —3D 110
Woodman Rd. War —2F 114 (1E 40)
Woodman St. E16 —8A 142
(in two parts)
Wood Meads. Epp —8F 66
Woodmill M. Hod —3B 54
Woodpecker Clo. Colc —7F 168
Woodpecker Rd. SE28 —7H 143
Woodpond Av. Hock —2C 122
Woodredon Clo. Roy —4H 55
Woodredon Farm La. Wal A —5K 79
Woodridden Hill. Wal A & Epp
—5J 79 (5F 31)
Woodriffe Rd. E11 —2D 124
Wood Rd. H'bri —2L 203
Woodroffe Clo. Chelm —8B 62
Woodrolfe Farm La. Tol —8L 211
Woodrolfe Pk. Tol —7M 211
Woodrolfe Rd. Tol —8L 211 (6D 26)
Woodrows La. Clac S —8F 186
Woodrow Way. Colc —8E 168
Woodrush End. S'way —9C 166
Woodrush Way. Romf —8J 111

Woodshire Rd. *Dag* —5N **127**
Woodside. —7C **46**
Woodside. *Bchgr* —9C **208**
Woodside. *Buck H* —8J **93**
Woodside. *Gt Tot* —9N **213**
Woodside. *Lgh S* —9A **122**
Woodside. *L Bad* —1E **76**
Woodside. *R Grn* —3A **12**
Woodside. *Thorn* —5H **67** (2J **31**)
Woodside. *W on N* —8L **183**
Woodside Av. *Ben* —7B **120**
Woodside Chase. *Hock* —3D **122**
Woodside Clo. *Bexh* —9B **154**
Woodside Clo. *Colc* —6E **168**
Woodside Clo. *Hut* —4N **99**
Woodside Clo. *Lgh S* —9A **122**
Woodside Clo. *Rain* —4G **144**
Woodside Cotts. *Bill* —3M **101**
Woodside Ct. *E12* —3J **125**
Woodside Ct. *Lgh S* —1A **138**
Woodside Gdns. *E4* —2B **108**
Woodside Green. —2A **22**
Woodside Grn. *SE25* —7C **46**
Woodside Pk. Av. *E17* —8D **108**
Woodside Rd. *Bexh* —9B **154**
Woodside Rd. *Hock* —7E **106**
(Cavendish Rd.)
Woodside Rd. *Hock* —2A **122**
(Hillside Rd.)
Woodside Rd. *Wfd G* —1G **108**
Woodside View. *Ben* —7C **120**
Woodside Way. *D'mw* —7H **197** (7F **13**)
Woods Rd. *F End* —3J **23**
Woods, The. *Ben* —3M **137**
Woodstock. *W Mer* —2K **213**
Woodstock Av. *Romf* —3M **113**
Woodstock Cres. *Hock* —1C **122**
Woodstock Cres. *Lain* —9H **117**
Woodstock Gdns. *Ilf* —4F **126**
Woodstock Gdns. *Lain* —9H **117**
Woodstock Rd. *E7* —9J **125**
Woodstock Rd. *E17* —6D **108**
Wood Street. (Junct.) —7C **108** (2E **38**)
Wood St. *E17* —7C **108** (3E **38**)
Wood St. *Chelm* —3A **74** (2A **34**)
Wood St. *Grays* —4M **157**
Wood St. *Swan* —6B **48**
Wood Vale. *SE22* —4C **46**
Wood View. *Grays* —1N **157** (1G **49**)
Woodview. *Lang H* —2G **133**
Woodview Av. *E4* —1C **108**
Woodview Clo. *Colc* —3D **168**
Woodview Dri. *Gt L* —1N **59**
Woodview Rd. *D'mw* —8K **197**
Woodville Clo. *R'fd* —4J **123**
Woodville Gdns. *Ilf* —7A **110**
Woodville Rd. *E11* —3F **124**
Woodville Rd. *E18* —6H **109**
Woodville Rd. *Can I* —2K **153**
Woodward Clo. *Grays* —2L **157**
Woodward Gdns. *Dag* —9H **127**
Woodward Heights. *Grays* —2L **157**
Woodward Rd. *Dag* —9G **127** (5J **39**)
Woodwards. *H'low* —5B **56**
Wood Way. *Bla N* —2B **198**
Woodway. *Shenf & Hut* —7K **99**
Woodyards. *Brad S* —1E **36**
Woolards Way. *S Fer* —1K **105**
Woolf Clo. *SE28* —8G **142**
Woolf Wlk. *Til* —7E **158**
Woolhampton Way. *Chig* —9G **94**
Woolifers Av. *Corr* —1C **150**

Woollard St. *Wal A* —4C **78**
Woollard Way. *B'more* —1H **85**
Woollensbrook. —7C **20**
Woollett Clo. *Cray* —9E **154**
Woolmergreen. *Bas* —8M **117**
(in two parts)
Woolmers Mead. *Ples* —2B **58**
Woolmonger's La. *Ing* —1D **84** (4E **32**)
Woolner Rd. *Clac S* —7H **187**
Woolnough Clo. *Stpl B* —3C **210**
Woolpack. *Shoe* —7H **141**
Woolpack La. *Brain* —3H **193**
Woolpits Rd. *Gt Sal* —5K **13**
Woolshots Cotts. *Bill* —9F **102**
Woolshots Rd. *W'fd* —9G **102**
Woolstone Rd. *SE23* —4D **46**
Woolwich. —1G **47**
Woolwich Chu. St. *SE18* —1G **47**
Woolwich Comn. *SE18* —2G **47**
Woolwich Mnr. Way. *E6 & E16*
—6A **142** (7G **39**)
Woolwich New Rd. *SE18* —1G **47**
Woolwich Rd. *SE2 & Belv* —2J **47**
Woolwich Rd. *SE10 & SE7* —1E **46**
Woolwich Rd. *Bexh* —3H **47**
Woolwich Rd. *Clac S* —8G **186**
Woolwich Stadium. —2G **47**
Wootton Clo. *Horn* —9H **113**
Worcester Av. *Upm* —4C **130**
Worcester Clo. *Brain* —7J **193**
Worcester Clo. *Colc* —9E **156**
Worcester Clo. *Lang H* —1H **133**
Worcester Clo. *May* —2D **204**
Worcester Clo. *Stan H* —2M **149**
Worcester Ct. *Chelm* —5G **75**
Worcester Cres. *Alr* —6A **178**
Worcester Cres. *Wfd G* —2H **109**
Worcester Dri. *Ray* —6M **121**
Worcester Gdns. *Ilf* —2L **125**
Worcester Rd. *E12* —5M **125**
Worcester Rd. *Bur C* —2M **195**
Worcester Rd. *Colc* —1A **168**
Wordsworth Av. *E12* —9L **125**
Wordsworth Av. *E18* —7F **108**
Wordsworth Av. *Mal* —8K **203**
Wordsworth Clo. *Romf* —5G **112**
Wordsworth Clo. *Sth S* —4N **139**
Wordsworth Clo. *Til* —7E **158**
Wordsworth Ct. *Chelm* —6J **61**
Wordsworth Rd. *Brain* —1H **193**
Wordsworth Rd. *Colc* —9G **167**
Wordsworth Way. *Dart* —9L **155**
Workers Rd. *H'low* —4N **57**
Workhouse Green. —7K **9**
Workhouse Hill. —4M **161** (3E **16**)
Workhouse Hill. *Boxt* —4M **161** (3E **16**)
Workhouse La. *Ret C* —9B **90**
Workhouse La. *S Fer* —7G **91** (5E **34**)
Workhouse Rd. *L Hork* —6D **160** (3C **16**)
Working Silk Museum, The.
—6H **193** (7C **14**)
Worland Rd. *E15* —9E **124**
World's End. —6A **30**
World's End La. *N21 & Enf* —7A **30**
Worlds End La. *Fee* —7D **202**
Wormingford. —3B **16**
Wormingford Rd. *For* —3B **16**
Wormley. —2D **30**
Wormley Ct. *Wal A* —3G **78**
Wormley West End. —1B **30**
Wormyngford Ct. *Wal A* —3G **78**
Worpin Rd. *Shenf* —8J **99**

Worrin Clo. *Shenf* —7J **99**
Worrin Rd. *Shenf* —8J **99**
Worsdell Way. *Colc* —5N **167**
Worship St. *EC2* —6B **38**
Worsley Rd. *E11* —6E **124**
Worsted La. *Hare S* —4E **10**
Worthing M. *Clac S* —4G **191**
Worthing Rd. *Bas* —9J **117**
Worthington Way. *Colc* —2G **174**
Wortley Rd. *E6* —9K **125**
Wouldham Rd. *Grays* —4H **157**
Wrabness. —3D **10**
Wrabness Rd. *R'sy* —4A **200** (3E **18**)
(in two parts)
Wrackhall Ct. *Can I* —3L **153**
(off Gafzelle Dri.)
Wragby Rd. *E11* —5E **124**
Wrangley Ct. *Wal A* —3G **79**
Wratting Rd. *Gt Wra* —1J **7**
Wratting Rd. *H'hll* —3J **7**
Wray Av. *Ilf* —7N **109**
Wray Clo. *Horn* —1H **129**
Wraysbury Dri. *Bas* —6M **117**
Wren Av. *Lgh S* —8C **122**
Wren Clo. *Ben* —9B **120**
Wren Clo. *Bill* —7L **101**
Wren Clo. *Gt Ben* —6J **179**
Wren Clo. *Lgh S* —8C **122**
Wrendale. *Clac S* —7K **187**
Wren Dri. *Wal A* —4G **78**
Wren Gdns. *Dag* —7J **127**
Wren Gdns. *Horn* —3D **128**
Wren Path. *SE28* —9C **142**
Wren Pl. *Brtwd* —9G **98**
Wren Rd. *Dag* —7J **127**
Wrens, The. *H'low* —3A **56**
Wren Wlk. *Til* —5D **158**
Wrexham Rd. *Bas* —1K **133**
Wrexham Rd. *Romf* —9H **97**
Wright's Av. *Cres* —2E **194**
Wrightsbridge Rd. *S Wea*
—7L **97** (7C **32**)
Wrights Clo. *Dag* —6N **127**
Wrights Ct. *H'low* —5H **57**
Wright's Green. —3A **22**
Wright's Grn. La. *L Hall* —3A **22**
Wrights La. *Wy G* —6G **85**
Wrigley Clo. *E4* —2D **108**
Writtle. —1K **73** (1J **33**)
Writtle Clo. *Clac S* —9F **186**
Writtle Rd. *Chelm* —1M **73** (1K **33**)
Writtle Rd. *Marg* —9H **73** (3J **33**)
Writtle Wlk. *Bas* —8F **118**
Writtle Wlk. *Rain* —1C **144**
Wrotham Rd. *Meop & Grav* —7G **49**
Wroth's Path. *Lou* —9M **79**
Wroxall Rd. *Dag* —8H **127**
Wroxham Clo. *Colc* —9J **167**
Wroxham Clo. *Lgh S* —9A **122**
Wroxham Dri. *Wy G* —7J **143**
Wryneck Clo. *Colc* —4N **167**
Wulvesford. *Wthm* —7A **214**
Wyatt Rd. *E7* —8G **125**
Wyatt Rd. *Dart* —8D **154**
Wyatts Dri. *Sth S* —7C **140**
Wyatts Green. —6H **85** (5E **32**)
Wyatt's Grn. La. *Wy G* —6G **85**
Wyatt's Grn. Rd. *Wy G* —6G **84** (5E **32**)
Wyatts La. *E17* —7C **108**
Wyatts La. *L Cor* —7K **9**
Wyburn Rd. *Ben* —9K **121**
Wyburns Av. *Ray* —7L **121**

Wyburns Av. E. *Ray* —7L **121**
Wych Elm. *Colc* —3A **176**
Wych Elm. *H'low* —2B **56**
Wych Elm Clo. *Horn* —2L **129**
Wych Elm Rd. *Horn* —1L **129**
Wych M. *Lain* —6L **117**
Wychwood Gdns. *Ilf* —8M **109**
Wycke Hill. *Mal* —7H **203** (2G **35**)
Wycke La. *Tol* —8L **211**
Wycliffe Gro. *Colc* —6M **167**
Wycombe Av. *Ben* —9A **120**
Wycombe Rd. *Ilf* —9M **109**
Wyddial. —3D **10**
Wyddial Rd. *Bunt* —4D **10**
Wyedale Dri. *Colc* —1F **174**
Wyemead Cres. *E4* —8E **92**
Wyfields. *Ilf* —5A **110**
Wyfold Ho. *SE2* —9J **143**
(off Wolvercote Rd.)
Wyhill Wlk. *Dag* —9A **128**
Wykeham Av. *Dag* —8H **127**
Wykeham Av. *Horn* —1K **129**
Wykeham Grn. *Dag* —8H **127**
Wykeham Rd. *Bas* —7L **119**
Wykeham Rd. *Writ* —1K **73**
Wyke Rd. *E3* —9A **124**
Wykes Grn. *Bas* —8E **118**
Wyldwood Clo. *H'low* —6H **53**
Wymans Way. *E7* —6J **125**
Wyncolls Rd. *Colc* —1C **168** (4F **17**)
Wyndham Clo. *Colc* —6B **176**
Wyndham Cres. *Clac S* —9L **187**
Wyndham Rd. *E6* —9S **125**
Wyndham Rd. *SE5* —2A **46**
Wynndale Rd. *E18* —5H **109**
Wynters. *Bas* —2C **134**
Wynyard Rd. *Saf W* —2L **205**
Wyse's Rd. *Hghwd* —3B **72** (2G **33**)
Wythams. *Pits* —8K **119**
Wythefield. *Bas* —1H **135**
Wythenshawe Rd. *Dag* —5M **127**
Wyvern Ho. *Grays* —4L **157**
(off Bridge Rd.)

Yale M. *Colc* —3B **168**
Yale Way. *Horn* —6E **128**
Yamburg Rd. *Can I* —2K **153**
Yardeley. *Lain* —9N **117**
Yardley Clo. *E4* —4B **92**
Yardley Hall La. *Thax* —2E **12**
Yardley La. *E4* —4B **92**
Yare Av. *Wthm* —4A **214**
Yarmouth Clo. *Clac S* —7H **187**
Yarnacott. *Shoe* —6G **141**
Yarnton Way. *SE2 & Eri*
—9H **143** (1J **47**)
Yarwood Rd. *Chelm* —9N **61**
Yeldham Lock. *Chelm* —9B **62**
Yeldham Rd. *Bel W* —6E **8**
Yeldham Rd. *Cas H* —7D **8**
Yeldham Rd. *Sib H* —2A **206**
Yellowpine Way. *Chig* —1G **111**
Yelverton Clo. *Romf* —5H **113**
Yeoman Clo. *E6* —7A **142**
Yeomen Way. *Ilf* —3B **110**
Yeovil Chase. *Wclf S* —2G **138**
Yester Rd. *Chst* —5G **47**
Yevele Way. *Horn* —2J **129**
Yew Clo. *Buck H* —8K **93**
Yew Clo. *Lain* —6L **117**

Yew Clo. *Wthm* —2E **214**
Yewlands. *Hod* —6A **54**
Yewlands. *Saw* —3K **53**
Yew Tree Clo. *Colc* —7E **168**
Yew Tree Clo. *Hat P* —1L **63**
Yew Tree Clo. *Hut* —5L **99**
Yew Tree Gdns. *Chad H* —9K **111**
Yew Tree Gdns. *Chelm* —4D **74**
Yew Tree Gdns. *Romf* —9B **112**
Yew Tree Lodge. *Romf* —9B **112**
(off Yew Tree Gdns.)
Yew Wlk. *Hod* —6A **54**
Yew Way. *Jay* —6D **190**
Yorick Av. *W Mer* —3K **213**
Yorick Rd. *W Mer* —3K **213**
York Av. *Corr* —9B **134**
York Clo. *Ray* —7N **121**
York Clo. *Shenf* —6J **99**
York Cres. *Lou* —2L **93**
Yorkes. *H'low* —6E **56**
York Gdns. *Brain* —4K **193**
York Hill. *Lou* —2L **93**
York Lodge. *Dodd* —5E **84**
York Mans. *Hol S* —8B **188**
York M. *Ilf* —5N **125**
York Pl. *Colc* —7A **168**
York Pl. *Dag* —8A **128**
York Pl. *Grays* —4K **157**
York Pl. *Ilf* —4A **126**
York Rise. *Ray* —7N **121**
York Rd. *E4* —1A **108**
York Rd. *E7* —8G **124**
York Rd. *E10* —5C **124** (4E **38**)
York Rd. *SE1* —1A **46**
York Rd. *Bill* —3J **101**
York Rd. *B'sea* —7D **184**
York Rd. *Bur C* —4M **195**
York Rd. *Chelm* —2B **74**
York Rd. *Clac S* —7A **188**
York Rd. *E Col* —3C **196**
York Rd. *Horn H* —1H **149**
York Rd. *Ilf* —5N **125**
York Rd. *N Wea* —6M **67**
York Rd. *Rain* —9B **128**
York Rd. *Ray* —7N **121**
York Rd. *R'fd* —9H **107**
York Rd. *Shenf* —6J **99**
York Rd. *Sth S* —7M **139**
Yorkshire Grey (Eltham Hill) (Junct.)
—3F **47**
York St. *Bark* —1B **142**
York St. *Mann* —4J **165**
York Ter. *E4* —6A **154**
York Way. *N7 & N1* —5A **38**
Young Clo. *Clac S* —8G **187**
Young Clo. *Lgh S* —9F **122**
Youngsbury. —3E **20**
Young's End. —4B **198** (2B **24**)
Youngs Rd. *Ilf* —9C **110**
Yoxley App. *Ilf* —1B **126**
Yoxley Dri. *Ilf* —1B **126**
Ypres Rd. *Colc* —3L **175**
Yunus Khan Clo. *E17* —9A **108**

Zandi Rd. *Can I* —3K **153**
Zealand Dri. *Can I* —2L **153**
Zelham Dri. *Can I* —2M **153**
Zider Pass. *Can I* —2M **153**
Zinnia M. *Clac S* —9G **186**
Zuidorp Rd. *Can I* —2L **153**

HOSPITALS, HEALTH CENTRES and HOSPICES
covered by this atlas
with their map square reference

N.B. Where Hospitals, Health Centres and Hospices are not named on the map,
the reference given is for the road in which they are situated.

ABBERTON DAY HOSPITAL —4N **167**
The Lakes, Turner Rd., Colchester,
Essex. CO4 5JL
Tel: (01206) 843535

Annie Prendergast Health Centre —1K **127**
Ashton Gdns., Chadwell Heath,
Essex. RM6 6RT
Tel: 020 8590 1086

Barbara Castle Health Centre —7N **55**
Broadley Rd., Harlow,
Essex. CM19 5RD
Tel: (01279) 416931

BARKING HOSPITAL —9E **126**
Upney La., Barking,
Essex. IG11 9LX
Tel: 020 8983 8000

BASILDON HOSPITAL —3B **134**
Nether Mayne, Basildon,
Essex. SS16 5NL
Tel: (01268) 533911

BECONTREE DAY HOSPITAL —4K **127**
Becontree Av., Dagenham,
Essex. RM8 3HR
Tel: 020 8984 1234

Billericay Health Centre —5K **101**
Stock Rd., Billericay,
Essex. CM12 0BJ
Tel: (01277) 658071

Braintree Health Centre —5H **193**
The Gables, 17 Bocking End,
Braintree, Essex. CM7 9AE
Tel: (01376) 555700

Braintree Health Centre —5J **193**
21 Coggeshall Rd., Braintree,
Essex. CM7 9DB
Tel: (01376) 550058

BRENTWOOD COMMUNITY HOSPITAL —7H **99**
Crescent Dri., Shenfield,
Brentwood,
Essex. CM15 8DR
Tel: (01708) 465000

Bridge (Care Home) —7B **214**
Hatfield Rd., Witham,
Essex. CM8 1EQ
Tel: (01376) 551221

BROOMFIELD HOSPITAL —9J **59**
Hospital Approach,
Chelmsford,
Essex. CM1 7ET
Tel: (01245) 440761

Canvey Health Centre —1E **152**
Third Av., Canvey Island,
Essex. SS8 9SU
Tel: (01268) 696301

CHADWELL HEATH HOSPITAL —9G **111**
Grove Rd., Chadwell Heath,
Essex. RM6 4XH
Tel: 020 8983 8000

Chigwell Primary Health Care Centre —3C **110**
548 Limes Av., Chigwell,
Essex. IG7 5NG
Tel: 020 8500 1867

CLACTON & DISTICT HOSPITAL —3J **191**
Tower Rd., Clacton-on-Sea,
Essex. CO15 1LH
Tel: (01255) 421145

Colchester Community Mental Health Centre —9M **167**
Holmer Ct., Headgate, Colchester,
Essex. CO3 3BT
Tel: (01206) 761901

COLCHESTER GENERAL HOSPITAL —3N **167**
Turner Rd., Colchester,
Essex. CO4 5JL
Tel: (01206) 853535

Corringham Health Centre —1C **150**
Giffords Cross Rd.,
Corringham,
Stanford-Le-Hope,
Essex. SS17 7QQ
Tel: (01375) 674436

Cranham Health Centre —2B **130**
Avon Rd., Cranham,
Essex. RM14 1RG
Tel: (01708) 222584

Dovercourt Health Centre —4J **201**
407 Main Rd., Dovercourt,
Harwich, Essex. CO12 4ET
Tel: (01255) 506451

DUKES PRIORY HOSPITAL —7M **61**
Stump La., Springfield, Chelmsford,
Essex. CM1 7SJ
Tel: (01245) 345345

EAST HAM MEMORIAL HOSPITAL —9K **125**
Shrewsbury Rd., Forest Gate,
London. E7 8QR
Tel: 020 8586 5000

ERITH & DISTRICT HOSPITAL —4B **154**
Park Cres., Erith,
Kent. DA8 3EE
Tel: 020 8302 2678

Erith Health Centre —4D **154**
2 Queen's St., Erith,
Kent. DA8 1TT
Tel: (01322) 336661

ESSEX COUNTY HOSPITAL —9L **167**
Lexden Rd., Colchester,
Essex. CO3 3NB
Tel: (01206) 853535

ESSEX NUFFIELD HOSPITAL, THE —7H **99**
Shenfield, Shenfield,
Brentwood,
Essex. CM15 8EH
Tel: (01277) 263263

Fair Havens Hospice —6G **139**
126 Chalkwell Av.,
Westcliffe-on-Sea,
Essex. SS0 8HN
Tel: (01702) 344879

Farleigh Hospice —2B **74**
212 New London Rd.,
Chelmsford,
Essex. CM2 9AE
Tel: (01245) 358130

Five Elms Health Centre —5L **127**
Five Elms Rd., Dagenham,
Essex. RM9 5TT
Tel: 020 8593 7241

Fulwell Cross Health Centre —6B **110**
1 Tomswood Hill, Ilford,
Essex. IG6 2HL
Tel: 020 8491 1580

Gallions Reach Health Centre —7F **142**
Bentham Rd., Thamesmead,
London. SE28 8BE
Tel: 020 8311 1010

GOODMAYES HOSPITAL —9F **110**
Barley La., Goodmayes, Ilford,
Essex. IG3 8XJ
Tel: 020 8983 8000

Grays Health Centre —3K **157**
Brooke Rd., Grays,
Essex. RM17 5BY
Tel: (01375) 372555

Great Wakering Health Centre —2K **141**
High St., Great Wakering,
Essex. SS3 0HX
Tel: (01702) 219387

Halstead Community Mental Health Centre —4J **199**
The Coach House,
Trinity St., Halstead,
Essex. CO9 1JD
Tel: (01787) 476486

HALSTEAD HOSPITAL —3K **199**
78 Hedingham Rd., Halstead,
Essex. CO9 2DL
Tel: (01787) 472965

Handsworth Avenue Health Centre —3D **108**
Handsworth Av.,
London. E4 9PD
Tel: 020 8527 0913

Harold Hill Health Centre —2J **113**
Gooshays Dri., Harold Hill,
Essex. RM3 9SU
Tel: (01708) 377004

HAROLD WOOD HOSPITAL —5J **113**
Gubbins La., Harold Wood,
Romford, Essex. RM3 0BE
Tel: (01708) 345533

HARTSWOOD HOSPITAL (BUPA) —3E **114**
Warley Rd., Warley, Brentwood,
Essex. CM13 3LE
Tel: (01277) 232525

HARWICH & DISTRICT HOSPITAL —4J **201**
Main Rd., Dovercourt, Harwich,
Essex. CO12 4EX
Tel: (01255) 502446

Henry Haynes Mental Health Centre —5K **123**
Union La., Rochford, Essex. SS4 1RH
Tel: (01702) 209947

HIGHWOOD HOSPITAL —7F **98**
Ongar Rd., Brentwood,
Essex. CM15 9DY
Tel: (01708) 465000

HOLLY HOUSE HOSPITAL —8H **93**
High Rd., Buckhurst Hill,
Essex. IG9 5HX
Tel: 020 8505 3311

Hurst Road Health Centre —7B **108**
36a Hurst Rd., London. E17 3BL
Tel: 020 8520 8513

JOYCE GREEN HOSPITAL —7K **155**
Joyce Green La., Dartford,
Kent. DA1 5PL
Tel: (01322) 227242

Julia Engwell Health Centre —9H **127**
Woodward Rd., Dagenham,
Essex. RM9 4SR
Tel: 020 8592 2588

KING GEORGE HOSPITAL —9F **110**
Barley La., Goodmayes,
Ilford, Essex. IG3 8YB
Tel: 020 8983 8000

Laindon Health Centre —9K **117**
High Rd., Laindon,
Essex. SS15 5TR
Tel: (01268) 546411

Lakeside Health Centre —9J **143**
Tavy Bri., Thamesmead,
London. SE2 9UQ
Tel: 020 8310 3281

LANGTHORNE HOSPITAL —6D **124**
1 Langthorne Rd., London. E11 4HJ
Tel: 020 8539 5511

LITTLE HIGHWOOD HOSPITAL —6E **98**
Ongar Rd., Brentwood,
Essex. CM15 9DY
Tel: (01708) 465000

Lord Lister Health Centre —6G **125**
121 Woodgrange Rd.,
Forest Gate,
London. E7 0EP
Tel: 020 8250 7200

Loughton Health Centre —3L **93**
The Drive, Loughton,
Essex. IG10 1HW
Tel: 020 8508 8124

Manford Way Health Centre —2E **110**
Foremark Clo., Chigwell,
Essex. IG7 4DF
Tel: 020 8924 6170

Mapline House Health Centre —5K **121**
14 Bull La., Rayleigh,
Essex. SS6 8JD
Tel: (01268) 775650

Marks Gate Health Centre —7K **111**
Lawn Farm Gro., Chadwell Heath,
Essex. RM6 5LL
Tel: 020 8590 9181

Masters Mental Health Centre —5K **139**
Balmoral Rd., Westcliff-on-Sea,
Essex. SS0 7DN
Tel: (01702) 436546

MAYFIELD CENTRE —1K **191**
93 Station Rd.,
Clacton-on-Sea,
Essex. CO15 1TW
Tel: (01255) 424561

Mistley Health Centre —4L **165**
New Rd., Manningtree, Mistley,
Essex. CO11 2AP
Tel: (01206) 392858

MORLAND ROAD DAY HOSPITAL —9M **127**
Morland Rd., Dagenham,
Essex. RM10 9HU
Tel: 020 8593 2343

MOUNTNESSING COURT —5H **101**
240 Mountnessing Rd.,
Billericay, Essex.
CM12 0EH
Tel: (01277) 634711

Newbury Park Health Centre —1C **126**
40 Perrymans Farm Rd.,
Newbury Park, Ilford,
Essex. IG2 7LB
Tel: 020 8491 1550

North Tendring Community Mental Health Centre —3M **201**
Graylings, First Floor,
190 High St., Dovercourt,
Essex. CO12 3AP
Tel: (01255) 240565

OAKS HOSPITAL, COLCHESTER —4M **167**
Oaks Pl., Mile End Rd.,
Colchester,
Essex. CO4 5XR
Tel: (01206) 752121

OLDCHURCH HOSPITAL —1C **128**
Oldchurch Rd., Romford,
Essex. RM7 0BE
Tel: (01708) 746090

Old Harlow Health Centre —8H **53**
Garden Terrace Rd.,
Old Harlow,
Essex. CM17 0AT
Tel: (01279) 418139

ONGAR WAR MEMORIAL HOSPITAL —5L **69**
Fyfield Rd., Ongar,
Essex. CM5 0AL
Tel: (01277) 362629

Orchards Health Centre —1B **142**
Gascoigne Rd., Barking,
Essex. IG11 7RS
Tel: 020 8594 1311

ORSETT HOSPITAL —5C **148**
Rowley Rd., Orsett,
Grays, Essex.
RM16 3EU
Tel: (01268) 533911

PRINCESS ALEXANDRA HOSPITAL, THE —2B **56**
Hamstel Rd., Harlow,
Essex. CM20 1QX
Tel: (01279) 444455

Purfleet Care Centre —2L **155**
Tank Hill Rd., Purfleet,
Essex. RM19 1SX
Tel: (01708) 864834

Rainham Health Centre —4F **144**
Upminster Rd. S., Rainham,
Essex. RM13 9AB
Tel: (01708) 552187

Raphael House Health Centre —5L **123**
Old Ship La., Rochford,
Essex. SS4 1DD
Tel: (01702) 543404

RIVERS HOSPITAL, THE —3H **53**
Thomas Rivers Medical Centre,
High Wych Rd., Sawbridgeworth,
Herts. CM21 0HH
Tel: (01279) 600282

ROCHFORD HOSPITAL —5K **123**
Union La., Rochford,
Essex. SS4 1RH
Tel: (01702) 546354

RODING HOSPITAL (BUPA) —7K **109**
Roding La. S.,
Redbridge,
Essex. IG4 5PZ
Tel: 020 8551 1100

RUNWELL HOSPITAL —4A **104**
Runwell Chase, Runwell,
Wickford, Essex. SS11 7QE
Tel: (01268) 735555

SAFFRON WALDEN COMMUNITY HOSPITAL —3N **205**
Radwinter Rd., Saffron Walden,
Essex. CB11 3HY
Tel: (01799) 522464

ST ANDREW'S HOSPITAL —5K **101**
Stock Rd., Billericay,
Essex. CM12 0BH
Tel: (01268) 533911

St Clare's Day Hospice —3L **203**
Bentalls Complex,
Colchester Rd.,
Heybridge, Maldon,
Essex. CM9 7GD
Tel: (01621) 857727

St Francis Hospice —9C **96**
The Hall, Broxhill Rd.,
Havering-atte-Bower,
Romford,
Essex. RM4 1QH
Tel: (01708) 753319

ST GEORGES HOSPITAL —7J **129**
Suttons La., Hornchurch,
Essex. RM12 6RS
Tel: (01708) 452577

ST HELENA HOSPICE —4B **168**
Barncroft Clo., Highwoods,
Colchester, Essex. CO4 4JU
Tel: (01206) 845566

ST JOHN'S HOSPITAL —3A **74**
Wood St., Chelmsford,
Essex. CM2 9BG
Tel: (01245) 491149

St Luke's Hospice —2B **134**
Fobbing Farm, Nethermayne,
Basildon,
Essex. SS16 5NJ
Tel: (01268) 524973

ST MARGARET'S HOSPITAL —8G **67**
The Plain, Epping,
Essex. CM16 6TN
Tel: (01992) 561666

ST MICHAEL'S HOSPITAL —5G **192**
Rayne Rd., Braintree,
Essex. CM7 2QU
Tel: (01376) 551221

ST PETER'S HOSPITAL —6J **203**
Spital Rd., Maldon,
Essex. CM9 6EG
Tel: (01376) 551221

Seven Kings Health Centre —3D **126**
1 Salisbury Rd., Seven Kings,
Ilford, Essex. IG3 8BE
Tel: 020 8924 6290

SEVERALLS HOSPITAL —2M **167**
Boxted Rd., Colchester,
Essex. CO4 5HG
Tel: (01206) 852271

Shoebury Health Centre —8J **141**
Campfield Rd.,
Shoeburyness,
Essex. SS3 9BX
Tel: (01702) 293633

Silverthorne Health Centre —9C **92**
2 Friars Clo., Larkshall Rd.,
Chingford,
Essex. E4 6UN
Tel: 020 8529 3706

Southend Health Centre —6M **139**
Queensway Ho., Essex St.,
Southend-on-Sea,
Essex. SS2 5TD
Tel: (01702) 616322

SOUTHEND HOSPITAL —3H **139**
Prittlewell Chase,
Westcliff-on-Sea,
Essex. SS0 0RT
Tel: (01702) 435555

South Ockendon Health Centre —6E **146**
Darenth La., South Ockendon,
Essex. RM15 5LP
Tel: (01708) 853295

South Tendring Community Mental Health Centre —1K **191**
32 Thoroughgood Rd.,
Clacton-on-Sea,
Essex. CO15 6DD
Tel: (01255) 220226

South Woodford Health Centre —5G **108**
114 High Rd., South Woodford,
Essex. E18 2QS
Tel: 020 8491 3333

Stifford Clays Health Centre —8L **147**
Crammavill St., Stifford Clays,
Essex. RM16 2AP
Tel: (01375) 377127

Thames View Health Centre —2E **142**
Bastable Av., Barking,
Essex. IG11 0LG
Tel: 020 8594 4233

THORPE COOMBE HOSPITAL —7C **108**
714 Forest Rd., Walthamstow,
London. E17 3HP
Tel: 020 8520 8971

THURROCK COMMUNITY HOSPITAL —8M **147**
Long La., Grays,
Essex. RM16 2PX
Tel: (01375) 390044

Tilbury Health Centre —7C **158**
London Rd., Tilbury,
Essex. RM18 8EB
Tel: (01375) 843241

TURNER VILLAGE —4N **167**
Turner Rd., Colchester,
Essex. CO4 5JP
Tel: (01206) 844 840

Vange Health Centre —1F **134**
Southview Rd., Vange,
Essex. SS16 4HD
Tel: (01268) 520484

Vicarage Fields Health Centre —9B **126**
Vicarage Dri., Barking,
Essex. IG11 7NR
Tel: 020 8591 5466

WARLEY HOSPITAL —2E **114**
Warley Hill, Warley,
Brentwood,
Essex. CM14 5HQ
Tel: (01708) 464256

WELLESLEY BUPA HOSPITAL —3A **140**
Eastern Av., Southend-on-Sea,
Essex. SS2 4XH
Tel: (01702) 462944

WHIPPS CROSS HOSPITAL —1D **124**
Whipps Cross Rd., Leytonstone,
London. E11 1NR
Tel: 020 8539 5522

Wickford Health Centre —8L **103**
Market Rd., Wickford,
Essex. SS12 0AG
Tel: (01268) 766222

WILLIAM JULIAN COURTAULD HOSPITAL —6G **193**
London Rd., Braintree,
Essex. CM7 2LJ
Tel: (01376) 551221

Witham Health Centre —5D **214**
4 Mayland Rd., Witham,
Essex. CM8 2UX
Tel: (01376) 512243

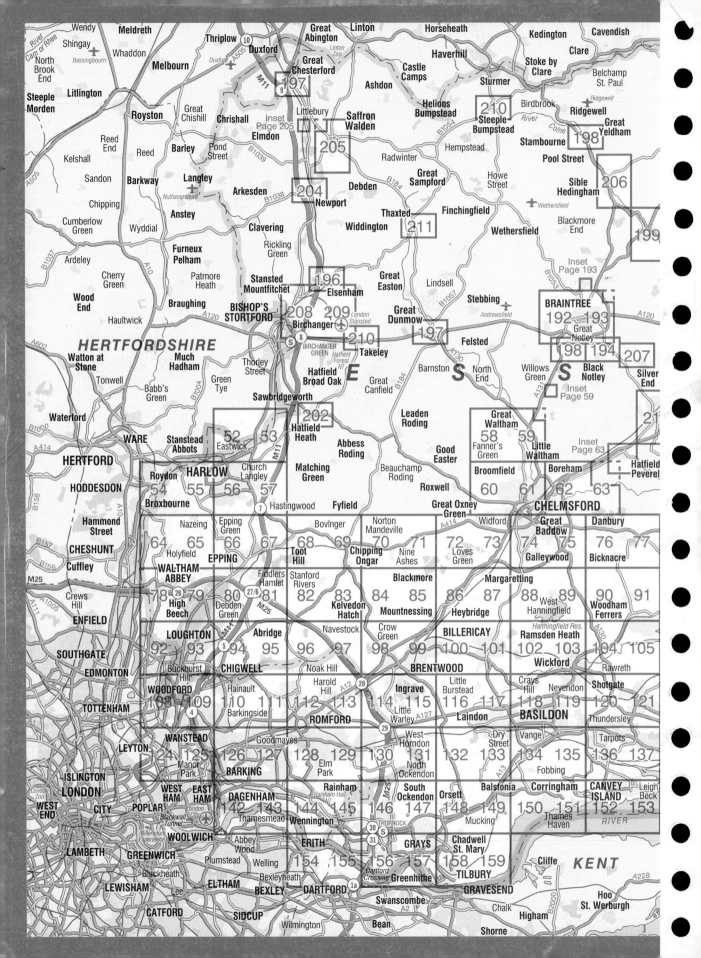